中國國家圖書館編

國家圖書館藏敦煌遺書

第三十九册　北敦〇二八七四號——北敦〇二九五三號

北京圖書館出版社

圖書在版編目(CIP)數據

國家圖書館藏敦煌遺書・第三十九册/中國國家圖書館編;任繼愈主編.—北京:北京圖書館出版社,2006.10

ISBN 7-5013-2981-8

Ⅰ.國… Ⅱ.①中…②任… Ⅲ.敦煌學—文獻 Ⅳ.K870.6

中國版本圖書館 CIP 數據核字(2006)第 114630 號

ISBN 7-5013-2981-8

9 787501 329816 >

書　　名　國家圖書館藏敦煌遺書・第三十九册
著　　者　中國國家圖書館編　任繼愈主編
責任編輯　徐　蜀　孫　彦
封面設計　李　璀

出　　版　北京圖書館出版社　(100034　北京西城區文津街 7 號)
發　　行　010-66139745　66151313　66175620　66126153
66174391(傳真)　66126156(門市部)
E-mail　cbs@nlc.gov.cn(投稿)　btsfxb@nlc.gov.cn(郵購)
Website　www.nlcpress.com
經　　銷　新華書店
印　　刷　北京文津閣印務有限責任公司

開　　本　八開
印　　張　58.25
版　　次　2006 年 10 月第 1 版第 1 次印刷
印　　數　1-250 册(套)

書　　號　ISBN 7-5013-2981-8/K・1264
定　　價　990.00 圓

編輯委員會

主　編　任繼愈

常務副主編　方廣錩

副 主 編　李際寧　張志清

編委（按姓氏筆畫排列）　王克芬　王姿怡　吴玉梅　胡新英　陳　穎　黄　霞（常務）　劉玉芬

出版委員會

主　任　詹福瑞

副主任　陳　力

委　員（按姓氏筆畫排列）　李　健　姜　紅　郭又陵　徐　蜀　孫　彦

攝製人員（按姓氏筆畫排列）

于向洋　王富生　王遂新　谷韶軍　張　軍　張紅兵　張　陽　曹　宏　郭春紅　楊　勇　嚴　平

目錄

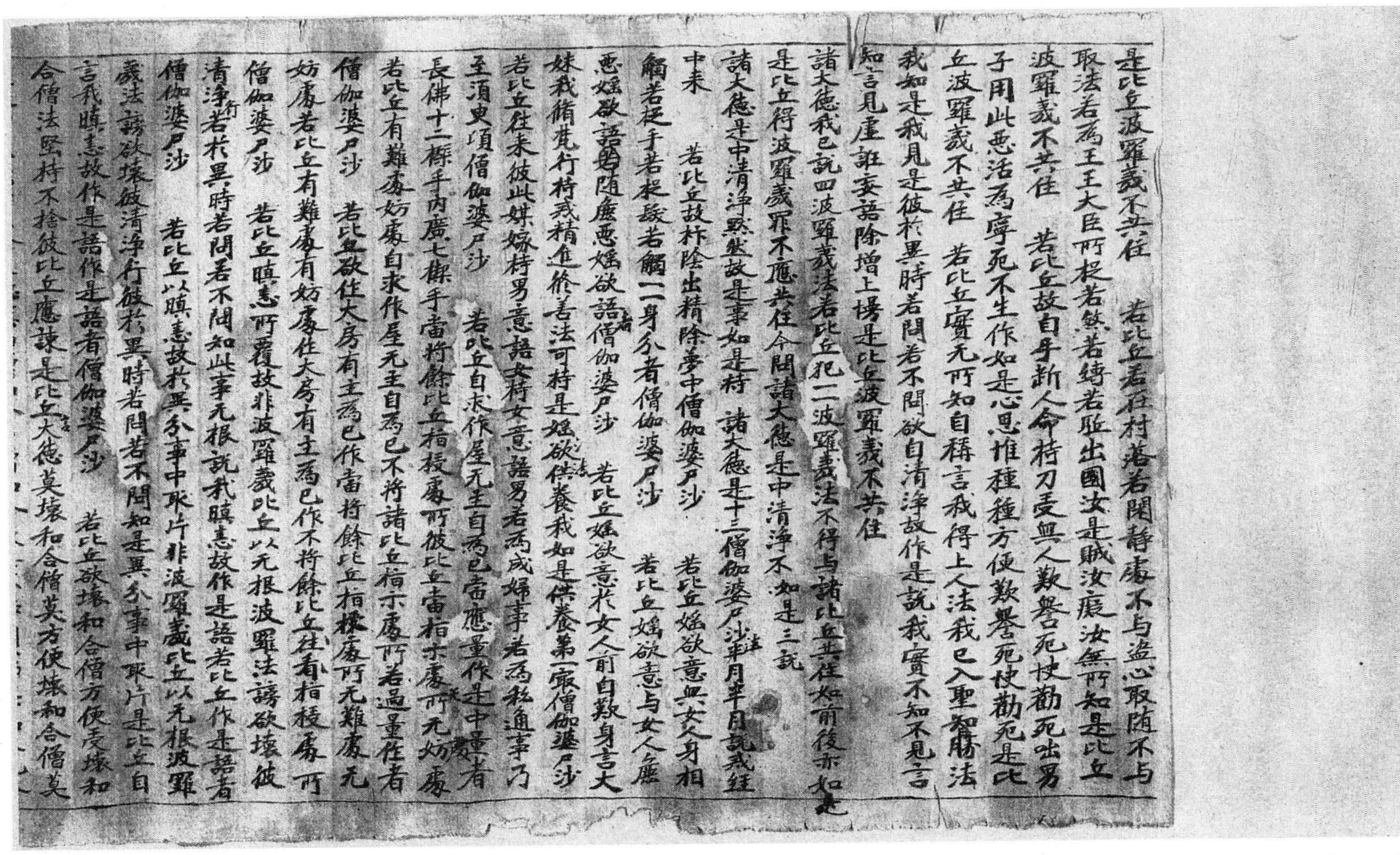

是比丘波羅夷不共住　若比丘若在村落若閑靜處不與盜心取隨不與
取法若為王王大臣所捉若殺若縛若駈出國汝是賊汝癡汝無所知是比丘
波羅夷不共住　若比丘故自手斷人命持刀授與人歎譽死快勸死咄男
子用此惡活為寧死不生作如是心思惟種種方便歎譽死快勸死是比
丘波羅夷不共住　若比丘實無所知自稱言我得上人法我已入聖智勝法
我知是我見是彼於異時若問若不問欲自清淨故作是說我實不知不見言
知言見虛誑妄語除增上慢是比丘波羅夷不共住
諸大德我已說四波羅夷法若比丘犯一一波羅夷法不得與諸比丘共住如前後亦如是
是比丘得波羅夷罪不應共住今問諸大德是中清淨不　如是三說
諸大德是中清淨默然故是事如是持　諸大德是十三僧伽婆尸沙法半月半月說戒經
中來　若比丘故弄陰出精除夢中僧伽婆尸沙　若比丘婬欲意與女人身相
觸若捉手若捉髮若觸一一身分者僧伽婆尸沙　若比丘婬欲意與女人麁
惡婬欲語隨麁惡婬欲語僧伽婆尸沙　若比丘婬欲意於女人前自歎身言大
妹我脩梵行持戒精進修善法可持是婬欲供養我如是供養第一最僧伽婆尸沙
若比丘往來彼此媒嫁持男意語女持女意語男若為成婦事若為私通事乃
至須臾頃僧伽婆尸沙　若比丘自求作屋無主自為已當應量作是中量者
長佛十二搩手內廣七搩手當將餘比丘指授處所彼比丘當指示處所無妨處
若比丘有難處妨處自求作屋無主自為已不將諸比丘指示處所若過量作者
僧伽婆尸沙　若比丘欲作大房有主為已作當將餘比丘指授處所無難處無
妨處若比丘有難處有妨處作大房有主為已作不將餘比丘往看指授處所
僧伽婆尸沙　若比丘瞋恚所覆故非波羅夷比丘以無根波羅夷法謗欲壞彼
清淨行彼於異時若問若不問知此事無根說我瞋恚故作是語者
僧伽婆尸沙　若比丘以瞋恚故於異分事中取片非波羅夷比丘以無根波羅
夷法謗欲壞彼清淨行彼於異時若問若不問知是異分事中取片是比丘自
言我瞋恚故作是語作是語者僧伽婆尸沙　若比丘欲壞和合僧方便受壞和
合僧法堅持不捨彼比丘應諫是比丘大德莫壞和合僧莫方便壞和合僧莫

BD02874 號　四分律比丘戒本　（11–1）

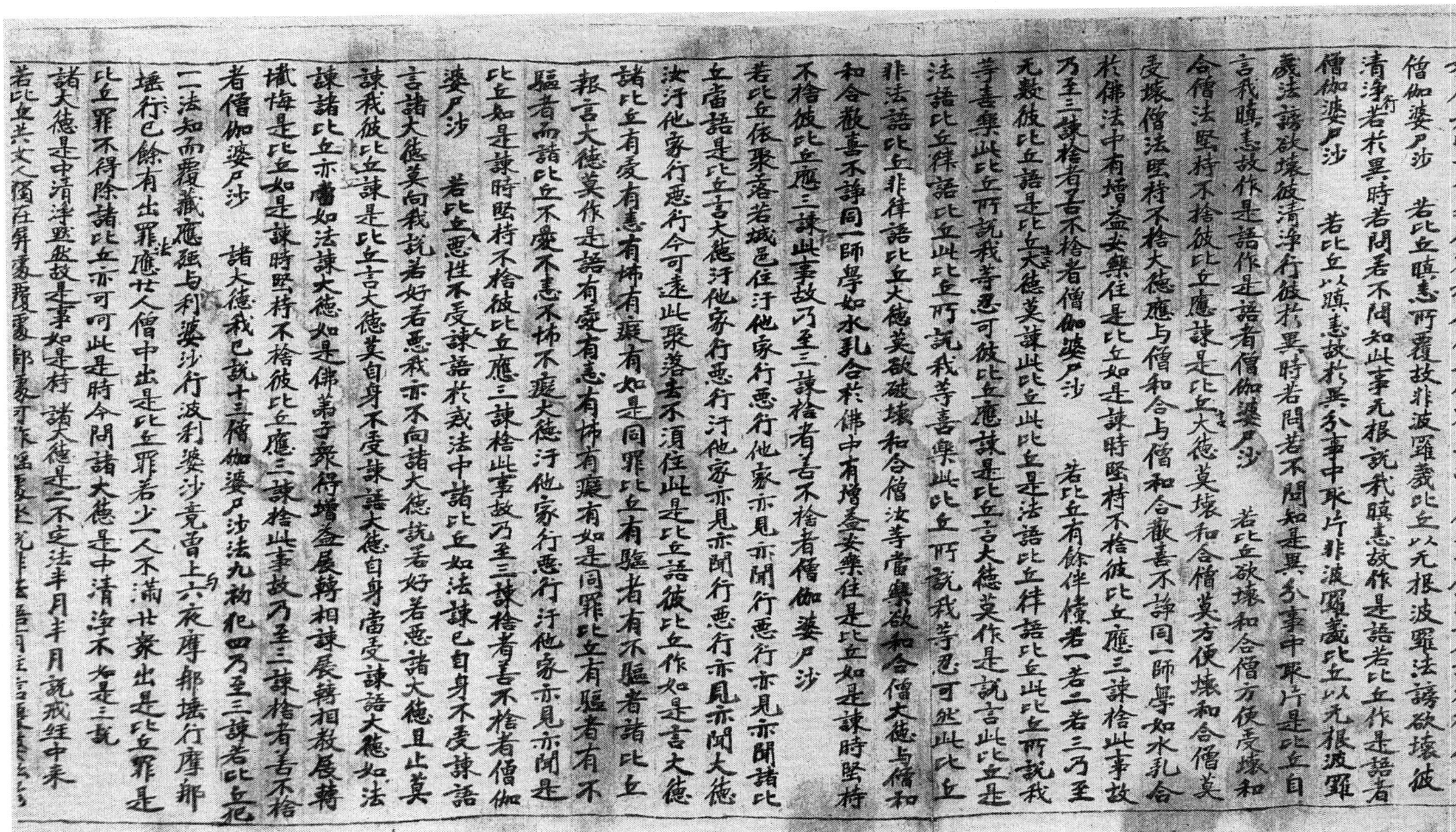

妨處若比丘有難處有妨處作大房有主為已作不將餘比丘往看指授處所
僧伽婆尸沙　若比丘瞋恚所覆故非波羅夷比丘以無根波羅夷法謗欲壞彼
清淨行彼於異時若問若不問知此事無根說我瞋恚故作是語者
僧伽婆尸沙　若比丘以瞋恚故於異分事中取片非波羅夷比丘以無根波羅
夷法謗欲壞彼清淨行彼於異時若問若不問知是異分事中取片是比丘自
言我瞋恚故作是語作是語者僧伽婆尸沙　若比丘欲壞和合僧方便受壞和
合僧法堅持不捨彼比丘應諫是比丘大德莫壞和合僧莫方便壞和合僧莫
受壞僧法堅持不捨大德應與僧和合與僧和合歡喜不諍同一師學如水乳合
於佛法中有增益安樂住是比丘如是諫時堅持不捨彼比丘應三諫捨此事故
乃至三諫捨者善不捨者僧伽婆尸沙　若比丘有餘伴黨若一若二若三乃至
無數彼比丘語是比丘大德莫諫此比丘此比丘是法語比丘律語比丘此比丘所說我
等喜樂此比丘所說我等忍可彼比丘應諫是比丘言大德莫作是說言此比丘是
法語比丘律語比丘此比丘所說我等喜樂此比丘所說我等忍可然此比丘
非法語比丘非律語比丘大德莫欲破壞和合僧汝等當樂欲和合僧大德與僧
和合歡喜不諍同一師學如水乳合於佛法中有增益安樂住是比丘如是諫時堅持
不捨彼比丘應三諫捨此事故乃至三諫捨者善不捨者僧伽婆尸沙
若比丘依聚落若城邑住汙他家行惡行汙他家亦見亦聞行惡行亦見亦聞諸比
丘當語是比丘言大德汙他家行惡行汙他家亦見亦聞行惡行亦見亦聞大德
汝汙他家行惡行今可遠此聚落去不須住此是比丘語彼比丘作如是言大德
諸比丘有愛有恚有怖有癡有如是同罪比丘有驅者有不驅者諸比丘
報言大德莫作是語有愛有恚有怖有癡有如是同罪比丘有驅者有不
驅者而諸比丘不愛不恚不怖不癡大德汙他家行惡行汙他家亦見亦聞是
比丘如是諫時堅持不捨彼比丘應三諫捨此事故乃至三諫捨者善不捨者僧伽
婆尸沙　若比丘惡性不受諫語於戒法中諸比丘如法諫已自身不受諫語
言諸大德莫向我說若好若惡我亦不向諸大德說若好若惡諸大德且止莫
諫我彼比丘諫是比丘言大德莫自身不受諫語大德自身當受諫語大德如法
諫諸比丘諸比丘亦當如法諫大德如是佛弟子眾得增益展轉相諫展轉相教展轉
懺悔是比丘如是諫時堅持不捨彼比丘應三諫捨此事故乃至三諫若捨者善不捨
者僧伽婆尸沙　諸大德我已說十三僧伽婆尸沙法九初犯四乃至三諫若比丘犯
一一法知而覆藏應強與波利婆沙行波利婆沙竟當上六夜摩那埵行摩那
埵行已餘有出罪應二十人僧中出是比丘罪若少一人不滿二十眾出是比丘罪是
比丘罪不得除諸比丘亦可訶此是時今問諸大德是中清淨不　如是三說
諸大德是中清淨默然故是事如是持　諸大德是二不定法半月半月說戒經中來
若比丘共女人獨在屏處覆處障處可作婬處坐

BD02874 號　四分律比丘戒本　（11–2）

若僧伽婆尸沙　諸大德我已說十三僧伽婆尸沙法九初犯四乃至三諫若比丘犯
一一法知而覆藏應强与利婆沙行波利婆沙竟增上六夜摩那埵行摩那
埵行已餘有出罪應廿人僧中出是比丘罪若少一人不滿廿眾出是比丘罪是
比丘罪不得除諸比丘亦可呵此是時今問諸大德是中清淨不如是三說
諸大德是中清淨默然故是事如是持　諸大德是二不定法半月半月說戒經中來
若比丘共女人獨在屏處覆處鄣處可作婬處坐說非法語有住信優婆私於
三法中應一一法說波羅夷若僧伽婆尸沙若波逸提是坐比丘自言我犯是罪
於三法中應一一治若波羅夷若僧伽婆尸沙若波逸如住信優婆私所說應如法
治是比丘是名不定法　若比丘共女人在露現處不可作婬處坐作麁惡語有
住信優婆夷於二法中應一一法說若僧伽婆尸沙若波逸提是坐比丘自言我犯
是罪於二法中應一一法治若僧伽婆尸沙若波逸提如住信優婆夷所說應如法治
是比丘是名不定法　諸大德我已說二不定法今問諸大德是中清淨不如是三說
諸大德是中清淨默然故是事如是持　諸大德是三十尼薩耆波逸提法半月半月說戒經中來
若比丘衣已竟迦絺那衣已出畜長衣經十日不淨施得畜若過十日尼薩耆波逸提
若比丘衣已竟迦絺那衣已出三衣中離一一衣異處宿除僧羯磨尼薩耆波逸提
若比丘衣已竟迦絺那衣已出若比丘得非時衣欲須便受受已疾成衣若足者
善若不足者得畜一月為滿足故若過畜者尼薩耆波逸提
若比丘從非親里比丘尼取衣除貿易尼薩耆波逸提　若比丘從非親里
居士居士婦乞衣除餘時尼薩耆波逸提餘時者若比丘奪衣失衣燒衣漂衣是謂餘時
若比丘令非親里比丘尼浣故衣若染若打尼薩耆波逸提　若比丘失衣奪衣
燒衣漂衣若非親里居士居士婦自恣請多与衣是比丘當知足受衣若過者尼
薩耆波逸提　若比丘居士居士婦為比丘辦衣價買如是衣与某甲比丘是比丘
先不受居士自恣請到居士家作如是說善哉居士為我買如是如是衣与我為好故若
得衣者尼薩耆波逸提　若比丘二居士居士婦為比丘辦衣價持如是衣價買
如是衣与某甲比丘是比丘先不受居士自恣請到二居士家作如是言善哉居士為我
辦如是如是衣價与我共作一衣為好故若得衣者尼薩耆波逸提
若比丘若王若大臣若婆羅門若居士居士婦遣使為比丘送衣價持如是衣價
与某甲比丘彼使至比丘所語比丘言大德今為汝故送是衣價受取是比丘語應彼
使如是言我不應受此衣價我若須衣合時清淨當使受彼語比丘言大德有執事
人不須衣比丘應語言有若僧伽藍民若優婆塞此是比丘執事人常為諸比丘執
事時彼使往至執事人所与衣價已還至比丘所作如是言大德所示某甲執事人我已
与衣價大德知時往彼當時得衣須衣比丘當往執事人所若二返若三返為作憶念
應語言我須衣若二返三返為作憶念若得衣者善若不得衣四返五返六返在前
默然立若四反五反六反在前默然住得衣者善若不得衣過是求得衣者尼薩耆波逸

BD02874 號　四分律比丘戒本

（11-3）

人不須衣比丘應語言有若僧伽藍民若優婆塞此是比丘執事人常為諸比丘執
事時彼使往至執事人所与衣價已還至比丘所作如是言大德所示某甲執事人我已
与衣價大德知時往彼當時得衣須衣比丘當往執事人所若二返若三返為作憶念
應語言我須衣若二返三返為作憶念若得衣者善若不得衣四返五返六返在前
默然立若四反五反六反在前默然住得衣者善若不得衣過是求得衣者尼薩耆波逸
提若不得衣從所得衣價處若自往若遣使往語言汝先遣使持衣價与某甲
比丘是比丘竟不得衣汝還取莫使失此是時　若比丘雜野蠶綿作卧具者尼薩耆波逸提
若比丘以新純黑羺羊毛作新卧具者尼薩耆波逸提　若比丘作新卧具應用二分純黑
羊毛三分白四分尨若比丘不用二分黑三分白四分尨作新卧具者尼薩耆波逸提
若比丘作新卧具持至六年若減六年不捨故更作新者除僧羯磨尼薩耆波逸提
若比丘作新坐具當取故者縱廣一搩手帖著新者上用壞色故若作新坐具不取故者
縱廣一搩手帖著新者上用壞色故尼薩耆波逸提　若比丘道路行得羊毛
若無人持得自持乃至三由旬若無人持自持過三由旬者尼薩耆波逸提
若比丘使非親里比丘尼浣染擘羊毛者尼薩耆波逸提　若比丘自手捉錢若金
銀若教人捉若置地受者尼薩耆波逸提　若比丘種種買賣寶者尼薩耆波逸提
若比丘種種販賣者尼薩耆波逸提　若比丘畜長鉢不淨施得齋十日過者尼薩耆
波逸提　若比丘畜鉢減五綴不漏更求新者為好故尼薩耆波逸提彼比丘應往
僧中捨展轉取下鉢与之令持乃至破應爾此是時　若比丘自乞縷綫使非親里
織師織作衣者尼薩耆波逸提　若比丘居士居士婦使織師為比丘織作衣彼比丘先
不受自恣請便往織師所語言此衣為我作与我極好織令廣大堅緻齊整我當多少与
汝價是比丘与價乃至一食直若得衣者尼薩耆波逸提　若比丘先与比丘衣後
瞋恚若自奪若教人奪取還我衣來不與汝若比丘還衣彼取衣者尼薩耆波逸提
若比丘有病殘藥酥油生酥蜜石蜜齋七日得服若過服者尼薩耆波逸提
若比丘春殘一月在當求雨浴衣半月應用浴若比丘過一月前求雨浴衣過半月前
用浴者尼薩耆波逸提　若比丘十日未竟夏三月諸比丘得急施衣比丘知是急
施衣當受受乃至衣時應畜若過畜者尼薩耆波逸提
若比丘夏三月竟後迦提一月滿在阿蘭若有疑恐懼處住比丘在如是處住三衣
中欲留一一衣置村舍內諸比丘有因緣離衣宿乃至六夜若過者尼薩耆波逸提
若比丘知是僧物自求入己者尼薩耆波逸提
諸大德我已說三十尼薩耆波逸提法今問諸大德是中清淨不如是三說　諸大德是
中清淨默然故是事如是持　諸大德是九十波逸提法半月半月說戒經中來
若比丘知而妄語者波逸提　若比丘種類毀呰語者波逸提　若比丘兩舌語
者波逸提　若比丘與婦女同室宿者波逸提　若比丘與未受大戒人共宿過二宿
至三宿者波逸提　若比丘與未受大戒人同誦者波逸提　若比丘知他比丘有麁惡

BD02874 號　四分律比丘戒本

（11-4）

中清淨默然故是事如是持　諸大德是九十波逸提法半月半月說戒經中來
若比丘知而妄語者波逸提　若比丘種類毀呰語者波逸提　若比丘兩舌語
者波逸提　若比丘與婦女同室宿者波逸提　若比丘與未受大戒人共宿過二宿
至三宿者波逸提　若比丘與未受大戒人同誦者波逸提　若比丘知他比丘有麁惡
罪向未受大戒人說除僧羯磨波逸提　若比丘向未受大戒人說過人法言我見是
我知是實者波逸提　若比丘與女人說法過五六語除有知男子波逸提
若比丘自手掘地若教人掘者波逸提十　若比丘壞鬼神村者波逸提
若比丘妄作異語惱他者波逸提　若比丘嫌罵者波逸提
若比丘取僧繩床木床臥具坐褥露地敷若教人敷捨去不自舉不教人舉者
波逸提　若比丘於僧房中敷僧臥具若自敷若教人敷若坐若臥去時不自舉教
人舉者波逸提　若比丘知先比丘住處後來強於中間敷臥具止宿念言彼若
嫌迮者自當避我去作如是因緣非餘非威儀波逸提
若比丘瞋他比丘不喜僧房中若自牽出教人牽出波逸提
若比丘若僧房若重閣上脫腳繩床若木床若坐若臥波逸提
若比丘知水有虫若自澆泥若教人澆者波逸提　若比丘欲作大房戶扉窗
牖及餘莊飾具指授覆苫齊二三節若過者波逸提二十
若比丘僧不差教授比丘尼者波逸提　若比丘為僧差教授比丘尼乃至日暮者波逸提
若比丘語諸比丘作如是語諸比丘為飲食故教授比丘尼者波逸提
若比丘與非親里比丘尼衣除貿易波逸提　若比丘與非親里比丘尼作衣者波逸提
若比丘與比丘尼在屏覆處坐者波逸提　若比丘與比丘尼期同一道行乃至
一村間除異時波逸提異時者與估客行時若疑畏怖時是謂異時
若比丘與比丘尼共期同一船上水下水除直渡者波逸提
若比丘知比丘尼讚歎教化因緣得食除檀越先有意者波逸提
若比丘與婦女共期同一道行乃至一村間波逸提卅　若比丘施一食處無病比丘
應一食若過受者波逸提　若比丘展轉食除餘時波逸提時者病時作衣時施衣時是謂時
若比丘別眾食除餘時波逸提時者病時作衣時施衣時道行時乘船時大
眾集時沙門施食時此是時　若比丘至白衣家請比丘與餅麨飯若比丘欲
須者當二三鉢受持還至僧伽藍中應分與餘比丘若無病過兩三鉢受持還至僧伽
藍中不分與餘比丘食者波逸提　若比丘足食竟或時受請不作餘食法而食
者波逸提　若比丘知他比丘足食已若受請不作餘食法慇懃請與食長老取是
食以是因緣非餘欲使他犯者波逸提　若比丘非時受食食者波逸提
若比丘殘宿食而食者波逸提　若比丘不受食若藥著口中除水及楊枝波逸提
若比丘得好美飲食乳酪魚及肉若比丘如此美食無病自為己索者波逸提卌

BD02874號　四分律比丘戒本　（11–5）

眾集時沙門施食時此是時　若比丘至白衣家請比丘與餅麨飯若比丘欲
須者當二三鉢受持還至僧伽藍中應分與餘比丘若無病過兩三鉢受持還至僧伽
藍中不分與餘比丘食者波逸提　若比丘足食竟或時受請不作餘食法而食
者波逸提　若比丘知他比丘足食已若受請不作餘食法慇懃請與食長老取是
食以是因緣非餘欲使他犯者波逸提　若比丘非時受食食者波逸提
若比丘殘宿食而食者波逸提　若比丘不受食若藥著口中除水及楊枝波逸提
若比丘得好美飲食乳酪魚及肉若比丘如此美食無病自為己索者波逸提卌
若比丘外道男外道女自手與食者波逸提　若比丘先受請已食前食後詣餘家不
囑授餘比丘除餘時波逸提時者病時作衣時施衣時是謂時　若比丘在食家中
有寶強安坐者波逸提　若比丘食家中有寶在屏處坐者波逸提
若比丘獨與女人露地坐者波逸提　若比丘語餘比丘如是語大德共至聚落
當與汝食彼比丘竟不教與是比丘食語言汝去我與汝一處若坐若語不樂獨
坐獨語樂以此因緣非方便遣他去波逸提　若比丘請比丘四月與藥無病比
丘應受若過受除常請更請分請盡形受請者波逸提　若比丘往觀軍陣
除時因緣波逸提　若比丘有因緣聽至軍中二宿三宿若過者波逸提
若比丘二宿三宿軍中住或時觀軍陣鬪戰若觀遊軍象馬力勢者波逸提五十
若比丘飲酒者波逸提　若比丘以指相擊攊者波逸提
若比丘不受諫語者波逸提　若比丘恐怖他比丘者波逸提
若比丘半月洗浴無病比丘應受不得過除餘時波逸提時者熱時病時
作時風雨時道行時此是時　若比丘無病自為炙身故在露地然火若教
人除時因緣波逸提　若比丘藏比丘衣鉢坐具針筒若自藏若教人藏下
至戲笑者波逸提　若比丘與比丘尼式叉摩那沙彌沙彌尼衣不語主還
取著者波逸提　若比丘得新衣應三種壞色一一色中隨意壞若青若黑若
木蘭若比丘不以三種壞色若青若黑若木蘭著餘新衣者波逸提六十
若比丘故殺畜生命者波逸提　若比丘知水有虫飲用者波逸提
若比丘故惱他比丘令須臾間不樂者波逸提　若比丘知他比丘有麁惡罪覆藏者波逸提　若比丘年滿二十應受大戒
若比丘　年不滿二十應受大戒此人不得戒彼比丘可呵癡故波逸提
若比丘知　諍事如法懺悔已後更發起者波逸提　若比丘知是賊伴
結要共同道行乃至一村間波逸提　若比丘作如是語我知佛所說法若
行婬欲非障道法彼比丘諫此比丘言大德莫作是語莫謗世尊謗世尊者
不善世尊不作是語世尊無數方便說犯婬欲者是障道法彼比丘諫此比
丘時堅持不捨彼比丘乃至三諫捨此事故若三諫捨者善不捨者波逸提
若比丘知如是語人未作法如是邪見而不捨供給所須共同羯磨止宿言語者波逸提
若比丘知沙彌作如是言我從佛聞法若行婬欲非障道法彼比丘諫此沙彌如

BD02874號　四分律比丘戒本　（11–6）

[illegible]
不善世尊不作是語世尊无數方便說犯婬欲者是鄣道法彼比丘諫此比
丘時堅持不捨彼比丘乃至三諫捨此事故若三諫捨者善不捨者波逸提
若比丘知如是語人未作法如是邪見而不捨供給所須共同羯磨止宿言語者波逸提
若比丘知沙彌作如是言我從佛聞法若行婬欲非鄣道法彼比丘諫此沙彌如
是言汝莫誹謗世尊誹謗世尊者不善世尊不作是語沙彌世尊无數方便
說婬欲是鄣道法彼比丘諫沙彌時堅持不捨彼比丘應乃至三諫令捨此事
故乃至三諫而捨者善不捨者彼比丘應語彼沙彌言汝自今已去不得言
佛是我世尊不得隨逐餘比丘如諸沙彌得与大比丘二三宿汝今无是事汝出滅
去不應住此若比丘知如是衆中被擯沙彌誘將畜養共止宿者波逸提
若比丘餘比丘如法諫時作如是語我今不學此戒當難問餘智慧持律比丘
者波逸提為知為學故應難問 七十 若比丘說戒時作如是語大德何用說此雜碎
戒為說是戒時令人惱愧懷疑輕呵戒故波逸提 若比丘說戒時作如是語我
今始知此法戒經半月半月說戒經中來餘比丘知是比丘若二若三說戒中
坐何況多彼比丘无知无解若犯罪應如法治更重增无知罪語言長老汝无
利不善汝說戒時不用心念不一心兩耳聽法彼无知故波逸提
若比丘共同羯磨已後如是語諸比丘隨親厚以衆僧物與者波逸提
若比丘衆僧斷事未竟不與欲而起去波逸提 若比丘與欲已後悔者波逸提
若比丘共比丘鬪諍已聽此語向彼說者波逸提 若比丘瞋恚故不喜打比丘者波逸提
若比丘瞋恚故不喜以手搏比丘者波逸提 若比丘瞋恚故以无根僧伽婆尸沙謗者波逸提 八十
若比丘剎利水澆頭王種出未藏寶而入若過宮門閾者波逸提
若比丘若寶及寶莊嚴餝具若自捉若教人捉除僧伽藍中及寄宿處波逸提
若比丘在僧伽藍中若寄宿處若寶若寶莊餝具若自捉教人捉當作是意
若有主識者當取作如是因緣非餘 若比丘非時入聚落不囑比丘者波逸提
若比丘作繩床木床足應高如來八指除入陛孔上截竟若過者波逸提
若比丘兜羅綿貯繩床木床大小褥成者波逸提 若比丘作骨牙角鍼筒刳刮成
者波逸提 若比丘作尼師檀當應量作是中量者長佛二搩手廣一搩手半更增
廣長各半搩手若過截竟波逸提 若比丘作覆瘡衣當應量作是中量者
長佛四搩手廣二搩手截竟過者波逸提 若比丘作雨浴衣當應量作是中
量者長佛六搩手廣二搩手半截竟波逸提
若比丘与如來等量作衣或過量作者波逸提 如來衣量者長佛十搩手廣
六搩手是謂如來衣量 九十 諸大德我已說九十波逸提法今問諸大德是中清淨不
諸大德是中清淨默然故是事如是持 諸大德是四波羅提提舍尼法半月半月說戒經中來
若比丘入村中從非親里比丘尼若无病自手取 食食者是比丘應向餘比丘悔過言

長佛四搩手廣二搩手截竟過者波逸提 若比丘作雨浴衣當應量作是中
量者長佛六搩手廣二搩手半截竟波逸提
若比丘与如來等量作衣或過量作者波逸提 如來衣量者長佛十搩手廣
六搩手是謂如來衣量 九十 諸大德我已說九十波逸提法今問諸大德是中清淨不
諸大德是中清淨默然故是事如是持 諸大德是四波羅提提舍尼法半月半月說戒經中來
若比丘入村中從非親里比丘尼若无病自手取 食食者是比丘應向餘比丘悔過言
大德我犯可呵法所不應為我今向大德悔過是名悔過法
若比丘至白衣家內食是中有比丘尼指示與某甲羹與某甲飯 比丘應語彼比丘尼
如是大姊且止須比丘食竟若无一比丘語彼比丘尼如是言大姊且止須比丘食
竟者是比丘向餘比丘悔過言大德我犯可呵法所不應為我今向大德悔過是名悔過法
若比丘先作學家羯磨若比丘於如是學家先不請无病自手受食食者是
比丘應向餘比丘悔過言大德我犯可呵法所不應為今向大德悔過是名悔過法
若比丘在阿蘭若迥遠有疑恐怖處若比丘在如是蘭若處住先不語檀
越若僧伽藍外不受食在僧伽藍內无病自手受食食者是比丘應向餘
比丘悔過言大德我犯可呵法所不應為我今向大德悔過是名悔過法
諸大德我已說四波羅提提舍尼法今問諸大德是中清淨不 如是三說
諸大德是中清淨默然故是事如是持 諸大德是衆學戒法半月半月說戒經中來
當齊整著涅槃僧戒應當學 當齊整著三衣 應當學
不得反抄衣行入白衣舍應當學 不得反抄衣行入白衣舍坐 應當學
不得衣纏頸入白衣舍應當學 不得衣纏頸入白衣舍坐應當學
不得覆頭入白衣舍應當學 不得覆頭入白衣舍坐應當學
不得跳行入白衣舍應當學 不得跳行入白衣舍坐應當學
不得白衣舍內蹲坐應當學 不得叉腰行入白衣舍應當學 不得搖身行入白衣舍應當學
不得叉腰行入白衣舍坐應當學 不得搖身行入白衣舍坐應當學
不得掉臂行入白衣舍應當學 不得掉臂行入白衣舍坐應當學
好覆身入白衣舍應當學 好覆身入白衣坐應當學
不得左右顧視行入白衣舍應當學 不得左右顧視行入白衣舍坐應當學
靜默入白衣舍應當學 靜默入白衣舍坐應當學
不得戲笑行入白衣舍應當學 不得戲笑行入白衣舍坐應當學
用意受食應當學 平鉢受食應當學 平鉢受羹應當學
羹飯等食應當學 以次第食應當學 不得挑鉢中而食應當學
若无病不得為己索羹飯應當學 不得以飯覆羹更望得應當學
不得視比坐鉢中起嫌心應當學

靜默入白衣舍應當學　靜默入白衣舍坐應當學
不得戲笑行入白衣舍應當學　不得戲笑行入白衣舍坐應當學
用意受食應當學　平鉢受食應當學　平鉢受羹應當學
羹飯等食應當學　以次第食應當學　不得挑鉢中央食應當學
若比丘無病不得為己索羹飯應當學　不得以飯覆羹更望得應當學
不得視比坐鉢中食應當學　當繫鉢想食應當學　不得大摶飯食應當學
不得大張口待飯食應當學　不得含飯語應當學　不得摶飯遙擲口中應當學
不得遺落飯食應當學　不得頰食食應當學　不得嚼飯作聲食應當學
不得大噏飯食應當學　不得舌舐食應當學　不得振手食應當學
不得手把散飯食應當學　不得污手捉飲器應當學　不得洗鉢水棄白衣舍應當學
不得生草菜上大小便涕唾除病應當學　不得淨水中大小便涕唾除病應當學　不得立大小便除病應當學
不得與反抄衣不恭敬人說法除病應當學　不得為衣纏頸者說除病應當學
不得為覆頭者說法除病應當學　不得為裹頭者說法除病應當學
不得為叉腰者說法除病應當學　不得為著革屣者說法除病應當學
不得為著木屐者說法除病應當學　不得為騎乘者說法除病應當學
不得在佛塔中止宿除為守護故應當學　不得藏財物置佛塔中除為堅牢故應當學
不得著革屣入佛塔中應當學　不得手捉革屣入佛塔中應當學
不得著革屣繞佛塔行應當學　不得著富羅入佛塔中應當學
不得手捉富羅入佛塔中應當學　不得塔下坐食留草及食污地應當學
不得擔死屍從塔下過應當學　不得塔下埋死屍應當學
不得在塔下燒死屍應當學　不得向佛塔燒死屍應當學
不得佛塔四邊燒死屍使臭氣來入應當學　不得持死人衣及床從塔下過除浣染香熏應當學
不得佛塔下大小便應當學　不得向佛塔大小便應當學
不得繞佛塔四邊大小便使臭氣來入應當學　不得持佛像至大小便處應當學
不得在佛塔下嚼楊枝應當學　不得向佛塔嚼楊枝應當學
不得向佛塔四邊嚼楊枝應當學　不得在佛塔下涕唾應當學
不得向佛塔下涕唾應當學　不得佛塔四邊涕唾應當學
不得向佛塔舒脚坐應當學　不得安佛塔在下房己在上房住應當學
人坐己立不得為說法除病應當學　人臥己坐不得為說法除病應當學
人在坐己在非坐不得為說法除病應當學　人在高坐己在下坐不得為說法除病應當學
人在前行己在後不得為說法除病應當學　人在高經行處己在下經行處不應為說法除病應當學
人在道己在非道不應為說法除病應當學　不得携手在道行應當學　不得上樹過人頭除時因緣應當學

BD02874 號　四分律比丘戒本　(11–9)

不得向佛塔舒脚坐應當學　不得安佛塔在下房己在上房住應當學
人坐己立不得為說法除病應當學　人臥己坐不得為說法除病應當學
人在坐己在非坐不得為說法除病應當學　人在高坐己在下坐不得為說法除病應當學
人在前行己在後不得為說法除病應當學　人在高經行處己在下經行處不應為說法除病應當學
人在道己在非道不應為說法除病應當學　不得携手在道行應當學　不得上樹過人頭除時因緣應當學
不得絡囊盛鉢貫杖頭著肩上而行應當學　人持杖不恭敬不應為說法除病應當學
人持劍不得為說法除病應當學　人持鉾不應說為說除病應當學
人持刀不應為說法除病應當　人持蓋不應為說法除病應當學
諸大德我已說眾學戒法今問諸大德是中清淨不如是三說　諸大德是中清淨默然
故是事如是持　諸大德是七滅諍法半月半月說戒經中來
若比丘有諍事起即應除滅　應與現前毗尼當與現前毗尼　應與憶念毗尼當
與憶念毗尼　應與不癡毗尼當與不癡毗尼　應與自言治當與自言治
應與多人覓罪當與多人覓罪　應與覓罪相當與覓罪相
應與如草覆地當與如草覆地　諸大德我已說七滅諍法今問諸大德是中清淨不
如是三說　諸大德是中清淨默然故是事如是持
諸大德我已說戒經序已說四波羅夷法已說十三僧伽婆尸沙法已說二不定法已
說三十尼薩耆波逸提法已說九十波逸提法已說四波羅提提舍尼法已說眾學戒法
已說七滅諍法此是佛所說半月半月說戒經中來若更有餘佛法是中皆共和合應當學
忍辱第一道　佛說無為最　出家惱他人　不名為沙門　此是毗婆尸如來無所著等正覺說是戒經
譬如明眼人　能避嶮惡道　世有聰明人　能遠離諸惡　此是尸棄如來無所著等正覺說是戒經
不謗亦不嫉　當奉行於戒　飲食知止足　常樂在空閑　心定樂精進　是名諸佛教
此是毗葉羅如來無所著等正覺說是戒經　譬如蜂採花　不壞色與香
但取其味去　比丘入聚然　不違戾他事　不觀作不作　但自觀身行　若正若不正
此是拘樓孫如來無所著等正覺說是戒經　心莫作放逸　聖法當勤學
如是無憂愁　心定入涅槃　此是拘那含牟尼如來無所著等正覺說是戒經
一切惡莫作　當奉行諸善　自淨其志意　是則諸佛教　此是迦葉如來無
所著正覺說是戒　善護於口言　自淨其志意　身莫作諸惡
此三業道淨　能得如是行　是大仙人道　此是釋迦牟尼如來所著等正覺
於十二年中為無事僧說是戒經從是已後廣分別說諸比丘自為樂沙門者有
慚有愧樂學戒者當於中學
明人能護戒　能得三種樂　名譽及利養　死得生天上　當觀如是處
有智勤護戒　戒淨有智慧　便得第一道　如過去諸佛　及以未來者
現在諸世尊　能勝一切憂　皆共尊敬戒　此是諸佛法　若有自為身

BD02874 號　四分律比丘戒本　(11–10)

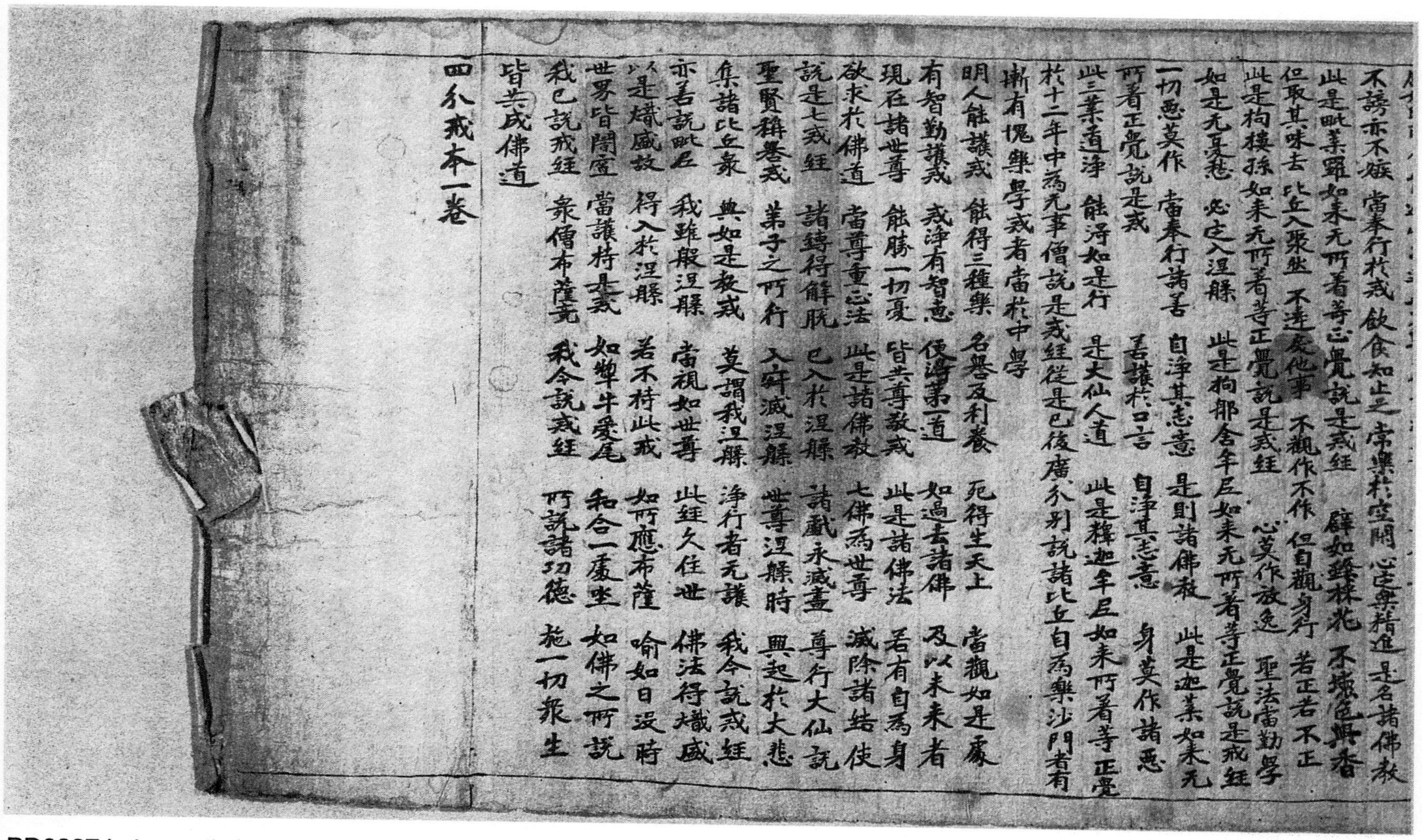
不謗亦不嫉　當奉行於戒　飲食知止足　常樂於空閑　心定樂精進　是名諸佛教
此是毗葉羅如來无所著等正覺說是戒經　譬如蜂採花　不壞色與香
但取其味去　比丘入聚然　不違戾他事　不觀作不作　但自觀身行　若正若不正
此是拘樓孫如來无所著等正覺說是戒經　心莫作放逸　聖法當勤學
如是无憂愁　必定入涅槃　此是拘那含牟尼如來无所著等正覺說是戒經
一切惡莫作　當奉行諸善　自淨其志意　是則諸佛教　此是迦葉如來无
所著正覺說是戒　善護於口言　自淨其志意　身莫作諸惡
此三業道淨　能得如是行　是大仙人道　此是釋迦牟尼如來所著等正覺
於十二年中為无事僧說是戒經從是已後廣分別說諸比丘自為樂沙門者有
慚有愧樂學戒者當於中學
明人能護戒　能得三種樂　名譽及利養　死得生天上　當觀如是處
有智勤護戒　戒淨有智慧　便得第一道　如過去諸佛　及以未來者
現在諸世尊　能勝一切憂　皆共尊敬戒　此是諸佛法　若有自為身
欲求於佛道　當尊重正法　此是諸佛教　七佛為世尊　滅除諸結使
說是七戒經　諸縛得解脫　已入於涅槃　諸戲永滅盡　尊行大仙說
聖賢稱譽戒　弟子之所行　入寂滅涅槃　世尊涅槃時　興起於大悲
集諸比丘眾　與如是教戒　莫謂我涅槃　淨行者无護　我今說戒經
亦善說毗尼　我雖般涅槃　當視如世尊　此經久住世　佛法得熾盛
以是熾盛故　得入於涅槃　若不持此戒　如所應布薩　喻如日沒時
世界皆闇冥　當護持是戒　如犛牛愛尾　和合一處坐　如佛之所說
我已說戒經　眾僧布薩竟　我今說戒經　所說諸功德　施一切眾生
皆共成佛道
四分戒本一卷

BD02874 號　四分律比丘戒本

（11–11）

天福捌年癸卯歲四
善

BD02874 號背　雜寫

（2–1）

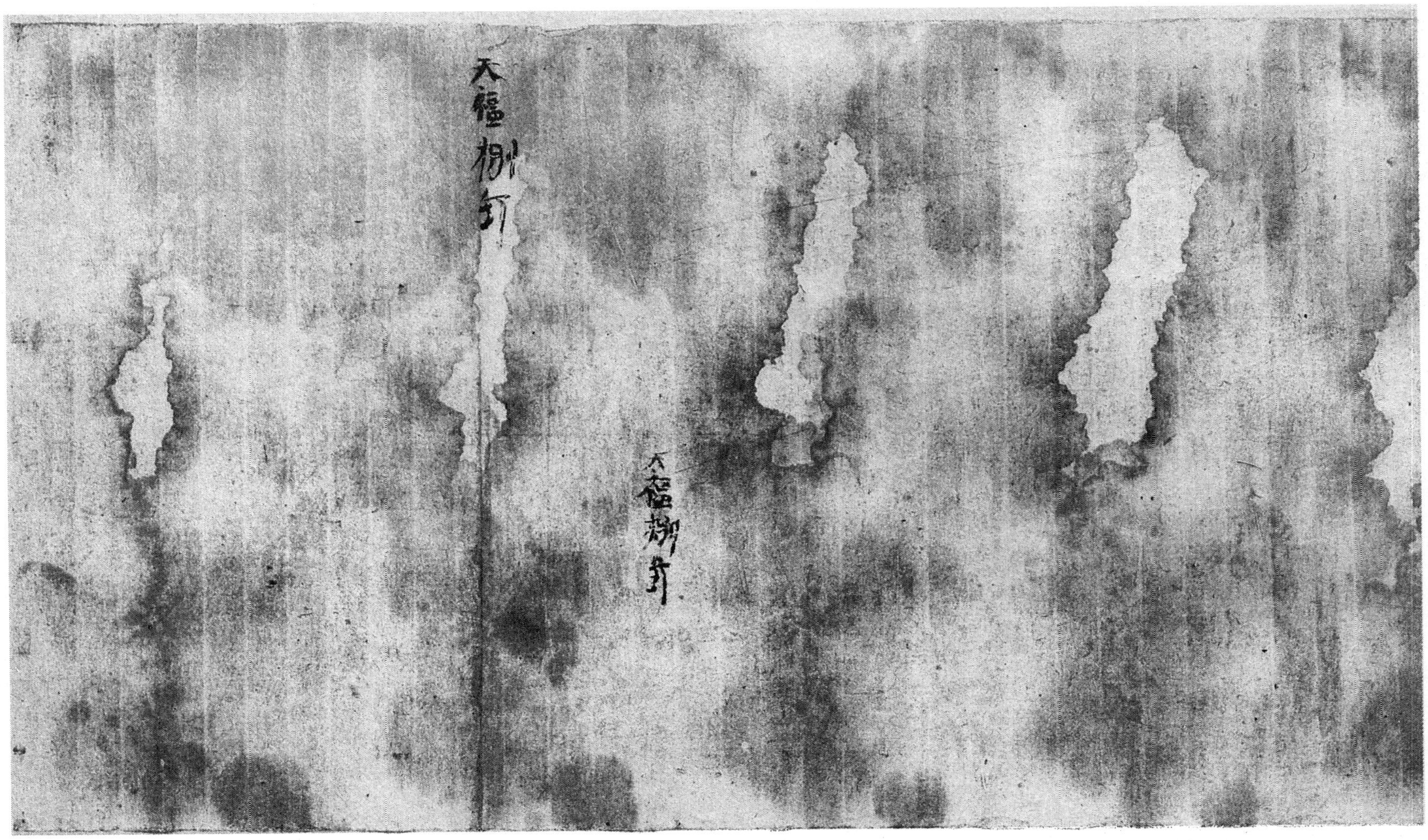

BD02874 號背　雜寫　（2–2）

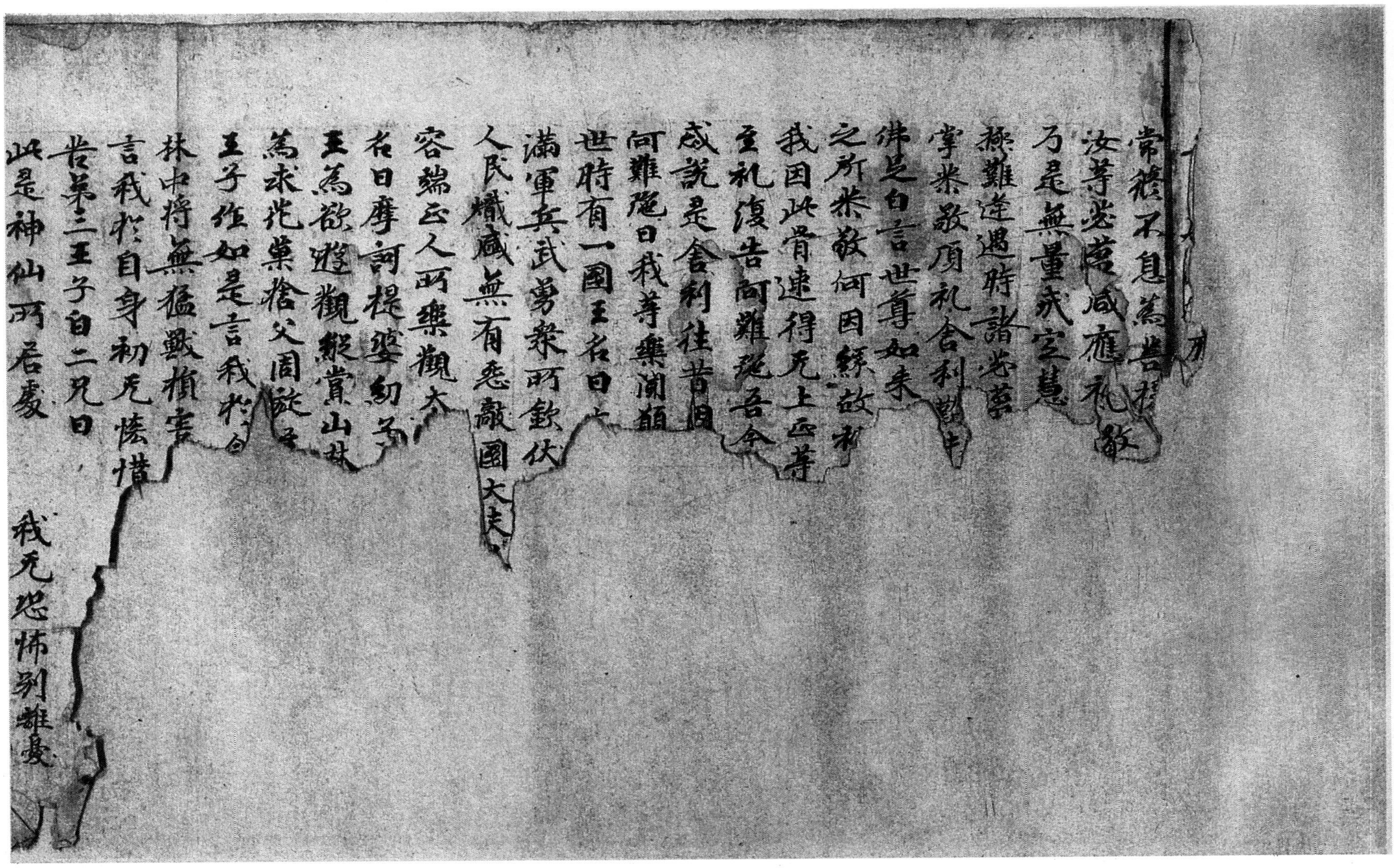

BD02875 號　金光明最勝王經卷一〇　（18–1）

王子作如是言我於今
林中將無猛獸損害
言我於自身初无悋惜
吾第三王子白二兄曰
此是神仙所居處　我无恐怖別離憂
身心充遍生歡喜　當獲殊勝諸功德
時諸王子各說本心所念之事次復
有一虎產生七子纔經七日
所逼身形羸瘦將死
言哀哉此虎產來七
飢渴所逼必還噉子薩埵
常所食何物第一王子荅曰
虎豹豺師子唯噉熱血肉　更無餘飲食可濟此虛羸
第二王子聞此語已作如是言虎羸瘦飢渴
所逼餘命無幾我等何能為求如是難得
飲食誰復為斯自捨身命濟其
子言一切難捨无過己薩埵王
今者於自己身各生愛戀復
於此而興利益然有上士懷大悲
利他妄身濟物復作是念我今此身於百千
生虛棄爛壞曾无所益云何今日而不能捨
以濟飢苦如損涕唾時諸王子作是語已各
起慈心悽傷愍念共觀羸虎目不暫捨徘徊
久之俱捨而去尒時薩埵王子便作是念戍捨
身命今正是時何以故
我從久來持此身　臭穢膿流不可愛

BD02875 號　金光明最勝王經卷一〇

(18–2)

以濟飢苦如損涕唾時諸王子作是語已各
起慈心悽傷愍念共觀羸虎目不暫捨徘徊
久之俱捨而去尒時薩埵王子便作是念戍捨
身命今正是時何以故
我從久來持此身　臭穢膿流不可愛
供給敷具并衣食　象馬車乘及珎財
變壞之法體无常　恒求難滿難保守
雖常供養懷怨害　終歸棄我不知恩
復次此身不堅於我无益可畏如賊不淨
如糞我於今日當使此身脩廣大業於生
死海作大舟航棄捨輪迴令得出離復作
是念若捨此身則捨无量癰疽惡疾百千
怖畏是身唯有大小便利不堅如泡諸蟲
所集血脉筋骨共相連持甚可猒患是故我
今應當棄捨以求无上究竟涅槃永離憂患
無常苦惱生死休息斷諸塵累以定慧力圓
滿熏脩百福莊嚴成一切智諸佛所讚證妙
法身既證得已施諸眾生无量法樂是時王
子興大勇猛發弘誓願以大悲念增益其心
慮彼二兄情懷怖懼共為留難不果所祈即便
白言二兄前去我且於後尒時王子摩訶薩埵
還入林中至其虎所脫去衣服置於竹上作是
誓言
我為法界諸眾生　志求無上菩提處
起大悲心不傾動　當捨凡夫所愛身
菩提無患无熱惱　諸有智者之所樂
三界苦海諸眾生　我今救濟令安樂

BD02875 號　金光明最勝王經卷一〇

(18–3)

起大悲心不傾動　當捨凡夫所愛身
菩提無患无熱惱　諸有智者之所樂
三界苦海諸衆生　我今拔濟令安樂
是時王子作是言已，於餓虎前委身而臥。由
此菩薩慈悲威勢，虎无能為。菩薩見已，即上
高山，投身于地。復作是念：虎今羸瘦，不能食
我。即起求刀，竟不能得。即以乾竹刺頸出血，
漸近虎邊。是時大地六種震動，如風激水，涌
沒不安。日无精明，如羅睺障，諸方闇蔽，无復
輝。天雨名光及妙香末，繽紛亂墜，遍滿林
中。尔時虛空有諸天衆，見是事已，生隨喜心，
歎未曾有，咸共讚言：善哉大士！即說頌曰：
大士救護運悲心　等視衆生如一子
勇猛歡喜情无悋　捨身濟苦福難思
定至真常勝妙處　永離生死諸纏縛
尔久當獲菩提果　寂靜安樂證无生
是時餓虎既見菩薩頸下血流，即便舐血噉
肉皆盡，唯留餘骨。尔時第一王子見地動已，
告其弟曰：
大地山河皆震動　諸方闇蔽日无光
天花亂墜遍空中　定是我弟捨身相
第二王子聞兄語已，說伽他曰：
我聞薩埵作悲言　見彼餓虎身羸瘦
飢渴所纏恐食子　我今疑弟捨其身
時二王子生大愁苦，啼泣悲歎，即共相隨，還
至虎所，見弟衣服在竹枝上，骸骨及髮在處
縱橫，流血成泥，霑汙其地。見已悶絕，不能自
持，投身骨上。久乃得蘇，即起舉手哀號大

BD02875號　金光明最勝王經卷一〇　(18–4)

飢渴所纏恐食子　我今疑弟捨其身
時二王子生大愁苦，啼泣悲歎，即共相隨，還
至虎所，見弟衣服在竹枝上，骸骨及髮在處
縱橫，流血成泥，霑汙其地。見已悶絕，不能自
持，投身骨上。久乃得蘇，即起舉手哀號大
哭，俱時歎曰：
我弟貌端嚴　父母偏愛念　云何俱共出　捨身而不歸
父母若問時　我等如何荅　寧可同捐命　豈復自存身
時二王子悲泣懊惱，漸捨而去。時小王子所
將侍從互相謂曰：王子何在？宜共推求。
尔時國大夫人寢高樓上，便於夢中見不祥相：
被割兩乳，牙齒墮落，得三鴿鶵，一為鷹奪，二
被驚怖。地動之時，夫人遂覺，心大愁惱，作
如是言：
何故今時大地動　江河林樹皆搖震
日無精光如覆蔽　目瞤乳動異常時
如箭射心憂苦逼　遍身戰掉不安隱
我之所夢不祥徵　必有非常灾變事
夫人兩乳忽然流出，念此必有變怪之事。時
有侍女聞外人言，求覓王子，今猶未得，心大
驚怖，即入宮中，白夫人曰：大家知不？外聞諸
人散覓王子，遍求不得。時彼夫人聞是語已，
生大憂惱，悲淚盈目，至大王所，白言：大王！我
聞外人作如是語，失我最小所愛之子。王聞
語已，驚惶失所，悲哽而言：苦哉！今日失我愛
子。即便抆淚慰喻夫人，告言：賢首！汝勿憂
慼，吾今共出求覓愛子。王與大臣及諸人衆
即共出城，各各分散，隨處求覓。未久之頃，有

BD02875號　金光明最勝王經卷一〇　(18–5)

語已驚惶失所悲哽而言苦哉苦哉今日失我愛
子即便抆淚慰喻夫人告言賢首汝勿憂
慼吾今共出求覓愛子王与大臣及諸人衆
即共出城各各分散隨處求覓未久之頃有
一大臣前白王曰聞王子在願勿憂愁其最小
者今猶未見王聞是語悲嘆而言苦哉苦哉
失我愛子
初有子時歡喜少　後失子時憂苦多
若使我兒重壽命　縱我身亡不為苦
夫人聞已憂惱纏懷如被箭中而嗟歎曰
我之三子并侍從　俱往林中共遊賞
最小愛子獨不還　定有乖離災厄事
次第二臣來至王所王問臣曰愛子何在第
二大臣懊惱啼泣喉舌乾燥口不能言竟無
所答夫人問曰
速報小子今何在　我身熱惱遍燒然
悶亂荒迷失本心　勿使我胸今破裂
時第二臣即以王子捨身之事具白王知王
及夫人聞其事已不勝悲噎望捨身處驟駕
前行詣竹林所至彼菩薩捨身之地見其骸
骨隨處交橫俱時投地悶絕將死猶如猛風
吹倒大樹心迷失緒都無所知時大臣等以水
遍灑王及夫人良久乃蘇舉手而哭咨嗟歎
禍哉愛子端嚴相　因何死苦先來逼
若我得在汝前亡　豈見如斯大苦事
爾時夫人悶絕稍醒頭髮蓬亂兩手搥胸宛轉
于地如魚處陸若牛失子悲泣而言
我子誰屠割　餘骨散于地　失我所愛子　憂悲不自勝

BD02875號　金光明最勝王經卷一〇

（18–6）

若我得在汝前亡　豈見如斯大苦事
爾時夫人悶絕稍醒頭髮蓬亂兩手搥胸宛轉
于地如魚處陸若牛失子悲泣而言
我子誰屠割　餘骨散于地　失我所愛子　憂悲不自勝
苦哉誰殺子　致斯憂惱事　我心非金剛　云何而不破
我夢中所見　兩乳皆被割　牙齒悉墮落　今遭大苦痛
又夢三鴿鶵　一被鷹擒去　今失所愛子　惡相表非虛
爾時大王及於夫人并二王子盡哀號哭瓔
珞不御与諸人衆共收菩薩遺身舍利為於
供養置窣覩波中阿難陀汝等應知此即是
彼菩薩舍利復告阿難陀我於昔時雖具煩惱
貪瞋癡等能於地獄餓鬼傍生五趣之中隨
緣救濟令得出離何況今時煩惱都盡無復
餘習號天人師具一切智而不能為一一衆生
經於多劫在地獄中及於餘處代受衆苦令
出生死煩惱輪迴爾時世尊欲重宣此義而說
頌言
我念過去世　无量无數劫　或時作國王　或復為王子
常行於大施　及捨所愛身　願出離生死　至妙菩提處
昔時有大國　國主名大車　王子名勇猛　常施心无悋
王子有二兄　號大渠大天　三人同出遊　漸至山林所
見虎飢所逼　便生如是心　此虎飢火燒　更无餘可食
大士覩如斯　恐其將食子　捨身无所顧　救子不令傷
大地及諸山　一時皆震動　江海皆騰躍　驚波水逆流
天地失光明　昏冥无所見　林野諸禽獸　飛奔失所依
二兄怪不還　憂慼生悲苦　即与諸侍從　林藪遍尋求
兄弟共籌議　復往深山處　四顧无所有　見虎在空林
其母并七子　口皆有血汙　殘骨并餘髮　縱橫在地中

BD02875號　金光明最勝王經卷一〇

（18–7）

天地失光明　皆冥无所見　林野諸禽獸　飛奔失所依
二兄怪不還　憂感生悲苦　即与諸侍從　林藪遍尋求
兄弟共籌議　復往深山處　四顧无所有　見虎蹇空林
其母并七子　口皆有血污　殘骨并餘髮　縱橫在地中
復見有流血　散在竹林所　二兄既見已　心生大恐怖
悶絕俱擗地　荒迷不覺知　塵土坌其身　六情皆失念
王子諸侍從　啼泣心憂惱　以水灑令蘇　舉手號咷哭
菩薩捨身時　慈母在宮內　五百諸婇女　共受於妙樂
夫人之兩乳　忽然自流出　遍體如針刺　苦痛不能安
欻生失子想　憂箭苦傷心　即白大王知　陳斯苦惱事
悲泣不堪忍　哀聲向王說　大王今當知　我生大苦惱
兩乳忽流出　禁止不隨心　如針遍刺身　煩冤胸欲破
我先夢惡徵　必當失愛子　願王濟我命　知兒存与亡
夢見三鴿鶵　小者是愛子　忽被鷹奪去　悲愁難具陳
我今沒憂海　趣死將不久　恐子命不全　願為速求覓
又聞外人語　小子求不得　我今意不安　願王哀愍我
夫人白王已　舉身而躃地　悲痛心悶絕　荒迷不覺知
婇女見夫人　悶絕在於地　舉聲皆大哭　憂惶失所依
王聞如是語　懷憂不自勝　因命諸群臣　尋求所愛子
皆共出城外　隨處而追覓　涕泣問諸人　王子今何在
今者為存亡　誰知所去處　云何令得見　遍我憂惱心
諸人悉共傳　咸言王子死　聞者皆傷悼　悲嘆苦難裁
尒時大車王　悲號從座起　即就夫人處　以水灑其身
夫人蒙水灑　久乃得醒悟　悲啼以問王　我兒今在不
王告夫人曰　我已使諸人　四向求王子　尚未有消息
王又告夫人　汝莫生煩惱　且當自安慰　可共出追尋
王即与夫人　嚴駕而前進　號動聲悽感　憂心若火然
士庶百千万　亦隨王出城　各欲求王子　悲號聲不絕

BD02875號　金光明最勝王經卷一〇　（18–8）

夫人蒙水灑　久乃得醒悟　悲啼以問王　我兒今在不
王告夫人曰　我已使諸人　四向求王子　尚未有消息
王又告夫人　汝莫生煩惱　且當自安慰　可共出追尋
王即与夫人　嚴駕而前進　號動聲悽感　憂心若火然
士庶百千万　亦隨王出城　各欲求王子　悲號聲不絕
王求愛子故　目視於四方　見有一人來　被髮身塗血
遍體蒙塵土　悲號逆前來　王見是惡相　倍復生憂惱
王便舉兩手　哀號不自裁　初有一大臣　急忙至王所
進白大王曰　幸願勿悲哀　王之所愛子　今雖求未獲
不久當來至　以釋大王憂　王復更前行　見次大臣至
其臣詣王所　流淚白王言　二子今現存　被憂火所逼
其第三王子　已被无常吞　見餓虎初生　將欲食其子
彼薩埵王子　見此起悲心　願求无上道　當度一切衆
繫想妙菩提　廣大深如海　即上高山頂　投身餓虎前
虎羸不能食　以竹自傷頸　遂噉王子身　唯有餘骸骨
時王及夫人　聞已俱悶絕　心沒於憂海　煩惱火燒然
臣以栴檀水　灑王及夫人　俱起大悲號　舉手推胸臆
第二大臣來　白王如是語　我見二王子　悶絕在林中
臣以冷水灑　尒乃暫醒悟　顧視於四方　如猛火周遍
暫起而還伏　悲號不自勝　舉手以哀言　稱嘆弟希有
王聞如是說　倍增憂火煎　夫人大號咷　高聲作是語
我之小子偏鍾愛　已為无常羅剎吞
餘有二子今現存　復被憂火所燒逼
我今速可至山下　安慰令其保餘命
即便馳駕望前路　一心詣彼捨身崖
路逢二子行啼泣　推胸懊惱失容儀
父母見已抱憂悲　俱往山林捨身處

BD02875號　金光明最勝王經卷一〇　（18–9）

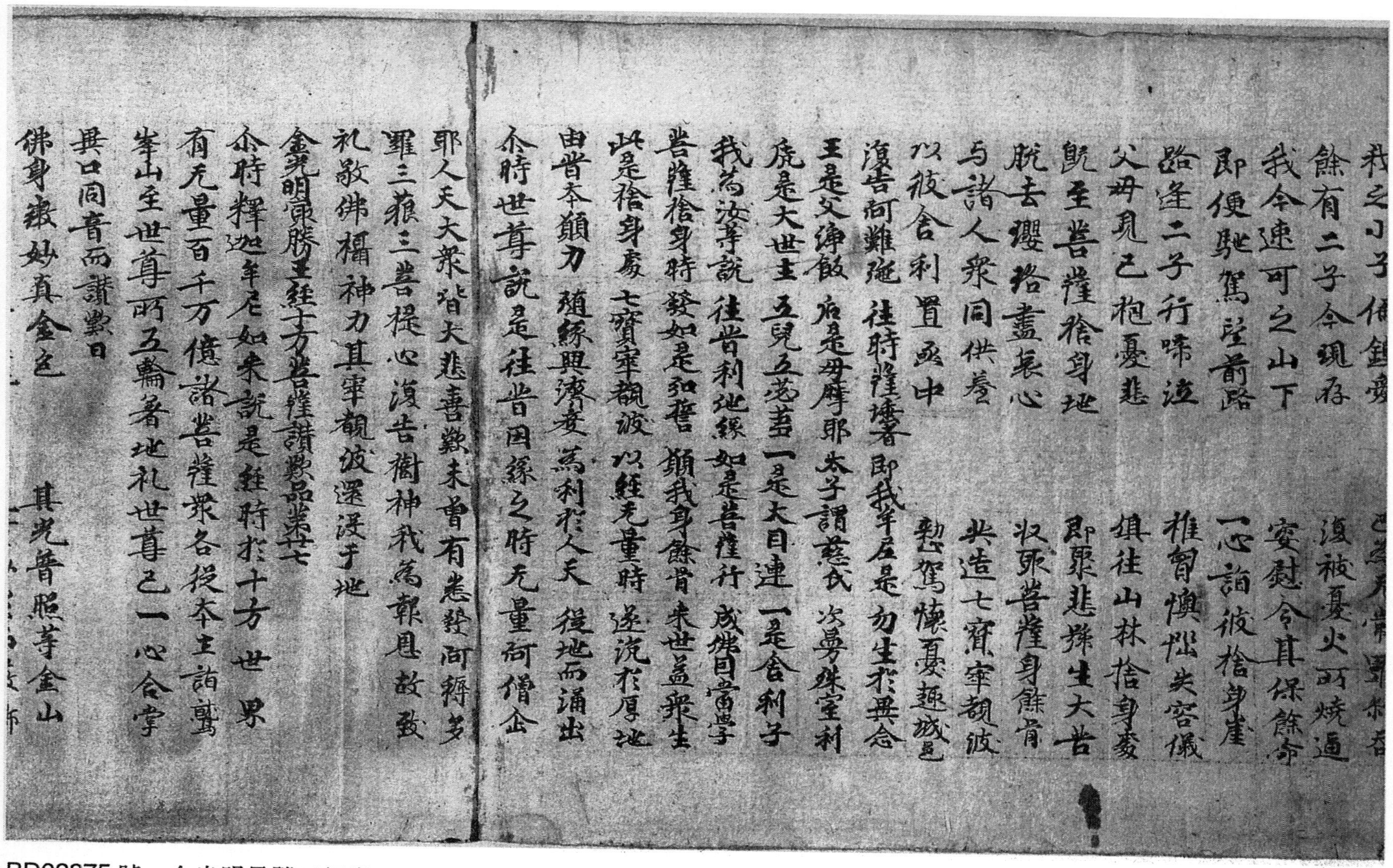

我之小子偏鍾愛　已爲无常鬼所呑
餘有二子今現存　復被憂火所燒逼
我今速可之山下　安慰令其保餘命
即便馳駕望前路　一心詣彼捨身崖
路逢二子行啼泣　椎胷懊惱失容儀
父母見已抱憂悲　俱往山林捨身處
既至菩薩捨身地　即聚悲號生大苦
脫去瓔珞盡哀心　收取菩薩身餘骨
与諸人衆同供養　共造七寶窣覩波
以彼舍利置函中　懃駕懷憂趣城邑
復告阿難陀　往時薩埵者　即我牟尼是　勿生於異念
王是父淨飯　后是母摩耶　太子謂慈氏　次子殊室利
虎是大世主　五兒五苾芻　一是大目連　一是舍利子
我爲汝等說　往昔利他緣　如是菩薩行　成佛因當學
菩薩捨身時　發如是弘誓　願我身餘骨　來世益衆生
此是捨身處　七寶窣覩波　以經无量時　遂沉於厚地
由昔本願力　隨緣興濟度　爲利於人天　從地而涌出
尒時世尊說是往昔因緣之時无量阿僧企
耶人天大衆皆大悲喜歎未曾有悉發阿耨多
羅三藐三菩提心復告樹神我爲報恩故致
礼敬佛攝神力其窣覩波還沒于地
金光明最勝王經十方菩薩讚歎品第廿七
尒時釋迦牟尼如來說是經時於十方世界
有无量百千万億諸菩薩衆各從本土詣鷲
峯山至世尊所五輪著地礼世尊已一心合掌
異口同音而讚歎曰
佛身微妙真金色　其光普照等金山

BD02875號　金光明最勝王經卷一〇

（18–10）

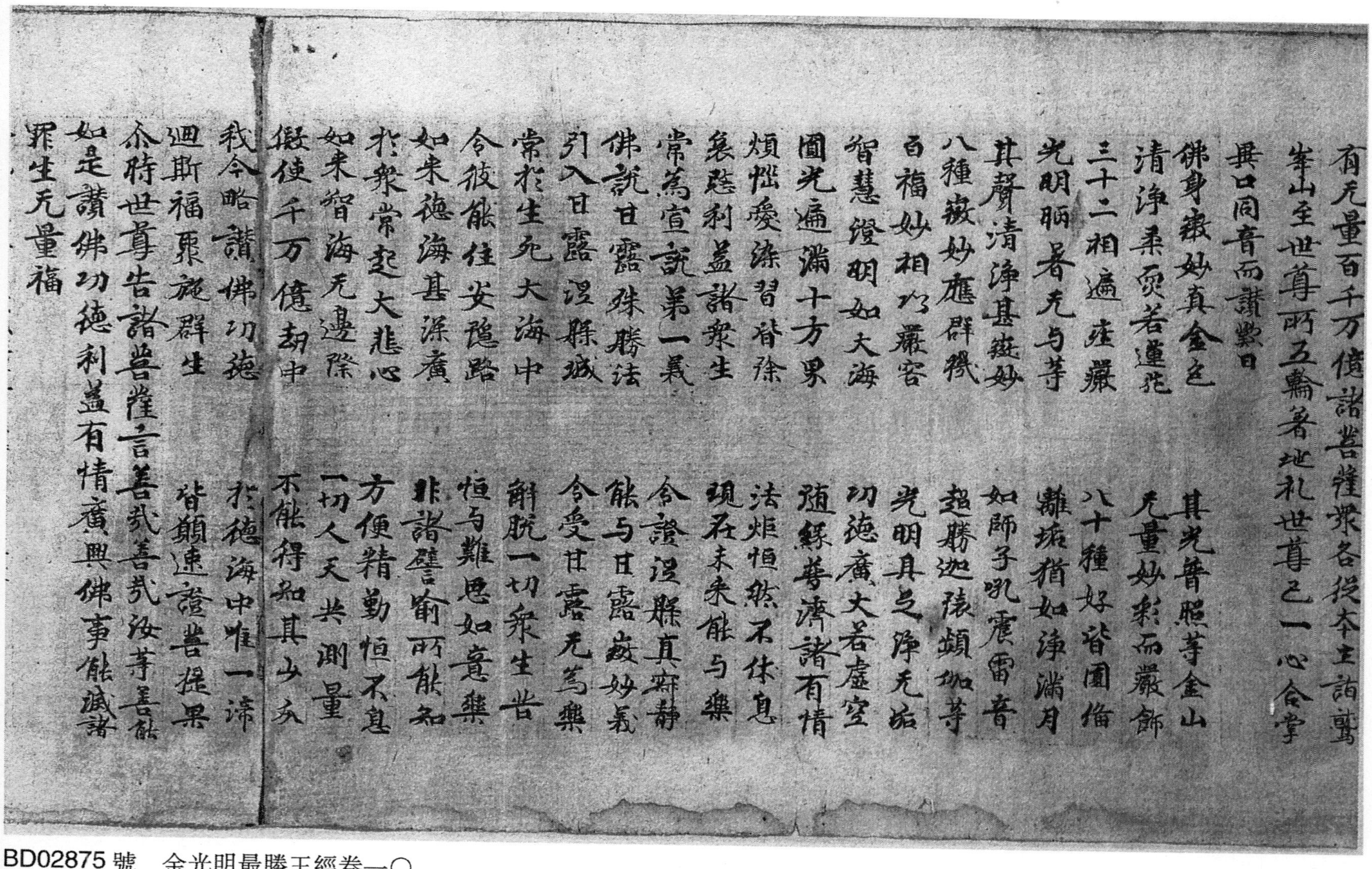

有无量百千万億諸菩薩衆各從本土詣鷲
峯山至世尊所五輪著地礼世尊已一心合掌
異口同音而讚歎曰
佛身微妙真金色　其光普照等金山
清淨柔軟若蓮花　无量妙彩而嚴飾
三十二相遍莊嚴　八十種好皆圓備
光明晃著无与等　離垢猶如淨滿月
其聲清淨甚微妙　如師子吼震雷音
八種微妙應群機　超勝迦陵頻伽等
百福妙相以嚴容　光明具足淨无垢
智慧澄明如大海　功德廣大若虛空
圓光遍滿十方界　隨緣普濟諸有情
煩惱愛染習皆除　法炬恒然不休息
哀愍利益諸衆生　現在未來能与樂
常爲宣說第一義　令證涅槃真寂靜
佛說甘露殊勝法　能与甘露微妙義
引入甘露涅槃城　令受甘露无爲樂
常於生死大海中　解脫一切衆生苦
令彼能住安隱路　恒与難思如意樂
如來德海甚深廣　非諸譬喻所能知
於衆常起大悲心　方便精勤恒不息
如來智海无邊際　一切人天共測量
假使千万億劫中　不能得知其少分
我今略讚佛功德　於德海中唯一渧
迴斯福聚施群生　皆願速證菩提果
尒時世尊告諸菩薩言善哉善哉汝等善能
如是讚佛功德利益有情廣興佛事能滅諸
罪生无量福

BD02875號　金光明最勝王經卷一〇

（18–11）

我今略讚佛功德　於德海中唯一渧
迴斯福聚施群生　皆願速證菩提果
尒時世尊告諸菩薩言善哉善哉汝等善能
如是讚佛功德利益有情廣興佛事能滅諸
罪生无量福
金光明最勝王經妙幢菩薩讚歎品第十八
尒時妙幢菩薩即從座起偏袒右肩右膝著地
合掌向佛而說讚曰
牟尼百福相圓滿　無量功德以嚴身
廣大清淨人樂觀　猶如千日光明照
焰彩无邊光熾盛　如妙寶聚相端嚴
如日初出映虛空　紅白分明閒金色
亦如金山光普照　悉能周遍百千土
能滅衆生无量苦　皆与无邊勝妙樂
諸相具足悉嚴淨　衆生樂觀无厭足
頭髮柔耎紺青色　猶如黑蜂集妙花
大喜大捨淨莊嚴　大慈大悲皆具足
衆妙相好為嚴飾　菩提分法之所成
如來能施衆福利　令彼常蒙大安樂
種種妙德共莊嚴　光明普照千万土
如來光相極圓滿　猶如赫日遍空中
佛如須彌功德具　亦現能周於十方
如來金口妙端嚴　齒白齊密如珂雪
如來面貌无倫疋　眉閒毫相常右旋
光閏鮮白等頗梨　猶如滿月居空界
佛告妙幢菩薩汝能如是讚佛功德不可思
議利益一切令未知者隨順脩學

BD02875號　金光明最勝王經卷一〇　（18–12）

如來金口妙端嚴　齒白齊密如珂雪
如來面貌无倫疋　眉閒毫相常右旋
光閏鮮白等頗梨　猶如滿月居空界
佛告妙幢菩薩汝能如是讚佛功德不可思
議利益一切令未知者隨順脩學
金光明最勝王經菩提樹神讚歎品第十九
尒時菩提樹神亦以伽他讚世尊曰
敬礼如來清淨慧　敬礼常求正法慧
敬礼能離非法慧　敬礼恒无分別慧
希有世尊无邊行　希有難見如優曇
希有如海鎮山王　希有善逝光无量
希有調御弘慈願　希有釋種明逾日
能說如是經中寶　哀愍利益諸群生
牟尼寂靜諸根定　能入寂靜涅槃城
能住寂靜等持門　能知寂靜深境界
兩足中尊住空寂　聲聞弟子身亦空
一切法體性皆无　一切衆生悉空寂
我常憶念於諸佛　我常樂見諸世尊
我常發起慇重心　常得值遇如來日
我常頂礼於世尊　願常渴仰心不捨
悲泣流淚情无閒　常得奉事不知厭
唯願世尊起悲心　和顏常得令我見
佛及聲聞衆清淨　願常普濟於人天
佛身本淨若虛空　亦如幻焰及水月
願說涅槃甘露法　能生一切功德聚
世尊所有淨境界　慈悲正行不思議
聲聞獨覺非所量　大仙菩薩不能測

BD02875號　金光明最勝王經卷一〇　（18–13）

佛身本淨若虛空　亦如幻焰及水月
願說涅槃甘露法　能生一切功德聚
世尊所有淨境界　慈悲正行不思議
聲聞獨覺非所量　大仙菩薩不能測
唯願如來義慈我　常令覩見大悲身
三業无倦奉慈尊　速出生死歸真際
尒時世尊聞是讚已以梵音聲告樹神曰善
哉善哉善女天汝能於我真實无妄清淨法
身自利利他宣揚妙相以此功德令汝速證
最上菩提一切有情同所修習若得聞者
皆入甘露无生法門

金光明最勝王經大辯才天女讚嘆品第卅

尒時大辯才天女即從座起合掌恭敬以直
言詞讚世尊曰
南謨釋迦牟尼如來應正等覺身真金色咽
如螺貝面如滿月目類青蓮脣口赤好如頗
梨色鼻高脩直如截金鋌齒白齊密如拘物
頭花身光普照如百千日光彩映徹如贍部
金所有言詞皆无謬失示三解脫門開三菩
提路心常清淨意樂亦然佛所住處及所行
境亦常清淨離非威儀進止无謬六年苦行三
轉法輪度苦衆生令歸彼岸身相圓滿如拘陁
樹六度熏脩三業無失具一切智自他利滿所
有宣說常為衆生言不虛設於釋種中為大
師子堅固勇猛具八解脫我今隨力稱讚如來
少分功德猶如蚊子飲大海水願以此福廣及
有情永離生死成无上道

BD02875號　金光明最勝王經卷一〇

(18–14)

樹六度熏脩三業無失具一切智自他利滿所
有宣說常為衆生言不虛設於釋種中為大
師子堅固勇猛具八解脫我今隨力稱讚如來
少分功德猶如蚊子飲大海水願以此福廣及
有情永離生死成无上道
尒時世尊告大辯天曰善哉善哉汝久脩習
具大辯才今復於我廣陳讚嘆令汝速證无
上法門相好圓明普利一切

金光明最勝王經付囑品第卅一

尒時世尊普告无量菩薩及諸人天一切大衆
汝等當知我於无量无數大劫勤脩苦行獲
甚深法菩提正因已為汝說汝等誰能發勇
猛心恭敬守護我涅槃後於此法門廣宣流
布能令正法久住世間尒時衆中有六十俱胝
諸大菩薩六十俱胝諸天大衆異口同音作如
是語世尊我等咸有欣樂之心於佛世尊无
量大劫勤脩苦行所獲甚深微妙之法菩提
正因恭敬護持不惜身命佛涅槃後於此法
門廣宣流布當令正法久住世間尒時諸大
菩薩即於佛前說伽他曰
世尊真實語　安住於實法　由彼真實故　護持於此經
大悲為甲冑　安住於大慈　由彼慈悲力　護持於此經
福資粮圓滿　生起智資粮　由資粮滿故　護持於此經
降伏一切魔　破滅諸邪論　斷除惡見故　護持於此經
護世并釋梵　乃至阿蘇羅　龍神藥叉等　護持於此經
地上及虛空　久住於斯者　奉持佛教故　護持於此經
四梵住相應　四聖諦嚴飾　降伏四魔故　護持於此經

BD02875號　金光明最勝王經卷一〇

(18–15)

護世并釋梵　乃至阿蘇羅　龍神藥叉等　護持於此經
地上及虛空　久住於斯者　奉持佛教故　護持於此經
四梵住相應　四聖諦嚴飾　降伏四魔故　護持於此經
虛空成質礙　質礙成虛空　諸佛所護持　无能傾動者
尒時四大天王聞佛說此護持妙法各生隨喜
護正法心一時同聲說伽他曰
我今於此經　及男女眷屬　皆一心擁護　令得廣流通
若有持經者　能作菩提因　我常於四方　擁護而承事
尒時天帝釋合掌恭敬說伽他曰
諸佛證此法　為欲報恩故　饒益菩薩眾　出世演斯經
我於彼諸佛　報恩常供養　護持如是經　及以持經者
尒時覩史多天子合掌恭敬說伽他曰
佛說如是經　若有能持者　當住菩提位　來生覩史天
世尊我慶幸　捨天殊勝報　住於贍部洲　宣揚是經典
尒時索訶世界主梵天王合掌恭敬說伽他曰
諸靜慮无量　諸乘及解脫　皆從此經出　是故演斯經
若說是經處　我捨梵天樂　為聽如是經　亦常為擁護
尒時魔王子名曰商主合掌恭敬說伽他曰
若有受持此　正義相應經　不隨魔所行　淨除魔惡業
我等於此經　亦當勤守護　發大精進意　隨處廣流通
尒時魔王合掌恭敬說伽他曰
若有持此經　能伏諸煩惱　如是眾生類　擁護令安樂
若有說是經　諸魔不得便　由佛威神故　我當擁護彼
尒時妙吉祥天子亦於佛前說伽他曰
諸佛妙菩提　於此經中說　若持此經者　是供養如來
我當持此經　為俱胝天說　恭敬聽聞者　勸至菩提處
尒時慈氏菩薩合掌恭敬說伽他曰
若見住菩提　勿為不請友　乃至捨身命　為護此經王

BD02875號　金光明最勝王經卷一〇　（18–16）

若有說是經　諸魔不得便　由佛威神故　我當擁護彼
尒時妙吉祥天子亦於佛前說伽他曰
諸佛妙菩提　於此經中說　若持此經者　是供養如來
我當持此經　為俱胝天說　恭敬聽聞者　勸至菩提處
尒時慈氏菩薩合掌恭敬說伽他曰
若見住菩提　勿為不請友　乃至捨身命　為護此經王
我聞如是法　當往覩史天　由世尊加護　廣為人天說
尒時上座大迦攝波合掌恭敬說伽他曰
佛於聲聞乘　說我少智慧　我今隨自力　護持如是經
若有持此經　我當攝受彼　授其詞辯力　當隨讚善哉
尒時具壽阿難陀合掌向佛說伽他曰
我親從佛聞　无量眾經典　未曾聞如是　深妙法中王
我今聞是經　親於佛前受　諸樂菩提者　當為廣宣通
尒時世尊見諸菩薩人天大眾各各發心於此
經典流通擁護勸進菩薩廣利眾生讚言善
哉善哉汝等能於如是微妙經王虔誠流布
乃至於我般涅槃後不令散滅即是无上菩
提正因所獲功德於恒沙劫說不能盡若有
苾芻苾芻尼鄔波索迦鄔波斯迦及餘善男子
善女人等供養恭敬書寫流通為人解說所
獲功德亦復如是是故汝等應勤修習尒時
无量无邊恒河沙大眾聞佛說已皆大歡喜
信受奉行

BD02875號　金光明最勝王經卷一〇　（18–17）

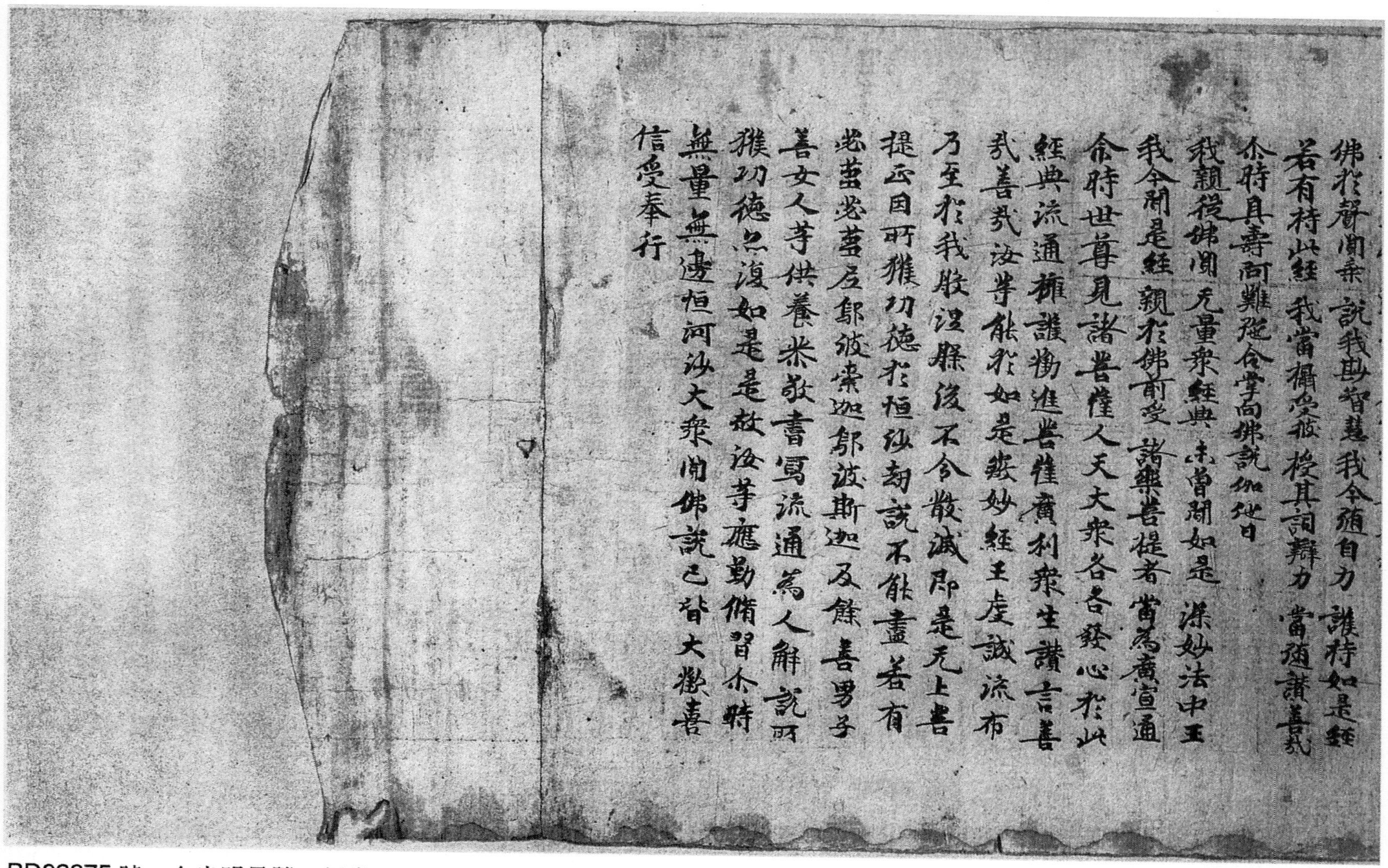
佛於聲聞乘 說我無智慧 我今隨自力 護持如是經
若有持此經 我當攝受彼 授其詞辯力 當隨讚善哉
尒時具壽阿難陀合掌向佛說伽他曰
我親從佛聞 无量衆經典 未曾聞如是 深妙法中王
我今聞是經 親於佛前受 諸樂菩提者 當爲廣宣通
尒時世尊見諸菩薩人天大衆各各發心於此
經典流通擁護勸進菩薩廣利衆生讚言善
哉善哉汝等能於如是微妙經王虔誠流布
乃至於我般涅槃後不令散滅即是无上菩
提正因所獲功德於恒沙劫說不能盡若有
苾芻苾芻尼鄔波索迦鄔波斯迦及餘善男子
善女人等供養恭敬書寫流通爲人解說所
獲功德亦復如是是故汝等應勤修習尒時
無量無邊恒河沙大衆聞佛說已皆大歡喜
信受奉行

BD02875 號　金光明最勝王經卷一〇

（18–18）

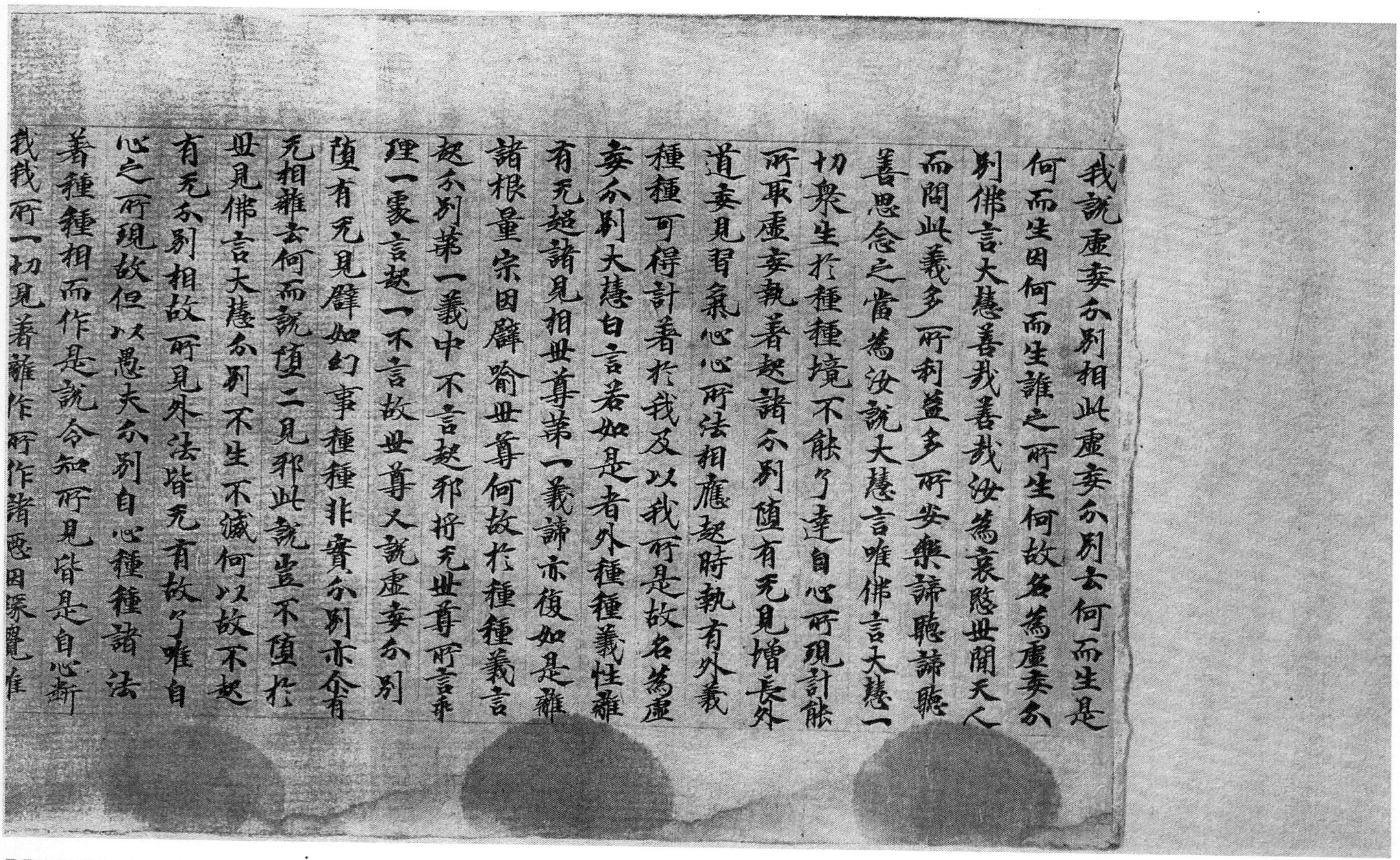
我說虛妄分別相此虛妄分別云何而生是
何而生因何而生誰之所生何故名爲虛妄分
別佛言大慧善哉善哉汝爲哀愍世間天人
而問此義多所利益多所安樂諦聽諦聽
善思念之當爲汝說大慧言唯佛言大慧一
切衆生於種種境不能了達自心所現計能
所取虛妄執著起諸分別墮有无見增長外
道妄見習氣心心所法相應起時執有外義
種種可得計著於我及以我所是故名爲虛
妄分別大慧白言若如是者外種種義性離
有无起諸見相世尊第一義諦亦復如是離
諸根量宗因譬喻世尊何故於種種義言
起分別第一義中不言起邪將无世尊所言乖
理一處言起一不言故世尊又說虛妄分別
墮有无見譬如幻事種種非實分別亦尒有
无相離云何而說墮二見邪此說豈不墮於
世見佛言大慧分別不生不滅何以故不起
有无分別相故所見外法皆无有故了唯自
心之所現故但以愚夫分別自心種種諸法
著種種相而作是說令知所見皆是自心斷
我我所一切見著離作所作諸惡因緣覺唯

BD02876 號　大乘入楞伽經卷四

（6–1）

有无分別相故所見外法皆无有故了唯自
心之所現故但以愚夫分別自心種種諸法
著種種相而作是說令知所見皆是自心斷
我我所一切見著離作所作諸惡因緣覺唯
心故轉其意樂善明諸地入佛境界捨五法
自性諸分別見是故我說虛妄分別執著種
種自心所現諸境界生如實了知則得解脫
尒時世尊重說頌言
諸因及與緣　從此生世間　與四句相應　不知於我法
世非有无生　亦非俱不俱　云何諸愚夫　分別因緣起
非有亦非无　亦復非有无　如是觀世間　心轉證无我
一切法不生　以從緣生故　諸緣之所作　所作法非生
果不自生果　有二果失故　无有二果故　非有性可得
觀諸有為法　離能緣所緣　決定唯是心　故我說心量
量之自性處　緣法二俱離　究竟妙淨事　我說名心量
施設假名我　而實不可得　諸蘊蘊假名　亦皆无實事
有四種平等　相因及所生　无我為第四　修行者觀察
離一切諸見　及能所分別　无得亦无生　我說是心量
非有亦非无　有无二俱離　如是心亦離　我說是心量
真如空實際　涅槃及法界　種種意成身　我說是心量
妄想習氣縛　種種從心生　眾生見為外　我說是心量
外所見非有　而心種種現　身資及所住　我說是心量
尒時大慧菩薩摩訶薩復白佛言世尊如來
說言如我所說汝及諸菩薩不應依語而取
其義世尊何故不應依語取義云何為語云

BD02876 號　大乘入楞伽經卷四　（6–2）

外所見非有　而心種種現　身資及所住　我說是心量
尒時大慧菩薩摩訶薩復白佛言世尊如來
說言如我所說汝及諸菩薩不應依語而取
其義世尊何故不應依語取義云何為語云
何為義佛言諦聽當為汝說大慧言唯佛言
大慧語者所謂分別習氣而為其因依於喉
舌脣齶齒輔而出種種音聲文字相對談說
是名為語云何為義菩薩摩訶薩住獨一靜
處以聞思修慧思惟觀察向涅槃道自智境
界轉諸習氣行於諸地種種行相是名為義
復次大慧菩薩摩訶薩善於語義知語與義不
一不異義之與語亦復如是若義異語則不
應因語而顯於義而因語見義如燈照色大
慧譬如有人持燈照物知此物如是在如是處
菩薩摩訶薩亦復如是因語言燈入離言
說自證境界復次大慧若有於不生不滅自
性涅槃三乘一乘五法諸心自性等中如言
取義則隨建立及誹謗見以異於彼起分
別故如見幻事計以為實是愚夫見非賢聖
也尒時世尊重說頌言
若隨言取義　建立於諸法　以彼建立故　死墮地獄中
蘊中无有我　非蘊即是我　不如彼分別　亦復非无有
如愚所分別　一切皆有性　若如彼所見　皆應見真實
一切染淨法　悉皆无體性　不如彼所見　亦非无所有
復次大慧我當為汝說智識相汝及諸菩薩
摩訶薩若善了智識之相則能疾得阿耨多

BD02876 號　大乘入楞伽經卷四　（6–3）

蘊中无有我　非蘊即是我　不如彼分別　亦復非无有
如愚所分別　一切皆有性　若如彼所見　皆應見真實
一切染淨法　悉皆无體性　不如彼所見　亦非无所有
復次大慧　我當為汝說智識相　汝及諸菩薩
摩訶薩若善了智識之相　則能疾得阿耨多
羅三藐三菩提　大慧　智有三種　謂世間智　出
世間智　出世間上上智　云何世間智　謂一切
外道凡愚計有无法　云何出世間智　謂一切
二乘著自共相　云何出世間上上智　謂諸
佛菩薩觀一切法皆无有相　不生不滅　非有
非无　證法无我　入如來地　大慧　復有三種智　謂
知自相共相智　知生滅智　知不生不滅智
復次大慧　生滅是識　不生滅是智　墮相无相
及以有无種種相因是識　離相无相及有无
因是智　有積集相是識　无積集相是智　著境
界相是識　不著境界相是智　三和合相應生
是識　无礙相應自性相是智　有得相是識　无
得相是智　證自聖智所行境界　如水中月　不
入不出故　尒時世尊重說頌言
採集業為心　觀察法為智　慧能證无相　逮自在威光
境界縛為心　覺想生為智　无想及增勝　智慧於中起
心意及與識　離諸分別想　得无分別法　佛子非聲聞
寂滅殊勝忍　如來清淨智　生於善勝義　遠離諸所行
我有三種智　聖者能明照　分別於諸相　開示一切法
我智離諸相　超過於二乘　以諸聲聞等　執著諸法有
如來智无垢　了達唯心故

BD02876號　大乘入楞伽經卷四

（6–4）

我有三種智　聖者能明照　分別於諸相　開示一切法
我智離諸相　超過於二乘　以諸聲聞等　執著諸法有
如來智无垢　了達唯心故
復次大慧　諸外道有九種轉變見　所謂形轉變
相轉變　因轉變　相應轉變　見轉變　生轉變　物
轉變　緣明了轉變　所作明了轉變　是為九　一
切外道因是見故　起有无轉變論　此中形轉
變者　謂形別異見　譬如以金作莊嚴具　環釧
瓔珞種種不同　形狀有殊　金體无易　一切法
變亦復如是　諸餘外道種種計著　皆非如是
亦非別異　但分別故　一切轉變如是應知　譬
如乳酪酒果等熟　外道言此皆有轉變　而實
无有　若有若无自心所見　无外物故　如此皆是
愚夫從自分別習氣而起　實无一法若
生若滅　如因幻夢所見諸色　如石女兒說有
生死　尒時世尊重說頌言
形處時轉變　大種及諸根　中有漸次生　妄想非明智
諸佛不分別　緣起及世間　但諸緣世間　如乾闥婆城
尒時大慧菩薩摩訶薩復白佛言　世尊　唯
願如來為我解說於一切法深密義及解義
相　令我及諸菩薩摩訶薩善知此法　不隨如
言取義　深密執著　離文字語言虛妄分別　普
入一切諸佛國土　力通自在　總持所印　覺慧善
住　十无盡願　以无功用種種變現　光明照曜
如日月摩尼地水火風　住於諸地　離分別見

BD02876號　大乘入楞伽經卷四

（6–5）

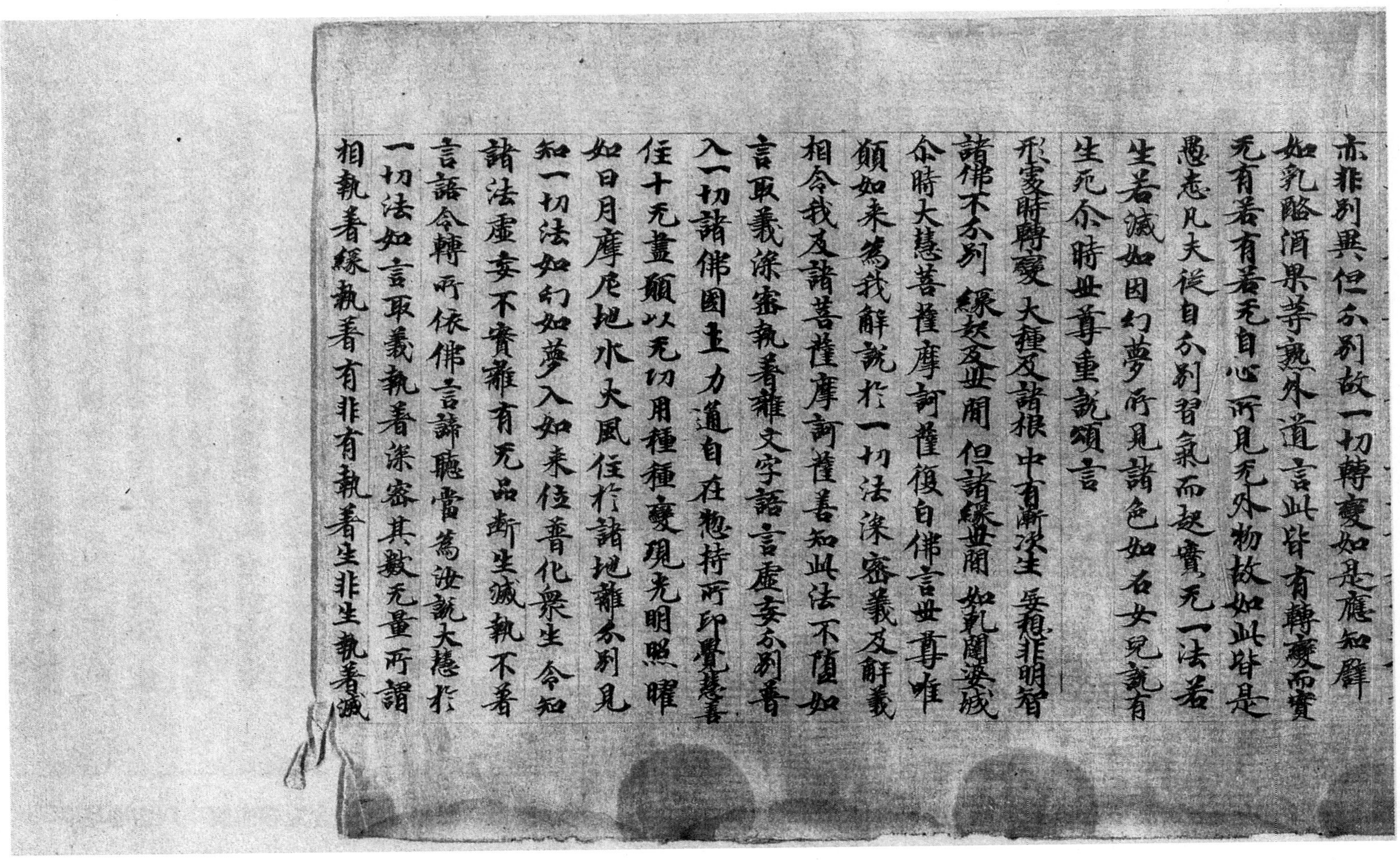
亦非別異但分別故一切轉變如是應知譬
如乳酪酒果等熟外道言此皆有轉變而實
无有若有若无自心所見无外物故如此皆是
愚惑凡夫從自分別習氣而起實无一法若
生若滅如因幻夢所見諸色如石女兒說有
生死尒時世尊重說頌言
形處時轉變　大種及諸根　中有漸次生　妄想非明智
諸佛不分別　緣起及世間　但諸緣世間　如乾闥婆城
尒時大慧菩薩摩訶薩復白佛言世尊唯
願如來為我解說於一切法深密義及解義
相令我及諸菩薩摩訶薩善知此法不墮如
言取義深密執著離文字語言虛妄分別普
入一切諸佛國土力通自在總持所印覺慧善
住十无盡願以无功用種種變現光明照曜
如日月摩尼地水火風住於諸地離分別見
知一切法如幻如夢入如來位普化衆生令知
諸法虛妄不實離有无品斷生滅執不著
言語令轉所依佛言諦聽當為汝說大慧於
一切法如言取義執著深密其數无量所謂
相執著緣執著有非有執著生非生執著滅

BD02876號　大乘入楞伽經卷四　（6–6）

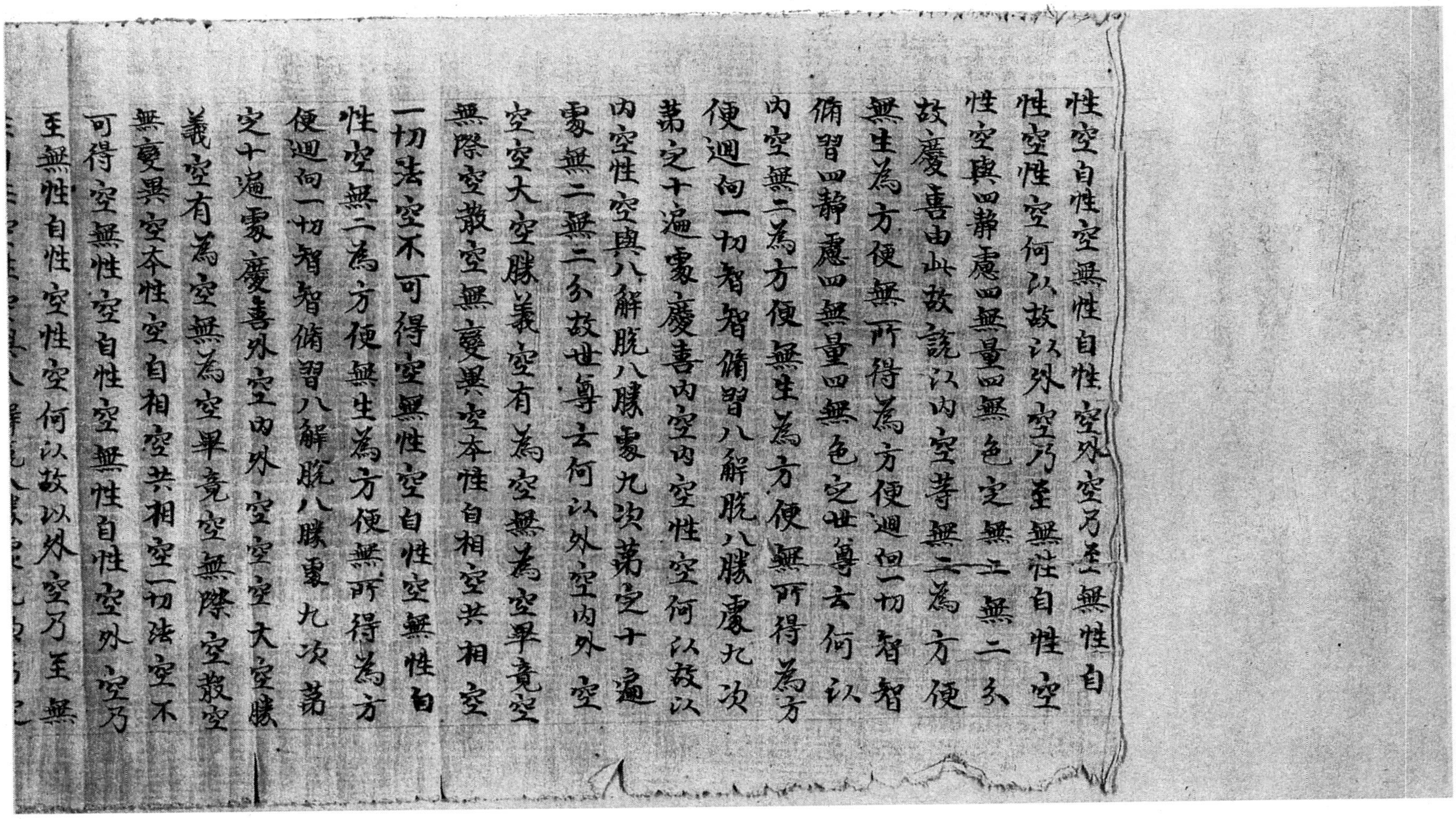
性空自性空無性自性空外空乃至無性自
性空性空何以故以外空乃至無性自性空
性空與四靜慮四無量四無色定無二無二分
故慶喜由此故說以內空等無二為方便
無生為方便無所得為方便迴向一切智智
脩習四靜慮四無量四無色定世尊云何以
內空無二為方便無生為方便無所得為方
便迴向一切智智脩習八解脫八勝處九次
第定十遍處慶喜內空內空性空何以故以
內空性空與八解脫八勝處九次第定十遍
處無二無二分故世尊云何以外空內外空
空空大空勝義空有為空無為空畢竟空
無際空散空無變異空本性空自相空共相空
一切法空不可得空無性空自性空無性自
性空無二為方便無生為方便無所得為方
便迴向一切智智脩習八解脫八勝處九次第
定十遍處慶喜外空內外空空空大空勝
義空有為空無為空畢竟空無際空散空
無變異空本性空自相空共相空一切法空不
可得空無性空自性空無性自性空外空乃
至無性自性空性空何以故以外空乃至無

BD02877號　大般若波羅蜜多經卷一一八　（2–1）

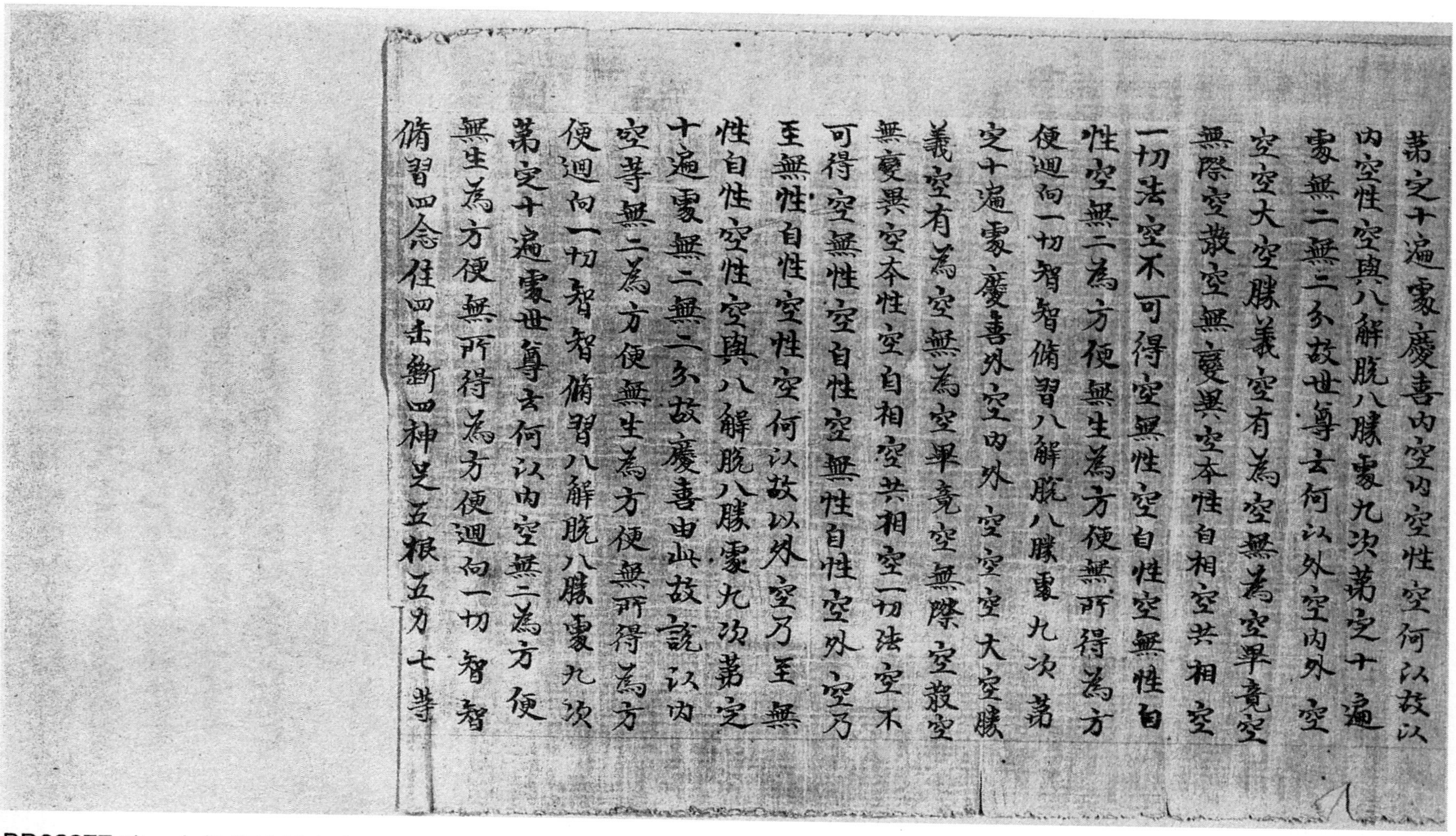
苐定十遍處慶喜內空內空性空何以故以
內空性空與八解脫八勝處九次苐定十遍
處無二無二分故世尊云何以外空內外空
空空大空勝義空有為空無為空畢竟空
無際空散空無變異空本性空自相空共相空
一切法空不可得空無性空自性空無性自
性空無二為方便無生為方便無所得為方
便迴向一切智智脩習八解脫八勝處九次苐
定十遍處慶喜外空內外空空空大空勝
義空有為空無為空畢竟空無際空散空
無變異空本性空自相空共相空一切法空不
可得空無性空自性空無性自性空外空乃
至無性自性空性空何以故以外空乃至無
性自性空性空與八解脫八勝處九次苐定
十遍處無二無二分故慶喜由此故說以內
空等無二為方便無生為方便無所得為方
便迴向一切智智脩習八解脫八勝處九次
苐定十遍處世尊云何以內空無二為方便
無生為方便無所得為方便迴向一切智智
脩習四念住四正斷四神足五根五力七等

BD02877 號　大般若波羅蜜多經卷一一八

（2–2）

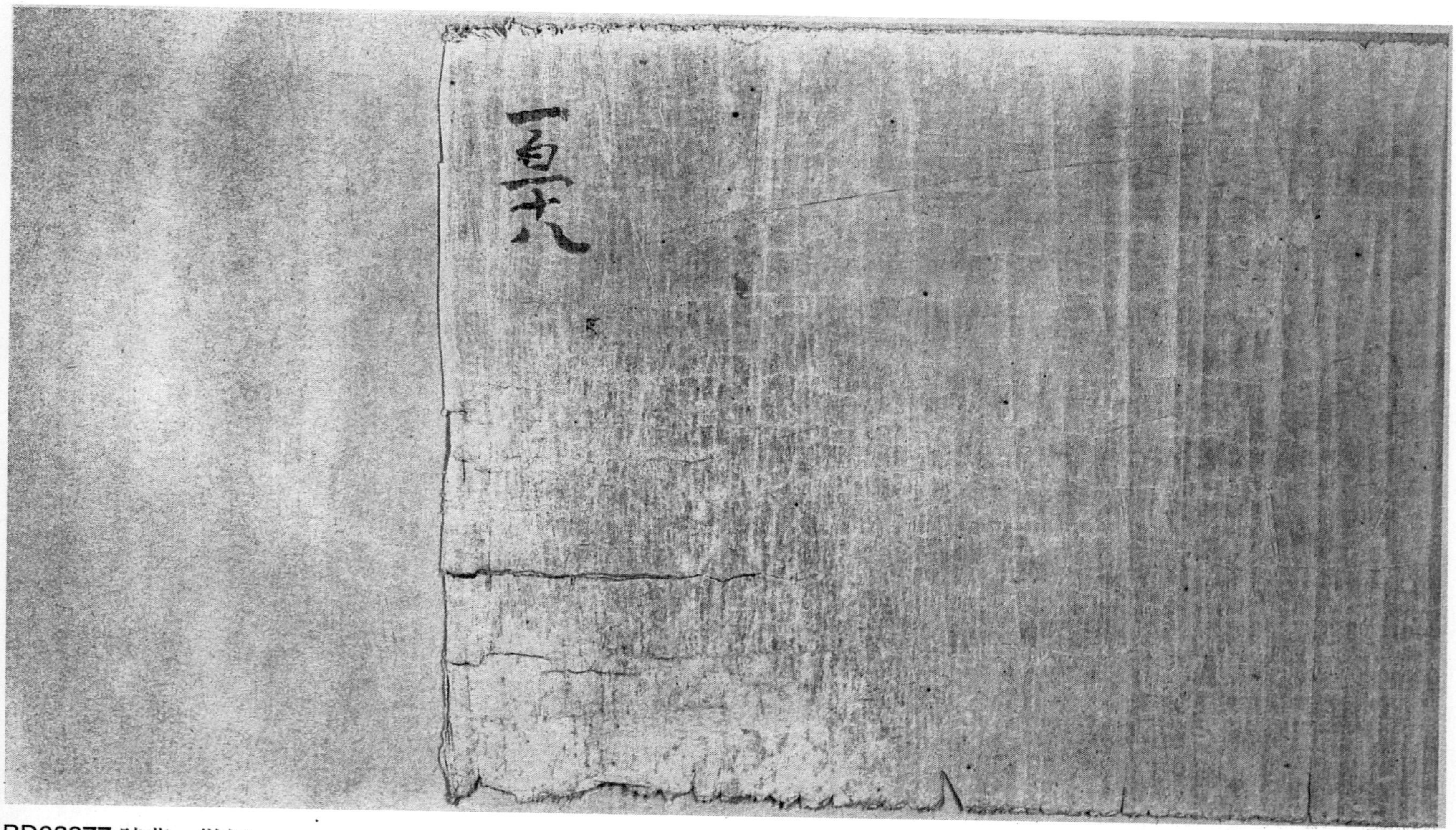

BD02877 號背　勘記

（1–1）

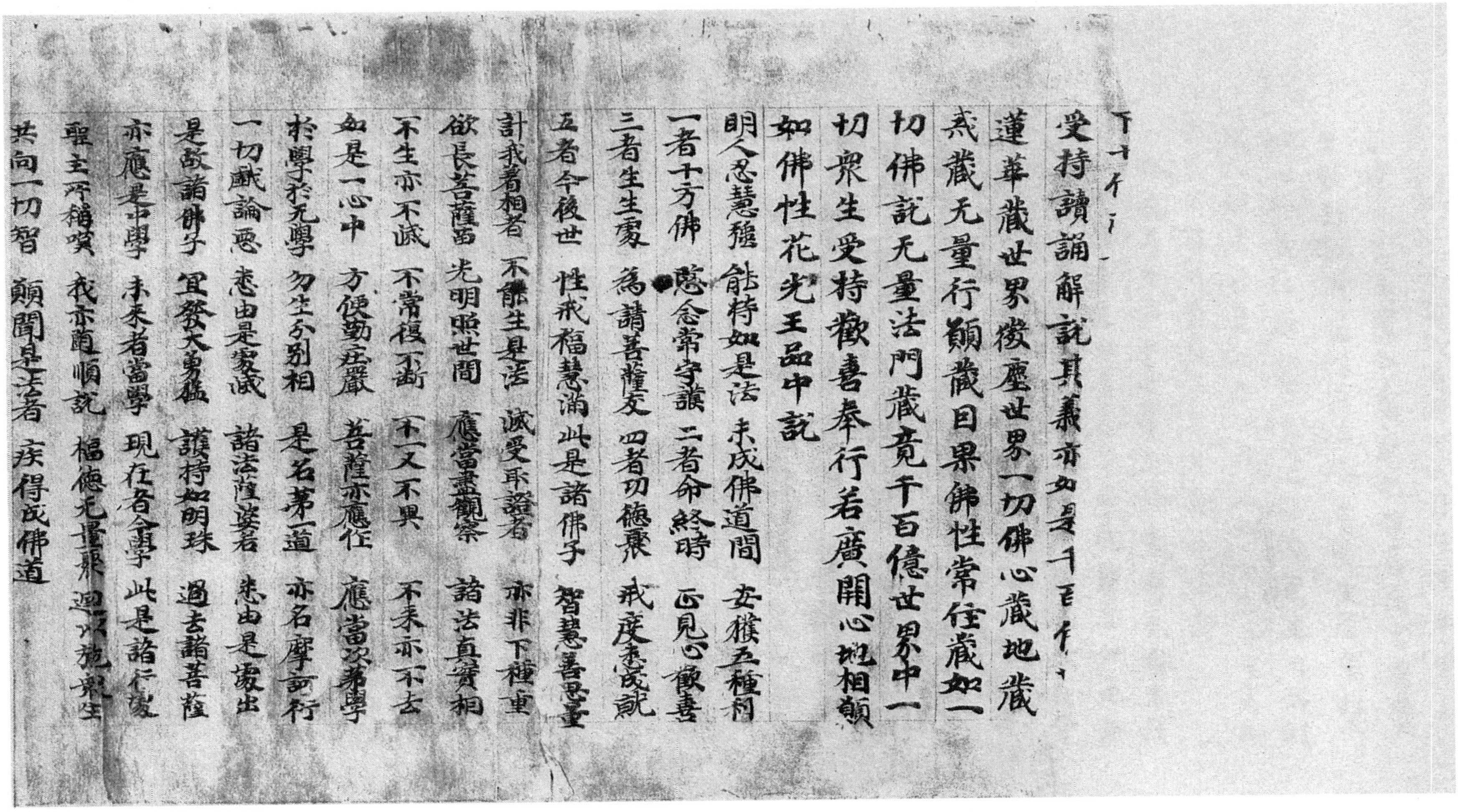

受持讀誦解說其義亦如是千百億
蓮華藏世界微塵世界一切佛心藏地藏
戒藏无量行願藏因果佛性常住藏如一
切佛說无量法門藏竟千百億世界中一
切衆生受持歡喜奉行若廣開心地相相
如佛性花光王品中說
明人忍慧強 能持如是法 未成佛道間 安獲五種利
一者十方佛 愍念常守護 二者命終時 正見心歡喜
三者生生處 為諸菩薩友 四者功德聚 戒度悉成就
五者今後世 性戒福慧滿 此是諸佛子 智慧善思量
計我著相者 不能生是法 滅受取證者 亦非下種處
欲長菩提苗 光明照世間 應當靜觀察 諸法真實相
不生亦不滅 不常復不斷 不一亦不異 不來亦不去
如是一心中 方便勤莊嚴 菩薩所應作 應當次第學
於學於无學 勿生分別相 是名第一道 亦名摩訶衍
一切戲論惡 悉由是處滅 諸佛薩婆若 悉由是處出
是故諸佛子 宜發大勇猛 護持如明珠 過去諸菩薩
亦應是中學 未來者當學 現在者今學 此是諸行處
聖主所稱嘆 我亦隨順說 福德无量聚 迴以施衆生
共向一切智 願聞是法者 疾得成佛道

BD02878 號 1　梵網經盧舍那佛說菩薩心地戒品第十卷下　（3–1）

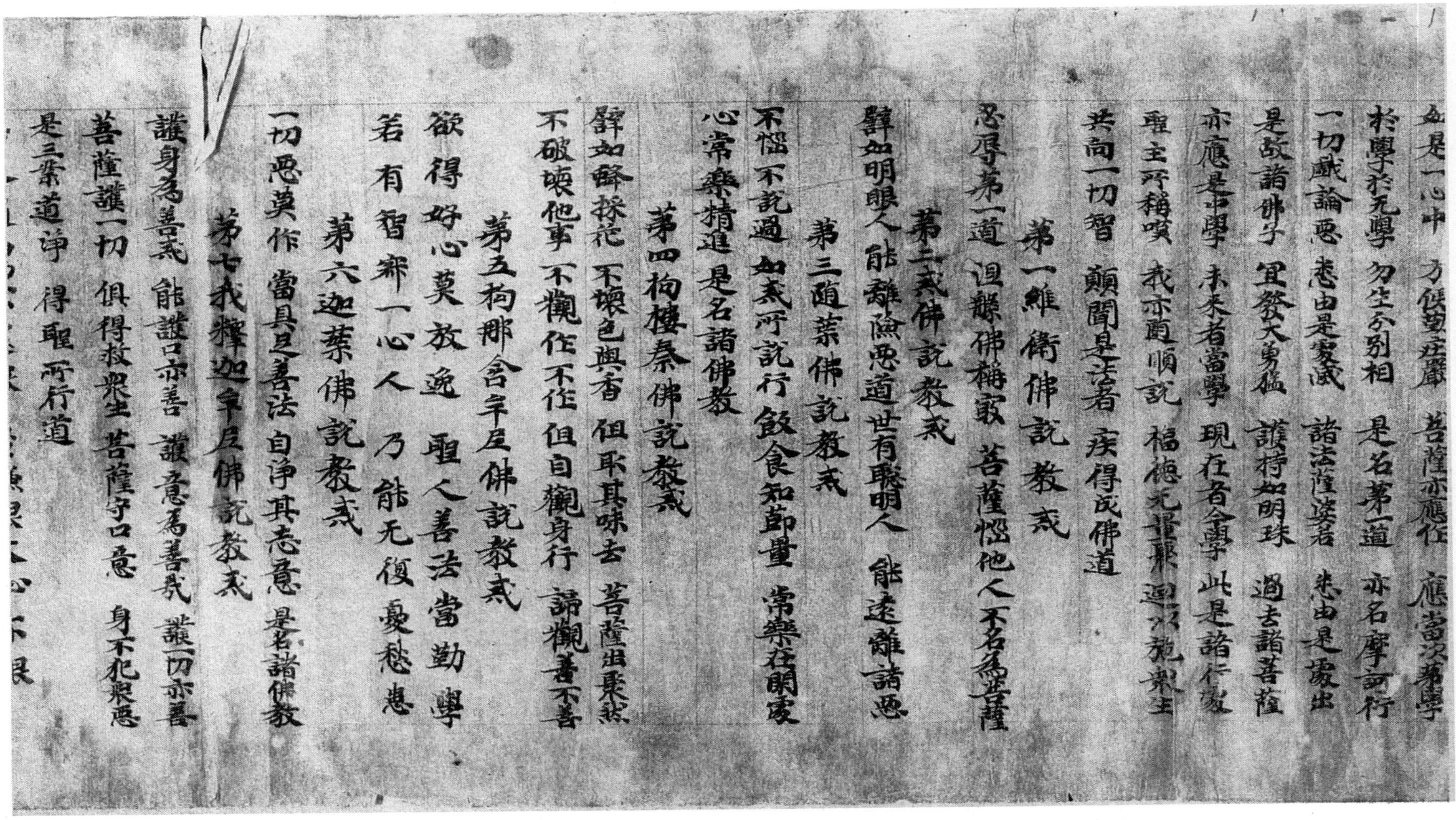

如是一心中 方便勤莊嚴 菩薩所應作 應當次第學
於學於无學 勿生分別相 是名第一道 亦名摩訶衍
一切戲論惡 悉由是處滅 諸佛薩婆若 悉由是處出
是故諸佛子 宜發大勇猛 護持如明珠 過去諸菩薩
亦應是中學 未來者當學 現在者今學 此是諸行處
聖主所稱嘆 我亦隨順說 福德无量聚 迴以施衆生
共向一切智 願聞是法者 疾得成佛道
第一維衛佛說教戒
忍辱第一道 泥洹佛稱最 菩薩惱他人 不名為菩薩
第二式佛說教戒
譬如明眼人 能避險惡道 世有聰明人 能遠離諸惡
第三隨葉佛說教戒
不惱不說過 如戒所說行 飲食知節量 常樂在閑處
心常樂精進 是名諸佛教
第四拘樓秦佛說教戒
譬如蜂採花 不壞色與香 但取其味去 菩薩出聚然
不破壞他事 不觀作不作 但自觀身行 諦觀善不善
第五拘那含牟尼佛說教戒
欲得好心莫放逸 聖人善法當勤學 若有智寂一心人 乃能无復憂愁患
第六迦葉佛說教戒
一切惡莫作 當具足善法 自淨其志意 是名諸佛教
第七釋迦牟尼佛說教戒
護身為善哉 能護口亦善 護意為善哉 護一切亦善
菩薩護一切 俱得於衆生 菩薩守口意 身不犯衆惡
是三業道淨 得聖所行道

BD02878 號 1　梵網經盧舍那佛說菩薩心地戒品第十卷下　（3–2）
BD02878 號 2　七佛說戒偈（擬）

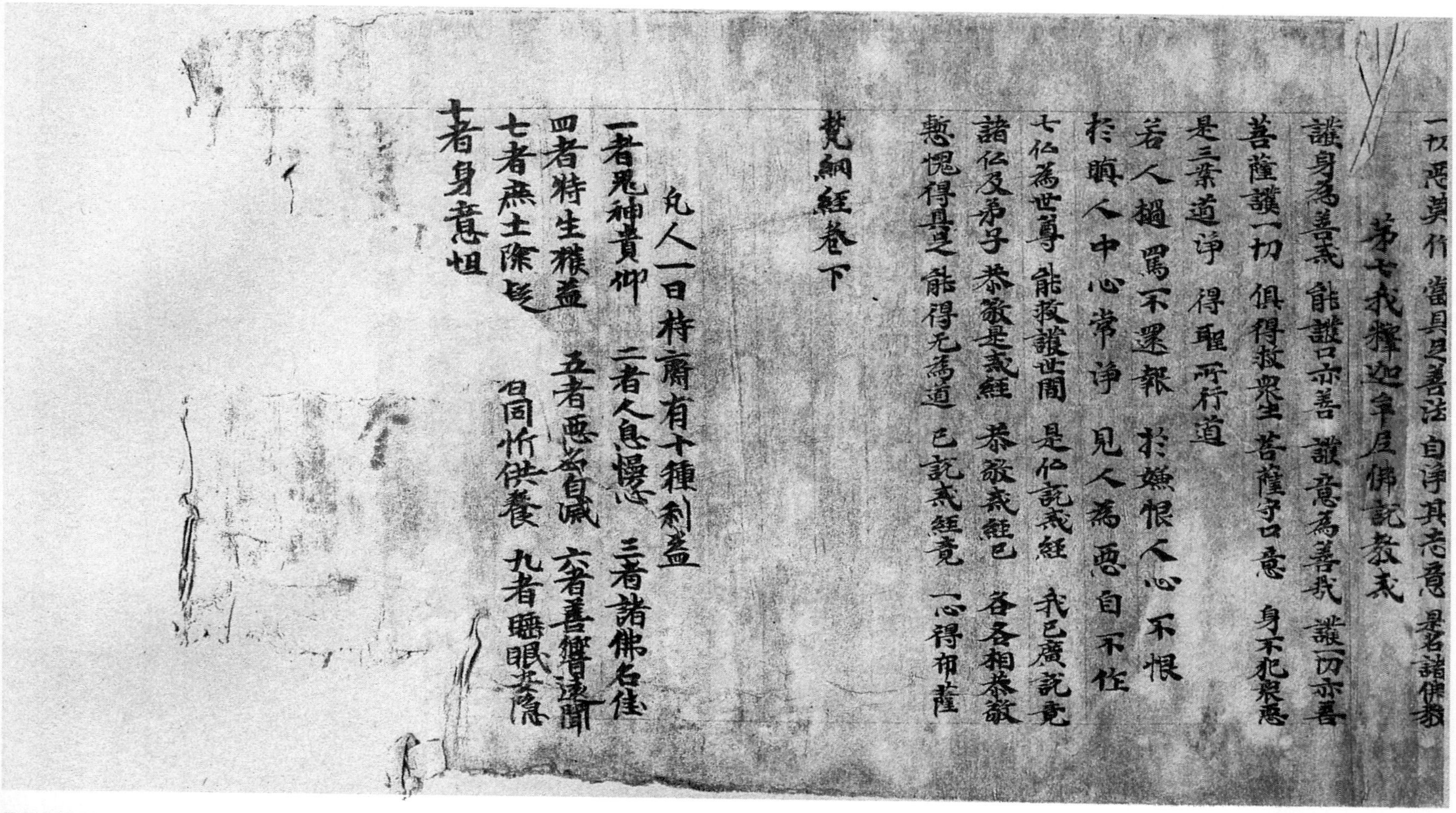

若人撾罵不還報　於嫌恨人心不恨
於瞋人中心常淨　見人為惡自不作

慚愧得具足　能得无為道　已說戒經竟　一心得布薩

凡人一日持齋有十種利益

BD02878 號 2　七佛說戒偈（擬）
BD02878 號 3　一日持齋十種利益（擬）

（3–3）

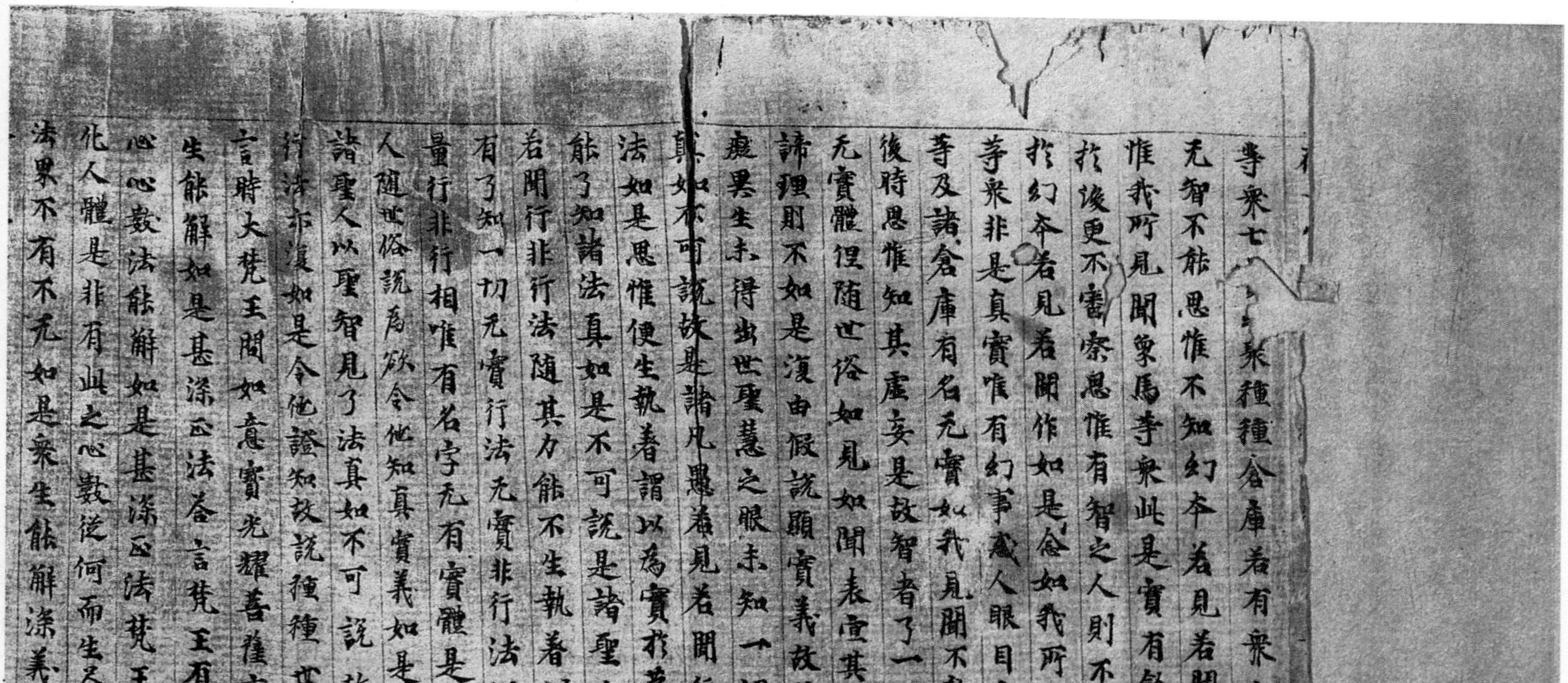

等衆七▢▢衆種種倉庫若有衆生愚癡
无智不能思惟不知幻本若見若聞作是思
惟我所見聞象馬等衆此是實有餘皆虛妄
於後更不審察思惟有智之人則不如是了
於幻本若見若聞作如是念如我所見為馬
等衆非是真實唯有幻事惑人眼目妄謂衆
等及諸倉庫有名无實如我見聞不執為實
後時思惟知其虛妄是故智者了一切法皆
无實體但隨世俗如見如聞表宣其事思惟
諦理則不如是復由假說顯實義故梵王愚
癡異生未得出世聖慧之眼未知一切諸法
真如不可說故是諸凡愚若見若聞行非行
法如是思惟便生執著謂以為實於第一義不
能了知諸法真如是不可說是諸聖人若見
若聞行非行法隨其力能不生執着以為實
有了知一切无實行法无實非行法但妄思
量行非行相唯有名字无有實體是諸聖
人隨世俗說為欲令他知真實義如是梵王是
諸聖人以聖智見了法真如不可說故行非
行法亦復如是令他證知故說種種世俗名
言時大梵王問如意寶光耀菩薩言有幾衆
生能解如是甚深正法答言梵王有衆幻人
心心數法能解如是甚深正法梵王曰此幻
化人體是非有此之心數從何而生答曰若知
法界不有不无如是衆生能解深義

BD02879 號　金光明最勝王經卷五

（5–1）

行法亦復如是令他證知故說種種方便名
言時大梵王問如意寶光耀菩薩言有幾衆
生能解如是甚深正法荅言梵王有衆幻人
心心數法能解如是甚深正法梵王曰此幻
化人體是非有此之心數從何而生荅曰若知
法界不有不无如是衆生能解深義
尒時梵王白佛言世尊是如意寶光耀菩薩
不可思議通達如是甚深之義佛言如是如
是梵王如汝所言此如意寶光耀已教汝等
發心修學无生忍法是時大梵天王與諸梵
衆從座而起偏袒右肩合掌恭敬頂礼如意
寶光耀菩薩足作如是言希有希有我等今
日幸遇大士得聞正法
尒時世尊告梵王言是如意寶光耀於未來
世當得作佛号寶燄吉祥藏如來應正遍知
明行圓滿善逝世間解无上士調御丈夫天
人師佛世尊說是品時有三千億菩薩於阿
耨多羅三藐三菩提得不退轉八千億天子
无量无數國王臣民遠塵離垢得法眼淨
尒時會中有五十億苾芻行菩薩行欲退菩
提心聞如意寶光耀菩薩說是法時皆得堅
固不可思議滿足上願更復發起菩提之心
各自脫衣供養菩薩重發无上勝進之心作
如是願願令我等功德善根悉皆不退迴向
阿耨多羅三藐三菩提梵王是諸苾芻依此
功德如說修行過九十大劫當得解悟出離
生死尒時世尊即為授記汝諸苾芻過卅阿
僧祇劫當得作佛劫名難勝光王國名无垢
光同時皆得阿耨多羅三藐三菩提皆同一
号名願莊嚴聞飾王十号具足梵王是金光
明微妙經典若正聞持有大威力假使有人
於百千大劫行六波羅蜜无有方便若有善

BD02879 號　金光明最勝王經卷五　（5–2）

阿耨多羅三藐三菩提梵王是諸苾芻依此
功德如說修行過九十大劫當得解悟出離
生死尒時世尊即為授記汝諸苾芻過卅阿
僧祇劫當得作佛劫名難勝光王國名无垢
光同時皆得阿耨多羅三藐三菩提皆同一
号名願莊嚴聞飾王十号具足梵王是金光
明微妙經典若正聞持有大威力假使有人
於百千大劫行六波羅蜜无有方便若有善
男子善女人書寫如是金光明經半月半月
專心讀誦是功德聚於前功德百分不及一
乃至筭數譬喻所不能及梵王是故我今令
汝修學憶念受持為他廣說何以故我於往
昔行菩薩道時猶如勇士入於戰陣不惜身
命流通如是微妙經王受持讀誦為他解說
梵王譬如轉輪聖王若王在世七寶不滅王
若命終所有七寶自然滅盡梵王是金光明
微妙經王若現在世无上法寶悉皆不滅若
无是經隨處隱沒是故應當於此經王專心
聽聞受持讀誦為他解說勸令書寫行精進
波羅蜜不惜身命不憚疲勞功德中勝我諸
弟子應當如是精勤修學
尒時大梵天王與无量梵衆帝釋四王及諸
藥叉俱從座起偏袒右肩右膝着地合掌恭
敬白佛言世尊我等皆願守護流通是金
光明微妙經典及說法師若有諸難我當除
遣令具衆善色力充足辯才无礙身意泰然
時會聽者皆受安樂所在國土若有飢饉怨
賊非人為惱害者我等天衆皆為擁護使其
人民安隱豐樂无諸枉橫皆是我等天衆之
力若有供養是經典者我等亦當恭敬供養
如佛不異
尒時佛告大梵天王及諸梵衆乃至四王諸

BD02879 號　金光明最勝王經卷五　（5–3）

敬白佛言世尊我等皆願守護流通是金
光明微妙經典及說法師若有諸難我當除
遣令具衆善色力充足辯才无礙身意泰然
時會聽者皆受安樂所在國土若有飢饉怨
賊非人為惱害者我等天衆皆為擁護使其
人民安隱豐樂无諸枉横皆是我等天衆之
力若有供養是經典者我等亦當恭敬供養
如佛不異
尒時佛告大梵天王及諸梵衆乃至四王諸
藥叉等善哉善哉汝等得聞甚深妙法復能
於此微妙經王發心擁護及持經者當獲无
邊殊勝之福速成无上正等菩提時梵王等
聞佛語已歡喜頂受

金光明最勝王經四天王觀察人天品第十一

尒時多聞天王持國天王增長天王廣目天
王俱從座起偏袒右肩右膝著地合掌向佛
礼佛足已白言世尊是金光明最勝王經一
切諸佛常念觀察一切菩薩之所恭敬一切
天龍常所供養及諸天衆常生歡喜一切護
世稱揚讚歎聲聞獨覺皆共受持悉能明照
諸天宮殿能與一切衆生殊勝安樂止息地
獄餓鬼傍生諸趣苦惱一切怖畏悉能除殄所
有怨敵尋即退散飢饉惡時能令豐稔疾
疫病苦皆令蠲愈一切災變百千苦惱咸悉
消滅世尊是金光明最勝王經能為如是安
隱利樂饒益我等唯願世尊於大衆中廣為
宣說我等四王并諸眷屬聞此甘露无上法
味氣力充實增益威光精進勇猛神通倍勝
世尊我等四王修行正法常說正法以法化
世我等令彼天龍藥叉健闥婆阿蘇羅揭路
荼俱槃荼緊那羅莫呼羅伽及諸人王常以

BD02879號　金光明最勝王經卷五

（5–4）

金光明最勝王經四天王觀察人天品第十一

尒時多聞天王持國天王增長天王廣目天
王俱從座起偏袒右肩右膝著地合掌向佛
礼佛足已白言世尊是金光明最勝王經一
切諸佛常念觀察一切菩薩之所恭敬一切
天龍常所供養及諸天衆常生歡喜一切護
世稱揚讚歎聲聞獨覺皆共受持悉能明照
諸天宮殿能與一切衆生殊勝安樂止息地
獄餓鬼傍生諸趣苦惱一切怖畏悉能除殄所
有怨敵尋即退散飢饉惡時能令豐稔疾
疫病苦皆令蠲愈一切災變百千苦惱咸悉
消滅世尊是金光明最勝王經能為如是安
隱利樂饒益我等唯願世尊於大衆中廣為
宣說我等四王并諸眷屬聞此甘露无上法
味氣力充實增益威光精進勇猛神通倍勝
世尊我等四王修行正法常說正法以法化
世我等令彼天龍藥叉健闥婆阿蘇羅揭路
荼俱槃荼緊那羅莫呼羅伽及諸人王常以
正法而化於世遮去諸惡所有鬼神吸人精
氣无慈悲者悉令遠去世尊我等四王與二
十八部藥叉大將并與无量百千藥叉以淨
天眼過於世人觀察擁護此贍部洲世尊以
此因緣我等諸王名護世者又復於此洲中
若有國王被他怨賊常來侵擾及多飢饉疾
疫流行无量百千災厄之事世尊我等四王

BD02879號　金光明最勝王經卷五

（5–5）

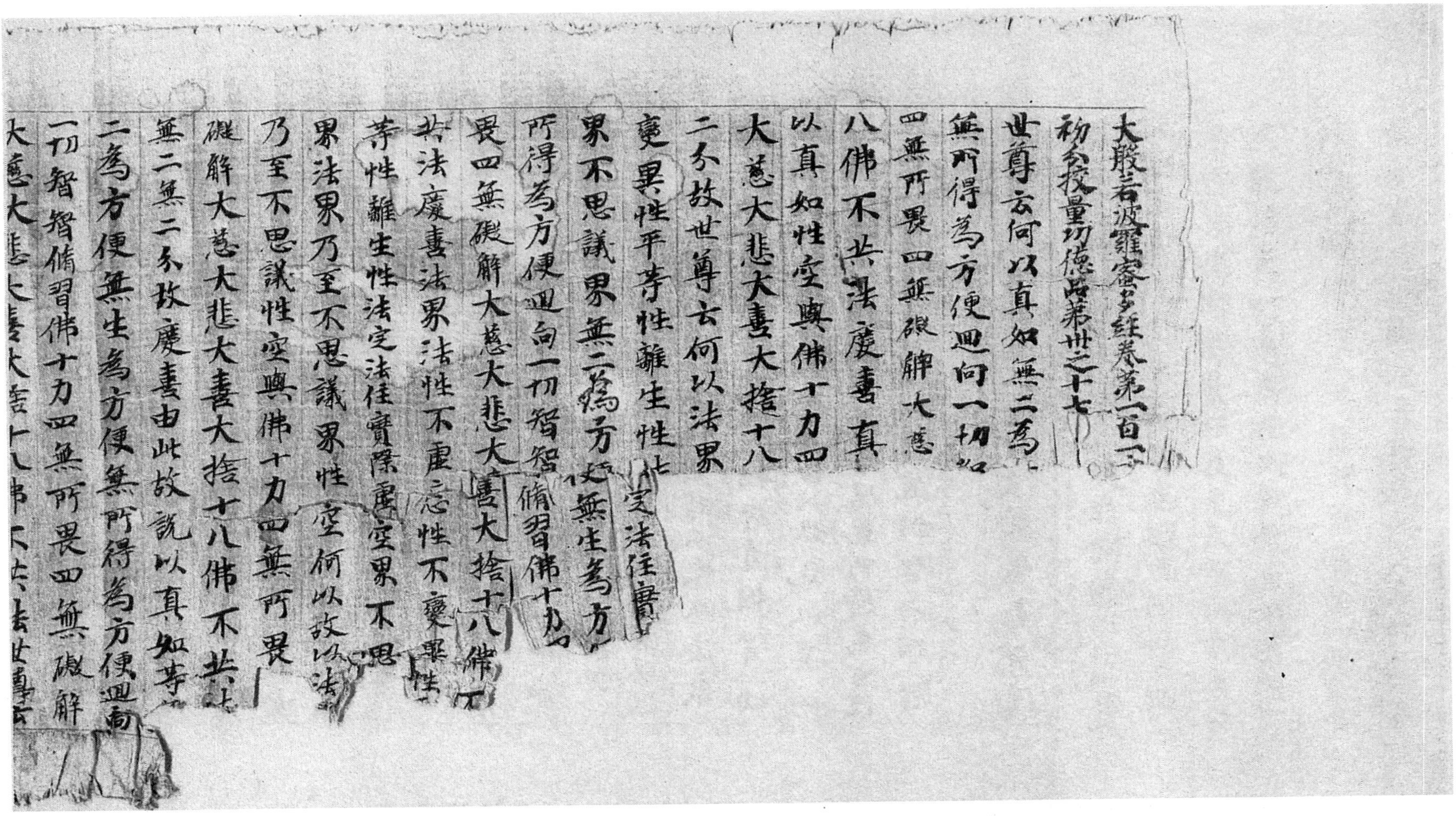
大般若波羅蜜多經卷第一百一十
初分校量功德品第卅之十七
世尊云何以真如無二為
無所得為方便迴向一切智
四無所畏四無礙解大慈
八佛不共法慶喜真
以真如性空與佛十力四
大慈大悲大喜大捨十八
二分故世尊云何以法界
變異性平等性離生性法定法住實
界不思議界無二為方便無生為方
所得為方便迴向一切智智脩習佛十力
畏四無礙解大慈大悲大喜大捨十八佛不
共法慶喜法界法性不虛妄性不變異性
等性離生性法定法住實際虛空界不思
界法界乃至不思議界性空何以故以法
乃至不思議性空與佛十力四無所畏
礙解大慈大悲大喜大捨十八佛不共法
無二無二分故慶喜由此故說以真如等
二為方便無生為方便無所得為方便迴向
一切智智脩習佛十力四無所畏四無礙解
大慈大悲大喜大捨十八佛不共法世尊云

BD02880號　大般若波羅蜜多經卷一一九　（3–1）

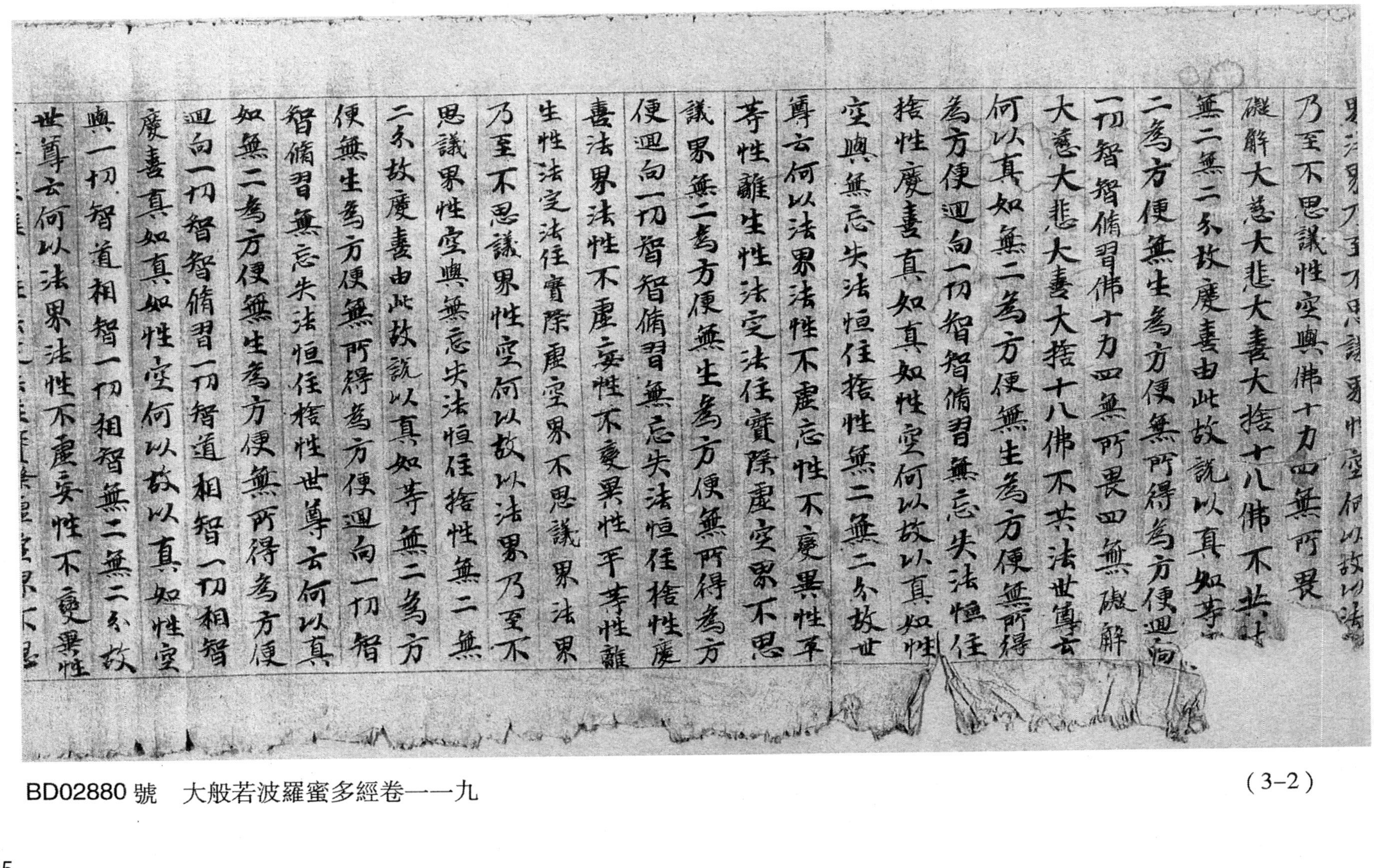
乃至不思議性空與佛十力四無所畏
礙解大慈大悲大喜大捨十八佛不共法
無二無二分故慶喜由此故說以真如等
二為方便無生為方便無所得為方便迴向
一切智智脩習佛十力四無所畏四無礙解
大慈大悲大喜大捨十八佛不共法世尊云
何以真如無二為方便無生為方便無所得
為方便迴向一切智智脩習無忘失法恒住
捨性慶喜真如真如性空何以故以真如性
空與無忘失法恒住捨性無二無二分故世
尊云何以法界法性不虛妄性不變異性平
等性離生性法定法住實際虛空界不思
議界無二為方便無生為方便無所得為方
便迴向一切智智脩習無忘失法恒住捨性慶
喜法界法性不虛妄性不變異性平等性離
生性法定法住實際虛空界不思議界法界
乃至不思議界性空何以故以法界乃至不
思議界性空與無忘失法恒住捨性無二無
二分故慶喜由此故說以真如等無二為方
便無生為方便無所得為方便迴向一切智
智脩習無忘失法恒住捨性世尊云何以真
如無二為方便無生為方便無所得為方便
迴向一切智智脩習一切智道相智一切相智
慶喜真如真如性空何以故以真如性空
與一切智道相智一切相智無二無二分故
世尊云何以法界法性不虛妄性不變異性

BD02880號　大般若波羅蜜多經卷一一九　（3–2）

一切智智廣盡由此故說以真如無二為方
便無生為方便無所得為方便迴向一切智
智脩習無忘失法恒住捨性世尊云何以真
如無二為方便無生為方便無所得為方便
迴向一切智智脩習一切智道相智一切相智
廣盡真如真如性空何以故以真如性空
與一切智道相智一切相智無二無二分故
世尊云何以法界法性不虛妄性不變異性
平等性離生性法定法住實際虛空界不思
議界無二為方便無生為方便無所得為方
便迴向一切智智脩習一切智道相智一切相
智廣盡法界法性不虛妄性不變異性平
等性離生性法定法住實際虛空界不思議
界法界乃至不思議界性空何以故以法界
乃至不思議界性空與一切智道相智一切
相智無二無二分故廣盡由此故說以真如
等無二為方便無生為方便無所得為方便
迴向一切智智脩習一切智道相智一切智
智
世尊云何以真如無二為方便無生為方便

BD02880 號　大般若波羅蜜多經卷一一九

（3–3）

毗盧遮那无鄣㝵明隱滿十方放光照一切
佛剎相王如來　此二佛名号出十二佛名神呪校量功德除鄣滅罪經
南无過現未來十方三世一切諸佛歸命懺
悔如是等一切世界諸佛世尊常住在世是
諸世尊當慈念我當憶念我證知我若我此
生若我前生從无始生死已來所作衆罪若自
作若教他作見作隨喜若塔若僧若四方僧
物若自取若教人取見取隨喜或作五逆
无間重罪若自作若教他作見作隨喜十
不善道自作教他見作隨喜所作罪鄣或
有覆藏或不覆藏應墮地獄餓鬼畜生及諸惡
趣邊地下賤及弥戾車如是等處所作罪鄣
今皆懺悔
今諸佛世尊當證知我當憶念我我復於諸
佛世尊前作如是言若我此生若於餘生曾
行布施或守淨戒乃至施與畜生一摶之食
或脩淨行所有善根成就衆生所有善根
脩行菩提所有善根及无上智所有善根
一切合集校計籌量皆悉迴向阿耨多羅三
藐三菩提如過去未來現在諸佛所作迴向我
亦如是迴向

BD02881 號　七階佛名經

（4–1）

佛世尊前作如是言若我此生若於餘生曾
行布施或守淨戒乃至施與畜生一摶之食
或脩淨行所有善根成就衆生所有善根
脩行菩提所有善根及无上智所有善根
一切合集校計籌量皆悉迴向阿耨多羅三
藐三菩提如過去未來現在諸佛所作迴向我
亦如是迴向
衆罪皆懺悔　諸福盡隨喜　及請佛功德　願成无上智
去來現在佛　於衆生最勝　无量功德海　歸依合掌禮
一切誦
如來妙色身　世間无與等　无比不思議　是故今敬禮
如來色无盡　智慧亦復然　一切法常住　是故我歸依
降伏心過惡　及與身四種　已到難伏地　是故禮法王
知一切尔炎　智慧身自在　攝持一切法　是故今敬禮
敬禮過稱量　敬禮无譬類　敬禮无邊法　敬禮難思議
哀愍覆護我　令法種增長　此世及後生　願佛常攝受
南无摩訶般若波羅蜜　是大明呪　无上明呪
无等等明呪
處世界　如虛空　如蓮華　不著水
心清淨　超於彼　稽首禮　无上尊
偈誦文
願以此功德　普及於一切　我等與衆生　皆共成佛道
一切恭敬
自歸於佛　當願衆生　體解大道　發无上意
自歸於法　當願衆生　深入經藏　智慧如海

BD02881號　七階佛名經　（4–2）

自歸於法　當願衆生　深入經藏　智慧如海
自歸於僧　當願衆生　統理大衆　一切无导
願諸衆生諸惡莫作諸善奉行自淨其意
是諸佛教和南一切賢聖　无常偈文
諸行无常　是生滅法　生滅滅已　寂滅為樂
晝夜六時發願法
十方三世諸佛當知弟子某甲等為一切衆
生觀一切三寶為一切衆生礼一切三寶為
一切衆生供養一切三寶為一切衆生於一
切三寶前行道為一切衆生於一切三寶
前懺悔為一切衆生作佛像轉經供養衆
僧供養一切衆生行六波羅蜜四攝四无量
等一切行已集當集現集一切善根以此善
根願令一切三塗衆生一切貧窮衆生一切
生老病死衆生一切獄囚繫閉衆生一切破
亡流徙衆生一切不自在衆生一切邪見顛
倒衆生等悉得離苦解脫捨邪歸正發菩
提心永除三鄣常見一切諸佛菩薩及善
知識恒聞正法福智具足一時作佛
又以此善根願令一切衆生皆悉上品往生
一切淨土先證无生忍然後度衆生
又以此善根願令一切三寶一切國土常得
安隱不破不壞四方寧靜兵甲休息龍王
歡喜風調雨順五穀熟成万民安樂
六時礼拜佛法大經晝三夜三各嚴香華
入塔觀像供養行道礼佛平旦及與午時

BD02881號　七階佛名經　（4–3）

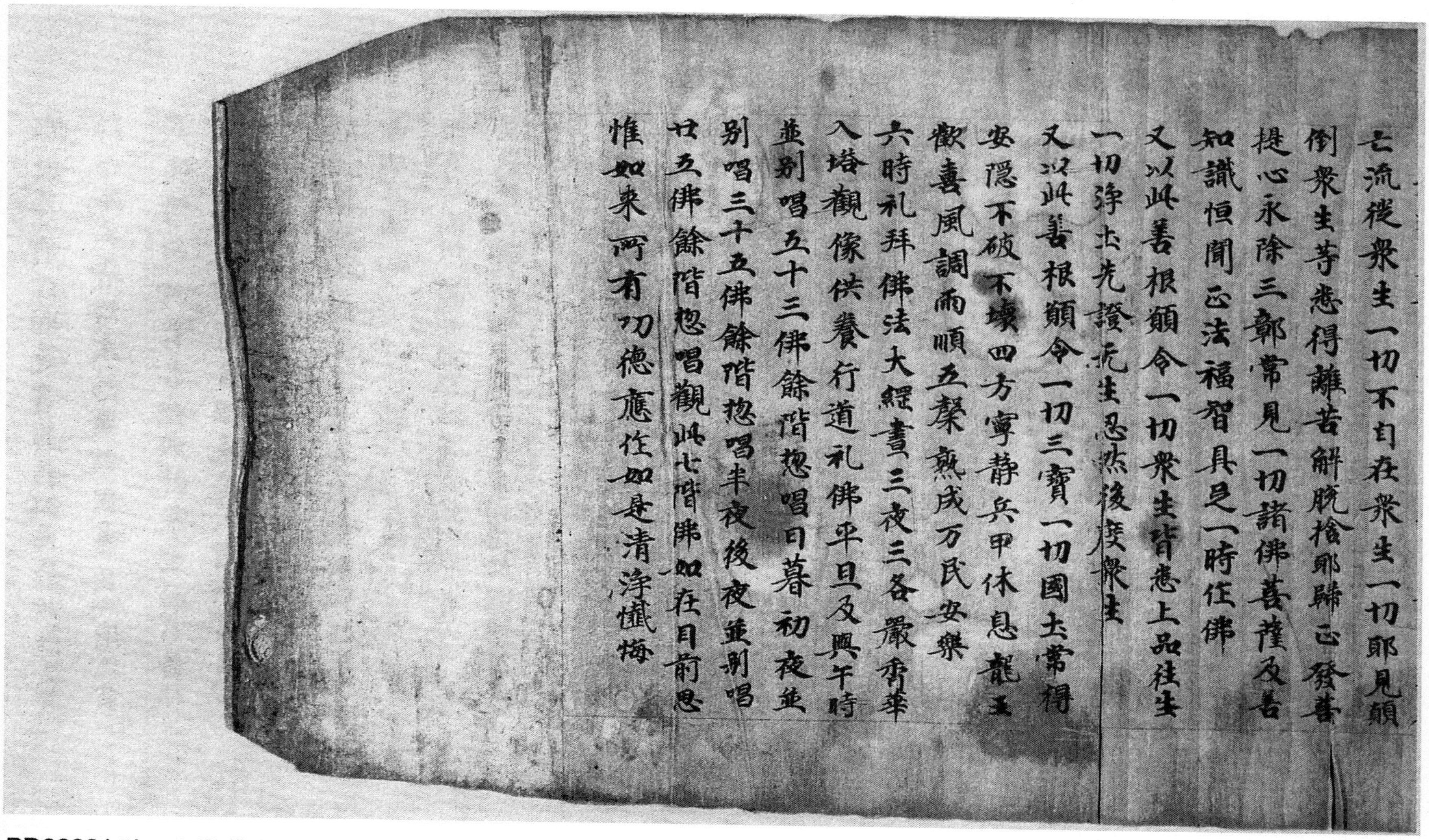
七流從衆生一切不自在衆生一切邪見顛
倒衆生等悉得離苦解脱捨邪歸正發菩
提心永除三鄣常見一切諸佛菩薩及善
知識恒聞正法福智具足一時作佛
又以此善根願令一切衆生皆悉上品往生
一切淨土先證无生忍然後度衆生
又以此善根願令一切三寶一切國土常得
安隱不破不壞四方寧静兵甲休息龍王
歡喜風調雨順五穀熟成万民安樂
六時礼拜佛法大經晝三夜三各嚴香華
入塔觀像供養行道礼佛平旦及與午時
並別唱五十三佛餘皆揔唱日暮初夜並
別唱三十五佛餘皆揔唱半夜後夜並別唱
廿五佛餘皆揔唱觀此七階佛如在目前思
惟如來所有功德應作如是清淨懺悔

BD02881 號　七階佛名經

（4–4）

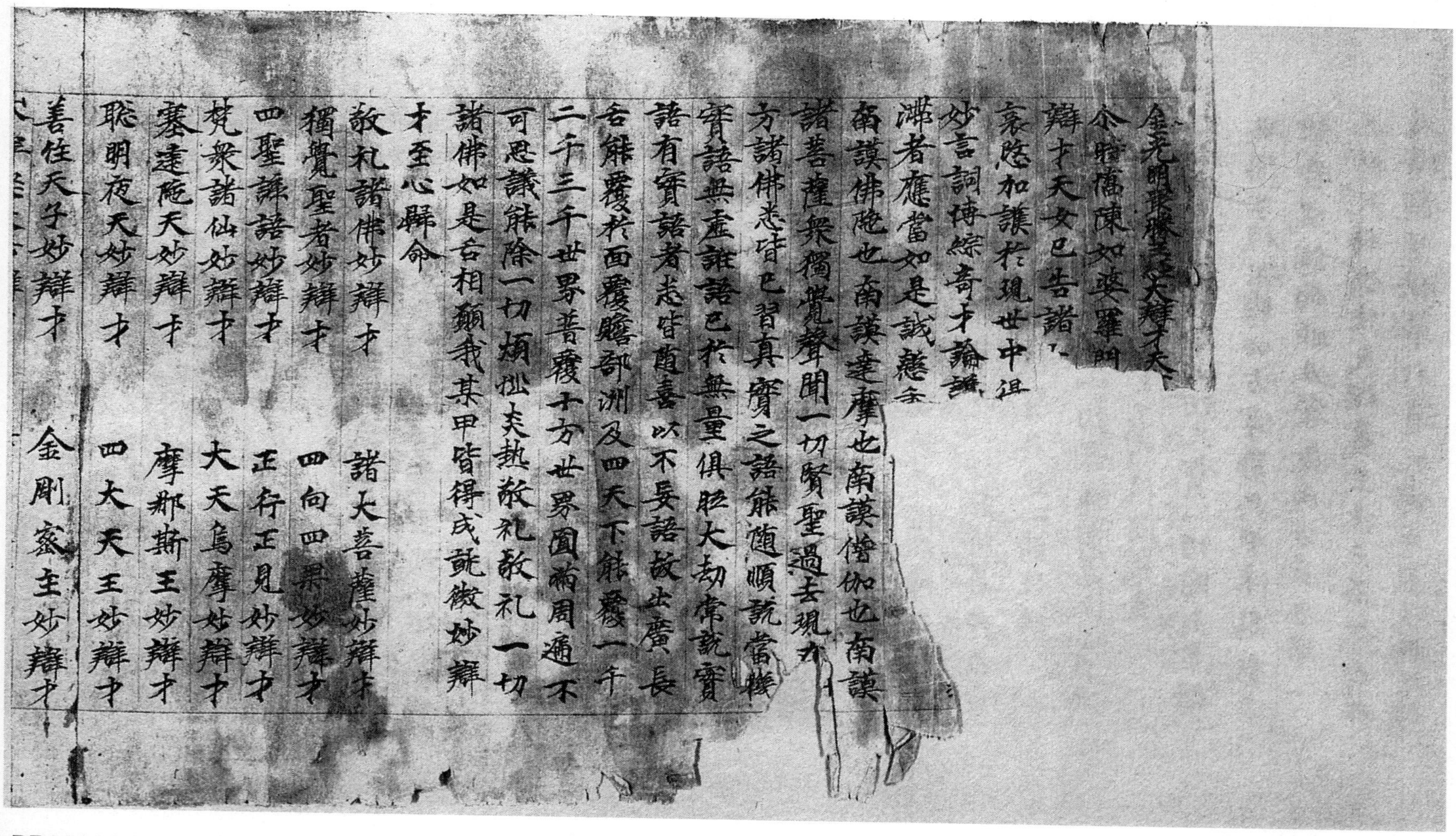
金光明最勝王經大辯才天女
尒時憍陳如婆羅門
辯才天女已告諸
哀愍加護於現世中得
妙言詞博綜奇才論議
滞者應當如是誠懇
南謨佛陀也南謨達摩也南謨僧伽也南謨
諸菩薩衆獨覺聲聞一切賢聖過去現在
方諸佛悉皆已習真實之語能隨順說當機
實語無虛誑語已於無量俱胝大劫常說實
語有實語者悉皆隨喜以不妄語故出廣長
舌能覆於面覆贍部洲及四天下能覆一千
二千三千世界普覆十方世界圍繞周遍不
可思議能除一切煩惱夫熱敬礼敬礼一切
諸佛如是合相願我某甲皆得成就微妙辯
才至心歸命
敬礼諸佛妙辯才　諸大菩薩妙辯才
獨覺聖者妙辯才　四向四果妙辯才
四聖諦語妙辯才　正行正見妙辯才
梵衆諸仙妙辯才　大天烏摩妙辯才
塞建陁天妙辯才　摩那斯王妙辯才
聰明夜天妙辯才　四大天王妙辯才
善住天子妙辯才　金剛密主妙辯才

BD02882 號　金光明最勝王經卷八

（16–1）

四聖諦語妙辯才　正行正見妙辯才
梵衆諸仙妙辯才　大天烏摩妙辯才
塞建陀天妙辯才　摩那斯王妙辯才
聰明夜天妙辯才　四大天王妙辯才
善住天子妙辯才　金剛密主妙辯才
吠率怒天妙辯才　毗摩天女妙辯才
侍數天神妙辯才　室唎天女妙辯才
室唎末多妙辯才　醯哩言詞妙辯才
諸母大母妙辯才　訶哩底母妙辯才
諸藥叉神妙辯才　十方諸王妙辯才
所有勝業資助我　令得無窮妙辯才
敬礼無欺誑　敬礼解脫者　敬礼離欲人　敬礼捨纏蓋
敬礼心清淨　敬礼光明者　敬礼真實語　敬礼無塵習
敬礼住勝義　敬礼大衆主　敬礼辯才天　令我詞無礙
願我所求事　皆悉速成就　無病常安隱　壽命得延長
善解諸明呪　勤修菩提道　廣饒益群生　求心願早遂
我說真實語　我說無誑語　天女妙辯才　令我得成就
唯願天女來　令我語無滯　速入身口內　聰明之辯才
願令我舌根　當得如來辯　由彼語威力　調伏諸衆生
我所出語時　隨事皆成就　聞者生恭敬　所作不唐捐
若我求辯才　事不成就者　天女之實語　皆悉成虛妄
有作無間罪　佛語令調伏　及以阿羅漢　所有報恩語
舍利子目連　世尊衆第一　斯等真實語　願我皆成就
我今皆啓請　佛之聲聞衆　皆願速來至　成就我求心
所求真實語　皆願無虛誑　上從色究竟　及以淨居天
大梵及梵輔　一切梵王衆　乃至遍三千　索訶世界主
并及諸眷屬　我今皆請召　唯願降慈悲　哀憐同攝受
他化自在天　及以樂變化　覩史多天衆　慈氏當成佛
夜摩諸天衆　及三十三天　四大王衆天　一切諸天衆

我今皆請　佛之聲聞衆　皆願速來至　成就我求心
所求真實語　皆願無虛誑　上從色究竟　及以淨居天
大梵及梵輔　一切梵王衆　乃至遍三千　索訶世界主
并及諸眷屬　我今皆請召　唯願降慈悲　哀憐同攝受
他化自在天　及以樂變化　覩史多天衆　慈氏當成佛
夜摩諸天衆　及三十三天　四大王衆天　一切諸天衆
地水火風神　依妙高山住　七海山神衆　所有諸眷屬
滿財及五頂　日月諸星辰　如是諸天衆　令世間安隱
斯等諸天神　不樂作罪業　敬佛鬼子母　及最小愛兒
天龍藥叉衆　乾闥阿蘇羅　及以緊那羅　莫呼洛伽等
我以世尊力　悉皆申請召　願降慈悲心　與我無礙辯
一切人天衆　能了他心者　皆願加神力　與我妙辯才
乃至盡虛空　周遍於法界　所有含生類　與我妙辯才
爾時辯才天女聞是請已告婆羅門言善哉大士若
有男子女人能依如是呪及呪讚如前所說受持法
式歸敬三寶虔心正念於所求事皆不唐捐兼復受
持讀誦此金光明微妙經典所願求者無不果遂速
得成就除不至心時婆羅門深心歡喜合掌頂受
爾時佛告辯才天女善哉善哉善女天汝能
流布是妙經王擁護所有受持經者及能利
益一切衆生令得安樂說如是法施與辯才
不可思議得福無量諸發心者速趣菩提

金光明最勝王經大吉祥天女品第十六

爾時大吉祥天女即從座起前礼佛足合掌
恭敬白佛言世尊我若見有苾芻苾芻尼鄔
波索迦鄔波斯迦受持讀誦為人解說是金
光明最勝王經者我當專心恭敬供養此等
法師所謂飲食衣服卧具醫藥及餘一切所
須資具皆令圓滿無有乏少若晝若夜於此

恭敬白佛言世尊我若見有苾芻苾芻尼鄔
波索迦鄔波斯迦受持讀誦為人解說是金
光明最勝王經者我當專心恭敬供養此等
法師所謂飲食衣服臥具醫藥及餘一切所
須資具皆令圓滿無有乏少若晝若夜於此
經王所有句義觀察思量安樂而住令此經
典於贍部洲廣行流布為彼有情已於無量
百千佛所種善根者常使得聞不速隱沒復
於無量百千億劫當受人天種種勝樂常得
豐稔亦除飢饉一切有情恒受安樂亦得值
遇諸佛世尊於未來世速證無上大菩提果
永絕三塗輪迴苦難世尊我念過去有瑠璃
金山寶花光照吉祥功德海如來應正等覺
十號具足我於彼所種諸善根由彼如來慈
悲愍念威神力故令我今日隨所念處隨所
視方隨所至國能令無量百千萬億眾生受
諸快樂乃至所須衣服飲食資生之具金銀
瑠璃車璩碼碯珊瑚虎珀真珠等寶悉令充
足若復有人至心讀誦是金光明最勝王經
亦當日日燒眾名香及諸妙花為我供養彼
瑠璃金山寶花光照吉祥功德海如來應正
等覺復當每日於三時中稱念我名別以香
花及諸美食供養於我亦常聽受此妙經王
得如是福而說頌曰
由能如是持經故　自身眷屬離諸衰
所須衣食無乏時　威光壽命難窮盡
能使地味常增長　諸天降雨隨時節
令彼天眾咸歡悅　及以園林穀果神
藂林果樹並滋榮　所有苗稼咸成就

BD02882號　金光明最勝王經卷八

（16–4）

由能如是持經故　自身眷屬離諸衰
所須衣食無乏時　威光壽命難窮盡
能使地味常增長　諸天降雨隨時節
令彼天眾咸歡悅　及以園林穀果神
藂林果樹並滋榮　所有苗稼咸成就
欲求珍財皆滿願　隨所念者遂其心
佛告大吉祥天女善哉善哉汝能如是憶念
昔因報恩供養利益安樂無邊眾生流布是
經功德無盡

金光明最勝王經大吉祥天女增長財物品第十七

尒時大吉祥天女復白佛言世尊北方薜室
羅末拏天王城名有財去城不遠有園名曰
妙花福光中有勝殿七寶所成世尊我常住
彼若復有人欲求五穀日日增多倉庫盈溢
者應當發起敬信之心淨治一室瞿摩塗地
應畫我像種種瓔珞周帀莊嚴當洗浴身著
淨衣服塗以名香入淨室內發心為我每日
三時稱彼佛名及此經名號而申禮敬南謨
瑠璃金山寶花光照吉祥功德海如來持諸
香花及以種種甘美飲食至心奉獻亦以香
花及諸飲食供養我像復持飲食散擲餘方
施諸神等實言邀請大吉祥天發所求願若
如所言是不虛者於我所請勿令空尒于時
吉祥天女知是事已便生愍念令其宅中財
穀增長即當誦咒請召於我先稱佛名及菩
薩名字一心敬禮
南謨一切十方三世諸佛　南謨寶髻佛
南謨無垢光明寶幢佛　南謨金幢光佛

BD02882號　金光明最勝王經卷八

（16–5）

敎增長即當誦呪請召於我先稱佛名及菩
薩名字一心敬礼
南謨一切十方三世諸佛　南謨寶髻佛
南謨無垢光明寶幢佛　南謨金幢光佛
南謨百金光藏佛　南謨金蓋寶積佛
南謨金花光幢佛　南謨大燈光佛
南謨大寶幢佛　南謨東方不動佛
南謨南方寶幢佛　南謨西方無量壽佛
南謨北方天鼓音佛　南謨妙幢菩薩
南謨金光菩薩　南謨金藏菩薩
南謨常啼菩薩　南謨法上菩薩
南謨善安菩薩
敬礼如是佛菩薩已次當誦呪請召我大吉祥
天女由此呪力所求之事皆得成就即說
呪曰
南謨室唎莫訶天女　怛姪他
鉢唎脯𠼝拏折囉　三曼多
達唎設泥(去)　莫訶毗訶囉揭帝
三曼哆毗曇末泥　莫訶迦里也
鉢喇底瑟侘鉢泥　薩婆頞他娑彈泥
蘇鉢喇底脯𠼝　痾耶娜達摩多
莫訶毗俱比帝　莫訶迷咄嚕
郎波僧伽　莫訶頡唎使
蘘僧近入里咖　三曼多頞他
阿奴波剌泥　莎訶
世尊若人誦持如是神呪請召我時我聞請
已即至其所令願得遂世尊是灌頂法句定
成就句真實之句無虛誑句是平等行於諸

BD02882號　金光明最勝王經卷八　（16–6）

阿奴波剌泥　莎訶
世尊若人誦持如是神呪請召我時我聞請
已即至其所令願得遂世尊是灌頂法句定
成就句真實之句無虛誑句是平等行於諸
衆生是正善根若有受持讀誦呪者應七日
七夜受八支戒於晨朝時先嚼齒木淨漱
口已及於晡後香花供養一切諸佛自陳其罪
當爲己身及諸含識迴向發願令所希求
速得成就淨治一室或在空閑阿蘭若處瞿
摩爲壇燒旃檀香而爲供養置一勝座幡蓋
莊嚴以諸名花布列壇內應當至心誦持前
呪希望我至我於尒時即便護念觀察是人
來入其室就座而坐受其供養從是以後當
令彼人於睡夢中得見於我隨所求事以實告
知若聚落空澤及僧住處隨所求者皆令圓
滿金銀財寶牛羊穀麥飲食衣服皆得隨心
受諸快樂既得如是勝妙果報當以上分供
養三寶及施於我廣修法會設諸飲食布列
香花既供養已所有供食貨之取直復爲供
養我當終身常住於此擁護是人令無闕乏
隨所希求悉皆稱意亦當時時給濟貧乏不
應慳惜獨爲己身常讀是經供養不絕當以
此福普施一切迴向菩提願出生死速得解
脫尒時世尊讚言善哉吉祥天女汝能如是
流布此經不可思議自他俱益
金光明最勝王經堅牢地神品第十八
尒時堅牢地神即於衆中從座而起合掌恭敬
而白佛言世尊是金光明最勝王經若現在世

BD02882號　金光明最勝王經卷八　（16–7）

金光明最勝王經堅牢地神品第十八

爾時堅牢地神即於衆中從座而起合掌恭敬
而白佛言世尊是金光明最勝王經若現在世
若未來世若在城邑聚落王宮樓觀及
阿蘭若山澤空林有此經王流布之處世尊
我當往詣其所供養恭敬擁護流通若有方
處為說法師敷置高座演說經者我以神力
不現本身在於座所頂戴其足我得聞法深心
歡喜得霑法味增益威光慶悅無量自身
既得如是利益亦令大地深十六万八千踰繕
那至金剛輪際令其地味悉皆增益乃至四海
所有土地亦使肥濃田疇沃壤倍勝常日
亦復令此贍部洲中江河池沼所有諸樹
藥草藂林種種花果根莖枝葉及諸苗稼形
相可愛衆所樂觀色香具足皆堪受用若諸
有情受用如是勝飲食已長命色力諸根安
隱增益光輝無諸痛惱心慧勇健無不堪能
又此大地凡有所須百千事業悉皆周備世
尊以是因緣諸贍部洲安隱豐樂人民熾盛
無諸衰惱所有衆生皆受安樂既受如是身
心快樂於此經王深加愛敬所在之處皆願
受持供養恭敬尊重讚歎又復於彼說法大
師法座之處悉皆往彼為諸衆生勸請說是
最勝經王何以故世尊由說此經我之自身并
諸眷屬咸蒙利益光輝氣力勇猛威勢顏
容端正倍勝於常世尊我堅牢地神蒙法味已
令贍部洲縱廣七千踰繕那地皆沃壤乃至
如前所有衆生皆受安樂是故世尊時彼
衆生為報我恩應作是念我當必定聽受是

BD02882號　金光明最勝王經卷八

（16–8）

諸眷屬咸蒙利益光輝氣力勇猛威勢顏
容端正倍勝於常世尊我堅牢地神蒙法味已
令贍部洲縱廣七千踰繕那地皆沃壤乃至
如前所有衆生皆受安樂是故世尊時彼
衆生為報我恩應作是念我當必定聽受是
經恭敬供養尊重讚歎作是念已即從住處
城邑聚落舍宅空地詣法會所頂禮法師聽受
是經既聽受已各還本處心生慶喜共作是言
我等今者得聞甚深無上妙法即是攝
受不可思議功德之聚由經力故我等當
值無量無邊百千俱胝那庾多佛承事供養
永離三塗極苦之處復於未來百千生中常生
天上及在人間受諸勝樂時彼諸人各還本
處為諸人衆說是經王若一喻一品因緣一
如來名一菩薩名一四句頌或復一句為諸
衆生說是經典乃至首題名字世尊隨
諸衆生所住之處其地悉皆沃壤肥濃過
於餘處凡是土地所生之物悉得增長滋
茂廣大令諸衆生受於快樂多饒財寶好行
惠施心常堅固深信三寶作是語已爾時世尊
告堅牢地神曰若有衆生聞是金光明最勝經王
乃至一句命終之後當得往生三十三天及
餘天處若有衆生為欲供養是經王故莊
嚴宅宇乃至張一傘蓋懸一繒幡由是因緣
六天之上如念受生七寶妙宮隨意受用各
各自然有七千天女共相娛樂日夜常受不可
思議殊勝之樂作是語已爾時堅牢地神白
佛言世尊以是因緣若有四衆昇於法座
說是法時我當晝夜擁護是人自隱其身

BD02882號　金光明最勝王經卷八

（16–9）

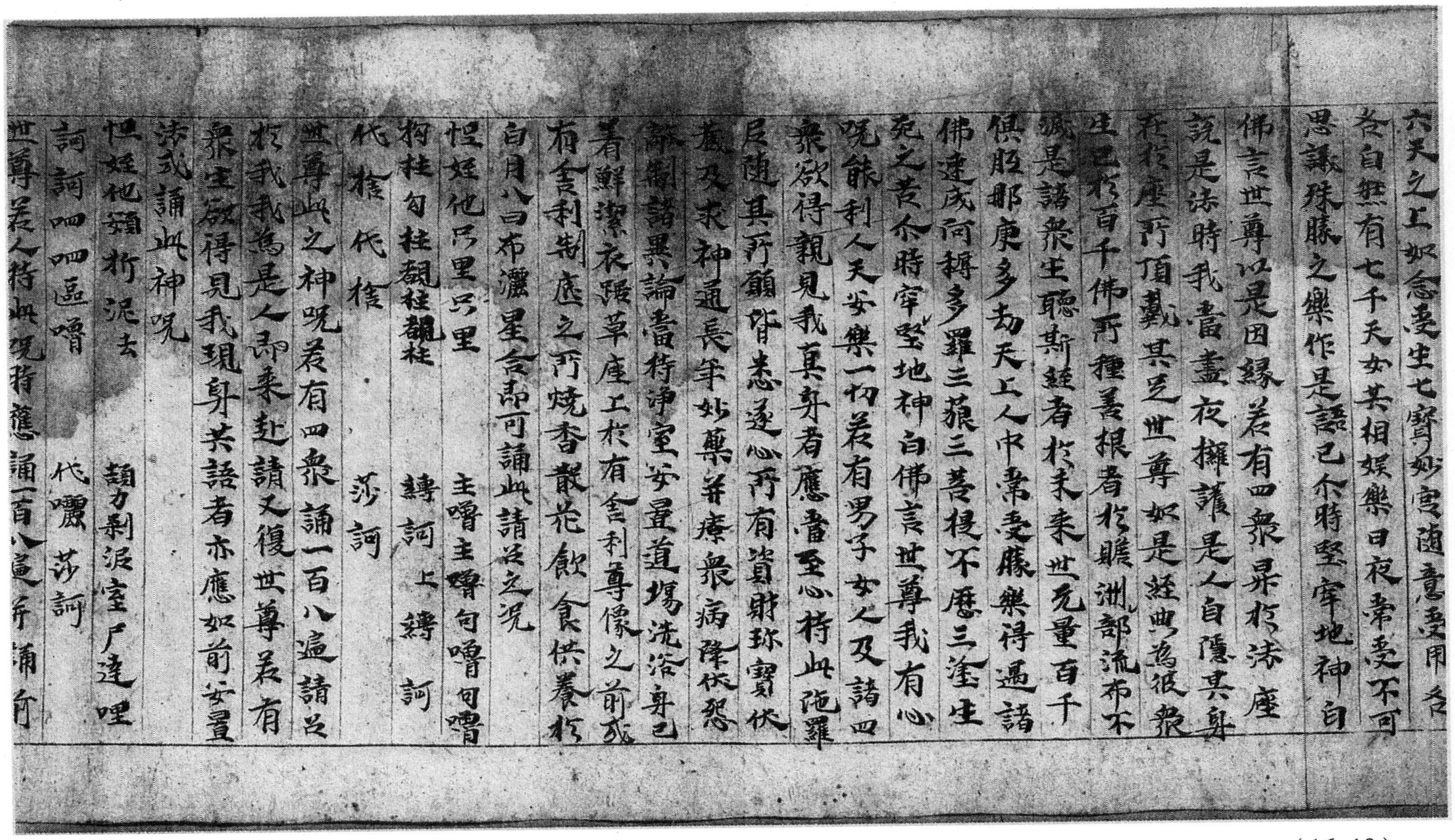

六天之上如意受生七寶妙宮隨意受用各
各自然有七千天女共相娛樂日夜常受不可
思議殊勝之樂作是語已尒時堅牢地神白
佛言世尊以是因緣若有四衆昇於法座
說是法時我當晝夜擁護是人自隱其身
在於座所頂戴其足世尊如是經典為彼衆
生已於百千佛所種善根者於贍部洲流布不
滅是諸衆生聽斯經者於未來世无量百千
俱胝那庾多劫天上人中常受勝樂得遇諸
佛速成阿耨多羅三藐三菩提不歷三塗之
苦尒時堅牢地神白佛言世尊我有心
呪能利人天安樂一切若有男子女人及諸四
衆欲得親見我真身者應當至心持此陁羅
尼隨其所願皆悉遂心所有資財珎寶伏
藏及求神通長年妙藥并療衆病降伏怨
敵制諸異論當於淨室安置道場洗浴身已
著鮮潔衣踞草座上於有舍利尊像之前或
有舍利制底之所燒香散花飲食供養於
白月八日布灑星合即可誦此請召之呪
怛姪他 只里只里 主嚕主嚕 句嚕句嚕
拘柱拘柱 覩柱覩柱 縛訶上縛訶 訶
伐捨伐捨 莎訶
世尊此之神呪若有四衆誦一百八遍請召
於我我為是人即來赴請又復世尊若有
衆生欲得見我現身共語者亦應如前安置
法式誦此神呪
怛姪他 頞折泥去 頞力剎泥窒尸達哩
訶訶呬呬區嚕 代嚷 莎訶
世尊若人持此呪時應誦一百八遍并誦前

BD02882號 金光明最勝王經卷八 （16–10）

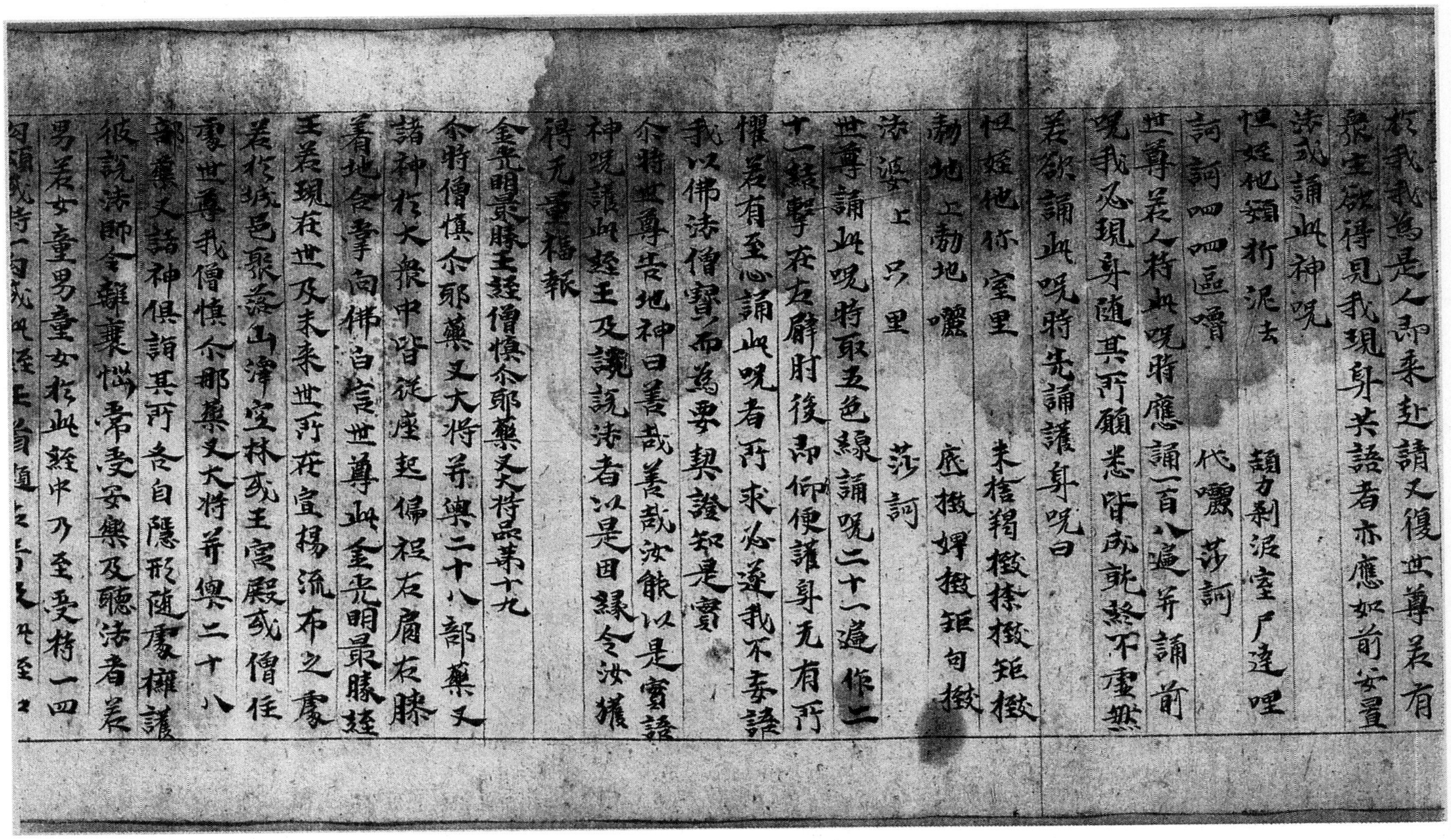

於我我為是人即來赴請又復世尊若有
衆生欲得見我現身共語者亦應如前安置
法式誦此神呪
怛姪他 頞折泥去 頞力剎泥窒尸達哩
訶訶呬呬區嚕 代嚷 莎訶
世尊若人持此呪時應誦一百八遍并誦前
呪我必現身隨其所願悉皆成就終不虛然
若欲誦此呪時先誦護身呪曰
怛姪他 你窒里 朱稽稽擻捺擻矩擻
勃地上勃地嚷 底擻婢擻矩句擻
法婆上只里 莎訶
世尊誦此呪時取五色線誦呪二十一遍作二
十一結繫在左臂肘後即便護身无有所
懼若有至心誦此呪者所求必遂我不妄語
我以佛法僧寶而為要契證知是實
尒時世尊告地神曰善哉善哉汝能以是實語
神呪護此經王及說法者以是因緣令汝獲
得无量福報
金光明最勝王經僧慎尒耶藥叉大將品第十九
尒時僧慎尒耶藥叉大將并與二十八部藥叉
諸神於大衆中皆從座起偏袒右肩右膝
著地合掌向佛白言世尊此金光明最勝經
王若現在世及未來世所在宣揚流布之處
若於城邑聚落山澤空林或王宮殿或僧住
處世尊我僧慎尒耶藥叉大將并與二十八
部藥叉諸神俱詣其所各自隱形隨處擁護
彼說法師令離衰惱常受安樂及聽法者若
男若女童男童女於此經中乃至受持一四
句頌或持一句或此經王首題名字

BD02882號 金光明最勝王經卷八 （16–11）

若於城邑聚落山澤空林或王宮殿或僧住
處世尊我僧慎尒耶藥叉大將并與二十八
部藥叉諸神俱詣其所各自隱形隨處擁護
彼說法師令離衰惱常受安樂及聽法者若
男若女童男童女於此經中乃至受持一四
句頌或持一句或此經王首題名號及此經中
一如來名一菩薩名發心稱念恭敬供養者
我當救護攝受令无災橫離苦得樂世尊
何故我名正了知此之因緣是佛親證我知
諸法我曉一切法隨所有一切法如所有一諸
法種類體性差別世尊如是諸法我能了
知我有難思智光我有難思智炬我有難
思智行我有難思智聚我有難思智境而能
通達世尊我於一切法正知正曉正覺能
正觀察世尊以是因緣我藥叉大將名正了知
以是義故我能令彼說法之師言詞辯了具
足莊嚴亦令精氣從毛孔入身力充足威
光勇健難思智光皆得成就得正憶念无有
退屈增益彼身令无衰減諸根安樂常生歡
喜以是因緣為彼有情已於百千佛所殖諸
善根修福業者於贍部洲廣宣流布不速隱
沒彼諸有情聞是經已得不可思議大智光
明及以无量福智之聚於未來世當受无量俱
胝那庾多劫不可思量人天勝樂常與諸佛
共相值遇速證无上正等菩提閻羅之界三
塗極苦不復經過
尒時正了知藥叉大將白佛言世尊我有陁
羅尼今對佛前親自陳說為欲饒益憐
愍諸有情故即說呪曰

BD02882號　金光明最勝王經卷八

（16–12）

胝那庾多劫不可思量人天勝樂常與諸佛
共相值遇速證无上正等菩提閻羅之界三
塗極苦不復經過
尒時正了知藥叉大將白佛言世尊我有陁
羅尼今對佛前親自陳說為欲饒益憐
愍諸有情故即說呪曰
南謨佛陁引也　南謨達摩也
南謨僧伽引也　南謨跋囉蚶摩也
南謨因達囉也　南謨折咄喃
莫訶囉闍喃　怛姪他　呬里呬里
弭里弭里　莫訶瞿里健陁
莫訶健陁里　達羅弭雞
莫訶達羅弭雞　單荼曲勸 周騎 茶去
訶訶訶訶訶　呬呬呬呬呬
呼呼呼呼呼　漢兽曇 謎瞿曇謎
者者者者　只只只只　主主主主
旃荼福凝　鉢擢　尸揭囉上　尸揭囉
嗢底瑟侘　呬　薄伽梵僧慎尒耶
莎訶
若復有人於此明呪能受持者我當給與
生樂具飲食衣服花果珍異或求男女童
男童女金銀珍寶諸瓔珞具我皆供給隨所
願求令无闕乏此之明呪有大威力若誦呪時
我當速至其所令无障礙隨意成就若持此
呪時應知其法先畫一鋪僧慎尒耶藥叉形
像高四五尺手執鉾鑹於此像前作四方壇
安四滿瓶蜜水或沙糖水塗香粖香燒香及
諸花鬘又於壇前作地火爐中安炭火以蘇
摩芥子燒於爐中口誦前呪一百八遍遍
一燒乃至我藥叉大將自來見身問呪人曰

BD02882號　金光明最勝王經卷八

（16–13）

安四滿瓶蜜水或沙糖水塗香末香燒香及
諸花鬘又於壇前作地火爐中安炭火以蘇
摩芥子燒於爐中口誦前咒一百八遍一遍
一燒乃至我藥叉大將自來現身問呪人曰
尒何所須意求何事即以事答我即隨言於
所求事皆令滿足或須金銀及諸伏藏或欲
神仙乘空而去或求天眼通或知他心事於一
切有情隨意自在令斷煩惱速得解脫皆
得成就
尒時世尊告正了知藥叉大將曰善哉善哉
汝能如是利益一切衆生說此神咒擁護
正法福利无邊
金光明經王法正論品第廿
尒時此大地神女名曰堅牢於大衆中從座
而起頂禮佛足合掌恭敬白佛言世尊於
諸國中為人王者若无正法不能治國安養衆
生及以自身長居勝位唯願世尊慈悲哀愍
當為我說王法正論治國之要令諸人王得
聞法已如說修行正化於世能令勝位永保
安寧國內居人咸蒙利益
尒時世尊於大衆中告堅牢地神曰汝當諦
聽過去有王名力尊幢其王有子名曰妙
幢受灌頂位未久之頃尒時父王告妙幢言有
王法正論名天主教法我於昔時受灌頂位
而為國主我之父王名智力尊幢為我說
是王法正論我依此論於二万歲善治國土我
不曾憶起一念心行於非法而治國土今日亦應
如是勿以非法而治於國云何名為王法正論
汝今善聽當為汝說尒時力尊幢王即為
其子以妙伽他說正論曰

BD02882號　金光明最勝王經卷八

(16–14)

而為國主我之父王名智力尊幢為我說
是王法正論我依此論於二万歲善治國土我
不曾憶起一念心行於非法而治國土今日亦應
如是勿以非法而治於國云何名為王法正論
汝今善聽當為汝說尒時力尊幢王即為
其子以妙伽他說正論曰
我說王法論　利安諸有情　為斷世間疑　滅除衆過失
一切諸天主　及以人中王　當生歡喜心　合掌聽我說
往昔諸天衆　集在金剛山　四王從座起　請問於大梵
梵王最勝尊　天中大自在　願哀愍我等　為斷諸疑惑
云何處人世　而得名為天　復以何因緣　號名曰天子
云何生人間　獨得為人主　云何在天上　復得作天王
如是護世間　問彼梵王已　尒時梵天主　即便為彼說
護世汝當知　為利有情故　問我治國法　我說應善聽
由先善業力　生天得作王　若在於人中　統領為人主
諸天共加護　然後入母胎　既至母胎中　諸天復守護
雖生在人世　尊勝故名天　由諸天護持　亦得名天子
三十三天主　分力助人王　及一切諸天　亦資自在力
除滅諸非法　惡業令不生　教有情修善　使得生天上
人及蘇羅衆　并揵闥婆等　羅刹旃荼羅　悉皆資半力
父母資半力　令捨惡修善　諸天共護持　示其善惡報
若造善惡業　令於現世中　諸天共護持　示其善惡報
國人造惡業　王捨不禁制　斯非順正理　治擯當如法
若見惡不遮　非法便滋長　遂令王國內　姦詐日增多
王見國中人　造惡不遮止　三十三天衆　咸生忿怒心
因此損國政　諂偽行世間　被他怨敵侵　破壞其國土
居家及資具　積財皆散失　種種諂誑生　更互相侵奪
由正法得王　而不行其法　國人皆破散　如象踏蓮池
惡風起无恒　暴雨非時下　妖星多變怪　日月蝕无光
五穀衆花果　果實皆不成　國土遭飢饉

BD02882號　金光明最勝王經卷八

(16–15)

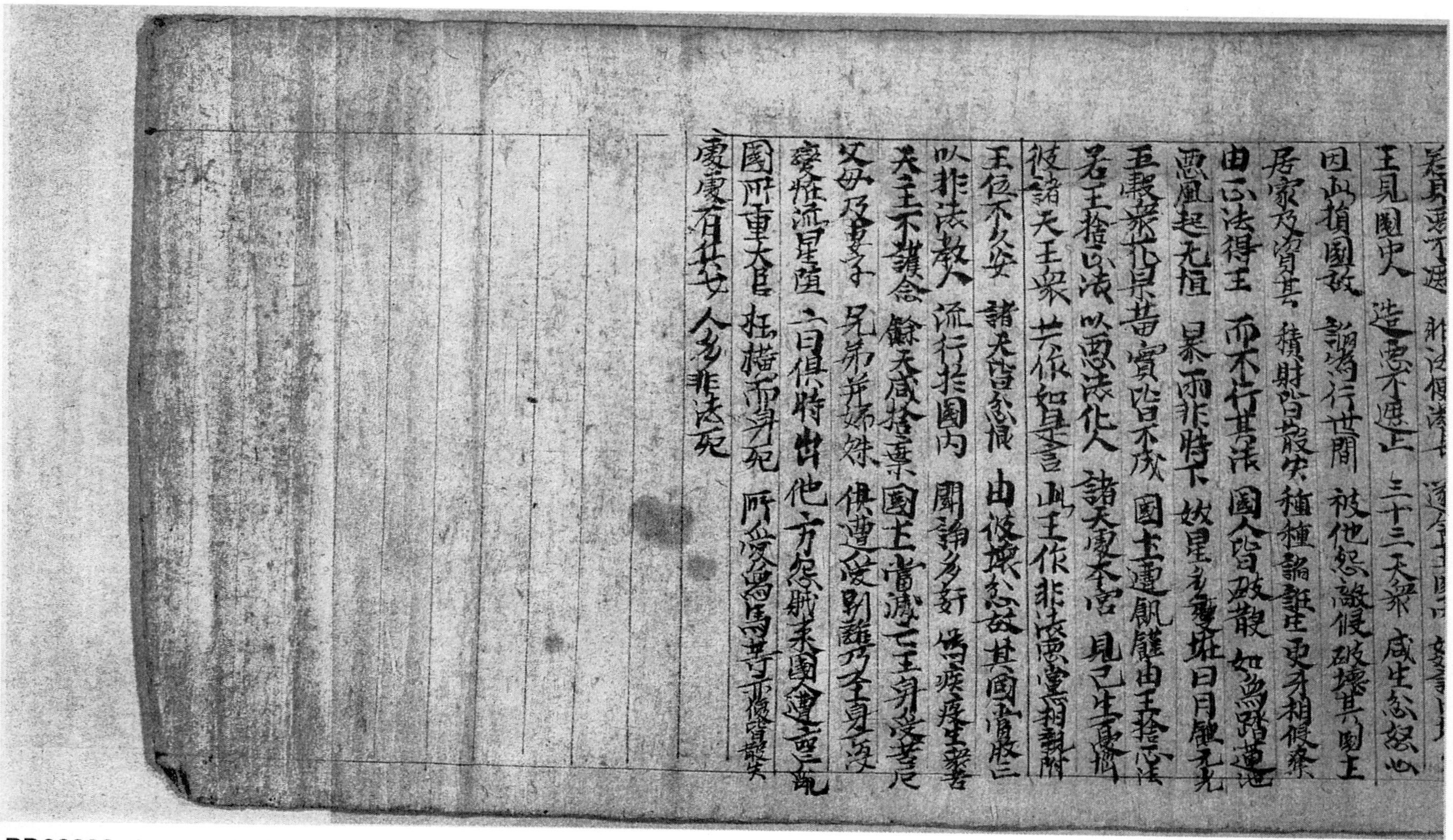

若見惡不遮　非法便滋長　遂令王國內　姦詐日增多
王見國中人　造惡不遮止　三十三天眾　咸生忿怒心
因此損國政　諂偽行世間　被他怨敵侵　破壞其國土
居家及資具　積財皆散失　種種諸誑詐　更互相侵奪
由正法得王　而不行其法　國人皆破散　如象蹋蓮池
惡風起無恒　暴雨非時下　妖星多變怪　日月蝕無光
五穀眾花果　果實皆不成　國土遭飢饉　由王捨正法
若王捨正法　以惡法化人　諸天處本宮　見已生憂惱
彼諸天王眾　共作如是言　此王作非法　惡黨相親附
王位不久安　諸天皆忿恨　由彼懷忿故　其國當敗亡
以非法教人　流行於國內　鬪諍多姦偽　疾疫生眾苦
天主不護念　餘天咸捨棄　國土當滅亡　王身受苦厄
父母及妻子　兄弟并姊妹　俱遭愛別離　乃至身亡歿
變怪流星墮　二日俱時出　他方怨賊來　國人遭喪亂
國所重大臣　枉橫而身死　所愛象馬等　亦復皆散失
處處有兵戈　人多非法死

BD02882 號　金光明最勝王經卷八

（16–16）

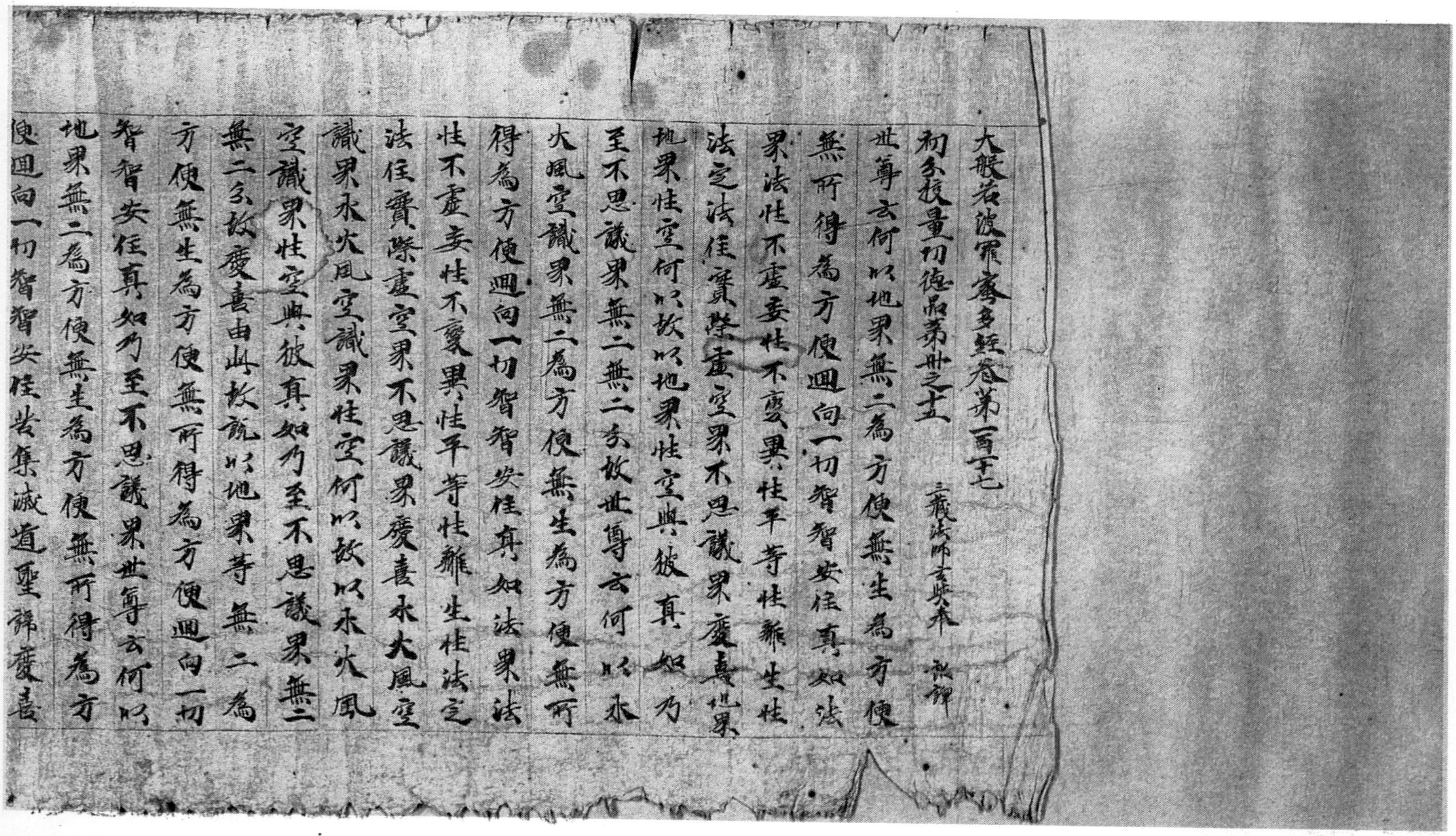

大般若波羅蜜多經卷第一百一十七
初分校量功德品第卅之十五　　三藏法師玄奘奉　詔譯
世尊云何以地界無二為方便無生為方便
無所得為方便迴向一切智智安住真如法
界法性不虛妄性不變異性平等性離生性
法定法住實際虛空界不思議界慶喜地界
地界性空何以故以地界性空與彼真如乃
至不思議界無二無二分故世尊云何以水
火風空識界無二為方便無生為方便無所
得為方便迴向一切智智安住真如法界法
性不虛妄性不變異性平等性離生性法定
法住實際虛空界不思議界慶喜水火風空
識界水火風空識界性空何以故以水火風
空識界性空與彼真如乃至不思議界無二
無二分故慶喜由此故說以地界等無二為
方便無生為方便無所得為方便迴向一切
智智安住真如乃至不思議界世尊云何以
地界無二為方便無生為方便無所得為方
便迴向一切智智安住苦集滅道聖諦慶喜

BD02883 號　大般若波羅蜜多經卷一一七

（3–1）

空識界性空與彼真如乃至不思議界無二
無二分故慶喜由此故說以地界等無二為
方便無生為方便無所得為方便迴向一切
智智安住真如乃至不思議界世尊云何以
地界無二為方便無生為方便無所得為方
便迴向一切智智安住苦集滅道聖諦慶喜
地界地界性空何以故以地界性空與彼苦
集滅道聖諦無二無二分故世尊云何以水
火風空識界無二為方便無生為方便無所
得為方便迴向一切智智安住苦集滅道聖
諦慶喜水火風空識界水火風空識界性空
何以故以水火風空識界性空與彼苦集滅
道聖諦無二無二分故慶喜由此故說以地
界等無二為方便無生為方便無所得為方
便迴向一切智智安住苦集滅道聖諦世尊
云何以地界無二為方便無生為方便無所
得為方便迴向一切智智脩習四靜慮四無
量四無色定慶喜地界地界性空何以故以
地界性空與四靜慮四無量四無色定無二
無二分故世尊云何以水火風空識界無二
為方便無生為方便無所得為方便迴向一
切智智脩習四靜慮四無量四無色定慶喜
水火風空識界水火風空識界性空何以故
以水火風空識界性空與四靜慮四無量四
無色定無二無二分故慶喜由此故說以地
界等無二為方便無生為方便無所得為方

BD02883號　大般若波羅蜜多經卷一一七　　（3–2）

無二分故世尊云何以水火風空識界無二
為方便無生為方便無所得為方便迴向一
切智智脩習四靜慮四無量四無色定慶喜
水火風空識界水火風空識界性空何以故
以水火風空識界性空與四靜慮四無量四
無色定無二無二分故慶喜由此故說以地
界等無二為方便無生為方便無所得為方
便迴向一切智智脩習四靜慮四無量四無
色定世尊云何以地界無二為方便無生為
方便無所得為方便迴向一切智智脩習八
解脫八勝處九次第定十遍處慶喜地界地
界性空何以故以地界性空與八解脫八勝
處九次第定十遍處無二無二分故世尊云
何以水火風空識界無二為方便無生為方
便無所得為方便迴向一切智智脩習八解
脫八勝處九次第定十遍處慶喜水火風空
識界水火風空識界性空何以故以水火風
空識界性空與八解脫八勝處九次第定十
遍處無二無二分故慶喜由此故說以地界
等無二為方便無生為方便無所得為方便
迴向一切智智脩習八解脫八勝處九次第
定十遍處世尊云何以地界無二為方便無

BD02883號　大般若波羅蜜多經卷一一七　　（3–3）

闍若那呲喻臨　莎呵
南无寶光王如来　多緻他一
陁囉陁囉二闍若如齊反耶三鉢唎輸引達泥去四
闍若女迦反耶鉢唎富囉泥去五
多他哆阿婆菩引達泥去六　尸伽濫七
莎呵
南无廣名稱如来　多緻他一
呲不羅瞿折之列反唎二伽伽那瞿折之列反
唎三不囉耶不囉耶薩婆奢引阿提瑟恥勅一反
帝下同佛陁阿提瑟恥帝薩婆菩提薩埵提
瑟恥帝　莎呵
南无法海波濤功德王如来
多緻他一鞞佶者一反易羊豉反下悉同
達摩三謨達囉鞞佶易
伽伽那三謨達囉鞞佶易
佛陁三謨達囉鞞佶易
菩提薩埵達摩三謨達囉鞞佶易
波羅審多鞞佶易
薩婆奢鉢唎哺囉箏去鞞佶易
佛陁提瑟恥帝　莎呵
此諸佛等往昔行菩薩行時作如是願我等
證菩提已若有衆生聞我等名受持淨信彼

BD02884 號　五千五百佛名神咒除障滅罪經卷三

（6–1）

波羅審多鞞佶易
薩婆奢鉢唎哺囉箏去鞞佶易
佛陁提瑟恥帝　莎呵
此諸佛等往昔行菩薩行時作如是願我等
證菩提已若有衆生聞我等名受持淨信彼
等皆得住不退轉超越過於八不閑處諸佛
菩薩皆悉護念住持往生清淨佛剎捨彼命
已一切諸天皆當守護過諸怖畏若復有人
持如是等諸佛名字及陁羅尼偈頌章句憶
念不忘彼若欲見弥勒菩薩彼人應誦此陁
羅尼一十万遍隨力供養若欲見普賢菩薩
彼人應誦二十万遍隨力供養若復欲見呲
盧遮那如来彼人誦三十万遍隨力供養得
淨心已發慈愍心捨諸我慢瞋恚嫉妬忿恨
諸患等
南无回无邊光明功德威形如来
多緻他　脩利易以豉反脩利易
若那脩利易　莎呵
南无種種威力多王功德形如来
多緻他　尸利尸利坻闍尸利　莎呵
南无阿僧祇俱致劫脩習覺如来
多緻他　三年陁曳　三年陁曳
若那三年陁曳　莎呵
南无諸法遊戲威形如来
多緻他揭其謁反薛步計反　揭薛
若那揭薛　莎呵
南无妙金虛空形如来　千五百八十

BD02884 號　五千五百佛名神咒除障滅罪經卷三

（6–2）

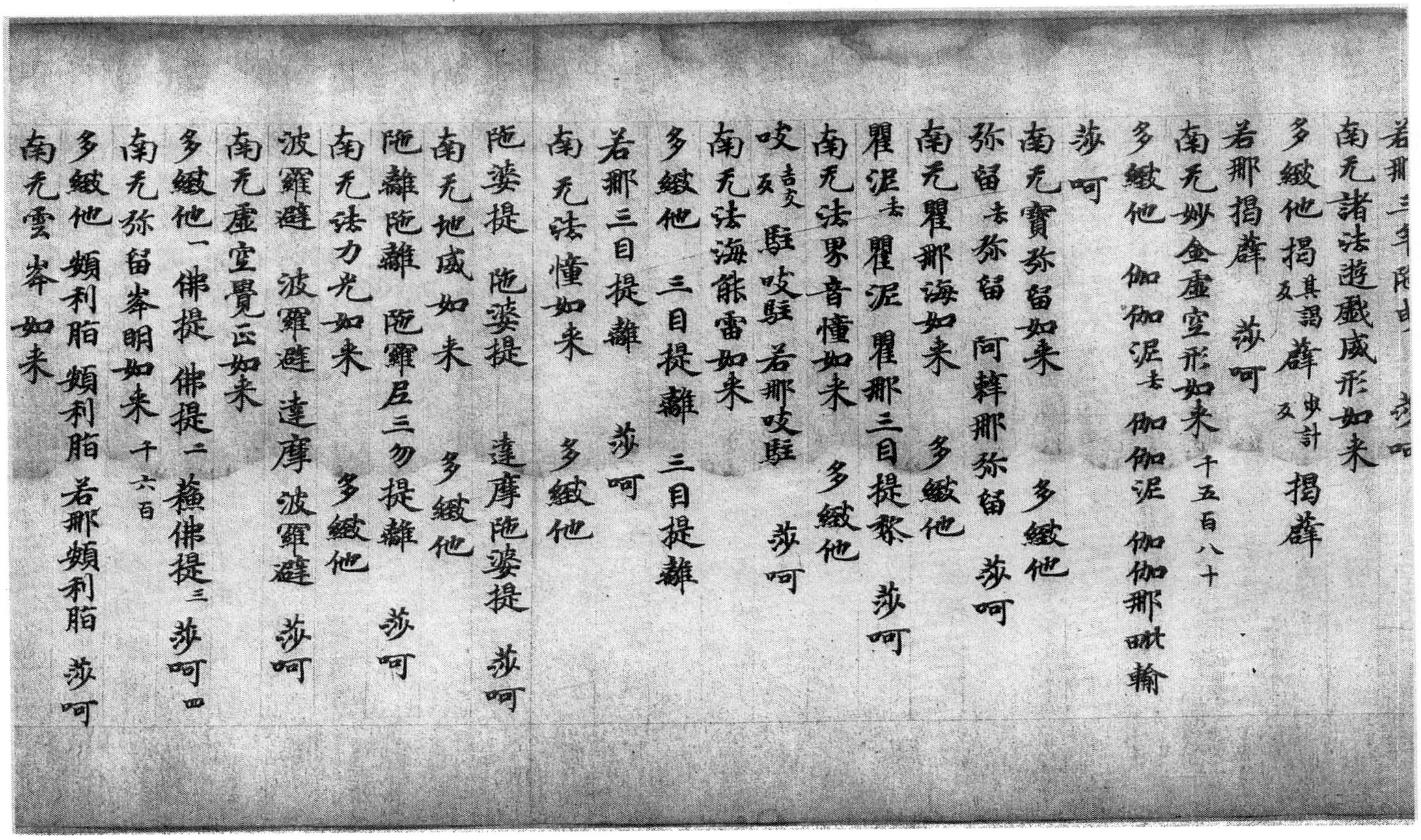
若那三牟陁由 莎呵
南无諸法遊戲威形如来
多緻他 揭其謁反 薛步計反 揭薛
若那揭薛 莎呵
南无妙金虛空形如来 千五百八十
多緻他 伽伽泥去 伽伽泥 伽伽那毗輸
莎呵
南无寶弥留如来 多緻他
弥留去弥留 阿韓那弥留 莎呵
南无瞿那海如来 多緻他
瞿泥去 瞿泥 瞿那三目提黎 莎呵
南无法界音幢如来 多緻他
吱吉支反 駐吱駐 若那吱駐 莎呵
南无法海能雷如来
多緻他 三目提離 三目提離
若那三目提離 莎呵
南无法幢如来 多緻他
陁婆提 陁婆提 達摩陁婆提 莎呵
南无地威如来 多緻他
陁離陁離 陁羅尼三勿提離 莎呵
南无法力光如来 多緻他
波羅避 波羅避 達摩波羅避 莎呵
南无虛空覺正如来
多緻他一 佛提 佛提二 蘓佛提三 莎呵四
南无弥留峯明如来 千六百
多緻他 頻利脂 頻利脂 若那頻利脂 莎呵
南无雲峯如来

BD02884 號　五千五百佛名神咒除障滅罪經卷三　（6–3）

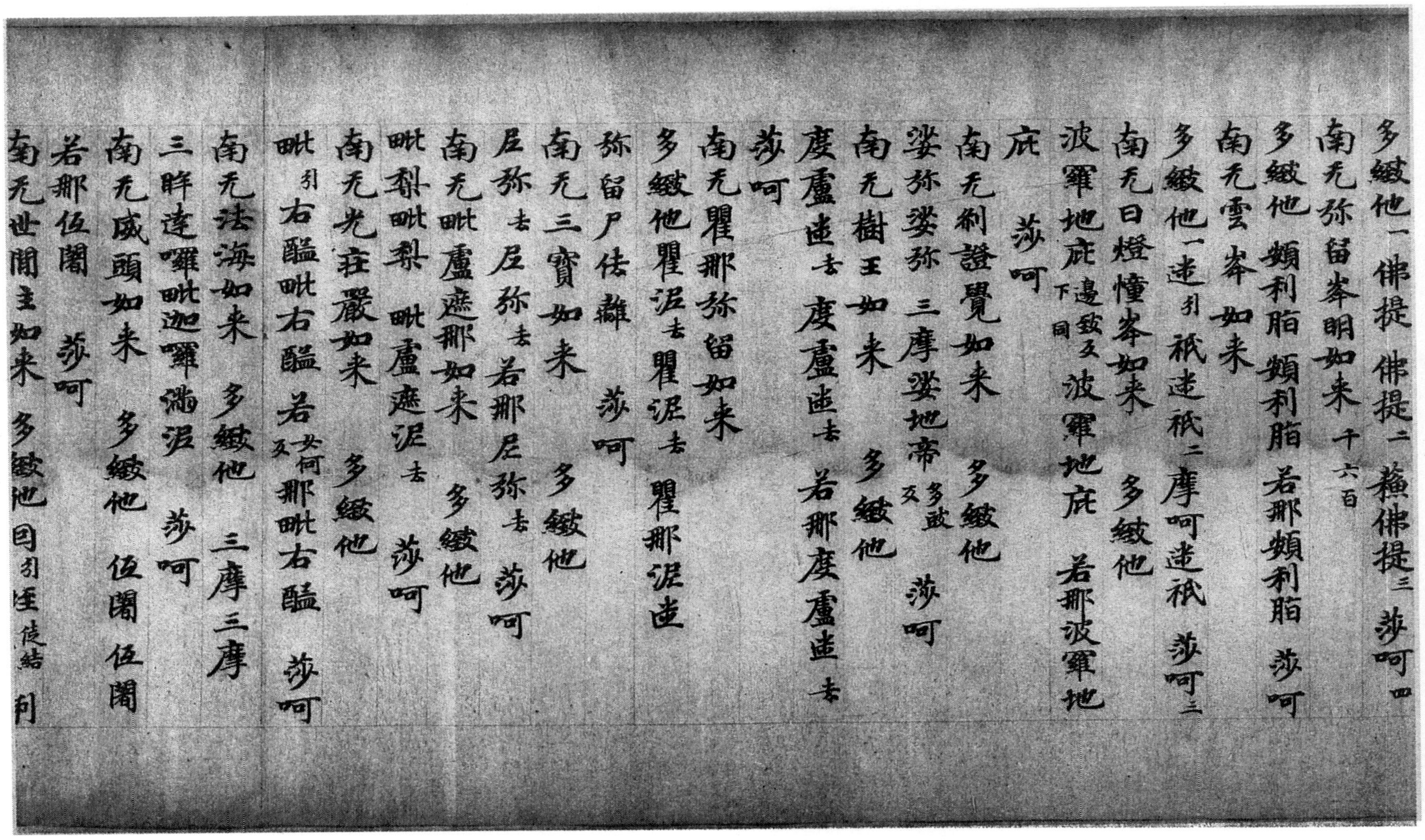
多緻他一 佛提 佛提二 蘓佛提三 莎呵四
南无弥留峯明如来 千六百
多緻他 頻利脂 頻利脂 若那頻利脂 莎呵
南无雲峯如来
多緻他一 遮引 祇遮祇二 摩呵遮祇 莎呵三
南无日燈幢峯如来 多緻他
波羅地庇邊致反下同 波羅地庇 若那波羅地
庇 莎呵
南无剎證覺如来 多緻他
婆弥婆弥 三摩婆地帝多啟反 莎呵
南无樹王如来 多緻他
度盧遮去 度盧遮去 若那度盧遮去
莎呵
南无瞿那弥留如来
多緻他瞿泥去 瞿泥去 瞿那泥遮
弥留尸佉離 莎呵
南无三寶如来 多緻他
尼弥去 尼弥去 若那尼弥去 莎呵
南无毗盧遮那如来 多緻他
毗梨毗梨 毗盧遮泥去 莎呵
南无光莊嚴如来 多緻他
毗引 右醯毗右醯 若女何反 那毗右醯 莎呵
南无法海如来 多緻他 三摩三摩
三眸達囉毗迦囉端泥 莎呵
南无威頭如来 多緻他 伍闍 伍闍
若那伍闍 莎呵
南无世間主如来 多緻他 回引 侄徒結反 [illegible]

BD02884 號　五千五百佛名神咒除障滅罪經卷三　（6–4）

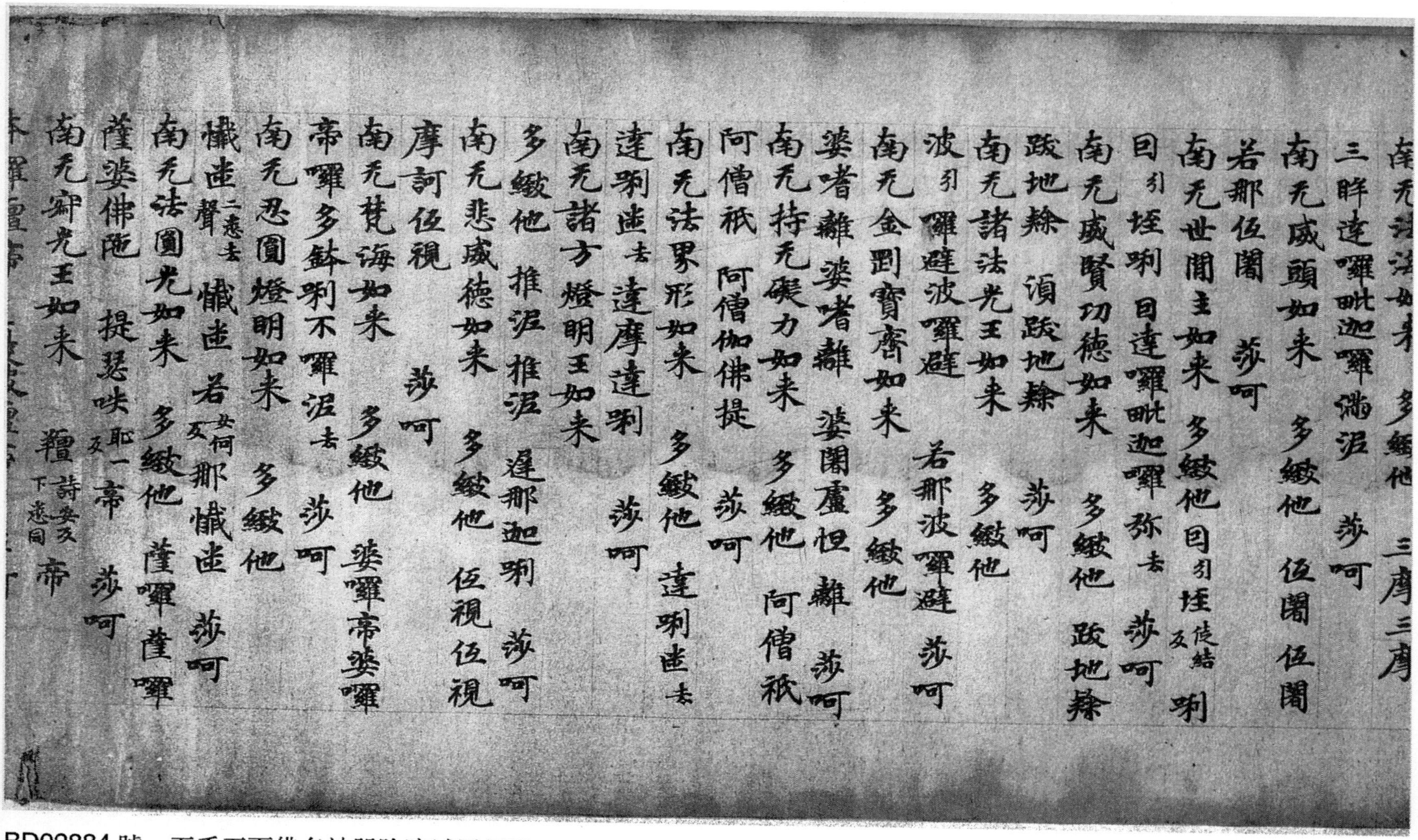

南无法[illegible]如来 多緻他 三摩三摩
三眸達囉毗迦囉喘泹 莎呵
南无威頭如来 多緻他 伍闍伍闍
若那伍闍 莎呵
南无世間主如来 多緻他 回引垤徒結反唎
回引垤唎回達囉毗迦囉弥去 莎呵
南无威賢功德如来 多緻他 跋地鵌
跋地鵌 須跋地鵌 莎呵
南无諸法光王如来 多緻他
波引囉避波囉避 若那波囉避 莎呵
南无金剛寶齊如来 多緻他
婆嗜離婆嗜離 婆闍盧怛離 莎呵
南无持无礙力如来 多緻他 阿僧祇
阿僧祇 阿僧伽佛提 莎呵
南无法界形如来 多緻他 達唎嗤去
達唎嗤去達摩達唎 莎呵
南无諸方燈明王如来
多緻他 推泹推泹 遲那迦唎 莎呵
南无悲威德如来 多緻他 伍視伍視
摩訶伍視 莎呵
南无梵海如来 多緻他 婆囉帝婆囉
帝囉多鉢唎不囉泹去 莎呵
南无忍圓燈明如来 多緻他
幟嗤聲二惡去 幟嗤 若女何反那幟嗤 莎呵
南无法圓光如来 多緻他 薩囉薩囉
薩婆佛陁 提瑟呋耻一反帝 莎呵
南无鉀光王如来 𧹞詩安反下惡同帝

BD02884 號 五千五百佛名神咒除障滅罪經卷三

(6–5)

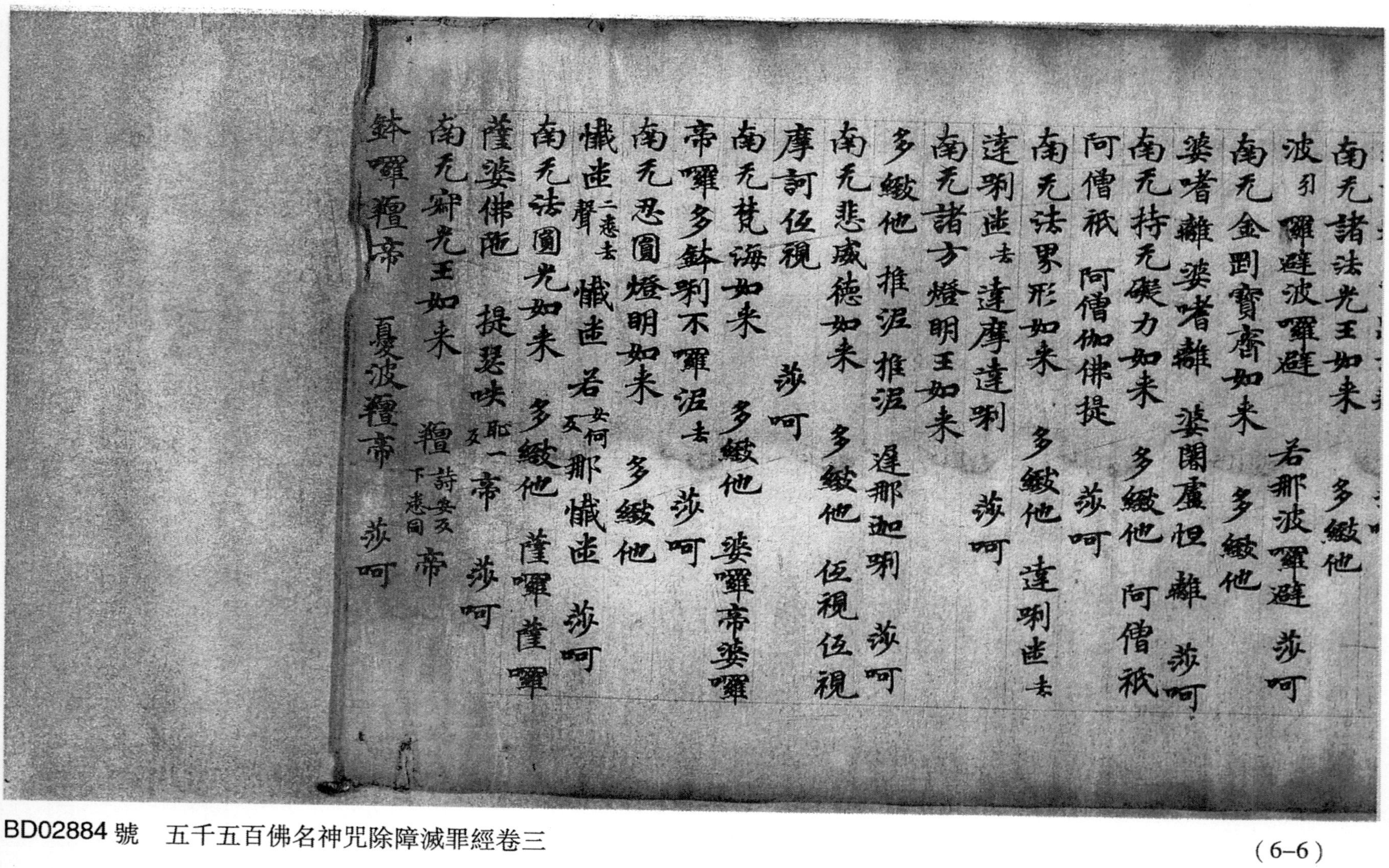

南无諸法光王如来 多緻他
波引囉避波囉避 若那波囉避 莎呵
南无金剛寶齊如来 多緻他
婆嗜離婆嗜離 婆闍盧怛離 莎呵
南无持无礙力如来 多緻他 阿僧祇
阿僧祇 阿僧伽佛提 莎呵
南无法界形如来 多緻他 達唎嗤去
達唎嗤去達摩達唎 莎呵
南无諸方燈明王如来
多緻他 推泹推泹 遲那迦唎 莎呵
南无悲威德如来 多緻他 伍視伍視
摩訶伍視 莎呵
南无梵海如来 多緻他 婆囉帝婆囉
帝囉多鉢唎不囉泹去 莎呵
南无忍圓燈明如来 多緻他
幟嗤聲二惡去 幟嗤 若女何反那幟嗤 莎呵
南无法圓光如来 多緻他 薩囉薩囉
薩婆佛陁 提瑟呋耻一反帝 莎呵
南无鉀光王如来 𧹞詩安反下惡同帝
鉢囉𧹞帝 夏波𧹞帝 莎呵

BD02884 號 五千五百佛名神咒除障滅罪經卷三

(6–6)

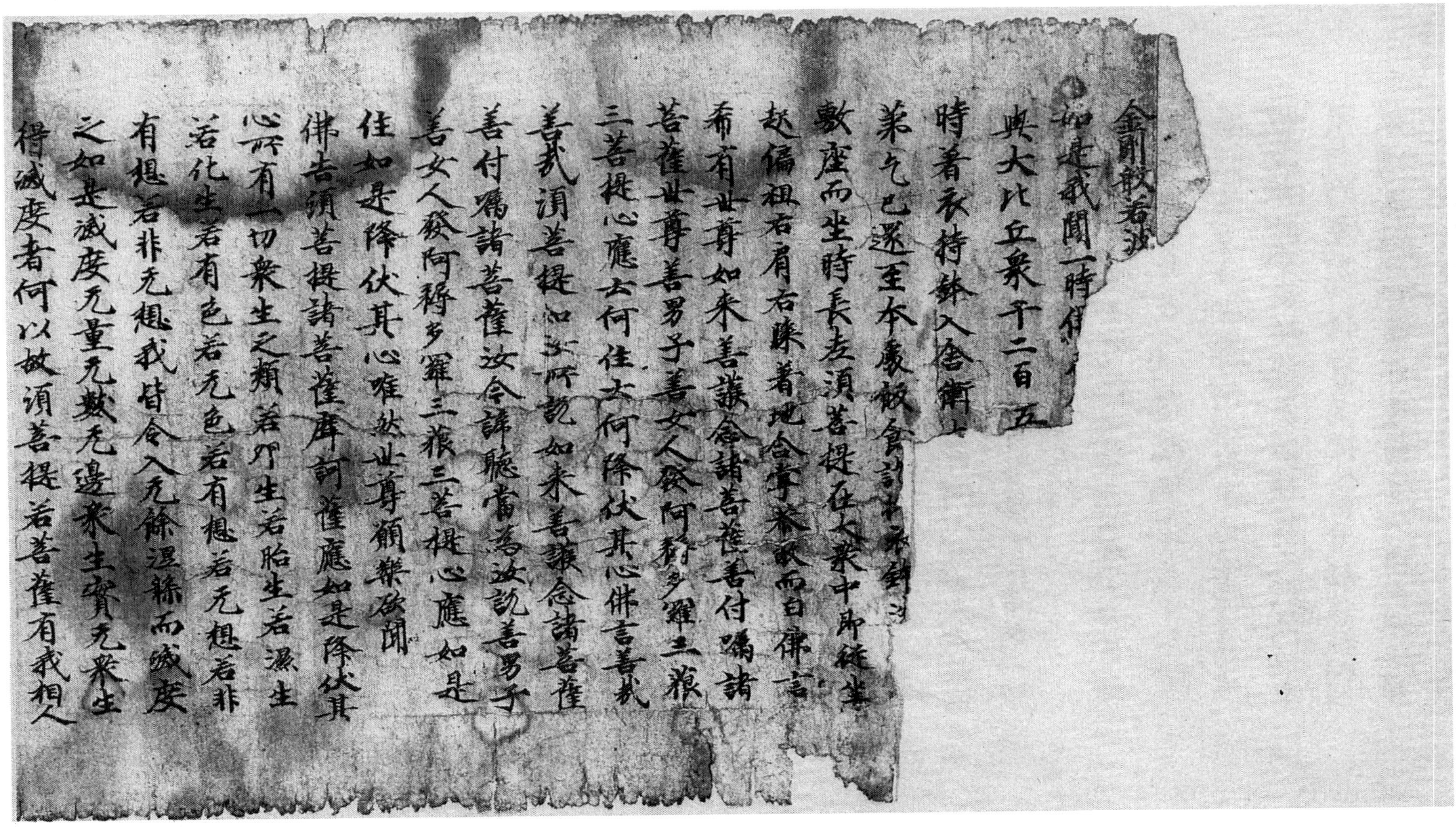

金剛般若波
如是我聞一時佛
與大比丘衆千二百五
時著衣持鉢入舍衛
第乞已還至本處飯食訖收衣鉢洗
敷座而坐時長老須菩提在大衆中即從坐
起偏袒右肩右膝著地合掌恭敬而白佛言
希有世尊如來善護念諸菩薩善付囑諸
菩薩世尊善男子善女人發阿耨多羅三藐
三菩提心應云何住云何降伏其心佛言善哉
善哉須菩提如汝所說如來善護念諸菩薩
善付囑諸菩薩汝今諦聽當為汝說善男子
善女人發阿耨多羅三藐三菩提心應如是
住如是降伏其心唯然世尊願樂欲聞
佛告須菩提諸菩薩摩訶薩應如是降伏其
心所有一切衆生之類若卵生若胎生若濕生
若化生若有色若无色若有想若无想若非
有想若非无想我皆令入无餘涅槃而滅度
之如是滅度无量无數无邊衆生實无衆生
得滅度者何以故須菩提若菩薩有我相人

BD02885號　金剛般若波羅蜜經　（7–1）

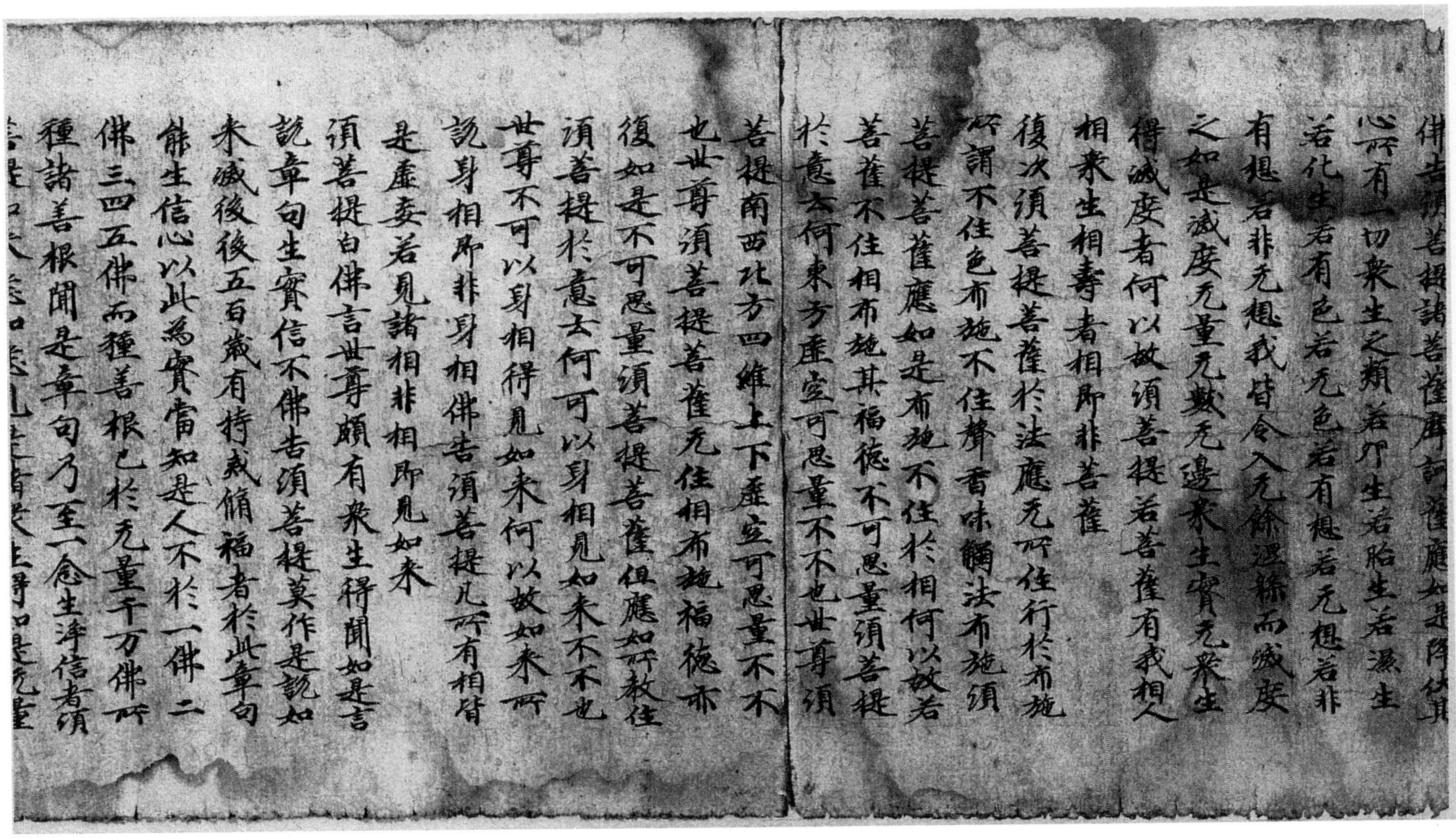

佛告須菩提諸菩薩摩訶薩應如是降伏其
心所有一切衆生之類若卵生若胎生若濕生
若化生若有色若无色若有想若无想若非
有想若非无想我皆令入无餘涅槃而滅度
之如是滅度无量无數无邊衆生實无衆生
得滅度者何以故須菩提若菩薩有我相人
相衆生相壽者相即非菩薩
復次須菩提菩薩於法應无所住行於布施
所謂不住色布施不住聲香味觸法布施須
菩提菩薩應如是布施不住於相何以故若
菩薩不住相布施其福德不可思量須菩提
於意云何東方虛空可思量不不也世尊須
菩提南西北方四維上下虛空可思量不不
也世尊須菩提菩薩无住相布施福德亦
復如是不可思量須菩提菩薩但應如所教住
須菩提於意云何可以身相見如來不不也
世尊不可以身相得見如來何以故如來所
說身相即非身相佛告須菩提凡所有相皆
是虛妄若見諸相非相即見如來
須菩提白佛言世尊頗有衆生得聞如是言
說章句生實信不佛告須菩提莫作是說如
來滅後後五百歲有持戒脩福者於此章句
能生信心以此為實當知是人不於一佛二
佛三四五佛而種善根已於无量千万佛所
種諸善根聞是章句乃至一念生淨信者須
菩提如來悉知悉見是諸衆生得如是无量

BD02885號　金剛般若波羅蜜經　（7–2）

說章句生實信不佛告須菩提莫作是說如
來滅後後五百歲有持戒脩福者於此章句
能生信心以此為實當知是人不於一佛二
佛三四五佛而種善根已於无量千万佛所
種諸善根聞是章句乃至一念生淨信者須
菩提如來悉知悉見是諸衆生得如是无量
福德何以故是諸衆生无復我相人相衆生
相壽者相无法相亦无非法相何以故是諸
衆生若心取相則為著我人衆生壽者若取
法相即著我人衆生壽者何以故若取非法相
即著我人衆生壽者是故不應取法不應取
非法以是義故如來常說汝等比丘知我說法
如筏喻者法尚應捨何況非法
須菩提於意云何如來得阿耨多羅三藐三
菩提耶如來有所說法耶須菩提言如我解
佛所說義无有定法名阿耨多羅三藐三菩
提亦无有定法如來可說何以故如來所說法
皆不可取不可說非法非非法所以者何一切
賢聖皆以无為法而有差別
須菩提於意云何若人滿三千大千世界七
寶以用布施是人所得福德寧為多不須
菩提言甚多世尊何以故是福德即非福德
性是故如來說福德多若復有人於此經中
受持乃至四句偈等為他人說其福勝彼何以
故須菩提一切諸佛及諸佛阿耨多羅三藐
[illegible]

BD02885號　金剛般若波羅蜜經

（7–3）

菩提言甚多世尊何以故是福德即非福德
性是故如來說福德多若復有人於此經中
受持乃至四句偈等為他人說其福勝彼何以
故須菩提一切諸佛及諸佛阿耨多羅三藐
三菩提法皆從此經出須菩提所謂佛法者
即非佛法
須菩提於意云何須陁洹能作是念我得須
陁洹果不須菩提言不也世尊何以故須陁
洹名為入流而无所入不入色聲香味觸法
是名須陁洹須菩提於意云何斯陁含能作
是念我得斯陁含果不須菩提言不也世尊
何以故斯陁含名一往來而實无往來是名
斯陁含須菩提於意云何阿那含能作是念
我得阿那含果不須菩提言不也世尊何以
故阿那含名為不來而實无來是故名阿
那含須菩提於意云何阿羅漢能作是念
我得阿羅漢道不須菩提言不也世尊何
以故實无有法名阿羅漢世尊若阿羅漢
作是念我得阿羅漢道即為著我人衆生
壽者世尊佛說我得无諍三昧人中最為第
一是第一離欲阿羅漢世尊我不作是念我是離
欲阿羅漢世尊我若作是念我得阿羅漢
道世尊則不說須菩提是樂阿蘭那行者
以須菩提實无所行而名須菩提是樂阿
蘭那行
佛告須菩提於意云何如來昔在然燈佛所

BD02885號　金剛般若波羅蜜經

（7–4）

以須菩提實无所行而名須菩提是樂阿
蘭那行
佛告須菩提於意云何如來昔在然燈佛所
於法有所得不世尊如來在然燈佛所於法
實无所得須菩提於意云何菩薩莊嚴佛
土不不也世尊何以故莊嚴佛土者則非莊嚴
是名莊嚴是故須菩提諸菩薩摩訶薩應如
是生清淨心不應住色生心不應住聲香味
觸法生心應无所住而生其心須菩提譬如
有人身如須彌山王於意云何是身為大不
須菩提言甚大世尊何以故佛說非身是
名大身
須菩提如恒河中所有沙數如是沙等恒河
於意云何是諸恒河沙寧為多不須菩提言
甚多世尊但諸恒河尚多无數何況其沙須
菩提我今實言告汝若有善男子善女人以
七寶滿尒所恒河沙數三千大千世界以用
布施得福多不須菩提言甚多世尊佛告
須菩提若善男子善女人於此經中乃至受
持四句偈等為他人說而此福德勝前福德
復次須菩提隨說是經乃至四句偈等當知
此處一切世間天人阿脩羅皆應供養如佛
塔廟何況有人盡能受持讀誦須菩提當
知是人成就最上第一希有之法若是經
典所在之處則為有佛若尊重弟子

BD02885號　金剛般若波羅蜜經　（7–5）

塔廟何況有人盡能受持讀誦須菩提當
知是人成就最上第一希有之法若是經
典所在之處則為有佛若尊重弟子
尒時須菩提白佛言世尊當何名此經我等
云何奉持佛告須菩提是經名為金剛般若
波羅蜜以是名字汝當奉持所以者何須菩
提佛說般若波羅蜜則非般若波羅蜜須菩
提於意云何如來有所說法不須菩提白佛
言世尊如來无所說須菩提於意云何三千
大千世界所有微塵是為多不須菩提言甚
多世尊須菩提諸微塵如來說非微塵是名
微塵如來說世界非世界是名世界須菩提
於意云何可以三十二相見如來不不也世
尊不可以三十二相得見如來何以故如來
所說三十二相即是非相是名三十二相須菩
提若有善男子善女人以恒河沙等身命布
施若復有人於此經中乃至受持四句偈等
為他人說其福甚多尒時須菩提聞說是經
深解義趣涕淚悲泣而白佛言希有世尊佛
說如是甚深經典我從昔來所得慧眼未曾
得聞如是之經世尊若復有人得聞是經信
心清淨則生實相當知是人成就第一希有
功德世尊是實相者則是非相是故如來說
名實相世尊我今得聞如是經典信解受持
不足為難若當來世後五百歲其有衆生得
聞是經信解受持是人則為第一希有何以故

BD02885號　金剛般若波羅蜜經　（7–6）

說如是甚深經典我從昔來所得慧眼未曾
得聞如是之經世尊若復有人得聞是經信
心清淨則生實相當知是人成就第一希有
功德世尊是實相者則是非相是故如來說
名實相世尊我今得聞如是經典信解受持
不足為難若當來世後五百歲其有衆生得
聞是經信解受持是人則為第一希有何以故
此人无我相人相衆生相壽者相所以者何我相
即是非相人相衆生相壽者相即是非相何以故
離一切諸相則名諸佛佛告須菩提如是
如是若復有人得聞是經不驚不怖不畏當
知是人甚為希有何以故須菩提如來說第一
波羅蜜非第一波羅蜜是名第一波羅蜜
須菩提忍辱波羅蜜如來說非忍辱波羅蜜
何以故須菩提如我昔為歌利王割截身
體我於尒時无我相无人相无衆生相无壽
者相何以故我於往昔節節支解時若有
我相人相衆生相壽者相應生瞋恨須菩
提又念過去於五百世作忍辱仙人於尒所

BD02885 號　金剛般若波羅蜜經

（7–7）

有經何等名為優波提舍經如佛世尊所說
諸經若作義論分別廣說辯其相
為知法云何菩薩摩訶薩知義菩薩摩訶薩
若於一切文字語言廣知其義是名知義云
何菩薩摩訶薩知時善男子菩薩善知如是
時中任脩寂靜如是時中任脩精進如是時
中任脩捨定如是時中任供養佛如是時中任
供養師如是時中任脩布施持戒忍辱精
進禪定具足般若波羅蜜是名知時云何菩
薩摩訶薩知足善男子菩薩摩訶薩知足所
謂飲食衣服湯藥行住坐卧睡寤語嘿是名知
足善男子云何菩薩摩訶薩自知是菩薩自知
我有如是信如是戒如是多聞如是捨如是
慧如是去来如是正念如是善行如是問如
是荅是名自知云何菩薩摩訶薩知衆善男
子是菩薩知如是等是剎利衆婆羅門衆居
士衆沙門衆應於是衆如是行来如是坐
起如是說法如是問荅是名知衆善男子云
何菩薩摩訶薩知人尊卑善男子人有二種
一者信二者不信菩薩當知信者是善其不
信者不名為善復次信有二種一者常往僧

BD02886 號　大般涅槃經（北本）卷一五

（2–1）

時中任脩寂静如是時中任脩精進如是時
中任脩捨定如是時中任供養佛如是時中任
供養師如是時中任脩布施持戒忍辱精
進禪定具足般若波羅蜜是名知時云何菩
薩摩訶薩知足善男子菩薩摩訶薩知足所
謂飲食衣服湯藥行住坐卧睡寤語嘿是名知
足善男子云何菩薩摩訶薩自知是菩薩自知
我有如是信如是戒如是多聞如是捨如是
慧如是去來如是正念如是善行如是問如
是荅是名自知云何菩薩摩訶薩知衆善男
子是菩薩知如是等是刹利衆婆羅門衆居
士衆沙門衆應於是衆如是行來如是坐
起如是說法如是問荅是名知衆善男子云
何菩薩摩訶薩知人尊卑善男子人有二種
一者信二者不信菩薩當知信者是善其不
信者不名為善復次信有二種一者常往僧
坊二者不往菩薩當知其往者善其不往者不
名為善往僧坊者復有二種一者礼拜二不
礼拜菩薩當知礼拜者善不礼拜者不名為
善其礼拜者復有二種一者聽法二者不聽

BD02886號　大般涅槃經（北本）卷一五　（2–2）

元

法此室常有釋梵四天王他方菩薩來會不
絕是為七未曾有難得之法此
室常作天人第一之樂弦出无量法化之聲是
為五未曾有難得之法此室有四大藏衆寶
積滿周窮濟乏求得无盡是為六未曾有難
得之法此室釋迦牟尼佛阿弥陁佛阿閦佛寶
德寶炎寶月寶嚴難勝師子響一切利成如
是等十方无量諸佛是上人念時即皆為
來廣說諸佛秘要法藏說已還去是為七未
曾有難得之法此室一切諸天嚴飾宮殿諸
佛淨土皆於中現是為八未曾有難得之法
舍利弗此室常現八未曾有難得之法誰有
見斯不思議事而復樂於聲聞法乎
舍利弗言汝何以不轉女身天曰我從十二年
來求女人相了不可得當何所轉辟如幻師
化作幻女若有人問何以不轉女身是人為
正問不舍利弗言不也幻无定相當何所轉
天曰一切諸法亦復如是无有定相云何乃
問不轉女身即時天女以神通力變舍利弗令
如天女天自化身如舍利弗而問言汝何以不
轉女身舍利弗以天女像而荅言我今不知

BD02887號　維摩詰所說經（兌廢稿）卷中　（2–1）

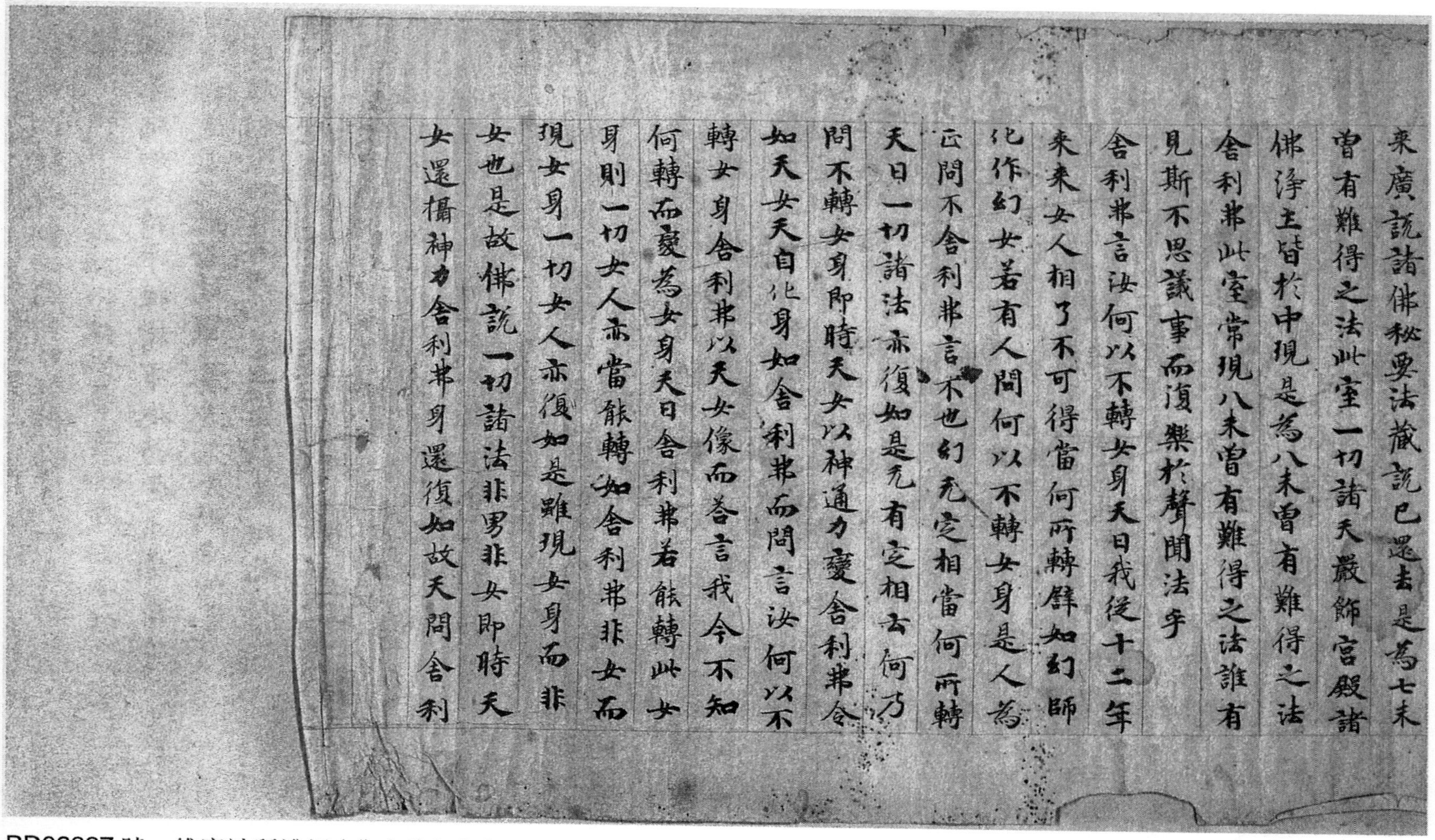

来廣說諸佛秘要法藏說已還去是為七未
曾有難得之法此室一切諸天嚴飾宮殿諸
佛淨土皆於中現是為八未曾有難得之法
舍利弗此室常現八未曾有難得之法誰有
見斯不思議事而復樂於聲聞法乎
舍利弗言汝何以不轉女身天曰我從十二年
来来女人相了不可得當何所轉辟如幻師
化作幻女若有人問何以不轉女身是人為
正問不舍利弗言不也幻无定相當何所轉
天曰一切諸法亦復如是无有定相云何乃
問不轉女身即時天女以神通力變舍利弗令
如天女天自化身如舍利弗而問言汝何以不
轉女身舍利弗以天女像而荅言我今不知
何轉而變為女身天曰舍利弗若能轉此女
身則一切女人亦當能轉如舍利弗非女而
現女身一切女人亦復如是雖現女身而非
女也是故佛說一切諸法非男非女即時天
女還攝神力舍利弗身還復如故天問舍利

BD02887 號　維摩詰所説經（兑廢稿）卷中

（2–2）

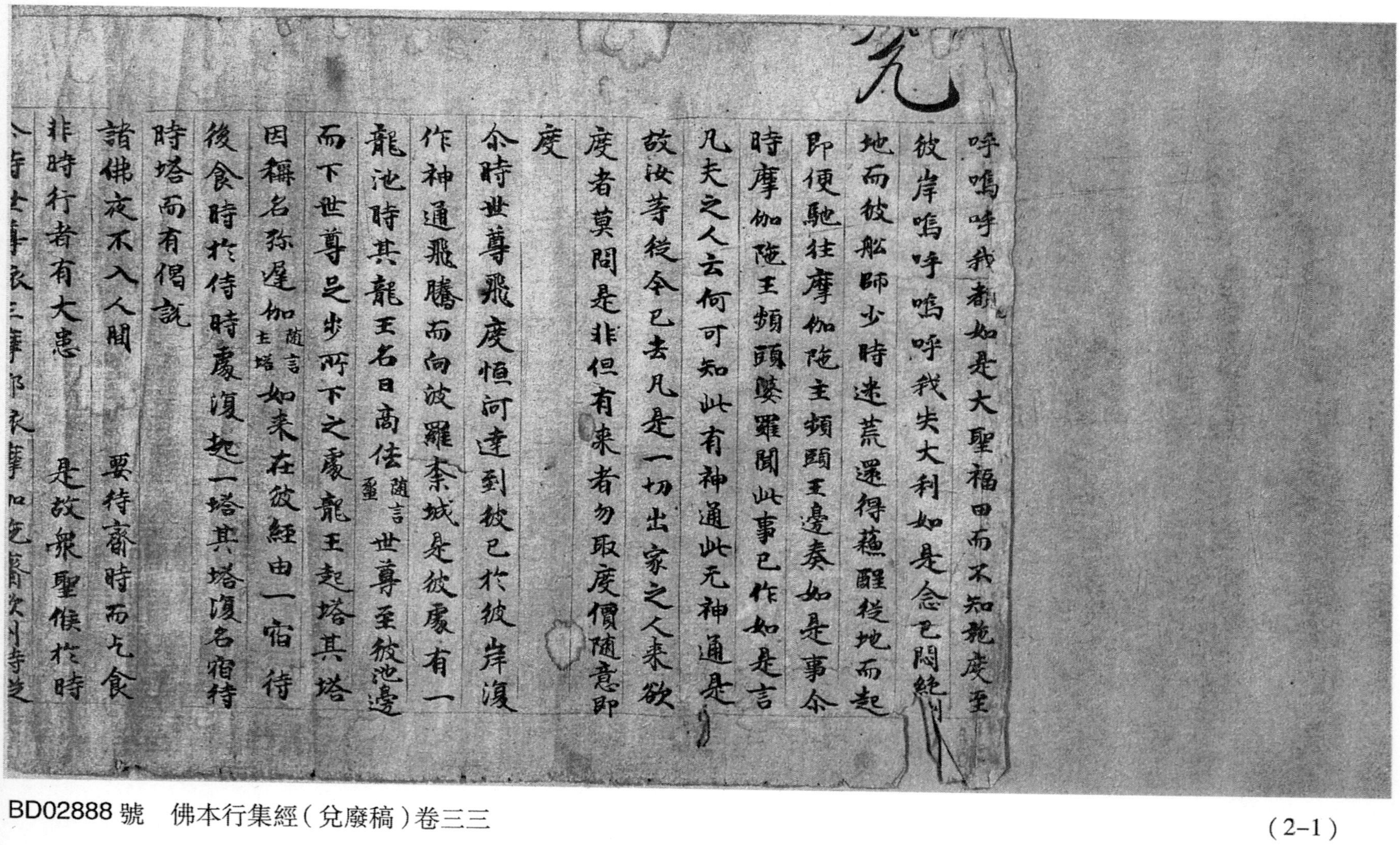

兌
呼嗚呼我者如是大聖福田而不知龍度至
彼岸嗚呼嗚呼我失大利如是念已悶絕
地而彼船師少時迷荒還得穌醒從地而起
即便馳往摩伽陁主頻頭王邊奏如是事尒
時摩伽陁王頻頭娑羅聞此事已作如是言
凡夫之人云何可知此有神通此无神通是
故汝等從今已去凡是一切出家之人来欲
度者莫問是非但有来者勿取度價隨意即
度
尒時世尊飛度恒河達到彼已於彼岸復
作神通飛騰而向波羅柰城是彼處有一
龍池時其龍王名曰商佉隨言蠡世尊至彼池邊
而下世尊足步所下之處龍王起塔其塔
因稱名弥屢伽隨言主塔如来在彼經由一宿待
後食時於侍時處復起一塔其塔復名宿待
時塔而有偈說
諸佛夜不入人間　要待齋時而乞食
非時行者有大患　是故衆聖依於時
[illegible]

BD02888 號　佛本行集經（兑廢稿）卷三三

（2–1）

故汝等從今已去凡是一切出家之人來欲
度者莫問是非但有來者勿取度價隨意即
度
尒時世尊飛度恒河達到彼已於彼岸復
作神通飛騰而向波羅柰城是彼處有一
龍池時其龍王名曰高佉（隨言蠻）世尊至彼池邊
而下世尊足步所下之處龍王起塔其塔
因稱名弥遅伽（隨言主塔）如來在彼經由一宿　待
後食時於侍時處復起一塔其塔復名宿待
時塔而有偈說
諸佛夜不入人間　要待齋時而乞食
非時行者有大患　是故衆聖俟於時
尒時世尊依三摩耶依摩伽陁齋欲到時從
西門入波羅柰城次第乞食於波羅柰乞食
得已從城東門安詳而出既出城外在一水
邊端坐而食食訖澡洗北面行安詳漸至
向鹿苑林而有偈說
[illegible]放光明耀　漸至彼苑如日天

BD02888號　佛本行集經（兌廢稿）卷三三　（2–2）

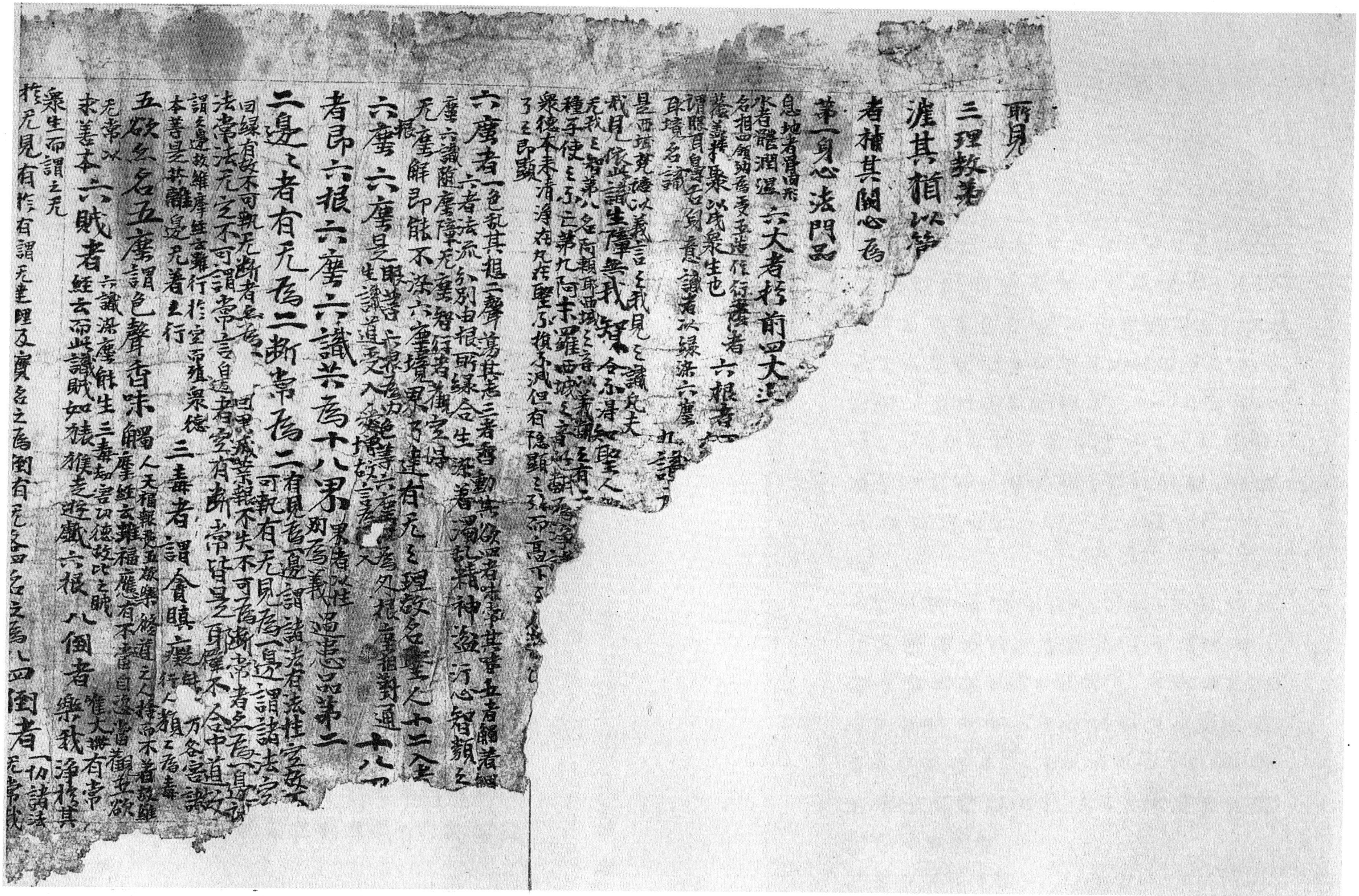

BD02889號　法門名義記

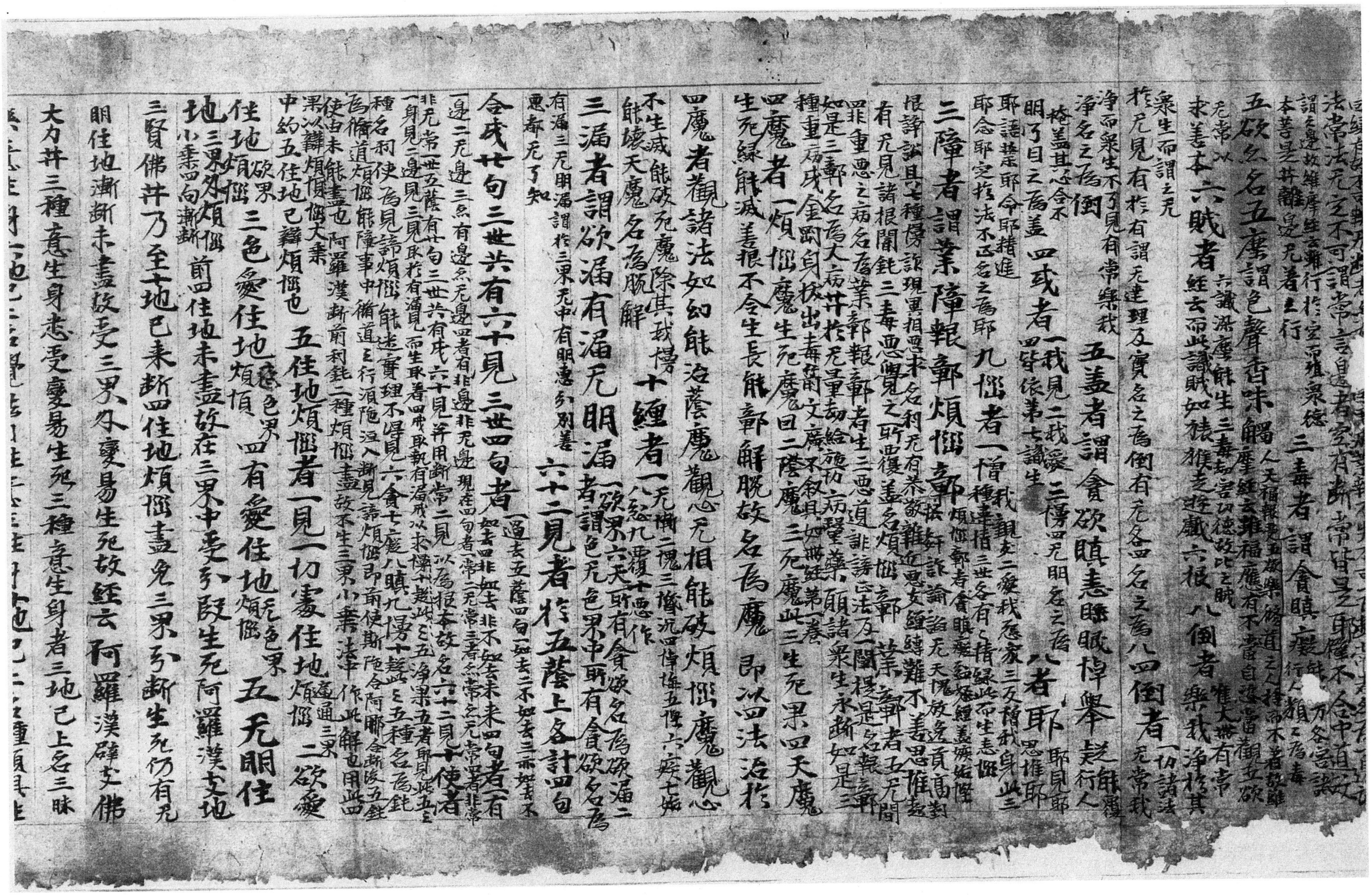

法常法无之不可謂常言自邊者空有斷常皆是之耶（障）不合中道
謂之邊故維摩經云非行於空而殖衆德本善是菩薩離邊无著之行　三毒者謂貪瞋癡行人損之為毒
五欲亦名五塵謂色聲香味觸　人天福報是五欲樂……修道之人捨而不著
求善本　六賊者　六識染塵能生三毒劫害功德故比之賊　經云而此識賊如猿猴之逐獻六根　八倒者　唯大涅槃有常樂我淨於其
衆生而謂之无常以
於无見有於有謂无違理反實名之為倒有无各四名之為八　四倒者　一切諸法无常我
淨而衆生不了見有常樂我淨名之為倒　五蓋者謂貪欲瞋恚睡眠掉舉疑　能覆行人
捨善其心令不明了目之為蓋　四或者　一我見二我愛三慢四无明　名之為　八者耶　耶見耶思惟耶
耶語業耶命耶精進耶念耶定於法不正名之為耶　九惱者　一憎我親友二愛我怨家三反隨我身此三
三障者謂業障報障煩惱障　煩惱障者貪瞋癡　業障者五无間
根諍訟具七種傷詐現異相惡求名利无有恭敬親近惡友纏縛難不善思惟起
有无見諸根闇鈍三毒惡覺之所覆蓋名煩惱障
罪重惡之病名為業障　報障者生三惡道誹謗正法
如是三障名為大病菩薩於无量劫給施一切病醫藥願諸衆生永斷如是三
種重病成金剛身拔出毒箭文廣不叙具如此經第一卷
四魔者　一煩惱魔二陰魔三死魔此三生死果　四天魔
生死緣能滅善根不令生長能障解脫故名為魔　即以四法治於
四魔者觀諸法如幻能治陰魔觀心无相能破煩惱魔觀心
不生滅能破死魔除其我慢能壞天魔名為解脫
十纏者　一无慚二无愧三嫉四慳五悔六睡七掉八惛九瞋十覆　十惡作
三漏者謂欲漏有漏无明漏　欲漏者　一欲界六天所有貪欲名為欲漏　二有漏者謂色无色界中所有貪欲名為
有漏　三无明漏謂於三界无中有明惠分別善
惡都无了知　六十二見者　於五陰上各計四句
合成廿句三世共有六十見　三世四句者　過去五陰四句　一如去二不如去三亦如去亦不如去四非如去非不如去　未來四句者　一有邊二无邊三亦有邊亦无邊四非有邊非无邊　現在四句者　一常二无常三亦常亦无常四非常非无常
一身見二邊見三見取於有漏見而生取著四戒取執有漏戒以求淨　十使者　五鈍五利
種名利使為見諦煩惱能迷實理不得見諦
為脩道煩惱能障事中脩道三行須陀洹入斷見諦煩惱即前使斷阿那含斷後五鈍
使由未能盡也阿羅漢斷前利鈍二種煩惱盡故不生三界小乘法中作此解也
果以辯煩惱大乘
中約五住地已辯煩惱也　五住地煩惱者　一見一切處住地煩惱　遍通三界　二欲愛
住地煩惱　欲界　三色愛住地煩惱　色界　四有愛住地煩惱　无色界　五无明住
地　三界外煩惱　小乘四向漸斷　前四住地未盡故在三界中受分段生死阿羅漢支地
三賢佛菩薩乃至十地已來斷四住地煩惱盡免三界分斷生死仍有无
明住地漸漸斷未盡故受三界外變易生死故經云阿羅漢辟支佛
大力菩薩三種意生身變易生死　三種意生身者三地已上名三昧

BD02889號　法門名義記

（13–2）

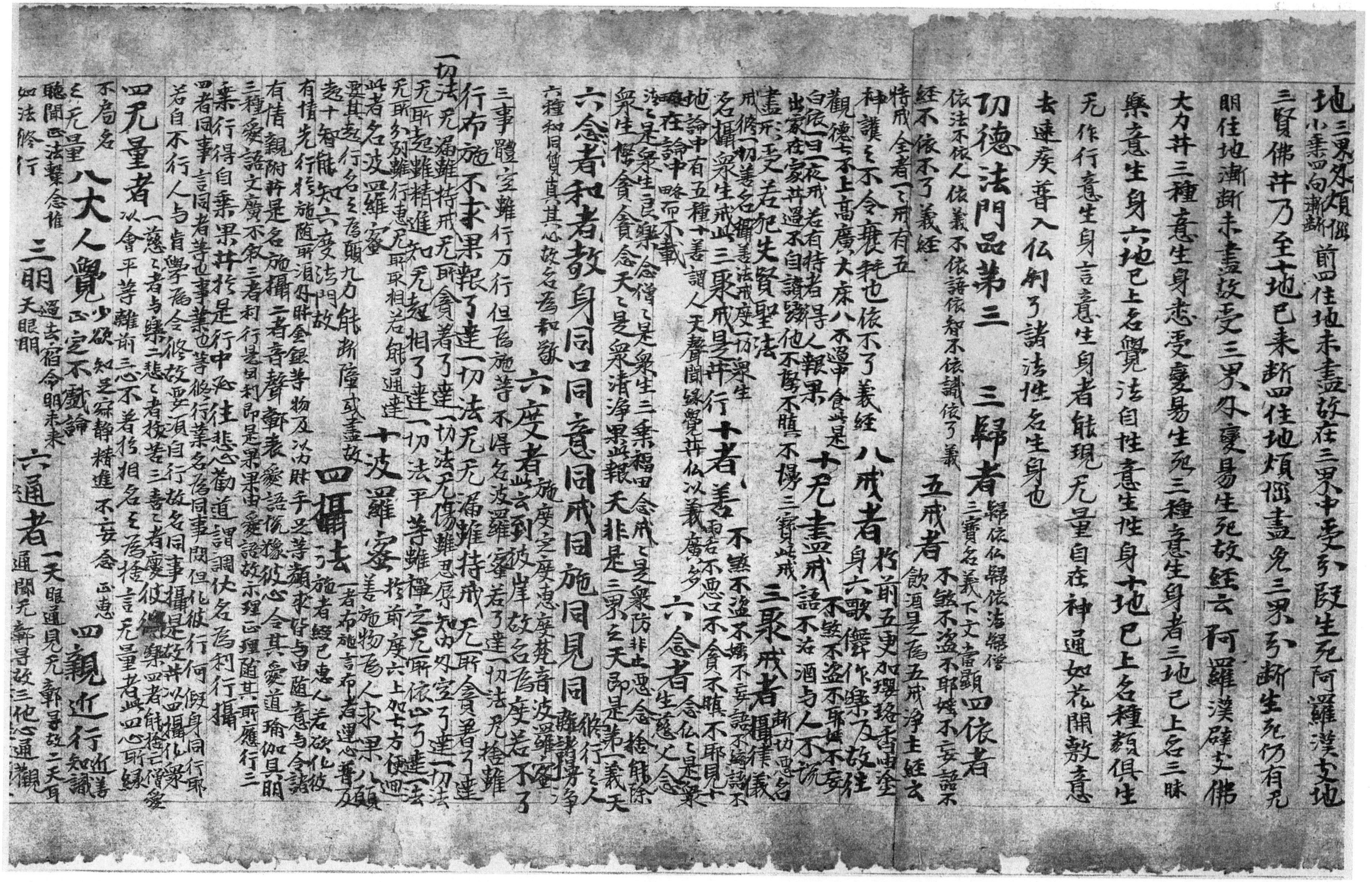

BD02889號　法門名義記　　（13–3）

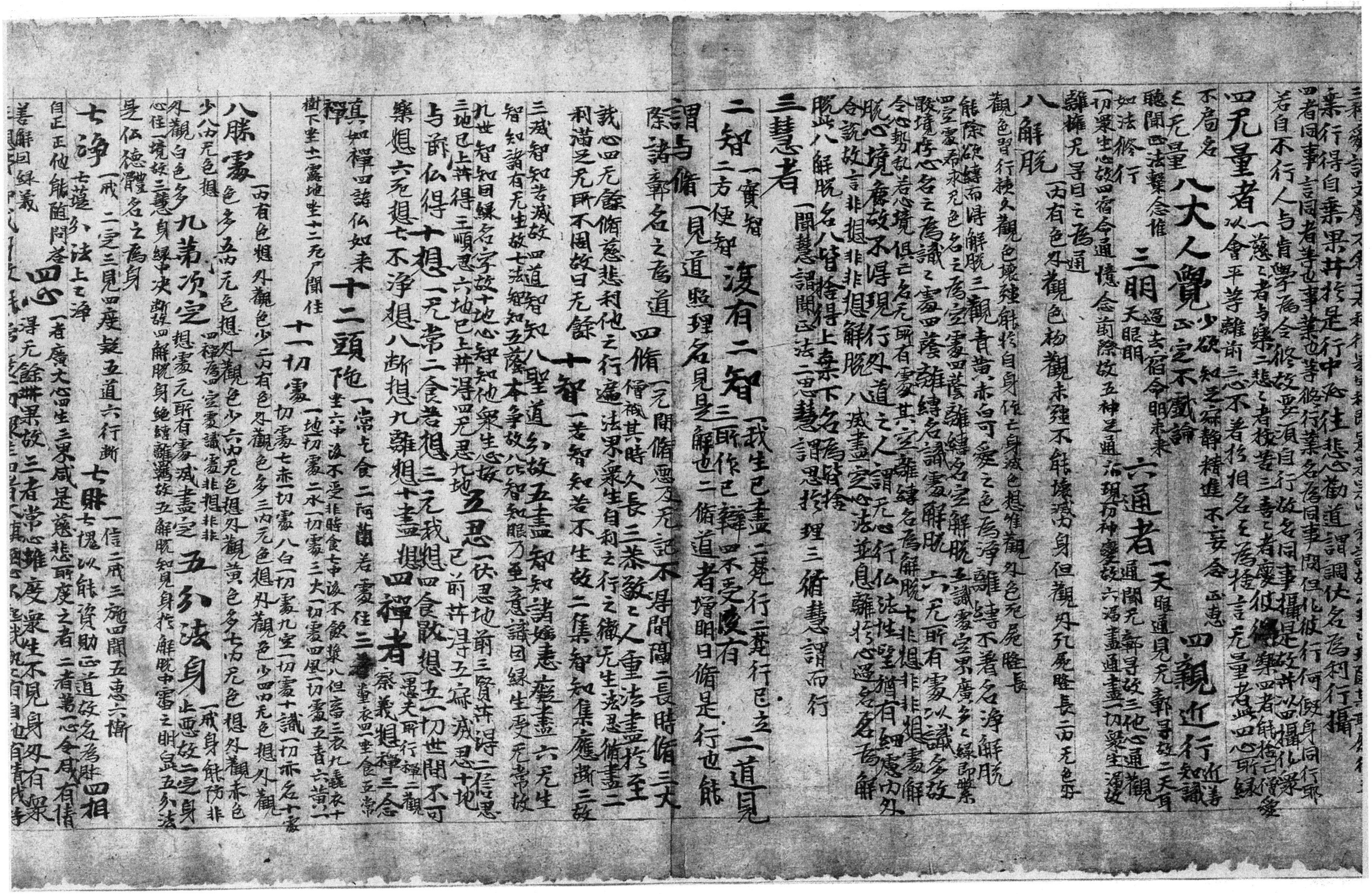

BD02889號　法門名義記　（13–4）

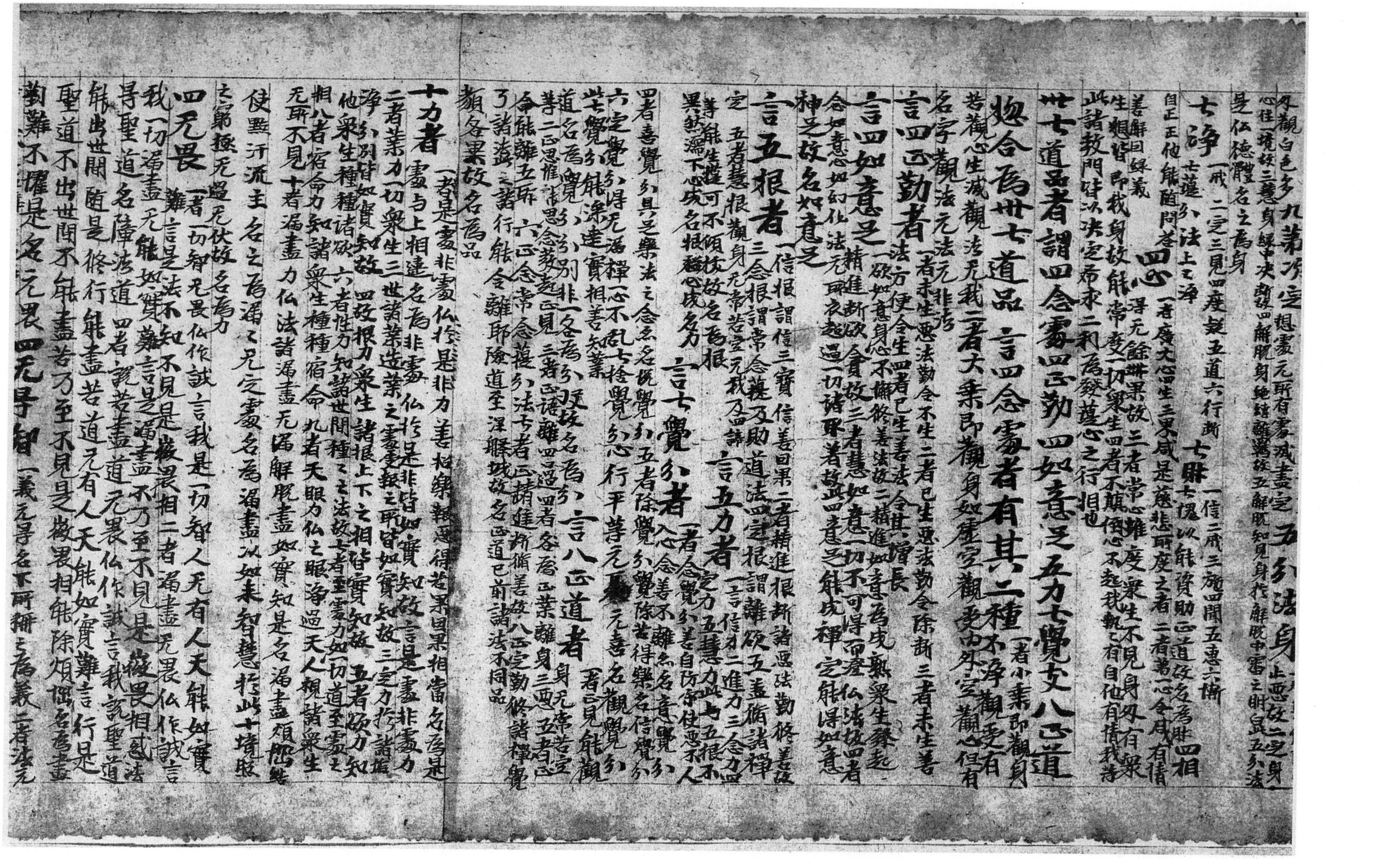

BD02889號　法門名義記

（13–5）

四无畏
難言是法不知不見是故畏相二者漏盡无畏仏作誠言
我一切漏盡无能如實難言是漏盡不乃至不見是故畏相惑法
得聖道名障法道 四者説苦盡道无畏仏作誠言我説聖道
能出世間随是修行能盡苦道无有人天能如實難言行是
聖道不出世間不能盡苦乃至不見是故畏相能除煩惱名為盡
苦難不懼是名无畏 四无导智〔一義无导名下所稱之為義 二者法无
导自義之名稱之為法 三者辞无导説法之言名之為辞 四者樂説无导随欲善
受名為樂説善通无滯故言无导智
十八不共法〔一者如來身无失无有誤故 二者念无失故 四者无異想 麁觀等
護故 五者无不定心之常住三昧无改更故 六者无不擇捨麁細等事悉
捨離故 七者志欲无減欲善滿是故 八者精進无減策修不住故 九者念无減心不散
亂 十者慧七者志欲无減欲善滿是故 八者精進无減
无減緣中決斷故 十一者解脫无減絶羈離縛故 十二者解脫知見无減於解脫緣中照了明
白故 十三者身業智為前導随智而轉色形動作名為身業随智轉故 十四者口業智
為前導随智而轉 十五者意業智為前導随智而轉思念所作随智分別故 十六者
智慧過去世无著无礙於過去境能盡遍知故 十七者智慧知現在世无导於現在
之境通達知故 事謝故名過去 事未謝名現在 事未見起名之未來 十八
法唯仏獨有不通下果故言不共 十号者〔一者如來 謂乘如實道來成正覺故 二者應供 謂功
具智斷堪受人天供養 三者正遍知 謂辯解離邪錯名之為正 有境斷盡
名之遍知 四者明行足 謂行无缺 五者善逝 世間言解善好 逝者去也 世間者
於衆及器二種世間智照明白去至涅槃更不復還故名好去世間 六者无上士
功德智圓條勝出餘人无能及者名无上士 七者調御丈夫 以三乘勝法
随機調制故 八者人天師 謂有所訓道德條於人天 九者仏 此地往謝名之為
覺之了无导故目之為仏 十者薄伽梵 婆伽名破 婆言煩惱 能破煩惱名
婆伽婆 五眼者〔一者肉眼 能見障內近色 二者天眼 能見障外遠色 三者慧眼
謂能觀空 四者法眼 謂觀見於有故 五者仏眼 空有俱照明
過四眼所不能知 仏眼悉照 淨凡言眼者 以見為功德 良由境
別 所以分之為五 卅二大人相〔一者足下平 二足下千輻輪
三者纖長指 四者臑足跟 五者手足網縵成 六者手足柔軟 七者足趺隆如伊尼延鹿王 八者
踝骨不現 九者手直摩過膝 十者馬王陰藏 十一者身圓滿如尼拘律陀樹 十二
者身毛上靡 十三者一一毛右旋 十四者身紫金色 十五者圓光一尋 十六者皮
膚細軟塵垢不著 十七者七處滿 十八者身如師子王 十九者髀時臑圓 廿者
肩骨滿 廿一者身臑直 廿二者卌齒 廿三者齒齊密 廿四者齒白淨 廿五者
頰車方如師子 廿六者得上味 廿七者實駱 廿八者廣長舌 廿九者梵音聲
卅者眼紺青色 卅一者眉間白毫 卅二者鼻脩直 八十随好〔形相已下有六十種 手
七者瓜指 手足八處表裏平滿 兩踝 兩膝 兩肩 兩肘 兩脛 兩腨 兩臂 兩股 兩
兩圓 兩腋 兩胈 兩乳 要 背 心 齊 咽 腹 咽 已上廿種 上下牙齒 兩眉 兩斷 兩頰 兩顴
兩眼 兩耳 兩肩 兩鼻孔 兩額角 通前為八十 為若犯戒者 尚不得下賤人
身 況大人相好 善業然 相好善業有其三 无量三阿僧祇劫脩習名
為无量 安樂一切衆生名為无量 種々善業而以化 亦名行无量福德果
具脩習如來相好 理教 法門品第四 三仏者〔一法仏 々之法身名為
法仏 凡聖俱有 隱
顯則異 惑障未除 仏性常隱 煩惱既盡 法身乃現 但由了目出
不從生因有 二者報仏 々之報身 修因得果 名為之報 三者應仏 々之應

BD02889號 法門名義記

(13–6)

兩眼兩耳兩肩兩鼻孔兩頰兩角通前爲八十種若犯戒者尚不得下賤人
身況丈夫人相好善業然相好善業有其三无量三阿僧祇劫脩習名
劫无量安樂一切衆生念无量種〻善業而以化亦名行无量福德衆
具脩習如來相好 理教法門品第四 三仏者 一法仏〻〻之法身名爲法仏凡聖俱有隱
顯則異惑障未除仏性常隱煩惱既盡法身乃現但由了因出
不從生因有二者報仏〻之報身從因得果名爲報三者應仏〻之應
身隨感應現名之爲應始習思脩有能觀了法身生成報應
故般若論云於實名了因名爲餘生因 三寶者謂仏法僧
然此三寶略有三種一者一體謂仏法身體有妙覺名爲仏法身體有妙軌名爲法法身
體離違諍名爲僧 二者別相丈六之身名爲仏所法教名爲法大乘十信已上六
乘初果已下名爲僧 三者住持泥龕素像以之爲仏紙素竹帛以爲法
凡夫比丘以爲僧云何毗摩羅 若約大小乘分爲二藏一者聲聞二者菩薩 三乘者
一者聲聞乘謂從聲聞而通達故始從凡夫終至羅漢此等階差有廿八人物受聖教因
名聲聞於三乘中名爲小乘二者緣覺其人利根觀十二因緣速悟理解因中不取果
論 三界或盡方證无善是以因果俱爲二人於三乘中此爲中乘亦得有餘
无餘二種涅槃出於三界於果然緣覺有二種一者出无仏世獨悟非常思惟得道名
爲獨覺二者值仏爲說十二因緣之法理觀因緣之而得悟道名爲緣覺出釋論
三者菩薩乘此譯爲道心衆生此人發心求於仏道自利〻他六度行滿終仏相好
學威儀於三乘中此是大乘此譯三乘並能運衆生從因至果從凡至聖故喻
般車名爲乘也 五乘 於前上三加人乘天乘言人乘者持五戒八戒等天
乘者並行十善即此等法能運衆生至人天上受快樂故 二諦
一者世諦亦名俗諦謂緣法不同名用万差別言顯相皆是世諦之者實也於凡是實
於凡是實於聖非實故名世諦二者第一義諦亦名真諦謂真之妄平等照
淨不二凡是无言无相之理皆是第一義諦所攝出世聖人乃證斯理眞實
无比故言第一義諦諸仏說法常依二諦共表一法不相違返維摩經云无
我无造无受者善惡之業亦不亡上明无造受竟下說有善惡上下二
句豈明返乎故知理須會通不滯執世人有著空而背教者不悉迷乎
四諦 謂苦集滅道小乘大乘二種別故小乘有作四諦者一生死果爲苦諦
二煩惱集業爲集諦三寂滅理名滅諦四戒定慧爲道諦 大乘无
作四諦者一觀苦无生是苦聖諦二知集无和合名集聖 三知滅无滅是名滅
聖諦四以无二法得道是名道聖諦
三法印 言諸法无我 一者謂諸法无常謂有爲行法體穿緣與遷變非恒故名无常二者謂一切法體无實性自在之功故名无我若依大乘二无我
即人及法 三者涅槃寂滅 三毒六衰永離无餘即體談泊名爲寂滅若依
大乘理滅此之三法言印者楷定不移名之爲印
衰六 一者害於諸有情心无悲愍二者恨結忿熱惱懷惡不捨三者惱能退
惡觸境違緣佷戾毀訾四者誑諂詐邪命矯現有德五者矯染著
鄙微生於離染六者諂詞冒於他矯設方便此之六種能滅行人功故喻爲衰
四優檀那 一者一切行无常二者一切行苦三者一切法无我四者涅槃寂滅
四悉檀 一者世界二者爲人三者對治四者第一義此四悉檀總攝
十二部經八万四千法藏悉皆是實无相違皆仏法
中有以世界悉檀故實有以各〻爲人悉檀故實有以第一義悉檀故實有仏
二夜經中說仏從得道夜至涅槃夜是二夜中間所說經教一切皆實不顛倒故悉四
悉檀具出大智度論第一卷中廣釋 十二部經 一者修多羅譯爲受說契經

……彼生於離染六者論議……

四優檀那 一者一切行无常 二者一切行苦 三者一切法无我 四者涅槃寂滅

四悉檀 一者世界 二者為人 三者對治 四者第一義 出四悉檀總攝十二部經八万四千法藏悉皆是實无相違皆仏法

中有從世界悉檀故實有以各各為人悉檀故實有以第一義悉檀故實有仏二夜經中說仏從得道夜至涅槃夜是二夜中間所說經教一切皆實不顛倒故出四

悉檀具出大智度論第一卷中廣釋 十二部經 一者修多羅釋為契經謂從如是我聞至歡喜奉

行 二者祇夜 譯為應頌 謂重頌偈 三者和羅那 譯為受記 如釋迦牟尼如來

為弥勒受記汝於未來世當得作仏等 四者伽陀 譯為諷誦 謂直以偈

說等 五者優陀那 譯為自說 是无問自說經 六者尼陀那 譯為

緣起 謂說因緣經是 七者阿波陀那 譯為譬喻 即譬喻經 八者伊

帝日多伽 譯為本事 即仏如來金槍等報是 九者闍伽陀 譯為

本生 如說世尊本昔為 時所可受身是 十者毗仏略 譯為方廣 大乘等

其義廣大 猶如虛空 十一者阿浮達摩 譯為未曾有 謂仏初生十方各

行七步 弥猴奉蜜 白頂猶聽法等 未曾有也 十二者優婆提舍 譯

為論義 如諸大弟子起問世尊所說 辯其義相 二種般若

一者實相 以理為體 體絕虛假目之為實 即體表彰名之為相 名可

以无相為相 二者觀照 以智慧為體 體是般若觀照是用 體用合說故名

觀照 三者文字 以音聲言教詮顯為體 文字非般若 而以故名般

若 一能生般若 二能詮般若 若目中說果故名般若 二種涅槃

一者性淨 謂真之理 體通三世 其德圓備 本无增減 雖隱顯從緣 而體无殊

故就實彰名清淨 若目中說果故名涅槃 二者方便淨 令靈棄識 雖有

真性 煩惑覆心 莫能自反 藉善知識開示順教 傳修明鑒理事煩

惑稍盡 尓乃體用行成 起用方說是 以果不自克 功由善生 功成累而成 故從

能為目 名曰方便淨 三性者 一者分別性 謂根塵六塵 二者依他性 謂識

體是 三者真實性 謂真如 為真實性 三无性 一者无相性 根塵等法據理本寂而无生性於相

二者无生性 謂本識等心 據理不起 故名无生 三者无

性之雙滅 前二名无性 體一 以從詮 故立其三 名真離相名為无性 三空名名

三昧 一者空三昧 生薩庫實俱以為空 訖心此空名空三昧 二者无相三昧 空

絕有狀 以為无相 疑慮无名相 无相三昧 三者无願三昧 空義俙求 以

為无願 是然 无願名无願三昧 本者三昧 漢言調直 三空之稱 生於

或 討難多大 統唯三對惑 釋空 亦三矣 言三惑者 一者滯於有 欲遣

以空 空二者有狀故 祛以无相 三者存情願故 蕩以无願 二无為

一者數滅 大小亦用智慧品數 斷煩惱惑 匝分滅煩惱處 名曰數滅

无為 二者非數滅无為 謂世間万物 成亦有懷 分則自滅 不由智

斷 并枯木朽花關葉落 如此之類 名曰非數滅无為 三者虛空无

為 虛空无為 虛空之靈體 非作法 名曰虛空无為 十八空 一者內空 謂眼耳鼻

為 舌身意空 非常非滅 故性自尓 二者外空 名

色聲香味觸法空 非常非滅 故性自尓 三者內外空 入非常非滅

性自尓 四者空空 謂一切法空 是空亦空 故 五者大空 謂十方相 故 六者第一

……无為空 謂无生相无住相

BD02889號　法門名義記

（13–8）

斷弃枯木朽花開菓落如此之類名曰非數滅无爲三者虛空无
爲虛空无爲虛空之處體非作法名曰虛空无爲 十八空 一者内空爲 謂眼耳鼻
舌身意空非常非滅故性自尔 二者外空名
色聲香未觸法空非常非滅故性自尔 三者内外空入非常非滅
性自尔 四者空空謂一切法空是空亦空故 五者大空謂十方相故 六者第一
義空謂卌空故 七者有爲空謂三界空故 八无爲空謂无生相无住相
无滅相空故 九畢竟空故謂諸法至九竟不可得故 十无始空謂若
法初來處不可得故 十一散空散名諸法无滅非常非滅故 十二者性空謂
爲有法性是性非聲聞辟支仏所作亦非餘人所作是性空故 十三者
自相空謂色壞相受想取行識等相有爲无爲法各各自相空故
十四者諸法空謂色受想行識眼耳鼻舌身意色聲香味觸法眼界
色界識界乃至意識界是諸法空故 十五者不可得空爲求諸不得
故 十六者无法空若法无是亦空故 十七者有法空謂諸法和合中有自性相
有法空非常非滅故 十八者无法有法空謂諸法中无諸法和合无有自性
性相故 又有法无法自法他法相各各自空 有法者謂五陰空故 无
法者无相法名无爲法无法故 自法空者諸法自法空非智作故 他法
空者謂若仏出若未出法住法相法位法性如際過此法空名他法空 此
十八空者遣惑之次第也 衆生之惑不可頓除隨聞起執觸語生滯
故須十八種空遣惑方足 大智度論廣渾之義擧者尋之 三轉 一者相
示轉謂顯有作四諦之相此是苦是集是滅是道名相示轉 二者勸
相謂勸知勸修四諦之相經云苦應斷滅應證道應修名勸相轉
三者謂證相轉仏言若我已智集我已斷滅我已證道我已修名證
脩轉 經云三轉法輪於大千 謂此義也 亦可轉三乘教名爲三轉
七善 一者初中後善着其善 二者其義真 三者言辞巧妙 四者其音清
淨 五者純一无雜 六者具足清白 七者行梵之相 五明論 一者内明
名爲内明 二者因明 能摧他論自申已義 三者聲明 顯示一切音聲 仏所說者
差別巧便言辞 四者醫方明 須有四有種 一者顯示病曰 三者顯示能除
已起病 四者顯示已除之病令不重起 五者巧明頭示種了世業
成就此五種明并悲求 賢聖法門品第五
七種學人 須陀洹果斯陀含向斯陀含果阿那含向阿那含果向阿羅
漢向是小乘七種學人也 修而未至名之爲向 修已至名之爲
果 此七種人於小乘法果行未滿進趣未息故名學人 唯阿羅漢於小乘法中果
滿更無進趣之患學故无學 若大乘法中唯仏性是無學 四沙門果 須陀洹果斯陀
含果阿那含果阿羅漢果 須陀洹果者 逆流或云 此云循習 中國音也 无漏亦名
純債 初果聖人无我解永皆斷見諦有漏惑盡故名 循習无漏既
有漏真解便能永背生死故云 角逆流 逆生流死也 以其无強能排三
塗善苦故云純債 三塗債也 斯陀含者 中國音也 此云薄 數二輪煩惱盡
植盡循道或細 三人共除欲界循道煩惱分爲九品 前六爲薄麁 後三爲
細 斯陀含人斷前六品已後三緣住在三品薄中故名住薄存彼語音好

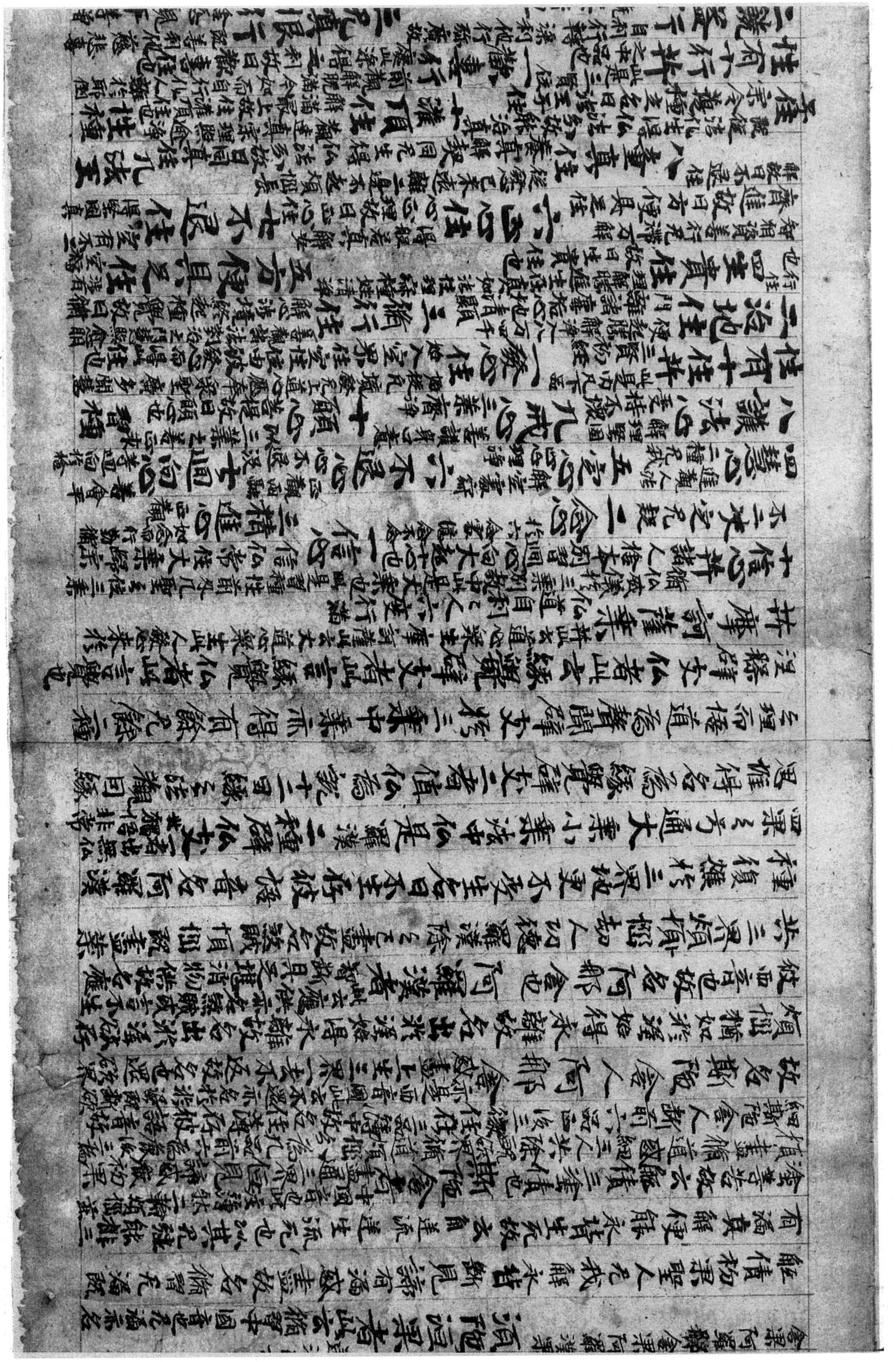

BD02889號　法門名義記

（13-10）

解故曰不退住 八童真住 從發心已來遠離二邊不起煩惱長養真解契同无生得仏法分故曰同真住 九法王
子住 說從法化生得仏法分故紹治真宗令護種之名曰法王子住 十灌頂住 觀達真宗理照逾淨解滿最上故住灌頂住也 性種
性有十行菩薩 此是三賢位之中品也 一歡喜行 前觀解脫滿令如而自行化人離於邪倒慶此深得之利故曰歡喜住也
二饒益行 自利行轉深利他行𤻲廣故曰饒益行也 三无真恨行 既善利他慈悲喜捨慈觀平等憎
愛无二故曰无嗔恨行 四无盡行 以无耽心度人倦利行增進无休无息故曰无盡行也 五離癡乱行 有為以人行難
度衆生而无人之相不為无明所惑心心不離念仏三昧故曰離癡乱行 六善現行 心常在定而現行慈悲化物同
忠故曰善現行 七无着行 心空不住於无行有不染於相靜俱遊无障无导故曰无着行也 八尊
重行 常行於有无而有无所不同正以等行諸法一切皆如无可輕弃重法心成故曰尊重行也 九善法行 既自善行於法而
此法種人動成物軌故曰善法行 十真實行 行於真諦自利ㄑ他行滿行真不弃於俗行俗不求於真无為口真非虛稱實故曰真實
行也 道種性有十迴向菩薩 位之上由凡上賢言名解行地三賢 一救護一切衆生相迴
向菩薩 攝有為衆生不令著破皆迴邪倒備无為衆生不令住空 二不壞迴向
而向正道故曰救護一切衆生離衆相迴向也 迴向有其向无為則有為所不导迴无為而向有為則无為離衆相迴向也所不俱有无俱通則成莫毀故曰不壞迴向也 三等一切仏
迴向 若行有為无為平等圓通利與三世諸仏同行護故曰等一切仏迴向處故曰至一切處迴向 既至一切諸法寶際之故能依寶而成行藴積衆善利潤無窮 五无盡功德
藏迴向 故曰无盡功德藏迴向 六隨順平等善根迴向 即以无盡平等之善出增益故曰隨順平等善根迴向
七隨順等觀一切衆生迴向 善生彌廣故能平等津道法界衆生故曰隨順等觀一切生迴
向也 行此道相无不融故曰如相迴向也 九无着无縛解脫
迴向 衆生即如本来无縛也如ㄑ即衆生則如无可著也此道妙通則无所屬平等无导故曰无着解脫迴向
十法界无导迴向 既達則无所一切諸法皆是如實相故其道轉通非可限極故曰法界无导迴向
自此已前世心 是他前三賢之位用三昧伏惡除伏我相二心不起善行調順名之為賢既未永斷我相故由凡夫若作无相觀行則植
有世相間之位也 聖種性有十地菩薩 自此已後是出世間聖人之位 初歡喜地 始出凡境初登聖境發心力勵
悅情外義故持地論云初登歡滿切德種波羅蜜為增上也 二離垢地 妙彼中道善除結垢故名離垢
行无明盡論最勝德切戒波羅蜜為增上 三明地 隨聞思修照法顯見故名明地以加行智斷於諸衆生起耶
為增上也 聞思修忍失无明盡論勝流切德忍波羅蜜 自此以前三地 惣循大乘光三摩提斷聞提不信習氣 四炎地 定既
上也 發慧外照妄為之法於蘊成故炎地以加行智斷微細煩惱行其生身見无明盡論 內明
无攝切德精進波羅蜜為增上 五難勝地 得出世間智方便善巧
能度故名難勝地以加行智斷於下乘般若波羅蜜涅槃无明盡
論无異切德禪波羅蜜 六現前地 大智現前名現前地以加行智
為增上也 斷麤行明无明盡論无異切

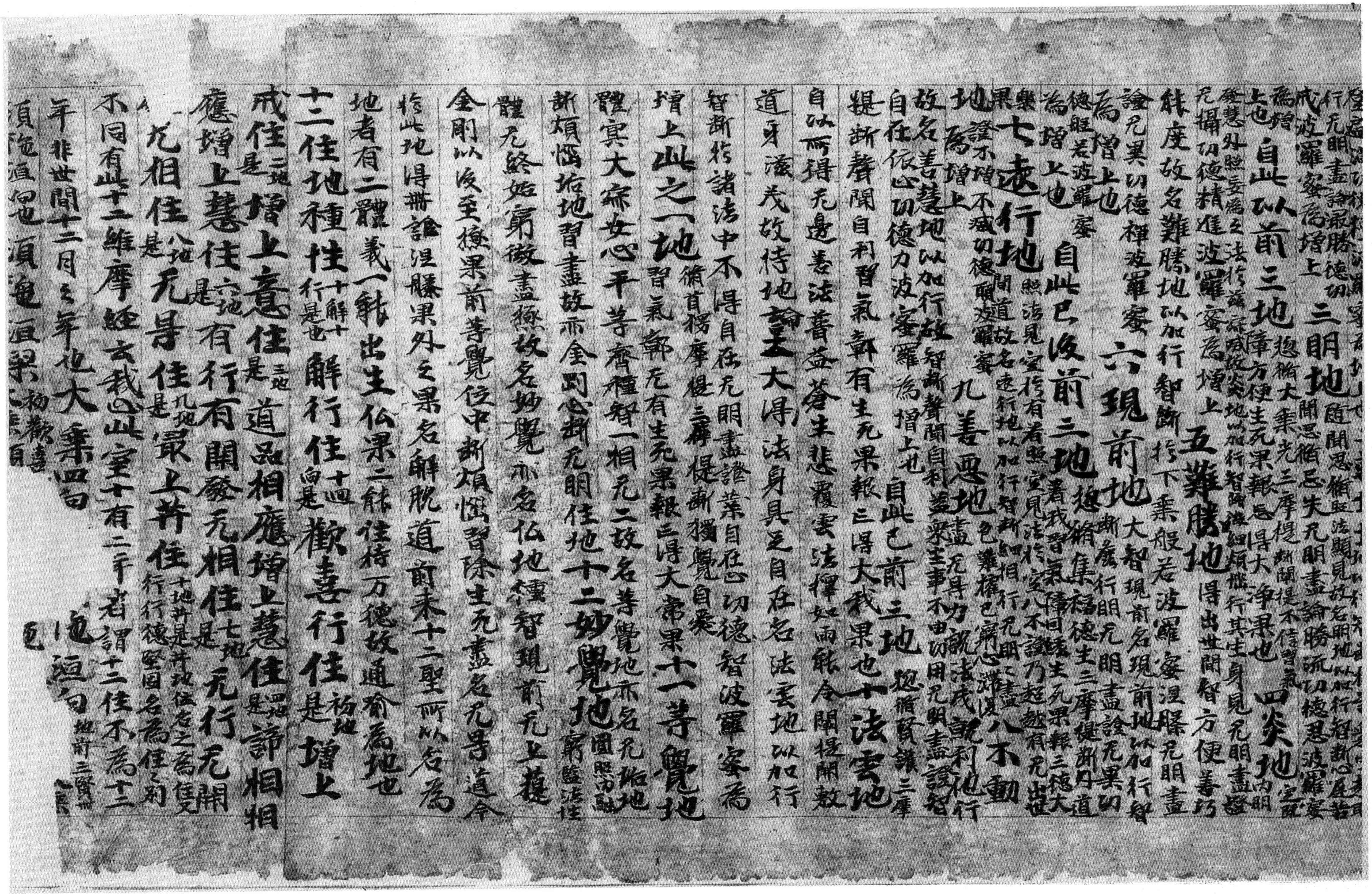

BD02889號　法門名義記　　（13–12）

𦬊增上慧住六地是 有行有開發无相住七地是 无行无開
无相住八地是 无导住九地是 最上菩住十地菩是菩地住名之爲住又
行行德堅固名爲住之別
不同有此十二維摩經云我以此室十有二年
年非世間十二月之年也大乘四句 若謂十二住不爲十二
須陁洹向也 須陁洹果初歡喜 陁洹句地前三賢
斯陁含向 斯陁含果第六地菩是大乘斯陁
那含果第七地菩是 阿羅漢向

BD02889號　法門名義記

BD02889號背　雜寫　（1–1）

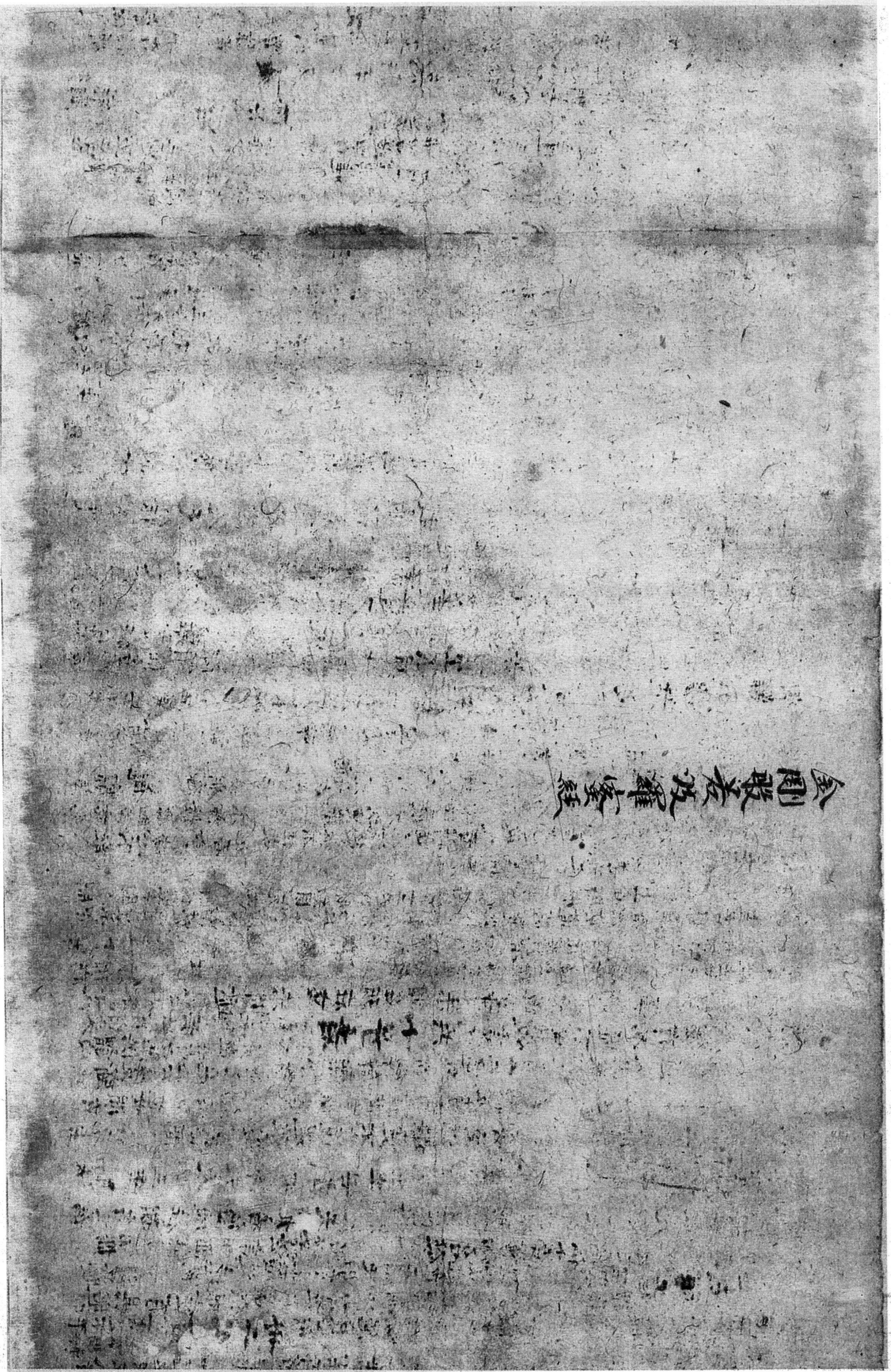

律若輕若重是非之相不解第一義諦習種
性長養性性種性不可壞性道種性正法性
其中多少觀行出入十禪支一切行法一一不
得此法中意而菩薩為利養故為名聞故
惡求多求貪利弟子而詐現解一切經律為
供養故是自欺誑亦欺誑他人與人受戒者
犯輕垢罪
若佛子不得為利養於未受菩薩戒者前外
道惡人前說此千佛大戒邪見人前亦不
得說除國王餘一切亦不得說是惡人輩不
受佛戒名為畜生生生不見三寶如木石无
心名為外道邪見人輩木頭无異而菩薩
於是惡人前說七佛教戒者犯輕垢罪
若佛子信心出家受佛正戒若故起心毀犯
聖戒者不得受一切檀越供養亦不得履國
王地上行亦不得飲國王水五千大鬼常遮其
前鬼復罵言大賊若入房舍城邑宅中鬼復常
迹掃其脚跡一切世人咸皆罵言佛法中賊一切
眾生眼不欲見犯戒之人如畜生无異木頭

BD02890 號　梵網經盧舍那佛說菩薩心地戒品第十卷下　（4–1）

聖戒者不得受一切檀越供養亦不得履國
王地上行亦不得飲國王水五千大鬼常遮其
前鬼復罵言大賊若入房舍城邑宅中鬼復常
迹掃其脚跡一切世人咸皆罵言佛法中賊一切
眾生眼不欲見犯戒之人如畜生无異木頭
无異若故毀犯正戒者犯輕垢罪
若佛子常應一心受持讀誦大乘經律剥皮
為紙刺血為墨以髓為水析骨為筆書寫佛
戒木皮穀紙絹素竹帛亦悉用書持常以七寶
无價香花一切雜寶為箱嚢盛經律卷若不
如法供養者犯輕垢罪
若佛子常起大悲心若入一切城邑舍宅見
一切眾生應當唱言汝等眾生盡應受三歸
十戒若見牛馬豬羊一切畜生應心念口言汝
是畜生發菩提心而菩薩入一切處山林川野
皆使一切眾生發菩提心是菩薩若不教
化眾生心者犯輕垢罪
若佛子常行教化起大悲心若入檀越貴人
家一切眾中不得立為白衣說法應在白衣
眾前高座上坐法師比丘不得地立為四眾白
衣說法若說法時法師高坐香花供養四眾
聽者下坐如孝順父母敬順師教如事火
婆羅門其說法者若不如法說者犯輕垢罪
若佛子皆以信心受戒者若國王王子百官
四部弟子自恃高貴破滅佛法戒律明作制
法制我四部弟子不聽出家行道亦復不聽
造立形象佛塔經律[illegible]制眾[illegible]

BD02890 號　梵網經盧舍那佛說菩薩心地戒品第十卷下　（4–2）

聽者下坐而坐如孝順父母敬順師教如事火
婆羅門其說法者若不如法說者犯輕垢罪
若佛子皆以信心受戒者若國王王子百官
四部弟子自恃高貴破滅佛法戒律明作制
法制我四部弟子不聽出家行道亦復不聽
造立形像佛塔經律統制眾生安籍記菩薩
地立白衣高坐廣行非法如兵奴事主而菩薩
正應受一切供養而反為官走使非法非律
若國王百官好心受戒者莫作破三寶之罪
而故作破者犯輕垢罪
若佛子以好心出家而為名聞利養於國王
百官前說七佛教戒橫與比丘比丘尼菩薩
戒弟子作繫縛如獄囚法如兵奴之法如師子
身中虫自食師子宍非餘外虫食破法者
是佛弟子自破非是外道天魔能破若
受佛戒者應護佛戒如念一子如事父母
而聞外道惡人以一惡言誹謗佛戒時如三
百鉾稍刺心千刀万杖打拍其身等无有
異寧自入地獄百劫而不一聞惡言破佛戒之
聲而況自破佛戒教人破法因緣无孝順
心若故作者犯輕垢罪
如是九戒應當學敬心奉持
告諸佛子是四十八輕戒汝等受持過去諸
佛菩薩已誦現在諸佛菩薩今誦未來
諸佛菩薩當誦諸佛子諦聽十重四十
八輕戒三世諸佛已誦當誦今誦我今亦

BD02890號　梵網經盧舍那佛說菩薩心地戒品第十卷下　（4-3）

異寧自入地獄百劫而不一聞惡言破佛戒之
聲而況自破佛戒教人破法因緣无孝順
心若故作者犯輕垢罪
如是九戒應當學敬心奉持
告諸佛子是四十八輕戒汝等受持過去諸
佛菩薩已誦現在諸佛菩薩今誦未來
諸佛菩薩當誦諸佛子諦聽十重四十
八輕戒三世諸佛已誦當誦今誦我今亦
如是誦汝等一切大眾若國王王子百官
比丘比丘尼信男信女受持菩薩戒者應受
持讀誦解說書寫佛性常住戒經流通三
世一切眾生化化不絕得見千佛佛佛授
手世世不墮惡道八難常生天上人中我今
在菩提樹下略開七佛法戒汝等大眾當一
心學波羅提木叉歡喜奉行如无相天王
品勸學中一一廣明三千學士時坐聽者
聞佛自誦心心頂戴喜踊受持
尒時釋迦牟尼佛說上蓮華藏世界盧舍
那佛心地法門品中十无盡戒竟千百億釋
迦亦如是說從摩醯首羅天王宮來至此道樹
下一主處說法品為一切菩薩不可說大眾
……意世界

BD02890號　梵網經盧舍那佛說菩薩心地戒品第十卷下　（4-4）

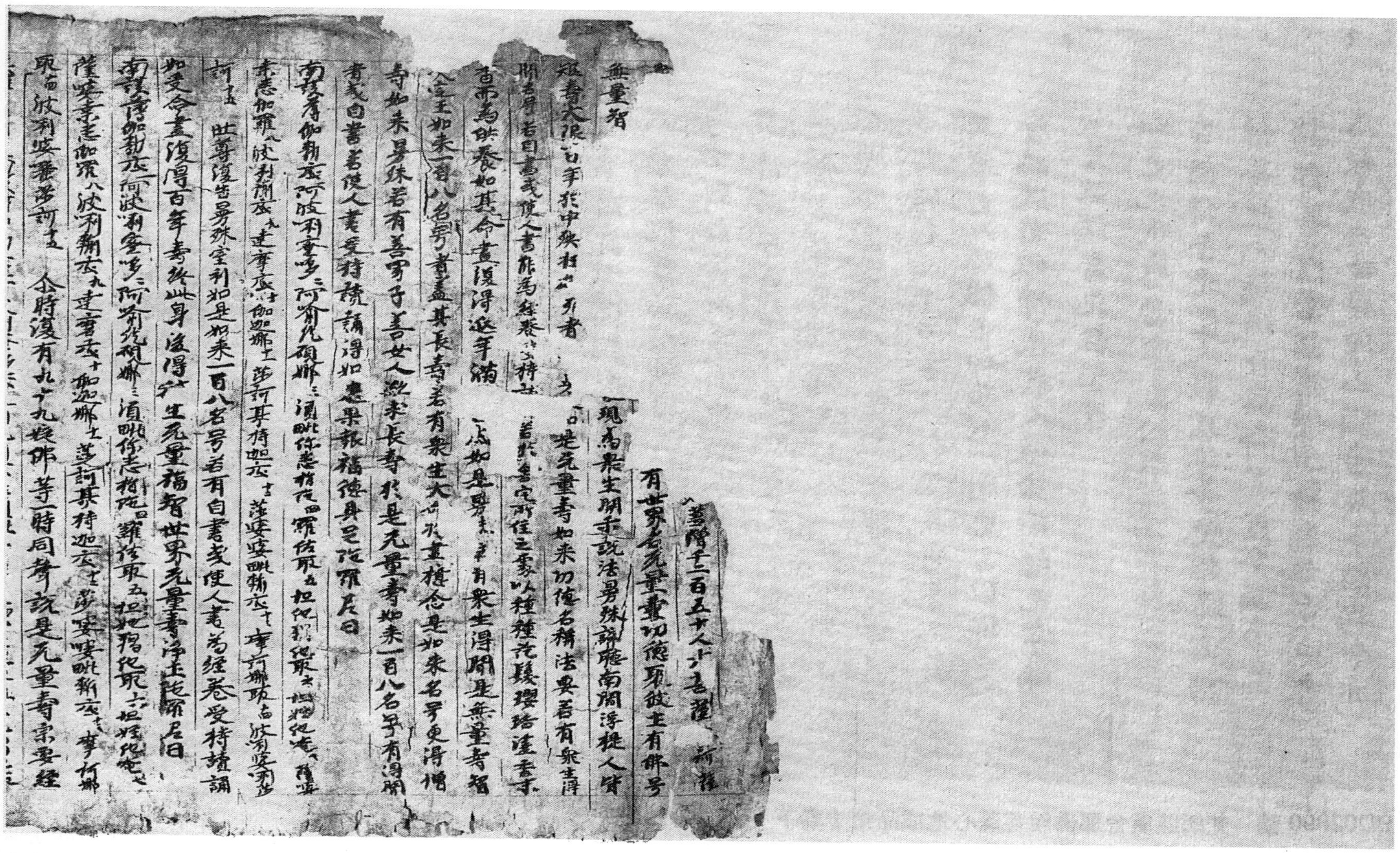

BD02891 號　無量壽宗要經

（6–1）

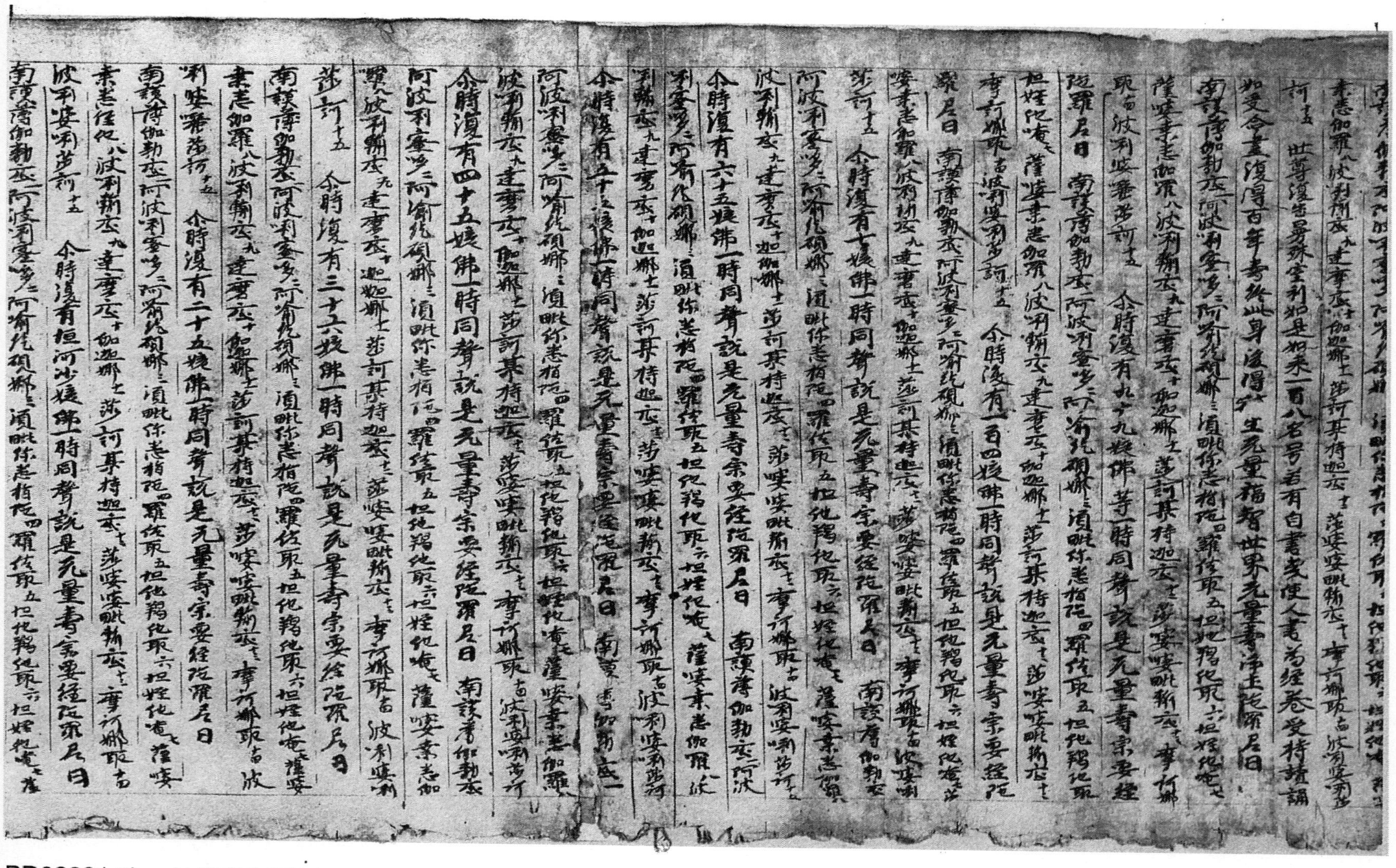

BD02891 號　無量壽宗要經

（6–2）

桒悉伽羅八波唎輸底九達摩底十伽迦娜十一莎訶其持迦底十二莎婆婆毗輸底十三摩訶娜耶十四波
唎婆唎莎訶十五　尒時復有二十五殑伽佛一時同聲說是无量壽宗要經陀羅尼曰
南謨薄伽勒底一阿波唎蜜多二阿喻紇硯娜三須毗你悉指陀四囉佐耶五怛他羯他耶六怛姪他唵七薩婆
桒悉伽羅八波唎輸底九達摩底十伽迦娜十一莎訶其持迦底十二莎婆婆毗輸底十三摩訶娜耶十四
波唎婆唎莎訶十五　尒時復有恒河沙俱胝佛一時同聲說是无量壽宗要經陀羅尼曰
南謨薄伽勒底一阿波唎蜜多二阿喻紇硯娜三須毗你悉指陀四囉佐耶五怛他羯他耶六怛姪他唵七薩
婆桒悉伽羅八波唎輸底九達摩底十伽迦娜十一莎訶其持迦底十二莎婆婆毗輸底十三摩訶娜耶十四波
唎婆唎莎訶十五　善男子若有自書寫教人書寫是无量壽宗要經如其命盡復得
長壽而滿年陀羅尼曰　南謨薄伽勒底一阿波唎蜜多二阿喻紇硯娜三須毗你悉指陀四囉佐耶
五怛他羯他耶六怛姪他唵七薩婆桒悉伽羅八波唎輸底九達摩底十伽迦娜十一莎訶其持迦底十二莎婆
婆毗輸底十三摩訶娜耶十四波唎婆唎莎訶十五　若有自書寫教人書寫是无量壽宗要經
讀誦受持畢竟不墮地獄在在所生得宿命智陀羅尼曰　南謨薄伽勒底一阿波唎
蜜多二阿喻紇硯娜三須毗你悉指陀四囉佐耶五怛他羯他耶六怛姪他唵七薩婆桒悉伽羅八波唎
輸底九達摩底十伽迦娜十一莎訶其持迦底十二莎婆婆毗輸底十三摩訶娜耶十四波唎婆唎莎訶十五
若有自書寫教人書寫是无量壽宗要經受持讀誦如同書寫八万四千一切經典陀羅尼曰
南謨薄伽勒底一阿波唎蜜多二阿喻紇硯娜三須毗你悉指陀四囉佐耶五怛他羯他耶六怛姪他唵七薩婆
桒悉伽羅八波唎輸底九達摩底十伽迦娜十一莎訶其持迦底十二莎婆婆毗輸底十三摩訶娜耶十四波
唎婆唎莎訶十五　若有自書寫教人書寫是无量壽宗要經即是書寫八万四千部建
立塔廟陀羅尼曰　南謨薄伽勒底一阿波唎蜜多二阿喻紇硯娜三須毗你悉指陀四囉佐耶五怛
他羯他耶六怛姪他唵七薩婆桒悉伽羅八波唎輸底九達摩底十伽迦娜十一莎訶其持迦底十二莎婆
婆毗輸底十三摩訶娜耶十四波唎婆唎莎訶十五　若有自書寫教人書寫是无量壽宗要經
能消五无間一切重罪陀羅尼曰　南謨薄伽勒底一阿波唎蜜多二阿喻紇硯娜三須
毗你悉指陀四囉佐耶五怛他羯他耶六怛姪他唵七薩婆桒悉伽羅八波唎輸底九達摩底十摩訶娜耶十四波
唎婆唎莎訶十五　若有自書寫教人書寫是无量壽宗要經受持讀誦設有重罪猶如須彌
盡能除滅陀羅尼曰　南謨薄伽勒底一阿波唎蜜多二阿喻紇硯娜三須毗你悉指陀四囉佐耶五怛他
羯他耶六怛姪他唵七薩婆桒悉伽羅八波唎輸底九達摩底十伽迦娜十一莎訶其持迦底十二莎婆婆毗輸
底十三摩訶娜耶十四波唎婆唎莎訶十五　若有自書寫教人書寫是无量壽宗要經受持讀誦
若魔魔王眷屬夜叉羅剎不得其便終无枉死陀羅尼曰　南謨薄伽勒底一阿波唎蜜
多二阿喻紇硯娜三須毗你悉指陀四囉佐耶五怛他羯他耶六怛姪他唵七薩婆桒悉伽羅八波唎輸底九
達摩底十伽迦娜十一莎訶其持迦底十二莎婆婆毗輸底十三摩訶娜耶十四波唎婆唎莎訶十五

BD02891 號　無量壽宗要經　（6–3）

唎婆唎莎訶十五　若有自書寫教人書寫是无量壽宗要經受持讀誦設有重罪猶如須彌
盡能除滅陀羅尼曰　南謨薄伽勒底一阿波唎蜜多二阿喻紇硯娜三須毗你悉指陀四囉佐耶五怛他
羯他耶六怛姪他唵七薩婆桒悉伽羅八波唎輸底九達摩底十伽迦娜十一莎訶其持迦底十二莎婆婆毗輸
底十三摩訶娜耶十四波唎婆唎莎訶十五　若有自書寫教人書寫是无量壽宗要經受持讀誦
若魔魔王眷屬夜叉羅剎不得其便終无枉死陀羅尼曰　南謨薄伽勒底一阿波唎蜜
多二阿喻紇硯娜三須毗你悉指陀四囉佐耶五怛他羯他耶六怛姪他唵七薩婆桒悉伽羅八波唎輸底九
達摩底十伽迦娜十一莎訶其持迦底十二莎婆婆毗輸底十三摩訶娜耶十四波唎婆唎莎訶十五
若有自書寫教人書寫是无量壽宗要經受持讀誦當命終時有九十九殑伽佛現其
人前來授手將遊一切佛剎莫於此經生於疑惑陀羅尼曰　南謨薄伽勒底一阿波
唎蜜多二阿喻紇硯娜三須毗你悉指陀四囉佐耶五怛他羯他耶六怛姪他唵七薩婆桒悉伽羅八波
唎輸底九達摩底十伽迦娜十一莎訶其持迦底十二莎婆婆毗輸底十三摩訶娜耶十四波唎婆唎莎
訶十五　若有自書寫教人書寫是无量壽宗要經受持讀誦常得四天大王隨其衛
護陀羅尼曰　南謨薄伽勒底一阿波唎蜜多二阿喻紇硯娜三須毗你悉指陀四囉佐耶五怛他
羯他耶六怛姪他唵七薩婆桒悉伽羅八波唎輸底九達摩底十伽迦娜十一莎訶其持迦底十二莎婆婆毗
輸底十三摩訶娜耶十四波唎婆唎莎訶十五　若有自書寫教人書寫是无量壽宗要經受
持讀誦當得往生西方極樂世界阿彌陀淨土陀羅尼曰　南謨薄伽勒底一阿波唎
蜜多二阿喻紇硯娜三須毗你悉指陀四囉佐耶五怛他羯他耶六怛姪他唵七薩婆桒悉伽羅八波唎輸
底九達摩底十伽迦娜十一莎訶其持迦底十二莎婆婆毗輸底十三摩訶娜耶十四波唎婆唎莎訶十五
若有方所自書寫使人書寫是无量壽宗要經典之處則為是塔皆應恭敬作
禮若是畜生或為鳥獸得聞是經如是等類皆當不久得成一切種智陀羅
尼曰　南謨薄伽勒底一阿波唎蜜多二阿喻紇硯娜三須毗你悉指陀四囉佐耶五怛他羯他耶六
怛姪他唵七薩婆桒悉伽羅八波唎輸底九達摩底十伽迦娜十一莎訶其持迦底十二莎婆婆毗輸底十三
摩訶娜耶十四波唎婆唎莎訶十五　若有於是无量壽經自書寫若使人書畢竟不
受女人之身陀羅尼曰　南謨薄伽勒底一阿波唎蜜多二阿喻紇硯娜三須毗你悉指陀四
囉佐耶五怛他羯他耶六怛姪他唵七薩婆桒悉伽羅八波唎輸底九達摩底十伽迦娜十一莎訶其持
迦底十二莎婆婆毗輸底十三摩訶娜耶十四波唎婆唎莎訶十五　若有能於是經少分能惠
施者等於三千大千世界滿中七寶布施陀羅尼曰　南謨薄伽勒底一阿波唎蜜多
二阿喻紇硯娜三須毗你悉指陀四囉佐耶五怛他羯他耶六怛姪他唵七薩婆桒悉伽羅八波唎輸底九
達摩底十伽迦娜十一莎訶其持迦底十二莎婆婆毗輸底十三摩訶娜耶十四波唎婆唎莎訶十五
若有能供養是經者則是供養一切諸經等无有別異陀羅尼曰
南謨薄伽勒底一阿波唎蜜多二阿喻紇硯娜三須毗你悉指陀四囉佐耶五怛他羯他耶六怛姪他唵七

BD02891 號　無量壽宗要經　（6–4）

囉佐耶五 怛他羯他耶六 怛姪他唵七 薩婆桑塞迦囉八 波唎輸底九 達磨底十 伽伽娜十一 莎訶某持
伽底十二 娑婆婆毘薾底十三 摩訶娜耶十四 波唎婆唎莎訶十五　若有能於是經少分能惠
施者等於三千大千世界滿中七寶布施陀羅尼曰　南謨薄伽勃底一 阿波唎蜜多二
阿喻紇硯那三 須毘你悉指陀四 囉佐耶五 怛他羯他耶六 怛姪他唵七 薩婆桑塞迦囉八 波唎輸底九
達磨底十 伽伽那十一 莎訶某持伽底十二 娑婆婆毘薾底十三 摩訶娜耶十四 波唎婆唎莎訶十五
若有能供養是經者則是供養一切諸經等无有別異陀羅尼曰
南謨薄伽勃底一 阿波唎蜜多二 阿喻紇硯那三 須毘你悉指陀四 囉佐耶五 怛他羯他耶六 怛姪他唵七
薩婆桑塞迦囉八 波唎輸底九 達磨底十 伽伽那十一 莎訶某持伽底十二 娑婆婆毘薾底十三 摩訶娜耶十四
波唎婆囉莎訶十五　如是毘婆尸佛尸棄佛毘舍浮佛俱留孫佛俱那含牟尼佛迦
葉佛釋迦牟尼佛若有人以七寶供養其福有限書寫受持讀誦是无量
壽經典所有功德不可限量陀羅尼曰　南謨薄伽勃底一 阿波唎蜜多二 阿喻紇硯那三
須毘你悉指陀四 囉佐耶五 怛他羯他耶六 怛姪他唵七 薩婆桑塞迦囉八 波唎輸底九 達磨底十 伽
伽那十一 莎訶某持伽底十二 娑婆婆毘薾底十三 摩訶娜耶十四 波唎婆唎莎訶十五
若有七寶等於須彌以用布施其福上能知其限量是无量壽經典其福不
可知數陀羅尼曰　南謨薄伽勃底一 阿波唎蜜多二 阿喻紇硯那三 須毘你悉指陀四 囉佐耶
五 怛他羯他耶六 怛姪他唵七 薩婆桑塞迦囉八 波唎輸底九 達磨底十 伽伽那十一 莎訶某持伽底十二 娑
婆婆毘薾底十三 摩訶娜耶十四 波唎婆唎莎訶十五　如是四大海水可知滴數是无量
壽宗要經典所生報果不可數量陀羅尼曰　南謨薄伽勃底一 阿波唎蜜多二 阿喻
紇硯那三 須毘你悉指陀四 囉佐耶五 怛他羯他耶六 怛姪他唵七 薩婆桑塞迦囉八 波唎輸底九 達
磨底十 伽伽那十一 莎訶某持伽底十二 娑婆婆毘薾底十三 摩訶娜耶十四 波唎婆唎莎訶十五
若有自書使人書寫是无量壽經典又能護持供養即如禮敬供養一切十方佛
土如來无有別異陀羅尼曰　南謨薄伽勃底一 阿波唎蜜多二 阿喻紇硯那三 須毘你悉指陀四 囉佐
耶五 怛他羯他耶六 怛姪他唵七 薩婆桑塞迦囉八 波唎輸底九 達磨底十 伽伽那十一 莎
訶某持伽底十二 娑婆婆毘薾底十三 摩訶娜耶十四 波唎婆唎莎訶十五
布施力能成正覺　悟布施力人師子　布施力能聲普聞　慈悲階漸最能入
持戒力能成正覺　悟持戒力人師子　持戒力能聲普聞　慈悲階漸最能入
忍辱力能成正覺　悟忍辱力人師子　忍辱力能聲普聞　慈悲階漸最能入
精進力能成正覺　悟精進力能勝子　精進力能聲普聞　慈悲階漸最能入
禪定力能成正覺　悟禪定力人師子　禪定力能聲普聞　慈悲階漸最能入
智慧力能成正覺　悟智慧力人師子　智慧力能聲普聞　慈悲階漸最能入

BD02891 號　無量壽宗要經

（6–5）

若有七寶等於須彌以用布施其福上能知其限量是无量壽經典其福不
可知數陀羅尼曰　南謨薄伽勃底一 阿波唎蜜多二 阿喻紇硯那三 須毘你悉指陀四 囉佐耶
五 怛他羯他耶六 怛姪他唵七 薩婆桑塞迦囉八 波唎輸底九 達磨底十 伽伽那十一 莎訶某持伽底十二 娑
婆婆毘薾底十三 摩訶娜耶十四 波唎婆唎莎訶十五　如是四大海水可知滴數是无量
壽宗要經典所生報果不可數量陀羅尼曰　南謨薄伽勃底一 阿波唎蜜多二 阿喻
紇硯那三 須毘你悉指陀四 囉佐耶五 怛他羯他耶六 怛姪他唵七 薩婆桑塞迦囉八 波唎輸底九 達
磨底十 伽伽那十一 莎訶某持伽底十二 娑婆婆毘薾底十三 摩訶娜耶十四 波唎婆唎莎訶十五
若有自書使人書寫是无量壽經典又能護持供養即如禮敬供養一切十方佛
土如來无有別異陀羅尼曰　南謨薄伽勃底一 阿波唎蜜多二 阿喻紇硯那三 須毘你悉指陀四 囉佐
耶五 怛他羯他耶六 怛姪他唵七 薩婆桑塞迦囉八 波唎輸底九 達磨底十 伽伽那十一 莎
訶某持伽底十二 娑婆婆毘薾底十三 摩訶娜耶十四 波唎婆唎莎訶十五
布施力能成正覺　悟布施力人師子　布施力能聲普聞　慈悲階漸最能入
持戒力能成正覺　悟持戒力人師子　持戒力能聲普聞　慈悲階漸最能入
忍辱力能成正覺　悟忍辱力人師子　忍辱力能聲普聞　慈悲階漸最能入
精進力能成正覺　悟精進力能勝子　精進力能聲普聞　慈悲階漸最能入
禪定力能成正覺　悟禪定力人師子　禪定力能聲普聞　慈悲階漸最能入
智慧力能成正覺　悟智慧力人師子　智慧力能聲普聞　慈悲階漸最能入
介時如來說是經已一切世間天人阿脩羅乾闥婆等聞佛所說皆大歡喜信受奉行
佛說无量壽經
文達

BD02891 號　無量壽宗要經

（6–6）

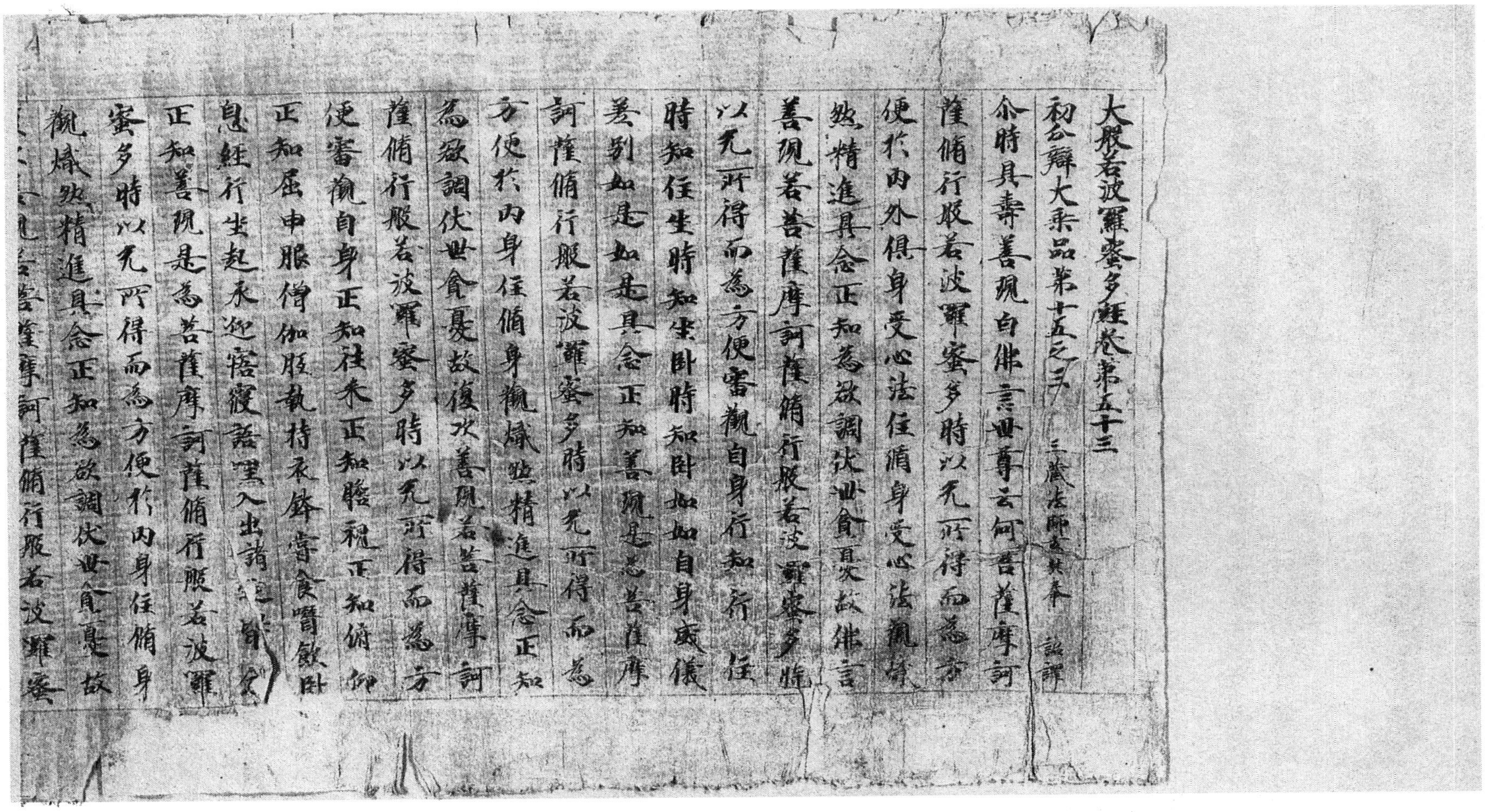

大般若波羅蜜多經卷第五十三

初分辯大乘品第十五之三　三藏法師玄奘奉　詔譯

爾時具壽善現白佛言世尊云何菩薩摩訶
薩修行般若波羅蜜多時以無所得而為方
便於內外俱身受心法住循身受心法觀熾
然精進具念正知為欲調伏世貪憂故佛言
善現若菩薩摩訶薩修行般若波羅蜜多時
以無所得而為方便審觀自身行知行住
時知住坐時知坐臥時知臥如如自身威儀
差別如是如是具念正知善現是為菩薩摩
訶薩修行般若波羅蜜多時以無所得而為
方便於內身住循身觀熾然精進具念正知
為欲調伏世貪憂故復次善現若菩薩摩訶
薩修行般若波羅蜜多時以無所得而為方
便審觀自身正知往來正知瞻視正知俯仰
正知屈申服僧伽胝執持衣鉢嘗食噉飲臥
息經行坐起承迎寤寐語默入出諸定皆念
正知善現是為菩薩摩訶薩修行般若波羅
蜜多時以無所得而為方便於內身住循身
觀熾然精進具念正知為欲調伏世貪憂故

BD02892 號　大般若波羅蜜多經卷五三　（3–1）

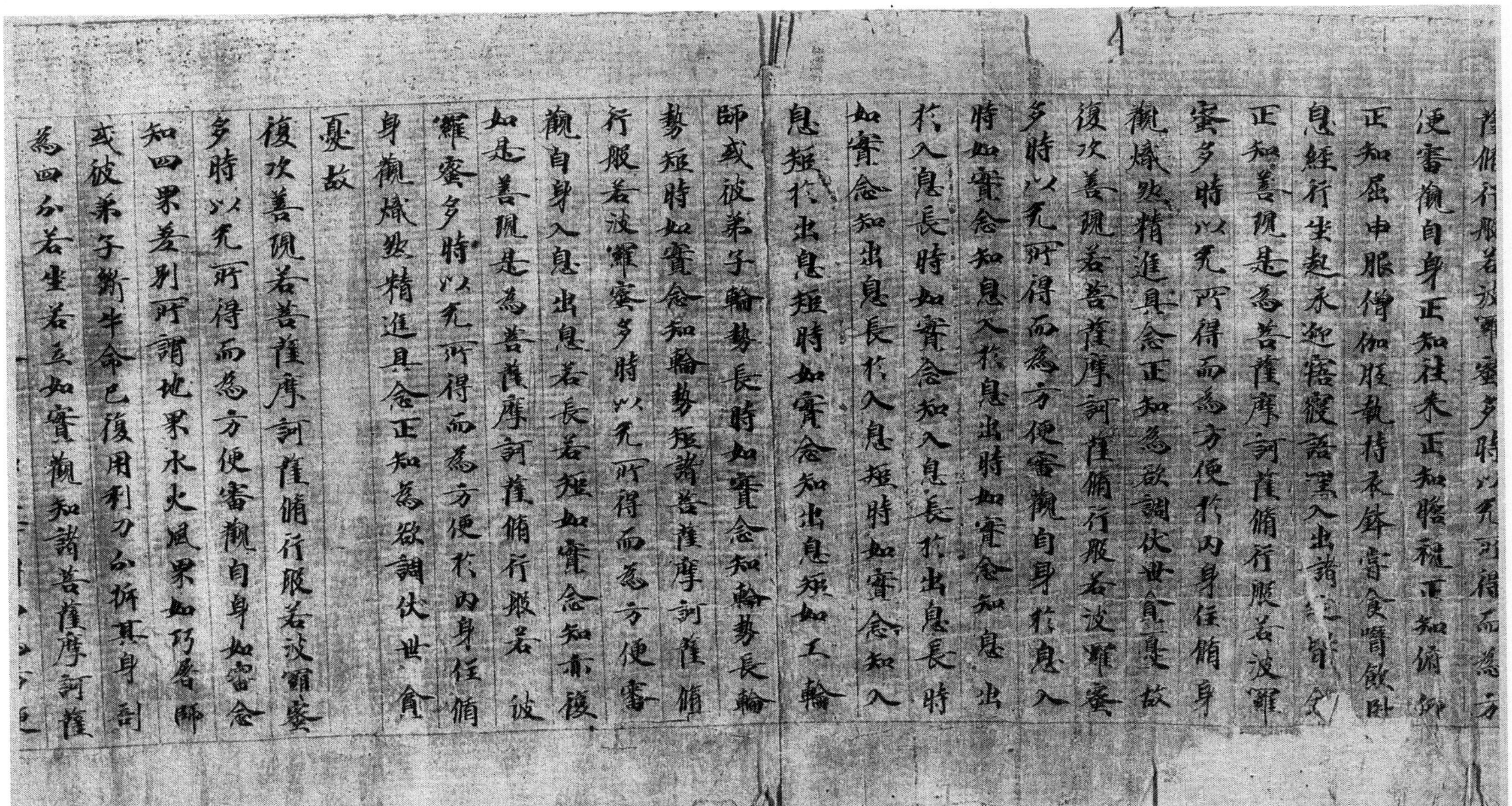

薩修行般若波羅蜜多時以無所得而為方
便審觀自身正知往來正知瞻視正知俯仰
正知屈申服僧伽胝執持衣鉢嘗食噉飲臥
息經行坐起承迎寤寐語默入出諸定皆念
正知善現是為菩薩摩訶薩修行般若波羅
蜜多時以無所得而為方便於內身住循身
觀熾然精進具念正知為欲調伏世貪憂故
復次善現若菩薩摩訶薩修行般若波羅蜜
多時以無所得而為方便審觀自身於息入
時如實念知息入於息出時如實念知息出
於入息長時如實念知入息長於出息長時
如實念知出息長於入息短時如實念知入
息短於出息短時如實念知出息短如工輪
師或彼弟子輪勢長時如實念知輪勢長輪
勢短時如實念知輪勢短諸菩薩摩訶薩修
行般若波羅蜜多時以無所得而為方便審
觀自身入息出息若長若短如實念知亦復
如是善現是為菩薩摩訶薩修行般若波
羅蜜多時以無所得而為方便於內身住循
身觀熾然精進具念正知為欲調伏世貪
憂故
復次善現若菩薩摩訶薩修行般若波羅蜜
多時以無所得而為方便審觀自身如實念
知四界差別所謂地界水火風界如巧屠師
或彼弟子斷牛命已復用利刀分析其身剖
為四分若坐若立如實觀知諸菩薩摩訶薩

BD02892 號　大般若波羅蜜多經卷五三　（3–2）

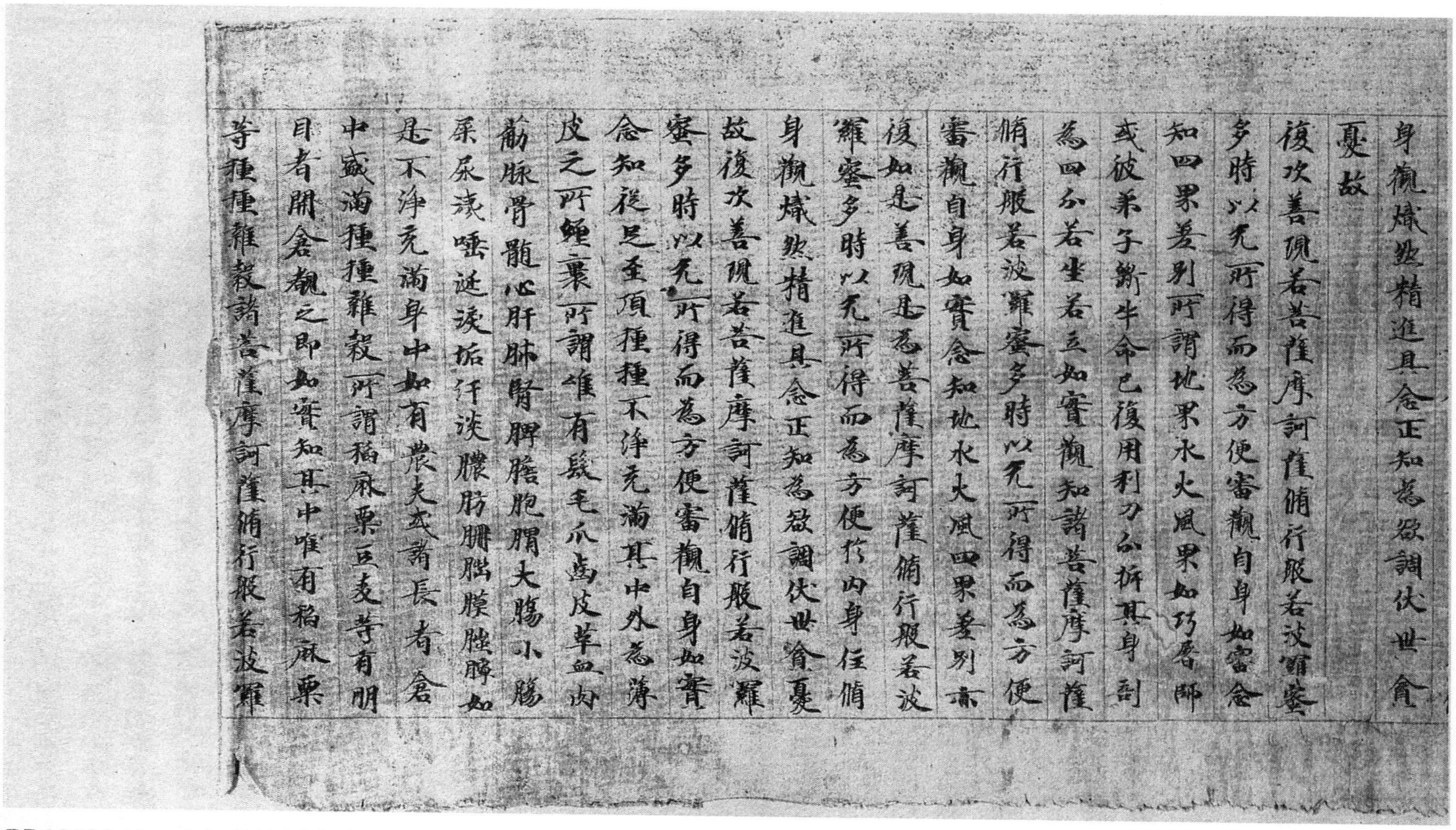
身觀煩惱精進具念正知為欲調伏世貪
憂故
復次善現若菩薩摩訶薩脩行般若波羅蜜
多時以无所得而為方便審觀自身如屠師
知四界差別所謂地界水火風界如巧屠師
或彼弟子斷牛命已復用利刀分析其身副
為四分若坐若立如實觀知諸菩薩摩訶薩
脩行般若波羅蜜多時以无所得而為方便
審觀自身如實念知地水火風四界差別亦
復如是善現是為菩薩摩訶薩脩行般若波
羅蜜多時以无所得而為方便於內身住循
身觀煩惱精進具念正知為欲調伏世貪憂
故復次善現若菩薩摩訶薩脩行般若波羅
蜜多時以无所得而為方便審觀自身如實
念知從足至頂種種不淨充滿其中外為薄
皮之所纏裹所謂唯有髮毛爪齒皮革血肉
筋脉骨髓心肝肺腎脾膽胞胃大腸小腸
屎尿洟唾涎淚垢汗痰膿肪䐪腦膜䐹聹如
是不淨充滿身中如有農夫或諸長者倉
中盛滿種種雜穀所謂稻麻粟豆麥等有明
目者開倉覩之即如實知其中唯有稻麻粟
等種種雜穀諸菩薩摩訶薩脩行般若波羅

BD02892號　大般若波羅蜜多經卷五三

（3–3）

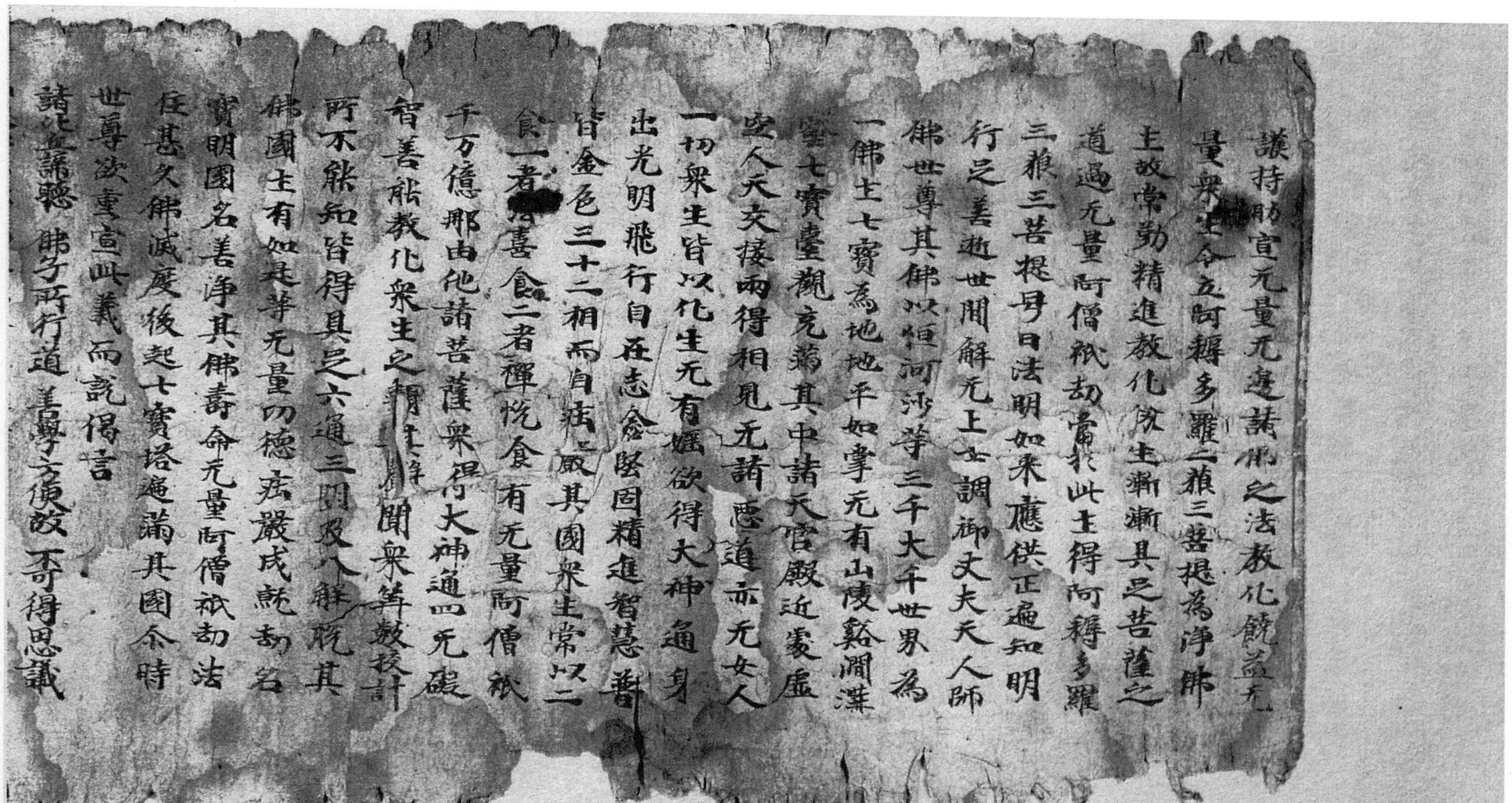
護持助宣无量无邊諸佛之法教化饒益无
量衆生令立阿耨多羅三藐三菩提為淨佛
土故常勤精進教化衆生漸漸具足菩薩之
道過无量阿僧祇劫當於此土得阿耨多羅
三藐三菩提号曰法明如來應供正遍知明
行足善逝世間解无上士調御丈夫天人師
佛世尊其佛以恒河沙等三千大千世界為
一佛土七寶為地地平如掌无有山陵谿澗溝
壑七寶臺觀充滿其中諸天宮殿近處虛
空人天交接兩得相見无諸惡道亦无女人
一切衆生皆以化生无有婬欲得大神通身
出光明飛行自在志念堅固精進智慧普
皆金色三十二相而自莊嚴其國衆生常以二
食一者法喜食二者禪悅食有无量阿僧祇
千万億那由他諸菩薩衆得大神通四无礙
智善能教化衆生之類其聲聞衆筭數校計
所不能知皆得具足六通三明及八解脫其
佛國土有如是等无量功德莊嚴成就劫名
寶明國名善淨其佛壽命无量阿僧祇劫法
住甚久佛滅度後起七寶塔遍滿其國尒時
世尊欲重宣此義而說偈言
諸比丘諦聽　佛子所行道　善學方便故　不可得思議

BD02893號　妙法蓮華經卷四

（3–1）

…三十二相…其國衆生常以二
食一者法喜食二者禪悅食有无量阿僧祇
千万億那由他諸菩薩衆得大神通四无礙
智善能教化衆生之類其聲聞衆筭數校計
所不能知皆得具足六通三明及八解脫其
佛國土有如是等无量功德莊嚴成就劫名
寶明國名善淨其佛壽命无量阿僧祇劫法
住甚久佛滅度後起七寶塔遍滿其國尒時
世尊欲重宣此義而說偈言
諸比丘諦聽　佛子所行道　善學方便故　不可得思議
知衆樂小法　而畏於大智　是故諸菩薩　作聲聞緣覺
以无數方便　化諸衆生類　自說是聲聞　去佛道甚遠
度脫无量衆　皆悉得成就　雖小欲懈怠　漸當令作佛
內秘菩薩行　外現是聲聞　少欲猒生死　實自淨佛土
示衆有三毒　又現邪見相　我弟子如是　方便度衆生
若我具足說　種種現化事　衆生聞是者　心則懷疑惑
今此富樓那　於昔千億佛　勤脩所行道　宣護諸佛法
為求无上慧　而於諸佛所　現居弟子上　多聞有智慧
所說无所畏　能令衆歡喜　未曾有疲惓　而以助佛事
已度大神通　具四无礙智　知衆根利鈍　常說清淨法
演暢如是義　教諸千億衆　令住大乘法　而自淨佛土
未來亦供養　无量无數佛　護助宣正法　亦自淨佛土
常以諸方便　說法无所畏　度不可計衆　成就一切智
供養諸如來　護持法寶藏　其後得作佛　号名曰法明
其國名善淨　七寶所合成　劫名為寶明　菩薩衆甚多
其數无量億　皆度大神通　威德力具足　充滿其國土

度脫无量衆　皆悉得成就　雖小欲懈怠　漸當令作佛
內秘菩薩行　外現是聲聞　少欲猒生死　實自淨佛土
示衆有三毒　又現邪見相　我弟子如是　方便度衆生
若我具足說　種種現化事　衆生聞是者　心則懷疑惑
今此富樓那　於昔千億佛　勤脩所行道　宣護諸佛法
為求无上慧　而於諸佛所　現居弟子上　多聞有智慧
所說无所畏　能令衆歡喜　未曾有疲惓　而以助佛事
已度大神通　具四无礙智　知衆根利鈍　常說清淨法
演暢如是義　教諸千億衆　令住大乘法　而自淨佛土
未來亦供養　无量无數佛　護助宣正法　亦自淨佛土
常以諸方便　說法无所畏　度不可計衆　成就一切智
供養諸如來　護持法寶藏　其後得作佛　号名曰法明
其國名善淨　七寶所合成　劫名為寶明　菩薩衆甚多
其數无量億　皆度大神通　威德力具足　充滿其國土
聲聞亦无數　三明八解脫　得四无导智　以是等為僧
其國諸衆生　婬欲皆已斷　純一變化生　具相莊嚴身
法喜禪悅食　更无餘食想　无有諸女人　亦无諸惡道
富樓那比丘　功德悉成滿　當得斯淨土　賢聖衆甚多
如是无量事　我今但略說

大寶積經菩薩見實會第十六之十四　北齊三藏那連提耶舍譯　卷七十四
六界差別品第二十五之二
大王如人夢中見於國中第一端正最勝女
人於彼女邊得……音樂彼人覺已
以彼樂音而自娛……是人覺已
念夢中可愛音樂於意云何夢中所見是

BD02894號　大寶積經卷七四

（4–1）

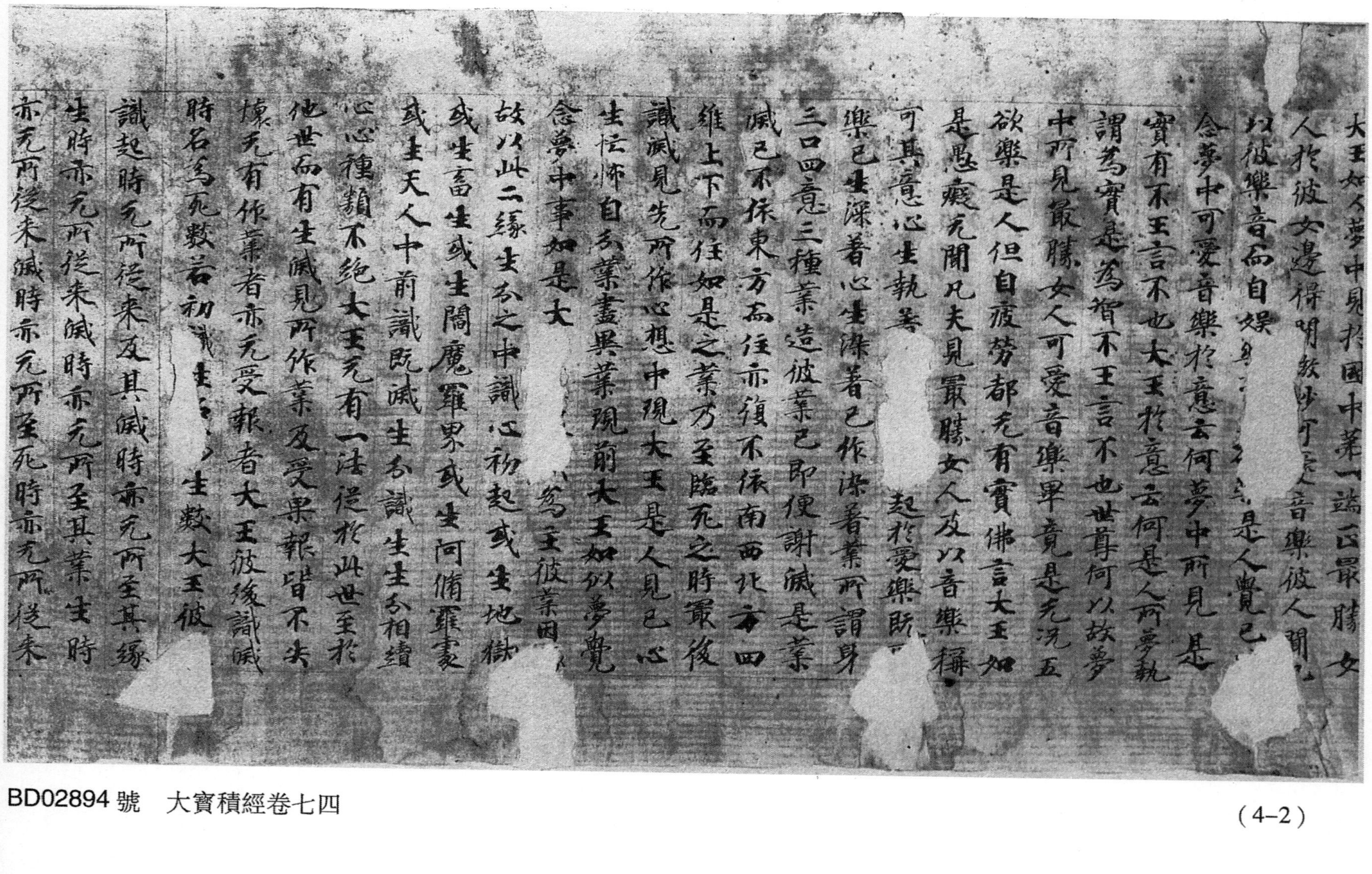
大王如人夢中見於國中第一端正最勝女
人於彼女邊得……音樂彼人覺已
以彼樂音而自娛……是人覺已
念夢中可愛音樂於意云何夢中所見是
實有不王言不也大王於意云何是人所夢執
謂為實是為智不王言不也世尊何以故夢
中所見最勝女人可愛音樂畢竟是无況五
欲樂是人但自疲勞都无有實佛言大王如
是愚癡无聞凡夫見最勝女人及以音樂稱
可其意心生執著　起於愛樂既……
樂已生染著心生染著已作染著業所謂身
三口四意三種業造彼業已即便謝滅是業
滅已不依東方而住亦復不依南西北方四
維上下而住如是之業乃至臨死之時最後
識滅見先所作心想中現大王是人見已心
生怯怖自分業盡與業現前大王如似夢覺
念夢中事如是大……為王彼業因
故以此二緣生分之中識心初起或生地獄
或生畜生或生閻魔羅界或生阿脩羅處
或生天人中前識既滅生分識生生分相續
心心種類不絕大王无有一法從於此世至於
他世而有生滅見所作業及受果報皆不失
壞无有作業者亦无受報者大王彼後識滅
時名為死數若初識生……生數大王彼
識起時无所從來及其滅時亦无所至其緣
生時亦无所從來滅時亦无所至其業生時
亦无所從來滅時亦无所至死時亦无所從來

BD02894號　大寶積經卷七四

（4–2）

壞无有作業者亦无受報者大王彼後識滅
時名爲死數初識生時名爲生數大王彼
識起時无所從來及其滅時亦无所至其緣
生時亦无所從來滅時亦无所至其業生時
亦无所從來滅時亦无所至死時亦无所從來
滅時亦无所至初識生時亦无所從來滅時
亦无所至其生亦无所從來滅時亦无所
至何以故自性離故彼後識後識體性空緣
緣體性空業業體性空初識
識體性空受受體性空世間世間體性空涅
槃涅槃體性空起起體性空壞壞體性空大
王如是作業果報皆不失壞无有作業者无
有受報者但隨世俗故有非第一義大王當
知一切諸法皆悉空寂一切諸法空者是空
解脫門空无空相是无相解脫門若无相者
則无願求名无願解脫門大王一切法
皆具三解脫門與空共行涅槃先道遠離於
相遠離願求究竟涅槃界決定如法界周
遍虛空際大王當知諸根如幻境界如夢一切
辯喻當如是知
大王耳聞惡聲生於惡心大王如人夢中親
愛別離生大苦惱悲號啼哭或離父母妻子
所愛眷屬是人覺已憶念夢中親愛別離
悲哭等事於意云何夢中所見是實有不王
言不也佛言大王於意云何是人所夢執謂
爲實是爲智不王言不也世尊何以故夢中所

BD02894號　大寶積經卷七四　　（4–3）

槃涅槃體性空起起體性空壞壞體性空大
王如是作業果報皆不失壞无有作業者无
有受報者但隨世俗故有非第一義大王當
知一切諸法皆悉空寂一切諸法空者是空
解脫門空无空相是无相解脫門若无相者
則无願求名无願解脫門大王一切法
皆具三解脫門與空共行涅槃先道遠離於
相遠離願求究竟涅槃界決定如法界周
遍虛空際大王當知諸根如幻境界如夢一切
辯喻當如是知
大王耳聞惡聲生於惡心大王如人夢中親
愛別離生大苦惱悲號啼哭或離父母妻子
所愛眷屬是人覺已憶念夢中親愛別離
悲哭等事於意云何夢中所見是實有不王
言不也佛言大王於意云何是人所夢執謂
爲實是爲智不王言不也世尊何以故夢中所
見親愛別離畢竟是无何況悲泣是人徒自
疲勞都无有實佛言大王如是愚癡无聞凡
夫見聞惡聲而生執著生執著已起不愛心
以不愛故生於瞋心生瞋心故造作瞋業所

BD02894號　大寶積經卷七四　　（4–4）

相佛告善現甚深般若波羅蜜多由不緣色
而生於識是為不見色故名示色相廣說乃
至由不緣一切相智而生於識是為不見一
切相智故名示一切相智相善現當知由如
是義甚深般若波羅蜜多能示世間諸法實
相能生諸佛名諸佛母復次善現甚深般若
波羅蜜多能為諸佛顯世間空故名佛母能
示諸佛世間實相具壽善現即白佛言云何
般若波羅蜜多能為諸佛顯世間空佛告善
現甚深般若波羅蜜多能為諸佛顯五蘊世
間空顯十二處世間空顯十八界世間空顯
六觸世間空顯六受世間空顯六界世間空
顯四緣世間空顯十二支緣起世間空顯我
見為根本六十二見世間空顯十善業道世
間空顯四靜慮四无量四无色定世間空顯
六波羅蜜多世間空顯內空乃至无性自性
空世間空顯苦集滅道世間空顯三十七菩
提分法世間空顯八解脫八勝處九次第定
十遍處世間空顯空无相无願解脫門世間
空顯三乘十地世間空顯菩薩十地世間空
顯一切陀羅尼門三摩地門世間空顯五眼

BD02895號　大般若波羅蜜多經卷五一〇　（5–1）

空世間空顯苦集滅道世間空顯三十七菩
提分法世間空顯八解脫八勝處九次第定
十遍處世間空顯空无相无願解脫門世間
空顯三乘十地世間空顯菩薩十地世間空
顯一切陀羅尼門三摩地門世間空顯五眼
六神通世間空顯如來十力四无所畏四无
礙解十八佛不共法世間空顯大慈大悲大
喜大捨世間空顯三十二大士相八十隨好
世間空顯无忘失法恒住捨性世間空顯預
流果乃至獨覺菩提世間空顯一切菩薩摩
訶薩行諸佛无上正等菩提世間空顯一切
智道相智一切相智世間空如是善現甚
深般若波羅蜜多能為諸佛顯世間空故名
佛母能示諸佛世間實相復次善現佛因般
若波羅蜜多能為世間顯色世間空乃至
顯一切相智世間空令諸世間受世間空想世
間空思世間空識世間空如是善現甚深般
若波羅蜜多能為諸佛顯世間空故名佛
母能示諸佛世間實相復次善現甚深般若
波羅蜜多能示諸佛世間空相云何示諸佛世
間空相謂令如來應正等覺見色世間空乃
至見一切相智世間空如是善現甚深般若波
羅蜜多能示諸佛世間空相復次善現甚
深般若波羅蜜多能示諸佛世間不可思議
相云何示諸佛世間不可思議相謂示如來
應正等覺色世間不可思議相乃至一切相

BD02895號　大般若波羅蜜多經卷五一〇　（5–2）

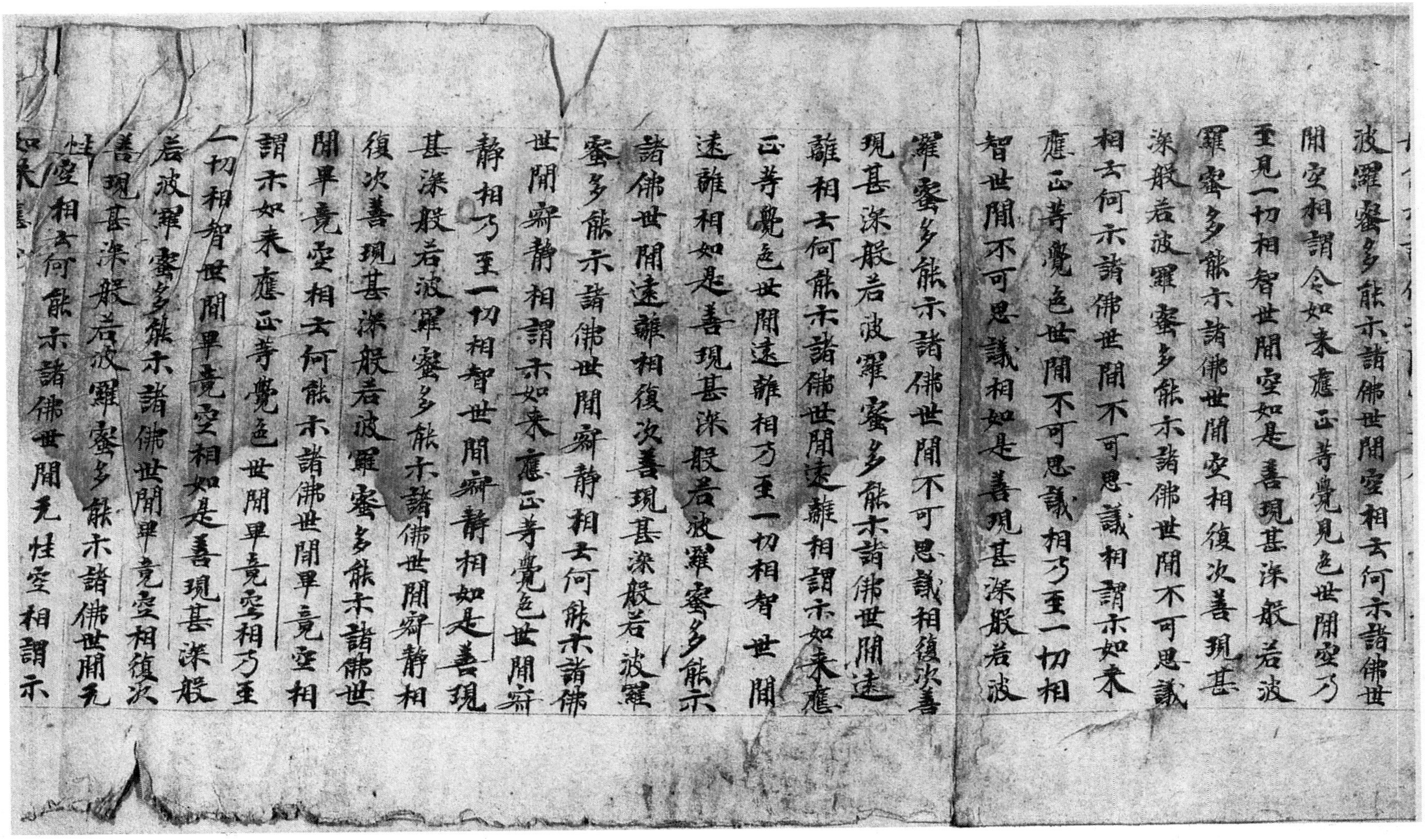

波羅蜜多能示諸佛世間空相云何示諸佛世
間空相謂令如來應正等覺見色世間空乃
至見一切相智世間空如是善現甚深般若波
羅蜜多能示諸佛世間空相復次善現甚
深般若波羅蜜多能示諸佛世間不可思議
相云何示諸佛世間不可思議相謂示如來
應正等覺色世間不可思議相乃至一切相
智世間不可思議相如是善現甚深般若波
羅蜜多能示諸佛世間不可思議相復次善
現甚深般若波羅蜜多能示諸佛世間遠
離相云何能示諸佛世間遠離相謂示如來應
正等覺色世間遠離相乃至一切相智世間
遠離相如是善現甚深般若波羅蜜多能示
諸佛世間遠離相復次善現甚深般若波羅
蜜多能示諸佛世間寂靜相云何能示諸佛
世間寂靜相謂示如來應正等覺色世間寂
靜相乃至一切相智世間寂靜相如是善現
甚深般若波羅蜜多能示諸佛世間寂靜相
復次善現甚深般若波羅蜜多能示諸佛世
間畢竟空相云何能示諸佛世間畢竟空相
謂示如來應正等覺色世間畢竟空相乃至
一切相智世間畢竟空相如是善現甚深般
若波羅蜜多能示諸佛世間畢竟空相復次
善現甚深般若波羅蜜多能示諸佛世間无
性空相云何能示諸佛世間无性空相謂示
如來應

BD02895號　大般若波羅蜜多經卷五一〇　（5-3）

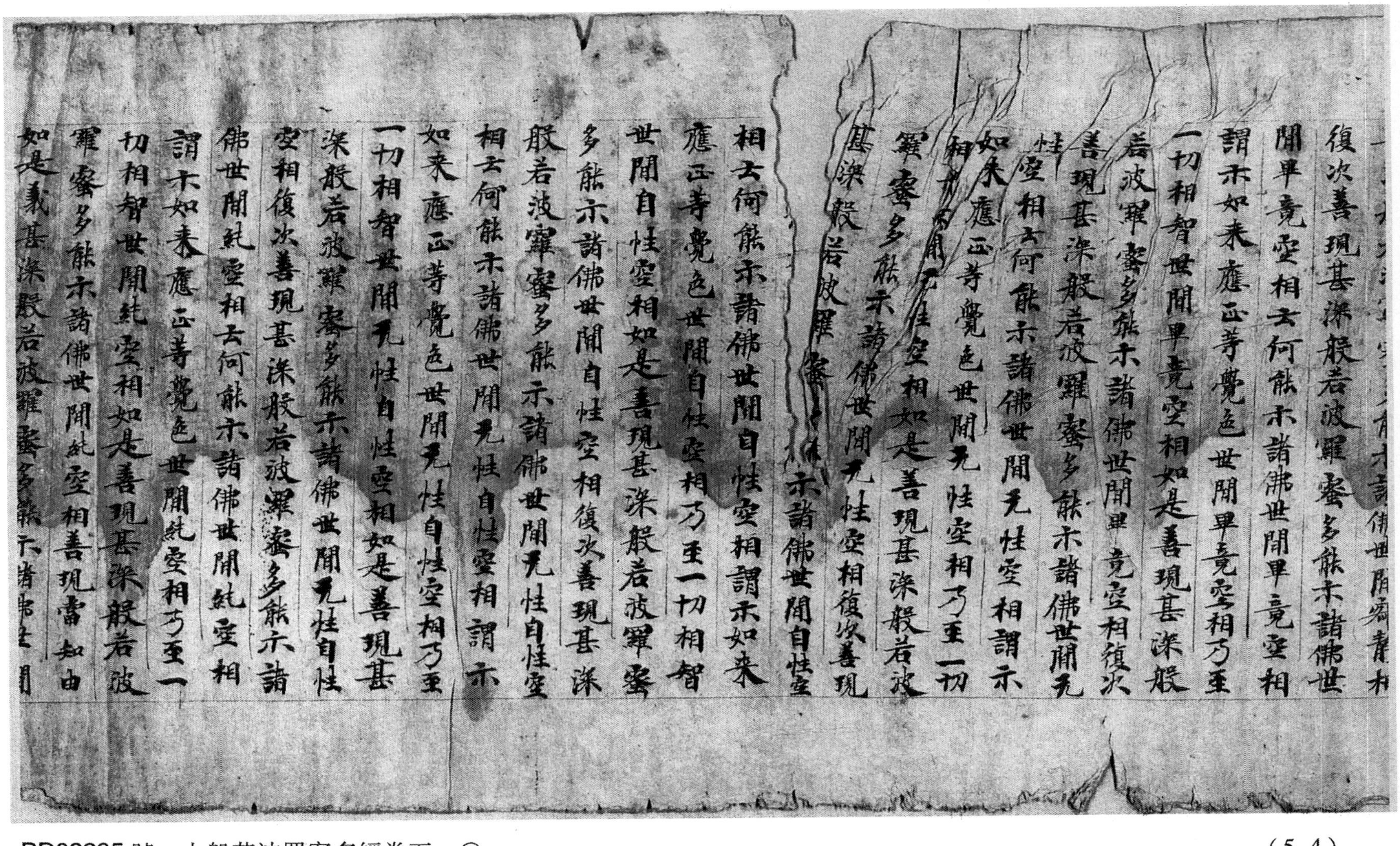

復次善現甚深般若波羅蜜多能示諸佛世
間畢竟空相云何能示諸佛世間畢竟空相
謂示如來應正等覺色世間畢竟空相乃至
一切相智世間畢竟空相如是善現甚深般
若波羅蜜多能示諸佛世間畢竟空相復次
善現甚深般若波羅蜜多能示諸佛世間无
性空相云何能示諸佛世間无性空相謂示
如來應正等覺色世間无性空相乃至一切
相智世間无性空相如是善現甚深般若波
羅蜜多能示諸佛世間无性空相復次善現
甚深般若波羅蜜多能示諸佛世間自性空
相云何能示諸佛世間自性空相謂示如來
應正等覺色世間自性空相乃至一切相智
世間自性空相如是善現甚深般若波羅蜜
多能示諸佛世間自性空相復次善現甚深
般若波羅蜜多能示諸佛世間无性自性空
相云何能示諸佛世間无性自性空相謂示
如來應正等覺色世間无性自性空相乃至
一切相智世間无性自性空相如是善現甚
深般若波羅蜜多能示諸佛世間无性自性
空相復次善現甚深般若波羅蜜多能示諸
佛世間純空相云何能示諸佛世間純空相
謂示如來應正等覺色世間純空相乃至一
切相智世間純空相如是善現甚深般若波
羅蜜多能示諸佛世間純空相善現當知由
如是義甚深般若波羅蜜多能示諸佛世間

BD02895號　大般若波羅蜜多經卷五一〇　（5-4）

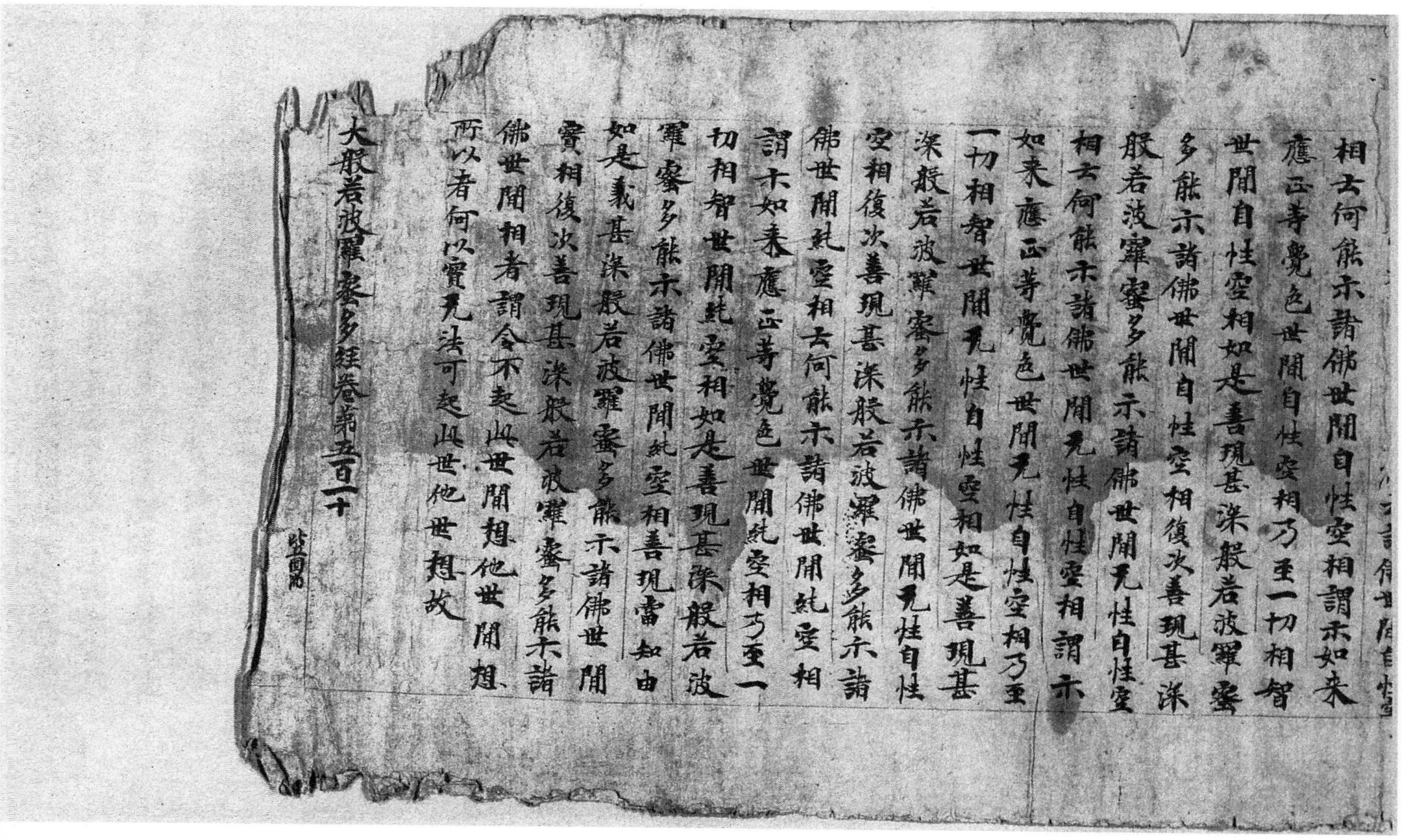
相云何能示諸佛世間自性空相謂示如來
應正等覺色世間自性空相乃至一切相智
世間自性空相如是善現甚深般若波羅蜜
多能示諸佛世間自性空相復次善現甚深
般若波羅蜜多能示諸佛世間无性自性空
相云何能示諸佛世間无性自性空相謂示
如來應正等覺色世間无性自性空相乃至
一切相智世間无性自性空相如是善現甚
深般若波羅蜜多能示諸佛世間无性自性
空相復次善現甚深般若波羅蜜多能示諸
佛世間純空相云何能示諸佛世間純空相
謂示如來應正等覺色世間純空相乃至一
切相智世間純空相如是善現甚深般若波
羅蜜多能示諸佛世間純空相善現當知由
如是義甚深般若波羅蜜多能示諸佛世間
實相復次善現甚深般若波羅蜜多能示諸
佛世間相者謂令不起此世間想他世間想
所以者何以實无法可起此世他世想故
大般若波羅蜜多經卷第五百一十

BD02895 號　大般若波羅蜜多經卷五一〇　(5–5)

大般若

BD02895 號背　勘記　(1–1)

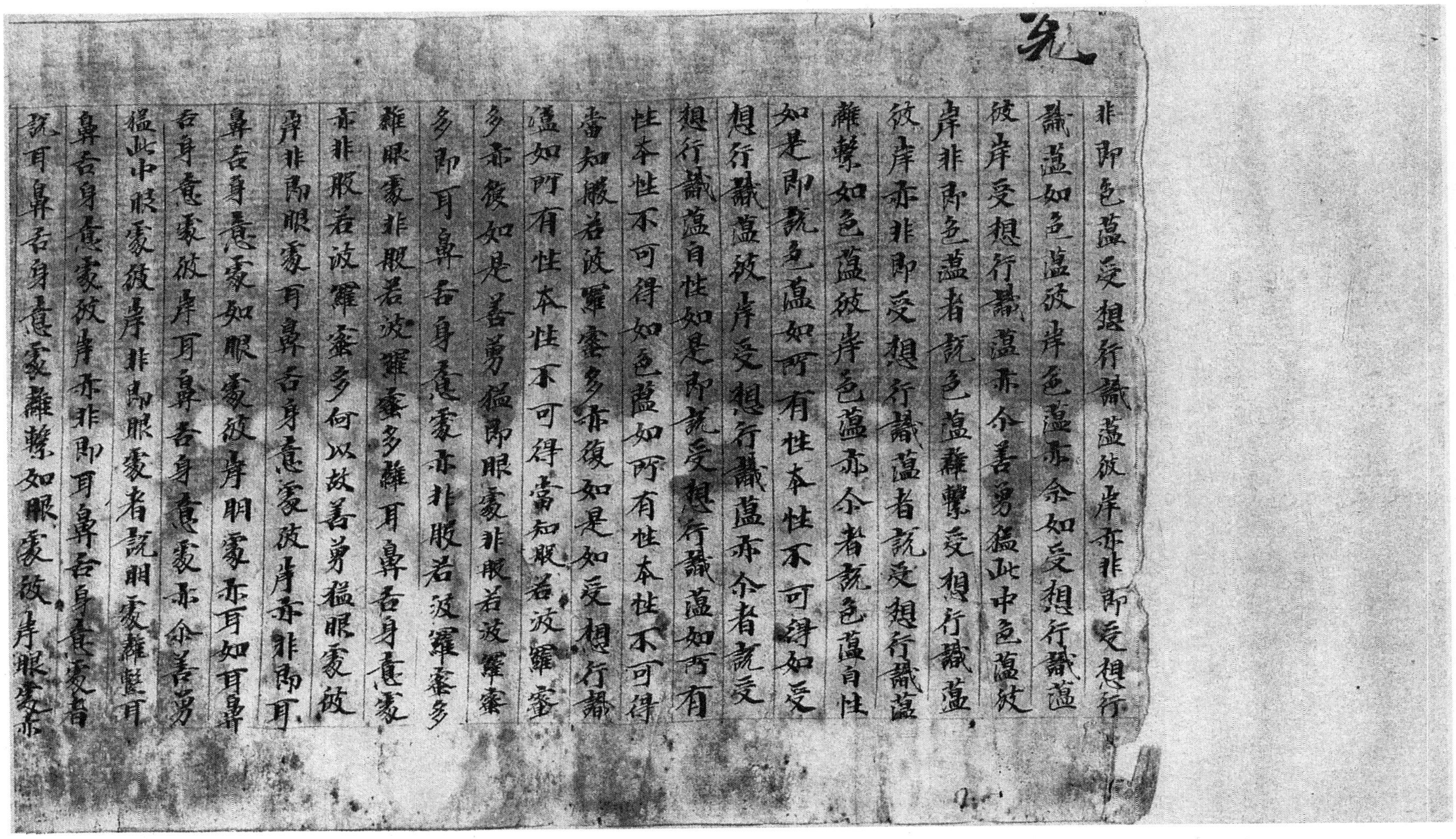
兑
非即色蘊受想行識蘊彼岸亦非即受想行
識蘊如色蘊彼岸色蘊亦尒如受想行識蘊
彼岸受想行識蘊亦尒善勇猛此中色蘊彼
岸非即色蘊者說色蘊離繫受想行識蘊
彼岸亦非即受想行識蘊者說受想行識蘊
離繫如色蘊彼岸色蘊亦尒者說色蘊自性
如是即說色蘊如所有性本性不可得如受
想行識蘊彼岸受想行識蘊亦尒者說受
想行識蘊自性如是即說受想行識蘊如所有
性本性不可得如色蘊如所有性本性不可得
當知般若波羅蜜多亦復如是如受想行識
蘊如所有性本性不可得當知般若波羅蜜
多亦復如是善勇猛即眼處非般若波羅蜜
多即耳鼻舌身意處亦非般若波羅蜜多
離眼處非般若波羅蜜多離耳鼻舌身意處
亦非般若波羅蜜多何以故善勇猛眼處彼
岸非即眼處耳鼻舌身意處彼岸亦非即耳
鼻舌身意處如眼處彼岸眼處亦耳如耳鼻
舌身意處彼岸耳鼻舌身意處亦尒善勇
猛此中眼處彼岸非即眼處者說眼處離繫耳
鼻舌身意處彼岸亦非即耳鼻舌身意處者
說耳鼻舌身意處離繫如眼處彼岸眼處亦

BD02896號　大般若波羅蜜多經（兑廢稿）卷五九四　（2–1）

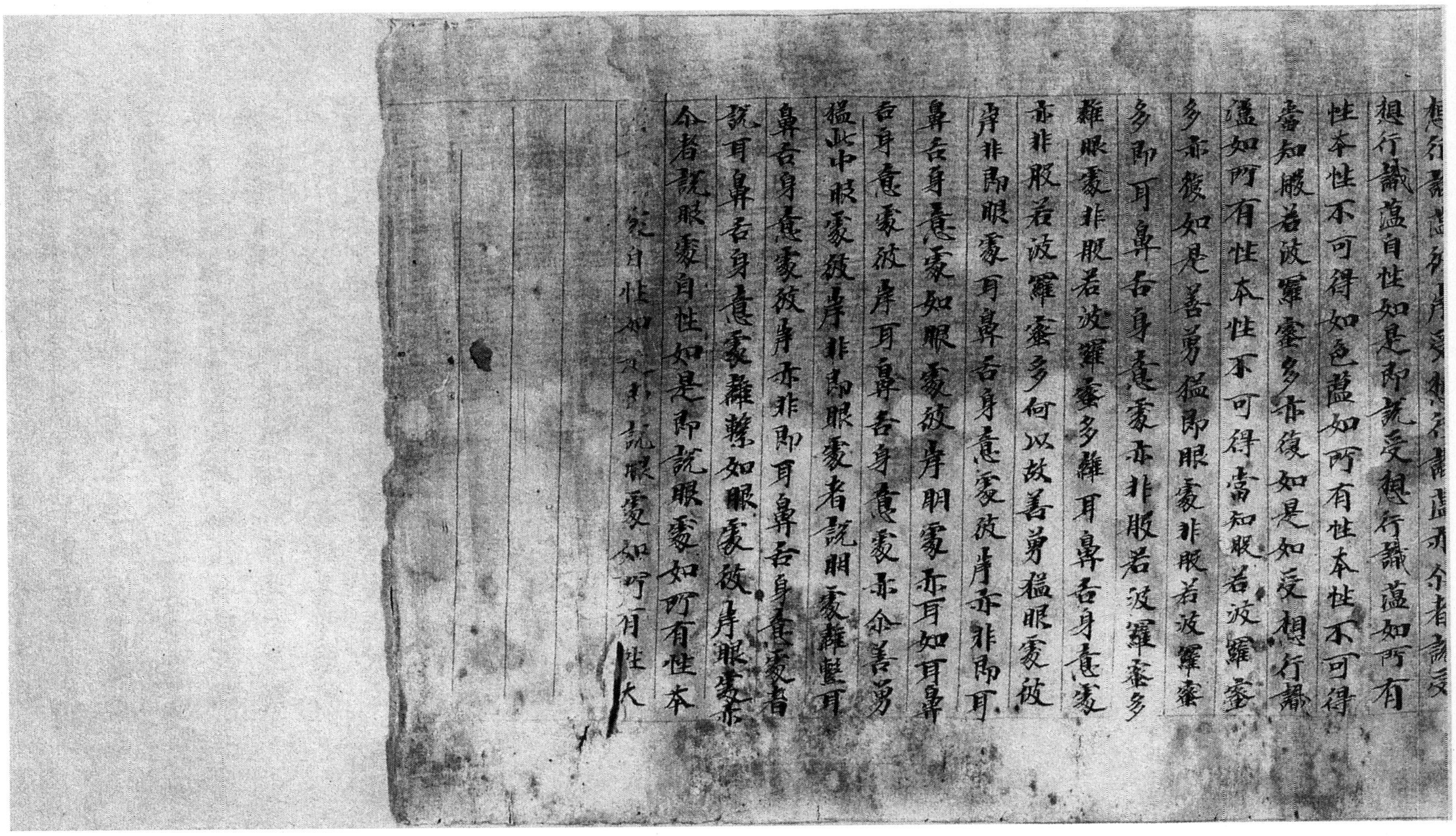
想行識蘊彼岸受想行識蘊亦尒者說受
想行識蘊自性如是即說受想行識蘊如所有
性本性不可得如色蘊如所有性本性不可得
當知般若波羅蜜多亦復如是如受想行識
蘊如所有性本性不可得當知般若波羅蜜
多亦復如是善勇猛即眼處非般若波羅蜜
多即耳鼻舌身意處亦非般若波羅蜜多
離眼處非般若波羅蜜多離耳鼻舌身意處
亦非般若波羅蜜多何以故善勇猛眼處彼
岸非即眼處耳鼻舌身意處彼岸亦非即耳
鼻舌身意處如眼處彼岸眼處亦耳如耳鼻
舌身意處彼岸耳鼻舌身意處亦尒善勇
猛此中眼處彼岸非即眼處者說眼處離繫耳
鼻舌身意處彼岸亦非即耳鼻舌身意處者
說耳鼻舌身意處離繫如眼處彼岸眼處亦
尒者說眼處自性如是即說眼處如所有性本
性自性如是亦說眼處如所有性大

BD02896號　大般若波羅蜜多經（兑廢稿）卷五九四　（2–2）

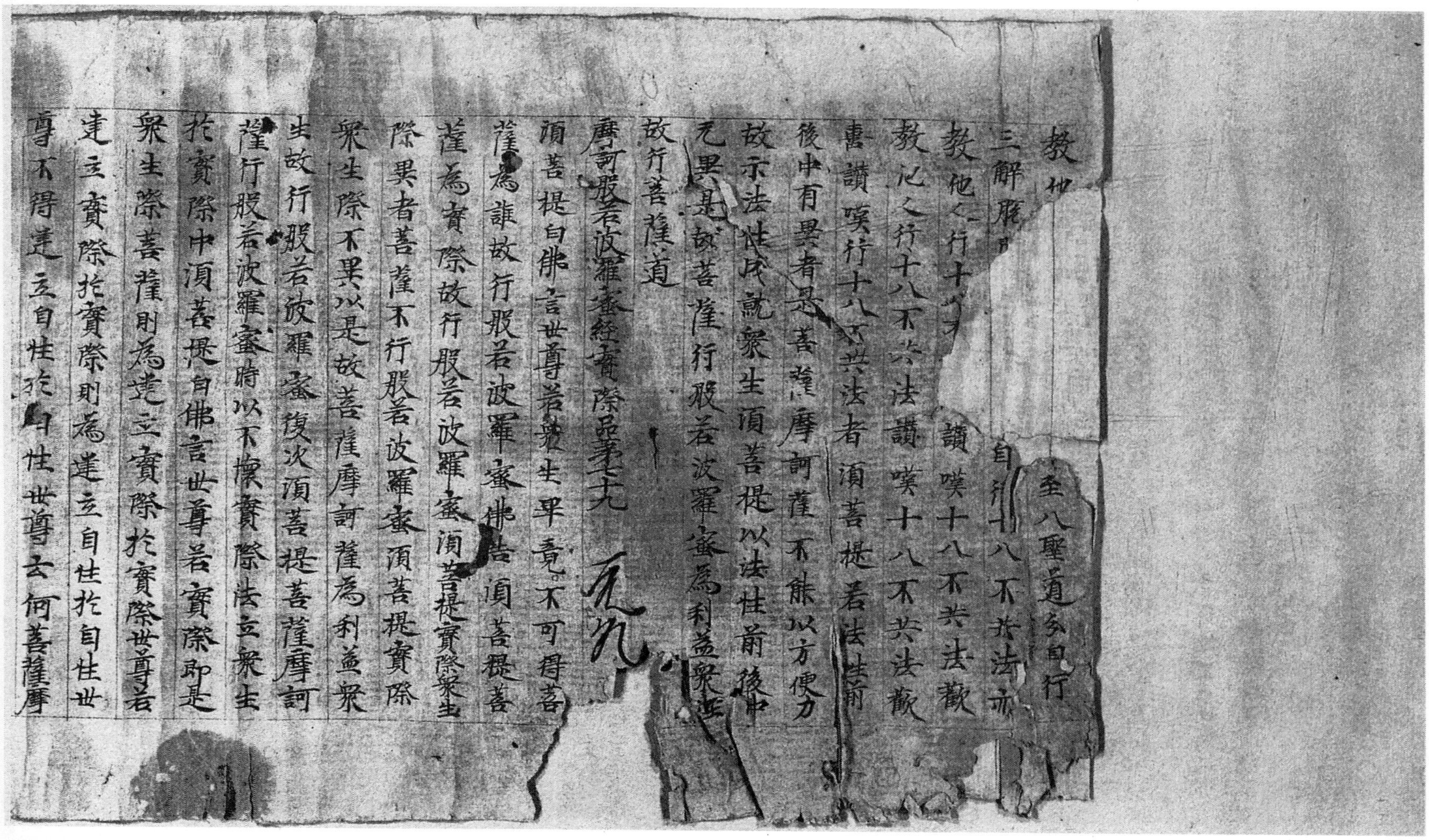

教他……至八聖道分自行
三解脫……自行十八不共法亦
教他〃行十……讚歎十八不共法歡
教〃他〃行十八不共法讚歎十八不共法歡
喜讚歎行十八不共法者須菩提若法性前
後中有異者是菩薩摩訶薩不能以方便力
故示法性所謂眾生須菩提以法性前後中
无異是故菩薩行般若波羅蜜為利益眾生
故行菩薩道
摩訶般若波羅蜜經實際品第七十九
須菩提白佛言世尊若眾生畢竟不可得菩
薩為誰故行般若波羅蜜佛告須菩提菩
薩為實際故行般若波羅蜜須菩提實際眾生
際異者菩薩不行般若波羅蜜須菩提實際
眾生際不異以是故菩薩摩訶薩為利益眾
生故行般若波羅蜜復次須菩提菩薩摩訶
薩行般若波羅蜜時以不壞實際法立眾生
於實際中須菩提白佛言世尊若實際即是
眾生際菩薩則為建立實際於實際世尊若
建立實際於實際則為建立自性於自性世
尊不得建立自性於自性世尊云何菩薩摩

BD02897號　摩訶般若波羅蜜經（四十卷本　兌廢稿）卷三五　（2–1）

須菩提白佛言世尊若眾生畢竟不可得菩
薩為誰故行般若波羅蜜佛告須菩提菩
薩為實際故行般若波羅蜜須菩提實際眾生
際異者菩薩不行般若波羅蜜須菩提實際
眾生際不異以是故菩薩摩訶薩為利益眾
生故行般若波羅蜜復次須菩提菩薩摩訶
薩行般若波羅蜜時以不壞實際法立眾生
於實際中須菩提白佛言世尊若實際即是
眾生際菩薩則為建立實際於實際世尊若
建立實際於實際則為建立自性於自性世
尊不得建立自性於自性世尊云何菩薩摩
訶薩行般若波羅蜜時建立眾生於實際佛
告須菩提實際不可建立於實際自性不可
建立於自性須菩提今菩薩摩訶薩行般若
波羅蜜時以方便力故建立眾生於實際實
際亦不異眾生際實際眾生際无二无別須
菩提白佛言世尊何等是諸菩薩摩訶薩方
便力用是方便力菩薩摩訶薩行般若波羅

BD02897號　摩訶般若波羅蜜經（四十卷本　兌廢稿）卷三五　（2–2）

BD02897 號背　勘記

（1–1）

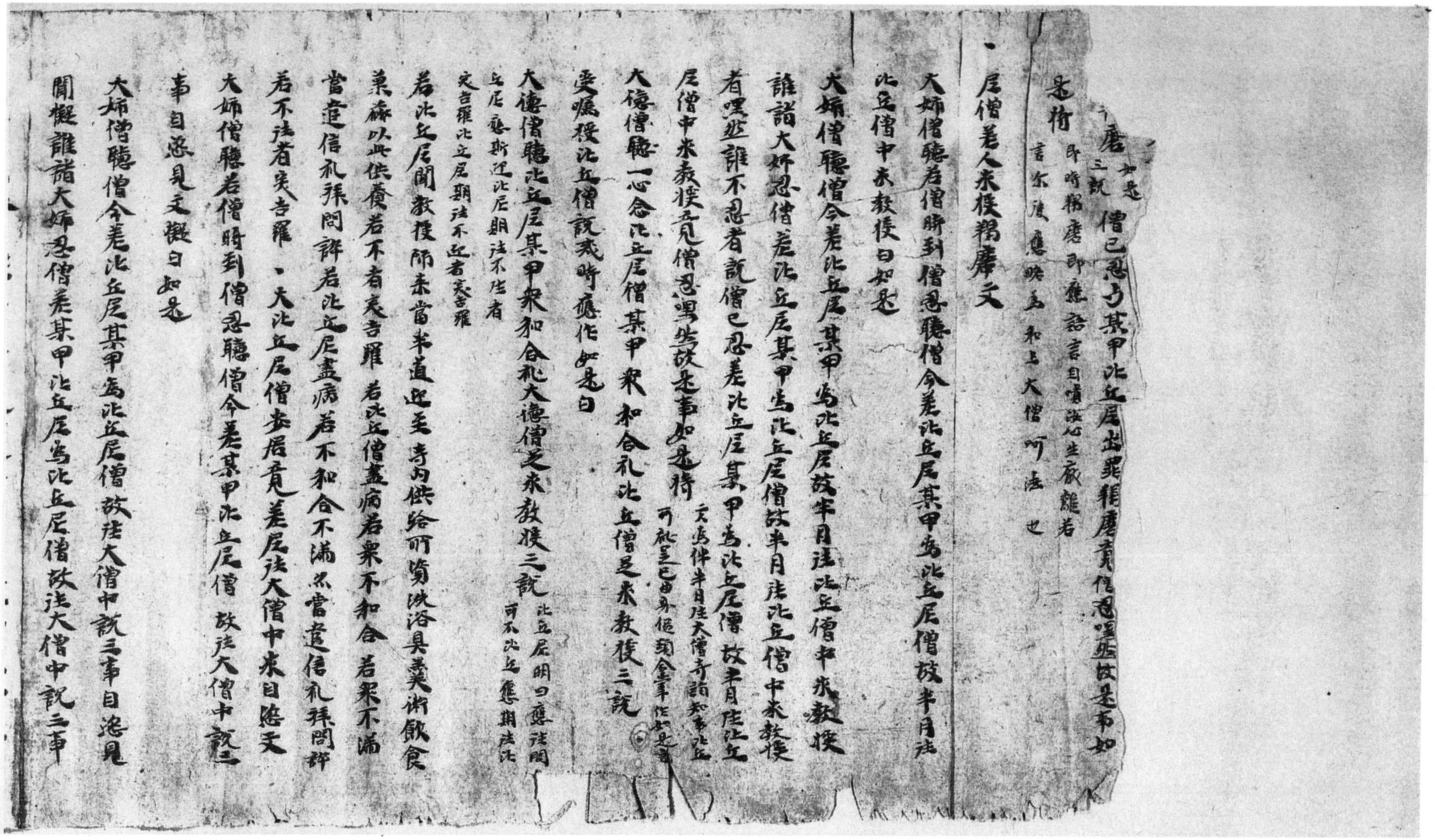

BD02898號　曇無德律部雜羯磨鈔（擬）

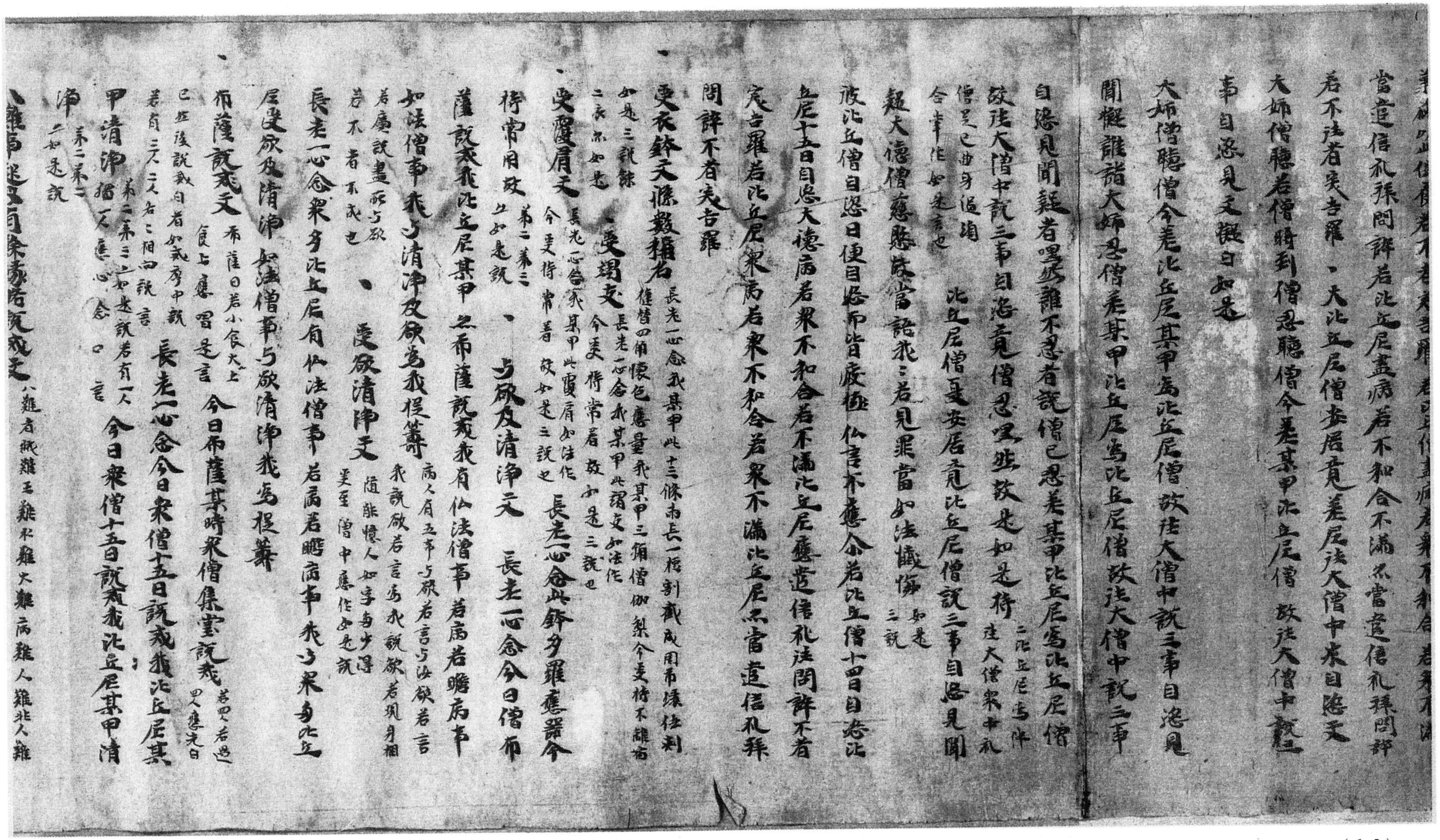

BD02898號　曇無德律部雜羯磨鈔（擬）

（6–2）

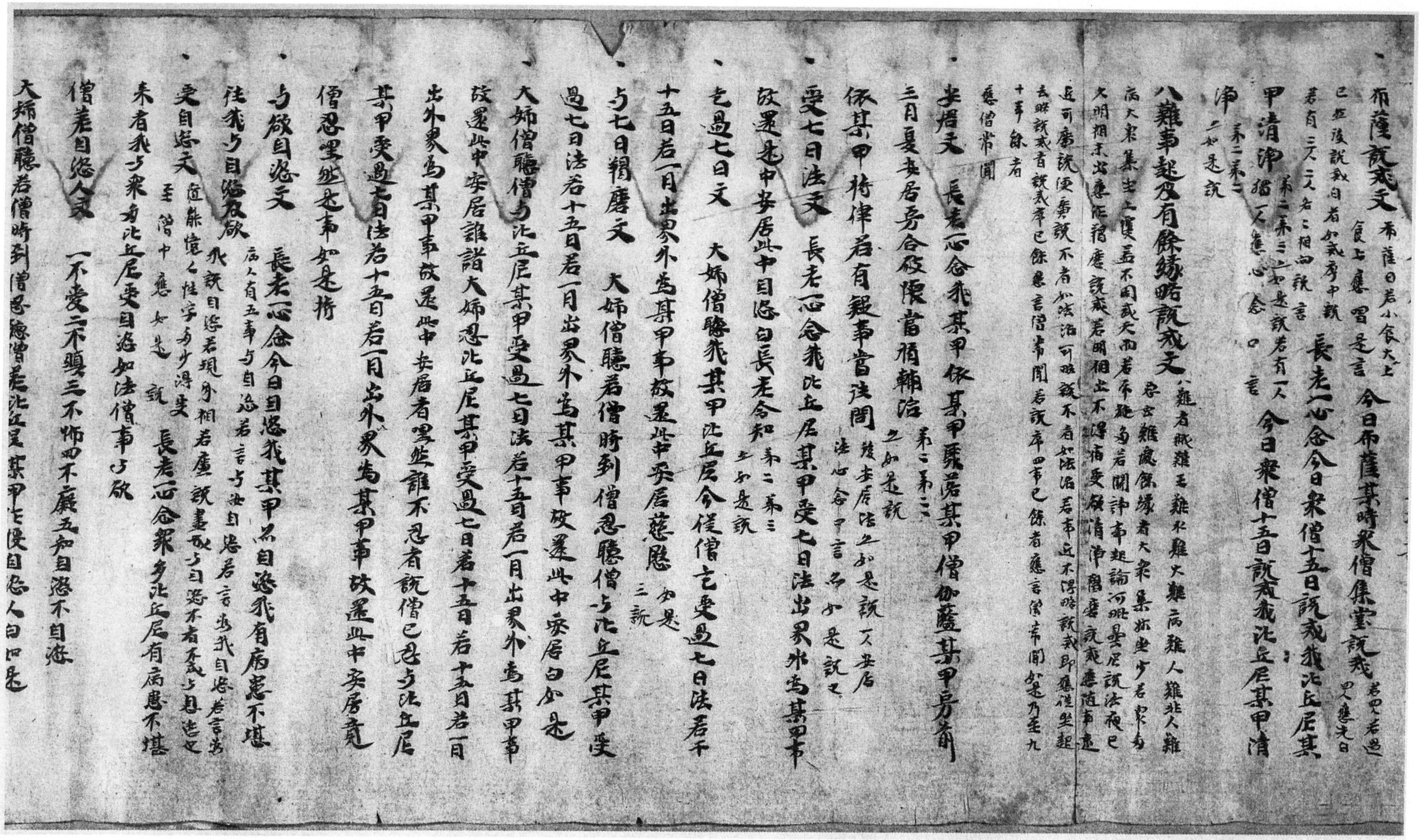

BD02898 號　曇無德律部雜羯磨鈔（擬）　　（6–3）

[illegible]自恣[illegible]有病患不堪

往我乃自恣及欲　病人有五事與自恣若言與汝自恣若言為我自恣若言為

我說自恣若現身相若廣說善取與自恣不者更與自恣之

受自恣文　直缺憶之性字多少得受　至僧中應如是說

來者我少衆多比丘尼受自恣如法僧事與欲　長老一心念衆多比丘尼有病患不堪

僧差自恣人文　一不愛二不瞋三不怖四不癡五知自恣不自恣

大姉僧聽若僧時到僧忍聽僧差比丘尼某甲作受自恣人白如是

大僧姉聽比丘尼某甲作受自恣人誰諸長老忍僧差某甲比丘尼作受自

恣人者嘿然誰不忍者便說僧已忍差比丘尼某甲作受自恣人竟僧忍

嘿然故是事如是持　、白僧自恣文　大姉僧聽今日自恣若僧

時到僧忍聽僧和合自恣白如是作如是白已然草應復自恣

・衆僧自恣　大姉一心念衆僧今日自恣我比丘尼某甲亦自恣若見聞疑

羅大姉長老故當語我若見罪當如法懺悔　如是三說

、若四人更誰自恣文　長老一心念今日自恣衆僧我某甲比丘尼自恣清

淨　第二第三亦如是說　三人二人亦如是說若一人心念口言自恣也今日僧衆自恣

我比丘尼某甲亦自恣清淨　第二第三亦如是說自恣法王

・有八難事起白僧今三三語自恣文　人若成五人不得更藏也

大姉僧聽今有難事若僧時到僧忍聽僧今者三三語自恣白如是　如是白已各各共三

語自恣再說亦如是若事近不得者三三語

自恣亦不得白衆比丘尼即應以難事故去也

、犯捨墮衣條僧捨文　捨與僧時法僧中偏露右肩脫革屣

向僧禮胡跪合掌應作如是言

大姉僧聽我比丘尼某今有亦許長過十日犯捨墮今捨與僧

　第二第三亦如是說捨已即應僧中懺悔

、僧中乞懺悔文　地應作如是言　應請至右膝著

大姉僧聽我比丘尼某甲故畜亦許長衣

過十日犯捨墮此衣已捨與僧犯某甲罪今從衆僧乞懺悔願僧聽我比丘尼

某甲懺悔慈愍故　第二第三亦如是說說已更別請一人　我比丘尼某甲請大

姉為懺悔主受懺者　懺悔至一比丘尼前作如是言也

應作白已然後受懺　・僧中受懺者白文

大姉僧聽比丘尼某甲故畜亦許長衣過十日犯捨墮此已捨與僧犯某甲罪

今從衆僧乞懺悔若僧時到僧忍聽我受比丘尼某甲懺悔白如是　作如是白

已乃受懺悔之

、於僧中一人前懺悔文　大姉一心念我比丘尼某甲故

畜亦許長衣過十日犯捨墮此衣已捨與僧有某甲罪今從大姉懺悔不敢

[illegible]

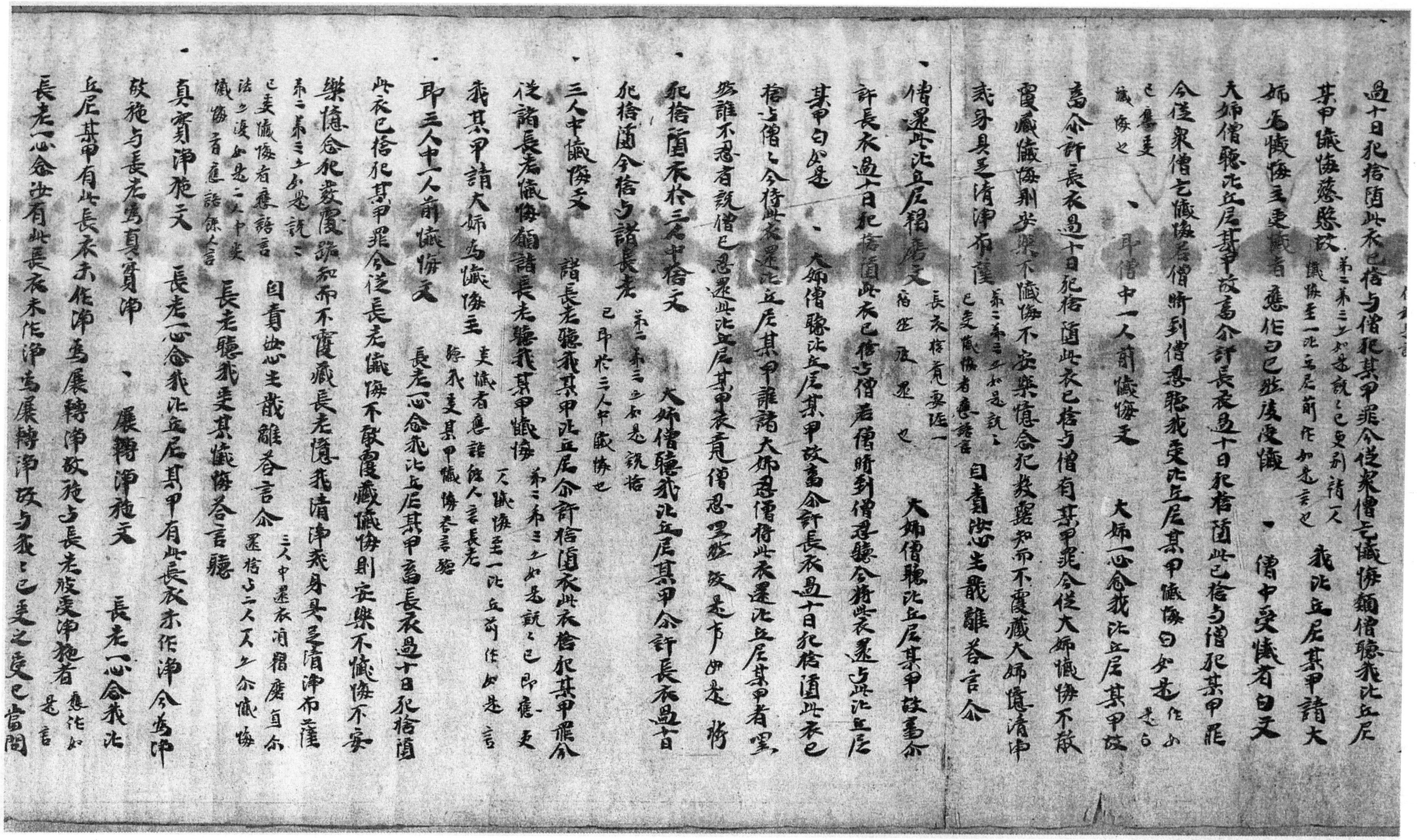

BD02898號　曇無德律部雜羯磨鈔（擬）　（6–5）

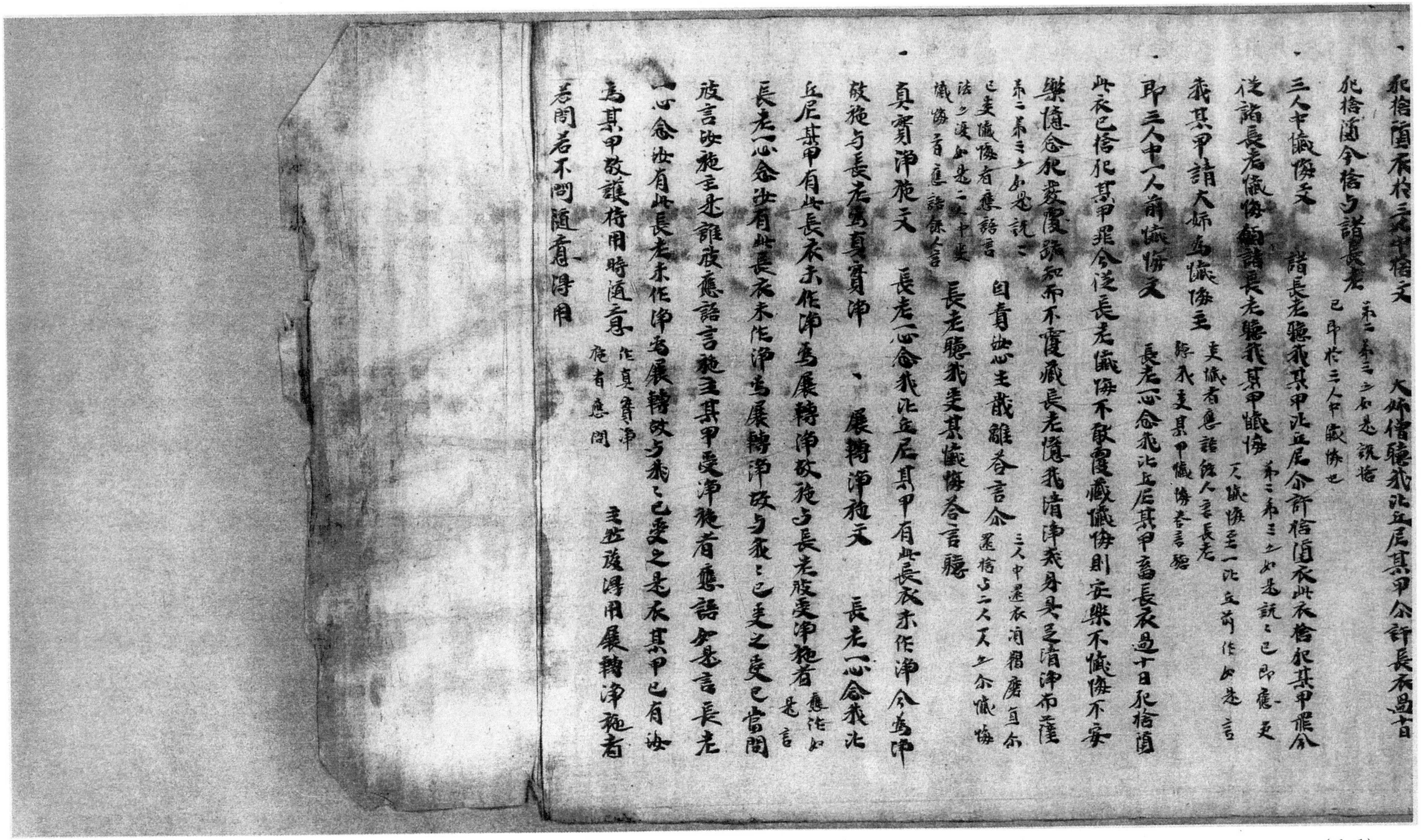
犯捨墮衣於三人中捨文　大姊僧聽我比丘尼某甲今許長衣過十日
犯捨墮今捨与諸長老　第二第三亦如是說捨
已即於三人中懺悔也
三人中懺悔文　諸長老聽我某甲比丘尼今許捨墮衣此衣捨犯某甲罷今
從諸長老懺悔領諸長老聽我某甲懺悔　第二第三亦如是說說已即應更
天懺悔至一比丘前作如是言
我某甲請大姊為懺悔主　受懺者應語餘人言長老
聽我受某甲懺悔答言聽
即三人中一人前懺悔文　長老一心念我比丘尼某甲畜長衣過十日犯捨墮
此衣已捨犯某甲罪今從長老懺悔不敢覆藏懺悔則安樂不懺悔不安
樂憶念犯發露知而不覆藏長老憶我清淨戒身具足清淨布薩
第二第三亦如是說說　三人中還衣羯磨亦爾
已受懺悔者應語言　還捨与二人天亦爾懺悔
法亦復如是二亦中要　自責汝心生厭離答言爾
懺悔者應語餘人言
長老聽我受某懺悔答言聽
真實淨施文　長老一心念我比丘尼某甲有此長衣未作淨今為淨
故施与長老為真實淨　、展轉淨施文　長老一心念我比
丘尼某甲有此長衣未作淨為展轉淨故施与長老彼受淨施者　應作如是言
長老一心念汝有此長衣未作淨為展轉淨故与我我已受之受已當問
彼言汝施主是誰彼應語言施主某甲受淨施者應語如是言長老
一心念汝有此長衣未作淨為展轉故与我我已受之是衣某甲已有汝
為某甲故護持用時隨意　作真實淨施者應問　主并護得用展轉淨施者
若問若不問隨意得用

BD02898號　曇無德律部雜羯磨鈔（擬）

（6–6）

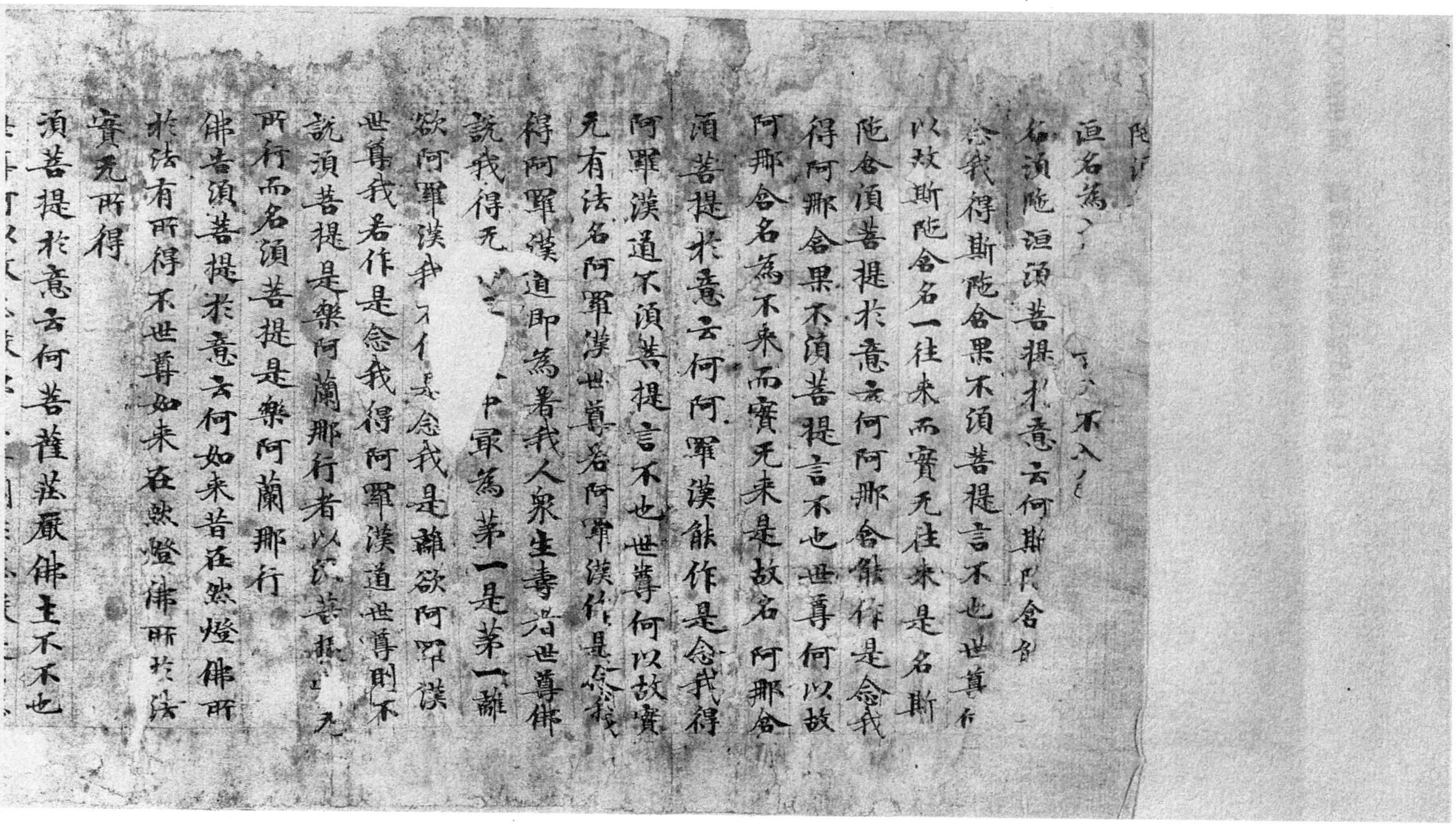

陁[illegible]
洹名為[illegible]不入[illegible]
名須陁洹須菩提於意云何斯陁含能
念我得斯陁含果不須菩提言不也世尊何
以故斯陁含名一往來而實无往來是名斯
陁含須菩提於意云何阿那含能作是念我
得阿那含果不須菩提言不也世尊何以故
阿那含名為不來而實无來是故名阿那含
須菩提於意云何阿羅漢能作是念我得
阿羅漢道不須菩提言不也世尊何以故實
无有法名阿羅漢世尊若阿羅漢作是念我
得阿羅漢道即為著我人衆生壽者世尊佛
說我得无[illegible]中最為第一是第一離
欲阿羅漢我不作是念我是離欲阿羅漢
世尊我若作是念我得阿羅漢道世尊則不
說須菩提是樂阿蘭那行者以須菩提實无
所行而名須菩提是樂阿蘭那行
佛告須菩提於意云何如來昔在然燈佛所
於法有所得不世尊如來在然燈佛所於法
實无所得
須菩提於意云何菩薩莊嚴佛土不不也
[illegible]

BD02899 號　金剛般若波羅蜜經

（7–1）

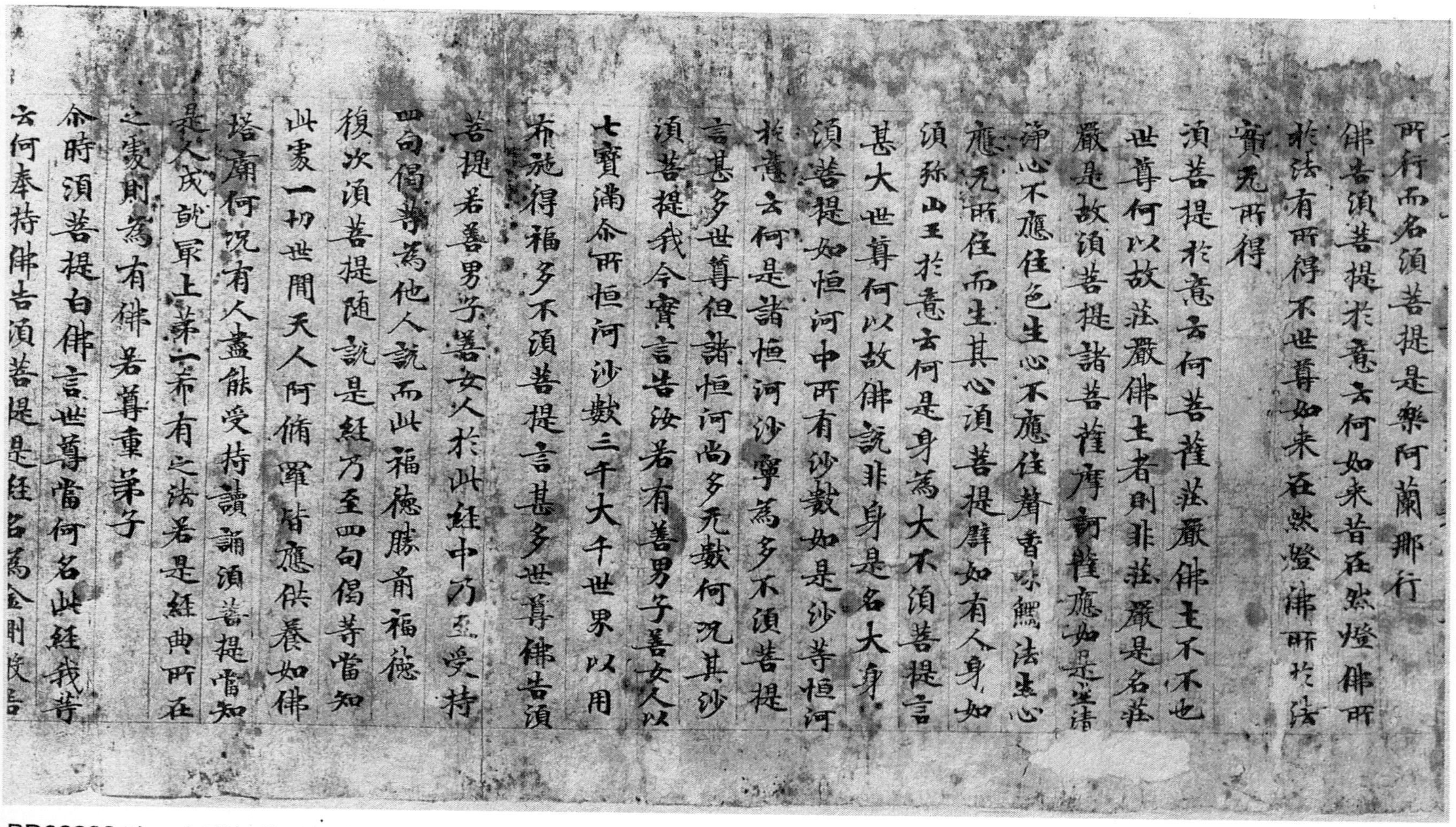

所行而名須菩提是樂阿蘭那行
佛告須菩提於意云何如來昔在然燈佛所
於法有所得不世尊如來在然燈佛所於法
實无所得
須菩提於意云何菩薩莊嚴佛土不不也
世尊何以故莊嚴佛土者則非莊嚴是名莊
嚴是故須菩提諸菩薩摩訶薩應如是生清
淨心不應住色生心不應住聲香味觸法生心
應无所住而生其心須菩提譬如有人身如
須弥山王於意云何是身為大不須菩提言
甚大世尊何以故佛說非身是名大身
須菩提如恒河中所有沙數如是沙等恒河
於意云何是諸恒河沙寧為多不須菩提
言甚多世尊但諸恒河尚多无數何況其沙
須菩提我今實言告汝若有善男子善女人以
七寶滿尒所恒河沙數三千大千世界以用
布施得福多不須菩提言甚多世尊佛告須
菩提若善男子善女人於此經中乃至受持
四句偈等為他人說而此福德勝前福德
復次須菩提隨說是經乃至四句偈等當知
此處一切世間天人阿脩羅皆應供養如佛
塔廟何況有人盡能受持讀誦須菩提當知
是人成就最上第一希有之法若是經典所在
之處則為有佛若尊重弟子
尒時須菩提白佛言世尊當何名此經我等
云何奉持佛告須菩提是經名為金剛般若

BD02899 號　金剛般若波羅蜜經

（7–2）

塔廟何況有人盡能受持讀誦須菩提當知
是人成就冣上第一希有之法若是經典所在
之處則為有佛若尊重弟子
尒時須菩提白佛言世尊當何名此經我等
云何奉持佛告須菩提是經名為金剛般若
波羅蜜以是名字汝當奉持所以者何須菩
提佛說般若波羅蜜則非般若波羅蜜須菩
提於意云何如來有所說法不須菩提白佛
言世尊如來无所說須菩提於意云何三千
大千世界所有微塵是為多不須菩提言甚
多世尊須菩提諸微塵如來說非微塵是名
微塵如來說世界非世界是名世界須菩提
於意云何可以三十二相見如來不不也世尊
不可以三十二相得見如來何以故如來所說
三十二相即是非相是名三十二相
須菩提若有善男子善女人以恒河沙等身
命布施若復有人於此經中乃至受持四句
偈等為他人說其福甚多
尒時須菩提聞說是經深解義趣涕淚
泣而白佛言希有世尊佛說如是甚深經
從昔來所得慧眼未曾得聞如是之經世尊
若復有人得聞是經信心清淨則生實相當
知是人成就第一希有功德世尊是實相者
則是非相是故如來說名實相世尊我今得
聞如是經典信解受持不足為難若當來世
後五百歲其有衆生得聞是經信解受持

BD02899 號　金剛般若波羅蜜經　（7-3）

若復有人得聞是經信心清淨則生實相當
知是人成就第一希有功德世尊是實相者
則是非相是故如來說名實相世尊我今得
聞如是經典信解受持不足為難若當來世
後五百歲其有衆生得聞是經信解受持
是人則為第一希有何以故此人无我相人相
衆生相壽者相所以者何我相即是非相人
相衆生相壽者相即是非相何以故離一切
諸相則名諸佛
佛告須菩提如是如是若復有人得聞是經
不驚不怖不畏當知是人甚為希有何以故須
菩提如來說第一波羅蜜非第一波羅蜜
是名第一波羅蜜
須菩提忍辱波羅蜜如來說非忍辱波羅
蜜何以故須菩提如我昔為歌利王割截身
體我於尒時无我相无人相无衆生相无壽
者相何以故我於往昔節節支解時若有我
相人相衆生相壽者相應生瞋恨須菩提又念
過去於五百世作忍辱仙人於尒所世无我相
无人相无衆生相无壽者相是故須菩提
菩薩應離一切相發阿耨多羅三藐三菩提
心不應住色生心不應住聲香味觸法生心
應生无所住心若心有住則為非住是故佛
說菩薩心不應住色布施須菩提菩薩為利
益一切衆生應如是布施如來說一切諸相
即是非相又說一切衆生則非衆生

BD02899 號　金剛般若波羅蜜經　（7-4）

心不應住色生心不應住聲香味觸法生心
應生无所住心若心有住則為非住是故佛
說菩薩心不應住色布施須菩提菩薩為利
益一切衆生應如是布施如來說一切諸相
即是非相又說一切衆生則非衆生
須菩提如來是真語者實語者如語者不誑
語者不異語者須菩提如來所得法此法无
實无虛
須菩提若菩薩心住於法而行布施如人入
闇則无所見若菩薩心不住法而行布施如
人有目日光明照見種種色
須菩提當來之世若有善男子善女人能於此
經受持讀誦則為如來以佛智慧悉知是人
悉見是人皆得成就无量无邊功德
須菩提若有善男子善女人初日分以恒河
沙等身布施中日分復以恒河沙等身布施
後日分亦以恒河沙等身布施如是无量百
千万億劫以身布施若復有人聞此經典信
心不逆其福勝彼何况書寫受持讀誦為人
解說
須菩提以要言之是經有不可思議不可稱
量无邊功德如來為發大乘者說為發最上
乘者說若有人能受持讀誦廣為人說如來
悉知是人悉見是人皆得成就不可量不可
稱无有邊不可思議功德如是人等則為荷
擔如來阿耨多羅三藐三菩提何以故須菩

BD02899 號　金剛般若波羅蜜經　（7–5）

解說
須菩提以要言之是經有不可思議不可稱
量无邊功德如來為發大乘者說為發最上
乘者說若有人能受持讀誦廣為人說如來
悉知是人悉見是人皆得成就不可量不可
稱无有邊不可思議功德如是人等則為荷
擔如來阿耨多羅三藐三菩提何以故須菩
提若樂小法者著我見人見衆生見壽者見
則於此經不能聽受讀誦為人解說須菩提
在在處處若有此經一切世間天人阿脩羅
所應供養當知此處則為是塔皆應恭敬作
禮圍遶以諸華香而散其處
復次須菩提若善男子善女人受持讀誦此經
若為人輕賤是人先世罪業應墮惡道以今
世人輕賤故先世罪業則為消滅當得阿耨
多羅三藐三菩提須菩提我念過去无量阿
僧祇劫於然燈佛前得值八百四千万億那
由他諸佛悉皆供養承事无空過者若復有
人於後末世能受持讀誦此經所得功德於
我所供養諸佛功德百分不及一千万億分
乃至筭數譬喻所不能及須菩提若善男子
善女人於後末世有受持讀誦此經所得功
德我若具說者或有人聞心則狂亂狐疑不
信須菩提當知是經義不可思議果報亦不
可思議
尒時須菩提白佛言世尊善男子善女人發
阿耨多羅三藐三菩提心云何應住云何

BD02899 號　金剛般若波羅蜜經　（7–6）

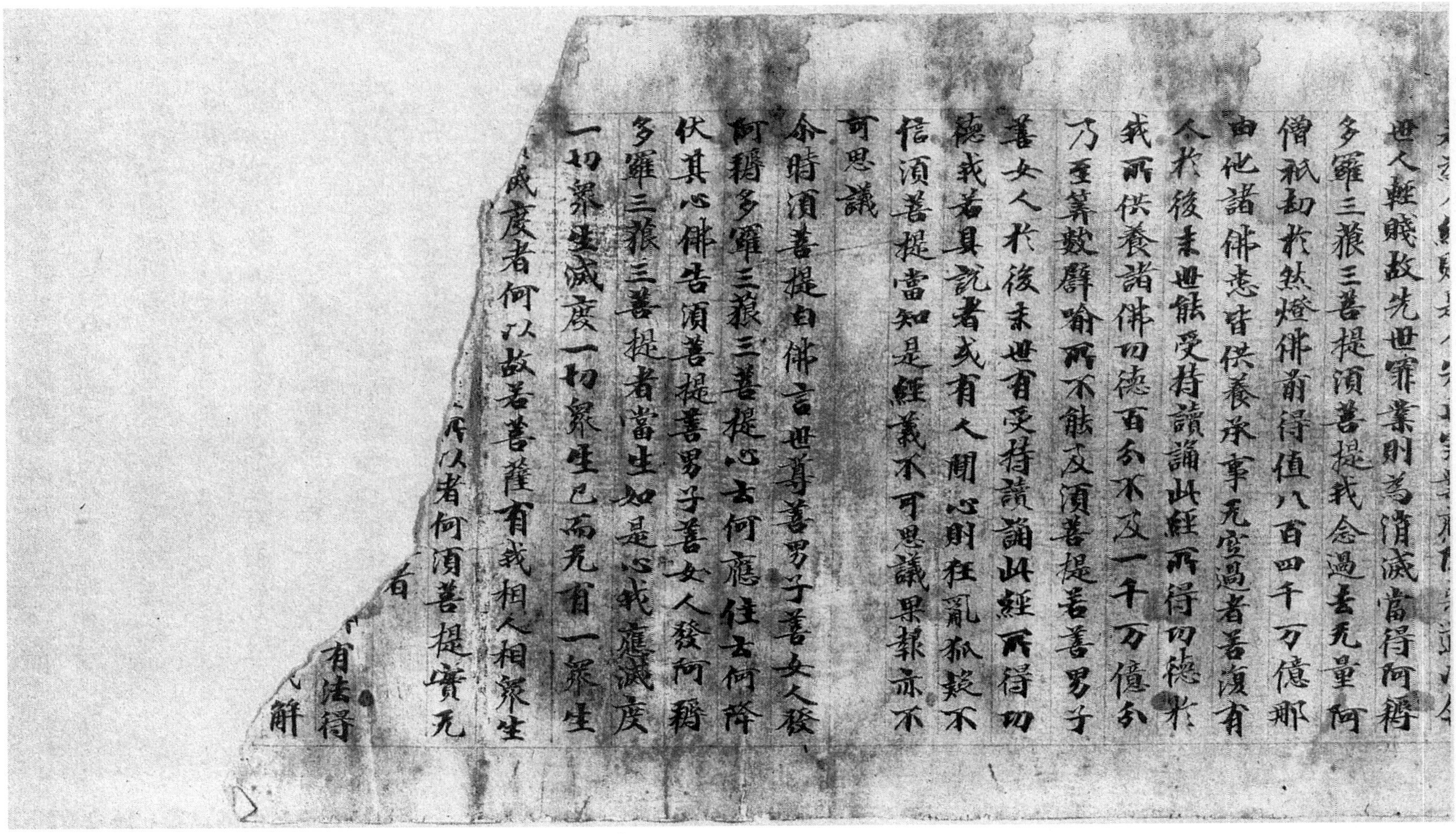

世人輕賤故先世罪業則為消滅當得阿耨
多羅三藐三菩提我念過去无量阿
僧祇劫於然燈佛前得值八百四千万億那
由他諸佛悉皆供養承事无空過者若復有
人於後末世能受持讀誦此經所得功德於
我所供養諸佛功德百分不及一千万億分
乃至筭數譬喻所不能及須菩提若善男子
善女人於後末世有受持讀誦此經所得功
德我若具說者或有人聞心則狂亂狐疑不
信須菩提當知是經義不可思議果報亦不
可思議
尒時須菩提白佛言世尊善男子善女人發
阿耨多羅三藐三菩提心云何應住云何降
伏其心佛告須菩提善男子善女人發阿耨
多羅三藐三菩提者當生如是心我應滅度
一切眾生滅度一切眾生已而无有一眾生
滅度者何以故若菩薩有我相人相眾生
所以者何須菩提實无
有
有法得
解

BD02899 號　金剛般若波羅蜜經　（7–7）

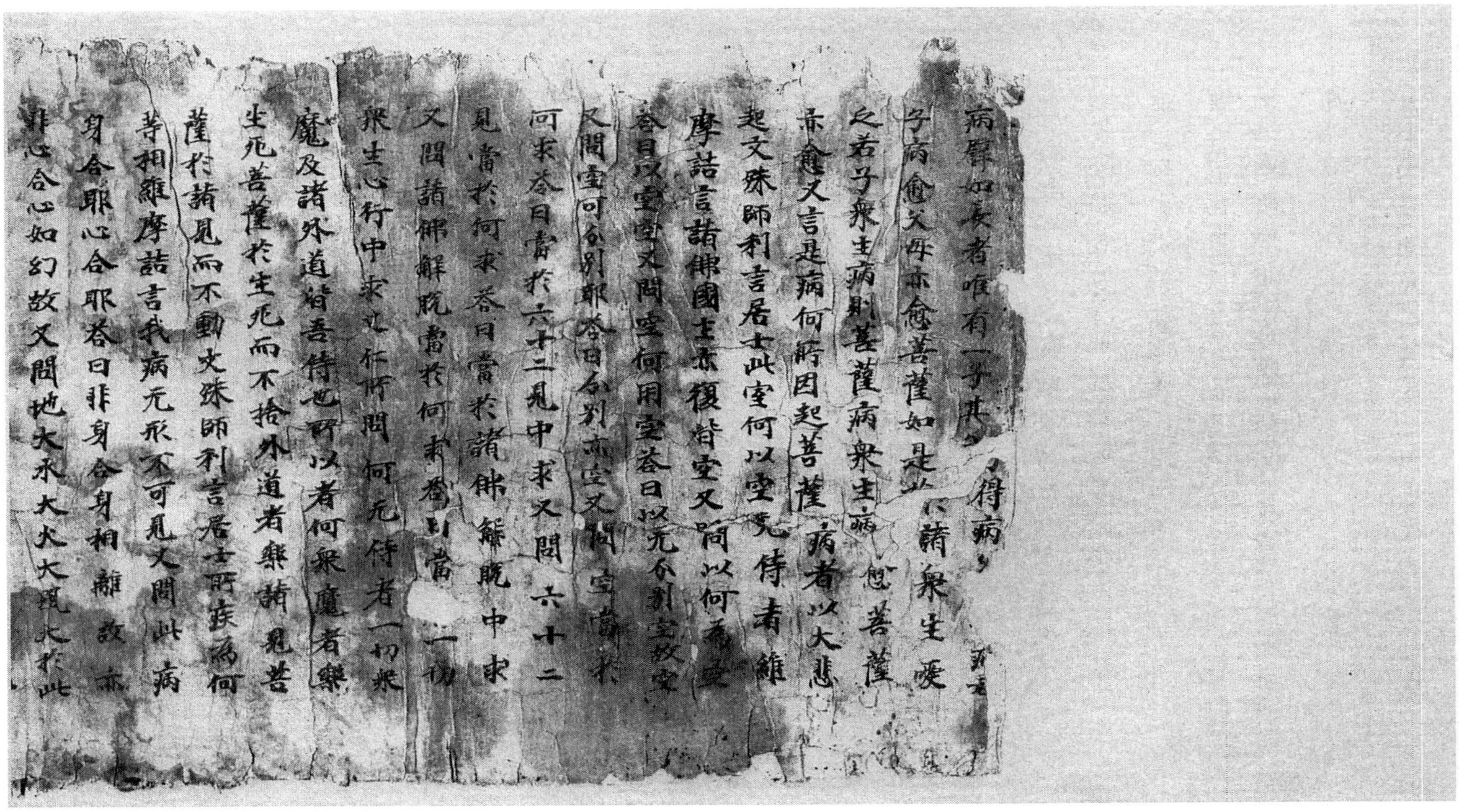

病譬如長者唯有一子其得病
子病愈父母亦愈菩薩如是於諸眾生愛
之若子眾生病則菩薩病眾生病菩薩
亦愈又言是疾何所因起菩薩病者以大悲
起文殊師利言居士此室何以空无侍者維
摩詰言諸佛國土亦復皆空又問以何為空
答曰以空空又問空何用空答曰以无分別空故空
又問空可分別耶答曰分別亦空又問空當於
何求答曰當於六十二見中求又問六十二
見當於何求答曰當於諸佛解脫中求
又問諸佛解脫當於何求答曰當於一切
眾生心行中求又仁所問何无侍者一切眾
魔及諸外道皆吾侍也所以者何眾魔者樂
生死菩薩於生死而不捨外道者樂諸見菩
薩於諸見而不動文殊師利言居士所疾為何
等相維摩詰言我病无形不可見又問此病
身合耶心合耶答曰非身合身相離故亦
非心合心如幻故又問地大水大火大風大於此

BD02900 號　維摩詰所說經卷中　（29–1）

魔及諸外道皆吾侍也所以者何衆魔者樂
生死菩薩於生死而不捨外道者樂諸見菩
薩於諸見而不動文殊師利言居士所疾為何
等相維摩詰言我病无形不可見又問此病
身合耶心合耶荅曰非身合身相離故亦
非心合心如幻故又問地大水大火大風大於此
四大何大之病荅曰是病非地大亦不離地
大水火風大亦復如是而衆生病從四大起
以其有病是故
尒時文殊師利問維摩詰言菩薩應云何
慰喻有疾菩薩維摩詰言說身无常不說
猒離於身說身有苦不說樂於涅槃說身
无我而說教導衆生說身空寂不說畢竟寂
滅說悔先罪而不說入於過去以己之疾愍於彼
疾當識宿世无數劫苦當念饒益一切衆生
憶所脩福念於淨命勿生憂惱常起精進當作
醫王療治衆病菩薩應如是慰喻有疾菩
薩令其歡喜
文殊師利言居士有疾菩薩云何調伏其心
維摩詰言有疾菩薩應作是念今我此病
皆從前世妄想顛倒諸煩惱生无有實法誰
受病者所以者何四大合故假名為身四大无
主身亦无我又此病起皆由著我是故於我
不應生著既知病本即除我想及衆生想
當起法想應作是念但以衆法合成此身

BD02900號　維摩詰所說經卷中

（29–2）

皆從前世妄想顛倒諸煩惱生无有實法誰
受病者所以者何四大合故假名為身四大无
主身亦无我又此病起皆由著我是故於我
不應生著既知病本即除我想及衆生想
當起法想應作是念但以衆法合成此身
起唯法起滅唯法滅又此法者各不相知起
時不言我起滅時不言我滅彼有疾菩薩為
滅法想當作是念此法想者亦是顛倒者即
大患我應離之云何為離離我我所云何離
我我所謂離二法云何離二法謂不念內外
諸法行於平等云何平等謂我等涅槃等
所以者何我及涅槃此二皆空以何為空但
以名字故空如此二法无決定性得是平等无
有餘病唯有空病空病亦空是有疾菩薩
以无所受而受諸受未具佛法亦不滅受而
取證也設身有苦念惡趣衆生起大悲心
我既調伏亦當調伏一切衆生但除其病而
不除法為斷病本而教導之何謂病本謂有
攀緣從有攀緣則為病本何所攀緣謂之三
界云何斷攀緣以无所得若无所得則无攀
緣何謂无所得謂二見何謂二見謂內見外
見是无所得文殊師利是為有疾菩薩調伏
其心為斷老病死苦是菩薩菩提若不如是
已所脩治為无慧利譬如勝怨乃可為勇如
是兼除老病死者菩薩之謂也彼有疾菩薩

BD02900號　維摩詰所說經卷中

（29–3）

見是无所得文殊師利是為有病菩薩調伏
其心為斷老病死苦是菩薩菩提若不如是
已所脩治為无慧利譬如勝怨乃可為勇如
是斷除老病死者菩薩之謂也彼有疾菩薩
應作是念如我此病非真非有衆生病亦
非真非有作是觀時於諸衆生若起愛見大
悲即應捨離所以者何菩薩斷除客塵煩惱
而起大悲愛見悲者則於生死有疲猒心若
能離此无有疲猒在在所生不為愛見之所
覆也所生无縛能為衆生說法解縛如佛所說
自有縛能解彼縛无有是處若自无縛能解
彼縛斯有是處是故菩薩不應起縛何謂縛
何謂解貪著禪味是菩薩縛以方便生是
菩薩解又无方便慧縛有方便慧解无慧方
便縛有慧方便解何謂无方便慧縛謂菩薩
以愛見心莊嚴佛土成就衆生於空无明无作
法中而自調伏是名无方便慧縛何謂有方便
慧解謂不以愛見心莊嚴佛土成就衆生於
空无想无作法中以自調伏而不疲猒是名
有方便慧解何謂无慧方便縛謂菩薩住
貪欲瞋恚耶見等諸煩惱而殖衆德本是
名无慧方便縛何謂有慧方便解謂離諸貪
欲瞋恚耶見等諸煩惱而殖衆德本迴向阿耨
多羅三藐三菩提是名有慧方便解
文殊師利彼有疾菩薩應如是觀諸法又復

BD02900 號　維摩詰所說經卷中　（29–4）

名无慧方便縛何謂有慧方便解謂離諸貪
欲瞋恚耶見等諸煩惱而殖衆德本迴向阿耨
多羅三藐三菩提是名有慧方便解
文殊師利彼有疾菩薩應如是觀諸法又復
觀身无常苦空非我是名為慧雖身有疾
常在生死饒益一切而不猒惓是名方便又復觀
身身不離病病不離身是病是身非新非故
是名為慧設身有疾而不永滅是名方便文
殊師利有疾菩薩應如是調伏其心不住其
中亦復不住不調伏心所以者何若住不調伏
心是愚人法若住調伏心是聲聞法是故菩
薩不當住於調伏不調伏心離此二法是菩
薩行在於生死不為汙行住於涅槃不永滅
度是菩薩行非凡夫行非賢聖行是菩薩
行非垢行非浄行是菩薩行雖過魔行而
現降衆魔是菩薩行求一切智无非時求
是菩薩行雖觀諸法不生而不入正位是菩
薩行雖觀十二緣起而入諸耶見是菩薩行
雖攝一切衆生而不愛著是菩薩行雖樂遠
離而不依身心盡是菩薩行雖行三界而不壞
法性是菩薩行雖行於空而殖衆德本是
菩薩行雖行无相而度衆生是菩薩行雖
行无作而現受身是菩薩行雖行无起而起一
切善行是菩薩行雖行六波羅蜜而遍知衆
生心心數法是菩薩行雖行六通而不盡漏是

BD02900 號　維摩詰所說經卷中　（29–5）

行无作而現受身是菩薩行雖行无起而起一
切善行是菩薩行雖行六波羅蜜而遍知衆
生心心數法是菩薩行雖行六通而不盡漏是
菩薩行雖行四无量心而不貪着生於梵世是
菩薩行雖行禪定解脫三昧而不隨禪生是
菩薩行雖行四念處而不永離身受心法是
菩薩行雖行四正勤而不捨身心精進是菩
薩行雖行四如意之而得自在神通是菩薩
行雖行五根而分別衆生諸根利鈍是菩薩
行雖行五力而樂求佛十力是菩薩行雖行
七覺分而分別佛之智慧是菩薩行雖行
八正道而樂行无量佛法是菩薩行雖止
觀助道之法而不畢竟墮於寂滅是菩薩
行雖行諸法不生不滅而以相好莊嚴其身
菩薩行雖現聲聞辟支佛威儀而不捨佛法
是菩薩行雖隨諸法究竟淨相而隨所應
為現其身是菩薩行雖觀諸佛國土永寂如
空而現種種清淨佛土是菩薩行雖得佛道
轉于法輪入於涅槃而不捨於菩薩之道是
菩薩行說是語時文殊師利所將大衆其中
八千天子皆發阿耨多羅三藐三菩提心
不思議品第六
尒時舍利弗見此室中无有牀座作是念斯
諸菩薩大弟子衆當於何坐長者維摩詰
知其意語舍利弗言云何仁者為法來耶

八千天子皆發阿耨多羅三藐三菩提心
不思議品第六
尒時舍利弗見此室中无有牀座作是念斯
諸菩薩大弟子衆當於何坐長者維摩詰
知其意語舍利弗言云何仁者為法來耶
求牀坐耶舍利弗言我為法來非為牀坐
維摩詰言唯舍利弗夫求法者不貪軀命
何況牀坐夫求法者非有色受想行識之求
非有界入之求非有欲色无色之求唯舍利弗
夫求法者不着佛求不着法求不着衆求夫求法
者无見苦求无斷集求无造盡證脩道之求所
以者何法无戲論若言我當見苦斷集滅證
脩道是則戲論非求法也唯舍利弗法名寂
滅若行生滅是求生滅非求法也法名无染
若染於法乃至涅槃是則染着非求法也法无
行處若行於法是則行處非求法也法无取
捨若取捨法是則取捨非求法也法无處所
若着處所是則着處非求法也法名无相若
隨相識是則求相非求法也法不可住若住
於法是則住法非求法也法不可見聞覺知
若行見聞覺知是則見聞覺知非求法也法
名无為若行有為是求有為非求法也是故
舍利弗若求法者於一切法應无所求說是
語時五百天子於諸法中得法眼淨
尒時長者維摩詰問文殊師利仁者遊於无

名无為若行有為是求有為非求法也是故
舍利弗若求法者於一切法應无所求説是
語時五百天子於諸法中得法眼淨
尒時長者維摩詰問文殊師利仁者遊於无
量千万億阿僧祇國何等佛土有如是上妙功
德成就師子之座文殊師利言居士東方度
卅六恒河沙國有世界名須弥相其佛号須弥
燈王今現在彼佛身長八万四千由旬其師子
座高八万四千由旬嚴飾第一於是長者
維摩詰現神通力即時彼佛遣三万二千師
子座高廣嚴淨來入維摩詰室諸菩薩大
弟子釋梵四天王等昔所未見其室廣博悉
苞容三万二千師子座无所妨礙於毗耶離城及
閻浮提四天下亦不迫迮悉見如故尒時維摩
詰語文殊師利就師子座與諸菩薩上人俱
坐當自立身如彼坐像其得神通菩薩即
自變形為四万二千由旬座師子坐諸新發
意菩薩及大弟子皆不能昇尒時維摩詰
語舍利弗就師子座舍利弗言居士此座高
廣吾不能昇維摩詰言唯舍利弗為須弥
燈王如來作礼乃可得坐於是新發意菩
薩及大弟子即為須弥燈王如來作礼便得
坐師子座舍利弗言居士未曾有也如是小室
乃容受此高廣之座於毗耶離城无所妨礙又
於閻浮提聚落城邑及四天下諸天龍王鬼神
宮殿亦不迫迮維摩詰言唯舍利弗諸佛

BD02900 號　維摩詰所說經卷中

（29–8）

燈王如來作礼乃可得坐於是新發意菩
薩及大弟子即為須弥燈王如來作礼便得
坐師子座舍利弗言居士未曾有也如是小室
乃容受此高廣之座於毗耶離城无所妨礙又
於閻浮提聚落城邑及四天下諸天龍王鬼神
宮殿亦不迫迮維摩詰言唯舍利弗諸佛
菩薩有解脫名不可思議若菩薩住是解
脫者以須弥之高廣内芥子中无所增減須
弥山王本相如故而四天王忉利諸天不覺不
知已之所入唯應度者乃見須弥入芥子中是
名不可思議解脫法門又以四大海水入一毛
孔不嬈魚鱉黿鼉水性之屬而彼大海本相
如故諸龍鬼神阿脩羅等不覺不知已之所
入於此衆生亦无所嬈又舍利弗住不可思
議解脫菩薩斷取三千大千世界如陶家
輪著右掌中擲過恒河沙世界之外其中
衆生不覺不知已之所往又復還置本處都
不使人有往來想而此世界本相如故又舍利
弗或有衆生樂久住世而可度者菩薩即
演七日以為一劫令彼衆生謂之一劫或有
衆生不樂久住而可度者菩薩即促一劫以
為七日令彼衆生謂之七日又舍利弗住不
可思議解脫菩薩以一切佛土嚴飾之事集
在一國示於衆生又菩薩以一佛土衆生置
之右掌飛到十方遍示一切而不動本處

BD02900 號　維摩詰所說經卷中

（29–9）

為七日令彼衆生謂之七日又舍利弗住不
可思議解脫菩薩以一切佛土嚴餝之事集
在一國示於衆生又菩薩以一佛土衆生置
之右掌飛到十方遍示一切而不動本處
又舍利弗十方衆生供養諸佛之具菩薩於
一毛孔皆令得見又十方國土所有日月星
宿於一毛孔普使見之又舍利弗十方世界所
有諸風菩薩悉能吸着口中而身无損外諸
樹木亦不摧折又十方世界劫盡燒時以一切火
内於腹中火事如故而不為害又於下方過
恒河沙等諸佛世界取一佛土舉着上方過
恒河沙无數世界如持針鋒舉一棗葉而
无所嬈又舍利弗住不可思議解脫菩薩
能以神通現作佛身或現辟支佛身或現聲
聞身或現帝釋身或現梵王身或現世主
身或現轉輪王身又十方世界所有衆聲
上中下音皆能變之令作佛聲出无常苦
空无我之音及十方諸佛所說種種之法皆
於其中普令得聞舍利弗我今略說菩薩不可
思議解脫之力若廣說者窮劫不盡是時大
迦葉聞說菩薩不可思議解脫法門歎未曾
有謂舍利弗譬如有人於盲者前現衆色
像非彼所見一切聲聞聞是不可思議解脫
法門不能解了為若此也智者聞是其誰不發
阿耨多羅三藐三菩提心我等何為永絕其根

BD02900 號　維摩詰所說經卷中

（29–10）

迦葉聞說菩薩不可思議解脫法門歎未曾
有謂舍利弗譬如有人於盲者前現衆色
像非彼所見一切聲聞聞是不可思議解脫
法門不能解了為若此也智者聞是其誰不發
阿耨多羅三藐三菩提心我等何為永絕其根
於此大乘已如敗種一切聲聞聞是不可思議
解脫法門皆應號泣聲震三千大千世界一切
菩薩應大欣慶頂受此法若有菩薩信解
不可思議解脫門者一切魔衆无如之何大
迦葉說是語時三万二千天子皆發阿耨多
羅三藐三菩提心
尒時維摩詰語大迦葉仁者十方无量阿
僧祇世界中作魔王者多是住不可思議解
脫菩薩以方便力教化衆生現作魔王又迦
葉十方无量菩薩或有人從乞手足耳鼻頭
目髓腦血肉皮骨聚落城邑妻子奴婢象馬車
乘金銀瑠璃車璖馬瑙珊瑚虎珀真珠珂貝
衣服飲食如此乞者多是住不可思議解脫
菩薩以方便力而往試之令其堅固所以者
何住不可思議解脫菩薩有威德力故行逼
迫示諸衆生如是難事凡夫下劣无有力勢
不能如是逼迫菩薩譬如龍象蹴踏非驢所
堪是名住不可思議解脫菩薩智慧方便之
門

觀衆生品第七

BD02900 號　維摩詰所說經卷中

（29–11）

堪是名住不可思議解脫菩薩智慧方便之
門
觀衆生品第七
尒時文殊師利問維摩詰言菩薩云何觀於
衆生維摩詰言譬如幻師見所幻人菩薩觀
衆生為若此如智者見水中月如鏡中見其
面像如熱時焰如呼聲響如空中雲如水聚
沫如水上泡如芭蕉堅如電久住如第五大如
第六陰如第七情如十三入如十九界菩薩觀
衆生為若此如无色界色如燋穀牙如須陁
洹身見如阿那含入胎如阿羅漢三毒如得
忍菩薩貪恚毀禁如佛煩惱習如盲者見
色如入滅盡定出入息如空中鳥跡如石女
兒如化人煩惱如夢所見已寤如滅度者受
身如无烟之火菩薩觀衆生為若此
文殊師利言菩薩作是觀者云何行慈維
摩詰言菩薩作是觀已自念我當為衆生
說如斯法是即真實慈也行寂滅慈无所生
故行不熱慈无煩惱故行等之慈等三世故
行无諍慈无所起故行不二慈內外不合故行
不壞慈畢竟盡故行堅固慈心无毀故行清淨
慈諸法性淨故行无邊慈如虛空故行阿
羅漢慈破結賊故行菩薩慈安衆生故行
如來慈得如相故行佛之慈覺衆生故行自然

BD02900 號　維摩詰所說經卷中　（29–12）

行无諍慈无所起故行不二慈內外不合故行
不壞慈畢竟盡故行堅固慈心无毀故行清淨
慈諸法性淨故行无邊慈如虛空故行阿
羅漢慈破結賊故行菩薩慈安衆生故行
如來慈得如相故行佛之慈覺衆生故行自然
慈无因得故行菩提慈等一味故行无比慈
斷諸愛故行大悲慈導以大乘故行无猒慈
觀空无我故行法施慈无遺惜故行持戒慈
化毀禁故行忍辱慈護彼我故行精進慈荷
負衆生故行禪定慈不受味故行智慧慈无
不知時故行方便慈一切示現故行无隱慈直
心清淨故行深心慈无雜行故行无誑慈不
虛假故行安樂慈令得佛樂故菩薩之慈
為若此也
文殊師利又問何謂為悲答曰菩薩所作功
德皆與一切衆生共之何謂為喜答曰有所
饒益歡喜无悔何謂為捨答曰所作福祐无
所希望文殊師利又問生死有畏菩薩當
何所依維摩詰言菩薩於生死畏中當依如
來功德之力文殊師利又問菩薩欲依如來功
德力者當依度脫一切衆生又問欲度衆生
當何所除答曰欲度衆生除其煩惱又問欲除煩
惱當何所行答曰當行正念又問云何行於
正念答曰當行不生不滅又問何法不生何
法不滅答曰不善不生善法不滅又問善不善

BD02900 號　維摩詰所說經卷中　（29–13）

從力者當住度脫一切衆生又問欲度衆生
當何所荅曰欲度衆生除其煩惱又問欲除煩
惱當何所行荅曰當行正念又問云何行於
正念荅曰當行不生不滅又問何法不生何
法不滅荅曰不善不生善法不滅又問善不善
孰為本荅曰身為本又問身孰為本荅曰
欲貪為本又問欲貪孰為本荅曰虛妄分
別為本又問虛妄分別孰為本荅曰顛倒想
為本又問顛倒想孰為本荅曰无住為本又
問无住孰為本荅曰无住則无本文殊師利
從无住本立一切法
時維摩詰室有一天女見諸大人聞所說法
便現其身即以天華散諸菩薩大弟子上華
至諸菩薩即皆墮落至大弟子便着不墮一
切弟子神力去華不能令去尒時天問舍利
弗何故去華荅曰此不如法是以去之天曰勿
謂此華為不如法所以者何是華无所分別
仁者自生分別想耳若於佛法出家有所
分別為不如法若无分別是則如法觀諸菩
薩華不着者以斷一切分別想故譬如人畏
時非人得其便如是弟子畏生死故色聲香
味觸得其便已離畏者一切五欲无能為也
結習未盡華着身耳結習盡者華不着也舍
利弗言天止此室其已久如荅曰我止此室如
耆年解脫舍利弗言止此久耶天曰耆年

BD02900 號　維摩詰所說經卷中

（29–14）

味觸得其便已離畏者一切五欲无能為也
結習未盡華着身耳結習盡者華不着也舍
利弗言天止此室其已久如荅曰我止此室如
耆年解脫舍利弗言止此久耶天曰耆年
解脫亦何如久舍利弗默然不荅天曰如何耆
舊大智而默荅曰解脫者无所言說故吾於是
不知所云天曰言說文字皆解脫相所以者
何解脫者不內不外不在兩間文字亦不內
不外不在兩間是故舍利弗无離文字說
解脫也所以者何一切諸法是解脫相舍利
弗言不復以離婬怒癡為解脫乎天曰佛
為增上慢人說離婬怒癡為解脫耳若
无增上慢者佛說婬怒癡性即是解脫
舍利弗言善哉善哉天女汝何所得以何為
證辯乃如是天曰我无得无證故辯如是所以
者何若有得有證者則於佛法為增上慢
舍利弗問天汝於三乘為何志求天曰以聲
聞法化衆生故我為聲聞以因緣法化衆生
故我為辟支佛以大悲化衆生故我為大乘
舍利弗如人入瞻蔔林唯齅瞻蔔不齅餘香
如是若入此室但聞佛功德之香不樂聲聞
辟支佛功德香也舍利弗其有釋梵四天
王諸天龍鬼神等入此室者聞斯上人講說
正法皆樂佛功德之香發心而出舍利弗吾止
此室十有二年初不聞說聲聞辟支佛法但

BD02900 號　維摩詰所說經卷中

（29–15）

如是若入此室但聞佛功德之香不樂聲聞
辟支佛功德香也舍利弗其有釋梵四天
王諸天龍鬼神等入此室者聞斯上人講說
正法皆樂佛功德之香發心而出舍利弗吾止
此室十有二年初不聞說聲聞辟支佛法但
聞菩薩大慈大悲不可思議諸佛之法舍利
弗此室常現八未曾有難得之法何等為八
此室常以金色光照晝夜无異不以日月所照
為明是為一未曾有難得之法此室入者不為
諸垢之所惱也是為二未曾有難得之法此
室常有釋梵四天王他方菩薩來會不絕
是為三未曾有難得之法此室常說六波羅
蜜不退轉法是為四未曾有難得之法此室
常作天人第一之樂絃出无量法化之聲是
為五未曾有難得之法此室有四大衆藏寶
積滿周窮濟乏求得无盡是為六未曾有
難得之法此室釋迦牟尼佛阿彌陀佛阿
閦佛寶德寶炎寶月寶嚴難勝師子響一
切利成如是等十方无量諸佛是上人念時
即皆為來廣說諸佛祕要法藏說已還去是
為七未曾有難得之法此室一切諸天嚴飾宮
殿諸佛淨土皆於中現是為八未曾有難得
之法舍利弗此室常現八未曾有難得之
法誰有見斯不思議事而復樂於聲聞法乎
舍利弗言汝何以不轉女身天曰我從十二

BD02900 號　維摩詰所說經卷中　（29–16）

殿諸佛淨土皆於中現是為八未曾有難得
之法舍利弗此室常現八未曾有難得之
法誰有見斯不思議事而復樂於聲聞法乎
舍利弗言汝何以不轉女身天曰我從十二
年來求女人相了不可得當何所轉譬如幻
師化作幻女若有人問何以不轉女身是人為
正問不舍利弗言不也幻无定相當何所轉天
曰一切諸法亦復如是无有定相云何乃問不
轉女身即時天女以神通力變舍利弗令如天
女天自化身如舍利弗而問言何以不轉女
身舍利弗以天女像而答言我今不知何
轉而變為女身天曰舍利弗若能轉此女
身則一切女人亦當能轉如舍利弗非女而
現女身一切女人亦復如是雖現女身而非女
也是故佛說一切諸法非男非女即時天女還
攝神力舍利弗身還復如故天問舍利弗女
身色相今何所在舍利弗言女身色相
无在无不在天曰一切諸法亦復如是无在
无不在夫无在无不在者佛所說也舍利
弗問天汝於此沒當生何所天曰佛化所生吾
如彼生曰佛化所生非沒生也天曰眾生猶然
无沒生也舍利弗問天汝久如當得阿耨多
羅三藐三菩提天曰如舍利弗還為凡夫
我乃當成阿耨多羅三藐三菩提舍利弗
言我作凡夫无有是處天曰我得阿耨多羅

BD02900 號　維摩詰所說經卷中　（29–17）

[illegible]舍利弗問天汝久如當得阿耨多
羅三藐三菩提天曰如舍利弗還為凡夫
我乃當成阿耨多羅三藐三菩提舍利弗
言我作凡夫无有是處天曰我得阿耨多羅
三藐三菩提亦无是處所以者何菩提无住
處是故无有得者舍利弗言今諸佛得阿耨
多羅三藐三菩提已得當得今得如恒河沙
皆謂何乎天曰皆以世俗文字數故說有三世
非謂菩提有去來今天曰舍利弗汝得阿羅
漢道耶曰无所得故而得天曰諸佛菩薩亦
復如是无所得故而得尒時維摩詰語舍利
弗是天女曾已供養九十二億佛已能遊戲
菩薩神通所願具足得无生忍住不退轉
以本願故隨意能現教化衆生
佛道品第八
尒時文殊師利問維摩詰言菩薩云何通達
佛道維摩詰言若菩薩行於非道是為通
達佛道又問云何菩薩行於非道荅曰若菩
薩行五无間而无惱恚至于地獄无諸罪垢至
于畜生无有无明憍慢等過至于餓鬼而具
足功德行色无色界道不以為勝示行貪欲
離諸染着示行瞋恚於諸衆生无有恚礙示
行愚癡而以智慧調伏其心示行慳貪而捨
内外所有不惜身命示行毀禁而安住淨戒乃
至小罪猶懷大懼示行瞋恚而常慈忍示行

BD02900 號　維摩詰所說經卷中

(29–18)

離諸染着示行瞋恚於諸衆生无有恚礙示
行愚癡而以智慧調伏其心示行慳貪而捨
内外所有不惜身命示行毀禁而安住淨戒乃
至小罪猶懷大懼示行瞋恚而常慈忍示行
懈怠而勤脩功德示行亂意而常念定示行
愚癡而通達世間出世間慧示行諂偽而善方
便隨諸經義示行憍慢而於衆生猶如橋梁
示行諸煩惱而心常清淨示入於魔而順佛
智慧不隨他教示入聲聞而為衆生說未聞
法示入辟支佛而成就大悲教化衆生示入貧
窮而有寶手功德无盡示入形殘而具諸相
好以自莊嚴示入下賤而生佛種姓中具諸功
德示入羸劣醜陋而得那羅延身一切衆
生之所樂見示入老病而永斷病根超越死
畏示有資生而恒觀无常實无所貪示有
妻妾婇女而常遠離五欲淤泥現於訥鈍而
成辯才揔持无失示入邪濟而以正濟度諸
衆生現遍入諸道而斷其因緣現於涅槃而
不斷生死文殊師利菩薩能如是行於非道
是為通達佛道
於是維摩詰問文殊師利何等為如來種文
殊師利言有身為種无明有愛為種貪恚
癡為種四顛倒為種五蓋為種六入為種七識
處為種八邪法為種九惱處為種十不善道
為種以要言之六十二見及一切煩惱皆是

BD02900 號　維摩詰所說經卷中

(29–19)

殊師利言有身為種无明有愛為種貪恚
癡為種四顛倒為種五蓋為種六入為種七識
處為種八邪法為種九惱處為種十不善道
為種以要言之六十二見及一切煩惱皆是
佛種曰何謂也荅曰若見无為入正位者不能
復發阿耨多羅三藐三菩提心譬如高原陸
地不生蓮華卑濕淤泥乃生此華如是見无為
法入正位者終不復能生於佛法煩惱泥中乃
有衆生起佛法耳又如殖種於空終不得生
糞壤之地乃能滋茂如是入无為正位者
不生佛法起於我見如須弥生猶能發于
阿耨多羅三藐三菩提心生佛法矣是故當
知一切煩惱為如來種譬如不入巨海不能得
无價寶珠如是不入煩惱大海則不能生
一切智寶
尒時大迦葉歎言善哉善哉文殊師利快說
此語誠如所言塵勞之疇為如來種我等今
者不復堪任發阿耨多羅三藐三菩提心乃
至五无間罪猶能發意生於佛法而今我等
永不能發譬如根敗之士其於五欲不能復利
如是聲聞諸結斷者於佛法中无所復益永
不志願是故文殊師利凡夫於佛法有反復
而聲聞无也所以者何凡夫聞佛法能起无
上道心不斷三寶正使聲聞終身聞佛法

BD02900 號　維摩詰所說經卷中　（29–20）

如是聲聞諸結斷者於佛法中无所復益永
不志願是故文殊師利凡夫於佛法有反復
而聲聞无也所以者何凡夫聞佛法能起无
上道心不斷三寶正使聲聞終身聞佛法
力无畏等永不能發无上道意尒時會中
有菩薩名普現色身問維摩詰言居士父
母妻子親戚眷屬吏民知識悉為是誰奴
婢僮僕象馬車乘皆何所在於是維摩詰
以偈荅曰
智度菩薩母　方便以為父　一切衆導師　无不由是生
法喜以為妻　慈悲心為女　善心誠實男　畢竟空寂舍
弟子衆塵勞　隨意之所轉　道品善知識　由是成正覺
諸度法等侶　四攝衆妓女　歌詠誦法言　以此為音樂
總持之園苑　无漏法林樹　覺意淨妙華　解脫智慧果
八解之浴池　定水湛然滿　布以七淨華　浴此无垢人
象馬五通池　大乘以為車　調御以一心　遊於八正路
相好以嚴容　衆好飾其姿　慚愧之上服　深心為華鬘
富有七財寶　教授以滋息　如所說修行　迴向為大利
四禪為牀座　從於淨命生　多聞增智慧　以為自覺音
甘露法之食　解脫味為漿　淨心以澡浴　戒品為塗香
摧滅煩惱賊　勇健无能踰　降伏四種魔　勝幡建道場
雖知无起滅　示彼故有生　悉現諸國土　如日无不見
供養於十方　无量億如來　諸佛及已身　无有分別想
雖知諸佛國　及與衆生空　而常修淨土　教化於群生
諸有衆生類　形聲及威儀　无畏力菩薩　一時能盡現

BD02900 號　維摩詰所說經卷中　（29–21）

雖知无起滅 示彼故有生 悉現諸國土 如日无不見
供養於十方 无量億如來 諸佛及已身 无有分別想
雖知諸佛國 及與衆生空 而常脩淨土 教化於群生
諸有衆生類 形聲及威儀 无畏力菩薩 一時能盡現
覺知衆魔事 而示隨其行 以善方便智 隨意皆能現
或示老病死 成就諸群生 了知如幻化 通達无有礙
或現劫盡燒 天地皆洞然 衆人有常想 照令知无常
无數億衆生 俱來請菩薩 一時到其舍 化令向佛道
經書禁呪術 工巧諸伎藝 盡現行此事 饒益諸群生
世間衆道法 悉於中出家 因以解人惑 而不墮邪見
或作日月天 梵王世界主 或時作地水 而復作風火
劫中有疾疫 現作諸藥草 若有服之者 除病消衆毒
劫中有飢饉 現身作飲食 先救彼飢渴 却以法語人
劫中有刀兵 為之起慈悲 化彼諸衆生 令住无諍地
若有大戰陣 立之以等力 菩薩現威勢 降伏使和安
一切國土中 諸有地獄處 輒往到于彼 勉濟諸苦惱
一切國土中 畜生相食噉 皆現生於彼 為之作利益
示受於五欲 亦復現行禪 令魔心憒亂 不能得其便
火中生蓮華 是可謂希有 在欲而行禪 希有亦如是
或現作婬女 引諸好色者 先以欲鉤牽 後令入佛智
或為邑中主 或作商人導 國師及大臣 以祐利衆生
諸有貧窮者 現為无盡藏 因以勸導之 令發菩提心
我心憍慢者 為現大力士 消伏諸貢高 令住佛上道
其有恐懼衆 居前而安慰 先施以无畏 後令發道心
或現離婬欲 為五通仙人 開導諸群生 令住戒忍慈

BD02900號　維摩詰所說經卷中　（29-22）

或為邑中主 或作商人導 國師及大臣 以祐利衆生
諸有貧窮者 現為无盡藏 因以勸導之 令發菩提心
我心憍慢者 為現大力士 消伏諸貢高 令住佛上道
其有恐懼衆 居前而安慰 先施以无畏 後令發道心
或現離婬欲 為五通仙人 開導諸群生 令住戒忍慈
見須供事者 現為作僮僕 既悅可其意 乃發以道心
隨彼之所須 得入於佛道 以善方便力 皆能給足之
如是道无量 所行无有涯 智慧无邊際 度脫无數衆
假令一切佛 於无數億劫 讚歎其功德 猶尚不能盡
誰聞如是法 不發菩提心 除彼不肖人 癡冥无智者

入不二法門品第九

尒時維摩詰謂衆菩薩言諸仁者云何菩薩
入不二法門各隨所樂說之會中有菩薩名
法自在說言諸仁者生滅為二法本不生今
則无滅得此无生法忍是為入不二法門
德守菩薩曰我我所為二因有我故便有我
所若无有我則无我所是為入不二法門
不眴菩薩曰受不受為二若法不受則不可
得以不可得故无取无捨无作无相是為入
不二法門
德頂菩薩曰垢淨為二見垢實性則无淨相
順於滅相是為入不二法門
善宿菩薩曰是動是念為二不動則无念无
念則无分別通達此者是為入不二法門
善眼菩薩曰一相无相為二若知一相即是无

BD02900號　維摩詰所說經卷中　（29-23）

順於滅相是為入不二法門
善宿菩薩曰是動是念為二不動則无念无
念則无分別通達此者是為入不二法門
善眼菩薩曰一相无相為二若知一相即是无
相亦不取无相入於平等是為入不二法門
妙臂菩薩曰菩薩心聲聞心為二觀心相空
如幻化者无菩薩心无聲聞心是為入不二法
門
弗沙菩薩曰善不善為二若不起善不善入
无相際而通達者是為入不二法門
師子菩薩曰罪福為二若達罪性則與福无
異以金剛慧決了此相无縛无解者是為入不
二法門
師子意菩薩曰有漏无漏為二若得諸法
等則不起漏不漏相不著於相亦不住无相
是為不入二法門
淨解菩薩曰有為无為為二若離一切數則心
如虛空以清淨慧无所礙者是為入不二法門
那羅延菩薩曰世間出世間為二世間性空即
是出世間於其中不入不出不溢不散是為
入不二法門
善意菩薩曰生死涅槃為二若見生死性則
无生死无縛无解不然不滅如是解者是為
入不二法門

BD02900號　維摩詰所說經卷中　（29–24）

入不二法門
善意菩薩曰生死涅槃為二若見生死性則
无生死无縛无解不然不滅如是解者是為
入不二法門
現見菩薩曰盡不盡為二法若究竟盡若
不盡皆是无盡相无盡相即是空空則无有
盡不盡相如是入者是為入不二法門
普守菩薩曰我无我為二我尚不可得非我
何可得見我實性者不復起二是為入不二
法門
電天菩薩曰明无明為二无明實性即是明
明亦不可取離一切數於其中平等无二者
是為入不二法門
喜見菩薩曰色色空為二色即是空非色滅
空色性自空如是受想行識識空為二識即
是空非識滅空識性自空於其中而通達
者是為入不二法門
明相菩薩曰四種異空種異為二四種性即
是空種性如前際後際空故中際亦空若
能如是知諸種性者是為入不二法門
妙意菩薩曰眼色為二若知眼性於色不貪
不恚不癡是名寂滅如是耳聲鼻香舌味
身觸意法為二若知意性於法不貪不恚不
癡是名寂滅安住其中是為入不二法門
无盡意菩薩曰布施迴向一切智為二布施性

BD02900號　維摩詰所說經卷中　（29–25）

妙意菩薩曰眼色為二若知眼性於色不貪
不恚不癡是名寂滅如是耳聲鼻香舌味
身觸意法為二若知意性於法不貪不恚不
癡是名寂滅安住其中是為入不二法門
无盡意菩薩曰布施迴向一切智為二布施性
即是迴向一切智性如是持戒忍辱精進禪
定智慧迴向一切智為二智慧性即是迴向一
切智性於其中入一相者是為入不二法門
深慧菩薩曰是空是无相是无作為二空
即无相无相即无作若空无相无作則无心
意識於一解脫門即是三解脫門者是為入
不二法門
寂根菩薩曰佛法衆為二佛即是法法即是
衆是三寶皆无為相與虛空等一切亦令
能隨此行者是為入不二法門
心无礙菩薩曰身身滅為二身即是身滅所
以者何見身實相者不起見身及見滅身
身與滅身无二无分別於其中不驚不
懼者是為入不二法門
上善菩薩曰身口意善為二是三業皆无作
相身无作相即口无作相口无作相即意无
作相是三業无作相即一切法无作相能如
是隨无作慧者是為入不二法門
福田菩薩曰福行罪行不動行為二三行實
性即是空空則无福行无罪行无不動

BD02900號　維摩詰所說經卷中　（29–26）

上善菩薩曰身口意善為二是三業皆无作
相身无作相即口无作相口无作相即意无
作相是三業无作相即一切法无作相能如
是隨无作慧者是為入不二法門
福田菩薩曰福行罪行不動行為二三行實
性即是空空則无福行无罪行无不動
行於此三行而不起者是為入不二法門
華嚴菩薩曰從我起二為二見我實相者不
起二法若不住二法則无有識无所識者是
為入不二法門
德藏菩薩曰有所得相為二若无所得則
无取捨无取捨者是為入不二法門
月上菩薩曰闇與明為二无闇无明則无有
二所以者何如入滅受想定无闇无明一切
法相亦復如是於其中平等入者是為入不
二法門
寶印手菩薩曰樂涅槃不樂世間為二若不
樂涅槃不猒世間則无有二所以者何若有
縛則有解若本无縛其誰求解无縛无
解則无樂猒是為入不二法門
珠頂王菩薩曰正道邪道為二住正道者
則不分別是邪是正離此二法是為入不二
法門
樂實菩薩曰實不實為二實見者尚不
見實何況非實所以者何非肉眼所見慧眼

BD02900號　維摩詰所說經卷中　（29–27）

解則无樂猒是為入不二法門
珠頂王菩薩曰正道邪道為二住正道者
則不分別是邪是正離此二法是為入不二
法門
樂實菩薩曰實不實為二實見者尚不
見實何況非實所以者何非肉眼所見慧眼
乃能見而此慧眼无見无不見是為入不
二法門
如是諸菩薩各各說已問文殊師利等是
菩薩入不二法門文殊師利曰如我意者於
一切法无言无說无示无識離諸問荅是為
入不二法門
於是文殊師利問維摩詰我等各自說已
仁者當說何等是菩薩入不二法門時維摩
詰嘿然无言文殊師利歎曰善哉善哉乃
至无有文字語言是真入不二法門說是入
不二法門時於此衆中五千菩薩皆入不二法
門得无生法忍

維摩詰經卷中

BD02900 號　維摩詰所說經卷中　（29–28）

一切法无言无說无示无識離諸問荅是為
入不二法門
於是文殊師利問維摩詰我等各自說已
仁者當說何等是菩薩入不二法門時維摩
詰嘿然无言文殊師利歎曰善哉善哉乃
至无有文字語言是真入不二法門說是入
不二法門時於此衆中五千菩薩皆入不二法
門得无生法忍

維摩詰經卷中

BD02900 號　維摩詰所說經卷中　（29–29）

□□諸賢聖覆藏罪者得脫□
是處如賢聖在於中廣說五逆人
墮四惡道衆生薩多羅越人魔□
遮言得道皆无是處輕說法□
破戒愚癡者言得具足法喜□□
我是佛此身口惡不悔欲見佛□
悔欲見佛耶定入正定正定入□
不定除佛法別有真得道人應
皆无是處除因緣生識出名色□
處佛遣使事未訖若應尋无是處
若他因緣死入滅盡定在見諦道中
无是處若害佛及佛母无是處□
寶象馬主藏臣主兵臣若在台
皆无是處薩多羅越人女寶佛母
入惡道皆无是處有爲常涅槃无常
能斷非有想非无想結使一切取相禪定中
脩聖道有漏目若地濕相水堅相風□相火
冷相皆无是處无明不能生諸行乃至生不
能生老死亦无是處二心一時生五識衆能
分別取相若眠能起身業口業若　禪定无
有是處但五識相續生不生意識但五識衆
中着有相續但五識衆能緣名能緣相能緣

BD02901號　大智度論（異卷）卷三四

（17–1）

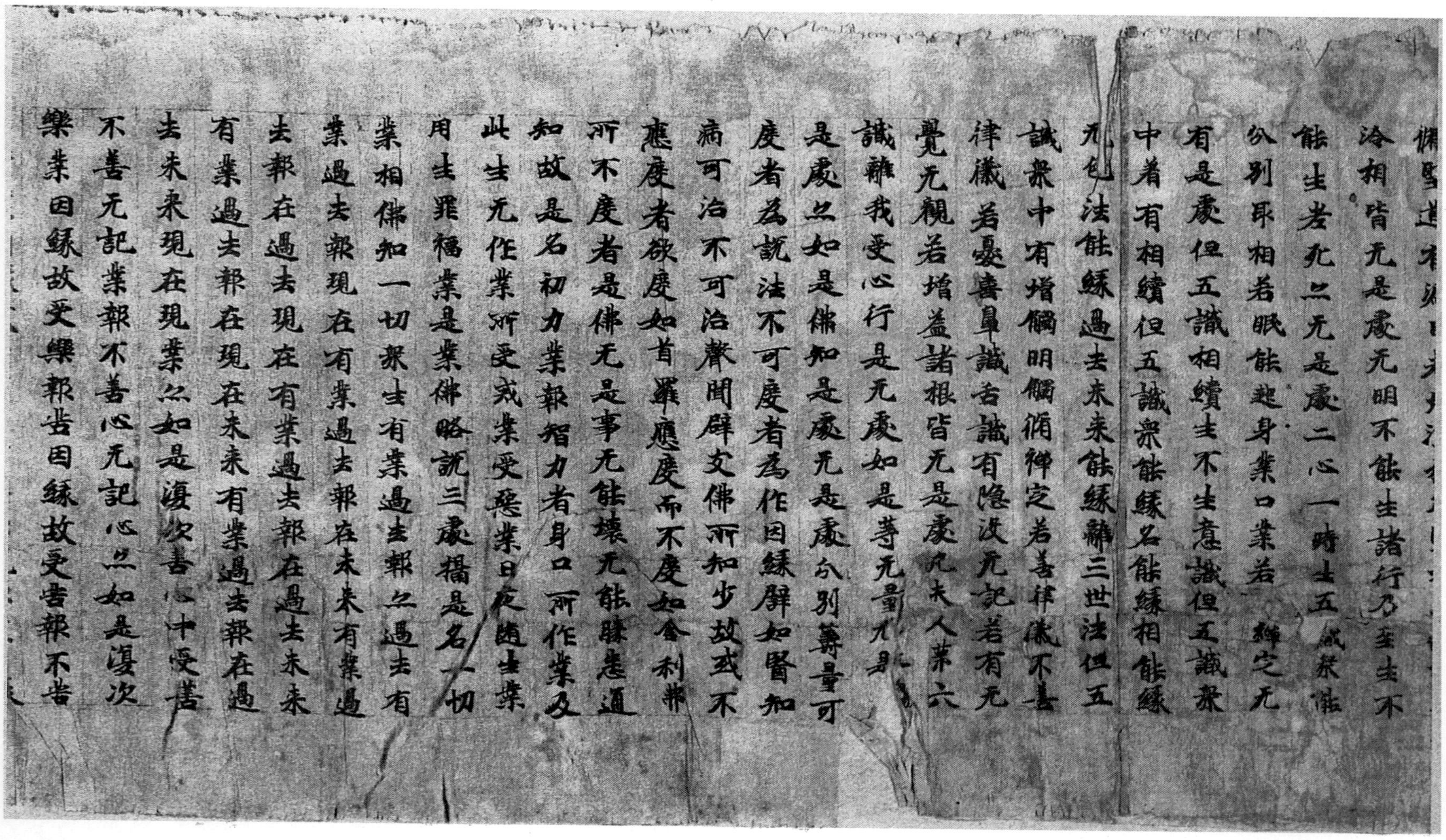

脩聖道有□□□□□□□□
冷相皆无是處无明不能生諸行乃至生不
能生老死亦无是處二心一時生五識衆能
分別取相若眠能起身業口業若　禪定无
有是處但五識相續生不生意識但五識衆
中着有相續但五識衆能緣名能緣相能緣
无色法能緣過去未來能緣離三世法但五
識衆中有增餘明餘循禪定若善律儀不善
律儀若憂喜鼻識舌識有隱沒无記若有无
覺无觀若增益諸根皆无是處凡夫人第六
識離我受心行是无處如是等无量无邊
是處亦如是佛知是處无是處分別籌量可
度者爲說法不可度者爲作因緣譬如醫知
病可治不可治聲聞辟支佛所知少故或不
應度者欲度如首羅應度而不度如舍利弗
所不度者是佛无是事无能壞无能勝是道
知故是名初力業報智力者身口所作業及
此生无作業所受戒業受惡業日夜隨生業
用生罪福業是業佛略說三處攝是名一切
業相佛知一切衆生有業過去報亦過去有
業過去報現在有業過去報在未來有業過
去報在過去現在有業過去報在過去未來
有業過去報在現在未來有業過去報在過
去未來現在現業亦如是復次善心中受善
不善无記業報不善心无記心亦如是復次
樂業因緣故受樂報苦因緣故受苦報不苦

BD02901號　大智度論（異卷）卷三四

（17–2）

業過去報現在有業過去報在過去未來
去報在過去現在有業過去報在過去未來
有業過去報在現在未來有業過去報在過
去未來現在現業亦如是復次善心中受善
不善无記業報不善心无記心亦如是復次
樂業因緣故受樂報苦因緣故受苦報不苦
不樂業因緣故受不苦不樂報現報業因緣
故受現報生報業因緣故受生報後業因緣
故受後報不淨業因緣故受惱報淨業因緣
故受无惱報雜業因緣故受雜報復次二種
業必受報業不必受報業必受報業不可得
雜或待時人待處受報如人應共轉輪王受
福待轉輪王好世出是時乃受是為待時待
人者即是轉輪聖王待處者轉輪聖王所出
處復次是必受報業不待伎能功薰若好若
醜不求自來如天上生人福樂自至地獄中
人罪苦自追不待因緣此業深重故復次受
報業如毗瑠璃王煞七万二千諸得道人及
无量五戒優婆塞如目連等大神通人所不
能救如濤狗盧後世拖火中湯中水中而不
死如佛遊諸國雖出家行乞不須膳供而五
百乘車載王所食葉中生粳米隨飯百味羹
如是等善惡業必受餘者不必受欲界受二
種業報處樂受業苦受業不苦不樂受業色
界受二種業處樂受業不苦不樂受業无色
界受一種業報處不苦不樂受業或待事者

BD02901號　大智度論（異卷）卷三四

（17-3）

如是等善惡業必受餘者不必受欲界受二
種業報處樂受業苦受業不苦不樂受業色
界受二種業處樂受業不苦不樂受業无色
界受一種業報處不苦不樂受業或待事者
依是事得受業報如佛迦婆羅王池中生千
葉金色蓮華大如車輪因是大會使樂多人
出家得道佛知一切衆生造諸業處或欲界
色界无色界欲界在何道中若天道在何天
中若人中在何天下若閻浮提在何國若是
國在何城何聚落何精舍何土地若是城在
何里何巷何舍在何處知是業何等時作過
去一世二世乃至百千万世是業果報幾已
受幾未受幾必受幾不必受知善不善所用
事物所謂刀杖鞭勅煞等自煞遣人煞諸餘
惡亦如是善業亦如是知如是布施持戒脩
善施中所施何等土地房舍衣服飲食醫藥
卧具七寶財物戒中受戒自然戒心生戒口
言戒一行少分戒多分戒滿分戒一日戒七
善道戒十戒具足戒定共戒善福中脩初禪
二三四禪慈心悲喜捨心如是等善業因緣
若慳貪若瞋恚若怖畏若耶見若惡知識等
種種惡業因緣福業因緣若信若憐愍若恭
敬若禪定若智慧若善知識等種種善法業
因緣是諸業自在一切天人及是諸業相无
能轉者於億千万世常隨逐衆生不捨如債
主隨人得因緣具足便與果報如地中種子

BD02901號　大智度論（異卷）卷三四

（17-4）

種種惡業因緣福業因緣若信若慚愧若恭
敬若禪定若智慧若善知識等種種善法業
因緣是諸業自在一切天人及是諸業相无
能轉者於億千万世常隨逐衆生不捨如債
主隨人得因緣具足便與果報如地中種子
得因緣時節和合便生是業能令衆生六道
中受生駛疾於前一切衆生皆有諸業報分
如父母遺財諸子皆應得分是業果報時到
不可遮止如劫盡火隨衆生應生處處安置
如大國王隨其所應而與官職人命終時是
業來蔭覆其心如大山映物是業能興種種
身如工畫師作種種像若人以正行御業善
法將養還與好報若以邪行御業不善將養
還與惡報如人事王隨事得報如是等分別
諸業相果報海次如分別業經中佛告阿難
行惡人好處生行善人惡處生阿難言是事
云何佛言惡人今世罪業未熟宿世善業已
熟以是因緣故今雖為惡而生好處或臨死
時善心心數法生是因緣故亦生好處行善
人生惡處者今世善未熟過世惡已熟以是
因緣今雖為善而生惡處或臨死時不善心
心數法生是因緣故亦生惡處問曰孰不熟
義可尒臨死時少許時心云何能勝終身行
力答曰是心雖時頃少而心力猛利如火如
毒雖少能成大事是臨死時心決定勇健故
勝百歲行力是後心名為大心以捨身及諸

BD02901號　大智度論（異卷）卷三四　　（17–5）

因緣今雖為善而生惡處或臨死時不善心
心數法生是因緣故亦生惡處問曰孰不熟
義可尒臨死時少許時心云何能勝終身行
力答曰是心雖時頃少而心力猛利如火如
毒雖少能成大事是臨死時心決定勇健故
勝百歲行力是後心名為大心以捨身及諸
根事急故如人入陣不惜身命如阿羅漢捨
是身着故得阿羅漢道如是等種種罪業報
轉報亦應如是知聲聞人但知惡業罪報善
業福報不能如是細分別佛悉遍知業及業
報智慧勢力无量无盡无能壞故是名第二
力禪定解脫三昧淨垢分別智力者禪名四
禪佛知是禪佐助道法名相義分次苐勤循
有漏无漏學无學淨垢三昧深淺分別等八
解脫如禪中分別相說禪攝一切色界定說
解脫攝一切定波羅蜜即是諸解脫禪定解
脫三昧皆名為定名為心不散亂[illegible]愛見
慢等諸煩惱淨名真禪定不雜愛見慢等[illegible]
惱如真金分別名諸定中有一心行常行不
常行難入易入難出易出別取相摠取相
轉治不治如婬欲中慈心瞋人不淨觀愚癡
人思惟邊无邊枕識心中用智慧分別諸法
沒心中欲攝心若不尒者名不轉治是定中
應分別時及住處若身羸瘦是行非定時菩
薩告行時作是念我今不能生禪定若多人
處亦非行定處復次佛知是禪定為失故為

BD02901號　大智度論（異卷）卷三四　　（17–6）

汝心中欲攝心若不尒者名不
應分別時及住處若身麤疲是行非定時菩
薩告行時作是念我今不能生禪定若多人
處亦非行定處漸次佛知是禪定為失故為
住故為增益故為達到涅槃故漸次佛知是
人難入定難出定易入易出易入難出難入
易出佛知是人應得如是禪知是人失禪受
五欲知是人受五欲已還得禪依是禪得阿
羅漢如是等一切諸禪定解脫即是三昧是
名第三力知衆生上下根智力者佛知衆生
是利根鈍根中根利智名為上鈍智名為下
佛用是上下根智力分別一切衆生是利根
是中根是鈍根是人如是今世但能得初果
更不能得餘是人但能得第二第三第四果
是人但能得初禪是人但能得第二第三第
四禪乃至滅盡定亦如是是人當作時解脫
證是人當作不時解脫證是人能得於聲聞
中第一是人能得於辟支佛中第一是人具
足六波羅蜜能得阿耨多羅三藐三菩提如
是知已或為略說得度或為廣說得度或為
略廣說得度或以善濡語教或以善語教或
以濡善語教佛亦分別是人有餘根應令增
生信根是人應令精進念定慧根是人用信
根入正位是人用慧根入正位是人利根為
結使所遮如鴦群摩羅等是人利根不為結

略廣說得度或
以濡善語教佛亦分別是人有餘根應令增
生信根是人應令精進念定慧根是人用信
根入正位是人用慧根入正位是人利根為
結使所遮如鴦群摩羅等是人利根不為結
使所遮如舍利弗目揵連等知根雖鈍而无
遮如咒利般陀伽有根鈍而遮者知是見諦
所斷根鈍思惟所斷根利思惟所斷鈍見諦
所斷利是人一切根同鈍同利是人一切根
不同鈍不同利是人先因力大是人今緣力
大是人欲縛而得解是人欲解而得縛辟如
鴦群梨摩羅欲殺母害佛而得解脫如一比
丘得四禪增上慢故還入地獄知是人必墮
惡道是人難出是人易出是人久久乃出如
是等一切衆生上下根相皆悉遍知无能壞
无能勝是名第四力知衆生種種欲智力者
欲名信喜樂五欲如孫陀羅難陀等好名聞
如提婆達好世間財利如須那刹多羅等好
出家如耶舍等好信跋迦利等好持戒如羅
睺羅等好施如跋羅好頭陀遠離如摩訶迦
葉好坐禪如離跋多等好智慧如舍利弗等
好多聞如阿難等好知毗尼如婆羅等如
是佛弟子各各有所好凡夫人亦各各有所
好或有畫婬欲或有畫瞋恚漸次佛知是人
多欲多瞋多痴問曰何等是多欲多瞋多痴
相荅曰如禪經中說三種相是中應廣說知

好或有晝婬欲或有晝瞋恚復次佛知是人
多欲多瞋多癡問曰何等是多欲多瞋多癡
相荅曰如禪經中說三毒相是中應廣說知
如是相已多婬欲人不淨法門治多瞋人慈
心法門治多愚癡人因緣法門治如是隨所
欲說法所謂善欲隨心為說無順流惡欲以
苦切語教如以楔出楔是欲智中佛悉遍知
无能能壞无能能勝是名第五力性智力者
佛知世間種種別異性性名積習相從性生
欲隨性作行或時從欲為性習欲成性性名
深心為事欲名隨緣起是為欲性分別世間
種種別異者各各性多性无量不可數是名
世間別異有二種世間世界世間衆生世間
此中但說衆生世間佛知衆生如是性如是
欲從是處著成就善根可度不可度定不定
死不死行何行生何處在何地復次佛知是
衆生種種性相所謂所趣向如是處偏多如
是貴如是深心如是欲如是業如是行如是
煩惱如是礼法如是定如是威儀如是知如
是見如是憶想分別命所結使生命所結使
未生隨所著生欲隨欲深心隨深心趣向隨
向貴重常觀覺觀隨覺觀為戲論隨戲論常
念隨念發行隨發行作業隨作業果報復次
佛用是種種性智力知是衆生可度是不可
度是今世可度是後世可度是即可度是果
時可度是現前度是眼不見可度是人佛能

BD02901號　大智度論（異卷）卷三四

(17-9)

向貴重常[illegible]
念隨念發行隨發行作業隨作業果報復次
佛用是種種性智力知是衆生可度是不可
度是今世可度是後世可度是即可度是果
時可度是現前度是眼不見可度是人佛能
度是人徹聞能度是人共可度死可度是人
死不可度是人略說可度是人廣說可度是
人略廣說可度是人讚歎可度是人折伏可
度是人將迎可度是人棄捨可度是人細法
可度是人麁法可度是人苦切可度是人濡
語可度是人苦濡可度是邪見是正見是著
過去是著未來是著斷滅是著常是著有見
是著无見是欲生是歌生是求富貴樂是著
厚邪見是說无因无緣是說邪因緣是說正
因緣是說无作業是說邪作業是說正作業
是說不求是說邪求是說正求是貴我是貴
五欲是貴得利是貴飲食是貴說戲樂事是
樂衆是樂憒鬧是樂遠離是多行愛是多行
見是好信是妙慧是應守護是應捨是貴持
戒是貴禪定是真智慧是易悟是講說乃悟
是可引導是句句解是利根是鈍根是中根
是易出易拔是難出難拔是畏罪是重罪是
畏生死是不畏生死是多欲是多瞋是多癡
是多欲瞋多欲癡是多瞋癡是多欲瞋癡是
薄煩惱是厚煩惱是少垢是多垢是覆慧是
略慧是廣慧是人善知五衆相十二入十八界
十二因緣是處非是處苦集滅道善知入定

BD02901號　大智度論（異卷）卷三四

(17-10)

畏生死是不畏生死是
是多欲瞋多欲癡是多瞋癡是多欲瞋癡是
薄煩惱是厚煩惱是少垢是多垢是靈慧是
略慧是廣慧是人善知五衆相十二入十八界
十二因緣是處非是處苦集滅道善知入定
出定住定復次佛知是欲界衆生是色界无
色界衆生是地獄畜生餓鬼人天是卵生胎
生濕生化生是有色是无色是有想是无想
是短命是長命是但凡夫人未離欲是凡夫
人離下地欲未離禪欲如是乃至非有想非
无想是四道得果是辟支佛是諸佛得无㝵
解脫如是等種種分別五道四生三界假名
鄣衆入界善根不善根諸結使地業果是處
不是處滅智分別以如是等分別知世間種
種別異性佛悉遍知无能壞无能勝是名第
六力一切至處道智力者有人言業即是道
所以者何業因緣故遍行五道有業能斷業
能有所至所謂三聖道分及无漏思以是故
諸業是一切至處道復次有人言五分五知
三昧住一切利益事非復有人言第四禪即
是何以故第四禪一切諸定至處如諸經中
諸是善心定心不乱心攝心皆入第四禪中
復有人言如身念處即是至處道是諸道利
益之本復有人言一切聖道是用是聖道得
隨意利益復有論者言一切善道一切惡道
一切聖道各各知諸道至處如毛竪經中說

BD02901號　大智度論（異卷）卷三四　（17–11）

益之本復有人言一切聖道是用是聖道得
隨意利益復有論者言一切善道一切惡道
一切聖道各各知諸道至處如毛竪經中說
佛悉遍知无能壞无能勝是名第七力宿命
智力者宿命有三種有通有明有力凡夫人
但有通聲聞人亦通亦明佛亦通亦力所以
者何凡夫人但知宿命所經不知業因緣相
續以是故凡夫人但有通无有明聲聞人知
集諦故了了知業因緣相續生以是故聲聞
人亦有通亦有明若佛弟子先凡夫人時得
宿命智入見諦道中知集因緣第八无漏心
得斷見故通變為明所以者何明名見根本
若佛弟子先得聖道後宿命智生亦知集因
緣力故通變為明問曰若佛本為菩薩時先
得宿命智諸菩薩離无所有處煩惱後入聖
道故云何佛說我初夜得初明荅曰是時非
明若佛在衆中說我彼時得是明示衆人言
是明初夜得辟如國王未作王時生子後作
王時人問王子何時生荅曰王子某時生是
生時未作王以今是王故以彼為王子言王
子彼時生佛亦如是宿命智生今時未是明
但名通後夜時知集因緣故通變為明後在
衆中說言我初夜時得是明問曰通明義如
是云何為力荅曰佛用是明知己身及衆生
无量无邊世中宿命因緣所更種種悉遍知
是為力是名第八力生死智力者佛用天眼

BD02901號　大智度論（異卷）卷三四　（17–12）

但名通後夜時知身因緣古通要在明後[illegible]
衆中說言我初夜時得是明閒日通明義如
是云何為力荅曰佛用是明知已身及衆生
无量无邊世中宿命因緣所更種種悉遍知
是為力是名第八力生死智力者佛用天眼
見衆生生死處凡夫人用是天眼極多見四
天下聲聞人極多傍見小千世界上下亦遍
見問曰大梵王亦能見千世界有何等異荅
曰大梵王自於千世界中立則遍見若在邊
立則不見餘處聲聞人則不尒在所住處常
見千世界辟支佛見百千世界諸佛見无量
无邊諸世界凡夫人天眼智是通而非明亦
如是但見所有事不能見隨業因緣受生如
宿命中說復次得天眼人中衆第一者阿泥
盧頭色界四大造色半頭清淨是天眼佛天
眼四大造色遍頭清淨是為差別復次聲聞
人所住於三昧中得天眼即所住三昧中能
見若有覺有觀三昧若无覺有觀三昧若无
覺无觀三昧佛隨所入三昧中住欲見盡
見若依无覺无觀三昧中得天眼入有覺有
若依无覺无觀三昧中得天眼入有覺有觀
三昧中亦能見復次聲聞人用是天眼見時
住三昧中心入餘三昧天眼則滅佛則不尒
心雖入餘三昧天眼不滅是智慧遍知一切
衆生生死所趣无能壞无能勝是名第九力
漏盡智力者問曰九力智慧分別有差別漏

BD02901號　大智度論(異卷)卷三四

(17-13)

三昧中亦能見復次聲聞人用是天眼見時
住三昧中心入餘三昧天眼則滅佛則不尒
心雖入餘三昧天眼不滅是智慧遍知一切
衆生生死所趣无能壞无能勝是名第九力
漏盡智力者問曰九力智慧分別有差別漏
盡同一切聲聞辟支佛有何等異荅曰雖漏
盡是同智慧分別大差別聲聞極大力思惟
所斷結生分住分滅分三昧斷佛則不尒一
生分時盡斷聲聞人見諦所斷結使生時思
惟所斷三時滅佛則見諦所斷思惟所斷无
異聲聞人初入聖道時入時異違時異佛則
一心中亦入亦達一心中得一切智一切心
中壞一切鄣一切心中得一切佛法復次諸
聲聞人有二種解脫煩惱解脫少鄣解脫佛
有一切煩惱解脫亦有一切法鄣解脫佛自然
得智慧諸聲聞人隨教道行得復有人言若
佛以智慧斷一切衆生煩惱其智亦不鈍不
滅譬如熱鐵丸著少綿上雖燒此綿而火熱
不滅佛智慧亦如是燒一切煩惱智力亦
不滅復次聲聞但知自盡漏諸佛自知盡漏
亦知盡他人漏如淨經中說復次佛獨知衆
生心中分別有九十八使一百九十六種除
佛无有知者佛亦獨知苦法智苦比智中斷
尒所結使性乃至道比智亦如是思惟所斷
九解脫道中亦尒佛悉遍知一切衆生如是
事聲聞若少知少說皆隨佛語佛如是為漏

BD02901號　大智度論(異卷)卷三四

(17-14)

生心中分別有九十八使一

佛无有知者佛之獨知苦法智苦比智中斷

尒所結使性乃至道比智之如是思惟所斷

九解脫道中之尒佛悉遍知一切衆生如是

事聲聞若少知少說皆隨佛語佛如是爲漏

盡智慧力勢无能壞无能勝是名第十力問

曰是十力何者最勝答曰各各自事中大如

水能淨火能燒各自有力有人言初爲力大

能攝十力故或言漏盡力大事能得涅槃故

論者言是十力皆以无导解脫爲根本无导

解脫爲增上問曰若是十力獨是佛事第子

今世无人能得佛何以故說答曰斷人十力

中疑故无智人令心決定堅固故令四衆歡

喜言我等大師獨有如是力不與一切衆生

共又諸外道輩言瞿曇氏沙門常好靜處住

智慧縮沒以是故發至誠言我種智力四无

所畏皆具足在大衆中說真智教化衆生

如師子吼轉梵輪一切外道及天世人无能

知轉者爲心是謗故說是十力問曰好人法

一事智慧尚不應自讚何況无我无所著而

自讚十力如說

自讚自毀　讚他毀他　如是四種　知者不行

答曰佛雖无我无我所着有无量力大悲爲

度衆生故但說十力不爲自讚譬如好賈客

導師見諸惡賊誑諸賈客示以非導師愍念

故語衆賈客我是實語之人汝莫隨

BD02901號　大智度論（異卷）卷三四　（17-15）

如師子吼轉梵輪一切外道及天世人无能

知轉者爲心是謗故說是十力問曰好人法

一事智慧尚不應自讚何況无我无所著而

自讚十力如說

自讚自毀　讚他毀他　如是四種　知者不行

答曰佛雖无我无我所着有无量力大悲爲

度衆生故但說十力不爲自讚譬如好賈客

導師見諸惡賊誑諸賈客示以非導師愍念

故語衆賈客我是實語人汝莫隨枉或者又

如諸弊醫等誑諸病人良醫愍之語衆者我

有良藥能除汝病莫信欺誑以自告因復次

佛功德深遠若佛不自說无有智者爲衆生

少說所盖甚多以是故佛自說是十力復次

有可度者必應爲說所應說中次第應說十

力若不說彼不得度是故自說譬如日月出

時不作是念我照天下當有名稱日月既出

必自有名佛亦如是不自念爲有名稱故自

說功德佛清淨語言說法光明破衆生愚闇

自然有大名稱以是故佛自說十力等諸功

德无有失力名能有所羅用是十種力增益

智慧故能破論議師用是十種力增益智慧

故能好說法用是十種力增益智慧故能摧

伏不順用是十種力增益智慧故於諸法中

得自在如大國主於臣民大衆中得自在是

爲以聲聞法略說十力義

BD02901號　大智度論（異卷）卷三四　（17-16）

佛功德深遠若佛不自說无有智者為衆生
少說所盡甚多以是故佛自說是十力復次
有可度者必應為說所應說中次第應說十
力若不說彼不得度是故自說譬如日月出
時不作是念我照天下當自名稱日日既出
光自有名佛亦如是不自念為有名稱故自
說功德佛清淨語言說法光明破衆生愚闇
自然有大名稱以是故佛自說十力等諸功
德无有失力名能有所辦用是十種力增益
智慧故能破論議師用是十種力增益智慧
故能好說法用是十種力增益智慧故能摧
伏不順用是十種力增益智慧故於諸法中
得自在如大國王於臣民大衆中得自在是
為以觀聞法略說十力義

大智度經卷第卅四

善泰寫

用紙

BD02901號　大智度論（異卷）卷三四

（17–17）

尒時曼殊　利法王子承佛威神從座而
起偏袒一肩右膝著地向薄伽梵曲躬合掌白
願演說如是相類諸佛名号及本
德令諸聞者業鄣銷除為欲
時諸有情故
曼殊室利童子言善哉善哉
勸請我說諸佛名号本
所纏有情利益安樂像法
轉時諸有情故汝今諦聽極善思惟當為
汝說曼殊室利言唯然願說我等樂聞
佛　殊室利東方去此過十殑伽沙等佛
土有　名淨瑠璃佛号藥師瑠璃光如來
應正等覺明行圓滿善逝世間解无上丈夫
調御士天人師佛薄伽梵曼殊室利彼世尊
藥師瑠璃光如來行菩薩道時發十二大願
令諸有情所求皆得
第一大願願我來世得阿耨多羅三藐三
菩提時自身光明熾然照曜无量无數无

BD02902號　藥師琉璃光如來本願功德經

（15–1）

應正等覺明行圓滿善逝世間解无上丈夫
調御士天人師佛薄伽梵冥殊室利彼世尊
藥師瑠璃光如来行菩薩道時發十二大願
令諸有情所求皆得
第一大願願我来世得阿耨多羅三藐三
菩提時自身光明熾然照曜无量无數无
邊世界以三十二大丈夫相八十隨形好莊
嚴其身令一切有如我无異
第二大願願我来世得菩提時身如瑠璃內
外明徹淨无瑕穢光明廣大功德巍巍身善
安住焰網莊嚴過於日月幽冥衆生悉蒙開
曉隨意所趣作諸事業
第三大願願我来世得菩提時以无量无
邊智慧方便令諸有情皆得无盡所受
用物莫令衆生有所乏少
第四大願願我来世得菩提時若諸有情
行邪道者悉令安住菩提道中若行聲聞
獨覺乘者皆以大乘而安立之
第五大願願我来世得菩提時若有无量
无邊有情於我法中脩行梵行一切皆令
得不缺戒具三聚戒設有毀犯聞我名已還
得清淨不墮惡趣
第六大願願我来世得菩提時若諸有情
其身下劣諸根不具醜陋頑愚盲聾瘖瘂
攣躄背僂白癩癲狂種種病苦聞我名已
一切皆得端政黠慧諸根完具无諸病苦

BD02902 號　藥師琉璃光如來本願功德經　（15–2）

第六大願願我来世得菩提時若諸有情
其身下劣諸根不具醜陋頑愚盲聾瘖瘂
攣躄背僂白癩癲狂種種病苦聞我名已
一切皆得端政黠慧諸根完具无諸病苦
第七大願願我来世得菩提時若諸有情
衆病逼切无救无歸无醫无藥无親无家貧
窮多苦我之名号一經其耳衆病悉除身心安
樂家屬資具悉皆豐足乃至證得无上菩提
第八大願願我来世得菩提時若有女人為
女百惡之所逼惱極生厭離願捨女身聞我
名已一切皆得轉女成男具大夫相乃至證
得无上菩提
第九大願願我来世得菩提時令諸有情出
魔羂網解脫一切外道纏縛若墮種種惡見
稠林皆當引攝置於正見漸令脩習諸菩薩
行速證无上正等菩提
第十大願願我来世得菩提時若諸有情王
法所纒縛鞭撻繫閉牢獄或當刑戮及餘
无量災難陵辱悲愁煎迫身心受苦若聞我
名以我福德威神力故皆得解脫一切憂苦
第十一大願願我来世得菩提時若諸有情
飢渴所惱為求食故造諸惡業得聞我名專
念受持我當先以妙飲食飽足其身後以法
味畢竟安樂而建立之
第十二大願願我来世得菩提時若諸有情
貧无衣服蚊虻寒熱晝夜逼惱若聞我名專

BD02902 號　藥師琉璃光如來本願功德經　（15–3）

飢渴所惱為求食故造諸惡業得聞我名專
念受持我當先以上妙飲食飽足其身後以法
味畢竟安樂而建立之
第十二大願願我來世得菩提時若諸有情
貧无衣服蚊虻寒熱晝夜逼惱若聞我名專
念受持如其所好即得種種上妙衣服亦得
一切寶莊嚴具華鬘塗香鼓樂衆伎隨心所
翫皆令滿足
曼殊室利是為彼世尊藥師琉璃光如來應
正等覺行菩薩道時所發十二微妙上願
復次曼殊室利彼世尊藥師琉璃光如來行
菩薩道時所發大願及彼佛土功德莊嚴我
若一劫若一劫餘說不能盡然彼佛土一向清
淨无有女人亦无惡趣及苦音聲琉璃為地金
繩界道城闕宮閣軒窓羅網皆七寶成
亦如西方極樂世界功德莊嚴等无差別於
其國中有二菩薩摩訶薩一名日光遍照二
名月光遍照是彼无量无數菩薩衆之上首
悉能持彼世尊藥師琉璃光如來正法寶藏
是故曼殊室利諸有信心善男子善女人等
應當願生彼佛世界
尒時世尊復告曼殊室利童子言曼殊室利
有諸衆生不識善惡唯懷貪悋不知布施及
施果報愚癡无智闕於信根多聚財寶勤
加守護見乞者來其心不喜設不獲已而行

BD02902 號　藥師琉璃光如來本願功德經

（15–4）

尒時世尊復告曼殊室利童子言曼殊室利
有諸衆生不識善惡唯懷貪悋不知布施及
施果報愚癡无智闕於信根多聚財寶勤
加守護見乞者來其心不喜設不獲已而行
施時如割身肉深生痛惜復有无量慳貪
有情積集資財於其自身尚不受用何況
能與父母妻子奴婢作使及來乞者彼諸有
情從此命終生餓鬼界或傍生趣由昔人間
曾得蹔聞藥師琉璃光如來名故今在惡
趣蹔得憶念彼如來名即於念時從彼處沒
還生人中得宿命念畏惡趣苦不樂欲樂好行
惠施讚歎施者一切所有悉无貪惜漸次尚
能以頭目手足血肉身分施來求者況餘財物
復次曼殊室利若諸有情雖於如來受諸學
處而破尸羅有雖不破尸羅而破軌則有於
尸羅軌則雖得不壞然毀正見有雖不毀正
見而棄多聞於佛所說契經深義不能解
了有雖多聞而增上慢由增上慢覆蔽心故
自是非他嫌謗正法為魔伴黨如是愚人自
行邪見復令无量俱胝有情墮大險坑此諸
有情應於地獄傍生鬼趣流轉无窮若得聞
此藥師琉璃光如來名号便捨惡行修諸善法
不墮惡趣設有不能捨諸惡行修行善法墮
惡趣者以彼如來本願威力令其現前蹔聞
名号從彼命終還生人趣得正見精進善調
意樂便能捨家趣於非家如來法中受持學

BD02902 號　藥師琉璃光如來本願功德經

（15–5）

不墮惡趣設有不能捨諸惡行脩行善法墮
惡趣者以彼如來本願威力令其現前蹔聞
名号從彼命終還生人趣得正見精進善調
意樂便能捨家趣於非家如來法中受持學
處无有毀犯正見多聞解甚深義離增上慢
不謗正法不為魔伴漸次脩行諸菩薩行速
得圓滿
復次曼殊室利若諸有情慳貪嫉妬自讚毀
他當墮三惡趣中无量千歲受諸劇苦受劇
苦已從彼命終還生人間作牛馬駝驢恒被
鞭撻飢渴逼惱又常負重隨路而行或得為
人生居下賤作人奴婢受他驅使恒不自在
若昔人中曾聞世尊藥師瑠璃光如來名号
由此善因今復憶念至心歸依以佛神力衆
苦解脫諸根聡利智慧多聞恒求勝法常
善友永斷魔羂破无明殼竭煩惱河解脫一
切生老病死憂悲苦惱
復次曼殊室利若諸有情好憙乖離更相
鬪訟惱亂自他以身語意造作增長種種惡
業展轉常為不饒益事互相謀害告召山林
樹塚等神殺諸衆生取其血肉祭祀藥叉羅
刹娑等書怨人名作其形像以惡呪術而呪咀
之厭媚蠱道呪起屍鬼令斷彼命及壞其身
是諸有情若得聞此藥師琉璃光如來名号
彼諸惡事悉不能害一切展轉皆起慈心利益

BD02902號　藥師琉璃光如來本願功德經　（15–6）

刹娑等書怨人名作其形像以惡呪術而呪咀
之厭媚蠱道呪起屍鬼令斷彼命及壞其身
是諸有情若得聞此藥師琉璃光如來名号
彼諸惡事悉不能害一切展轉皆起慈心利益
安樂无損惱意及嫌恨心各各歡悅於自
所受生於喜足不相侵淩互為饒益
復次曼殊室利若有四衆苾芻苾芻尼鄔波
索迦鄔波斯迦及餘淨信善男子善女人等
有能受持八分齋戒或經一年或復三月受
持學處以此善根願生西方極樂世界无量
壽佛所聽聞正法而未定者若聞世尊藥
師瑠璃光如來名号臨命終時有八菩薩乘
神通來示其道路即於彼界種種雜色衆寶
華中自然化生或有因此生於天上雖生天中
而本善根亦未窮盡不復更生諸餘惡趣天
上壽盡還生人間或為輪王統攝四洲威德自
在安立无量百千有情於十善道或生刹
帝利婆羅門居士大家多饒財寶倉庫盈溢
形相端嚴眷屬具足聡明智慧勇健威猛如
大力士若是女人得聞世尊藥師瑠璃光如
來名号至心受持於後不復更受女身
今時曼殊室利童子白佛言世尊我當誓於
像法轉時以種種方便令諸淨信善男子善
女人等得聞世尊藥師琉璃光如來名号乃
至睡中亦以佛名覺悟其耳世尊若於此經
受持讀誦或復為他演說開示若自書若教

BD02902號　藥師琉璃光如來本願功德經　（15–7）

像法轉時以種種方便令諸淨信善男子善
女人等得聞世尊藥師琉璃光如來名号乃
至睡中亦以佛名覺悟其耳世尊若於此經
受持讀誦或復為他演說開示若自書若教
人書恭敬尊重以種種華香塗香粖香燒
香花鬘瓔珞幡蓋伎樂而為供養以五色綵
作囊盛之掃灑淨處敷設高座而用安處尒
時四大天王與其眷屬及餘无量百千天衆皆
詣其所供養守護世尊若此經寶流行之
處有能受持以彼世尊藥師琉璃光如來本
願功德及聞名号當知是處无復橫死亦復不
為諸惡鬼神奪其精氣設已奪者還得如故
身心安樂
佛告曼殊室利如是如是如汝所說曼殊室利
若有淨信善男子善女人等欲供養彼世
尊藥師瑠璃光如來者應先造立彼佛形像
敷清淨座而安處之散種種花燒種種香以
種種幢幡莊嚴其處七日七夜受八分齋式
食清淨食澡浴香潔著新淨衣應生无垢
濁心无怨害心於一切有情起利益安樂慈
悲喜捨平等之心鼓樂歌讚右遶佛像復
應念彼如來本願功德讀誦此經思惟其義
演說開示隨所樂願一切皆遂求長壽得長
壽求冨饒得冨饒求官位得官位求男女
得男女若復有人忽得惡夢見諸惡相或怪

BD02902 號　藥師琉璃光如來本願功德經

（15–8）

應念彼如來本願功德讀誦此經思惟其義
演說開示隨所樂願一切皆遂求長壽得長
壽求冨饒得冨饒求官位得官位求男女
得男女若復有人忽得惡夢見諸惡相或怪
鳥來集或於住處百怪出現此人若以衆妙
資具恭敬供養彼世尊藥師琉璃光如來者
惡夢惡想諸不吉祥皆悉隱沒不能為患或有
水火刀毒懸嶮惡象師子虎狼熊羆毒虵惡
蝎蜈蚣蚰蜒蚊虻等怖若能至心憶念彼佛恭
敬供養一切怖畏皆得解脫若他國侵擾盜賊
反亂憶念恭敬彼如來者亦皆解脫
復次曼殊室利若有淨信善男子善女人等
乃至盡形不事餘天唯當一心歸佛法僧受
受持禁戒若五戒十戒菩薩四百戒苾蒭二
百五十戒苾蒭尼五百戒於所受中或有毀犯
怖墮惡趣若能專念彼佛名号恭敬供養者
必定不受三惡趣生或有女人臨當產時受
於極苦若能至心稱名禮讚恭敬供養彼如
來者衆苦皆除所生之子身分具足形色端
正見者歡喜利根聰明安隱少病无有非人
奪其精氣
尒時世尊告阿難言如我稱揚彼佛世尊藥
師琉璃光如來所有功德此是諸佛甚深行
處難可解了汝為信不阿難白言大德世尊
我於如來所說契經不生疑惑所以者何一切

BD02902 號　藥師琉璃光如來本願功德經

（15–9）

尒時世尊告阿難言如我稱揚彼佛世尊藥
師琉璃光如來所有功德此是諸佛甚深行
處難可解了汝爲信不阿難白言大德世尊
我於如來所說契經不生疑惑所以者何一切
如來身語意業无不清淨世尊此日月輪可
令墮落妙高山王可使傾動諸佛所言无有
異也世尊有諸衆生信根不具聞說諸佛
甚深行處作是思惟云何但念藥師琉璃光
如來一佛名号便獲尒所功德勝利由此不信
返生誹謗彼於長夜失大利樂墮諸惡趣
流轉无窮佛告阿難是諸有情若聞世尊
藥師琉璃光如來名号至心受持不生疑惑墮
惡趣者无有是處阿難此是諸佛甚深所行
難可信解汝今能受當知皆是如來威力阿
難一切聲聞獨覺及未登地諸菩薩等皆悉
不能如實信解唯除一生所繫菩薩阿難人
身難得於三寶中信敬尊重亦難可得得聞
世尊藥師琉璃光如來名号復難於是阿難
彼藥師琉璃光如來无量菩薩行无量巧方
便无量廣大願我若一劫若一劫餘而廣說
者劫可速盡彼佛行願善巧方便无有盡
也尒時衆中有一菩薩摩訶薩名曰救脫即
從座起偏袒一肩右膝著地曲躬合掌而白
佛言大德世尊像法轉時有諸衆生爲種種
患之所困厄長病羸瘦不能飲食唯脣乾燥
見諸方暗死相現前父母親屬朋友知識啼泣

BD02902號　藥師琉璃光如來本願功德經　（15–10）

從座起偏袒一肩右膝著地曲躬合掌而
佛言大德世尊像法轉時有諸衆生爲種種
患之所困厄長病羸瘦不能飲食唯脣乾燥
見諸方暗死相現前父母親屬朋友知識啼泣
圍遶然彼自身臥在本處見琰魔使引其神
識至于琰魔法王之前然諸有情有俱生神
隨其所作若罪若福皆具書之盡持授與琰
魔法王尒時彼王推問其人筭計所作隨其
罪福而處斷之時彼病人親屬知識若能爲
彼歸依世尊藥師琉璃光如來請諸衆僧轉
讀此經然七層之燈懸五色續命神幡或有是
處彼識得還如在夢中明了自見或經七日
或二十一日或三十五日或四十九日彼識
還時如從夢覺皆自憶知善不善業所得果
報由自證見業果報故乃至命難亦不造
作諸惡之業故淨信善男子善女人等皆
應受持藥師琉璃光如來名号隨力所能
恭敬供養
尒時阿難問救脫菩薩曰善男子應云何恭
敬供養彼世尊藥師琉璃光如來續命幡燈
復云何造救脫菩薩言大德若有病人欲脫
病苦當爲其人七日七夜受持八分齋戒
應以飲食及餘資具隨力所辦供養苾芻
僧晝夜六時礼拜供養彼世尊藥師琉璃光
如來讀誦此經四十九遍然四十九燈造彼如
來形像七軀一一像前各置七燈一一燈量大

BD02902號　藥師琉璃光如來本願功德經　（15–11）

應以飲食及餘資具隨力所辨供養苾芻
僧晝夜六時礼拜供養彼世尊藥師瑠璃光
如来讀誦此經四十九遍然四十九燈造彼如
来形像七軀一一像前各置七燈一一燈量大
如車輪乃至四十九日光明不絶造五色綵幡
長四十九搩手應放雜類衆生至四十九可
可得過度危厄之難不爲諸横悪鬼所持復
次阿難若刹帝利灌頂王等灾難起時所
謂人衆疾疫難他國侵逼難自界叛逆難
星宿變怪難日月薄蝕難非時風雨難過時
不雨難彼刹帝利灌頂王等尒時應於一切
有情起慈悲心赦諸繫閉依前所說供養之
法供養彼世尊藥師瑠璃光如来由此善根
及彼如来本願力故令其國界即得安隱風
雨順時穀稼成熟一切有情无病歡樂於其
國中无有暴悪藥叉等神惱有情者一切悪
相皆即隱没而刹帝利灌頂王等壽命色
力无病自在皆得增益阿難若帝后妃主
儲君王子大臣輔相中宮綵女百官黎庶爲
病所苦及餘厄難亦應造立五色神幡然
燈續明放諸生命散雜色華燒衆名香病
得除愈衆難解脫
尒時阿難問救脫菩薩言善男子云何已盡
之命而可增益救脫菩薩言大德汝豈不聞
如来說有九横死耶是故勸造續命幡燈脩

BD02902號　藥師琉璃光如來本願功德經

（15–12）

尒時阿難問救脫菩薩言善男子云何已盡
之命而可增益救脫菩薩言大德汝豈不聞
如来說有九横死耶是故勸造續命幡燈脩
諸福德以脩福故盡其壽命不經苦患阿難
問言九横云何救脫菩薩言若諸有情得
病雖輕然无醫藥及看病者設得遇醫授
以非藥實不應死而便横死又信世間邪魔
外道妖孽之師妄說禍福便生恐動心不自
正卜問覓禍殺種種衆生解奏神明呼諸魍
魎請乞福祐欲冀延年終不能得愚癡迷
惑信邪倒見遂令横死入於地獄无有出期
是名初横二者横被王法之所誅戮三者畋
獵嬉戲耽婬嗜酒放逸无度横爲非人奪其
精氣四者横爲火焚五者横爲水溺六者横
爲種種悪獸所噉七者横墮山崖八者横爲
毒藥厭禱呪咀起屍鬼等之所中害九者飢
渴所困不得飲食而便横死是爲如来略說
横死有此九種其餘復有无量諸横難可具說
復次阿難彼琰魔王主領世間名籍之記若
諸有情不孝五逆破辱三寶壞君臣法毀於
信戒琰魔法王隨罪輕重考而罰之是故我
今勸諸有情然燈造幡放生脩福令度苦
厄不遭衆難
尒時衆中有十二藥叉大將俱在會坐所謂
宮毗羅大將　伐折羅大將　迷企羅大將　安底羅大將
頞儞羅大將　珊底羅大將　因達羅大將　波夷羅大將

BD02902號　藥師琉璃光如來本願功德經

（15–13）

[illegible]
厄不遭眾難
尒時眾中有十二藥叉大將俱在會坐所謂
宮毗羅大將 伐折羅大將 迷企羅大將 安底羅大將
頞你羅大將 珊底羅大將 因達羅大將 波夷羅大將
摩虎羅大將 真達羅大將 招杜羅大將 毗羯羅大將
此十二藥叉大將一一各有七千藥叉以為眷
屬同時舉聲白佛言世尊我等今者蒙佛
威力得聞世尊藥師琉璃光如來名号不復
更有惡趣之怖我等相率皆同一心乃至盡
形歸佛法僧誓當荷負一切有情為作義
利饒益安樂隨於何等村城國邑空閑林中
若有流布此經或復受持藥師瑠璃光如
來名号恭敬供養者我等眷屬衛護是人
皆使解脫一切苦難諸有願求悉令滿足或
有疾厄求度脫者亦應讀誦此經以五色縷
結我名字得如願已然後解結
尒時世尊讚諸藥叉大將言善哉善哉大
藥叉將汝等念報世尊藥師琉璃光如來恩
德者常應如是利益安樂一切有情
尒時阿難白佛言世尊當何名此法門我等
云何奉持佛告阿難此法門名說藥師瑠璃
光如來本願功德亦名說十二神將饒益有
情結願神呪亦名拔除一切業鄣應如是持
時薄伽梵說是語已諸菩薩摩訶薩及大
聲聞國王大臣婆羅門居士天龍藥叉揵達

BD02902 號　藥師琉璃光如來本願功德經　（15-14）

尒時世尊讚諸藥叉大將言善哉善哉大
藥叉將汝等念報世尊藥師琉璃光如來恩
德者常應如是利益安樂一切有情
尒時阿難白佛言世尊當何名此法門我等
云何奉持佛告阿難此法門名說藥師瑠璃
光如來本願功德亦名說十二神將饒益有
情結願神呪亦名拔除一切業鄣應如是持
時薄伽梵說是語已諸菩薩摩訶薩及大
聲聞國王大臣婆羅門居士天龍藥叉揵達
縛阿素洛揭路荼緊捺洛莫呼洛伽人非人
等一切大眾聞佛所說皆大歡喜信受奉
行

藥師經

BD02902 號　藥師琉璃光如來本願功德經　（15-15）

其中諸佛…
真精進是名真法供養如來
珞燒香末香塗香天繒幡蓋及海此岸栴檀之
香如是等種種諸物供養所不能及假使國
城妻子布施亦所不及善男子是名第一之施
於諸施中最尊最上以法供養諸如來故作
是語已而各默然其身火然千二百歲過
是已後其身乃盡一切眾生喜見菩薩作
如是法供養已命終之後復生日月淨明德
佛國中於淨德王家結加趺坐忽然化生即
為其父而說偈言
大王今當知　我經行彼處　即時得一切　現諸身三昧
勤行大精進　捨所愛之身
說是偈已而白父言日月淨明德佛今故現
在我先供養佛已得解一切眾生語言陀羅
尼復聞是法華經八百千萬億那由他甄迦羅
頻婆羅阿閦婆等偈大王我今當還供養
此佛白已即坐七寶之臺上昇虛空高七多
羅樹往到佛所頭面禮足合十指爪以偈讚
佛

BD02903號　妙法蓮華經卷六

（8–1）

在我先供養佛已得解一切眾生語言陀羅
尼復聞是法華經八百千萬億那由他甄迦羅
頻婆羅阿閦婆等偈大王我今當還供養
此佛白已即坐七寶之臺上昇虛空高七多
羅樹往到佛所頭面禮足合十指爪以偈讚
佛
容顏甚奇妙　光明照十方　我適曾供養　今復還親近
爾時一切眾生喜見菩薩說是偈已而白佛言
世尊世尊猶故在世爾時日月淨明德佛告
一切眾生喜見菩薩善男子我涅槃時到滅
盡時至汝可安施床座我於今夜當般涅槃
又勅一切眾生喜見菩薩善男子我以佛法
囑累於汝及諸菩薩大弟子并阿耨多羅
三藐三菩提法亦以三千大千七寶世界諸
寶樹寶臺及給侍諸天悉付於汝我滅度
後所有舍利亦付囑汝當流布廣設供養應
起若干千塔如是日月淨明德佛勅一切眾生
喜見菩薩已於夜分入於涅槃爾時一切眾生
喜見菩薩見佛滅度悲感懊惱戀慕於
佛即以海此岸栴檀為積供養佛身而以
燒之火滅已後收取舍利作八萬四千寶瓶以起
八萬四千塔高三世界表剎莊嚴垂諸幡蓋
懸眾寶鈴爾時一切眾生喜見菩薩復自
念言我雖作是供養心猶未足我今當更供
養舍利便語諸菩薩大弟子及天龍夜叉

BD02903號　妙法蓮華經卷六

（8–2）

燒之火滅已後收取舍利作八万四千寶瓶以起
八万四千塔高三世界表刹莊嚴垂諸幡蓋
懸衆寶鈴尒時一切衆生喜見菩薩復自
念言我雖作是供養心猶未足我今當更供
養舍利便語諸菩薩大弟子及天龍夜叉
等一切大衆汝等當一心念我今供養日月
淨明德佛舍利作是語已即於八万四千塔
前然百福莊嚴臂七万二千歲而以供養令
无數求聲聞衆无量阿僧祇人發阿耨多羅
三藐三菩提心皆使得住現一切色身三昧
尒時諸菩薩天人阿脩羅等見其无臂憂惱
悲哀而作是言此一切衆生喜見菩薩是我
等師教化我者而今燒臂身不具足于時一
切衆生喜見菩薩於大衆中立此誓言我捨
兩臂必當得佛金色之身若實不虛令我
兩臂還復如故作是誓已自然還復由斯菩
薩福德智慧淳厚所致當尒之時三千大千世
界六種震動天雨寶華一切人天得未曾有
佛告宿王華菩薩於汝意云何一切衆生喜
見菩薩豈異人乎今藥王菩薩是也其所捨
身布施如是无量百千万億那由他數宿王
華若有發心欲得阿耨多羅三藐三菩提者
能然手指乃至足一指供養佛塔勝以國城妻
子及國土大千國土山林河池諸珍寶物而供
養者若復有人以七寶滿三千大千世界供
養於佛及大菩薩辟支佛阿羅漢是人

BD02903號　妙法蓮華經卷六　（8–3）

華若有發心欲得阿耨多羅三藐三菩提者
能然手指乃至足一指供養佛塔勝以國城妻
子及國土大千國土山林河池諸珍寶物而供
養者若復有人以七寶滿三千大千世界供
養於佛及大菩薩辟支佛阿羅漢是人
所得功德不如受持此法華經乃至一四句
偈其福最多宿王華譬如一切川流江河諸
水之中海為第一此法華經亦復如是於諸如
來所說經中最為深大又如土山黑山小鐵
圍山大鐵圍山及十寶山衆山之中須彌山
為第一此法華經亦復如是於諸經中最為
其上又如衆星之中月天子最為第一此法
華經亦復如是於千万億種諸經法中最
為照明又如日天子能除諸闇此經亦復如
是能破一切不善之闇又如諸小王中轉輪聖
王最為第一此經亦復如是於衆經中最為
其尊又如帝釋於三十三天中王此經亦復
如是諸經中王又如大梵天王一切衆生之父
此經亦復如是一切賢聖學无學及發菩
薩心者之父又如一切凡夫人中須陁洹斯陁
舍阿那舍阿羅漢辟支佛為第一此經亦
復如是一切如來所說若菩薩所說若聲
聞所說諸經法中最為第一有能受持是
經典者亦復如是於一切衆生中亦為第一
一切聲聞辟支佛中菩薩為第一此經亦復如

BD02903號　妙法蓮華經卷六　（8–4）

…為第一此經亦
復如是一切如來所說若菩薩所說若聲
聞所說諸經法中最為第一有能受持是
經典者亦復如是於一切眾生中亦為第一一
切聲聞辟支佛中菩薩為第一此經亦復如
是於一切諸經法中最為第一如佛為諸法
王此經亦復如是諸經中王宿王華此經能
救一切眾生者此經能令一切眾生離諸苦
惱此經能大饒益一切眾生充滿其願如清
涼池能滿一切諸渴乏者如寒者得火如裸
者得衣如商人得主如子得母如渡得船如病
得醫如闇得燈如貧得寶如民得王如賈
客得海如炬除闇此法華經亦復如是能令
眾生離一切苦一切病痛能解一切生死之縛
若人得聞此法華經若自書若使人書所
得功德以佛智慧籌量多少不得其邊若
書是經卷華香瓔珞燒香末香塗香幡蓋
衣服種種之燈酥燈油燈諸香油燈瞻蔔油燈
須曼那油燈波羅羅油燈婆利師迦油燈那婆
摩利油燈供養所得功德亦復无量宿王華
若有人聞是藥王菩薩本事品者亦得无量
无邊功德若有女人聞是藥王菩薩本事品
能受持者盡是女身後不復受若如來滅後
後五百歲中若有女人聞是經典如說修行於此
命終即往安樂世界阿彌陀佛大菩薩
眾圍繞住處生蓮華中寶座之上不復為
貪欲所惱亦不為瞋恚愚癡所惱亦復不為憍

BD02903號　妙法蓮華經卷六

（8–5）

能受持者盡是女身後不復受若如來滅後
後五百歲中若有女人聞是經典如說修行於此
命終即往安樂世界阿彌陀佛大菩薩
眾圍繞住處生蓮華中寶座之上不復為
貪欲所惱亦不為瞋恚愚癡所惱亦復不為憍
慢嫉妒諸垢所惱得菩薩神通无生法忍
得是忍已眼根清淨以是清淨眼根見七百
万二千億那由他恒河沙等諸佛如來是時
諸佛遙共讚言善哉善哉善男子汝能於釋
迦牟尼佛法中受持讀誦思惟是經為他人
說所得福德无量无邊火不能焚水不能漂
汝之功德千佛共說不能令盡汝今已能破
諸魔賊壞生死軍諸餘怨敵皆悉摧滅善
男子百千諸佛以神通力共守護汝於一切
世間天人之中无如汝者唯除如來其諸聲
聞辟支佛乃至菩薩智慧禪定无有與汝等
者宿王華此菩薩成就如是功德智慧之力若
有人聞是藥王菩薩本事品能隨喜讚善
者是人現世口中常出青蓮華香身毛孔中
常出牛頭栴檀之香所得功德如上所說是
故宿王華以此藥王菩薩本事品囑累於汝
我滅度後後五百歲中廣宣流布於閻浮提
无令斷絕惡魔魔民諸天龍夜叉鳩槃荼等
得其便也宿王華汝當以神通之力守護是
經所以者何此經則為閻浮提人病之良藥

BD02903號　妙法蓮華經卷六

（8–6）

者是人現世口中常出青蓮華香身毛孔中
常出牛頭栴檀之香所得功德如上所說是
故宿王華以此藥王菩薩本事品囑累於汝
我滅度後後五百歲中廣宣流布於閻浮提
无令斷絕惡魔魔民諸天龍夜叉鳩槃荼等
得其便也宿王華汝當以神通之力守護是
經所以者何此經則為閻浮提人病之良藥
若人得病得聞是經病即消滅不老不死宿
王華汝若見有受持是經者應以青蓮華
盛滿末香供散其上散已作是念言此人不
久必當取草坐於道場破諸魔軍當吹法蠡
擊大法鼓度脫一切眾生老病死海是故求佛
道者見有受持是經典人應當如是生恭敬
心說是藥王菩薩本事品時八万四千菩薩得
解一切眾生語言陀羅尼多寶如來於寶塔中
讃宿王華菩薩言善哉善哉宿王華汝成
就不可思議功德乃能問釋迦牟尼佛如此之
事利益无量一切眾生

妙法蓮華經卷第六

BD02903號　妙法蓮華經卷六　（8–7）

久必當取草坐於道場破諸魔軍當吹法蠡
擊大法鼓度脫一切眾生老病死海是故求佛
道者見有受持是經典人應當如是生恭敬
心說是藥王菩薩本事品時八万四千菩薩得
解一切眾生語言陀羅尼多寶如來於寶塔中
讃宿王華菩薩言善哉善哉宿王華汝成
就不可思議功德乃能問釋迦牟尼佛如此之
事利益无量一切眾生

妙法蓮華經卷第六

BD02903號　妙法蓮華經卷六　（8–8）

□受樂及三昧 功□
□石女兒 分別法如是 □
自熏種世間 无有非无實 能見得解脫
實體分別名 他體從因生 我說是成就
字句名身等 於名身䏶法 愚癡人分別
天乘及覺乘 及於聲聞乘 如來及緣覺
諸乘不可盡 有心如是生 心轉滅亦无
心分別及識 意及於意識 阿梨耶有三 思惟心異□
命及於煖識 阿梨耶命根 意及於意識 是分別異名
心住持於身 意常覺諸法 識自心境界 共於識分別
我說是世 无明以為父 識覺諸境界 是故說名佛
諸使是惡家 衆和合是陰 无於相續體 斷彼名无間
二无我煩惱 及二種无我 不可思議變 无生死名佛
立相應法體 我法是內身 若能如是見 彼不隨妄覺
實无於諸法 如愚癡分別 依虛妄无法 云何得解脫
生滅和合縛 見於有為法 增長於二見 不共因緣法
世覆夢為等 是世間如是 唯是一法實 涅槃離意識
有貪及与瞋 及有癡无人 從愛生諸陰 陰有亦如夢
何等夜證法 何等夜入滅 於此二中間 我不說一字
內身證於法 我依如是說 彼佛及我身 无有說䏶法

BD02904號 入楞伽經卷一〇

（23-1）

實无於諸法 如愚癡分別 依虛妄无法 云何得解脫
生滅和合縛 見於有為法 增長於二見 不共因緣法
世覆夢為等 是世間如是 唯是一法實 涅槃離意識
有貪及与瞋 及有癡无人 從愛生諸陰 陰有亦如夢
何等夜證法 何等夜入滅 於此二中間 我不說一字
內身證於法 我依如是說 彼佛及我身 无有說䏶法
實有神我物 五陰離彼相 陰體是實有 彼陰中无我
各各見分別 隨煩惱及使 得世間自心 離苦得解脫
諸因及因緣 世間如是生 是四法相應 彼不住我教
非有无生法 雖有无不生 愚云何分別 從因及諸緣
有无四句離 若能見世間 尒時轉心識 即得无我法
諸法本不生 是故因緣生 諸緣即是果 果中生於有
果中生二種 果中應有二 而二中无有 果中不見物
離於觀可觀 若見有為法 離心唯是心 故我說唯心
量實體亦相 離於緣實體 究竟第一淨 我說如是量
如假名為我 无實法可見 如是陰陰體 是假名非實
平等有四種 相因及於生 无我亦平等 四修行者法
轉諸一切見 分別可分別 不見及不生 故我說唯心
无法亦非无 離於有无體 真如離於心 故我說唯心
真如空實際 涅槃及法界 意生身及心 故我說唯心
分別依勳縛 種種生種種 衆生心見外 故我說唯心
可見无外物 見心種種見 身資生住持 故我說唯心
諸聲聞盡習 諸佛如來生 一切辟支佛 无和合而生
无外諸色相 自心見外法 覺知於自心 愚分別有為
愚人不知外 自心種種見 辟喻譬愚人 著於四種法

BD02904號 入楞伽經卷一〇

（23-2）

可見无外物　見心種種見　身資生住持　故我說唯心
諸聲聞盡智　諸佛如來生　一切辟支佛　无和合而生
无外諸色相　自心見外法　覺知於自心　愚分別有爲
愚人不知外　自心種種見　辟喻遮愚人　著於四種法
无因无分別　辟喻五種論　自心體形相　能知是黠慧
依分別可別　此是分別相　依心於分別　分別於現生
二一別和合　是一種子因　客二法是二　故人心不生
分別心心法　住於三界中　現生於諸法　彼體是虛妄
因依現和合　故有十二入　依因觀和合　我不說是法
如鏡中見像　眼瞖見毛輪　如是依動心　愚癡人心見
於分別可別　而生於分別　如外道分別　无如是外相
如人不識繩　而取以爲蛇　不識自心義　分別於外法
而乘於乘體　離於一二中　以分別於乘　是自心過失
依何法何體　分別不能見　不得言彼无　諸法體如是
依有故言无　依无故言有　故不得言无　亦不得言有
即分別分別　此非彼法體　云何見无體　而生於分別
色體无色身　如瓶及蟲等　可見是无法　云何有分別
若分別是迷　有爲法无始　何法迷衆生　牟尼爲我說
諸法无法體　而說唯是心　不見於自心　而起於分別
若分別是无　如愚癡分別　彼法无異體　而智不能覺
若聖有彼法　非凡妄分別　若聖妄有彼　聖愚癡无別
聖人无迷惑　以得心清淨　愚人无信心　故分別分別
如母爲諸子　虛空祈菓來　詃取菓莫啼　兒取種種菓
我於諸衆生　分別種種菓　令含種種說　離有无朋黨
若本无法體　非因非從因　本不生始生　亦无其身體

BD02904 號　入楞伽經卷一〇　（23–3）

如母爲諸子　虛空祈菓來　詃取菓莫啼　兒取種種菓
我於諸衆生　分別種種菓　令含種種說　離有无朋黨
若本无法體　非因非從因　本不生始生　亦无其身體
无身亦非生　離因緣无處　生滅諸法體　離因緣處无
略觀察如是　有无非餘處　從因緣生法　智者莫分別
說一體二體　外道愚癡說　世間如幻夢　不從因緣生
依言語境界　大乘无上法　我依了義說　而愚癡不覺
聲聞及外道　依貪嫉說法　於義不相應　以依妄覺說
相體及形相　名是四種法　觀於如是法　故生於分別
分別一二多　彼隨梵天縛　日月及諸大　是見非我子
聖人見正法　以如實脩行　能轉虛妄相　亦離於去來
此是解脫中　我教諸佛子　離於有无法　亦離去來相
轉一切色識　若滅一切業　不應常无常　无世間生法
於轉時若滅　色離於彼處　離於无過失　業住阿梨耶
色是滅體相　識有中亦尒　色識共和合　而不失諸業
若共彼和合　衆生共諸業　若滅和合業　无縛无涅槃
若共於彼滅　生於世間中　色亦共和合　无差別應有
有別亦无別　但是心分別　諸法无滅體　離有无朋黨
假名因緣法　迭共无差別　如色中色常　迭共生諸法
離於彼此法　分別不可知　无有有何成　如色中无常
若善見分別　即不起他力　見於他力法　亦不起分別
若滅於分別　是滅於我法　於我法中作　亦謗於有无
是諸謗法人　於何時中有　是滅我法輪　不得共彼語
智者不共語　不共比丘法　已滅於分別　妄見離有无
見如毛輪幻　如夢見闥婆　亦見如陽炎　時見於有无

BD02904 號　入楞伽經卷一〇　（23–4）

若須於分別　是須於我法　於我法中作　亦諸於有无
是諸謗法人　於何時中有　是滅我法輪　不得共彼語
智者不共語　不共比丘法　已滅於分別　妄見離有无
見如毛輪幻　如夢見闥婆　亦見如陽炎　時見於有无
彼人不學佛　若有人偱彼　彼人墮二邊　亦壞於餘人
若知寂靜法　是實修行者　離於有无法　應攝彼人取
如有處可出　金銀諸珎寶　无業作種種　而衆生受用
衆生真如性　不由於業有　不見故无業　亦非作業生
諸法无法體　如聖人分別　而有於諸法　如愚癡分別
若法无如是　无有一切法　衆生亦无染
諸法依心有　煩惱亦如是　生死諸世間　隨於諸根轉
无明受和合　而生於諸身　餘人恒无法　如愚癡分別
若人法不生　行者不見根　若諸法是无　能作世間因
愚人離於作　自然應解脫　愚聖无差別　有无云何成
聖人无法體　以脩三解脫　五陰及人法　有同有異相
諸因緣及根　我爲聲聞說　无因唯於心　妙事及諸地
內身真如淨　爲諸佛子說　於未來世有　謗於我法輪
身被於袈裟　說有无諸法　无法因緣有　是聖人境界
分別无法體　妄覺者分別　未來世有人　糟糠愚癡種
无因人邪見　破壞世間人　從微塵生世　而微塵无因
九種物是常　邪見如是說　從物生於物　功德生功德
此法異於法　分別是體是　若本无始生　世間應有本
我說於世間　无有於本際　三界諸衆生　是本无始生
狗駝驢无角　必應生无疑　眼本无始有　色及識亦尒
廂廁白疊等　澀團中應生　於疊中无瓶　滿中亦无疊

BD02904 號　入楞伽經卷一〇

（23–5）

我說於世間　无有於本際　三界諸衆生　是本无始生
狗駝驢无角　必應生无疑　眼本无始有　色及識亦尒
廂廁白疊等　澀團中應生　於疊中无瓶　滿中亦无疊
一於一中實　何故因不生　即命即是身　是本无始生
此是他說法　我說諸法異　我領因緣法　然後遮他法
遮彼耶見者　後說於自法　破領外道法　然後說正法
恐諸弟子迷　立於有无法　從勝人生世　迦毗羅惡
爲諸弟子說　諸功德轉變　非實非不實　非從緣即緣
以无諸因緣　无實法不生　離於有无法　離因亦離緣
離於生滅法　自法離可見　世間如幻夢　離諸因緣法
立因緣者見　是故生分別　如禽獸愛水　乾闥婆毛輪
離於有无法　離因及於緣　見三有无因　如是如淨心
何等人无事　但有於內心　速離於心事　不得說唯心
若觀於外事　衆生起於心　云何心无因　不得說唯心
真如唯心有　何人无聖法　有及於非有　彼不解我法
能取可取法　若心如是生　此是世間心　不應說唯心
身資生住持　若如夢中生　應有二種心　而心无二相
如刀不自割　指亦不自指　如心不自見　其事亦如是
非他非因緣　分別分別事　五法及二心　寂靜无如是
能生及於生　及二種法相　我意无能生　說法及无相
種種形相體　若生於分別　虛空兔角等　彼體无應生
若有諸法相　應有於外事　以无外分別　離心更无法
於无始世間　无有外諸法　以心无生因　而見於外義
若无因生長　兔角亦應生　以无因增長　云何生分別
如現在无法　如是本亦无　无體體和合　云何心能生
真如空實際　涅槃及法界　一切諸法生　是第一義法

BD02904 號　入楞伽經卷一〇

（23–6）

於无如世間　无有外諸法　以心无生因　而見於外義
若无因生長　兎角亦應生　以无因增長　云何生分別
如現在无法　如是本亦无　无體體和合　云何心能生
眞如空實際　涅槃及法界　一切諸法生　是第一義法
凡夫墮有无　分別因及緣　无因本不生　不知於三有
心見於可見　无始因異見　无始亦无法　云何見異生
若見物能生　貪人應多財　心何生无物　牟尼為我說
此一切无心　而不无諸法　乾闥婆夢幻　諸法无因有
无生无體相　空法為我說　離於和合法　是不見諸法
尒時空无生　我說无法相　夢及毛輪幻　乾闥婆愛水
无因而有見　世間法亦尒　如是和合一　離於可見无
非諸外道見　和合无如是　降伏依无因　成就於无生
若能成无生　我法輪不滅　說於无因相　外道生怖畏
云何為何人　何處來諸法　何處生於法　无因而生法
生於无因中　而无於二因　若能智者見　尒時轉耶見
說生一切法　无生為无物　為觀諸因緣　尒時轉耶見
為有法此名　為无法有名　而无法不生　亦非待因緣
名非依於法　而名非无體　聲聞辟支佛　外道非境界
住七地菩薩　彼則无生相　轉於因緣法　是故遮因義
唯說依於心　故我說无生　无因生諸法　離分別分別
離立於有无　故我說无生　心離於可見　亦離於二體
轉於依止法　故我說无生　不共外法體　亦不取內心
離一切耶見　此是无生相　如是空无相　一切應觀察
非生空空生　本不生是空　諸因緣和合　生及与於滅
離於和合法　不生亦不滅　若離和合法　更无實法體
一體及異體　如外道分別　有无不生法　非實生不生

轉於依止法　故我說无生　不共外法體　亦不取內心
離一切耶見　此是无生相　如是空无相　一切應觀察
非生空空生　本不生是空　諸因緣和合　生及与於滅
離於和合法　不生亦不滅　若離和合法　更无實法體
一體及異體　如外道分別　有无不生法　非實生不生
離於諸因緣　生及与不生　唯是於名字　彼此迭共鏁
可生體異无　差別因緣離　離可生无生　是離諸外道
我說唯是鏁　而凡夫不知　而可生法體　離鏁更无別
彼人无說因　破滅壞諸鏁　如燈了諸物　鏁亦應能了
若更有別法　離於鉤鏁體　无體亦不生　自性如虛空
離於鉤鏁法　愚癡異分別　此是異不生　聖人所得法
彼法生不生　不生是无生　若見諸世間　即是脫鉤鏁
世謂是鉤鏁　尒時心得定　无明愛業等　是內鉤鏁法
橦泥團輪等　子四大外法　依於他法體　是從因緣生
非唯鉤鏁體　不住量阿含　若可生法无　智何法為因
彼法迭共生　非是諸因緣　煖濕動及堅　愚癡分別法
此鉤鏁无體　是故无體相　如醫師依病　說治病差別
而論无差別　依病故差別　我依眾生身　為諸煩惱濁
如諸根及力　我為愚法說　煩惱根差別　我教无差別
我唯有一乘　清淨八聖道　瓶疊有及角　兎角无是因
无因依彼生　而无彼因法　而彼是无法　法不得果无
依有因故无　依无不相應　有法對於无　是共相待法
若依少有法　見於少有法　无因見少法　少法是无因
若彼依餘法　彼此迭共見　如是无窮過　少亦无少體
依於色木等　如夢可見法　如是依止事　人見有種種

依有因故无　依无不相應　有法斷於无　是共相待法
若依少有法　見於少有法　无因見少法　少法是无因
若彼依餘法　彼此迭共見　如是无窮過　少亦无少體
依於色木等　如幻可見法　如是依心事　人見有種種
幻師非色等　非木亦非石　愚癡見如幻　依心於幻身
依心於實事　若見於少事　見時无二法　云何見少事
分別无分別　而非无分別　若分別无法　无縛无解脫
以分別无別　故不生分別　若不生分別　不得說唯心
種種心差別　法中无實法　以无實法故　无解脫世間
无外物可見　愚癡妄分別　如鏡像現心　因熏心迷沒
一切法不生　非有似有生　此一切唯心　離於諸分別
是人說諸法　從因非智者　寂靜離於心　聖人心是淨
憎伽與世師　裸形婆羅門　及於自在天　无實墮耶見
无體亦无生　如虛空无垢　諸佛為何說　佛為何人說
脩行清淨人　離耶見實觀　諸佛如法說　我說亦如是
若一切唯心　世間何處住　去來依何法　云何見地中
如鳥虛空中　依心風而去　不住不觀察　於地上而去
如是諸眾生　依分別風動　自心中去來　如空中飛鳥
見身資生器　佛說心如是　云何因現見　唯心為我說
身資生住持　現見依熏生　无脩行者生　現見生分別
分別境界體　心依境界生　知於可見心　不復生分別
若能見分別　離於覺所覺　名名不相合　是說有為法
此唯是可覺　名名不相離　此唯是可覺　名名不相
離於知可知　是說有為法　此唯是可覺　名名中不離
若人異覺知　不自覺他覺　五法實法體　及於八種識

BD02904號　入楞伽經卷一〇

（23–9）

若能見分別　離於覺所覺　名名不相合　是說有為法
此唯是可覺　名名不相離　此唯是可覺　名名不相
離於知可知　是說有為法　此唯是可覺　名名中不離
若人異覺知　不自覺他覺　五法實法體　及於八種識
二種无我法　攝取於大乘　若見知可知　寂靜見世門
名名中分別　尒時不復生　作名字分別　見彼不復生
不見於自心　是故生分別　四陰无諸相　彼則无數法
云何色多種　四大異異相　捨於諸法相　无諸大及大
若有異色相　何故陰不生　若見如是相　不見諸陰入
依境根及識　故生八種識　依相有三種　寂滅无如是
阿梨耶意我　我所及於智　因取於二法　知彼法即滅
離於彼此法　若見不相離　世間唯心分　世尊為我說
不復分別二　我及於我所　不增長分別　亦无意說因
離於因及緣　非物亦非生　分別但是心　世尊為我說
離於諸因緣　離能見可見　見自心種種　可見妄分別
不知自心見　不覺異心義　无見耶見成　若於智不見
彼何故不有　彼人心取有　分別非有无　故不生有心
不知唯心見　是故生分別　无分別分別　是滅已无因
避四種多黨　若諸法有因　此異名字相　彼人作不成
彼應異因生　不尒應因生　因緣應和合　以避因生法
我避於常過　若諸緣无常　是不生不滅　愚癡无常見
滅相法无法　不見作於因　故无常生有　云何人不見
我攝取眾生　依持戒降伏　智慧滅耶見　依解脫增長
一切諸世俗　外道妄語說　依因果耶見　自法不能立
但成自立法　離於因緣果　說諸弟子眾　離於世俗法

BD02904號　入楞伽經卷一〇

（23–10）

我攝取衆生　依持戒降伏　智慧滅邪見　依解脫增長
一切諸世俗　外道妄語說　依因果邪見　自法不能立
但成自立法　離於因緣果　說諸弟子衆　離於世俗法
唯心可見无　心見於二種　離可取能取　亦離於斷常
但有心動轉　皆是世俗法　不復起轉生　見世是自心
來者是事生　去者是事滅　如實知去來　不復生分別
常无常及作　亦不作彼此　如是等一切　是皆世俗法
天人阿脩羅　畜生鬼夜魔　衆生去彼處　我說於六道
上下中業因　能生於彼處　善護諸善法　得勝處解脫
佛說念念生　生死及於退　為比丘衆說　何意為我說
心不至第二　已滅壞不續　我為弟子說　念展轉生滅
色色分別有　生及滅即已　分別即是人　離分別无人
我說於念法　依彼我說竟　離於取色相　不生亦不滅
因緣從緣生　无明真如等　依於二法生　真如无是體
因緣從緣生　若尒无異法　從常生於果　果即是因緣
无異於外道　因果共相離　佛及諸佛說　大牟尼无異
此一尋身中　苦諦及集諦　滅及於道諦　我為諸弟子
取三為實者　取可取邪見　世間出世間　凡夫人分別
我領於他法　是故說三法　為遮彼邪見　莫分別實體
乳過无定法　亦復无心生　實亦不二取　真如无二種
无明及愛業　識等從邪生　无窮過不作　作中不生有
諸法四種滅　无智者所說　分別二種生　有物无有物
離於四種法　亦離四種見　二種生分別　見者更不生
諸法本不生　起於智差別　現生於諸法　平等莫分別

諸法四種滅　无智者所說　分別二種生　有物无有物
離於四種法　亦離四種見　二種生分別　見者更不生
諸法本不生　起於智差別　現生於諸法　平等莫分別
頭大牟尼尊　為我及一切　如法相應說　離二種二見
我離於邪法　及諸餘菩薩　常不取有无　以不見彼法
離外道和雜　離聲聞緣覺　佛證法諸聖　為我說不失
顛倒因无因　无生及一相　異名諸迷惑　智者所遠離
辟如雲雨樓　宫闕及於虹　陽炎毛輪幻　有无從心生
諸外道分別　世間自因生　不生真如法　及与實際空
是諸異法名　莫分別无物　於色上種種　莫分別无法
如世間手拎　自在能破物　如是一切法　莫分別无法
離色空不異　亦无生法體　莫分別无異　分別者邪見
分別可分別　攝取於事相　長短方圓等　是攝分別相
分別是心法　可分別是意　若能如法知　離能相可相
外道說不生　及取於我法　分別如是相　此二見无差
何意如是說　若能如是知　彼人入於量　能解我說法
因見是說沒　无生是不依　知是二種義　故我說无生
諸法无有生　牟尼為我說　无因不相當　无有有法離
人因亦无生　異因見外道　離有无无法　是故說唯心
生及於不生　離法是邪因　說无因无生　說有是著因
自然无作者　作者是邪見　方便諸顛等　是見為我說
若諸法是无　云何生三世　離可取能取　不生亦不滅
從物見異物　依彼法生心　諸法不生化　云何為我說
實有而不知　是故我說法　牟尼諸法中　前後自相違
離諸外道過　離於顛倒因　生及与不生　大師為我說

從物見異物 依彼法生心 諸法不生化 云何為我說
實有而不知 是故我說法 乎足諸諦中 前後自相違
離諸外道過 離於顛倒因 生及与不生 大師為我說
離有及於无 不共於因果 地及於次第 為說一无相
世間墮二邊 為諸見違惑 无生无生等 不知實識因
我无三世法 我亦不說法 有二界有過 諸佛二清淨
諸佛空剎那 无體亦不生 說耶法覆心 分別非如來
生及与不生 唯願為我說 云何何等法 離於境界生
色具足和合 從於識論集 取於外色相 從分別而生
知於彼法者 是如實解義 隨順聖人性 而心不復生
離於一切大 生法不相應 心虛妄觀大 觀如是无生
莫分別可別 如著不分別 分別於分別 是二无涅槃
立於无生法 如幻不見法 從幻等因生 所立諸法破
見心如鏡像 无始熏習因 以義而无義 觀諸法亦尒
如鏡中色像 離於一二相 可見不非无 諸相亦如是
乾闥婆幻等 依於因緣觀 如是諸法體 生非不生法
分別似如人 二種相而現 說我及於法 而愚人不知
相違及无因 聲聞諸羅漢 自成及佛力 是五種聲聞
時隔及於滅 第一離第一 是四種无常 愚无智分別
愚癡墮二邊 功德及微塵 不知解脫因 以著有无法
譬如愚癡人 即取指是月 如是樂名字 不知我實法
諸大各異相 无色體相生 而諸大和合 无大无依大
大能燒諸色 水能爛諸物 風能動諸色 云何大相生
色陰及於識 是法二无五 是諸陰異名 我說如帝釋

BD02904號　入楞伽經卷一〇

（23-13）

愚癡墮二邊 功德及微塵 不知解脫因 以著有无法
譬如愚癡人 即取指是月 如是樂名字 不知我實法
諸大各異相 无色體相生 而諸大和合 无大无依大
大能燒諸色 水能爛諸物 風能動諸色 云何大相生
色陰及於識 是法二无五 是諸陰異名 我說如帝釋
心心數差別 現轉諸法生 四大彼此別 色心非從依
依青等有白 依白有青等 依因果可生 空有及於无
能作可作作 實執見能見 如是等一切 妄覺不能成
心意及餘六 諸識共我合 離於一異體 生死虛妄生
憎怯眠世師 倮形自在天 墮有无朋黨 離於實靜義
形相根勝生 四大生非塵 是外道說生 四大及四塵
餘者无實生 外道分別因 愚癡而不覺 以依有无黨
生共心相應 死不共相應 清淨實相法 共智相應住
業及於色相 五陰境界因 眾生无因體 无色界不住
佛說法无我 无色同外道 說无我是斷 識亦不應生
心有四種住 无色云何住 內外諸法相 而識不能行
妄覺者計有 中陰有五陰 如是无色生 有而是无色
自然應解脫 无眾生及識 是外道无疑 妄覺者能知
若彼處无色 是故見无色 彼无非立法 非乘无乘者
識從熏習生 共諸根和合 八種色一分 於念時不取
色不住於時 根不共根住 是故如來說 諸根念不住
若不見色體 識云何分別 若智不生者 云何生世間
即生時即滅 佛不如是說 一時亦不尒 虛妄分別取
諸根及境界 愚癡非智者 愚癡聞名取 聖人如實知
第六无依止 以无因可取 不善知於我 離於有无過

BD02904號　入楞伽經卷一〇

（23-14）

若不見色體　識云何分別　若智不生者　云何生世間
即生時即滅　佛不如是說　一時亦不尒　虛妄分別取
諸根及境界　愚癡非智者　愚癡聞名取　聖人如實知
第六无依止　以无因可取　不善知於我　離於有无過
畏於有无法　覺者離實知　有爲无爲我　愚癡不能知
一中有施法　異中亦如是　共心中一體　意識能覺知
若施是心者　心數是名字　云何離能取　分別於一異
共因依止見　業生作業等　如火如是說　相似相似法
如火一時聞　可燒能燒異　如是我依因　妄覺何不尒
生及与不生　而心常清淨　妄覺者立我　何故不說餘
迷於識稠林　離於真實法　妄覺東西走　覓神我亦尒
內身修實行　我是清淨相　如來藏佛境　妄覺非境界
可取及能取　差別五陰我　若能知於相　尒時生真智
外道說意識　阿梨耶藏體　共於我相應　我法說不尒
若如實知法　實諦得解脫　脩行於見道　斷煩惱清淨
心自性清淨　如來淨法身　是法依衆生　離於邊无邊
如金及与色　石性与真金　陶冶人能見　衆生於陰尒
非人亦非陰　佛是无漏智　无漏常世尊　是故我歸依
心自性清淨　煩惱及意作　共五陰相應　說中勝者說
心自性清淨　意等是因緣　彼能作諸業　故彼三種染
意等客塵法　煩惱我清淨　彼依煩惱染　如垢依清淨
如依離於垢　亦如金離垢　有而不可見　我離過亦尒
如琴及箭鼓　種種美妙聲　陰中我亦尒　愚癡覓一異
地中諸寶藏　及与清淨水　陰中我亦尒　實有不可見
心及心數法　功德陰和合　陰中我亦尒　无智不能見

意等客塵法　煩惱我清淨　彼依煩惱染　如垢依清淨
如依離於垢　亦如金離垢　有而不可見　我離過亦尒
如琴及箭鼓　種種美妙聲　陰中我亦尒　愚癡覓一異
地中諸寶藏　及与清淨水　陰中我亦尒　實有不可見
心及心數法　功德陰和合　陰中我亦尒　无智不能見
如女人胎藏　雖有而不見　我於五陰中　无智故不見
如香藥重擔　火及於諸薪　陰中我亦尒　无智不能見
一切諸法中　无常及与空　陰中我亦尒　无智有不見
諸地及自在　通及於受位　无上妙諸法　及餘諸三昧
及諸勝境界　若陰中无我　而此諸法等　一切亦應无
有人破壞言　若有陰示我　智者應答言　汝心應示我
說无真如我　唯是虛妄說　作此立業者　不應共和合
是我立有无　墮於二朋黨　破壞諸佛法　彼不住我法
離諸外道過　梵燒无我見　令我見熾燃　如劫盡火炎
如蜜石蒲桃　乳酪酥酒等　彼處所有味　不嘗者不知
取於五種中　五陰我亦尒　愚癡人不見　智見得解脫
明等諸譬喻　心法不可見　何處何因義　和合不可見
諸法異體相　一心不能取　无因亦无生　虛妄覺者過
實行者見心　心中不見心　可見從見生　能見何因生
我性迦旃延　首陀會天出　爲衆生說法　取於涅槃城
是過去行路　我及彼諸佛　三千脩多羅　說於涅槃法
欲界及无色　佛不彼成佛　色界中上天　離欲成菩提
境界非縛因　因境界是縛　依智斷煩惱　脩行者利劍
有我有爲等　法有无云何　愚不見如是　云何有无我
以有作不作　无因而縛生　一切法不生　愚癡不覺知

欲界及无色　佛不彼成佛　色界中上天　離欲成菩提
境界非縛因　因境界是縛　依智斷煩惱　脩行者利劒
有我有為等　法有无云何　愚不見如是　云何有无我
以有作不作　无因而縛生　一切法不生　愚癡不覺知
諸因不能生　諸緣亦不作　彼二不能生　云何分别緣
先後及一時　妄覺者說因　虛空瓶弟子　一切諸物生
佛非有為作　諸相相莊嚴　是轉輪功德　非諸佛得名
諸佛是智相　離諸邪見過　內身是智見　離諸一切過
聾瞽盲及瘂　老小壞惡人　是等一切人　名无梵行者
廣大勝妙體　是轉輪王相　出家或一二　餘者是放逸
毗耶娑迦耶　及於梨沙婆　迦毗羅釋迦　我入涅槃後
未來世當有　如是等出世　我滅後百年　毗耶娑園陁
及於般荼婆　鳩羅婆吳羅　然後復更有　及於毛鏨等
次毛鏨掘多　次有无道王　次有刀劍亂　次刀劍末世
次於末世世　无法无脩行　如是等過去　如輪轉世間
日火共和合　焚燒於欲界　復成於世界　彼器世間生
四性及國姓　諸仙人及法　供養天會施　時法還如本
語咲本如是　長行及子注　子注復重作　種種說无量
如是我聞等　迷沒諸世間　不知真實法　何者為是非
衣裳如法染　橋治合潔淨　清淨牛糞等　壞色而受用
諸香塗身衣　離於外道相　流通我法輪　是諸如來相
不漉水不飲　腰繩及內衣　依時行乞食　離於下賤家
生於如天處　及人中勝處　諸寶相成就　天人中自在
依法脩行者　生天四天下　多時而受用　依多貪還滅
正時及三灾　及於二惡世　我及餘正時　釋迦末世時

不漉水不飲　腰繩及內衣　依時行乞食　離於下賤家
生於如天處　及人中勝處　諸寶相成就　天人中自在
依法脩行者　生天四天下　多時而受用　依多貪還滅
正時及三灾　及於二惡世　我及餘正時　釋迦末世時
釋種悉達他　八臂及自在　如是等外道　我滅出於世
如是我聞等　釋迦師子說　曾有如是事　毗耶娑說是
八臂那羅延　及摩醯首羅　說如是等言　我化作世間
我母名善才　又名梵天主　我姓迦旃延　離於諸煩惱
生於瞻婆城　我父及祖父　又名通月護　從於月種生
出家脩實行　說於千種句　授記入涅槃　付慧轉法輪
大慧与法勝　勝与弥佉梨　弥佉无弟子　於後時法滅
迦葉拘留孫　拘那含及我　離於諸煩惱　一切名正時
過彼正法後　有佛名如意　於彼成正覺　為人說五法
无二三灾中　過未世亦尒　諸佛不出世　正時出於世
无人畏有相　衣裳不割截　納衣碎破雜　如孔雀畫色
二寸或三寸　間錯而補納　若不如是者　愚人所貪著
常藏貪欲火　智水常洗浴　日夜六時中　如實脩行法
如放箭石火　勢極即還下　放一還下一　善不善亦尒
一中无多種　以相无如是　如風取一切　如田地被燒
若一能作多　一切无作有　不尒一切失　是妄覺者法
如燈及種子　云何多相似　一能生於多　是妄覺者法
如麻不生豆　稻不生𪍿麥　小麥等種子　云何一生多
波尼造聲論　阿叉波太白　末世有梵藏　說於世俗論
迦旃延作經　夜婆迦亦尒　浮稠迦天文　是後末世論
波梨說世福　世人依福德　能護於諸法　王婆離施地

如燈及種子 云何多相似 一能生於多 是妄覺者法
如麻不生豆 稻不生麵麥 小麥等種子 云何一生多
波尼尒聲論 阿叉波太白 末世有梵藏 說於世俗論
迦葉延作經 夜婆迦亦尒 浮稠迦天文 是後末世論
波梨說世福 世人依福德 能護於諸法 王婆離施地
彌迦摩脩羅 阿舒羅等說 迷惑及王論 末世諸仙現
悉達他釋種 淨飯隨五角 口力及黠慧 我滅後出世
阿示耶三拒 彌佉羅薩灌 我住阿蘭若 梵天施与我
汝當未來世 名大離塵垢 能說真解脫 是諸牟尼相
梵天及梵衆 及餘諸天衆 鹿皮等施我 還復自在天
諸襉猶鉛衣 及爲乞食器 帝釋四天王 閑豪施与我
說无生及因 生及与不生 欲成於不生 是但說言語
若无明等因 能生於諸心 未生於色時 中間云何住
即時滅於心 而更生餘心 色不一念住 觀何法能生
依於何因緣 心是顛倒因 故不能成法 云何知生滅
脩行者合定 金寶閻那性 无音天宮殿 世間法不壞
住於所證法 是諸一切佛 如來等智慧 比丘證於法
及餘所證法 彼法常不壞 云何虛妄見 諸法念不住
乾闥婆幻色 何故念不住 謂色无四大 諸大何所爲
四无明有心 无始世界有 依生滅和合 妄覺者分別
熏法有二種 從勝及轉變 勝中有於果 果復成就果
勝是本體相 說功德差別 因果二種法 於轉變中无
如水銀清淨 諸塵土不染 真如如是淨 依心於衆生
如興求及慈 女人懷胎藏 醍及醍中味 種子云何有
異體不異體 二體離二法 有法无因緣 非无於有爲

勝是本體相 說功德差別 因果二種法 於轉變中无
如水銀清淨 諸塵土不染 真如如是淨 依心於衆生
如興求及慈 女人懷胎藏 醍及醍中味 種子云何有
異體不異體 二體離二法 有法无因緣 非无於有爲
如馬中无牛 陰中我亦尒 說有爲无爲 是法无可說
愚見量阿含 依邪覺垢染 不覺說有我 非因不離因
五陰中无我 取我是過失 一中及異中 妄覺者不覺
水鏡及眼中 如見鏡中像 遠離於一異 陰中我亦尒
可觀及能觀 禪道見衆生 觀察是三法 離於邪見法
即滅於知見 如无中見空 諸法轉變相 愚人妄分別
涅槃離有无 住如實見處 遠離生滅法 亦離有无體
離能見可見 觀察轉變法 離諸外道說 離名相形體
依內身邪見 觀察轉變法 諸天及地獄 觸及於逼惱
无有中陰法 云何依識生 胎卵濕化等 生於中陰中
衆生身種種 應觀於去來 離量及阿含 能生煩惱種
諸外道浪言 智慧者莫取 无觀察於我 彼觀於因緣
不知有說有 故石女兒勝 般若離實眼 妙眼見衆生
離於有爲陰 妙身體衆生 住好惡色中 出離縛解脫
妙體住有爲 能見妙法身 在於六趣中 妄覺非境界
我過於人道 非餘妄覺者 而无生我心 何因如是生
如何燈種子 何不如是說 而識未生時 未有无明等
離於闇无識 云何相續生 三世及无世 第五不可說
是諸佛境界 妄覺者觀察 行中不可說 以離智行中
取於諸行中 智離於行法 依此法生此 現見是无因
諸緣不可見 離於无作者 依風火能燒 因風動能生

離於闇无識　云何相續生　三世及无世　第五不可說
是諸佛境界　妄覺者觀察　行中不可說　以離智行中
取於諸行中　智離於行法　依此法生此　現見是无因
諸緣不可見　離於无作者　依風火能燒　因風動能生
風能吹動火　風還能滅火　愚者不分別　云何生衆生
說有爲无爲　離於依所依　云何成彼法　風火愚分別
彼此增長力　彼此法不及　云何生而火　雖言語无義
衆生是誰作　而分別如火　能作陰入躰　意等因能生
如常无我義　共心常轉生　二法常清淨　離於諸因果
火不能成彼　妄覺者不知　心衆生涅槃　自性體清淨
无始等過染　如虛空无差　外道邪見法　如智鳥床城
依意意識覆　火等能清淨　彼人見如實　見已破煩惱
捨譬喻稠林　彼人取聖境　知能知差別　彼分別異體
勝鈍人不覺　復言不可說　譬如栴檀數　愚人作異說
如栴檀沉水　諸佛智亦尒　愚人不覺知　以依虛妄見
立彼不受食　以觜依量取　雖口等諸過　嗽於清淨食
此是如法行　不能知相應　依於法能信　莫分別邪行
不著世間物　能取於正義　彼人取真金　能捨於法
癡有无因緣　邪見納分別　一切煩惱垢　離於貪瞋法
尒時不復生　以无一切滌　諸如來身手　而受於佛位
外道迷因果　餘者迷因緣　及无因有物　斷見无聖人
受於果轉變　識及於意識　意從本識生　識從於意生
一切識從本　能生如海波　一切從熏因　隨因緣而生
念差別鉤鏁　縛自心取境　似於禾體相　意眼等識生
无始來過縛　依熏生取境　見外心諸法　遮諸外道見

此是如法行　不能知相應　依於法能信　莫分別邪行
不著世間物　能取於正義　彼人取真金　能捨於法
癡有无因緣　邪見納分別　一切煩惱垢　離於貪瞋法
尒時不復生　以无一切滌　諸如來身手　而受於佛位
外道迷因果　餘者迷因緣　及无因有物　斷見无聖人
受於果轉變　識及於意識　意從本識生　識從於意生
一切識從本　能生如海波　一切從熏因　隨因緣而生
念差別鉤鏁　縛自心取境　似於禾體相　意眼等識生
无始來過縛　依熏生取境　見外心諸法　遮諸外道見
依彼更生餘　及依彼觀生　是故生邪見　及世間生死
諸法如幻夢　如乾闥婆城　陽炎水中月　觀察是自心
行差別真如　正智幻三昧　依首楞嚴定　及餘諸三昧
入於初地得　諸通及三昧　智及如意身　受位入佛地
尒時心不生　以見世虛妄　得歡喜餘地　及得於佛地
轉於依止身　如諸色摩尼　亦如水中月　作諸衆生業
離有无朋黨　離二及不二　出於二乘地　及出第七地
內身見諸法　地地中清淨　離外道外物　尒時說大乘
轉於分別識　離於變易滅　如兔角摩尼　得解脫者說
如經結相應　依法亦如是　依相應相應　莫分別於異
眼識業及受　无明及正見　眼色及於意　意識深如是
佛說此妙經　聖者大慧士　菩薩摩訶薩　羅婆那大王
叔迦娑羅那　乾闥等羅叉　天龍夜叉等　乾闥婆脩羅
諸天比丘僧　大歡喜奉行

入楞伽經卷第十

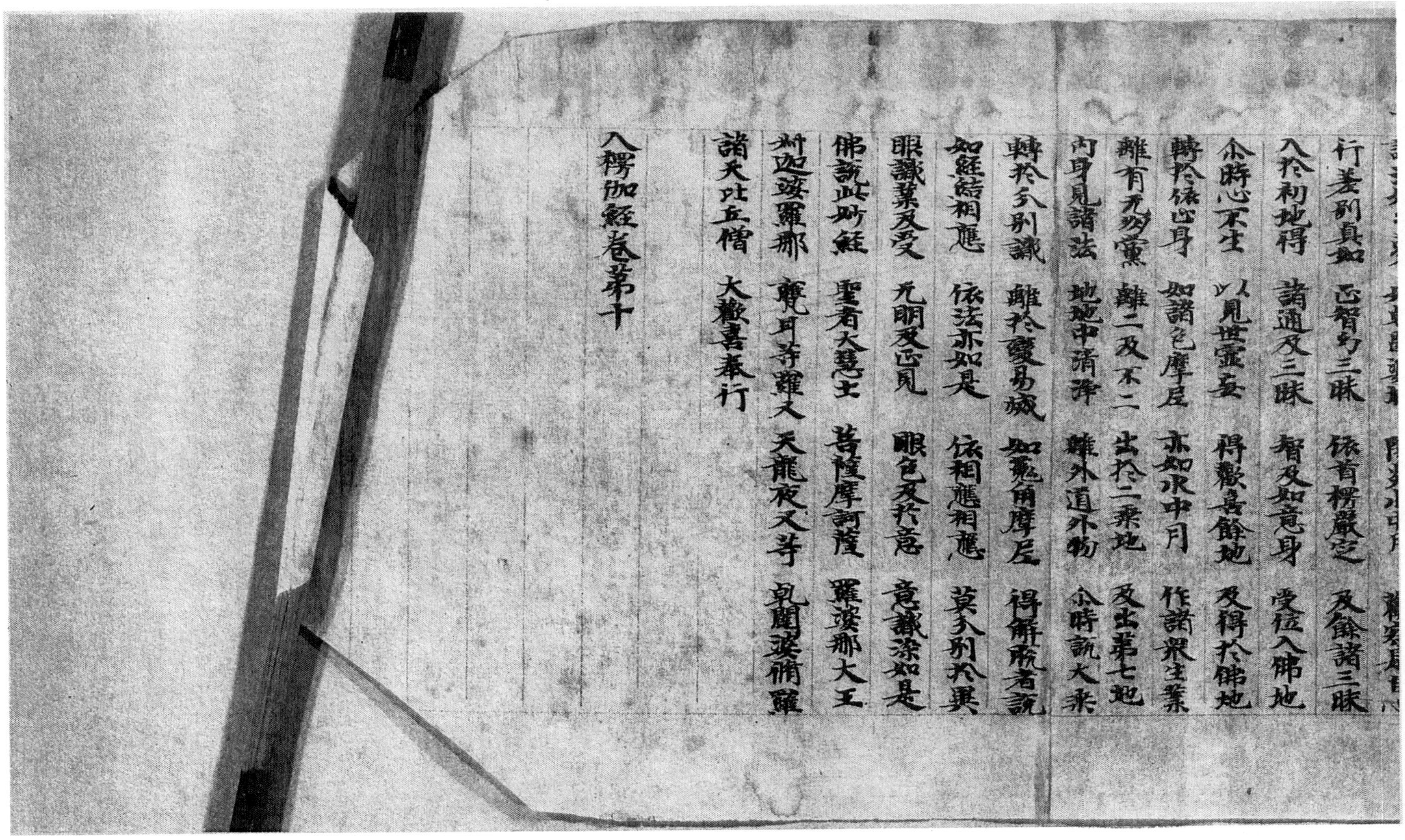
行差別真如　正智幻三昧　依首楞嚴定　及餘諸三昧
入於初地得　諸通及三昧　智及如意身　受位入佛地
尒時心不生　以見世虛妄　得歡喜餘地　及得於佛地
轉於依止身　如諸色摩尼　亦如水中月　作諸衆生業
離有无朋黨　離二及不二　出於二乘地　及出第七地
內身見諸法　地地中清淨　離外道外物　尒時說大乘
轉於分別識　離於變易滅　如意通摩尼　得解脫者說
如經諸相應　依法亦如是　依相應相應　莫分別於異
眼識業及受　无明及正見　眼色及於意　意識染如是
佛說此妙經　聖者大慧士　菩薩摩訶薩　羅婆那大王
叔迦婆羅那　甕耳等羅刹　天龍夜叉等　乾闥婆脩羅
諸天比丘僧　大歡喜奉行

入楞伽經卷第十

BD02904 號　入楞伽經卷一〇　　（23–23）

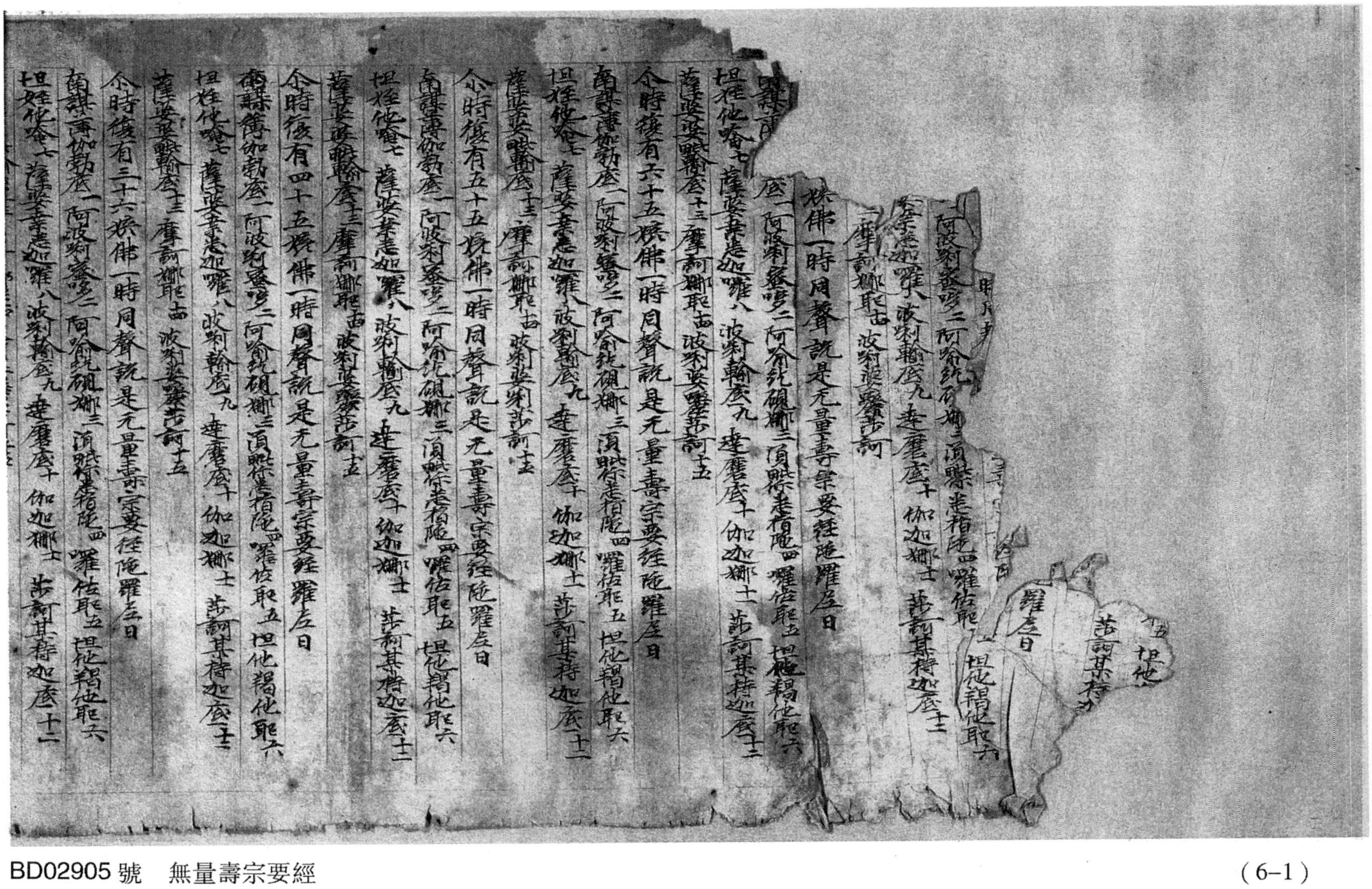
阿波唎蜜多二　阿喻紇硯娜三　須毗你悉指陀四　囉佐耶
薩婆桑悉迦囉八　波唎輸底九　達磨底十　伽迦娜十一　莎訶某特迦底十二
摩訶娜耶十四　波唎婆嚟莎訶
殑佛一時同聲說是无量壽宗要經陀羅尼曰
底一　阿波唎蜜多二　阿喻紇硯娜三　須毗你悉指陀四　囉佐耶五　怛他羯他耶六
怛姪他唵七　薩婆桑悉迦囉八　波唎輸底九　達磨底十　伽迦娜十一　莎訶某特迦底十二
薩婆婆毗輸底十三　摩訶娜耶十四　波唎婆嚟莎訶十五
尒時復有六十五殑佛一時同聲說是无量壽宗要經陀羅尼曰
南謨薄伽勃底一　阿波唎蜜多二　阿喻紇硯娜三　須毗你悉指陀四　囉佐耶五　怛他羯他耶六
怛姪他唵七　薩婆桑悉迦囉八　波唎輸底九　達磨底十　伽迦娜十一　莎訶某特迦底十二
薩婆婆毗輸底十三　摩訶娜耶十四　波唎婆嚟莎訶十五
尒時復有五十五殑佛一時同聲說是无量壽宗要經陀羅尼曰
南謨薄伽勃底一　阿波唎蜜多二　阿喻紇硯娜三　須毗你悉指陀四　囉佐耶五　怛他羯他耶六
怛姪他唵七　薩婆桑悉迦囉八　波唎輸底九　達磨底十　伽迦娜十一　莎訶某特迦底十二
薩婆婆毗輸底十三　摩訶娜耶十四　波唎婆嚟莎訶十五
尒時復有四十五殑佛一時同聲說是无量壽宗要經陀羅尼曰
南謨薄伽勃底一　阿波唎蜜多二　阿喻紇硯娜三　須毗你悉指陀四　囉佐耶五　怛他羯他耶六
怛姪他唵七　薩婆桑悉迦囉八　波唎輸底九　達磨底十　伽迦娜十一　莎訶某特迦底十二
薩婆婆毗輸底十三　摩訶娜耶十四　波唎婆嚟莎訶十五
尒時復有三十六殑佛一時同聲說是无量壽宗要經陀羅尼曰
南謨薄伽勃底一　阿波唎蜜多二　阿喻紇硯娜三　須毗你悉指陀四　囉佐耶五　怛他羯他耶六
怛姪他唵七　薩婆桑悉迦囉八　波唎輸底九　達磨底十　伽迦娜十一　莎訶某特迦底十二

BD02905 號　無量壽宗要經　　（6–1）

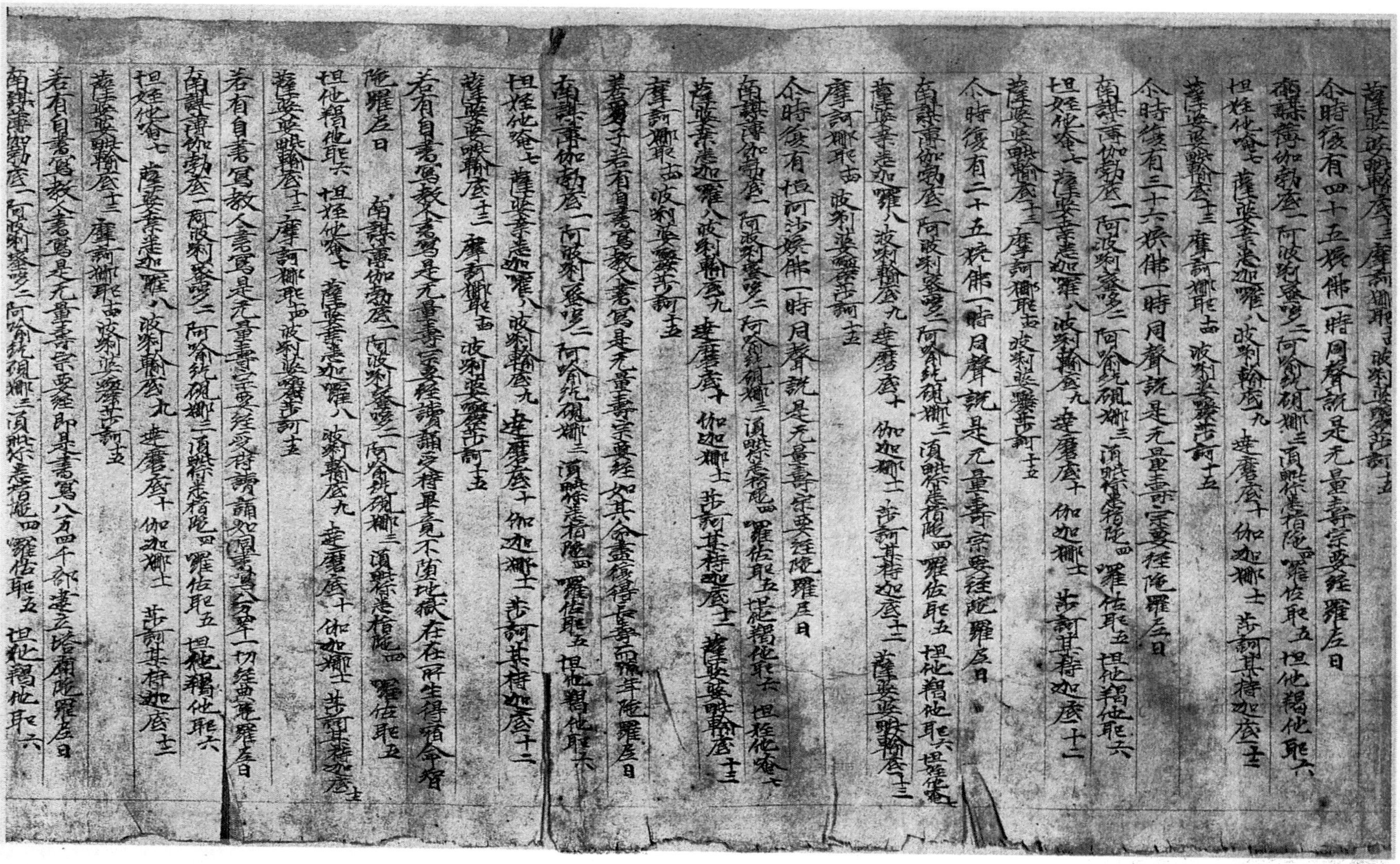

BD02905 號　無量壽宗要經

（6–2）

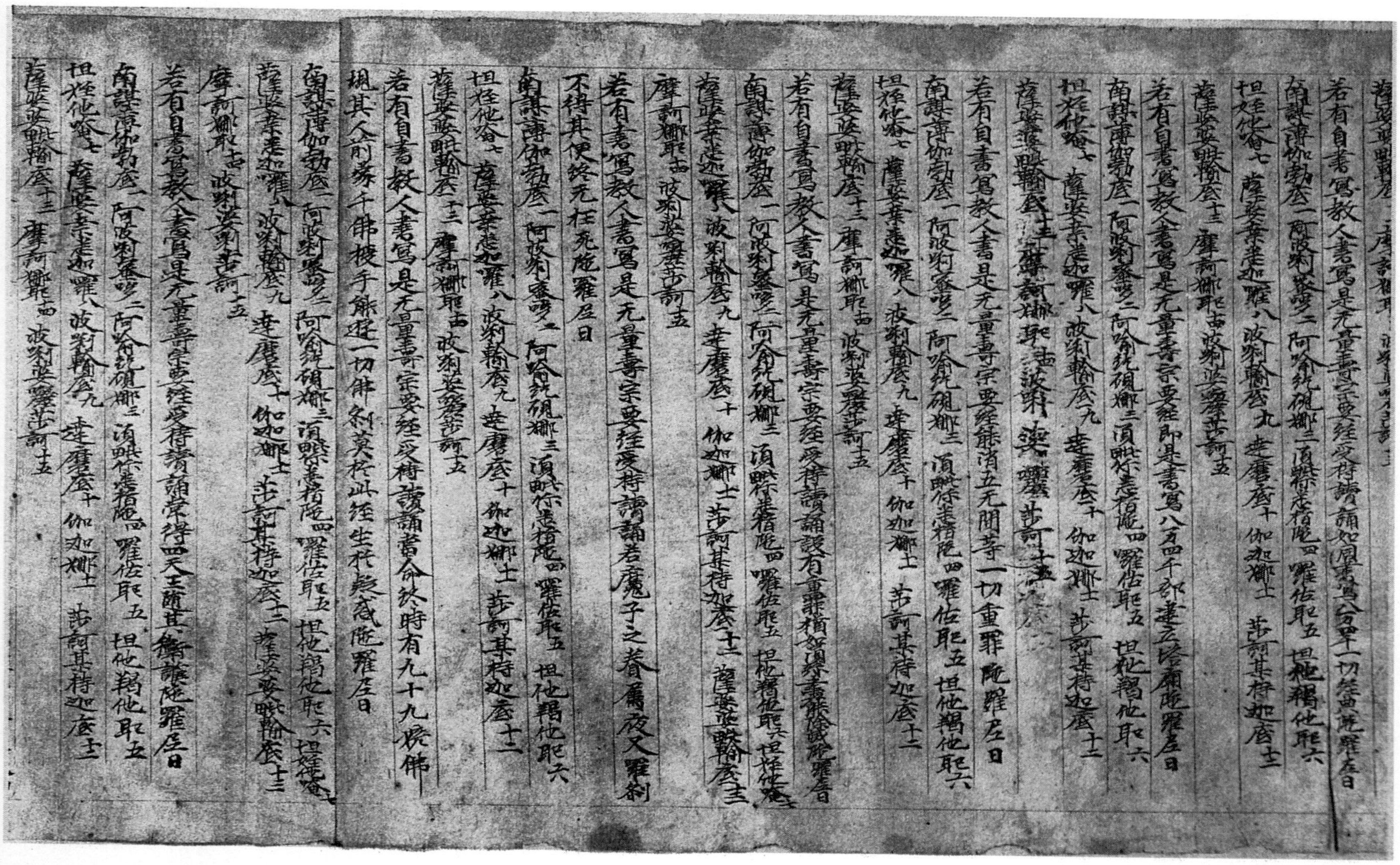

BD02905 號　無量壽宗要經

（6–3）

南謨薄伽勃底一 阿波唎蜜多二 阿喻紇硯娜三 須毗你悉指陁四 囉佐耶五 怛他羯他耶六 怛姪他唵七
薩婆桑悉迦囉八 波唎輸底九 達磨底十 伽迦娜十一 莎訶某持迦底十二 薩婆婆毗輸底十三
摩訶娜耶十四 波唎婆隸莎訶十五
若有自書寫教人書寫是无量壽宗要經受持讀誦常得四天王隨其衛護陁羅尼曰
南謨薄伽勃底一 阿波唎蜜多二 阿喻紇硯娜三 須毗你悉指陁四 囉佐耶五 怛他羯他耶六
怛姪他唵七 薩婆桑悉迦囉八 波唎輸底九 達磨底十 伽迦娜十一 莎訶某持迦底十二
薩婆婆毗輸底十三 摩訶娜耶十四 波唎婆隸莎訶十五
若有自書寫教人書寫是无量壽宗要經受持讀誦當得往生西方極樂世界阿彌陁淨
土陁羅尼曰 南謨薄伽勃底一 阿波唎蜜多二 阿喻紇硯娜三 須毗你悉指陁四 囉佐耶五
怛他羯他耶六 怛姪他唵七 薩婆桑悉迦囉八 波唎輸底九 達磨底十 伽迦娜十一 莎訶某持迦底十二
薩婆婆毗輸底十三 摩訶娜耶十四 波唎婆隸莎訶十五
若有方所自書寫使人書寫是无量壽經典之處則為是塔皆應供敬作礼若是
畜生或為鳥獸得聞是經如是等類皆當不久得成一切種智陁羅尼曰
南謨薄伽勃底一 阿波唎蜜多二 阿喻紇硯娜三 須毗你悉指陁四 囉佐耶五 怛他羯他耶六
怛姪他唵七 薩婆桑悉迦囉八 波唎輸底九 達磨底十 伽迦娜十一 莎訶某持迦底十二
薩婆婆毗輸底十三 摩訶娜耶十四 波唎婆隸莎訶十五
若有於是无量壽經自書寫若使人書畢竟不受女人之身陁羅尼曰
南謨薄伽勃底一 阿波唎蜜多二 阿喻紇硯娜三 須毗你悉指陁四 囉佐耶五 怛他羯他耶六
怛姪他唵七 薩婆桑悉迦囉八 波唎輸底九 達磨底十 伽迦娜十一 莎訶某持迦底十二
薩婆婆毗輸底十三 摩訶娜耶十四 波唎婆隸莎訶十五
若有能於是經少分能惠施者於三千大千世界滿中七寶布施陁羅尼曰
南謨薄伽勃底一 阿波唎蜜多二 阿喻紇硯娜三 須毗你悉指陁四 囉佐耶五 怛他羯他耶六
怛姪他唵七 薩婆桑悉迦囉八 波唎輸底九 達磨底十 伽迦娜十一 莎訶某持迦底十二
薩婆婆毗輸底十三 摩訶娜耶十四 波唎婆隸莎訶十五
若有能供養是經者則是供養一切諸經等无有異陁羅尼曰
南謨薄伽勃底一 阿波唎蜜多二 阿喻紇硯娜三 須毗你悉指陁四 囉佐耶五 怛他羯他耶六
怛姪他唵七 薩婆桑悉迦囉八 波唎輸底九 達磨底十 伽迦娜十一 莎訶某持迦底十二
薩婆婆毗輸底十三 摩訶娜耶十四 波唎婆隸莎訶十五
如是毗婆尸佛尸棄佛毗舍浮佛俱留孫佛俱那含牟尼佛迦葉佛釋迦牟尼佛
若有人以七寶供養如是七佛其福有限書寫受持是无量壽經典所有功德
不可限量陁羅尼曰 南謨薄伽勃底一 阿波唎蜜多二 阿喻紇硯娜三 須毗你悉指陁四

BD02905 號　無量壽宗要經　（6–4）

怛姪他唵七 薩婆桑悉迦囉八 波唎輸底九 達磨底十 伽迦娜十一 莎訶某持迦底十二
薩婆婆毗輸底十三 摩訶娜耶十四 波唎婆隸莎訶十五
若有能供養是經者則是供養一切諸經等无有異陁羅尼曰
南謨薄伽勃底一 阿波唎蜜多二 阿喻紇硯娜三 須毗你悉指陁四 囉佐耶五 怛他羯他耶六
怛姪他唵七 薩婆桑悉迦囉八 波唎輸底九 達磨底十 伽迦娜十一 莎訶某持迦底十二
薩婆婆毗輸底十三 摩訶娜耶十四 波唎婆隸莎訶十五
如是毗婆尸佛尸棄佛毗舍浮佛俱留孫佛俱那含牟尼佛迦葉佛釋迦牟尼佛
若有人以七寶供養如是七佛其福有限書寫受持是无量壽經典所有功德
不可限量陁羅尼曰 南謨薄伽勃底一 阿波唎蜜多二 阿喻紇硯娜三 須毗你悉指陁四
囉佐耶五 怛他羯他耶六 怛姪他唵七 薩婆桑悉迦囉八 波唎輸底九 達磨底十 伽迦娜十一
莎訶某持迦底十二 薩婆婆毗輸底十三 摩訶娜耶十四 波唎婆隸莎訶十五
若有七寶等於須彌以用布施其福士能知其限量是无量壽經典其福不可
知數陁羅尼曰 南謨薄伽勃底一 阿波唎蜜多二 阿喻紇硯娜三 須毗你悉指陁四
囉佐耶五 怛他羯他耶六 怛姪他唵七 薩婆桑悉迦囉八 波唎輸底九 達磨底十 伽迦娜十一
莎訶某持迦底十二 薩婆婆毗輸底十三 摩訶娜耶十四 波唎婆隸莎訶
如是四大海水可知滴數是无量壽經典所生果報不可數量陁羅尼曰
南謨薄伽勃底一 阿波唎蜜多二 阿喻紇硯娜三 須毗你悉指陁四 囉佐耶五 怛他羯他耶六 怛姪他唵七
薩婆桑悉迦囉八 波唎輸底九 達磨底十 伽迦娜十一 莎訶某持迦底十二 薩婆婆毗輸底十三
摩訶娜耶十四 波唎婆隸莎訶十五
若有自書使人書寫是无量壽經典又能護持供養即如恭敬一切十方佛土如來
无有別異陁羅尼曰
南謨薄伽勃底一 阿波唎蜜多二 阿喻紇硯娜三 須毗你悉指陁四 囉佐耶五 怛他羯他耶六 怛姪他唵七
薩婆桑悉迦囉八 波唎輸底九 達磨底十 伽迦娜十一 莎訶某持迦底十二 薩婆婆毗輸底十三
摩訶娜耶十四 波唎婆隸莎訶十五
布施力能成正覺 悟布施力人師子 布施力能聲普聞 慈悲隣漸最能入
持戒力能成正覺 悟持戒力人師子 持戒力能聲普聞 慈悲隣漸最能入
忍辱力能成正覺 悟忍辱力人師子 忍辱力能聲普聞 慈悲隣漸最能入
精進力能成正覺 悟精進力人師子 精進力能聲普聞 慈悲隣漸最能入
禪定力能成正覺 悟禪定力人師子 禪定力能聲普聞 慈悲隣漸最能入
智慧力能成正覺 悟智慧力人師子 智慧力能聲普聞 慈悲隣漸最能入
尒時如來說是經已一切世間天人阿脩羅揵闥等聞佛所說皆大

BD02905 號　無量壽宗要經　（6–5）

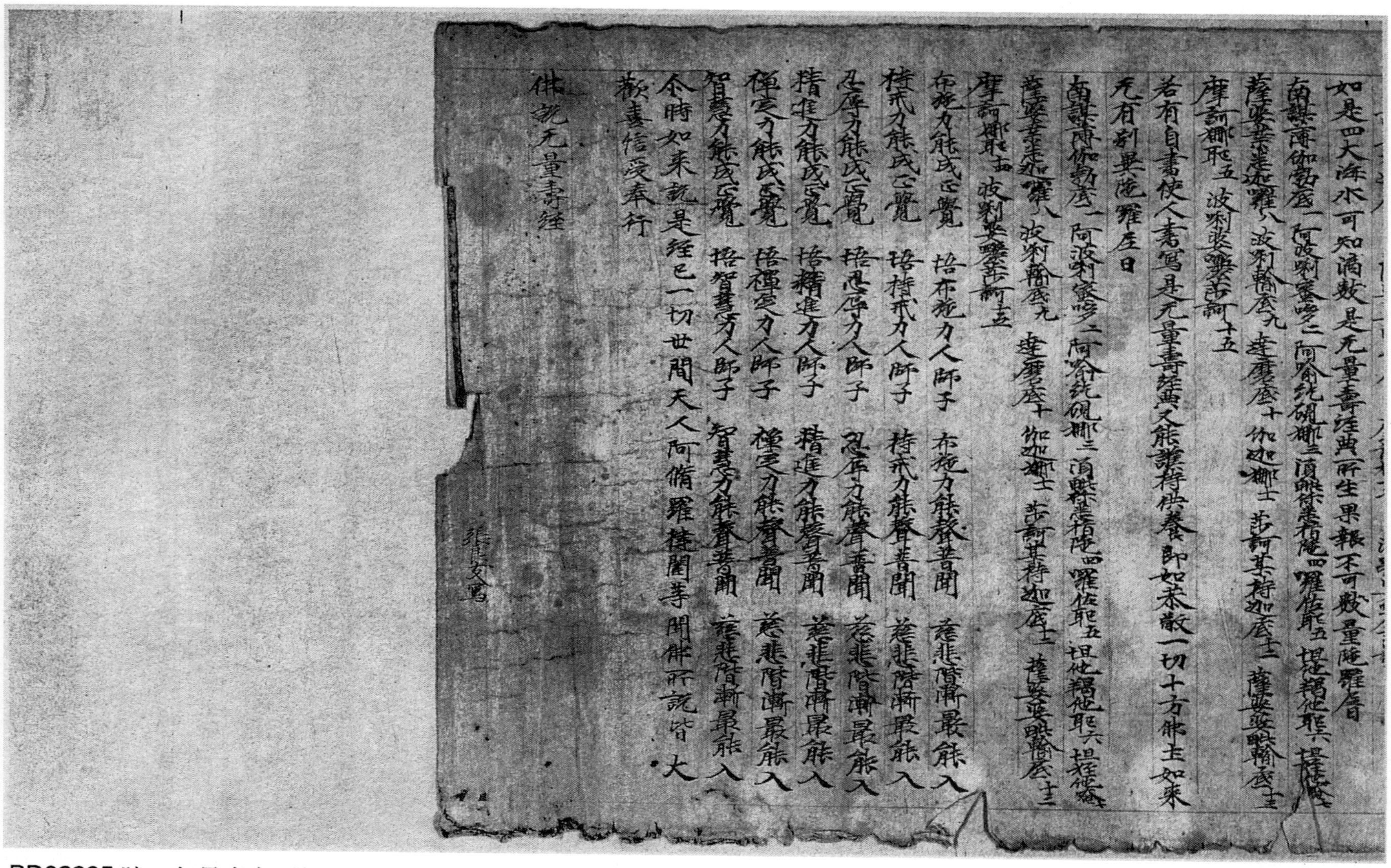

如是四大海水可知滴數是无量壽經典所生果報不可數量陁羅尼曰
南謨薄伽勃底一阿波唎蜜哆二阿喻紇硯娜三須毗你悉指陁四囉佐耶五怛他羯他耶六怛姪他七
薩婆桑塞迦囉八波唎輸底九達摩底十伽迦娜十一莎訶莫揭底十二薩婆婆毗輸底十三
摩訶娜耶十四波唎婆嚟莎訶十五
若有自書使人書寫是无量壽經典又能護持供養即如恭敬一切十方佛土如來
无有别異陁羅尼曰
南謨薄伽勃底一阿波唎蜜哆二阿喻紇硯娜三須毗你悉指陁四囉佐耶五怛他羯他耶六怛姪他七
薩婆桑塞迦囉八波唎輸底九達摩底十伽迦娜十一莎訶莫揭底十二薩婆婆毗輸底十三
摩訶娜耶十四波唎婆嚟莎訶十五
布施力能成正覺　悟布施力人師子　布施力能聲善聞　慈悲階漸最能入
持戒力能成正覺　悟持戒力人師子　持戒力能聲善聞　慈悲階漸最能入
忍辱力能成正覺　悟忍辱力人師子　忍辱力能聲善聞　慈悲階漸最能入
精進力能成正覺　悟精進力人師子　精進力能聲善聞　慈悲階漸最能入
禪定力能成正覺　悟禪定力人師子　禪定力能聲善聞　慈悲階漸最能入
智慧力能成正覺　悟智慧力人師子　智慧力能聲善聞　慈悲階漸最能入
尒時如來說是經已一切世間天人阿脩羅揵闥婆等聞佛所說皆大
歡喜信受奉行
佛說无量壽經

張[illegible]文寫

BD02905 號　無量壽宗要經

（6–6）

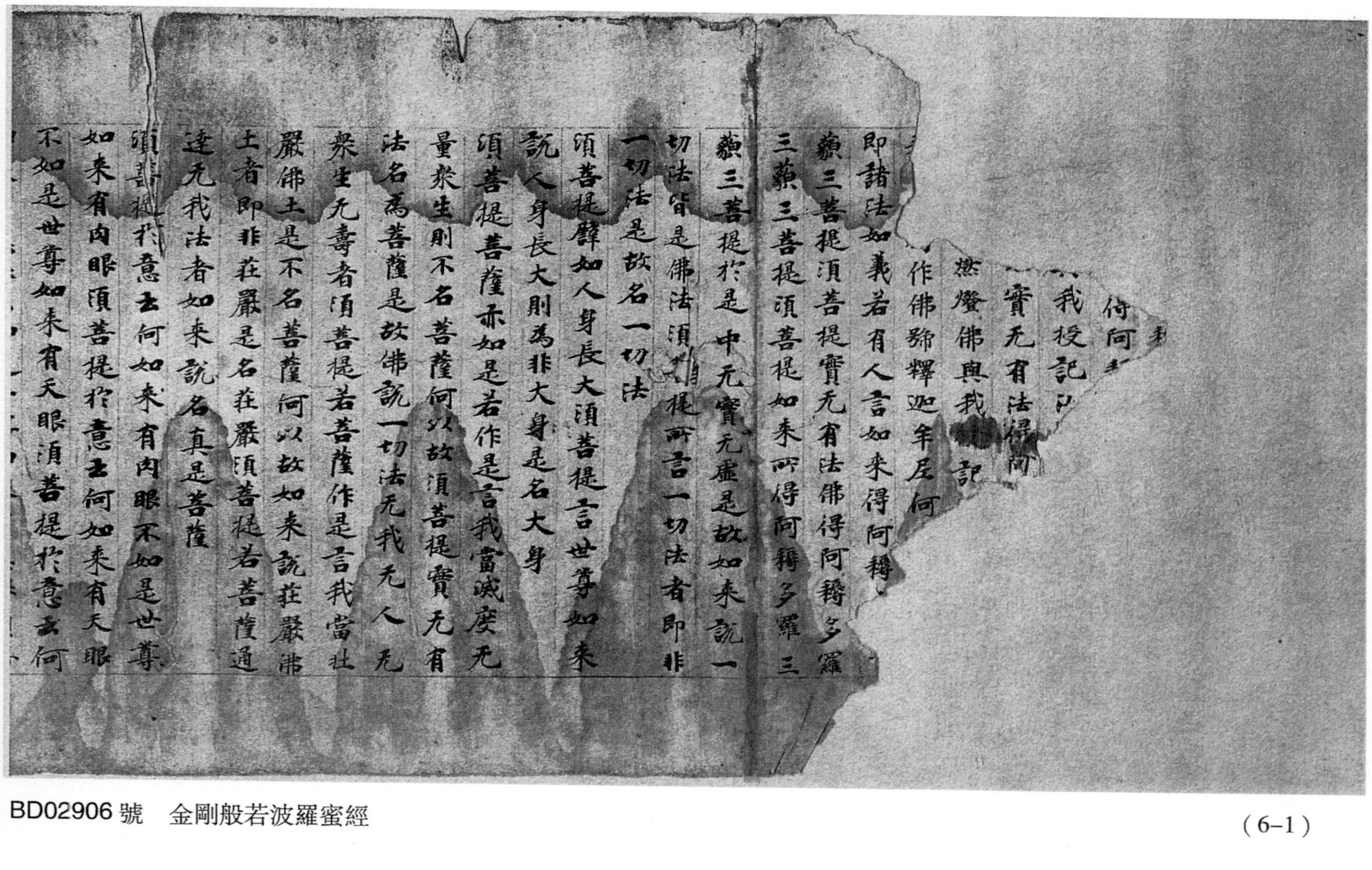

何阿
我授記以
實无有法得阿
燃燈佛與我[illegible]記
作佛號釋迦牟尼何
即諸法如義若有人言如來得阿
藐三菩提須菩提實无有法佛得阿耨多羅
三藐三菩提須菩提如來所得阿耨多羅三
藐三菩提於是中无實无虛是故如來說一
切法皆是佛法須[illegible]提所言一切法者即非
一切法是故名一切法
須菩提譬如人身長大須菩提言世尊如來
說人身長大則為非大身是名大身
須菩提菩薩亦如是若作是言我當滅度无
量眾生則不名菩薩何以故須菩提實无有
法名為菩薩是故佛說一切法无我无人无
眾生无壽者須菩提若菩薩作是言我當莊
嚴佛土是不名菩薩何以故如來說莊嚴佛
土者即非莊嚴是名莊嚴須菩提若菩薩通
達无我法者如來說名真是菩薩
須菩提於意云何如來有肉眼不如是世尊
如來有肉眼須菩提於意云何如來有天眼
不如是世尊如來有天眼須菩提於意云何

BD02906 號　金剛般若波羅蜜經

（6–1）

嚴佛土是不名菩薩何以故如來說莊嚴佛
土者即非莊嚴是名莊嚴須菩提若菩薩通
達无我法者如來說名真是菩薩
須菩提於意云何如來有肉眼不如是世尊
如來有肉眼須菩提於意云何如來有天眼
不如是世尊如來有天眼須菩提於意云何
如來有慧眼不如是世尊如來有慧眼須菩
提於意云何如來有法眼不如是世尊如來
有法眼須菩提於意云何如來有佛眼不如
是世尊如來有佛眼須菩提於意云何如恒
河中所有沙佛說是沙不如是世尊如來說
是沙須菩提於意云何如一恒河中所有沙
有如是等恒河是諸恒河所有沙數佛世界
如是寧為多不甚多世尊佛告須菩提尒所
國土中所有衆生若干種心如來悉知何以
故如來說諸心皆為非心是名為心所以者
何須菩提過去心不可得現在心不可得未
來心不可得須菩提於意云何若有人滿三
千大千世界七寶以用布施是人以是因緣
得福多不如是世尊此人以是因緣得福甚
多須菩提若福德有實如來不說得福德多
以福德无故如來說得福德多
須菩提於意云何佛可以具足色身見不不
也世尊如來不應以具足色身見何以故如
來說具足色身即非具足色身是名具足色
身須菩提於意云何如來可以具足諸相見
不不也世尊如來不應以具足諸相見何以
故如來說諸相具足即非具足是名諸相具

BD02906 號　金剛般若波羅蜜經　（6–2）

須菩提於意云何佛可以具足色身見不不
也世尊如來不應以具足色身見何以故如
來說具足色身即非具足色身是名具足色
身須菩提於意云何如來可以具足諸相見
不不也世尊如來不應以具足諸相見何以
故如來說諸相具足即非具足是名諸相具
足須菩提汝勿謂如來作是念我當有所說
法莫作是念何以故若人言如來有所說法
即為謗佛不能解我所說故須菩提說法者
无法可說是名說法
須菩提白佛言世尊佛得阿耨多羅三藐三
菩提為无所得耶如是如是須菩提我於阿
耨多羅三藐三菩提乃至无有少法可得是
名阿耨多羅三藐三菩提復次須菩提是法
平等无有高下是名阿耨多羅三藐三菩提
以无我无人无衆生无壽者修一切善法則
得阿耨多羅三藐三菩提須菩提所言善法
者如來說非善法是名善法
須菩提若三千大千世界中所有諸須弥山
王如是等七寶聚有人持用布施若人以此
般若波羅蜜經乃至四句偈等受持讀誦為
他人說於前福德百分不及一百千万億分
乃至算數譬喻所不能及
須菩提於意云何汝等勿謂如來作是念我
當度衆生須菩提莫作是念何以故實无有
衆生如來度者若有衆生如來度者如來則
有我人衆生壽者須菩提如來說有我者則
非有我而凡夫之人以為有我須菩提凡夫
者如來說則非凡夫

BD02906 號　金剛般若波羅蜜經　（6–3）

須菩提於意云何汝等勿謂如來作是念我
當度衆生須菩提莫作是念何以故實无有
衆生如來度者若有衆生如來度者如來則
有我人衆生壽者須菩提如來說有我者則
非有我而凡夫之人以為有我須菩提凡夫
者如來說則非凡夫
須菩提於意云何可以三十二相觀如來不
須菩提言如是如是以三十二相觀如來佛
言須菩提若以三十二相觀如來者轉輪聖
王則是如來須菩提白佛言世尊如我解佛
所說義不應以三十二相觀如來尒時世尊
而說偈言
若以色見我以音聲求我是人行邪道不能見如來
須菩提汝若作是念如來不以具足相故得
阿耨多羅三藐三菩提須菩提莫作是念如
來不以具足相故得阿耨多羅三藐三菩提
須菩提汝若作是念發阿耨多羅三藐三菩
提者說諸法斷滅莫作是念何以故發阿耨
多羅三藐三菩提者於法不說斷滅相須菩
提若菩薩以滿恒河沙等世界七寶布施若
復有人知一切法无我得成於忍此菩薩勝
前菩薩所得功德須菩提以諸菩薩不受福
德故須菩提白佛言世尊云何菩薩不受福
德須菩提菩薩所作福德不應貪著是故說
不受福德
須菩提若有人言如來若來若去若坐若卧
是人不解我所說義何以故如來者无所從
來亦无所去故名如來

BD02906號　金剛般若波羅蜜經

（6–4）

德故須菩提白佛言世尊云何菩薩不受福
德須菩提菩薩所作福德不應貪著是故說
不受福德
須菩提若有人言如來若來若去若坐若卧
是人不解我所說義何以故如來者无所從
來亦无所去故名如來
須菩提若善男子善女人以三千大千世界
碎為微塵於意云何是微塵衆寧為多不甚
多世尊何以故若是微塵衆實有者佛則不
說是微塵衆所以者何佛說微塵衆則非微
塵衆是名微塵衆世尊如來所說三千大千
世界則非世界是名世界何以故若世界實
有者則是一合相如來說一合相則非一合
相是名一合相須菩提一合相者則是不可
說但凡夫之人貪著其事須菩提若人言佛
說我見人見衆生見壽者見須菩提於意云
何是人解我所說義不不也世尊是人不解
如來所說義何以故世尊說我見人見衆生
見壽者見即非我見人見衆生見壽者見是
名我見人見衆生見壽者見須菩提發阿耨
多羅三藐三菩提心者於一切法應如是知
如是見如是信解不生法相須菩提所言法
相者如來說即非法相是名法相須菩提若
有人以滿无量阿僧祇世界七寶持用布施
若有善男子善女人發菩薩心者持於此經
乃至四句偈等受持讀誦為人演說其福勝
彼云何為人演說不取於相如如不動何以
故

BD02906號　金剛般若波羅蜜經

（6–5）

相是名一合相須菩提一合相者則是不可
說但凡夫之人貪著其事須菩提若人言佛
說我見人見衆生見壽者見須菩提於意云
何是人解我所說義不不也世尊是人不解
如來所說義何以故世尊說我見人見衆生
見壽者見即非我見人見衆生見壽者見是
名我見人見衆生見壽者見須菩提發阿耨
多羅三藐三菩提心者於一切法應如是知
如是見如是信解不生法相須菩提所言法
相者如來說即非法相是名法相須菩提若
有人以滿无量阿僧祇世界七寶持用布施
若有善男子善女人發菩薩心者持於此經
乃至四句偈等受持讀誦為人演說其福勝
彼云何為人演說不取於相如如不動何以
故
一切有為法 如夢幻泡影 如露亦如電 應作如是觀
佛說是經已長老須菩提及諸比丘比丘尼
優婆塞優婆夷一切世間天人阿脩羅聞佛
所說皆大歡喜信受奉行
金剛般若波羅蜜經

BD02906號　金剛般若波羅蜜經　（6–6）

天宮殿万
見宮六……遍滿世界勝諸
光尒時東方五……諸國土中梵天宮
光明照曜倍於常明諸梵天王各作是念
今者宮殿光明昔所未有以何因緣而現此
相是時諸梵天王即各相詣共議此事而彼
衆中有一大梵天王名救一切為諸梵衆而
說偈言
我等諸宮殿 光明昔未有 此是何因緣 宜各共求之
為大德天生 為佛出世間 而此大光明 遍照於十方
尒時五百万億國土諸梵天王與宮殿俱各
以衣裓盛諸天華共詣西方推尋是相見大
通智勝如來處于道場菩提樹下坐師子座
諸天龍王乾闥婆緊那羅摩睺羅伽人非人
等恭敬圍繞及見十六王子請佛轉法輪即
時諸梵天王頭面礼佛繞百千匝即以天華
而散佛上其所散華如須弥山并以供養佛
菩提樹其菩提樹高十由旬華供養已各以
宮殿奉上彼佛而作是言唯見哀愍饒益
我等所獻宮殿願垂納處時諸梵天王即於
[illegible]

BD02907號　妙法蓮華經卷三　（13–1）

時諸梵天王頭面礼佛繞百千匝即以天華
而散佛上其所散華如須弥山并以供養佛
菩提樹其菩提樹高十由旬華供養已各以
宮殿奉上彼佛而作是言唯見哀愍饒益
我等所獻宮殿願垂納處時諸梵天王即於
佛前一心同聲以偈頌曰
世尊甚希有 難可得值遇 具无量功德 能救護一切
天人之大師 哀愍於世間 十方諸衆生 普皆蒙饒益
我等所從來 五百万億國 捨深禪定樂 為供養佛故
我等先世福 宮殿甚嚴飾 今以奉世尊 唯願哀納受
尒時諸梵天王偈讚佛已各作是言唯願世
尊轉於法輪度脫衆生開涅槃道時諸梵
天王一心同聲而說偈言
世雄兩足尊 唯願演說法 以大慈悲力 度苦惱衆生
尒時大通智勝如來嘿然許之又諸比丘東
南方五百万億國土諸大梵王各自見宮殿
光明照曜昔所未有歡喜踊躍生希有心即
各相詣共議此事而彼衆中有一大梵天王
名曰大悲為諸梵衆而說偈言
是事何因緣 而現如此相 我等諸宮殿 光明昔未有
為大德天生 為佛出世間 未曾見此相 當共一心求
過千万億土 尋光共推之 多是佛出世 度脫苦衆生
尒時五百万億諸梵天王與宮殿俱各以衣
裓盛諸天華共詣西北方推尋是相見大通
智勝如來處于道場菩提樹下師子座諸天

BD02907號　妙法蓮華經卷三

（13-2）

為大德天生 為佛出世間 未曾見此相 當共一心求
過千万億土 尋光共推之 多是佛出世 度脫苦衆生
尒時五百万億諸梵天王與宮殿俱各以衣
裓盛諸天華共詣西北方推尋是相見大通
智勝如來處于道場菩提樹下師子座諸天
龍王乾闥婆緊那羅摩睺羅伽人非人等
恭敬圍繞及見十六王子請佛轉法輪時諸
梵天王頭面礼佛繞百千匝即以天華而散
佛上所散之華如須弥山并以供養佛菩提
樹華供養已各以宮殿奉上彼佛而作是言
唯見哀愍饒益我等所獻宮殿願垂納處尒
時諸梵天王即於佛前一心同聲以偈頌曰
聖主天中王 迦陵頻伽聲 哀愍衆生者 我等今敬礼
世尊甚希有 久遠乃一現 一百八十劫 空過无有佛
三惡道充滿 諸天衆減少 今佛出於世 為衆生作眼
世間所歸趣 救護於一切 為衆生之父 哀愍饒益者
我等宿福慶 今得值世尊
尒時諸梵天王偈讚佛已各作是言唯願世
尊哀愍一切轉於法輪度脫衆生時諸梵
天王一心同聲而說偈言
大聖轉法輪 顯示諸法相 度苦惱衆生 令得大歡喜
衆生聞此法 得道若生天 諸惡道減少 忍善者增益
尒時大通智勝如來嘿然許之又諸比丘南
方五百万億國土諸大梵王各自見宮殿光
明照曜昔所未有歡喜踊躍生希有心即各

BD02907號　妙法蓮華經卷三

（13-3）

大聖轉法輪　顯示諸法相　度苦惱衆生　令得大歡喜
衆生聞此法　得道若生天　諸惡道減少　忍善者增益
尒時大通智勝如来嘿然許之又諸比丘南
方五百万億國土諸大梵王各自見宮殿光
明照曜昔所未有歡喜踊躍生希有心即各
相詣共議此事以何因緣我等宮殿有此光
曜而彼衆中有一大梵天王名曰妙法為諸
梵衆而說偈言
我等諸宮殿　光明甚威曜　此非无因緣　是相宜求之
過於百千劫　未曾見是相　為大德天生　為佛出世間
尒時五百万億諸梵天王與宮殿俱各以衣
裓盛諸天華共詣北方推尋是相見大通智
勝如来處于道場菩提樹下坐師子座諸天
龍王乾闥婆緊那羅摩睺羅伽人非人等恭
敬圍繞及見十六王子請佛轉法輪時諸梵
天王頭面礼佛繞百千帀即以天華而散佛
上所散之華如須弥山并以供養佛菩提樹
華供養已各以宮殿奉上彼佛而作是言唯
見哀愍饒益我等所獻宮殿願垂納處時
諸梵天王即於佛前一心同聲以偈頌曰
世尊甚難見　破諸煩惱者　過百三十劫　今乃得見
諸飢渴衆生　以法雨充滿　昔所未曾覩　无量智慧者
如優曇波羅　今日乃值遇　我等諸宮殿　蒙光故嚴飾
世尊大慈愍　唯願垂納受
尒時諸梵天王偈讚佛已各作是言唯願世

BD02907號　妙法蓮華經卷三　（13-4）

世尊甚難見　破諸煩惱者　過百三十劫　今乃得見
諸飢渴衆生　以法雨充滿　昔所未曾覩　无量智慧者
如優曇波羅　今日乃值遇　我等諸宮殿　蒙光故嚴飾
世尊大慈愍　唯願垂納受
尒時諸梵天王偈讚佛已各作是言唯願世
尊轉於法輪令一切世間諸天魔梵沙門婆
羅門皆獲安隱而得度脫時諸梵天王一心
同聲以偈頌曰
唯願天人尊　轉无上法輪　擊于大法鼓　而吹大法螺
普雨大法雨　度无量衆生　我等咸歸請　當演深遠音
尒時大通智勝如来嘿然許之西南方乃至
下方亦復如是尒時上方五百万億國土諸
大梵王皆悉自覩所止宮殿光明威曜昔所
未有歡喜踊躍生希有心即各相詣共議此
事以何因緣我等宮殿有斯光明而彼衆中
有一大梵天王名曰尸棄為諸梵衆而說偈
言
今以何因緣　我等諸宮殿　威德光明曜　嚴飾未曾有
如是之妙相　昔所未聞見　為大德天生　為佛出世間
尒時五百万億諸梵天王與宮殿俱各以衣
裓盛諸天華共詣下方推尋是相見大通智
勝如来處于道場菩提樹下坐師子座諸天
龍王乾闥婆緊那羅摩睺羅伽人非人等恭
敬圍繞及見十六王子請佛轉法輪時諸梵
天王頭面礼佛繞百千帀即以天華而散佛

BD02907號　妙法蓮華經卷三　（13-5）

勝如來處于道場菩提樹下坐師子座諸天
龍王乾闥婆緊那羅摩睺羅伽人非人等恭
敬圍繞及見十六王子請佛轉法輪時諸梵
天王頭面礼佛繞百千帀即以天華而散佛
上所散之華如須弥山并以供養佛菩提樹
華供養已各以宮殿奉上彼佛而作是言唯
見哀愍饒益我等所獻宮殿願垂納處時諸
梵天王即於佛前一心同聲以偈頌曰
善哉見諸佛　救世之聖尊　能於三界獄　勉出諸衆生
普智天人尊　哀愍群萌類　能開甘露門　廣度於一切
於昔无量劫　空過无有佛　世尊未出時　十方常闇冥
三惡道增長　阿脩羅亦盛　諸天衆轉減　死多墮惡道
不從佛聞法　常行不善事　色力及智慧　斯等皆減少
罪業因緣故　失樂及樂想　住於邪見法　不識善儀則
不蒙佛所化　常墮於惡道　佛為世間眼　久遠時乃出
哀愍諸衆生　故現於世間　超出成正覺　我等甚欣慶
及餘一切衆　喜歎未曾有　我等諸宮殿　蒙光故嚴飾
今以奉世尊　唯垂哀納受　願以此功德　普及於一切
我等與衆生　皆共成佛道
尒時五百万億諸梵天王偈讚佛已各白佛
言唯願世尊轉於法輪多所安隱多所度脫
時諸梵天王而說偈言
世尊轉法輪　擊甘露法鼓　度苦惱衆生　開示涅槃道
唯願受我請　以大微妙音　哀愍而敷演　无量劫習法
尒時大通智勝如來受十方諸梵天王及十

BD02907號　妙法蓮華經卷三　（13–6）

言唯願世尊轉於法輪多所安隱多所度脫
時諸梵天王而說偈言
世尊轉法輪　擊甘露法鼓　度苦惱衆生　開示涅槃道
唯願受我請　以大微妙音　哀愍而敷演　无量劫習法
尒時大通智勝如來受十方諸梵天王及十
六王子請即時三轉十二行法輪若沙門婆
羅門若天魔梵及餘世間所不能轉謂是苦
是苦集是苦滅是苦滅道及廣說十二因緣
法无明緣行行緣識識緣名色名色緣六入
六入緣觸觸緣受受緣愛愛緣取取緣有有
緣生生緣老死憂悲苦惱无明滅則行滅行
滅則識滅識滅則名色滅名色滅則六入滅
六入滅則觸滅觸滅則受滅受滅則愛滅愛
滅則取滅取滅則有滅有滅則生滅生滅則
老死憂悲苦惱滅佛於天人大衆之中說是
法時六百万億那由他人以不受一切法故
而於諸漏心得解脫皆得深妙禪定三明六
通具八解脫第二第三第四說法時千万億
恒河沙那由他等衆生亦以不受一切法故
而於諸漏心得解脫從是已後諸聲聞衆无
量无邊不可稱數尒時十六王子皆以童子
出家而為沙弥諸根通利智慧明了已曾供
養百千万億諸佛淨脩梵行求阿耨多羅三
藐三菩提俱白佛言世尊是諸无量千万億
大德聲聞皆已成就世尊亦當為我等說

BD02907號　妙法蓮華經卷三　（13–7）

出家而為沙弥諸根通利智慧明了已曾供
養百千万億諸佛淨脩梵行阿耨多羅三
藐三菩提俱白佛言世尊是諸无量千万億
大德聲聞皆已成就世尊亦當為我等說阿
耨多羅三藐三菩提法我等聞已皆共脩學
世尊我等志願如來知見深心所念佛自證
知尒時轉輪聖王所將衆中八万億人見十
六王子出家亦求出家王即聽許尒時彼佛
受沙弥請過二万劫已乃於四衆之中說是
大乘經名妙法蓮華教菩薩法佛所護念說
是經已十六沙弥為阿耨多羅三藐三菩提
故皆共受持諷誦通利說是經時十六菩薩
沙弥皆悉信受聲聞衆中亦有信解其餘衆
生千万億種皆生疑惑佛說是經於八千劫
未曾休廢說此經已即入靜室住於禪定八
万四千劫是時十六菩薩沙弥知佛入室寂
然禪定各昇法座亦於八万四千劫為四部
衆廣說分別妙法華經一一皆度六百万億
那由他恒河沙等衆生示教利喜令發阿耨
多羅三藐三菩提心大通智勝佛過八万四
千劫已從三昧起往詣法座安詳而坐普告
大衆是十六菩薩沙弥甚為希有諸根通利
智慧明了已曾供養无量千万億數諸佛於
諸佛所常脩梵行受持佛智開示衆生令入
其中汝等皆當數數親近而供養之所以者
何若聲聞辟支佛及諸菩薩能信是十六菩

BD02907號　妙法蓮華經卷三　（13–8）

通智勝佛過八万四
千劫已從三昧起往詣法座安詳而坐普告
大衆是十六菩薩沙弥甚為希有諸根通利
智慧明了已曾供養无量千万億數諸佛於
諸佛所常脩梵行受持佛智開示衆生令入
其中汝等皆當數數親近而供養之所以者
何若聲聞辟支佛及諸菩薩能信是十六菩
薩所說經法受持不毀者是人皆當得阿耨
多羅三藐三菩提如來之慧佛告比丘是
十六菩薩常樂說是妙法蓮華經一一菩薩
所化六百万億那由他恒河沙等衆生世世
所生與菩薩俱從其聞法悉皆信解以此因
緣得值四万億諸佛世尊于今不盡諸比丘
我今語汝彼佛弟子十六沙弥今皆得阿耨
多羅三藐三菩提於十方國土現在說法有
无量百千万億菩薩聲聞以為眷屬其二沙
弥東方作佛一名阿閦在歡喜國二名須弥
頂東南方二佛一名師子音二名師子相南
方二佛名虛空住二名常滅西南方二佛
一名帝相二名梵相西方二佛一名阿弥陀
二名度一切世間苦惱西北方二佛一名多
摩羅跋栴檀香神通二名須弥相北方二佛
一名雲自在二名雲自在王東北方佛名壞
一切世間怖畏第十六我釋迦牟尼佛於娑
婆國土成阿耨多羅三藐三菩提諸比丘我
等為沙弥時各各教化无量百千万億恒河

BD02907號　妙法蓮華經卷三　（13–9）

一名雲自在二名雲自在王東北方佛名壞
一切世間怖畏第十六我釋迦牟尼佛於娑
婆國土成阿耨多羅三藐三菩提諸比丘我
等為沙彌時各各教化无量百千万億恒河
沙等衆生從我聞法為阿耨多羅三藐三
菩提此諸衆生于今有住聲聞地者我常
教化阿耨多羅三藐三菩提諸人等應以是法
漸入佛道所以者何如來智慧難信難解介
時所化无量恒河沙等衆生者汝等諸比丘
及我滅度後未來世中聲聞弟子是也我滅
度後復有弟子不聞是經不知不覺菩薩
所行自於所得功德生滅度想當入涅槃我於
餘國作佛更有異名是人雖生滅度之想入
於涅槃而於彼土求佛智慧得聞是經唯以
法諸比丘若如來自知涅槃時到衆又清淨
信解堅固了達空法深入禪定便集諸菩薩
及聲聞衆為說是經世間无有二乘而得滅
度唯一佛乘得滅度耳比丘當知如來方便
深入衆生之性知其志樂小法深著五欲為
是等故說於涅槃是人若聞則便信受譬如
五百由旬險難惡道曠絕无人怖畏之處若
有多衆欲過此道至珎寶處有一導師聰慧
明達善知險道通塞之相將導衆人欲過此
難所將人衆中路懈退白導師言我等疲極
而復怖畏不能復進前路猶遠今欲退還導

BD02907號　妙法蓮華經卷三

（13–10）

是等故說於涅槃是人若聞則便信受譬如
五百由旬險難惡道曠絕无人怖畏之處若
有多衆欲過此道至珎寶處有一導師聰慧
明達善知險道通塞之相將導衆人欲過此
難所將人衆中路懈退白導師言我等疲極
而復怖畏不能復進前路猶遠今欲退還導
師多諸方便而作是念此等可愍云何捨大
珎寶而欲退還作是念已以方便力於險道
中過三百由旬化作一城告衆人言汝等
怖莫得退還今此大城可於中止隨意所
作若入是城快得安隱若能前至寶所亦可
得去是時疲極之衆心大歡喜歎未曾有我
等今者免斯惡道快得安隱於是衆人前入
化城生已度想生安隱想介時導師知此人衆
既得止息无復疲惓即滅化城語衆人言汝
等去來寶處在近向者大城我所化作為止
息耳諸比丘如來亦復如是今為汝等作大
導師知諸生死煩惱惡道險難長遠應去應
度若衆生但聞一佛乘者則不欲見佛不欲
親近便作是念佛道長遠久受勤苦乃可得
成佛知是心怯弱下劣以方便力而於中道
為止息故說二涅槃若衆生住於二地如來
介時即便為說汝等所作未辦汝所住地近
於佛慧當觀察籌量所得涅槃非眞實也
但是如來方便之力於一佛乘分別說三如彼
導師為止息故化作大城既知息已而告之

BD02907號　妙法蓮華經卷三

（13–11）

汝等所作未辦汝所住地近
於佛慧當觀察籌量所得涅槃非真實也
但是如来方便之力於一佛乘分別說三如彼
導師為止息故化作大城既知息已而告之
言寶處在近此城非實我化作耳 世
尊欲重宣此義而說偈言
大通智勝佛 十劫坐道場 佛法不現前 不得成佛道
諸天神龍王 阿脩羅眾等 常雨於天華 以供養彼佛
諸天擊天鼓 并作眾伎樂 香風吹萎華 更雨新好者
過十小劫已 乃得成佛道 諸天及世人 心皆懷踊躍
彼佛十六子 皆與其眷屬 千万億圍繞 俱行至佛所
頭面礼佛足 而請轉法輪 聖師子法雨 充我及一切
世尊甚難值 久遠時一現 為覺悟群生 震動於一切
東方諸世界 五百万億國 梵宮殿光曜 昔所未曾有
諸梵見此相 尋来至佛所 散華以供養 并奉上宮殿
請佛轉法輪 以偈而讚歎 佛知時未至 受請默然坐
三方及四維 上下亦復尔 散華奉宮殿 請佛轉法輪
世尊甚難值 願以大慈悲 廣開甘露門 轉无上法輪
无量慧世尊 受彼眾人請 為宣種種法 四諦十二緣
无明至老死 皆從生緣有 如是眾過患 汝等應當知
宣暢是法時 六百万億姟 得盡諸苦際 皆成阿羅漢
弟二說法時 千万恒沙眾 於諸法不受 亦得阿羅漢
從是後得道 其數无有量 万億劫算數 不能得其邊
時十六王子 出家作沙弥 皆共請彼佛 演說大乘法
我等及營從 皆當成佛道 願得如世尊 慧眼第一淨
佛知童子心 宿世之所行 以无量因緣 種種諸譬喻

BD02907號 妙法蓮華經卷三 （13–12）

頭面礼佛足 而請轉法輪 聖師子法雨 充我及一切
世尊甚難值 久遠時一現 為覺悟群生 震動於一切
東方諸世界 五百万億國 梵宮殿光曜 昔所未曾有
諸梵見此相 尋来至佛所 散華以供養 并奉上宮殿
請佛轉法輪 以偈而讚歎 佛知時未至 受請默然坐
三方及四維 上下亦復尔 散華奉宮殿 請佛轉法輪
世尊甚難值 願以大慈悲 廣開甘露門 轉无上法輪
无量慧世尊 受彼眾人請 為宣種種法 四諦十二緣
无明至老死 皆從生緣有 如是眾過患 汝等應當知
宣暢是法時 六百万億姟 得盡諸苦際 皆成阿羅漢
弟二說法時 千万恒沙眾 於諸法不受 亦得阿羅漢
從是後得道 其數无有量 万億劫算數 不能得其邊
時十六王子 出家作沙弥 皆共請彼佛 演說大乘法
我等及營從 皆當成佛道 願得如世尊 慧眼第一淨
佛知童子心 宿世之所行 以无量因緣 種種諸譬喻
說六波羅蜜 及諸神通事 分別真實法 菩薩所行道
說是法華經 如恒河沙偈 彼佛說經已 靜室入禪定
一心一處坐 八万四千劫 是諸沙弥等 知佛禪未出
為无量億眾 說佛无上慧 各各坐法座 說是大乘經
於佛宴寂後 宣揚助法化 一一沙弥等 所度諸眾生
有六百万億 恒河沙等眾 彼佛滅度後 是諸聞法者
在在諸佛土 常與師俱生 是十六沙弥 具足行佛道

BD02907號 妙法蓮華經卷三 （13–13）

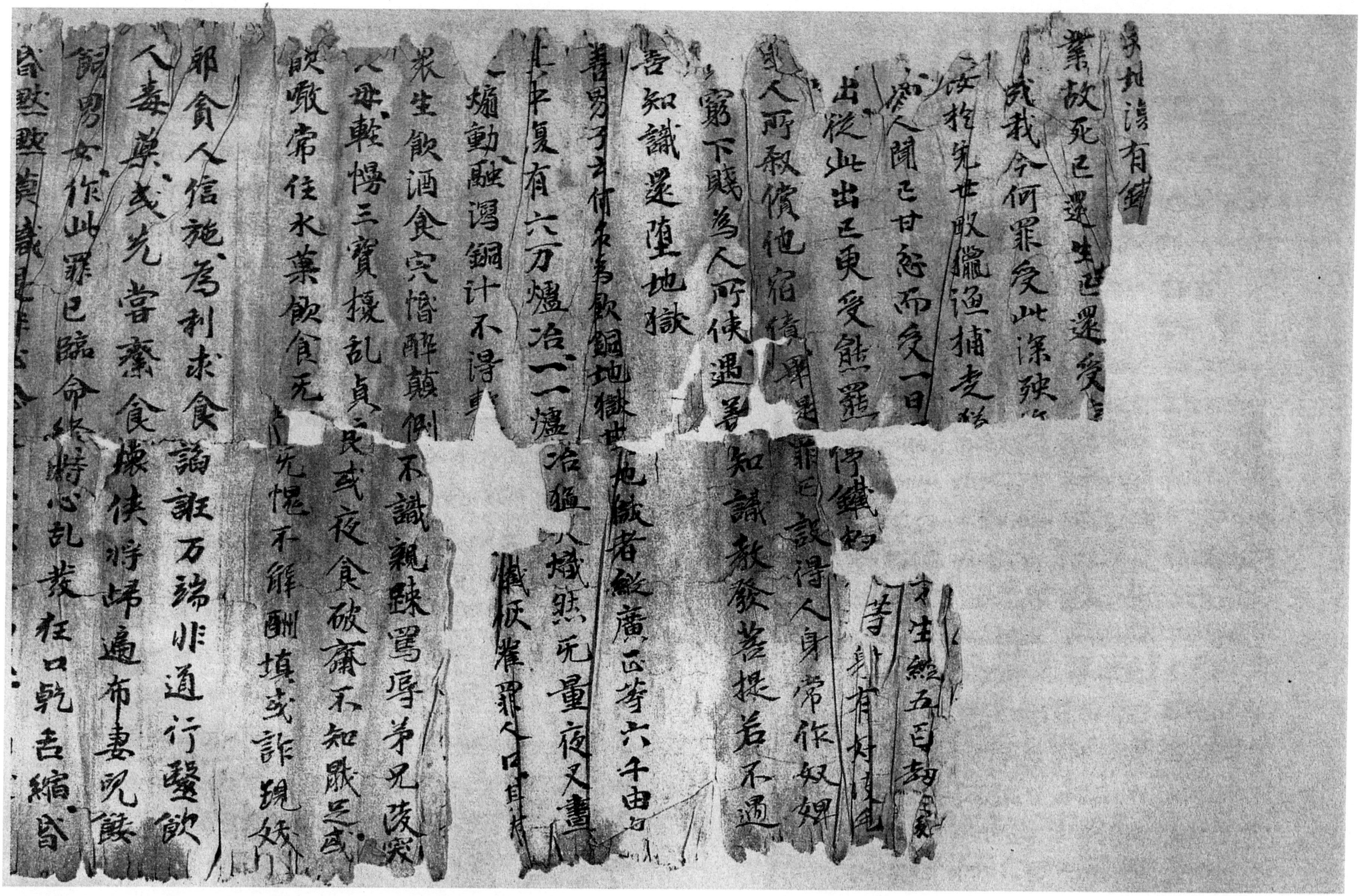
…地諸有鐵…
業故死已還生已還受…
…我今何罪受此深殃…
汝於先世畋獵逼捕走獸…
罪人聞已甘忿而受一日…生經五百劫…
出從此出已更受熊羆…善男子有好…
人所殺償他宿債畢…停鐵…非已說得人身常作奴婢
窮下賤為人所使遇善知識教發菩提若不遇
善知識還墮地獄
善男子若有衆生飲銅地獄其地獄者縱廣正等六千由旬
土中復有六刀爐冶一一爐冶猛火熾然无量夜叉晝…
一熾動融瀉銅計不得…械杻推罪人口…
衆生飲酒食宍惛醉顛倒不識親踈罵辱弟兄陵突
父母輕慢三寶擾乱貞良或夜食破齋不知厭足或
飲噉常住水菓飲食无慚无愧不能酬填或詐現妖…
邪貪人信施為利求食諂誑万端非道行醫飲
人毒藥或先嘗齋食壞俠將婦遍布妻兒餓
飼男女作此罪已臨命終時心乱發狂口乾舌縮皆
…

BD02908號　佛為善男子說地獄報應經（擬）　（14–1）

飲噉常住水菓飲食，无慚愧不解酬填，或詐現好
邪貪人信施，為利求食，諂誑万端，非道行邀飲
入毒藥，或先嘗藥食，嫌使將歸，遍布妻兒噉
飯男女。作此罪已，臨命終時，心乱發狂，口乾舌縮，皆
昏默，莫識是非，心念漿飲之為狀，牛頭獄卒
化作好人，玉椀盛漿，与之令飲。罪人飲已，便即命終，須
臾之間，入此地獄。入此獄已，尋被羅剎銅汁灌口，五藏燋
爛，節節火然，口眼耳鼻，皆流猛焰，无量罪人，同聲
哭言：苦哉痛哉，我今何故來此中，復何因緣，欲
銷銅汁，當於何時，得免斯苦。羅剎報言：汝得人身，不
解脩福，破齋飲酒，故受此殃，自作自受，知何所訴。
罪人聞之，慚愧而受，一日一夜，万死万生，經六千歲，然後
得出。又其受苦之時，思念冷水，從此出已，更受
身：鼉龜魚鼈蝦蟆等身，飲水活命，復經千劫。從是
已去，設得人身，水灌乾痟，貧窮无衣服，遇善識教
義，善提不若遇善知識，還墮地獄。
善男子，云何名為鐵丸地獄？其地獄者，縱廣正等
七千由旬，其中復有无量鐵丸，猶如流星，空中而下。
夜叉羅剎，遍迫罪人，吞噉鐵丸，无時暫捨。其有衆生，无
慚无愧，輕毀三寶，侮慢尊親，自恃已長，嫉他勝己，或
不信因果，說有說空，謗大乘經，言非佛說，或怨

BD02908號　佛為善男子說地獄報應經（擬）　（14–2）

七千日白其中[illegible]有无量[illegible]大獄女[illegible]身空中而下
夜叉羅剎逼迫罪人吞噉鐵丸无時暫捨。其有衆生无
慚无愧輕毀三寶侮慢尊親自恃已長嫌他勝已或
不信因果說有謗空謗大乘經言非佛說。或恣
情食肉齋[illegible]条万端穴上貫穿鑊中熬煿。哀聲未
盡肉分張衆集親羅梅為美味或食常住菜菓
菜茹与僧還好非理噉食或以不淨食供養佛
僧口出惡言噉人屎尿作此罪已臨命終時惡相現
前衆苦交集身乾口燥結舌不言須臾命終入
此獄。地入此獄已即被羅剎以三鈷鐵杖望胃而橦
背上而出。罪人痛急仰面向天涕淚交流張口大叫
罪人吞噉晝夜不停七孔之中鐵丸流迸骨肉糜
爛受苦大然苦切之聲振動天地无量罪人同聲唱言
苦哉痛哉我今何罪吞此鐵丸復於何時而得出離。
獄卒羅剎說偈言　汝得人身不脩福　飲酒
食肉謗他人　不早發心求悔懺　如今號叫欲如何。
尒時罪人聞是語已悲淚滿目依前而受一日一夜万死
万生經七千歲然後得出從此出已更受毒虵惡獸等
身見者恐怖或受鵄鴞鵂鶹鵄烏等身所得飲食
渾吞生咽設生人中貧窮下賤頑愚醜陋不識已
真或復盲聾以乞活命遇善知識教發菩提若
不遇善知識還墮地獄。

身見者怨怖，或受蝙蝠鵄烏等身，所得飲食
渾吞生咽。設生人中，貧窮下賤，頑愚醜陋，不識已
真，或復盲聾，以乞活命。遇善知識，教發菩提；若
不遇善知識，還墮地獄。
善男子，云何名為銅柱地獄？其地獄者，縱廣正等八由
旬。其中復有无量銅柱，一一柱上猛火熾然，无量夜叉
四門而立。其有衆生无慚无愧，婬欲无度，不識親疏，
不擇畜生、母女、姊妹，或行非梵行，污淨行人，擾亂貞
良恥他門戶，或通人妻妾，污比丘尼，非處非時而行耶
行，或通致男女交會，婬色胡乱，知妬，使作惡，增擧
貪發言皆生婬欲，或高築臺榭，脩葺蘭林，增長无
明，縱恣狂蕩，茎歌衆會，男女交歡，不懼殃愆，不識慚
恥。作此罪已，臨命終時，一切苦相皆來逼迫，狂言兇
語，起坐呻吟。須臾命終，入此地獄。入此獄已，遙見銅柱
狀若寶臺，有妙天人作諸天樂。罪人見已，貪欲隨池，
以惡業緣，即抱銅柱。抱已，猛火四面皆然，臺上天人
為羅剎，鐵杈鐵棒，驅逐罪人，晝夜登攀，不得停住。
肉燋爛，手足分離，痛急從空自投於地。羅剎振怒，手把鐵杖，
背上而撞，胸前而出。罪人痛急，號叫徹心，猛火交流，藏竄
无地。无量罪人同聲唱言：苦哉痛哉！我今何罪來入
此中？復何因緣抱此銅柱？五百羅剎同聲報言：汝昔无

BD02908號　佛為善男子說地獄報應經（擬）　（14–4）

此中復何因緣抱此銅柱，五百羅剎同聲報言汝昔元
慚廣行婬欲，悠縱縱不早懺除今者悲號知何
所益。尒時罪人聞是語已心生慚愧悲泣而受一日一夜
万死万生經八千歲然後得出，從此出已受畜生身
負重而行加諸杖捶，過是已去更受身鷄梟鵄
雖人不喜見，二根合道不辨雄雌，常出惡聲骨為
觜爪，若生人中諸根不具耶婬顛倒常受女人夫不貞
良常被輕弃，遇善知識教發菩提，若不遇善知識
還墮地獄。　　善男子云何名為鐵床地獄，其地獄
者縱廣正等十千由旬，其中復有无量鐵床，一一床上
皆流猛火，五百羅剎各執鐵杖巡遶鐵床不蹔停住
其有眾生无慚无愧婬欲熾燃不簡親疎非處非時
而行耶行，或假人夫聟離簡宗親謟諛貞良使成
怨結，或於男子起嫉妬心厭禱符書蠱毒耶媚，或
親近寺舍污比丘僧隔絕他人夫聟男女或生非法愛
染玄黃，廣樂奢華錦繡羅轂，作此罪已臨命終時若
相現前，身心顛倒鬼魅所著驚走發狂報盡命終入
此地獄，入此獄已即被羅剎駈上鐵床猛火燒焚暗賣
俱爛，痛切難忍，跳下鐵床羅剎夜叉蹋地大叫，罪人怕
怖走上鐵床，上已燋然過前万倍，无量罪人同聲唱
言苦哉痛哉，我今何罪來入此獄，復何因緣受斯大

BD02908號　佛為善男子說地獄報應經（擬）　（14–5）

此地獄入此獄已即被羅剎驅上鐵床猛火燒焚時齊
俱爛痛切難忍跳下鐵床羅剎夜叉踏地大叫罪人怕
怖走上鐵床上已燋然過前万倍无量罪人同聲唱
言苦哉痛哉我今何罪來入此獄復何因緣受斯大
苦獄卒羅剎說偈報言　汝得人身好婬欲　不早懺悔發
菩提　鐵床之苦來相報　悲悲號懊惱歎何為
尒時罪人聞是語已悲泣流淚依前而受一日一夜万
死万生經十千劫然後得出從地獄出受畜生身喑啞
不言根形醜大或受鵄鵂鵰鷲等身常被世人之所
彈捕從是以去設得人身醜陋頑愚貧无衣服水腫
消瘦妻不貞良一切眾生共所輕弃遇善知識教發
菩提若不遇善知識還墮地獄
善男子云何名為寒冰地獄其地獄者縱廣正等十
千由旬其中復有无量羅剎各執風輪肩動猛風不蹔
停住其有眾生无慚无愧貪利自活劫剝眾生削絕
糇粮欲攘衣服使其咨嗟凍露愁毒不安或大澤深
山斷道抄掠或穿踰墻壁偷竊萬端或倚公威后納奸
[illegible]販賣寒盜侵削仙僧或駈役眾生不知艱苦叔捍
六畜毒讒詔之大小遺器使人擎運作此罪已臨命
終時苦相現前見已心怖結舌暗不敢見人須臾命終
入此地獄入此獄已寒冰切身猛利刀風吹諸毛孔須臾
被凍或青或紅霍霍婆聲徹貫心髓復被鐵鳥啅
食其身遍諸支節千瘡万孔刀風流入號叫動天无

BD02908號　佛為善男子說地獄報應經（擬）　（14–6）

穢販賣寒盜損前仏僧或驅役衆生不知艱苦收掉
六畜毒謹治之大小遺器使人擧運作此罪已臨命
終時苦相現前身心恐怖結舌苛瘖不語見人須臾命終
入此地獄入此獄已寒氷切身猛利刀風吹諸毛孔須臾
被凍或青或紅霍霍婆聲徹貫心髓復被鐵鳥啅
食其身遍諸支節千瘡万孔刀風流入號叫動天无
量罪人抱膝而坐同聲唉言若哉痛我今何罪來入
此寒氷復於何時而得解脫羅刹報言汝得人身心无
慚无愧廣行非法劫害衆生自作自受更知何訴罪人聞
以无復方蹂仰面向天號叫而受一日一夜万死万生經十
千歲然後得出從此出已更受牛馬驢騾駱駞等身血
肉氣力償他宿債畢是罪已設得人身五百劫中為人
奴婢寒凍飢餓苦切其身醜陋邊癡諸根不具過
善知識教發菩提不遇善知識還墮地獄
善男子云何名為雄熱地獄其地獄者縱廣正等七千
由旬其城四面皆是鐵墻周迊猛火猛間无空處獄
卒羅刹各執鐵杖怒目衛身四門而立其有衆生无
慚无愧不孝父母輕慢師僧恃勢倚官恐嚇良善
或廣加大棒拷搕衆生藏隱丁推竊沒祖税炮炙牛
馬撏剝猪羊或我慢貢高嗔打奴婢或停燈露燭不
讓細微或造油梁壓瀝生豕或因風放火蕩滅山林
或溉灌蘭蔬損害螻蟻或因耕植酷謔衆生策役

BD02908號　佛為善男子說地獄報應經（擬）　（14-7）

或羸枷大棒拷掠衆生藏隱丁椎窺没祖稅地致牢
馬𢭏剥猪羊或我慢貢高嗔打奴婢或停燈露燭不
讓細微或造油梁壓碾田家或因風放火蕩滅山林
或溉灌蔬菜損害螻蟻或因耕植酷誑衆生策役
駈馳不知艱苦作此罪已臨命終時惡相現前心神憒
乱唇口炮裂手脚捫空須臾命終入此地獄入此獄已
猛焰交流罪人被燒東西狂走或倒或起不得暫停
刹那之間骨肉燋爛復有鐵猶來噉其肉復有鐵鳥
來啄其舌罪人痛急同聲唱言苦哉痛哉我今何
罪來入此中復於何時當得出離羅刹報言汝於先世
損害无辜无覺悟心不求懺悔自作自受雖訴益何罪
人聞之慚愧一日一夜万死万生經七千歲然後得出從此
出已更受麞鹿狐狸等身依止林穴常懷驚怖畢是
罪已設得人身世世貧窮受人駈役遇善知識教發菩
提不遇善知識還墮地獄
善男子云何名為刀輪地獄其地獄者縱廣正等五百
由旬其中復有无量刀輪利如鋒鋋空中旋轉其有罪人
无慚无愧販賣奴婢貨易猪羊邊地來往抄掠良口
印面割舌搒楚安鉗竊盜万端不知羞恥計校息利
養活妻兒婦軍陣往來恣其猛刀杖弓箭斫射衆生
或斷命根或傷手足或截切徒剥削齋粮不懼當來苟
徒聞已或道場布施口許心違上數極多臨時拒諱

養活妻兒孥軍陣往來恣其胷猛刀杖弓箭斫射眾生
或斷命根或傷手足或截功德剝削齋粮不懼當來為
徒閏已或道場布施口許心違上數極多臨時拒諱
作此罪已臨命終時苦來逼身痛切難忍口噤不語
長喘連胷須臾命終入此地獄入此獄已遙見刀輪空中
盤旋怕懼而走獄卒羅剎手把鐵杈望胷而撞背後而出
罪人痛急无處潛藏即被刀輪節節支解手足零落耳
鼻分張血流成河肉碎如雨獄卒踏地唱言活活已還更
无量罪人同聲喚言苦哉痛哉我今何罪來入此中復何
因緣受斯大苦復於何時而得出離羅剎報言罪人罪人
汝得人身不解修福所作罪鄣念念覆藏臨命終時
猶不懺悔自作自受辯訴何罪人聞之嘿然
而受一日一夜万生經五百劫然後得出從此出已受畜生身
設生人中諸根不具遇知善識教發菩提若不遇善
知識還墮地獄● 善男子云何名為灰河地獄其
地獄者縱廣正等八千由旬其中復有猛熱煻灰處處流溢
熾焞滿獄深一由旬其有眾生无慚无愧不敬三寶不
住大乘謗泥伽藍侵損常住四時八節祭祀鬼神男女
婚姻廣復生命雞鵝鴨雉網鉤万端烹宰牛羊擗剝
魚兔或炮飛卵或膾生魚飲噉五辛熏污賢聖或遊履
塔寺興不淨心僧地房中行非梵行或合和毒藥占相
吉凶呪述符書妄談休咎作此罪已臨命終時眉豎
眼張口乾舌卷心神憎亂不識親踈儼然命終入此

[illegible]
塔寺興不淨心僧地房中行非梵行或合和毒藥占相
吉凶呪述符書妄說休咎作此罪已臨命終時眉豎
眼張口乾舌卷心神憕乱不識親疏俄然命終入此
地獄入此地獄已即被羅剎驅入灰河或東或西或瀉
或沒罪人被爛遍體焦然苦痛徹心不得停住或
時望見東東門大開急走遶之到已還閉南西北門亦
復如是罪人痛急高聲唱言苦哉痛哉我今何罪
來入此中復何因緣受斯大苦當於何時而得出離
羅剎報言汝於前世廣作衆生罪不肯發心聞身康
強不預懺悔汝今自受辭訴如何罪人聞之低頭嘿受
一日一夜万死万生經五八千百劫然後得出從此出已更受
聾瘂蝮蠎蜂蛉之身飲水活命復經千歲若生人中聾盲
不具短命多病或在胞胎墮落而死遇善知識教
發菩提若不遇善知識還墮地獄
善男子云何名為剉碓地獄其地獄者縱廣正等五百
由旬其中復有无量剉碓羅剎夜叉遍滿獄中剉擣
罪人不暫停住其有衆生无慚无愧敗肉求利屠害衆生
非法行婬墮胎落子或穿踰墻壁劫害衆生恩求
多求不知厭足或軍陣使命鬪擽兩頭手起惡心斫
射無數或出入息利剝削衆生欺罔毫釐偷竊嗜
或形穢斬罸槌拭万端饒公益私損彼益此或役使奴婢

BD02908 號　佛為善男子說地獄報應經（擬）

（14–10）

多求不知猒足、或軍陳使命鬪搆兩頭手起惡心所
射無數、或出入息利剥削衆生欺罔毫釐偷竊盜
或形𢧵斬罸捶撻万端、假公盜私損彼益此、或役奴婢
乃至畜生都无慈心、横加楚毒、作此罪已臨命終時皆
來逼身心發狂乱、怨家債主悉現其中、前須臾命
終入此地獄、入此獄已羅剎大叫、即以鐵斬斫剉罪人從
頭至足猶如嶽塵、血流成河、肉散如雨、復有鐵鋒猶來飲
其血、復有鐵鳥來噉其肉、所飲噉者皆是先世怨家
債主。獄卒羅剎掃之令聚、唱言活活、已還受无量罪
人被剉之時同聲唱言苦哉痛哉、我今何罪受此深
殃、復於何時當得解脫。羅剎報言：汝先劫剥槓害
衆生、臨病死時猶不慚悔、已報到此、知復何言。罪人聞
之慚愧而受、一日一夜万死万生、經五百劫於後得出、從
此出已更受惡獸豺狼蝮蛇等身、常受飢餓、設得少食
渾吞生噉、從此出已設得人身、疥癩癰疽、人所惡賤。遇
善知識教發菩提、名不遇善知識還墮地獄。
善男子，云何名為鐵犁地獄？其地獄者縱廣正等
十千由旬、其中復有无量鐵犁、獄卒羅剎鞭撻鐵
牛耕罪人舌、无暫停住。其有衆生无慚愧、无惡口兩
舌、妄言綺語、交肩彼此、鬪構兩頭、包藏瑕疵、顯異惑衆、
道場聽法語嘆喧譁、不信大乘、輕謗正法、或罵辱三寶、
鬪乱宗親、自恃他非、浮虚巧偽、或傳空說有、惡世名

BD02908號　佛為善男子說地獄報應經（擬）

（14–11）

牛耕罪人舌，无暫停住。其有眾生无慚愧无惡口兩
舌妄言綺語，交亂彼此，鬭構兩頭，色藏瑕疵，顯異惑衆。
道場聽法，語嘆喧譁，不信大乘，謗毀正法，或罵辱三寶。
鬭亂宗親，自恃他非，浮虛巧偽，或傳空說，有更世名。
顛倒說佛言，邪解經義，作此罪已，臨命終時，死相現
前，眾苦交集，喉脣乾燥，結舌不言，須臾命終，
入此地獄。入此獄已，即被羅剎鐵鉗拔舌，長百
由旬，四面鐵釘，釘之令定。五百獄卒各執鐵犁
大叫揚聲，耕罪人舌，鐵牛哮吼，驚走不停，血
流成河，肉碎如粉。復有鐵鳥啄其舌根，銅
猶鐵蚍爭來飲服。罪人痛急，出大叫聲，咽
喉之中猶如雷吼。一日一夜万死万生，經五百劫，然
後得出。從此出已，更受鵄梟鵂鶹，怪異
之鳥，晝伏夜出，音聲怨惡，人不喜聞。後得
人身，世世瘖瘂。遇善知識教發菩提，若不
遇善知識，還墮地獄。
善男子云何名沸屎地獄？其地獄者縱廣正等十千由旬，
其中沸屎深一由旬，无量罪人於中沒溺。其有眾生
无慚无愧，飲酒食肉，及以熏辛，迷惑正真，信邪倒見，
或自爭競，陵辱尊卑，以不淨言安人口內，或猥陋

其中沸屎深一由旬，无量罪人於中沒溺。其有眾生
无慚无愧，飲酒食肉，及以熏辛，迷惑正真，信邪倒見，
或因爭競，陵辱尊卑，以不淨言，安人口內，或裸露
言語不避嫌疑，眠地仰臥，讀誦或理，陷勝已破
壞中良能走鬼神，破齋夜食，作此罪已，臨命終時
眾苦現前，不得安樂，昏昏默默，莫辨親疏，須臾命終
入此地獄。入此獄已，沸屎交流，罪人於中東西沒已。尔
時復有蠰蛆鉗虫，身白頭黑，來唼罪人，猶如籠篩，
千瘡万孔，沸屎流溢，狀似濤波，罪人於中不暫停住，
苦痛難忍，同聲唱言：苦哉痛哉，我今何罪，來入此中，
復於何時得免斯苦。羅剎報言：汝於先世造罪尤深，不
早懺悔，今日號訴，伏如何益。罪人聞之，悲泣流淚。一
日一夜，万死万生，經五百劫，然後得出，從此出已，更受殘
蜣蜋蚰蜒等身，常根淨，畢是罪已，設得人身，諸
根闇鈍，遇善智識，教發善機，若不遇善知識，還
地獄。
善男子，云何名為向鼻地獄？其地獄者，縱廣正等
八万四千由旬，周迊復有七重鐵城，七重鐵網羅覆。
其上下以鐵剌鏃鏃，以為其地，其城四門有大銅狗，
其身縱廣四千由旬，牙爪鋒鋩，眼如掣電，復有无量
鐵山，背諸鳥鶩，飛騰噉罪人肉，牛頭獄卒，形如羅剎，而有

[illegible]四千由旬[illegible]
其上下以鐵剌鏃鏘以為其地其城四門有大銅狗
其身縱廣四千由旬牙爪鋒鋩眼如掣電復有無量
鐵山觜諸鳥鵰鷲飛騰噉罪人肉牛頭獄卒形如羅剎而有
九尾尾如鐵叉復有八頭頭上復有十八角有六十
四眼眼眼中皆悉迸出猛熱鐵丸燒罪人肉
其一眼一怒哮吼之時聲如霹靂復有無量
白蛇刀輪空中亂下從頂而入足下而出其
有衆生作五逆罪殺父害母殺阿羅漢出佛
身血破和合僧起大邪見謗無因果作此
之報盡命終墮此獄中不必具造一所言向
者名無鼻者名間知寒地獄中熱遇熱風以之
為樂熱地獄中暫遇寒風以之為樂向鼻獄
中都無此事以晝計夜死有休間[illegible]
猶直是獄其身縱廣遍滿獄中若有百千人同墮其
中一一遍滿如魚在水不相妨礙上火徹下下火徹上東西南北
而未過者魚在鏊暗膏但爛其[illegible]一一劫盡更生如
是展轉至無數劫從地獄出受畜生身所謂豬狗野
干猕猴蚖蛇[illegible]之身或得人身[illegible]
[illegible]遇善知識教[illegible]

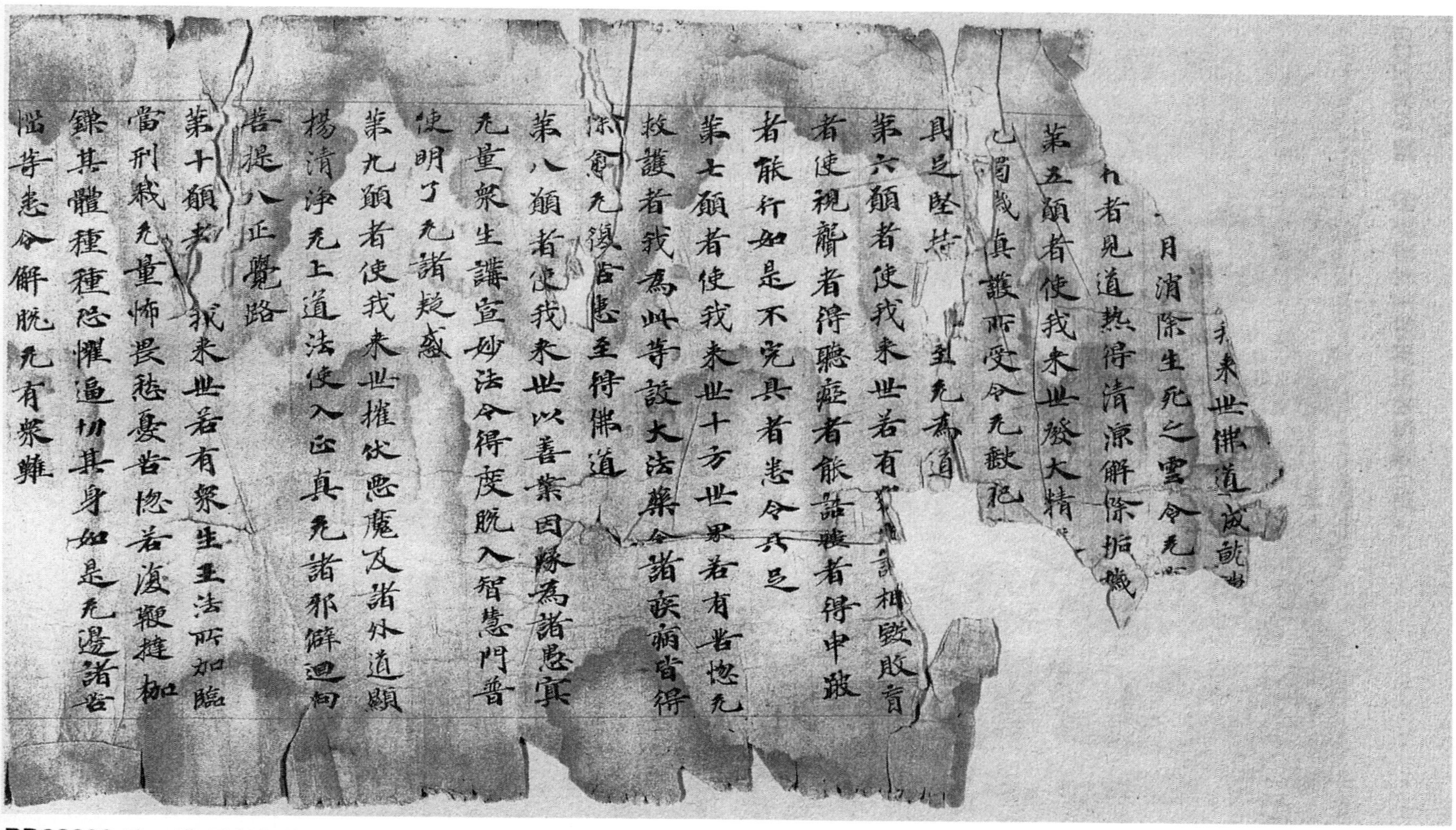
我來世佛道成就
月消除生死之雲令无
者見道熱得清涼解除垢穢
第五願者使我來世發大精
心滿戒具護所受令无缺犯
具足堅持　至无為道
第六願者使我來世若有衆生諸根毀敗盲
者使視聾者得聽瘂者能語僂者得申跛
者能行如是不完具者悉令具足
第七願者使我來世十方世界若有苦惱无
救護者我為此等設大法藥令諸疾病皆得
除愈无復苦患至得佛道
第八願者使我來世以善業因緣為諸悪冥
无量衆生講宣妙法令得度脫入智慧門普
使明了无諸疑惑
第九願者使我來世摧伏惡魔及諸外道顯
揚清淨无上道法使入正真无諸邪僻迴向
菩提八正覺路
第十願者　我來世若有衆生王法所加臨
當刑戮无量怖畏愁憂苦惱若復鞭撻枷
鎖其體種種恐懼逼切其身如是无邊諸苦
惱等悉令解脫无有衆難

BD02909 號　灌頂章句拔除過罪生死得度經

（15–1）

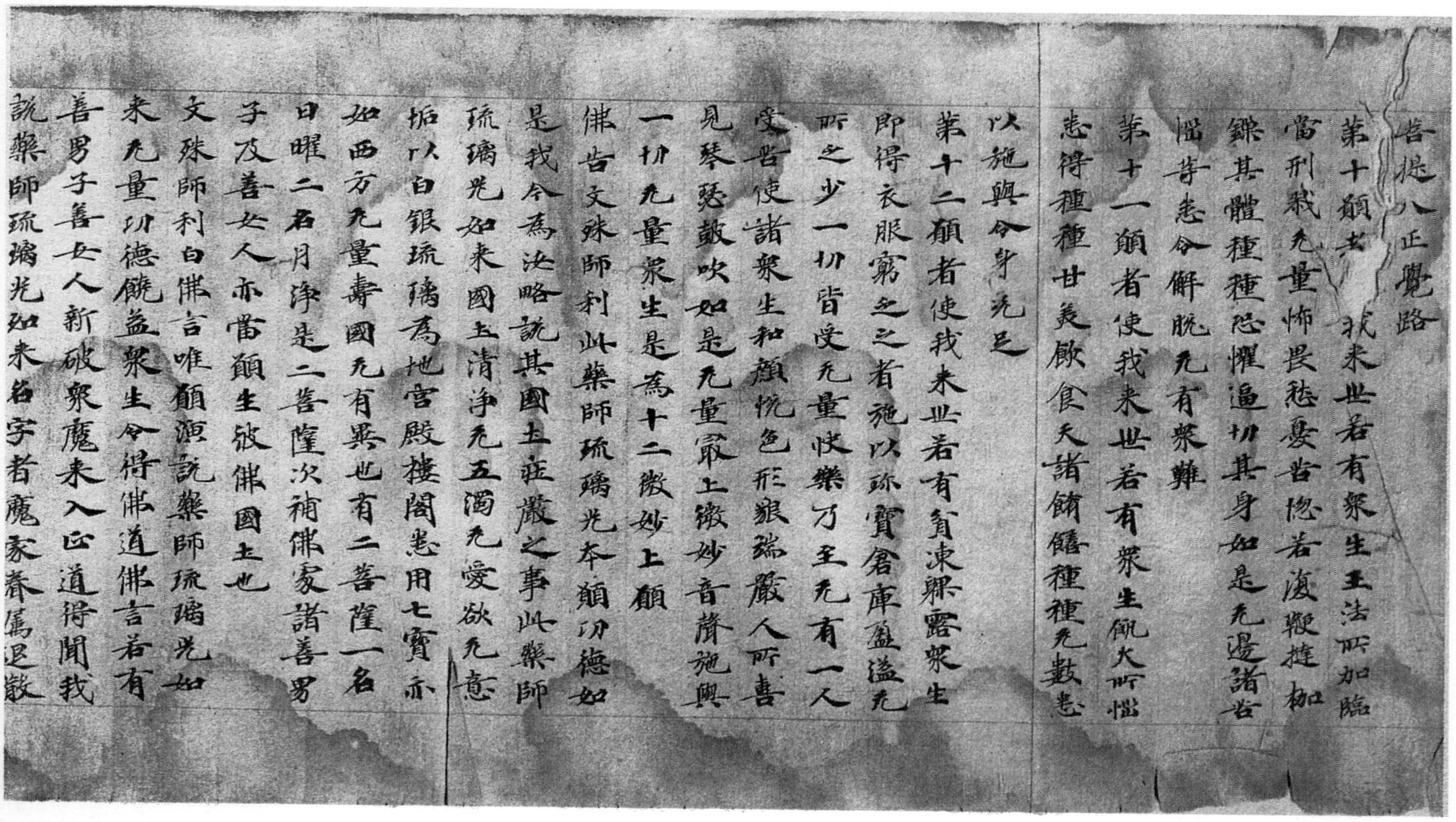
菩提八正覺路
第十願者　我來世若有衆生王法所加臨
當刑戮无量怖畏愁憂苦惱若復鞭撻枷
鎖其體種種恐懼逼切其身如是无邊諸苦
惱等悉令解脫无有衆難
第十一願者使我來世若有衆生飢火所惱
悉得種種甘美飲食天諸餚饍種種无數悉
以施與令身充足
第十二願者使我來世若有貧凍裸露衆生
即得衣服窮乏之者施以珎寶倉庫盈溢无
所乏少一切皆受无量快樂乃至无有一人
受苦使諸衆生和顏悅色形貌端嚴人所喜
見琴瑟皷吹如是无量最上微妙音聲施與
一切无量衆生是為十二微妙上願
佛告文殊師利此藥師琉璃光本願功德如
是我今為汝略說其國土莊嚴之事此藥師
琉璃光如來國土清淨无五濁无愛欲无意
垢以白銀琉璃為地宮殿樓閣悉用七寶亦
如西方无量壽國无有異也有二菩薩一名
日曜二名月淨是二菩薩次補佛處諸善男
子及善女人亦當願生彼佛國土也
文殊師利白佛言唯願演說藥師琉璃光如
來无量功德饒益衆生令得佛道佛言若有
善男子善女人新破衆魔來入正道得聞我
說藥師琉璃光如來名字者魔家眷屬退散

BD02909 號　灌頂章句拔除過罪生死得度經

（15–2）

文殊師利白佛言唯願演說藥師琉璃光如
来无量功德饒益衆生令得佛道佛言若有
善男子善女人新破衆魔来入正道得聞我
說藥師琉璃光如来名字者魔家眷属退散
馳走如是无量拔衆生苦我今說之
佛告文殊師利世世間有人不解罪福慳貪不
知布施今世後世當得其福世人愚癡但知
貪惜寧自割身肉而噉食之不肯持錢財布
施求後世之福又有人身不能衣食此大慳
貪命終以後當墮地獄餓鬼及在畜生中聞
我說是藥師琉璃光如来名字之時无不解
脫憂苦者也皆作信心貪福畏罪人從索頭
與頭乞眼與眼乞妻與妻乞子與子求金銀
珎寶皆大布施一時歡喜即發无上正真道
意佛言若復有人受佛淨戒遵奉明法不
解罪福雖知明經不及中義不能分別曉了
中事以自貢高恒常瞻憤乃與世間衆魔從
事更作縛著不解行之戀著婦女恩愛之情
口為說空行在有中不能發覺復不自知但能
論說他人是非如此人輩皆當墮三惡道中聞
我說是藥師琉璃光本願功德无不歡喜念
欲捨家行作沙門者也
佛言世間有人好自稱譽皆是貢高當墮三
惡道中後還為人牛馬奴婢生下賤中人當

BD02909 號　灌頂章句拔除過罪生死得度經　（15–3）

論說他人是非如此人輩皆當墮三惡道中聞
我說是藥師琉璃光本願功德无不歡喜念
欲捨家行作沙門者也
佛言世間有人好自稱譽皆是貢高當墮三
惡道中後還為人牛馬奴婢生下賤中人當
乘其力負重而行困苦疲極忘失人身聞我
說是藥師琉璃光如来本願功德者皆當一
心歡喜踊躍更作謙敬即得解脫衆苦之患
長得歡樂聰明智慧遠離惡道得生善處與
善知識共相值遇无復憂惱離諸魔縛
佛言世間愚癡人輩兩舌鬪諍惡口罵詈更
相嫌恨或詣山神樹下鬼神日月之神南斗
北辰諸鬼神所作諸呪詛或作人名字或作
人形像或作符書以相厭禱呪咀言說聞我
說是藥師琉璃光佛本願功德无不兩作和
解俱生慈心惡意悉滅各各歡喜无復惡念
佛言若四輩弟子比丘比丘尼清信士清信
女常脩月六齋年三長齋或晝夜精勤一心
苦行願欲往生西方阿弥陁佛國者憶念晝
夜若一日若二日三日四日五日六日七日或
復中悔聞我說是藥師琉璃光本願功德盡
其壽命欲終之時有八菩薩文殊師利菩
薩觀世音菩薩德大勢至菩薩无盡意菩薩
寶檀華菩薩藥王菩薩藥上菩薩弥勒菩薩

BD02909 號　灌頂章句拔除過罪生死得度經　（15–4）

復中誨聞我說是藥師琉璃光本願功德盡
其壽命欲終之時有八菩薩文殊師利菩
薩觀世音菩薩德大勢至菩薩无盡意菩薩
寶檀華菩薩藥王菩薩藥上菩薩弥勒菩薩
皆當飛往迎其精神不經八難生蓮華中自
然音樂而相娛樂
佛言假使壽命自欲盡時臨終之日得聞我
說是藥師琉璃光佛本願功德者命終皆得
上生天上不復經歷三惡道中天上福盡若
下生人間當為帝王家作子或生豪姓長者
居士富貴家生皆當端正聰明智慧高才勇
猛若是女人化成男子无復憂惱患難者也
佛語文殊師利稱譽顯說藥師琉璃光佛至
真等正覺本所脩集无量行願功德如是
文殊師利從坐而起長跪叉手白佛言世尊
佛去世後當以此法開化十方一切衆生使
其受持是經典者
若有善男子善女人愛樂是經受持讀誦宣
通之者復能專念若一日二日三日四日五日
乃至七日憶念不忘能以好素帛書取是經
五色雜綵作囊盛之者是時當有諸天善
神四天大王龍神八部常來營衛愛敬此經
者日日作礼持是經者不墮横死所在安隱
惡氣消滅諸魔鬼神亦不中害佛言如是如
是如汝所說文殊師利言天尊所說言无不
善
佛語文殊師利若有善男子善女人等發心

BD02909 號　灌頂章句拔除過罪生死得度經

（15–5）

神四天大王龍神八部常來營衛愛敬此經
者日日作礼持是經者不墮横死所在安隱
惡氣消滅諸魔鬼神亦不中害佛言如是如
是如汝所說文殊師利言天尊所說言无不
善
佛語文殊師利若有善男子善女人等發心
欲造立藥師琉璃光如来形像供養礼拜懸
雜色幡蓋燒香散華歌詠讚歎圍遶百匝還
坐本處端坐思惟念藥師琉璃光佛无量功
德若有善男子善女人七日七夜菜食長齋
礼拜藥師琉璃光佛求心中所願者无不獲
得求長壽得長壽求富饒得富饒求安隱得
安隱求男女得男女求官位得官位若命過
已後欲生妙樂天上者亦當礼敬藥師琉璃
光佛至真等正覺若欲上生卅三天者亦當
礼拜藥師琉璃光佛必得往生若欲與明師
世世相值者亦當礼拜藥師琉璃光佛
佛告文殊師利若欲生十方妙樂國土者亦
當礼敬藥師璃琉光佛若欲得生兜率天上
見弥勒者亦當礼敬藥師琉璃光佛若欲遠
諸邪道者亦當礼敬藥師琉璃光佛若夜惡
夢鳥鳴百怪蜚尸邪忤魍魎鬼神之所嬈者
亦當礼敬藥師琉璃光佛若為水火所焚漂
者亦當礼敬藥師琉璃光佛若入山谷為虎
狼熊羆蒺䔧諸獸象龍蚖虵蝮蝎種種雜類
若有惡心来相向者心當存念藥師琉璃光
佛山中諸難不能為害若他方怨賊偷竊惡

BD02909 號　灌頂章句拔除過罪生死得度經

（15–6）

者亦當礼敬藥師琉璃光佛若入山谷[illegible]
狼熊羆疾蔾諸獸象龍蚖虵蝮蝎種種雜類
若有惡心來相向者心當存念藥師琉璃光
佛山中諸難不能為害若他方怨賊偷竊惡
人怨家債主欲來侵陵心當存念藥師琉璃
光佛則不為害以善男子善女人礼敬藥師
琉璃光如來功德所致花報如是况果報也
是故吾今勸諸四輩礼事藥師琉璃光佛至
真等正覺
佛告文殊師利我但為汝略說藥師琉璃光
佛礼敬功德若使廣說是藥師琉璃光佛无
量功德為一切人求心中所願者從一劫至一
劫故不周遍其世間人若有者床痿黃困篤
惡病連年累月不差者聞我說是藥師琉璃光
佛名字之時撗病之厄无不除愈唯宿殃不請耳
佛告文殊師利若善男子善女人受三自歸若
五戒若十戒若善信菩薩廿四戒若沙門二百
五十戒若比丘尼五百戒若菩薩戒若破是諸
戒等若能至心一懺悔者復聞我說是藥師琉
璃光佛終不墮三惡道中必得解脫若人愚癡
不受父母師友教誨不信佛不信經戒不信聖
僧應墮三惡道中者急失人種受畜生身聞我
說是藥師琉璃光佛善願功德者即得解脫
佛告文殊師利世有惡人雖受佛禁戒儞事
違犯或殺无道偷竊他人財寶欺詐妄語婬
他婦女飲酒鬪亂兩舌惡口罵詈毀人犯戒
為惡更復祠祀鬼神有如是罪當墮地獄中

BD02909 號　灌頂章句拔除過罪生死得度經　（15–7）

佛告文殊師利世有惡人雖受佛禁戒儞事
違犯或殺无道偷竊他人財寶欺詐妄語婬
他婦女飲酒鬪亂兩舌惡口罵詈毀人犯戒
為惡更復祠祀鬼神有如是罪當墮地獄中
若當屠割若抱銅柱若鐵鉤出舌若洋銅灌口
者聞我說是藥師琉璃光佛无不即得解脫者
佛告文殊師利其世間人豪貴下賤不信佛
不信經道不信有沙門不信有須陁洹不信
有斯陁含不信有阿那含不信有阿羅漢不
信有辟支佛不信有十住菩薩不信有三
世之事不信有十方諸佛不信有本師釋
迦文佛不信人死神明更生善者受福惡
者受殃有如是之罪應墮三惡道中聞我說是
藥師琉璃光佛名字之者一切罪過自然消滅
佛告文殊師利若有善男子善女人聞我說
是藥師琉璃光佛至真等正覺其誰不發无
上正真道意後皆當得作佛人居世間仕官不
遷治生不得飢寒困厄亡失財產无復方計
聞我說是藥師琉璃光佛各各得心中所願
仕官皆得高遷財物自然長益飲食充饒皆
得富貴若為縣官之所拘錄惡人侵枉若為
怨家所得便者心當存念藥師琉璃光佛若
他婦女產生難者心當存念藥師琉璃光佛
兒即易生身體端正无諸疾病六情完具聰
明智慧壽命得長不遭枉撗善神擁護不為
惡鬼誠其頭也

BD02909 號　灌頂章句拔除過罪生死得度經　（15–8）

既即易生身體端正无諸疾病六情完具
明智慧壽命得長不遭狂横善神擁護不為
惡鬼誠其頭也
佛說是語時阿難在右邊佛顧語阿難言汝
信我為文殊師利說往昔東方過十恒河沙
世界有佛名日藥師琉璃光本願功德者不阿
難白佛言唯天中天佛之所言何敢不信耶佛
復語阿難言如世間人雖有眼耳鼻舌身意
人常用是六事以自迷惑但信世俗魔邪之
言不信至真至誠度世苦切之語如是人輩
難可開化阿難白佛言世尊世人多有惡逆
下賤之者若聞佛說是經開人耳目破治衆病
除人陰冥使覩光明解人疑結去人重罪千
劫万劫无復憂患皆因佛說是藥師琉璃光
本願功德悉令安隱得其福也
佛言阿難汝口為言善而汝內心狐疑不信我
言阿難汝莫作是念以自毀敗佛語阿難我見
汝心我知汝意汝知之不阿難即以頭面著地
長跪白佛言審如天中天所說我造次聞佛
說是藥師琉璃光極天尊貴智慧巍巍難
可度量我心有小疑耳敢不首伏佛言汝智
慧狹劣少見少聞汝聞我說微妙之法无上
空義應生信敬貴重之心必當至无上正
真道也
文殊師利聞佛言世尊佛說是藥師琉璃光
如來无量功德如是不審誰肯信此言者佛
告文殊師利言唯有百億諸菩薩摩訶薩

BD02909 號　灌頂章句拔除過罪生死得度經

（15–9）

空義應生信敬貴重之心必當至无上正
真道也
文殊師利聞佛言世尊佛說是藥師琉璃光
如來无量功德如是不審誰肯信此言者佛
告文殊師利言唯有百億諸菩薩摩訶薩
當信是言耳唯有十方三世諸佛當信是言
佛言我說是藥師琉璃光如來本願功德難
可得見何況得聞亦難得說亦難得書寫亦
難得讀文殊師利若有善男子善女人能信
是經受持讀誦書著竹帛復能為他人解說
中義此皆先世以發道意令復得聞微妙之
法開化十方无量衆生當知此人必當得至
无上正真道也
佛告阿難我作佛已來從生死復至生死勤
苦累劫无所不經无所不應无所不作无所
不為如是不可思議況復藥師琉璃光佛本
願功德者乎汝所以有疑者亦復如是阿難
汝聞佛所說汝諦信之莫作疑惑佛語至誠
无有虛僞亦无二言佛為信者施不為疑者
說阿難汝莫作小疑以毀大乘之業汝却
後亦當發摩訶衍心莫以小道毀汝功德阿
難白佛言唯天中天我從今日以去无復尒心
唯佛自當知我心耳
佛語阿難此經能照諸天宮宅若三災起時
中有天人發心念此藥師琉璃光佛本願功
德經者皆得離於彼處之難是經能除水涸
不調是經能除他方逆賊悉令斷滅四方夷狄

BD02909 號　灌頂章句拔除過罪生死得度經

（15–10）

唯佛自當知我心耳
佛語阿難此經能照諸天宮宅若三災起時
中有天人發心念此藥師琉璃光佛本願功
德經者皆得離於彼處之難是經能除水涸
不調是經能除他方逆賊悉令斷滅四方夷狄
各還正治不相嬈惱國土交通人民歡喜是
經能除穀貴飢凍是經能滅惡星變怪是經
能除疫毒之病是經能救三惡道苦地獄餓
鬼畜生等苦若人得聞此經典者无不解脫
厄難者也
尒時衆中有一菩薩名曰救脫從坐而起整
衣服叉手合掌而白佛言我等今日聞佛世
尊演說過此東方十恒河沙世界有佛號藥
師琉璃光佛一切衆會靡不歡喜救脫菩薩叉
手白佛言若族姓男女其有危厄著床痛惱
无救護者我今當勸請諸衆僧七日七夜齋
戒一心受持八禁六時行道卌九遍讀是經
典勸然七層之燈亦勸懸五色續命神幡阿
難問救脫菩薩言續命幡燈法則云何救脫
菩薩語阿難言神幡五色卌九尺燈亦復尒
七層之燈一層七燈燈如車輪若遭厄難閉
在牢獄枷鎖著身亦應造立五色神幡然卌
九燈應放雜類衆生至卌九可得過度危厄
之難不為諸橫惡鬼所持
救脫菩薩語阿難言若天王大臣及諸輔相

BD02909 號　灌頂章句拔除過罪生死得度經　（15–11）

七層之燈一層七燈燈如車輪若遭厄難閉
在牢獄枷鎖著身亦應造立五色神幡然卌
九燈應放雜類衆生至卌九可得過度危厄
之難不為諸橫惡鬼所持
救脫菩薩語阿難言若天王大臣及諸輔相
王子妃主中宮婇女若為病苦所惱亦應造
立五色繒幡然燈續明放諸生命散雜色花
燒衆名香王當放赦屈厄之人徒鎖解脫王
得其福天下太平雨澤以時人民歡喜惡龍
攝毒无病苦者四方夷狄不生逆害國土通
洞慈心相向无諸怨惡四海歌詠稱王之德
乘此福祿在意所生見佛聞法信受教誨從
是福報至无上道阿難又問救脫菩薩言命
可續也救脫菩薩答阿難言我聞世尊說有
諸橫勸造幡蓋令其脩福又言阿難昔沙弥
救蟻以脩福故盡其壽命不更苦患身體安
寧福德力強使之然也
阿難因復問救脫菩薩言橫有幾種世尊說
言橫乃无數略而說之大橫有九一者橫病
二者橫有口舌三者橫遭縣官四者身羸无
福又持戒不完橫為鬼神之所得便五者橫
為劫賊之所剝脫六者橫為水火焚漂七者
橫為雜類禽獸所噉八者橫為怨讎符書厭
禱邪神毒引未得其福但受其殃先亡毒引
亦名橫死九者有病不治又不脩福湯藥不

BD02909 號　灌頂章句拔除過罪生死得度經　（15–12）

福又持戒不完橫爲鬼神之所得便五者橫
爲刧賊之所剥脫六者橫爲水火焚漂七者
橫爲雜類禽獸所噉八者橫爲怨讎符書厭
禱邪神毒引未得其福但受其殃先亡毒引
而名橫死九者有病不治又不脩福湯藥不
順針灸失度不值良醫爲病所困於是滅亡
又信世間妖孽之師爲作恐動寒熱言語妄
發禍福所犯者多心不自正不能自定卜問
覔禍殺猪狗牛羊種種衆生解奏神明呼諸
邪妖魍魎鬼神請乞福祚欲望長生終不能
得愚癡迷惑信邪到見死入地獄展轉其中
无解脫時是名九橫也
救脫菩薩語阿難言其世間人痿黃之病困
篤着床求生不得求死不得考楚万端此病
人者或其前世造作惡業罪過所招殃咎所
引故使然也
救脫菩薩語阿難言閻羅王者主領世間名
籍之記若人爲惡作諸非法无孝順心造作
五逆破滅三寶无君臣法又有衆生不持五
戒不信正法設有受者多所毀犯於是地下
鬼神及伺候者奏上伍官伍官料簡除死定
生或注錄精神未判是非若以定者奏上閻
羅閻羅監察隨罪輕重考而治之世間痿黃
之病困篤不死一絶一生猶其罪福未得料
簡錄其精神在彼王所或一七日二七日乃

BD02909號　灌頂章句拔除過罪生死得度經

（15–13）

生或注錄精神未判是非若以定者奏上閻
羅閻羅監察隨罪輕重考而治之世間痿黃
之病困篤不死一絶一生猶其罪福未得料
簡錄其精神在彼王所或一七日二七日乃
至三七日乃至七七日名籍定者放其精
神還其身中如從夢中見其善惡其人若明
了者信驗罪福是故我今勸諸四輩造續命
神幡然卌九燈放諸生命以此幡燈放生功
德拔彼精神令得度脫令世後世不遭厄難
救脫菩薩語阿難言如來世尊說是經典感神
功德利益不少坐中諸鬼神有十二神王從坐
而起往到佛所胡跪合掌白佛言我等十二鬼
神在所作護若城邑聚落空閑林中若四輩
弟子誦持此經令所結願无求不得阿難問
言其名云何爲我說之救脫菩薩言灌頂章
句其名如是
神名金毗羅　神名和耆羅　神名弥佉羅　神名安陁羅
神名摩尼羅　神名宋林羅　神名因持羅　神名波邪羅
神名摩休羅　神名真陁羅　神名照頭羅　神名毗伽羅
救脫菩薩語阿難言此諸鬼神別有七千以
爲眷屬皆悉叉手低頭聽佛世尊說是藥師琉
璃光如來本願功德莫不一時捨鬼神形得受
人身長得度脫无衆惱苦若人急疾厄難之日
當以五色縷結其名字得如願已然後解結令
人得福灌頂章句法應如是佛說是經時有
比丘僧八千人諸菩薩三万六千人俱諸天龍

BD02909號　灌頂章句拔除過罪生死得度經

（15–14）

為眷屬皆悉叉手低頭聽佛世尊說是藥師琉
璃光如來本願功德莫不一時捨鬼神形得受
人身長得度脫无衆惱苦若人急疾厄難之日
當以五色綖結其名字得如願已然後解結令
人得福灌頂章句法應如是佛說是經時有
比丘僧八千人諸菩薩三万六千人與諸天龍
八部大王无不歡喜阿難從坐而起前白佛
言世尊演說此經當何名之佛言此經凡有
三名一名藥師琉璃光本願功德二名灌頂章
句十二神王結願神呪三名拔除過罪生死
得度經佛說經竟大衆人民作礼奉行

藥師經

BD02909號　灌頂章句拔除過罪生死得度經　（15–15）

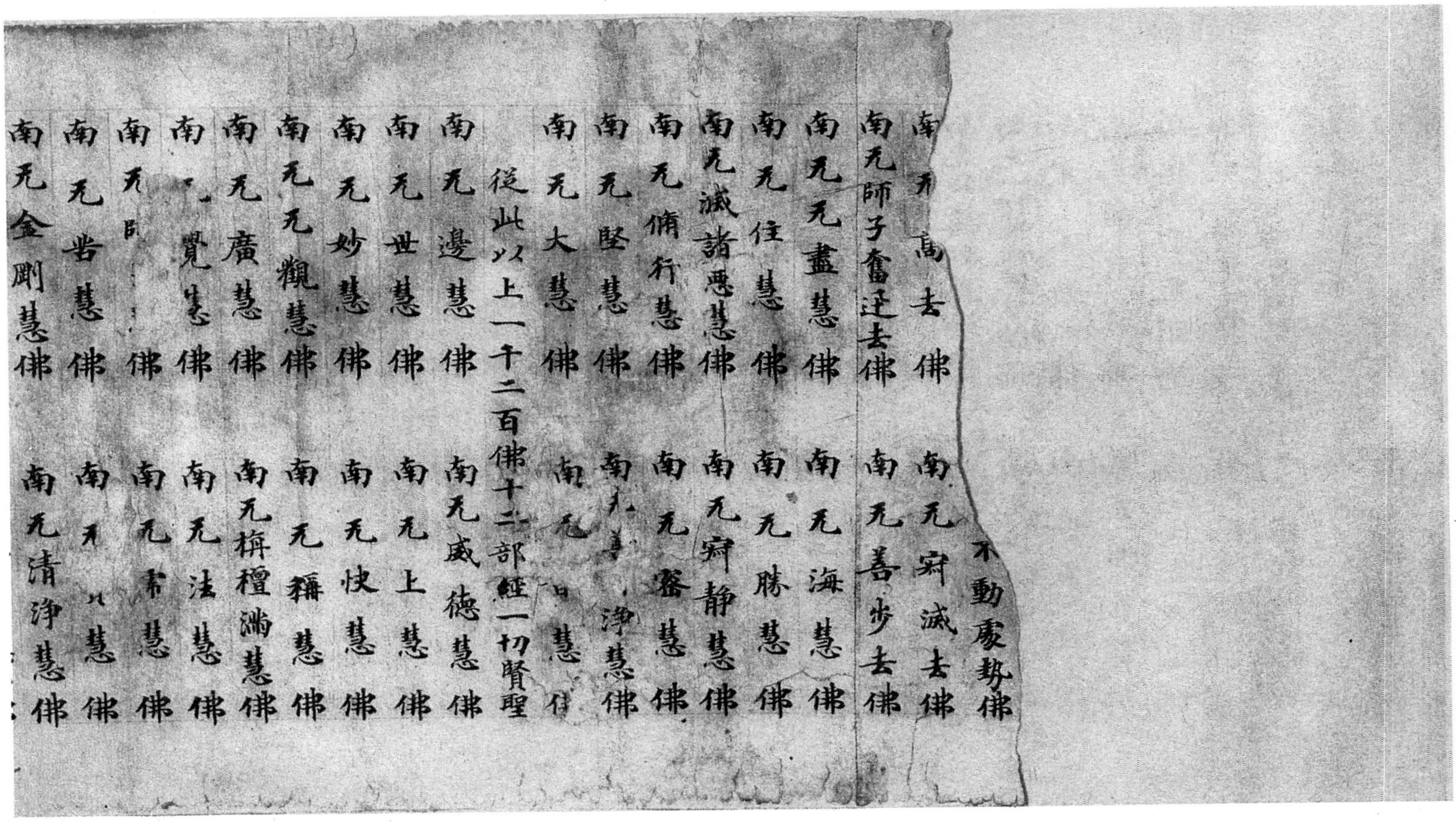

不動處勢佛
南无高去佛　南无寂滅去佛
南无師子奮迅去佛　南无善步去佛
南无无盡慧佛　南无海慧佛
南无住慧佛　南无勝慧佛
南无滅諸惡慧佛　南无寂靜慧佛
南无脩行慧佛　南无審慧佛
南无堅慧佛　南无淨慧佛
南无大慧佛　南无□慧佛
從此以上一千二百佛十二部經一切賢聖
南无邊慧佛　南无威德慧佛
南无世慧佛　南无上慧佛
南无妙慧佛　南无快慧佛
南无觀慧佛　南无稱慧佛
南无廣慧佛　南无栴檀滿慧佛
南无覺慧佛　南无法慧佛
南无□慧佛　南无常慧佛
南无普慧佛　南无□慧佛
南无金剛慧佛　南无清淨慧佛

BD02910號　佛名經（十六卷本）卷二　（7–1）

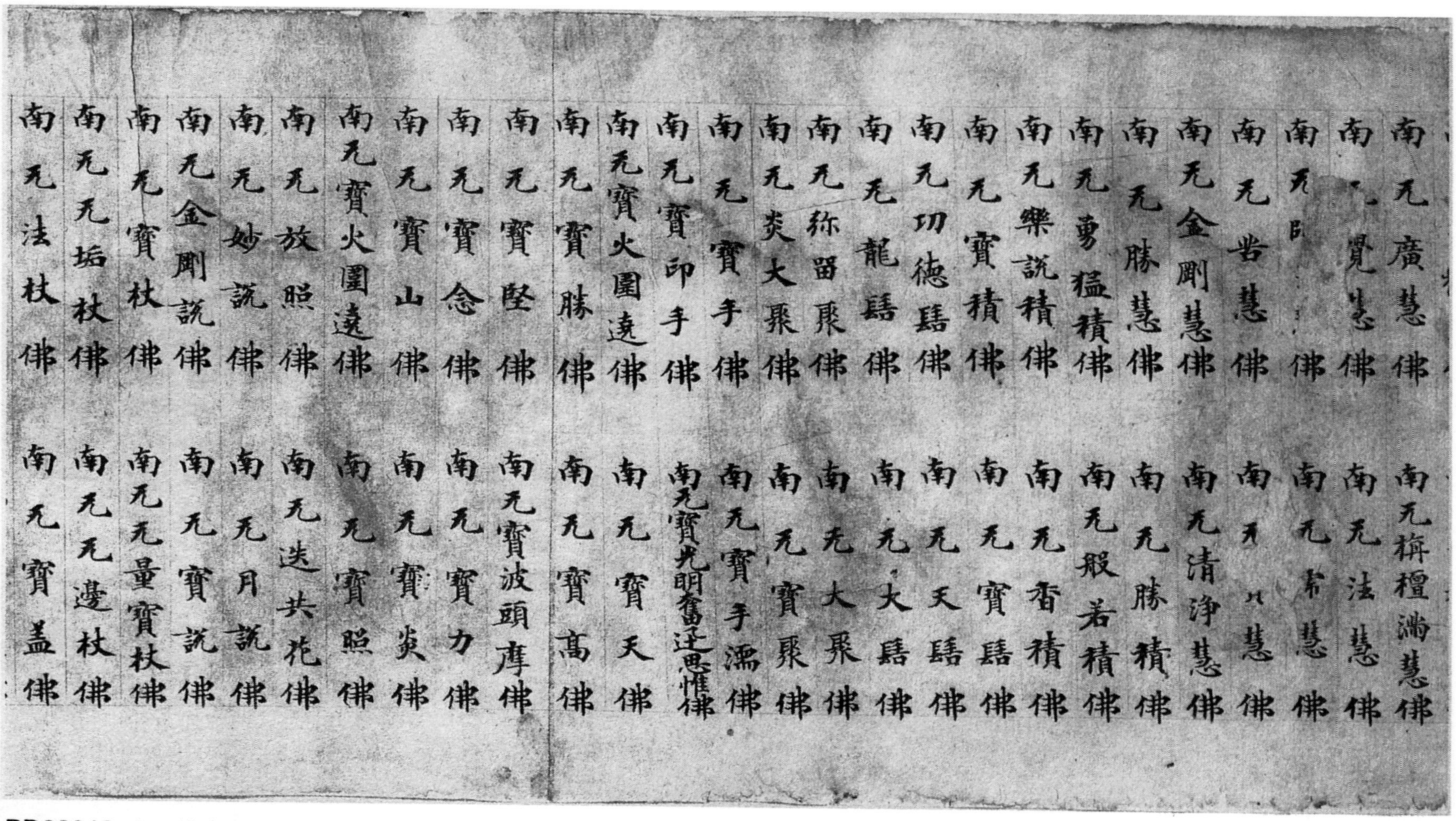
南无廣慧佛　南无栴檀滿慧佛
南无覺慧佛　南无法慧佛
南无[illegible]佛　南无常慧佛
南无普慧佛　南无[illegible]慧佛
南无金剛慧佛　南无清淨慧佛
南无勝慧佛　南无勝積佛
南无勇猛積佛　南无般若積佛
南无樂說積佛　南无香積佛
南无寶積佛　南无寶語佛
南无功德語佛　南无天語佛
南无龍語佛　南无大語佛
南无弥留聚佛　南无大聚佛
南无炎大聚佛　南无寶聚佛
南无寶手佛　南无寶手濡佛
南无寶印手佛　南无寶光明奮迅思惟佛
南无寶火圍遶佛　南无寶天佛
南无寶勝佛　南无寶高佛
南无寶堅佛　南无寶波頭摩佛
南无寶念佛　南无寶力佛
南无寶山佛　南无寶炎佛
南无寶火圍遶佛　南无寶照佛
南无放照佛　南无迭共花佛
南无妙說佛　南无月說佛
南无金剛說佛　南无寶說佛
南无寶杖佛　南无无量寶杖佛
南无无垢杖佛　南无无邊杖佛
南无法杖佛　南无寶蓋佛

BD02910號　佛名經（十六卷本）卷二

（7-2）

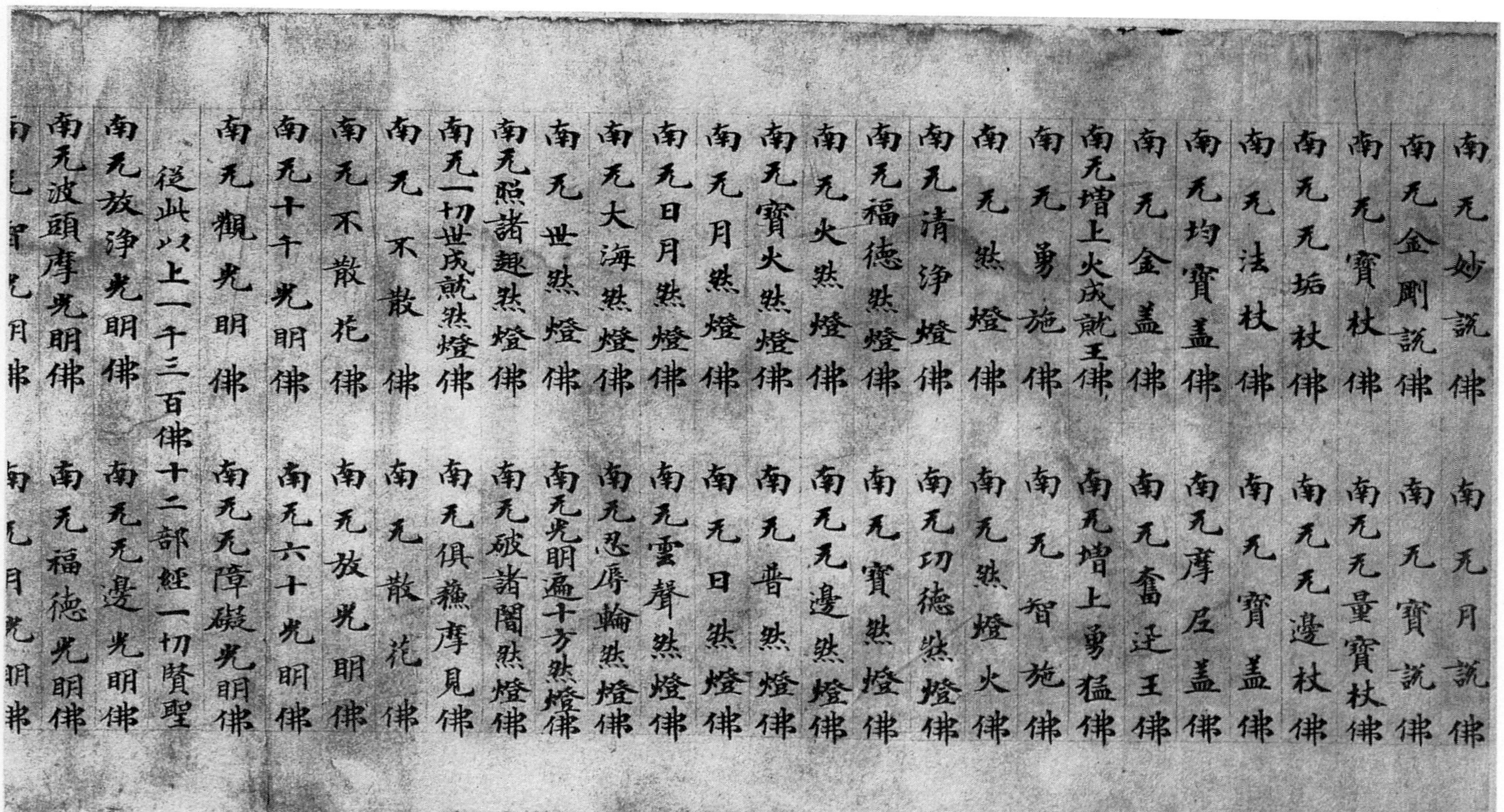
南无妙說佛　南无月說佛
南无金剛說佛　南无寶說佛
南无寶杖佛　南无无量寶杖佛
南无无垢杖佛　南无无邊杖佛
南无法杖佛　南无寶蓋佛
南无均寶蓋佛　南无摩尼蓋佛
南无金蓋佛　南无奮迅王佛
南无增上火成就王佛　南无增上勇猛佛
南无勇施佛　南无智施佛
南无然燈佛　南无然燈火佛
南无清淨燈佛　南无功德然燈佛
南无福德然燈佛　南无寶然燈佛
南无火然燈佛　南无无邊然燈佛
南无寶火然燈佛　南无普然燈佛
南无月然燈佛　南无日然燈佛
南无日月然燈佛　南无雲聲然燈佛
南无大海然燈佛　南无忍辱輪然燈佛
南无世然燈佛　南无光明遍十方然燈佛
南无照諸趣然燈佛　南无破諸闇然燈佛
南无一切世成就然燈佛　南无俱蘇摩見佛
南无不散佛　南无散花佛
南无不散花佛　南无放光明佛
南无十千光明佛　南无六十光明佛
南无觀光明佛　南无无障礙光明佛
從此以上一千三百佛十二部經一切賢聖
南无放淨光明佛　南无无邊光明佛
南无波頭摩光明佛　南无福德光明佛
南无寶光明佛　南无月光明佛

BD02910號　佛名經（十六卷本）卷二

（7-3）

從此以上一千三百佛十二部經一切賢聖
南无放淨光明佛　南无无邊光明佛
南无波頭摩光明佛　南无福德光明佛
南无智光明佛　南无月光明佛
南无日光明佛　南无无导光明佛
南无奮迅恭敬稱佛　南无无比佛
南无功德稱佛　南无寶稱佛
南无无垢稱佛　南无垢无德佛
南无堅德佛　南无无憂德佛
南无勇猛德佛　南无華德佛
南无歡喜德佛　南无龍德佛
南无功德海佛　南无淨德佛
南无淨天佛　南无供養佛
南无淨聲佛　南无淨妙聲養佛
南无出淨聲佛　南无普智輪光聲佛
南无大聲佛　南无雲勝聲佛
次礼十二部尊經大藏法輪
南无阿差末經　南无彌勒下生經
南无備行經　南无盡意經
南无大雲經　南无廣博嚴淨經
南无所行讚經　南无十住經
南无海龍王經　南无思益經
南无菩薩處胎經　南无禪行經
南无奮擢魔羅經　南无菩薩本緣經
南无密迹金剛經　南无佛藏經
南无大樹緊那羅經　南无阿毗曇心經
南无大悲分陁利經　南无百喻經

BD02910號　佛名經（十六卷本）卷二　（7–4）

南无奮擢魔羅經　南无菩薩本緣經
南无密迹金剛經　南无佛藏經
南无大樹緊那羅經　南无阿毗曇心經
南无大悲分陁利經　南无百喻經
南无大吉義呪經　南无淨度經
南无維摩詰經　南无菩薩本行經
南无寶篋經　南无无明羅刹經
南无集一切福德經　南无金光明經
次礼十方諸大菩薩
南无因陁羅德菩薩　南无海天菩薩
南无拔陁波羅菩薩　南无藥王菩薩
南无盧舍那菩薩　南无月光菩薩
南无波頭摩勝藏菩薩　南无智山菩薩
南无聖藏菩薩　南无不捨行菩薩
南无不空見菩薩　南无妙聲菩薩
南无妙聲吼菩薩　南无常微笑觀根菩薩
南无波頭摩道勝菩薩　南无廣思菩薩
南无憂波羅眼菩薩　南无可供養菩薩
南无常憶菩薩　南无住一切悲見菩薩
南无斷一切惡法菩薩　南无住一切聲菩薩
南无住一切有菩薩　南无住佛聲菩薩
南无无垢菩薩　南无勇猛德菩薩
南无淨菩薩　南无寶勝菩薩
南无羅網光菩薩　南无斷諸蓋菩薩
南无能捨一切事菩薩　南无華莊嚴菩薩
南无月光光明菩薩　南无寂勝意菩薩
南无堅意菩薩　南无自在天菩薩

BD02910號　佛名經（十六卷本）卷二　（7–5）

南无羅網光菩薩　南无斷諸盖菩薩
南无能捨一切事菩薩　南无華莊嚴菩薩
南无月光光明菩薩　南无寂勝意菩薩
南无堅意菩薩　南无自在天菩薩
南无勝意菩薩　南无淨意菩薩
從此以上一千四百佛十二部經一切賢聖
南无金剛意菩薩　南无增長意菩薩
南无善住菩薩　南无善道師菩薩
南无波頭摩藏菩薩　南无隨巨自在王菩薩
南无善行菩薩　南无覺菩提菩薩
歸命如是等十方无量无邊菩薩
南无寶辟支佛　南无不可比辟支佛
南无歡喜辟支佛　南无喜辟支佛
南无隨喜辟支佛　南无十二婆羅墮辟支佛
南无十同名婆羅辟支佛　南无火身辟支佛
南无同菩提辟支佛　南无摩訶男辟支佛
南无心上辟支佛　南无賢淨辟支佛
歸命如是等无量无邊辟支佛
礼三寶已次復懺悔
衆等相與即今我身心寂静无諂无障正是
生善滅惡之時復應各起四種觀行以為滅
罪作前方便何等為四一者觀於因緣二者
觀於果報三者觀我自身四者觀如來身
第一觀因緣者知我此罪藉以无明不善思
惟无正觀力不識其過遠離善友諸佛菩薩
隨逐魔道行耶險逕如魚吞鉤不知其患如
蠶作繭自縈自縛如蛾赴火自燒自爛以是

BD02910號　佛名經（十六卷本）卷二　（7–6）

南无同菩提辟支佛　南无摩訶男辟支佛
南无心上辟支佛　南无賢淨辟支佛
歸命如是等无量无邊辟支佛
礼三寶已次復懺悔
衆等相與即今我身心寂静无諂无障正是
生善滅惡之時復應各起四種觀行以為滅
罪作前方便何等為四一者觀於因緣二者
觀於果報三者觀我自身四者觀如來身
第一觀因緣者知我此罪藉以无明不善思
惟无正觀力不識其過遠離善友諸佛菩薩
隨逐魔道行耶險逕如魚吞鉤不知其患如
蠶作繭自縈自縛如蛾赴火自燒自爛以是
因緣不能自出　第二觀於果報者所有諸
惡不善之業三世流轉苦果无窮沉溺无邊
巨夜大海為諸煩惱羅剎所食未來生死冥
然无崖設使報得轉輪聖王王四天下飛行
自在七寶具足命終之後不免惡趣四空果
報三界尊極福盡還作牛領中虫况復其餘
无福德者而復懈怠不勤懺悔此亦譬如抱
石沉淵求出良難　第三觀我自身雖有
正因靈覺之性而為煩惱黑暗叢林之所覆
蔽无了因力不能得顯我今應當發起勝心

BD02910號　佛名經（十六卷本）卷二　（7–7）

未神通長年妙藥并療衆病降伏惡敵制諸
異論當持淨室安置道場洗浴身已着鮮
潔衣踞草座上於有舍利尊像之前或有舍
利制底之所燒香散花飲食供養於白月八
日布灑星合即可誦此請召之呪
怛姪他　只里　只里　主嚕　主嚕　句嚕　句嚕
拘柱　句柱　都柱　覩柱　縛訶上　縛　訶
代　捨　代　捨　莎　訶
世尊此之神呪若有四衆誦一百八遍請召於
我我為是人即來赴請又復世尊若有衆
生欲得見我現身共語者亦應如前安置法
式誦此神呪
怛姪他　頞折涅去　頡方剎涅室尸達哩
訶訶　四四　區　嚕　代嚩莎訶
世尊若人持此呪時應誦一百八遍并誦前呪
我必現身隨其所願悉得成就終不虛然
然若欲誦此呪時先誦護身呪曰
怛姪他　你　室里　未捨羯擻捺擻矩擻
勃地上　勃地嚩　底擻嚩擻矩句擻
佉婆上　只　里　莎
世尊誦此呪時取五色線誦呪二十一遍作

BD02911 號　金光明最勝王經卷八　（10–1）

怛姪他你　室里　未捨羯擻捺擻矩擻
勃地上　勃地嚩　底擻嚩擻矩句擻
佉婆上　只里　莎
世尊誦此呪時取五色線誦呪二十一遍作
二十一結繫在左髆肘後即便護身無有怨
懼若有至心誦此呪者所求必遂我不妄語
我以佛法僧寶而為要契證知是實
尒時世尊告地神曰善哉善哉汝能以是實
語神呪護此經王及說法者以是因緣令汝
獲得無量福報
金光明最勝王經僧慎尒耶藥叉大將品第十九
尒時僧慎尒耶藥叉大將并與二十八部藥叉
諸神於大衆中皆從座起偏袒右肩右膝著
地合掌白佛言世尊此金光明最勝經王
若現在世及未來世所在宣揚流布之處
若於城邑聚落山澤空林或王宮殿或僧住
處世尊我僧慎尒耶藥叉大將并與二十
八部藥叉諸神俱詣其所各自隱形隨處擁護
彼說法師令離衰惱常受安樂及聽法者若
男若女童男童女於此經中乃至受持一四
句頌或持一句或此經王首題名号及此經中一
如來名一菩薩名發心稱念恭敬供養者
我當救護攝受令無災橫離苦得樂世尊何
故我名正了知此之因緣是佛親證我知諸
法我曉一切法隨所有一切法如所有一切皆

BD02911 號　金光明最勝王經卷八　（10–2）

所求於一句或此經王首題名号及此經中一
如來名一菩薩名發心稱念恭敬供養者
我當救護攝受令無災橫離苦得樂世尊何
故我名正了知此之因緣是佛親證我知諸
法我曉一切法隨所有一切法如所有一切諸
法種類體性差別世尊如是諸法我能了知
知我有難思智光我有難思智炬我有難思
智行我有難思智聚我於難思知境而能通
達世尊如我於一切法正知正曉正覺能正
觀察世尊以是因緣我藥叉大將名正了知
以是義故我能令彼說法之師言詞辯了具
足莊嚴亦令精氣從毛孔入身力充足威光
勇健難思智光皆得成就得正憶念無有退
屈增益彼身令無衰減諸根安樂常生歡喜
以是因緣為彼有情已於百千佛所殖諸善
根修福業者於贍部洲廣宣流布不速隱沒
彼諸有情聞是經已得不可思議大智光明
及以無量福智之聚於未來世當受無量俱胝
那庾多劫不可思量人天勝樂常與諸佛共
相值遇速證無上正等菩提閻羅之界三塗
極苦不復經過
尒時正了知藥叉大將白佛言世尊我有陀羅
尼今對佛前自陳說為欲饒益憐愍諸有
情故即說呪曰
南謨佛陀引也　南謨達摩引也

BD02911號　金光明最勝王經卷八

（10–3）

尼今對佛前自陳說為欲饒益憐愍諸有
情故即說呪曰
南謨佛陀引也　南謨達摩引也
南謨僧伽引也　南謨跋囉甜大含摩也
南謨因達囉也　南謨折咄喃
莫昜囉闌喃　怛姪他呬里呬里
弭里弭里瞿里　莫訶瞿里健陀里
莫訶健陀里　達　囉　弭　雉
莫訶達囉弭雉　畢荼曲勸馱閉苐去
訶訶訶訶　呬呬呬呬
呼呼呼呼　僕魯曇謎瞿曇謎
者者者　只只只只主主主主
旃荼禰沙之鉢攞　尸揭囉上尸揭囉
嗢底瑟侘呬　薄伽梵僧慎尒耶
莎訶
若復有人於此明呪能受持者我當給與資
生樂具飲食衣服花果珎異或求男女童男
童女金銀珎寶諸瓔珞具我皆供給隨所願
求令無闕乏此之明呪有大威力若誦呪時我
當速至其所令無障礙隨意成就若持此
呪時應知其法先畫一鋪僧慎尒耶藥叉形
像高四五尺手執鉾鑹於此像前作四方壇
安四滿瓶蜜水或沙糖水塗香抹香燒香及
諸花鬘又於壇前作地火爐中安炭火以蘇
摩芥子燒於爐中口誦前呪一百八遍一遍一

BD02911號　金光明最勝王經卷八

（10–4）

呪時應知其法先畫一鋪僧慎尒耶藥叉形
像高四五尺手執鉾鑹於此像前作四方壇
安四滿瓶蜜水或沙糖水塗香抹香燒香及
諸花鬘又於壇前作地火爐中安炭火以蘇
摩芥子燒於爐中口誦前呪一百八遍 一遍一
燒乃至我藥叉大將自來現身問呪人曰尒何
所須意所求者即以事荅我即隨言於所求
事皆令滿足或須金銀及諸伏藏或欲神
仙乘空而去或求天眼通或知他心事於一
切有情隨意自在令斷煩惱速得解脫皆得
成就
尒時世尊告正了知藥叉大將曰善哉善哉
汝能如是利益一切衆生說此神呪擁護正
法福利無邊
金光明最勝王經王法正論品第廿
尒時此大地神女名曰堅牢於大衆中從座而
起頂禮佛足合掌恭敬白佛言世尊於諸國
中為人王者若無正法不能治國安養衆生
及以自身長居勝位唯願世尊慈悲哀愍
當為我說王法正論治國之要令諸人王得聞
法已如說脩行正化於世能令勝位永保安寧
國內居人咸蒙利益
尒時世尊於大衆中告堅牢地神曰汝當諦聽
過去有王名力尊幢其王有子名曰妙幢受
灌頂位未久之頃尒時父王告妙幢言有王

法已如說脩行正化於世能令勝位永保安寧
國內居人咸蒙利益
尒時世尊於大衆中告堅牢地神曰汝當諦聽
過去有王名力尊幢其王有子名曰妙幢受
灌頂位未久之頃尒時父王告妙幢言有王
法正論名天主教法我於昔時受灌頂位而
為國主我之父王名知力尊幢為我說是王
法正論我依此論於二万歲善治國土我不
曾憶起一念心行於非法汝於今日亦應如
是勿以非法而治於國云何名為王法正論汝
今善聽當為汝說尒時力尊幢王即為其子
以妙伽他說正論曰
我說王法論　利安諸有情　為斷世間疑　滅除衆過失
一切諸天主　及以人中王　當生歡喜心　合掌聽我說
往昔諸天衆　集在金剛山　四王從座起　請問於大梵
梵王最勝尊　天中大自在　願哀愍我等　為斷諸疑惑
云何處人世　而得名為天　復以何因緣　号名曰天子
云何生人間　獨得為人主　云何在天上　復得作天王
如是護世間　問彼梵王已　尒時梵天主　即便為彼說
護世汝當知　為利有情故　問我治國法　我說應善聽
由先善業力　生天得作王　若在於人中　統領為人主
諸天共加護　然後入母胎　既至母胎中　諸天復守護
雖生在人世　尊勝故名天　由諸天護持　亦得名天子
三十三天主　分力助人王　及一切諸天　亦資自在力
除滅諸非法　惡業令不生　教有情修善　使得生天上

由先善業力　生天得作王　若在於人中　統領爲人主
諸天共加護　然後入母胎　既至母胎中　諸天復守護
雖生在人世　尊勝故名天　由諸天護持　亦得名天子
三十三天主　分力助人王　及一切諸天　亦資自在力
除滅諸非法　惡業令不生　教有情修善　使得生天上
人及蘇羅衆　并揵闥婆等　羅剎旃荼羅　悉皆資半力
父母資半力　令捨惡修善　諸天共護持　示其善惡報
若造善惡業　令於現世中　諸天共護持　示其善惡報
國人造惡業　王捨不禁制　斯非順正理　治擯當如法
若見惡不遮　非法便滋長　遂令王國內　姧詐日增多
王見國中人　造惡不遮止　三十三天衆　咸生忿怒心
因此損國政　諂僞行世間　被他怨敵侵　破壞其國土
居家及資具　積財皆散失　種種諂誑生　更互相侵奪
由正法得王　而不行其法　國人皆破散　如象踏蓮池
惡風起無恒　暴雨非時下　妖星多變怪　日月蝕無光
五穀衆花果　苗實皆不成　國土遭飢饉　由王捨正法
若王捨正法　以惡法化人　諸天處本宮　見已生憂惱
彼諸天王衆　共作如是言　此王作非法　惡黨相親附
王位不久安　諸天皆忿恨　由彼懷忿故　其國當敗亡
以非法教人　流行於國內　鬪諍多姧僞　疾疫生衆苦
天主不護念　餘天咸捨棄　國土當滅亡　王身受苦厄
父母及妻子　兄弟并姊妹　俱遭愛別離　乃至身亡歿
變怪流星墮　二日俱時出　他方怨賊來　國人遭喪亂
國所重大臣　枉橫而身死　所愛象馬等　亦復皆散失
處處有兵戈　人多非法死　惡鬼來入國　疾疫遍流行
國中最大臣　及以諸輔相　其心懷諂佞　並悉行非法

BD02911號　金光明最勝王經卷八

（10–7）

天主不護念　餘天咸捨棄　國土當滅亡　王身受苦厄
父母及妻子　兄弟并姊妹　俱遭愛別離　乃至身亡歿
變怪流星墮　二日俱時出　他方怨賊來　國人遭喪亂
國所重大臣　枉橫而身死　所愛象馬等　亦復皆散失
處處有兵戈　人多非法死　惡鬼來入國　疾疫遍流行
國中最大臣　及以諸輔相　其心懷諂佞　並悉行非法
見行非法者　而生於愛敬　於行善法人　苦楚而治罰
由愛敬惡人　治罰善人故　星宿及風雨　皆不以時行
有三種過生　正法當隱沒　衆生無光色　地肥皆下沉
由敬惡輕善　復有三種過　非時降霜雹　飢疫苦流行
穀稼諸果實　滋味皆損減　於其國土中　衆生多疾病
國中諸樹林　先生甘美果　由斯皆損減　苦澁無滋味
先有妙園林　可愛遊戲處　忽然皆枯悴　見者生憂惱
稻麥諸果實　美味漸消亡　食時心不喜　何能長諸大
衆生光色減　勢力盡衰微　食噉雖復多　不能令飽足
於其國界中　所有衆生類　少力無勢力　所作不堪能
國人多疾患　衆苦逼其身　鬼魅遍流行　隨處生羅剎
若王作非法　親近於惡人　令三種世間　因斯受衰損
如是無邊過　出在於國中　皆由見惡人　棄捨不治擯
由諸天加護　得作於國王　而不以正法　守護於國界
若人修善行　當得生天上　若造惡業者　死必墮三塗
若王見國人　縱其造過失　三十三天衆　皆生熱惱心
不順諸天教　及以父母言　此是非法人　非王非孝子
若於自國中　見行非法者　如法當治罰　不應生捨棄
是故諸天衆　皆護持此王　以滅諸惡法　能修善根故
王於此世中　必招於現報　由於善惡業　行舍勸衆生

BD02911號　金光明最勝王經卷八

（10–8）

若人修善行 當得生天上 若造惡業者 死必墮三塗
若王見國人 縱其造過失 三十三天眾 皆生熱惱心
不順諸天教 及以父母言 此是非法人 非王非孝子
若於自國中 見行非法者 如法當治罰 不應生捨棄
是故諸天眾 皆護持此王 以滅諸惡法 能修善根故
王於此世中 必招於現報 由於善惡業 行捨勸眾生
為示善惡報 故得作人王 諸天共護持 一切咸隨喜
由自利利他 治國以正法 見有諂佞者 應當如法治
假使失王位 及以害命緣 終不行惡法 見惡而捨棄
害中極重者 無過失國位 皆因諂佞人 為此當治罰
若有諂誑人 當失於國位 由斯損王政 如鳥入花園
天主皆瞋恨 阿蘇羅亦然 以彼為人王 不以法治國
是故應如法 治罰於惡人 以善化眾生 不順於非法
寧捨於身命 不隨非法友 於親及非親 平等觀一切
若為正法王 國內無偏黨 法王有名稱 普聞三界中
三十三天眾 歡喜作是言 贍部洲法王 彼即是我子
以善化眾生 正法治於國 勸行於正法 當令生我宮
天及諸天子 及以蘇羅眾 因王正法化 常得心歡喜
天眾皆歡喜 共護於人王 眾星依位行 日月無乖度
和風常應節 甘雨順時行 苗實皆善成 人無飢饉者
一切諸天眾 充滿於自宮 是故汝人王 忘身弘正法
應尊重法寶 由斯眾安樂 常當親正法 功德自莊嚴
眷屬常歡喜 能遠離諸惡 以法化眾生 恒令得安隱
令彼一切人 修行於十善 率土常豐樂 國土得安寧
王以法化人 善調於惡行 常得好名稱 安樂諸眾生
爾時大地一切人王及諸大眾聞佛說此古昔

BD02911號 金光明最勝王經卷八 (10–9)

三十三天眾 歡喜作是言 贍部洲法王 彼即是我子
以善化眾生 正法治於國 勸行於正法 當令生我宮
天及諸天子 及以蘇羅眾 因王正法化 常得心歡喜
天眾皆歡喜 共護於人王 眾星依位行 日月無乖度
和風常應節 甘雨順時行 苗實皆善成 人無飢饉者
一切諸天眾 充滿於自宮 是故汝人王 忘身弘正法
應尊重法寶 由斯眾安樂 常當親正法 功德自莊嚴
眷屬常歡喜 能遠離諸惡 以法化眾生 恒令得安隱
令彼一切人 修行於十善 率土常豐樂 國土得安寧
王以法化人 善調於惡行 常得好名稱 安樂諸眾生
爾時大地一切人王及諸大眾聞佛說此古昔
人王治國要法得未曾有皆大歡喜信受奉
行

金光明最勝王經卷第八

BD02911號 金光明最勝王經卷八 (10–10)

九量
…者何以故須
…衆生相壽者相
復次須菩提菩薩…
所謂不住色布施不住聲香味
菩提菩薩應如是布施不住於相
菩薩不住相布施其福德不可思…
於意云何東方虛空可思量不不
菩提南西北方四維上下虛空可思
世世尊須菩提菩薩无相布施福德亦復
如是不可思量須菩提菩薩但應如所教住
須菩提於意云何可以身相見如来不不也世
尊不可以身相得見如来何以故如来所說
身相即非身相佛告須菩提凡所有相皆
是虛妄若見諸相非相則見如来
須菩提白佛言世尊頗有衆生得聞如是
言說章句生實信不佛告須菩提莫作是說如
来滅後後五百歲有持戒脩福者於此章句
能生信心以此為實當知是人不於一佛二
佛三四五佛而種善根已於无量千万佛所
種諸善根聞是章句乃至一念生淨信者須
菩提如来悉知悉見是諸衆生得如是无量
福德何以故是諸衆生无復我相人相衆生

BD02912號　金剛般若波羅蜜經

（13–1）

能生信心以此為實當知是人不於一佛二
佛三四五佛而種善根已於无量千万佛所
種諸善根聞是章句乃至一念生淨信者須
菩提如来悉知悉見是諸衆生得如是无量
福德何以故是諸衆生无復我相人相衆生
相壽者相无法相亦无非法相何以故是諸
衆生若心取相則為著我人衆生壽者若取
法相即著我人衆生壽者何以故若取非法
相即著我人衆生壽者是故不應取法不應
取非法以是義故如来常說汝等比丘知我
說法如筏喻者法尚應捨何況非法
須菩提於意云何如来得阿耨多羅三藐三
菩提耶如来有所說法耶須菩提言如我解
佛所說義无有定法名阿耨多羅三藐三菩
提亦无有定法如来可說何以故如来所說
法皆不可取不可說非法非非法所以者何
一切賢聖皆以无為法而有差別
須菩提於意云何若人滿三千大千世界七
寶以用布施是人所得福德寧為多不須菩
提言甚多世尊何以故是福德即非福德性
是故如来說福德多若復有人於此經中受
持乃至四句偈等為他人說其福勝彼何以
故須菩提一切諸佛及諸佛阿耨多羅三藐
三菩提法皆從此經出須菩提所謂佛法者
即非佛法
須菩提於意云何須陁洹能作是念我得
須陁洹果不須菩提言不也世尊何以故須陁
洹名為入流而无所入不入色聲香味觸法
是名須陁洹須菩提於意云何斯陁含能作

BD02912號　金剛般若波羅蜜經

（13–2）

即非佛法
須菩提於意云何須陁洹能作是念我得
須陁洹果不須菩提言不也世尊何以故須陁
洹名為入流而无所入不入色聲香味觸法
是名須陁洹須菩提於意云何斯陁含能作
是念我得斯陁含果不須菩提言不也世尊
何以故斯陁含名一往來而實无往來是名
斯陁含須菩提於意云何阿那含能作是念
我得阿那含果不須菩提言不也世尊何以
故阿那含名為不來而實无來是故名阿那
含須菩提於意云何阿羅漢能作是念我得
阿羅漢道不須菩提言不也世尊何以故實
无有法名阿羅漢世尊若阿羅漢作是念我
得阿羅漢道即為著我人衆生壽者世尊佛
說我得无諍三昧人中最為第一是第一離
欲阿羅漢我不作是念我是離欲阿羅漢世
尊我若作是念我得阿羅漢道世尊則不說
須菩提是樂阿蘭那行者以須菩提實无所
行而名須菩提是樂阿蘭那行
佛告須菩提於意云何如來昔在然燈佛所
於法有所得不世尊如來在然燈佛所於
法實无所得
須菩提於意云何菩薩莊嚴佛土不不也
世尊何以故莊嚴佛土者則非莊嚴是名莊
嚴是故須菩提諸菩薩摩訶薩應如是生清
淨心不應住色生心不應住聲香味觸法生
心應无所住而生其心須菩提譬如有人身
如須弥山王於意云何是身為大不須菩提

BD02912 號　金剛般若波羅蜜經　（13-3）

世尊何以故莊嚴佛土者則非莊嚴是名莊
嚴是故須菩提諸菩薩摩訶薩應如是生清
淨心不應住色生心不應住聲香味觸法生
心應无所住而生其心須菩提譬如有人身
如須弥山王於意云何是身為大不須菩提
言甚大世尊何以故佛說非身是名大身
須菩提如恒河中所有沙數如是沙等恒河
於意云何是諸恒河沙寧為多不須菩提言
甚多世尊但諸恒河尚多无數何況其沙須
菩提我今實言告汝若有善男子善女人以
七寶滿尒所恒河沙數三千大千世界以用
布施得福多不須菩提言甚多世尊佛告須
菩提若善男子善女人於此經中乃至受持
四句偈等為他人說而此福德勝前福德
復次須菩提隨說是經乃至四句偈等當知
此處一切世間天人阿脩羅皆應供養如佛
塔廟何況有人盡能受持讀誦須菩提當
知是人成就最上第一希有之法若是經典
所在之處則為有佛若尊重弟子
尒時須菩提白佛言世尊當何名此經我等
云何奉持佛告須菩提是經名為金剛般若
波羅蜜以是名字汝當奉持所以者何須菩
提佛說般若波羅蜜則非般若波羅蜜須
菩提於意云何如來有所說法不須菩提白佛
言世尊如來无所說須菩提於意云何三千
大千世界所有微塵是為多不須菩提言甚
多世尊須菩提諸微塵如來說非微塵是
名微塵如來說世界非世界是名世界須菩提

BD02912 號　金剛般若波羅蜜經　（13-4）

言世尊如來无所說須菩提於意云何三千
大千世界所有微塵是為多不須菩提言甚
多世尊須菩提諸微塵如來說非微塵是
名微塵如來說世界非世界是名世界須菩提
於意云何可以三十二相見如來不不也世
尊不可以三十二相得見如來何以故如來
說三十二相即是非相是名三十二相
須菩提若有善男子善女人以恒河沙等身
命布施若復有人於此經中乃至受持四句
偈等為他人說其福甚多
尒時須菩提聞說是經深解義趣涕淚悲
泣而白佛言希有世尊佛說如是甚深經典
我從昔來所得慧眼未曾得聞如是之經世尊
若復有人得聞是經信心清淨則生實相當
知是人成就第一希有功德世尊是實相者
則是非相是故如來說名實相世尊我今得
聞如是經典信解受持不足為難若當來世
後五百歲其有眾生得聞是經信解受持是
人則為第一希有何以故此人无我相人相
眾生相壽者相所以者何我相即是非相人
相眾生相壽者相即是非相何以故離一切
諸相則名諸佛
佛告須菩提如是如是若復有人得聞是經
不驚不怖不畏當知是人甚為希有何以故
須菩提如來說第一波羅蜜非第一波羅蜜
是名第一波羅蜜
須菩提忍辱波羅蜜如來說非忍辱波羅蜜
何以故須菩提如我昔為歌利王割截身體

BD02912號　金剛般若波羅蜜經　（13–5）

須菩提如來說第一波羅蜜非第一波羅蜜
是名第一波羅蜜
須菩提忍辱波羅蜜如來說非忍辱波羅蜜
何以故須菩提如我昔為歌利王割截身體
我於尒時无我相无人相无眾生相无壽者
相何以故我於往昔節節支解時若有我相
人相眾生相壽者相應生瞋恨須菩提又念
過去於五百世作忍辱仙人於尒所世无我
相无人相无眾生相无壽者相是故須菩提
菩薩應離一切相發阿耨多羅三藐三菩提
心不應住色生心不應住聲香味觸法生心
應生无所住心若心有住則為非住是故佛
說菩薩心不應住色布施須菩提菩薩為
利益一切眾生應如是布施如來說一切諸
相即是非相又說一切眾生則非眾生
須菩提如來是真語者實語者如語者不
誑語者不異語者須菩提如來所得法此法
无實无虛
須菩提若菩薩心住於法而行布施如人入
闇則无所見若菩薩心不住法而行布施如
人有目日光明照見種種色
須菩提當來之世若有善男子善女人能於此
經受持讀誦則為如來以佛智慧悉知是人
悉見是人皆得成就无量无邊功德
須菩提若有善男子善女人初日分以恒河
沙等身布施中日分復以恒河沙等身布施
後日分亦以恒河沙等身布施如是无量百
千万億劫以身布施若復有人聞此經典信

BD02912號　金剛般若波羅蜜經　（13–6）

須菩提若有善男子善女人初日分以恒河
沙等身布施中日分復以恒河沙等身布施
後日分亦以恒河沙等身布施如是无量百
千万億劫以身布施若復有人聞此經典信
心不逆其福勝彼何況書寫受持讀誦為人
解說
須菩提以要言之是經有不可思議不可稱
量无邊功德如來為發大乘者說為發最上
乘者說若有人能受持讀誦廣為人說如來
悉知是人悉見是人皆得成就不可量不可
稱无有邊不可思議功德如是人等則為荷
擔如來阿耨多羅三藐三菩提何以故須菩
提若樂小法者著我見人見衆生見壽者見
則於此經不能聽受讀誦為人解說須菩提
在在處處若有此經一切世間天人阿脩羅
所應供養當知此處則為是塔皆應恭敬作
禮圍遶以諸華香而散其處
復次須菩提善男子善女人受持讀誦此經
若為人輕賤是人先世罪業應墮惡道以今
世人輕賤故先世罪業則為消滅當得阿耨
多羅三藐三菩提須菩提我念過去无量阿
僧祇劫於然燈佛前得值八百四千万億那
由他諸佛悉皆供養承事无空過者若復有
人於後末世能受持讀誦此經所得功德於
我所供養諸佛功德百分不及一千万億分
乃至筭數譬喻所不能及須菩提若善男子
善女人於後末世有受持讀誦此經所得功

BD02912號　金剛般若波羅蜜經　（13–7）

人於後末世能受持讀誦此經所得功德於
我所供養諸佛功德百分不及一千万億分
乃至筭數譬喻所不能及須菩提若善男子
善女人於後末世有受持讀誦此經所得功
德我若具說者或有人聞心則狂亂狐疑不
信須菩提當知是經義不可思議果報亦不
可思議
尒時須菩提白佛言世尊善男子善女人發
阿耨多羅三藐三菩提心云何應住云何降
伏其心佛告須菩提善男子善女人發阿耨
多羅三藐三菩提者當生如是心我應滅度
一切衆生滅度一切衆生已而无有一衆生
實滅度者何以故若菩薩有我相人相衆生
相壽者相則非菩薩所以者何須菩提實无
有法發阿耨多羅三藐三菩提者
須菩提於意云何如來於然燈佛所有法得
阿耨多羅三藐三菩提不不也世尊如我解
佛所說義佛於然燈佛所无有法得阿耨多
羅三藐三菩提佛言如是如是須菩提實无
有法如來得阿耨多羅三藐三菩提須菩提
若有法如來得阿耨多羅三藐三菩提者然燈
佛則不與我受記汝於來世當得作佛号釋
迦牟尼以實无有法得阿耨多羅三藐三菩
提是故然燈佛與我受記作是言汝於來世
當得作佛号釋迦牟尼何以故如來者即諸
法如義若有人言如來得阿耨多羅三藐三
菩提須菩提實无有法佛得阿耨多羅三藐
三菩提須菩提如來所得阿耨多羅三藐三

BD02912號　金剛般若波羅蜜經　（13–8）

提是故然燈佛與我受記作是言汝於來世
當得作佛号釋迦牟尼何以故如來者即諸
法如義若有人言如來得阿耨多羅三藐三
菩提須菩提實无有法佛得阿耨多羅三藐
三菩提須菩提如來所得阿耨多羅三藐三
菩提於是中无實无虛是故如來說一切法
皆是佛法須菩提所言一切法者即非一切
法是故名一切法
須菩提譬如人身長大須菩提言世尊如來
說人身長大則為非大身是名大身
須菩提菩薩亦如是若作是言我當滅度无
量衆生則不名菩薩何以故須菩提實无有
法名為菩薩是故佛說一切法无我无人无
衆生无壽者須菩提若菩薩作是言我當莊
嚴佛土是不名菩薩何以故如來說莊嚴佛
土者即非莊嚴是名莊嚴須菩提若菩薩通
達无我法者如來說名真是菩薩
須菩提於意云何如來有肉眼不如是世尊
如來有肉眼須菩提於意云何如來有天眼
不如是世尊如來有天眼須菩提於意云何
如來有慧眼不如是世尊如來有慧眼須菩
提於意云何如來有法眼不如是世尊如來
有法眼須菩提於意云何如來有佛眼不如
是世尊如來有佛眼須菩提於意云何恒河
中所有沙佛說是沙不如是世尊如來說是
沙須菩提於意云何如一恒河中所有沙有
如是等恒河是諸恒河所有沙數佛世界如
是寧為多不甚多世尊佛告須菩提尒所國

BD02912 號　金剛般若波羅蜜經

（13–9）

中所有沙佛說是沙不如是世尊如來說是
沙須菩提於意云何如一恒河中所有沙有
如是等恒河是諸恒河所有沙數佛世界如
是寧為多不甚多世尊佛告須菩提尒所國
土中所有衆生若干種心如來悉知何以故
如來說諸心皆為非心是名為心所以者何
須菩提過去心不可得現在心不可得未來
心不可得須菩提於意云何若有人滿三千
大千世界七寶以用布施是人以是因緣得
福多不如是世尊此人以是因緣得福甚多
須菩提若福德有實如來不說得福德多以
福德无故如來說得福德多
須菩提於意云何佛可以具足色身見不不
也世尊如來不應以具足色身見何以故如來
說具足色身即非具足色身是名具足色
身須菩提於意云何如來可以具足諸相見
不不也世尊如來不應以具足諸相見何以故
如來說諸相具足即非具足是名諸相具足
須菩提汝勿謂如來作是念我當有所說法
莫作是念何以故若人言如來有所說法即
為謗佛不能解我所說義故須菩提說法者
无法可說是名說法
須菩提白佛言世尊佛得阿耨多羅三藐三
菩提為无所得邪如是如是須菩提我於阿
耨多羅三藐三菩提乃至无有少法可得是
名阿耨多羅三藐三菩提復次須菩提是法
平等无有高下是名阿耨多羅三藐三菩提

BD02912 號　金剛般若波羅蜜經

（13–10）

耨多羅三藐三菩提乃至无有少法可得是
名阿耨多羅三藐三菩提復次須菩提是法
平等无有高下是名阿耨多羅三藐三菩提
以无我无人无衆生无壽者脩一切善法則得
阿耨多羅三藐三菩提須菩提所言善法
者如来說非善法是名善法
須菩提若三千大千世界中所有諸須弥山
王如是等七寶聚有人持用布施若人以此
般若波羅蜜經乃至四句偈等受持讀誦為
他人說於前福德百分不及一百千万億分
乃至筭數譬喻所不能及
須菩提於意云何汝等勿謂如来作是念我
當度衆生須菩提莫作是念何以故實无有
衆生如来度者若有衆生如来度者如来則
有我人衆生壽者須菩提如来說有我者則
非有我而凡夫之人以為有我須菩提 凡夫
者如来說則非凡夫
須菩提於意云何以卅二相觀如来不須菩
提言如是如是以卅二相觀如来佛言須
菩提若以卅二相觀如来者轉輪聖王則是
如来須菩提白佛言世尊如我解佛所說義
不應以卅二相觀如来尒時世尊而說偈言
若以色見我 以音聲求我 是人行邪道 不能見如来
須菩提汝若作是念如来不以具足相故得
阿耨多羅三藐三菩提須菩提莫作是念如
来不以具足相故得阿耨多羅三藐三菩提
須菩提汝若作是念發阿耨多羅三藐三菩

BD02912號　金剛般若波羅蜜經　（13–11）

須菩提汝若作是念如来不以具足相故得
阿耨多羅三藐三菩提須菩提莫作是念如
来不以具足相故得阿耨多羅三藐三菩提
須菩提汝若作是念發阿耨多羅三藐三菩
提者說諸法斷滅莫作是念何以故發阿耨
多羅三藐三菩提者於法不說斷滅相須菩
提若菩薩以滿恒河沙等世界七寶布施若
復有人知一切法无我得成於忍此菩薩勝
前菩薩所得功德須菩提以諸菩薩不受福
德故須菩提白佛言世尊云何菩薩不受福
德須菩提菩薩所作福德不應貪著是故說
不受福德
須菩提若有人言如来若来若去若坐若卧
是人不解我所說義何以故如来者无所從
来亦无所去故名如来
須菩提若善男子善女人以三千大千世界
碎為微塵於意云何是微塵衆寧為多不
甚多世尊何以故若是微塵衆實有者佛則不
說是微塵衆所以者何佛說微塵衆則非微
塵衆是名微塵衆世尊如来所說三千大千
世界則非世界是名世界何以故若世界實
有者則是一合相如来說一合相則非一合相
是名一合相須菩提一合相者則是不可說
但凡夫之人貪著其事須菩提若人言佛說
我見人見衆生見壽者見須菩提於意云何
是人解我所說義不世尊是人不解如来所
說義何以故世尊說我見人見衆生見壽者
見即非我見人見衆生見壽者見是名我見

BD02912號　金剛般若波羅蜜經　（13–12）

世界則非世界是名世界何以故若世界實
有者則是一合相如來說一合相則非一合相
是名一合相須菩提一合相者則是不可說
但凡夫之人貪著其事須菩提若人言佛說
我見人見衆生見壽者見須菩提於意云何
是人解我所說義不世尊是人不解如來所
說義何以故世尊說我見人見衆生見壽者
見即非我見人見衆生見壽者見是名我見
人見衆生見壽者見須菩提發阿耨多羅三
藐三菩提心者於一切法應如是知如是見
如是信解不生法相須菩提所言法相者如
來說即非法相是名法相須菩提若有人以
滿无量阿僧祇世界七寶持用布施若有善
男子善女人發菩薩心者持於此經乃至四
句偈等受持讀誦爲人演說其福勝彼云何
爲人演說不取於相如如不動何以故
一切有爲法　如夢幻泡影　如露亦如電　應作如是觀
佛說是經已長老須菩提及諸比丘比丘尼
優婆塞優婆夷一切世間天人阿脩羅聞佛
所說皆大歡喜信受奉持

金剛般若波羅蜜經

BD02912 號　金剛般若波羅蜜經

（13–13）

億佛皆号日月燈明於其法中說是法華經
以是因緣復值二千億佛同号雲自在燈王
於此諸佛法中受持讀誦爲諸四衆說此經
典故得是常眼清淨耳鼻舌身意諸根清淨
於四衆中說法心无所畏得大勢是常不輕
菩薩摩訶薩供養如是若干諸佛恭敬尊重
讃嘆種諸善根於後復值千万億佛亦於諸
佛法中說是經典功德成就當得作佛得大
勢於意云何尒時常不輕菩薩豈異人乎則
我身是若我於宿世不受持讀誦此經爲他
人說者不能疾得阿耨多羅三藐三菩提我
於先佛所受持讀誦此經爲人說故疾得阿
耨多羅三藐三菩提得大勢彼時四衆比丘
比丘尼優婆塞優婆夷以瞋恚意輕賤我故
二百億劫常不值佛不聞法不見僧千劫於
阿鼻地獄受大苦惱畢是罪已復遇常不輕
菩薩教化阿耨多羅三藐三菩提得大勢於
汝意云何尒時四衆常輕是菩薩者豈異人
乎今此會中跋陁婆羅等五百菩薩師子月
等五百比丘尼思佛等五百優婆塞皆於阿
耨多羅三藐三菩提不退轉者是得大勢當
知是法華經大饒益諸菩薩摩訶薩能令至

BD02913 號　妙法蓮華經卷六

（5–1）

汝意云何尒時四衆常輕是菩薩者豈異人
乎今此會中跋陁婆羅等五百菩薩師子月
等五百比丘尼思佛等五百優婆塞皆於阿
耨多羅三藐三菩提不退轉者是得大勢當
知是法華經大饒益諸菩薩摩訶薩能令至
於阿耨多羅三藐三菩提是故諸菩薩摩訶
薩於如来滅後常應受持讀誦解說書寫是
經尒時世尊欲重宣此義而說偈言
過去有佛　号威音王　神智无量　將導一切
天人龍神　所共供養　是佛滅後　法欲盡時
有一菩薩　名常不輕　時諸四衆　計著於法
不輕菩薩　往到其所　而語之言　我不輕汝
汝等行道　皆當作佛　諸人聞已　輕毀罵詈
不輕菩薩　能忍受之　其罪畢已　臨命終時
得聞此經　六根清淨　神通力故　增益壽命
復為諸人　廣說是經　諸著法衆　皆蒙菩薩
教化成就　令住佛道　不輕命終　值无數佛
說是經故　得无量福　漸具功德　疾成佛道
彼時不輕　則我身是　時四部衆　著法之者
聞不輕言　汝當作佛　以是因緣　值无數佛
此會菩薩　五百之衆　并及四部　清信士女
今於我前　聽法者是　我於前世　勸是諸人
聽受斯經　第一之法　開示教人　令住涅槃
世世受持　如是經典　億億万劫　至不可議
時乃得聞　是法華經　億億万劫　至不可議
諸佛世尊　時說是經　是故行者　於佛滅後
聞如是經　勿生疑惑　應當一心　廣說此經
世世值佛　疾成佛道
妙法蓮華經如来神力品第二十一

BD02913號　妙法蓮華經卷六　（5–2）

聽受斯經　第一之法　開示教人　令住涅槃
世世受持　如是經典　億億万劫　至不可議
時乃得聞　是法華經　億億万劫　至不可議
諸佛世尊　時說是經　是故行者　於佛滅後
聞如是經　勿生疑惑　應當一心　廣說此經
世世值佛　疾成佛道
妙法蓮華經如来神力品第二十一
尒時千世界微塵等菩薩摩訶薩從地踊出
者皆於佛前一心合掌瞻仰尊顏而白佛言
世尊我等於佛滅後世尊分身所在國土滅
度之處當廣說此經所以者何我等亦自欲
得是真淨大法受持讀誦解說書寫而供養
之尒時世尊於文殊師利等无量百千万億
舊住娑婆世界菩薩摩訶薩及諸比丘比丘
尼優婆塞優婆夷天龍夜叉乾闥婆阿脩羅
迦樓羅緊那羅摩睺羅伽人非人等一切衆
前現大神力出廣長舌上至梵世一切毛孔
放於无量无數色光皆悉遍照十方世界衆
寶樹下師子座上諸佛亦復如是出廣長舌
放无量光釋迦牟尼佛及寶樹下諸佛現神
力時滿百千歲然後還攝舌相一時謦欬俱
共彈指是二音聲遍至十方諸佛世界地皆
六種震動其中衆生天龍夜叉乾闥婆阿脩
羅迦樓羅緊那羅摩睺羅伽人非人等以佛
神力故皆見此娑婆世界无量无邊百千万
億衆寶樹下師子座上諸佛及見釋迦牟尼
佛共多寶如来在寶塔中坐師子座又見无
量无邊百千万億菩薩摩訶薩及諸四衆恭
敬圍繞釋迦牟尼佛既見是已皆大歡喜得

BD02913號　妙法蓮華經卷六　（5–3）

力時滿百千歲然後還攝舌相一時謦欬俱
共彈指是二音聲遍至十方諸佛世界地皆
六種震動其中衆生天龍夜叉乾闥婆阿脩
羅迦樓羅緊那羅摩睺羅伽人非人等以佛
神力故皆見此娑婆世界无量无邊百千万
億衆寶樹下師子座上諸佛及見釋迦牟尼
佛共多寶如来在寶塔中坐師子座又見无
量无邊百千万億菩薩摩訶薩及諸四衆恭
敬圍繞釋迦牟尼佛既見是已皆大歡喜得
未曾有即時諸天於虛空中高聲唱言過此
无量无邊百千万億阿僧祇世界有國名娑
婆是中有佛名釋迦牟尼今為諸菩薩摩訶
薩說大乘經名妙法蓮華教菩薩法佛所護
念汝等當深心隨喜亦當礼拜供養釋迦牟
尼佛彼諸衆生聞虛空中聲已合掌向娑婆
世界作如是言南无釋迦牟尼佛南无釋迦
牟尼佛以種種華香瓔珞幡蓋及諸嚴身之
具珎寶妙物皆共遥散娑婆世界所散諸物
從十方来譬如雲集變成寶帳遍覆此間諸
佛之上于時十方世界通達无㝵如一佛土
尒時佛告上行等菩薩大衆諸佛神力如是
无量无邊不可思議若我以是神力於无量
无邊百千万億阿僧祇劫為囑累故說此經
功德猶不能盡以要言之如来一切所有之
法如来一切自在神力如来一切秘要之藏
如来一切甚深之事皆於此經宣示顯說是
故汝等於如来滅後應一心受持讀誦解說
書寫如說脩行所在國土若有受持讀誦解

BD02913號　妙法蓮華經卷六

（5–4）

念汝等當深心隨喜亦當礼拜供養釋迦牟
尼佛彼諸衆生聞虛空中聲已合掌向娑婆
世界作如是言南无釋迦牟尼佛南无釋迦
牟尼佛以種種華香瓔珞幡蓋及諸嚴身之
具珎寶妙物皆共遥散娑婆世界所散諸物
從十方来譬如雲集變成寶帳遍覆此間諸
佛之上于時十方世界通達无㝵如一佛土
尒時佛告上行等菩薩大衆諸佛神力如是
无量无邊不可思議若我以是神力於无量
无邊百千万億阿僧祇劫為囑累故說此經
功德猶不能盡以要言之如来一切所有之
法如来一切自在神力如来一切秘要之藏
如来一切甚深之事皆於此經宣示顯說是
故汝等於如来滅後應一心受持讀誦解說
書寫如說脩行所在國土若有受持讀誦解
說書寫如說脩行若經卷所住之處若於園
中若於林中若於樹下若於僧坊若白衣舍
若在殿堂若山谷曠野是中皆應起塔供養
所以者何當知是處即是道場諸佛於此得
阿耨多羅三藐三菩提諸佛於此轉于法輪
諸佛於此而般涅槃尒時世尊欲重宣此義
而說偈言
諸佛救世者　住於大神通　為悅衆生故　現无量神力

BD02913號　妙法蓮華經卷六

（5–5）

妙法蓮華经五百弟子授記品第八
尒時冨樓那弥多羅足子從佛聞是智慧方
便隨冝說法又聞授諸大弟子阿耨多羅三
藐三菩提記復聞宿世因緣之事復聞諸佛
有大自在神通之力得未曾有心淨踊躍即
從座起到於佛前頭面礼足却住一面瞻仰
尊顏目不暫捨而作是念世尊甚奇特所為
希有隨順世間若干種性以方便知見而為
說法拔出衆生處處貪著我等於佛功德言
不能宣唯佛世尊能知我等深心本願尒時
佛告諸比丘汝等見是冨樓那弥多羅足子
不我常稱其於說法人中冣為第一亦常歎
其種種功德精勤護持助宣我法能於四衆
示教利喜具足解釋佛之正法而大饒益同
梵行者自捨如來无能盡其言論之辯汝等
勿謂冨樓那但能護持助宣我法亦於過去
九十億諸佛所護持助宣佛之正法於彼說
法人中亦冣第一又於諸佛所說空法明了
通達得四无礙智常能審諦清淨說法无有
疑惑具足菩薩神通之力隨其壽命常脩梵
行彼佛世人咸皆謂之實是聲聞而冨樓那

BD02914 號　妙法蓮華經卷四　　(31–1)

勿謂冨樓那但能護持助宣我法亦於過去
九十億諸佛所護持助宣佛之正法於彼說
法人中亦冣第一又於諸佛所說空法明了
通達得四无礙智常能審諦清淨說法无有
疑惑具足菩薩神通之力隨其壽命常脩梵
行彼佛世人咸皆謂之實是聲聞而冨樓那
以斯方便饒益无量百千衆生又化无量阿
僧祇人令立阿耨多羅三藐三菩提為淨佛
土故常作佛事教化衆生諸比丘冨樓那亦
於七佛說法人中而得第一今於我所說法
人中亦為第一於賢劫中當來諸佛說法人
中亦復第一而皆護持助宣佛法亦於未來
護持助宣无量无邊諸佛之法教化饒益无
量衆生令立阿耨多羅三藐三菩提為淨佛
土故常勤精進教化衆生漸漸具足菩薩之
道過无量阿僧祇劫當於此土得阿耨多羅
三藐三菩提号曰法明如來應供正遍知明
行足善逝世間解无上士調御丈夫天人師
佛世尊其佛以恒河沙等三千大千世界為
一佛土七寶為地地平如掌无有山陵谿澗
溝壑七寶臺觀充滿其中諸天宮殿近處虛
空人天交接兩得相見无諸惡道亦无女人
一切衆生皆以化生无有婬欲得大神通身
出光明飛行自在志念堅固精進智慧普皆
金色三十二相而自莊嚴其國衆生常以二
食一者法喜食二者禪悅食有无量阿僧祇
千万億那由他諸菩薩衆得大神通四无礙
智善能教化衆生之類其聲聞衆筭數校計

BD02914 號　妙法蓮華經卷四　　(31–2)

金色三十二相而自莊嚴其國衆生常以二
食一者法喜食二者禪悅食有无量阿僧祇
千万億那由他諸菩薩衆得大神通四无礙
智善能教化衆生之類其聲聞衆筭數校計
所不能知皆得具足六通三明及八解脫其
佛國土有如是等无量功德莊嚴成就劫名
寶明國名善淨其佛壽命无量阿僧祇劫法
住甚久佛滅度後起七寶塔遍滿其國尒時
世尊欲重宣此義而說偈言
諸比丘諦聽　佛子所行道　善學方便故　不可得思議
知衆樂小法　而畏於大智　是故諸菩薩　作聲聞緣覺
以无數方便　化諸衆生類　自說是聲聞　去佛道甚遠
度脫无量衆　皆悉得成就　雖小欲懈怠　漸當令作佛
內秘菩薩行　外現是聲聞　少欲厭生死　實自淨佛土
示衆有三毒　又現邪見相　我弟子如是　方便度衆生
若我具足說　種種現化事　衆生聞是者　心則懷疑惑
今此富樓那　於昔千億佛　勤脩所行道　宣護諸佛法
為求无上慧　而於諸佛所　現居弟子上　多聞有智慧
所說无所畏　能令衆歡喜　未曾有疲惓　而以助佛事
已度大神通　具四无礙智　知衆根利鈍　常說清淨法
演暢如是義　教諸千億衆　令住大乘法　而自淨佛土
未來亦供養　无量无數佛　護助宣正法　亦自淨佛土
常以諸方便　說法无所畏　度不可計衆　成就一切智
供養諸如來　護持法寶藏　其後當作佛　号名曰法明
其國名善淨　七寶所合成　劫名為寶明　菩薩衆甚多
其數无量億　皆度大神通　威德力具足　充滿其國土
聲聞亦无數　三明八解脫　得四无礙智　以是等為僧

BD02914號　妙法蓮華經卷四

（31-3）

常以諸方便　說法无所畏　度不可計衆　成就一切智
供養諸如來　護持法寶藏　其後當作佛　号名曰法明
其國名善淨　七寶所合成　劫名為寶明　菩薩衆甚多
其數无量億　皆度大神通　威德力具足　充滿其國土
聲聞亦无數　三明八解脫　得四无礙智　以是等為僧
其國諸衆生　婬欲皆已斷　純一變化生　具相莊嚴身
法喜禪悅食　更无餘食想　无有諸女人　亦无諸惡道
富樓那比丘　功德悉成滿　當得斯淨土　賢聖衆甚多
如是无量事　我今但略說
尒時千二百阿羅漢心自在者作是念我等
歡喜得未曾有若世尊各見授記如餘大弟
子者不亦快乎佛知此等心之所念告摩訶
迦葉是千二百阿羅漢我今當現前次第與
受阿耨多羅三藐三菩提記於此衆中我大
弟子憍陳如比丘當供養六万二千億佛然
後得成為佛号曰普明如來應供正遍知明
行足善逝世間解无上士調御丈夫天人師
佛世尊其五百阿羅漢優樓頻螺迦葉伽耶
迦葉那提迦葉迦留陀夷優陀夷阿㝹樓䭾
離婆多劫賓那薄拘羅周陀莎伽陀等皆當
得阿耨多羅三藐三菩提盡同一号名曰普
明尒時世尊欲重宣此義而說偈言
憍陳如比丘　當見无量佛　過阿僧祇劫　乃成等正覺
常放大光明　具足諸神通　名聞遍十方　一切之所敬
常說无上道　故号為普明　其國土清淨　菩薩皆勇猛
咸昇妙樓閣　遊諸十方國　以无上供具　奉獻於諸佛
作是供養已　心懷大歡喜　須臾還本國　有如是神力

BD02914號　妙法蓮華經卷四

（31-4）

憍陳如比丘　當見无量佛　過阿僧祇劫　乃成等正覺
常放大光明　具足諸神通　名聞遍十方　一切之所敬
常說无上道　故号為普明　其國土清淨　菩薩皆勇猛
咸昇妙樓閣　遊諸十方國　以无上供具　奉獻於諸佛
作是供養已　心懷大歡喜　須臾還本國　有如是神力
佛壽六万劫　正法住倍壽　像法復倍是　法滅天人憂
其五百比丘　次苐當作佛　同号曰普明　轉次而授記
我滅度之後　某甲當作佛　其所化世間　亦如我今日
國土之嚴淨　及諸神通力　菩薩聲聞衆　正法及像法
壽命劫多少　皆如上所說　迦葉汝已知　五百自在者
餘諸聲聞衆　亦當復如是　其不在此會　汝當為宣說
尒時五百阿羅漢於佛前得受記已歡喜踊
躍即從座起到於佛前頭面礼足悔過自責
世尊我等常作是念自謂已得究竟滅度今
乃知之如无智者所以者何我等應得如來
智慧而便自以小智為足世尊譬如有人至
親友家醉酒而卧是時親友官事當行以无
價寶珠繫其衣裏與之而去其人醉卧都不
覺知起已遊行到於他國為衣食故勤力求
索甚大艱難若少有所得便以為足於後親
友會遇見之而作是言咄哉丈夫何為衣食
乃至如是我昔欲令汝得安樂五欲自恣於某
年日月以无價寶珠繫汝衣裏今故現在
而汝不知勤苦憂惱以求自活甚為癡也汝
今可以此寶貿易所須常可如意无所乏短
佛亦如是為菩薩時教化我等令發一切智
心而尋廢忘不知不覺既得阿羅漢道自謂
滅度資生艱難得少為足一切智願猶在不

乃至如是我昔欲令汝得安樂五欲自恣於某
年日月以无價寶珠繫汝衣裏今故現在
而汝不知勤苦憂惱以求自活甚為癡也汝
今可以此寶貿易所須常可如意无所乏短
佛亦如是為菩薩時教化我等令發一切智
心而尋廢忘不知不覺既得阿羅漢道自謂
滅度資生艱難得少為足一切智願猶在不
失今者世尊覺悟我等作如是言諸比丘汝
等所得非究竟滅我久令汝等種佛善根以
方便故示涅槃相而汝謂為實得滅度世尊
我今乃知實是菩薩得受阿耨多羅三藐三
菩提記以是因緣甚大歡喜得未曾有尒時
阿若憍陳如等欲重宣此義而說偈言
我等聞无上　安隱授記聲　歡喜未曾有　礼无量智佛
今於世尊前　自悔諸過咎　於无量佛寶　得少涅槃分
如无智愚人　便自以為足　譬如貧窮人　往至親友家
其家甚大富　具設諸餚饍　以无價寶珠　繫著內衣裏
嘿與而捨去　時卧不覺知　是人既已起　遊行詣他國
求衣食自濟　資生甚艱難　得少便為足　更不願好者
不覺內衣裏　有无價寶珠　與珠之親友　後見此貧人
苦切責之已　示以所繫珠　貧人見此珠　其心大歡喜
富有諸財物　五欲而自恣　我等亦如是　世尊於長夜
常愍見教化　令種无上願　我等无智故　不覺亦不知
得少涅槃分　自足不求餘　今佛覺悟我　言非實滅度
得佛无上慧　尒乃為真滅　我今從佛聞　授記莊嚴事
及轉次受決　身心遍歡喜
妙法蓮華經授學无學人記品苐九
尒時阿難羅睺羅而作是念我等每自思惟

得少涅槃分　自足不求餘　今佛覺悟我　言非實滅度
得佛无上慧　尒乃為真滅　我今從佛聞　授記莊嚴事
及轉次受決　身心遍歡喜
妙法蓮華經授學无學人記品第九
尒時阿難羅睺羅而作是念我等每自思惟
設得受記不亦快乎即從座起到於佛前頭
面礼足俱白佛言世尊我等於此亦應有分
唯有如來我等所歸又我等為一切世間天
人阿脩羅所見知識阿難常為侍者護持法
藏羅睺羅是佛之子若佛見授阿耨多羅三
藐三菩提記者我願既滿衆望亦足尒時學
无學聲聞弟子二千人皆從座起偏袒右肩
到於佛前一心合掌瞻仰世尊如阿難羅睺
羅所願住立一面尒時佛告阿難汝於來世
當得作佛号山海慧自在通王如來應供正
遍知明行足善逝世間解无上士調御丈夫
天人師佛世尊當供養六十二億諸佛護持
法藏然後得阿耨多羅三藐三菩提教化二
十千万億恒河沙諸菩薩等令成阿耨多羅
三藐三菩提國名常立勝幡其土清淨瑠璃
為地劫名妙音遍滿其佛壽命无量千万億
阿僧祇劫若人於千万億无量阿僧祇劫中
筭數校計不能得知正法住世倍於壽命像
法住世復倍正法阿難是山海慧自在通王
佛為十方无量千万億恒河沙等諸佛如來
所共讚歎稱其功德尒時世尊欲重宣此義
而說偈言
我今僧中說　阿難持法者　當供養諸佛　然後成正覺

BD02914 號　妙法蓮華經卷四

(31–7)

法住世復倍正法阿難是山海慧自在通王
佛為十方无量千万億恒河沙等諸佛如來
所共讚歎稱其功德尒時世尊欲重宣此義
而說偈言
我今僧中說　阿難持法者　當供養諸佛　然後成正覺
号曰山海慧　自在通王佛　其國土清淨　名常立勝幡
教化諸菩薩　其數如恒沙　佛有大威德　名聞滿十方
壽命无有量　以愍衆生故　正法倍壽命　像法復倍是
如恒河沙等　无數諸衆生　於此佛法中　種佛道因緣
尒時會中新發意菩薩八千人咸作是念我
等尚不聞諸大菩薩得如是記有何因緣而
諸聲聞得如是決尒時世尊知諸菩薩心之
所念而告之曰諸善男子我與阿難等於空
王佛所同時發阿耨多羅三藐三菩提心阿
難常樂多聞我常勤精進是故我已得成阿
耨多羅三藐三菩提而阿難護持我法亦護
將來諸佛法藏教化成就諸菩薩衆其本願
如是故獲斯記阿難面於佛前自聞授記及
國土莊嚴所願具足心大歡喜得未曾有即
時憶念過去无量千万億諸佛法藏通達无
礙如今所聞亦識本願尒時阿難而說偈言
世尊甚希有　令我念過去　无量諸佛法　如今日所聞
我今无復疑　安住於佛道　方便為侍者　護持諸佛法
尒時佛告羅睺羅汝於來世當得作佛号蹈
七寶華如來應供正遍知明行足善逝世間
解无上士調御丈夫天人師佛世尊當供養
十世界微塵等數諸佛如來常為諸佛而作
長子猶如今也是蹈七寶華佛國土莊嚴壽

BD02914 號　妙法蓮華經卷四

(31–8)

解无上士調御丈夫天人師佛世尊當供養
十世界微塵等數諸佛如來常為諸佛而作
長子猶如今也是蹈七寶華佛國土莊嚴壽
命劫數所化弟子正法像法亦如山海慧自
在通王如來无異亦為此佛而作長子過是
已後當得阿耨多羅三藐三菩提尒時世尊
欲重宣此義而說偈言
我為太子時　羅睺為長子　我今成佛道　受法為法子
於未來世中　見无量億佛　皆為其長子　一心求佛道
羅睺羅密行　唯我能知之　現為我長子　以示諸衆生
无量億千万　功德不可數　安住於佛法　以求无上道
尒時世尊見學无學二千人其意柔軟寂然
清淨一心觀佛佛告阿難汝見是學无學二
千人不唯然已見阿難是諸人等當供養五
十世界微塵數諸佛如來恭敬尊重護持法
藏末後同時於十方國各得成佛皆同一号
名曰寶相如來應供正遍知明行足善逝世
間解无上士調御丈夫天人師佛世尊壽命
一劫國土莊嚴聲聞菩薩正法像法皆悉同
等尒時世尊欲重宣此義而說偈言
是二千聲聞　今於我前住　悉皆與受記　未來當成佛
所供養諸佛　如上說塵數　護持其法藏　後當成正覺
各於十方國　悉同一名号　俱時坐道場　以證无上慧
皆名為寶相　國土及弟子　正法與像法　悉等无有異
咸以諸神通　度十方衆生　名聞普周遍　漸入於涅槃
尒時學无學二千人聞佛授記歡喜踊躍而
說偈言

BD02914號　妙法蓮華經卷四　（31–9）

皆名為寶相　國土及弟子　正法與像法　悉等无有異
咸以諸神通　度十方衆生　名聞普周遍　漸入於涅槃
尒時學无學二千人聞佛授記歡喜踊躍而
說偈言
世尊慧燈明　我聞授記音　心歡喜充滿　如甘露見灌
妙法蓮華經法師品第十
尒時世尊因藥王菩薩告八万大士藥王汝
見是大衆中无量諸天龍王夜叉乾闥婆阿
脩羅迦樓羅緊那羅摩睺羅伽人與非人及
比丘比丘尼優婆塞優婆夷求聲聞者求辟
支佛者求佛道者如是等類咸於佛前聞妙
法華經一偈一句乃至一念隨喜者我皆與
受記當得阿耨多羅三藐三菩提佛告藥王
又如來滅度之後若有人聞妙法華經乃至
一偈一句一念隨喜者我亦與受阿耨多羅
三藐三菩提記若復有人受持讀誦解說書
寫妙法華經乃至一偈於此經卷敬視如佛
種種供養華香瓔珞末香塗香燒香繒蓋幢
幡衣服伎樂乃至合掌恭敬藥王當知是諸
人等已曾供養十方億佛於諸佛所成就大
願愍衆生故生此人間藥王若有人問何等
衆生於未來世當得作佛應示是諸人等於
未來世必得作佛何以故若善男子善女人
於法華經乃至一句受持讀誦解說書寫種
種供養經卷華香瓔珞末香塗香燒香繒蓋
幢幡衣服伎樂合掌恭敬是人一切世間所
應瞻奉應以如來供養而供養之當知此人

BD02914號　妙法蓮華經卷四　（31–10）

於未來世必得作佛
於法華經乃至一句受持讀誦解說書寫種
種供養經卷華香瓔珞末香塗香燒香繒蓋
幢幡衣服伎樂合掌恭敬是人一切世間所
應瞻奉應以如來供養而供養之當知此人
是大菩薩成就阿耨多羅三藐三菩提哀愍
衆生願生此間廣演分別妙法華經何況盡
能受持種種供養者藥王當知是人自捨清
淨業報於我滅度後愍衆生故生於惡世廣
演此經若是善男子善女人我滅度後能竊
為一人說法華經乃至一句當知是人則如
來使如來所遣行如來事何況於大衆中廣
為人說藥王若有惡人以不善心於一劫中
現於佛前常毀罵佛其罪尚輕若人以一惡
言毀呰在家出家讀誦法華經者其罪甚重
藥王其有讀誦法華經者當知是人以佛莊
嚴而自莊嚴則為如來肩所荷擔其所至方
應隨向礼一心合掌恭敬供養尊重讚歎華
香瓔珞末香塗香燒香繒蓋幢幡衣服餚饌
作諸伎樂人中上供而供養之應持天寶而
以散之天上寶聚應以奉獻所以者何是人
歡喜說法須臾聞之即得究竟阿耨多羅三
藐三菩提故尒時世尊欲重宣此義而說偈
言
若欲住佛道　成就自然智　常當勤供養　受持法華者
其有欲疾得　一切種智慧　當受持是經　并供養持者
若有能受持　妙法華經者　當知佛所使　愍念諸衆生
諸有能受持　妙法華經者　捨於清淨土　愍衆故生此

BD02914 號　妙法蓮華經卷四

（31–11）

若欲住佛道　成就自然智　常當勤供養　受持法華者
其有欲疾得　一切種智慧　當受持是經　并供養持者
若有能受持　妙法華經者　當知佛所使　愍念諸衆生
諸有能受持　妙法華經者　捨於清淨土　愍衆故生此
當知如是人　自在所欲生　能於此惡世　廣說无上法
應以天華香　及天寶衣服　天上妙寶聚　供養說法者
吾滅後惡世　能持是經者　當合掌礼敬　如供養世尊
上饌衆甘美　及種種衣服　供養是佛子　兾得須臾聞
若能於後世　受持是經者　我遣在人中　行於如來事
若於一劫中　常懷不善心　作色而罵佛　獲无量重罪
其有讀誦持　是法華經者　須臾加惡言　其罪復過彼
有人求佛道　而於一劫中　合掌在我前　以无數偈讚
由是讚佛故　得无量功德　歎美持經者　其福復過彼
於八十億劫　以最妙色身　及與香味觸　供養持經者
如是供養已　若得須臾聞　則應自欣慶　我今獲大利
藥王今告汝　我所說諸經　而於此經中　法華最第一
尒時佛復告藥王菩薩摩訶薩我所說經典
无量千億已說今說當說而於其中此法華
經最為難信難解藥王此經是諸佛秘要之
藏不可分布妄授與人諸佛世尊之所守護
從昔已來未曾顯說而此經者如來現在猶
多怨嫉況滅度後藥王當知如來滅後其能
書持讀誦供養為他人說者如來則為以衣
覆之又為他方現在諸佛之所護念是人有
大信力及志願力諸善根力當知是人與如
來共宿則為如來手摩其頭藥王在在處處
若說若讀若誦若書若經卷所住處皆應起
七寶塔極令高廣嚴飾不須復安舍利所以

BD02914 號　妙法蓮華經卷四

（31–12）

大信力及志願力諸善根力當知是人與如
來共宿則為如來手摩其頭藥王在在處處
若說若讀若誦若書若経卷所住處皆應起
七寶塔極令高廣嚴飾不須復安舍利所以
者何此中已有如來全身此塔應以一切華
香瓔珞繒蓋幢幡伎樂歌頌供養恭敬尊重
讚歎若有人得見此塔礼拜供養當知是等
皆近阿耨多羅三藐三菩提藥王多有人在
家出家行菩薩道若不能得見聞讀誦書持
供養是法華経者當知是人未善行菩薩道
若有得聞是経典者乃能善行菩薩之道其
有眾生求佛道者若見若聞是法華経聞已
信解受持者當知是人得近阿耨多羅三藐
三菩提藥王譬如有人渴乏須水於彼高原
穿鑿求之猶見乾土知水尚遠施功不已轉
見濕土遂漸至泥其心決定知水必近菩薩
亦復如是若未聞未解未能修習是法華経
當知是人去阿耨多羅三藐三菩提尚遠若
得聞解思惟修習必知得近阿耨多羅三藐
三菩提所以者何一切菩薩阿耨多羅三藐
三菩提皆屬此経此経開方便門示真實相
是法華経藏深固幽遠无人能到今佛教化
成就菩薩而為開示藥王若有菩薩聞是法
華経驚疑怖畏當知是為新發意菩薩若聲
聞人聞是経驚疑怖畏當知是為增上慢者
藥王若有善男子善女人如來滅後欲為四
眾說是法華経者云何應說是善男子善女

BD02914 號　妙法蓮華經卷四　（31–13）

華経驚疑怖畏當知是為新發意菩薩若聲
聞人聞是経驚疑怖畏當知是為增上慢者
藥王若有善男子善女人如來滅後欲為四
眾說是法華経者云何應說是善男子善女
人入如來室著如來衣坐如來座尒乃應為
四眾廣說斯経如來室者一切眾生中大慈
悲心是如來衣者柔和忍辱心是如來座者
一切法空是安住是中然後以不懈怠心為
諸菩薩及四眾廣說是法華経藥王我於餘
國遣化人為其集聽法眾亦遣化比丘比丘尼
優婆塞優婆夷聽其說法是諸化人聞法
信受隨順不逆若說法者在空閑處我時廣
遣天龍鬼神乾闥婆阿修羅等聽其說法我
雖在異國時時令說法者得見我身若於此
経忘失句逗我還為說令得具足尒時世尊欲
重宣此義而說偈言
欲捨諸懈怠　應當聽此経　是経難得聞　信受者亦難
如人渴須水　穿鑿於高原　猶見乾燥土　知去水尚遠
漸見濕土泥　決定知近水　藥王汝當知　如是諸人等
不聞法華経　去佛智甚遠　若聞是深経　決了聲聞法
是諸経之王　聞已諦思惟　當知此人等　近於佛智慧
若人說此経　應入如來室　著於如來衣　而坐如來座
處眾无所畏　廣為分別說　大慈悲為室　柔和忍辱衣
諸法空為座　處此為說法　若說此経時　有人惡口罵
加刀杖瓦石　念佛故應忍　我千万億土　現淨堅固身
於无量億劫　為眾生說法　若我滅度後　能說此経者
我遣化四眾　比丘比丘尼　及清信士女　供養於法師

BD02914 號　妙法蓮華經卷四　（31–14）

處衆无所畏廣爲分別說
諸法空爲座 處此爲說法 若說此經時 有人惡口罵
加刀杖凡石 念佛故應忍 我千万億土 現淨堅固身
於无量億劫 爲衆生說法 若我滅度後 能說此經者
我遣化四衆 比丘比丘尼 及清信士女 供養於法師
引導諸衆生 集之令聽法 若人欲加惡 刀杖及凡石
則遣變化人 爲之作衛護 若說法之人 獨在空閑處
寂漠无人聲 讀誦此經典 我尒時爲現 清淨光明身
若忘失章句 爲說令通利 若人具是德 或爲四衆說
空處讀誦經 皆得見我身 若人在空閑 我遣天龍王
夜叉鬼神等 爲作聽法衆 是人樂說法 分別无罣礙
諸佛護念故 能令大衆喜 若親近法師 速得菩薩道
隨順是師學 得見恒沙佛
妙法蓮華經見寶塔品第十一
尒時佛前有七寶塔高五百由旬縱廣二百
五十由旬從地踊出住在空中種種寶物而
莊校之五千欄楯龕室千万无數幢幡以爲
嚴飾垂寶瓔珞寶鈴万億而懸其上四面皆
出多摩羅跋栴檀之香充遍世界其諸幡蓋
以金銀瑠璃車𤦲馬瑙真珠玫瑰七寶合成
高至四天王宮三十三天雨天曼陁羅華供
養寶塔餘諸天龍夜叉乾闥婆阿脩羅迦樓
羅緊那羅摩睺羅伽人非人等千万億衆以
一切華香瓔珞幡蓋伎樂供養寶塔恭敬尊
重讚歎尒時寶塔中出大音聲歎言善哉善
哉釋迦牟尼世尊能以平等大慧教菩薩法
佛所護念妙法華經爲大衆說如是如是釋
迦牟尼世尊如所說者皆是真實尒時四衆

BD02914 號　妙法蓮華經卷四

（31–15）

哉釋迦牟尼世尊能以平等大慧教菩薩法
佛所護念妙法華經爲大衆說如是如是釋
迦牟尼世尊如所說者皆是真實尒時四衆
見大寶塔住在空中又聞塔中所出音聲皆
得法喜怪未曾有從座而起恭敬合掌却住
一面尒時有菩薩摩訶薩名大樂說知一切
世間天人阿脩羅等心之所疑而白佛言世
尊以何因緣有此寶塔從地踊出又於其中
發是音聲尒時佛告大樂說菩薩此寶塔中
有如來全身乃往過去東方无量千万億阿
僧祇世界國名寶淨彼中有佛号曰多寶其
佛行菩薩道時作大誓願若我成佛滅度之
後於十方國土有說法華經處我之塔廟爲
聽是經故踊現其前爲作證明讚言善哉彼
佛成道已臨滅度時於天人大衆中告諸比
丘我滅度後欲供養我全身者應起一大塔
其佛神通願力十方世界在在處處若有說
法華經者彼之寶塔皆踊出其前全身在於
塔中讚言善哉善哉大樂說今多寶如來塔
聞說法華經故從地踊出讚言善哉善哉是
時大樂說菩薩以如來神力故白佛言世尊
我等願欲見此佛身佛告大樂說菩薩摩訶
薩是多寶佛有深重願若我寶塔爲聽法華
經故出於諸佛前時其有欲以我身示四衆
者彼佛分身諸佛在於十方世界說法盡還
集一處然後我身乃出現耳大樂說我分身
諸佛在於十方世界說法者今應當集大樂

BD02914 號　妙法蓮華經卷四

（31–16）

經故出於諸佛前時其有欲以我身示四衆
者彼佛分身諸佛在於十方世界說法盡還
集一處然後我身乃出現耳大樂說我分身
諸佛在於十方世界說法者今應當集大樂
說白佛言世尊我等亦願欲見世尊分身諸
佛禮拜供養尒時佛放白毫一光即見東方
五百万億那由他恒河沙等國土諸佛彼諸
國土皆以頗梨為地寶樹寶衣以為莊嚴无
數千万億菩薩充滿其中遍張寶幔寶網羅
上彼國諸佛以大妙音而說諸法及見无量
万億菩薩遍滿諸國為衆說法南西北方四
維上下白毫相光所照之處亦復如是尒時
十方諸佛各告衆菩薩言善男子我今應往
娑婆世界釋迦牟尼佛所并供養多寶如來
寶塔時娑婆世界即變清淨瑠璃為地寶樹
莊嚴黃金繩以界八道无諸聚落村營城
邑大海江河山川林藪燒大寶香曼陀羅華遍
布其地以寶網幔羅覆其上懸諸寶鈴唯留
此會衆移諸天人置於他土是時諸佛各將
一大菩薩以為侍者至娑婆世界各到寶
樹下一一寶樹高五百由旬枝葉華菓次第
莊嚴諸寶樹下皆有師子之座高五由旬亦
以大寶而校飾之尒時諸佛各於此座結跏
趺坐如是展轉遍滿三千大千世界而於釋
迦牟尼佛一方所分之身猶故未盡時釋迦
牟尼佛欲容受所分身諸佛故八方各更變
二百万億那由他國皆令清淨无有地獄餓

BD02914號　妙法蓮華經卷四　（31–17）

趺坐如是展轉遍滿三千大千世界而於釋
迦牟尼佛一方所分之身猶故未盡時釋迦
牟尼佛欲容受所分身諸佛故八方各更變
二百万億那由他國皆令清淨无有地獄餓
鬼畜生及阿脩羅又移諸天人置於他土所
化之國亦以瑠璃為地寶樹莊嚴樹高五百
由旬枝葉華菓次第嚴飾樹下皆有寶師子
座高五由旬種種諸寶以為莊校亦无大海
江河及目真隣陁山摩訶目真隣陁山鐵圍
山大鐵圍山須弥山等諸山王通為一佛國
土寶地平正寶交露幔遍覆其上懸諸幡蓋
燒大寶香諸天寶華遍布其地釋迦牟尼佛
為諸佛當來坐故復於八方各更變二百万億
那由他國皆令清淨无有地獄餓鬼畜生及
阿脩羅又移諸天人置於他土所化之國亦
以瑠璃為地寶樹莊嚴樹高五百由旬枝葉
華菓次第莊嚴樹下皆有寶師子座高五由
旬亦以大寶而校飾之亦无大海江河及目
真隣陁山摩訶目真隣陁山鐵圍山大鐵圍
山須弥山等諸山王通為一佛國土寶地平
正寶交露幔遍覆其上懸諸幡蓋燒大寶香
諸天寶華遍布其地尒時東方釋迦牟尼所
分之身百千万億那由他恒河沙等國土中
佛皆悉來集坐於八方尒時一一方四百万億
那由他國土諸佛如來遍滿其中是時諸
佛各在寶樹下坐師子座皆遣侍者問訊釋
迦牟尼佛各賷寶華滿掬而告之言善男子
汝往詣耆闍崛山釋迦牟尼佛所如我辭曰

BD02914號　妙法蓮華經卷四　（31–18）

那由他國土諸佛如来遍滿其中是時諸
佛各在寶樹下坐師子座皆遣侍者問訊釋
迦牟尼佛各賫寶華滿掬而告之言善男子
汝往詣耆闍崛山釋迦牟尼佛所如我辭曰
少病少惱氣力安樂及菩薩聲聞衆悉安隱
不以此寶華散佛供養而作是言彼某甲佛
與欲開此寶塔諸佛遣使亦復如是尒時釋
迦牟尼佛見所分身佛悉已来集各各坐於
師子之座皆聞諸佛與欲同開寶塔即從座
起住虚空中一切四衆起立合掌一心觀佛
於是釋迦牟尼佛以右指開七寶塔户出大
音聲如却關鑰開大城門即時一切衆會皆
見多寶如来於寶塔中坐師子座全身不散
如入禪定又聞其言善哉善哉釋迦牟尼佛
快説是法華経我為聽是経故而来至此尒
時四衆等見過去无量千万億劫滅度佛説
如是言歎未曾有以天寶華聚散多寶佛及
釋迦牟尼佛上尒時多寶佛於寶塔中分半
座與釋迦牟尼佛而作是言釋迦牟尼佛可
就此座即時釋迦牟尼佛入其塔中坐其半
座結跏趺坐尒時大衆見二如来在七寶塔
中師子座上結跏趺坐各作是念佛座高遠
唯願如来以神通力令我等輩俱處虚空即
時釋迦牟尼佛以神通力接諸大衆皆在虚
空以大音聲普告四衆誰能於此娑婆國土
廣説妙法華経今正是時如来不久當入涅

BD02914號　妙法蓮華經卷四

(31–19)

時釋迦牟尼佛以神通力接諸大衆皆在虚
空以大音聲普告四衆誰能於此娑婆國土
廣説妙法華経今正是時如来不久當入涅
槃佛欲以此妙法華経付囑有在尒時世尊
欲重宣此義而説偈言
聖主世尊　雖久滅度　在寶塔中　尚為法来
諸人云何　不勤為法　此佛滅度　无鞅數劫
處處聽法　以難遇故　彼佛本願　我滅度後
在在所往　常為聽法　又我分身　无量諸佛
如恒沙等　来欲聽法　及見滅度　多寶如来
各捨妙土　及弟子衆　天人龍神　諸供養事
令法久住　故来至此　為坐諸佛　以神通力
移无量衆　令國清淨　諸佛各各　詣寶樹下
如清淨池　蓮華莊嚴　其寶樹下　諸師子座
佛坐其上　光明嚴飾　如夜暗中　然大炬火
身出妙香　遍十方國　衆生蒙薰　喜不自勝
譬如大風　吹小樹枝　以是方便　令法久住
告諸大衆　我滅度後　誰能護持　讀説斯経
今於佛前　自説誓言　其多寶佛　雖久滅度
以大誓願　而師子吼　多寶如来　及與我身
所集化佛　當知此意　諸佛子等　誰能護法
當發大願　令得久住　其有能護　此経法者
則為供養　我及多寶　此多寶佛　處於寶塔
常遊十方　為是経故　亦復供養　諸来化佛
莊嚴光飾　諸世界者　若説此経　則為見我
多寶如来　及諸化佛　諸善男子　各諦思惟
此為難事　宜發大願　諸餘経典　數如恒沙

BD02914號　妙法蓮華經卷四

(31–20)

則為供養 我[illegible]

常遊十方 為是經故 亦復供養 諸來化佛
莊嚴光飾 諸世界者 若說此經 則為見我
多寶如來 及諸化佛 諸善男子 各諦思惟
此為難事 宜發大願 諸餘經典 數如恒沙
雖說此等 未足為難 若接須彌 擲置他方
无數佛土 亦未為難 若以足指 動大千界
遠擲他國 亦未為難 若立有頂 為衆演說
无量餘經 亦未為難 若佛滅後 於惡世中
能說此經 是則為難 假使有人 手把虛空
而以遊行 亦未為難 於我滅後 若自書持
若使人書 是則為難 若以大地 置足甲上
昇於梵天 亦未為難 佛滅度後 於惡世中
暫讀此經 是則為難 假使劫燒 擔負乾草
入中不燒 亦未為難 我滅度後 若持此經
為一人說 是則為難 若持八万 四千法藏
十二部經 為人演說 令諸聽者 得六神通
雖能如是 亦未為難 於我滅後 聽受此經
問其義趣 是則為難 若人說法 令千万億
无量无數 恒沙衆生 得阿羅漢 具六神通
雖有是益 亦未為難 於我滅後 若能奉持
如斯經典 是則為難 我為佛道 於无量土
從始至今 廣說諸經 而於其中 此經第一
若有能持 則持佛身 諸善男子 於我滅後
誰能護持 讀誦此經 今於佛前 自說誓言
此經難持 若暫持者 我則歡喜 諸佛亦然
如是之人 諸佛所歎 是則勇猛 是則為難
是名持戒 行頭陁者 則為疾得 无上佛道

BD02914號　妙法蓮華經卷四　(31–21)

誰能護持 讀誦此經 令於佛前 自說誓言
此經難持 若暫持者 我則歡喜 諸佛亦然
如是之人 諸佛所歎 是則勇猛 是則為難
是名持戒 行頭陁者 則為疾得 无上佛道
能於來世 讀持此經 是真佛子 住淳善地
佛滅度後 能解其義 是諸天人 世間之眼
於恐畏世 能須臾說 一切天人 皆應供養

入中不燒 亦未為難 我滅度後 若持此經
為一人說 是則為難 若持八万 四千法藏
十二部經 為人演說 令諸聽者 得六神通
雖能如是 亦未為難 於我滅後 聽受此經
問其義趣 是則為難 若人說法 令千万億
无量无數 恒沙衆生 得阿羅漢 具六神通
雖有是益 亦未為難 於我滅後 若能奉持
如斯經典 是則為難 我為佛道 於无量土
從始至今 廣說諸經 而於其中 此經第一
若有能持 則持佛身 諸善男子 於我滅後
誰能護持 讀誦此經 今於佛前 自說誓言
此經難持 若暫持者 我則歡喜 諸佛亦然
如是之人 諸佛所難 是則勇猛 是則精進
是名持戒 行頭陁者 則為疾得 无上佛道
能於來世 讀持此經 是真佛子 住淳善地
佛滅度後 能解其義 是諸天人 世間之眼
於恐畏世 能須臾說 一切天人 皆應供養

妙法蓮華經提婆達品第十二

BD02914號　妙法蓮華經卷四　(31–22)

能於來世 讀持此經 是真佛子 住淳善地
佛滅度後 能解其義 是諸天人 世間之眼
於恐畏世 能須臾說 一切天人 皆應供養

妙法蓮華經提婆達品第十二

尒時佛告諸菩薩及天人四衆吾於過去无
量劫中求法華經无有懈惓於多劫中常作
國王發願求於无上菩提心不退轉為欲滿
足六波羅蜜勤行布施心无悋惜象馬七珎
國城妻子奴婢僕從頭目髓腦身肉手足不
惜軀命時世人民壽命无量為於法故捐捨
國位委政太子擊鼓宣令四方求法誰能為
我說大乘者吾當終身供給走使時有仙人
來白王言我有大乘名妙法蓮華若不違我
為宣說王聞仙言歡喜踊躍即隨仙人供給
所須採菓汲水拾薪設食乃至以身而為床
座身心无惓于時奉事經於千歲為於法故
精勤給侍令无所乏尒時世尊欲重宣此義
而說偈言
我念過去劫 為求大法故 雖作世國王 不貪五欲樂
搥鍾告四方 誰有大法者 若為我解說 身當為奴僕
時有阿私仙 來白於大王 我有微妙法 世間所希有
若能脩行者 吾當為汝說 時王聞仙言 心生大喜悅
即便隨仙人 供給於所須 採薪及菓蓏 隨時恭敬與
情存妙法故 身心无懈惓 普為諸衆生 勤求於大法
亦不為己身 及以五欲樂 故為大國王 勤求獲此法

BD02914 號　妙法蓮華經卷四

(31–23)

若能脩行者 吾當為汝說 時王聞仙言 心生大喜悅
即便隨仙人 供給於所須 採薪及菓蓏 隨時恭敬與
情存妙法故 身心无懈惓 普為諸衆生 勤求於大法
亦不為己身 及以五欲樂 故為大國王 勤求獲此法
遂致得成佛 今故為汝說
佛告諸比丘尒時王者則我身是時仙人者今
提婆達多是由提婆達多善知識故令我
具足六波羅蜜慈悲喜捨三十二相八十種
好紫磨金色十力四无所畏四攝法十八不
共神通道力成等正覺廣度衆生皆因提婆
達多善知識故告諸四衆提婆達多却後過
无量劫當得成佛号曰天王如來應供正遍
知明行足善逝世間解无上士調御丈夫天
人師佛世尊世界名天道時天王佛住世二
十中劫廣為衆生說於妙法恒河沙衆生得
阿羅漢果无量衆生發緣覺心恒河沙衆生
發无上道心得无生忍至不退轉時天王佛
般涅槃後正法住世二十中劫全身舍利起
七寶塔高六十由旬縱廣四十由旬諸天人
民悉以雜華末香燒香塗香衣服瓔珞幢幡
寶蓋伎樂歌頌礼拜供養七寶妙塔无量衆
生得阿羅漢无量衆生悟辟支佛不可思議
衆生發菩提心至不退轉佛告諸比丘未來
世中若有善男子善女人聞妙法華經提婆
達多品淨心信敬不生疑惑者不墮地獄餓

BD02914 號　妙法蓮華經卷四

(31–24)

生得阿羅漢无量衆生悟辟支佛不可思議
衆生發菩提心至不退轉佛告諸比丘未來
世中若有善男子善女人聞妙法華經提婆
達多品淨心信敬不生疑惑者不墮地獄餓
鬼畜生生十方佛前所生之處常聞此經若
生人天中受勝妙樂若在佛前蓮華化生於
時下方多寶世尊所從菩薩名曰智積白多
寶佛當還本土釋迦牟尼佛告智積曰善男
子且待須臾此有菩薩名文殊師利可與相
見論說妙法可還本土尒時文殊師利坐千
葉蓮華大如車輪俱來菩薩亦坐寶華從於
大海娑竭羅龍宮自然踊出住虛空中詣靈鷲
山從蓮華下至於佛所頭面敬礼二世尊足
脩敬已畢往智積所共相慰問却坐一面智
積菩薩問文殊師利仁往龍宮所化衆生其
數幾何文殊師利言其數无量不可稱計非
口所宣非心所測且待須臾自當有證所言
未竟无數菩薩坐寶蓮華從海踊出詣靈鷲
山住在虛空此諸菩薩皆是文殊師利之所
化度具菩薩行皆共論說六波羅蜜本聲聞
人在虛空中說聲聞行今皆脩行大乘空義
文殊師利謂智積曰於海教化其事如是尒
時智積菩薩以偈讚曰
大智德勇健　化度无量衆　今此諸大會　及我皆已見
演暢實相義　開闡一乘法　廣度諸群生　令速成菩提

BD02914號　妙法蓮華經卷四　（31–25）

人在虛空中說聲聞行今皆脩行大乘空義
文殊師利謂智積曰於海教化其事如是尒
時智積菩薩以偈讚曰
大智德勇健　化度无量衆　今此諸大會　及我皆已見
演暢實相義　開闡一乘法　廣度諸群生　令速成菩提
文殊師利言我於海中唯常宣說妙法華經
智積問文殊師利言此經甚深微妙諸經中
寶世所希有頗有衆生勤加精進脩行此經
速得佛不文殊師利言有娑竭羅龍王女年
始八歲智慧利根善知衆生諸根行業得陁
羅尼諸佛所說甚深秘藏悉能受持深入禪
定了達諸法於刹那頃發菩提心得不退轉
辯才无礙慈念衆生猶如赤子功德具足心
念口演微妙廣大慈悲仁讓志意和雅能至
菩提智積菩薩言我見釋迦如來於无量劫
難行苦行積功累德求菩薩道未曾止息觀
三千大千世界乃至无有如芥子許非是菩
薩捨身命處為衆生故然後乃得成菩提道
不信此女於須臾頃便成正覺言論未訖時
龍王女忽現於前頭面礼敬却住一面以偈
讚曰
深達罪福相　遍照於十方　微妙淨法身　具相三十二
以八十種好　用莊嚴法身　天人所戴仰　龍神咸恭敬
一切衆生類　无不宗奉者　又聞成菩提　唯佛當證知
我闡大乘教　度脫苦衆生

BD02914號　妙法蓮華經卷四　（31–26）

龍王女忽現於前頭面礼敬却住一面以偈
讚曰
深達罪福相　遍照於十方　微妙淨法身　具相三十二
以八十種好　用莊嚴法身　天人所戴仰　龍神咸恭敬
一切衆生類　无不宗奉者　又聞成菩提　唯佛當證知
我闡大乘教　度脫苦衆生
時舍利弗語龍女言汝謂不久得无上道是
事難信所以者何女身垢穢非是法器云何
能得无上菩提佛道懸曠經无量劫勤苦積
行具脩諸度然後乃成又女人身猶有五障
一者不得作梵天王二者帝釋三者魔王四
者轉輪聖王五者佛身云何女身速得成佛
尒時龍女有一寶珠價直三千大千世界持
以上佛佛即受之龍女謂智積菩薩尊者舍
利弗言我獻寶珠世尊納受是事疾不荅言
甚疾女言以汝神力觀我成佛復速於此當
時衆會皆見龍女忽然之間變成男子具
菩薩行即往南方无垢世界坐寶蓮華成等
正覺三十二相八十種好普爲十方一切衆生
演說妙法尒時娑婆世界菩薩聲聞天龍八
部人與非人皆遥見彼龍女成佛普爲時會
人天說法心大歡喜悉遥敬礼无量衆生聞
法解悟得不退轉无量衆生得受道記无垢
世界六反震動娑婆世界三千衆生住不退
地三千衆生發菩提心而得受記智積菩薩

BD02914 號　妙法蓮華經卷四

（31–27）

演說妙法尒時娑婆世界菩薩聲聞天龍八
部人與非人皆遥見彼龍女成佛普爲時會
人天說法心大歡喜悉遥敬礼无量衆生聞
法解悟得不退轉无量衆生得受道記无垢
世界六反震動娑婆世界三千衆生住不退
地三千衆生發菩提心而得受記智積菩薩
及舍利弗一切衆會嘿然信受

妙法蓮華經持品第十三

尒時藥王菩薩摩訶薩及大樂說菩薩摩訶
薩與二万菩薩眷屬俱皆於佛前作是誓言
唯願世尊不以爲慮我等於佛滅後當奉持
讀誦說此經典後惡世衆生善根轉少多增
上慢貪利供養增不善根遠離解脫雖難可
教化我等當起大忍力讀誦此經持說書寫
種種供養不惜身命尒時衆中五百阿羅漢
得受記者白佛言世尊我等亦自誓願於異
國土廣說此經復有學无學八千人得受記
者從座而起合掌向佛作是誓言世尊我等
亦當於他國土廣說此經所以者何是娑婆
國中人多弊惡懷增上慢功德淺薄瞋濁諂
曲心不實故尒時佛姨母摩訶波闍波提比
丘尼與學无學比丘尼六千人俱從座而起
一心合掌瞻仰尊顏目不暫捨於時世尊告
憍曇彌何故憂色而視如來汝心將无謂我
不說汝名授阿耨多羅三藐三菩提記耶憍

BD02914 號　妙法蓮華經卷四

（31–28）

丘尼與學无學比丘尼六千人俱從座而起
一心合掌瞻仰尊顏目不暫捨於時世尊告
憍曇彌何故憂色而視如來汝心將无謂我
不說汝名授阿耨多羅三藐三菩提記耶憍
曇彌我先惣說一切聲聞皆已授記今汝欲
知記者將來之世當於六万八千億諸佛法
中為大法師及六千學无學比丘尼俱為法
師汝如是漸漸具菩薩道當得作佛号一切
衆生憙見如來應供正遍知明行足善逝世
間解无上士調御丈夫天人師佛世尊憍曇
彌是一切衆生憙見佛及六千菩薩轉次授
記得阿耨多羅三藐三菩提尒時羅睺羅母
耶輸陁羅比丘尼作是念世尊於授記中獨
不說我名佛告耶輸陁羅汝於來世百千万
億諸佛法中脩菩薩行為大法師漸具佛道
善國中當得作佛号具足千万光相如來應
供正遍知明行足善逝世間解无上士調御
丈夫天人師佛世尊佛壽无量阿僧祇劫尒
時摩訶波闍波提比丘尼及耶輸陁羅比丘
尼并其眷屬皆大歡憙得未曾有即於佛前
而說偈言
世尊導師　安隱天人　我等聞記　心安具足
諸比丘尼　說是偈已　白佛言世尊我等亦能
於他方國土廣宣此經尒時世尊視八十万

而說偈言
世尊導師　安隱天人　我等聞記　心安具足
諸比丘尼　說是偈已　白佛言世尊我等亦能
於他方國土廣宣此經尒時世尊視八十万
億那由他諸菩薩摩訶薩是諸菩薩皆是阿
惟越致轉不退法輪得諸陁羅尼即從座起
至於佛前一心合掌而作是念若世尊告勑
我等持說此經者當如佛教廣宣斯法復作
是念佛今嘿然不見告勑我當云何時諸菩
薩敬順佛意并欲自滿本願便於佛前作師
子吼而發誓言世尊我等於如來滅後周旋
往反十方世界能令衆生書寫此經受持讀
誦解說其義如法脩行正憶念皆是佛之威
力唯願世尊在於他方遥見守護即時諸菩
薩俱同發聲而說偈言
唯願不為慮　於佛滅度後　恐怖惡世中　我等當廣說
有諸无智人　惡口罵詈等　及加刀杖者　我等皆當忍
惡世中比丘　耶智心諂曲　未得謂為得　我慢心充滿
或有阿練若　納衣在空閑　自謂行真道　輕賤人間者
貪著利養故　與白衣說法　為世所恭敬　如六通羅漢
是人懷惡心　常念世俗事　假名阿練若　好出我等過
而作如是言　此諸比丘等　為貪利養故　說外道論議
自作此經典　誑惑世間人　為求名聞故　分別於是經
常在大衆中　欲毀我等故　向國王大臣　婆羅門居士

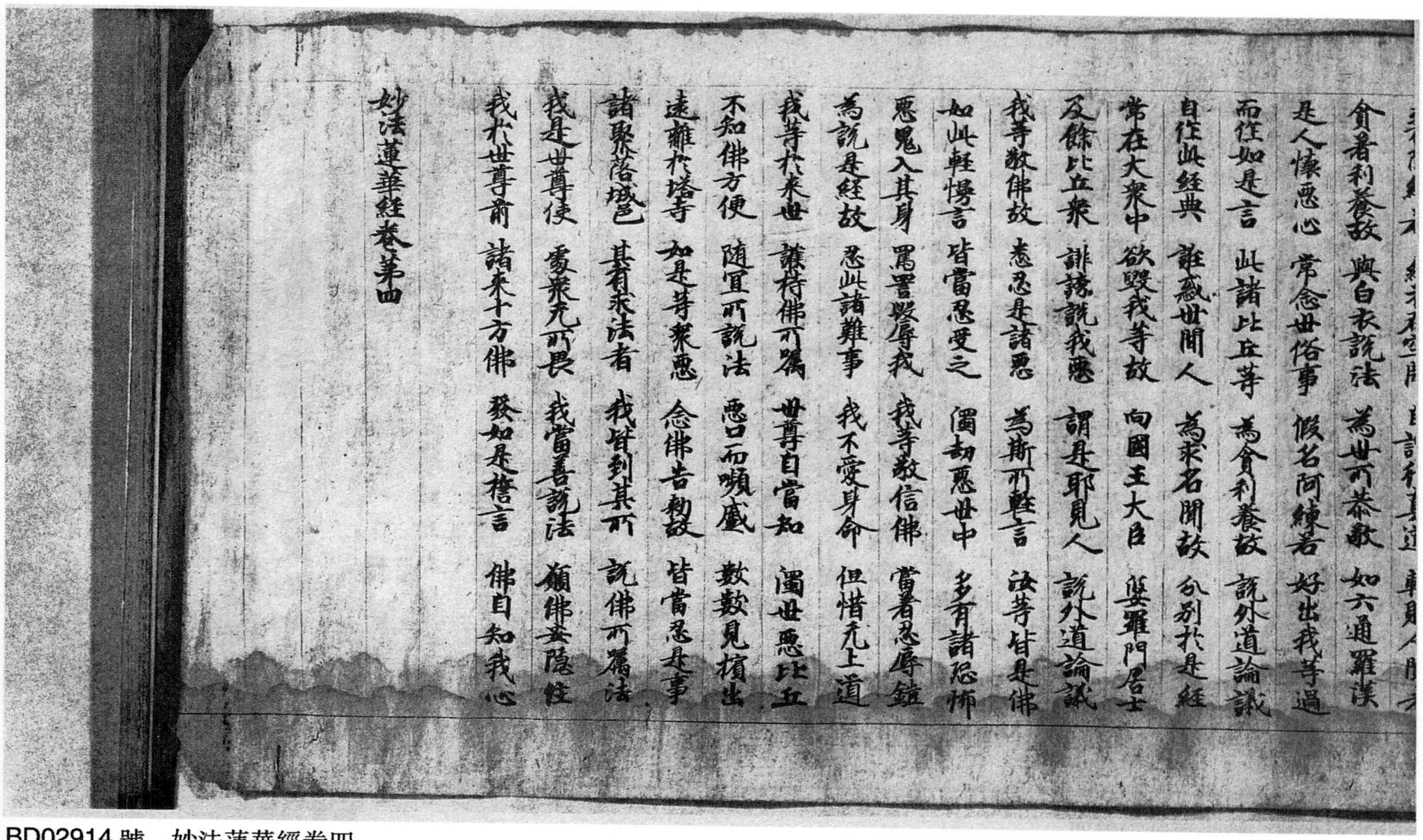

貪著利養故　與白衣說法　為世所恭敬　如六通羅漢
是人懷惡心　常念世俗事　假名阿練若　好出我等過
而作如是言　此諸比丘等　為貪利養故　說外道論議
自作此經典　誑惑世間人　為求名聞故　分別於是經
常在大衆中　欲毀我等故　向國王大臣　婆羅門居士
及餘比丘衆　誹謗說我惡　謂是邪見人　說外道論議
我等敬佛故　悉忍是諸惡　為斯所輕言　汝等皆是佛
如此輕慢言　皆當忍受之　濁劫惡世中　多有諸恐怖
惡鬼入其身　罵詈毀辱我　我等敬信佛　當著忍辱鎧
為說是經故　忍此諸難事　我不愛身命　但惜无上道
我等於來世　護持佛所囑　世尊自當知　濁世惡比丘
不知佛方便　隨宜所說法　惡口而顰蹙　數數見擯出
遠離於塔寺　如是等衆惡　念佛告勅故　皆當忍是事
諸聚落城邑　其有求法者　我皆到其所　說佛所囑法
我是世尊使　處衆无所畏　我當善說法　願佛安隱住
我於世尊前　諸來十方佛　發如是誓言　佛自知我心

妙法蓮華經卷第四

BD02914 號　妙法蓮華經卷四

（31–31）

法華經第四

BD02914 號背　勘記

（1–1）

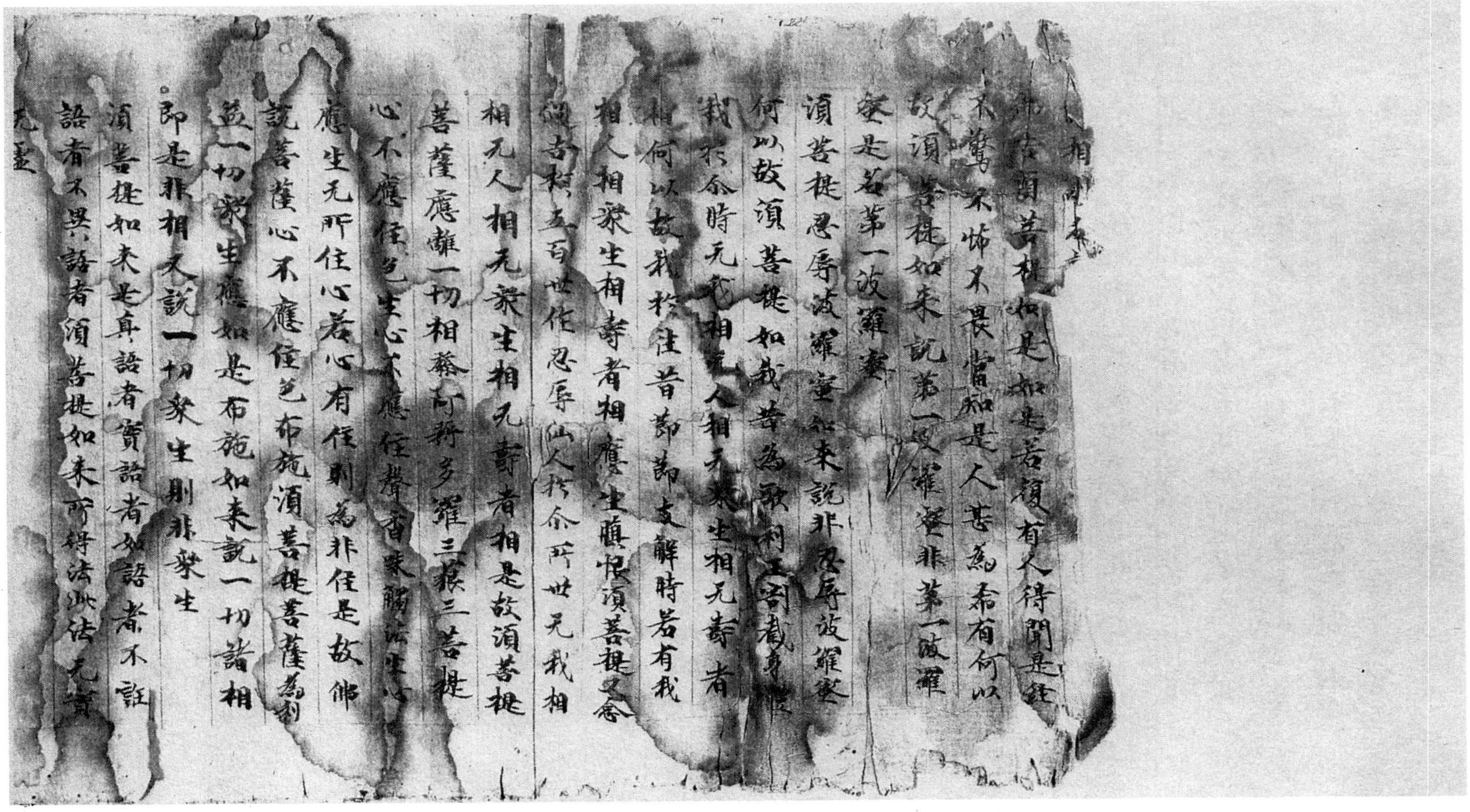
相[illegible]
佛告須菩提如是如是若復有人得聞是經
不驚不怖不畏當知是人甚為希有何以
故須菩提如來說第一波羅蜜非第一波羅
蜜是名第一波羅蜜
須菩提忍辱波羅蜜如來說非忍辱波羅蜜
何以故須菩提如我昔為歌利王割截身體
我於尒時无我相无人相无眾生相无壽者
相何以故我於往昔節節支解時若有我
相人相眾生相壽者相應生瞋恨須菩提又念
過去於五百世作忍辱仙人於尒所世无我相
相无人相无眾生相无壽者相是故須菩提
菩薩應離一切相發阿耨多羅三藐三菩提
心不應住色生心不應住聲香味觸法生心
應生无所住心若心有住則為非住是故佛
說菩薩心不應住色布施須菩提菩薩為利
益一切眾生應如是布施如來說一切諸相
即是非相又說一切眾生則非眾生
須菩提如來是真語者實語者如語者不誑
語者不異語者須菩提如來所得法此法无實
无虛

BD02915號　金剛般若波羅蜜經　（9–1）

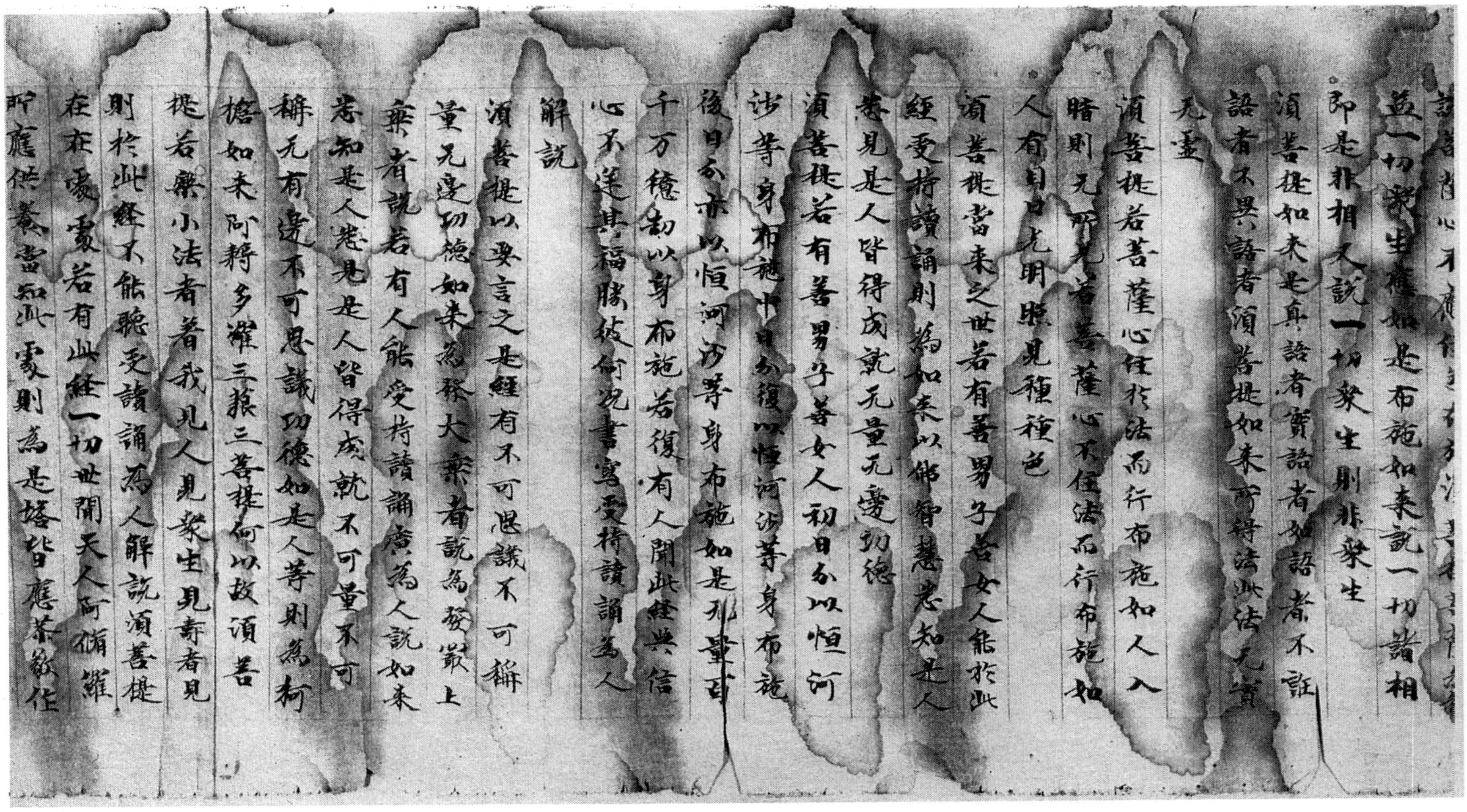
說菩薩心不應住色布施須菩提菩薩為利
益一切眾生應如是布施如來說一切諸相
即是非相又說一切眾生則非眾生
須菩提如來是真語者實語者如語者不誑
語者不異語者須菩提如來所得法此法无實
无虛
須菩提若菩薩心住於法而行布施如人入
闇則无所見若菩薩心不住法而行布施如
人有目日光明照見種種色
須菩提當來之世若有善男子善女人能於此
經受持讀誦則為如來以佛智慧悉知是人
悉見是人皆得成就无量无邊功德
須菩提若有善男子善女人初日分以恒河
沙等身布施中日分復以恒河沙等身布施
後日分亦以恒河沙等身布施如是无量百
千万億劫以身布施若復有人聞此經典信
心不逆其福勝彼何況書寫受持讀誦為人
解說
須菩提以要言之是經有不可思議不可稱
量无邊功德如來為發大乘者說為發最上
乘者說若有人能受持讀誦廣為人說如來
悉知是人悉見是人皆得成就不可量不可
稱无有邊不可思議功德如是人等則為荷
擔如來阿耨多羅三藐三菩提何以故須菩
提若樂小法者著我見人見眾生見壽者見
則於此經不能聽受讀誦為人解說須菩提
在在處處若有此經一切世間天人阿脩羅
所應供養當知此處則為是塔皆應恭敬作

BD02915號　金剛般若波羅蜜經　（9–2）

檐如來阿耨多羅三藐三菩提何以故須菩
提若樂小法者著我見人見衆生見壽者見
則於此經不能聽受讀誦為人解說須菩提
在在處處若有此經一切世間天人阿脩羅
所應供養當知此處則為是塔皆應恭敬作
礼圍遶以諸華香而散其處
復次須菩提善男子善女人受持讀誦此經
若為人輕賤是人先世罪業應墮惡道以今
世人輕賤故先世罪業則為消滅當得阿耨
多羅三藐三菩提須菩提我念過去无量阿
僧祇劫於然燈佛前得值八百四千万億那
由他諸佛悉皆供養承事无空過者若復有
人於後末世能受持讀誦此經所得功德於
我所供養諸佛功德百分不及一千万億分
乃至筭數譬喻所不能及須菩提若善男子
善女人於後末世有受持讀誦此經所得功
德我若具說者或有人聞心則狂亂狐疑不
信須菩提當知是經義不可思議果報亦不
可思議
尒時須菩提白佛言世尊善男子善女人發
阿耨多羅三藐三菩提心云何應住云何降伏
其心佛告須菩提善男子善女人發阿耨多
羅三藐三菩提者當生如是心我應滅度
一切衆生滅度一切衆生已而无有一衆生
實滅度者何以故若菩薩有我相人相衆
生壽者相則非菩薩所以者何須菩提實无
有法發阿耨多羅三藐三菩提者

BD02915號　金剛般若波羅蜜經

（9–3）

羅三藐三菩提者當生如是心我應滅度
一切衆生滅度一切衆生已而无有一衆生
實滅度者何以故若菩薩有我相人相衆
生壽者相則非菩薩所以者何須菩提實无
有法發阿耨多羅三藐三菩提者
須菩提於意云何如來於然燈佛所有法
得阿耨多羅三藐三菩提不不也世尊如我解
佛所說義佛於燃燈佛所无有法得阿耨多羅三
藐三菩提佛言如是如是須菩提實无有法如來
得阿耨多羅三藐三菩提燃燈佛則不與我
受記汝於來世當得作佛号釋迦牟尼以實
无有法得阿耨多羅三藐菩提是故燃燈佛
與我受記作是言汝於來世當得作佛号釋
迦牟尼何以故如來者即諸法如義若有人言
如來得阿耨多羅三藐三菩提須菩提實无
有法佛得阿耨多羅三藐三菩提須菩提如
來所得阿耨多羅三藐三菩提於是中无實
无虛是故如來說一切法皆是佛法須菩提
所言一切法者即非一切法是故名一切法須菩
提譬如人身長大須菩提言世尊如來說
人身長大則為非大身是名大身須菩提
菩薩亦如是若作是言我當滅度无量衆
生則不名菩薩何以故須菩提實无有法名
為菩薩是故佛說一切法无我无人无衆生无
壽者須菩提若菩薩作是言我當莊嚴佛
土是不名菩薩何以故如來說莊嚴佛土者即
非莊嚴是名莊嚴須菩提若菩薩通達无我

BD02915號　金剛般若波羅蜜經

（9–4）

爲菩薩是故佛說一切法无我无人无衆生无
壽者須菩提若菩薩作是言我當莊嚴佛
土是不名菩薩何以故如來說莊嚴佛土者即
非莊嚴是名莊嚴須菩提若菩薩通達无我
法者如來說名真是菩薩
須菩提於意云何如來有肉眼不如是世尊
如來有肉眼須菩提於意云何如來有天眼
不如是世尊如來有天眼須菩提於意云何
如來有慧眼不如是世尊如來有慧眼須菩
提於意云何如來有法眼不如是世尊如來有
法眼須菩提於意云何如來有佛眼不如是世
尊如來有佛眼須菩提於意云何如恒河中所
有沙佛說是沙不如是世尊如來說是沙須菩
提於意云何如一恒河中所有沙有如是等
恒河是諸恒河所有沙數佛世界如是寧爲
多不甚多世尊佛告須菩提尒所國土中
所有衆生若干種心如來悉知何以故如來
說諸心皆爲非心是名爲心所以者何須菩
提過去心不可得現在心不可得未來心不
可得須菩提於意云何若有人滿三千大
千世界七寶以用布施是人以是因緣得福
多不如是世尊此人以是因緣得福甚多須
菩提若福德有實如來不說得福德多以福
德无故如來說得福德多
須菩提於意云何佛可以具足色身見不不也
世尊如來不應以具足色身見何以故如來
說具足色身即非具足色身是名具足色身

BD02915 號　金剛般若波羅蜜經　（9–5）

菩提若福德有實如來不說得福德多以福
德无故如來說得福德多
須菩提於意云何佛可以具足色身見不不也
世尊如來不應以具足色身見何以故如來
說具足色身即非具足色身是名具足色身
須菩提於意云何如來可以具足諸相見不不
也世尊如來不應以具足諸相見何以故如來
說諸相具足即非具足是名諸相具足 須
菩提汝勿謂如來作是念我當有所說法莫
作是念何以故若人言如來有所說法即爲
謗佛不能解我所說故須菩提說法者无法可
說是名說法須菩提白佛言世尊佛得阿耨多
羅三藐三菩提爲无所得耶如是如是須菩
提我於阿耨多羅三藐三菩提乃至无有少
法可得是名阿耨多羅三藐三菩提復次須
菩提是法平等无有高下是名阿耨多羅三
藐三菩提以无我无人无衆生无壽者脩一
切善法則得阿耨多羅三藐三菩提須菩提
所言善法者如來說非善法是名善法 須菩
提若三千大千世界中所有諸須弥山王
如是等七寶聚有人持用布施若人以此般
若波羅蜜經乃至四句偈等受持讀誦爲他
人說於前福德百分不及一百千萬億分乃
至筭數譬喻所不能及
須菩提於意云何汝等勿謂如來作是念我
當度衆生須菩提莫作是念何以故實无有
衆生如來度者若有衆生如來度者如來則

BD02915 號　金剛般若波羅蜜經　（9–6）

若波羅蜜經乃至四句偈等受持讀誦為他
人說於前福德百分不及一百千萬億分乃
至筭數譬喻所不能及
須菩提於意云何汝等勿謂如來作是念我
當度衆生須菩提莫作是念何以故實无有
衆生如來度者若有衆生如來度者如來則
有我人衆生壽者須菩提如來說有我者
則非有我而凡夫之人以為有我須菩提凡
夫者如來說則非凡夫須菩提於意云何
可以卅二相觀如來不須菩提言如是如是以
卅二相觀如來佛言須菩提若以卅二相觀
如來者轉輪聖王則是如來須菩提白佛
言世尊如我解佛所說義不應以卅二相
觀如來尒時世尊而說偈言
若以色見我　以音聲求我　是人行邪道　不能見如來
須菩提汝若作是念如來不以具足相故得阿
耨多羅三藐三菩提須菩提莫作是念如來
不以具足相故得阿耨多羅三藐三菩提
須菩提汝若作是念發阿耨多羅三藐三
菩提者說諸法斷滅莫作是念何以故發阿
耨多羅三藐三菩提者於法不說斷滅相須
菩提若菩薩以滿恒河沙等世界七寶布施
若復有人知一切法无我得成於忍此菩薩
勝前菩薩所得功德須菩提以諸菩薩不
受福德故須菩提白佛言世尊云何菩薩不
受福德須菩提菩薩所作福德不應貪著
是故說不受福德須菩提若有人言如來若

BD02915號　金剛般若波羅蜜經　（9–7）

若復有人知一切法无我得成於忍此菩薩
勝前菩薩所得功德須菩提以諸菩薩不
受福德故須菩提白佛言世尊云何菩薩不
受福德須菩提菩薩所作福德不應貪著
是故說不受福德須菩提若有人言如來若
來若去若坐若卧是人不解我所說義
何以故如來者无所從來亦无所去故名如來須
菩提若善男子善女人以三千大千世界碎為
微塵於意云何是微塵衆寧為多不甚多
世尊何以故若是微塵衆實有者佛則不說
是微塵衆所以者何佛說微塵衆則非微塵
衆是名微塵衆世尊如來所說三千大千世界
則非世界是名世界何以故若世界實有者則是一
合相如來說一合相則非一合相是名一合相須菩提一合相
者則是不可說但凡夫之人貪著其事須菩提
若人言佛說我見人見衆生見壽者見須菩
提於意云何是人解我所說義不世尊是人不
解如來所說義何以故世尊說我見人見衆生
見壽者見即非我見人見衆生見壽者見是名
我見人見衆生見壽者見須菩提發阿耨多羅
三藐三菩提心者於一切法應如是知如是見如是
信解不生法相須菩提所言法相者如來說即
非法相是名法相須菩提若有人以滿无量阿僧
祇世界七寶持用布施若有善男子善女人發
菩薩心者持於此經乃至四句偈等受持讀
誦為人演說其福勝彼云何為人演說不取
於相如如不動何以故
一切有為法　如夢幻泡影　如露亦如電　應作如是觀

BD02915號　金剛般若波羅蜜經　（9–8）

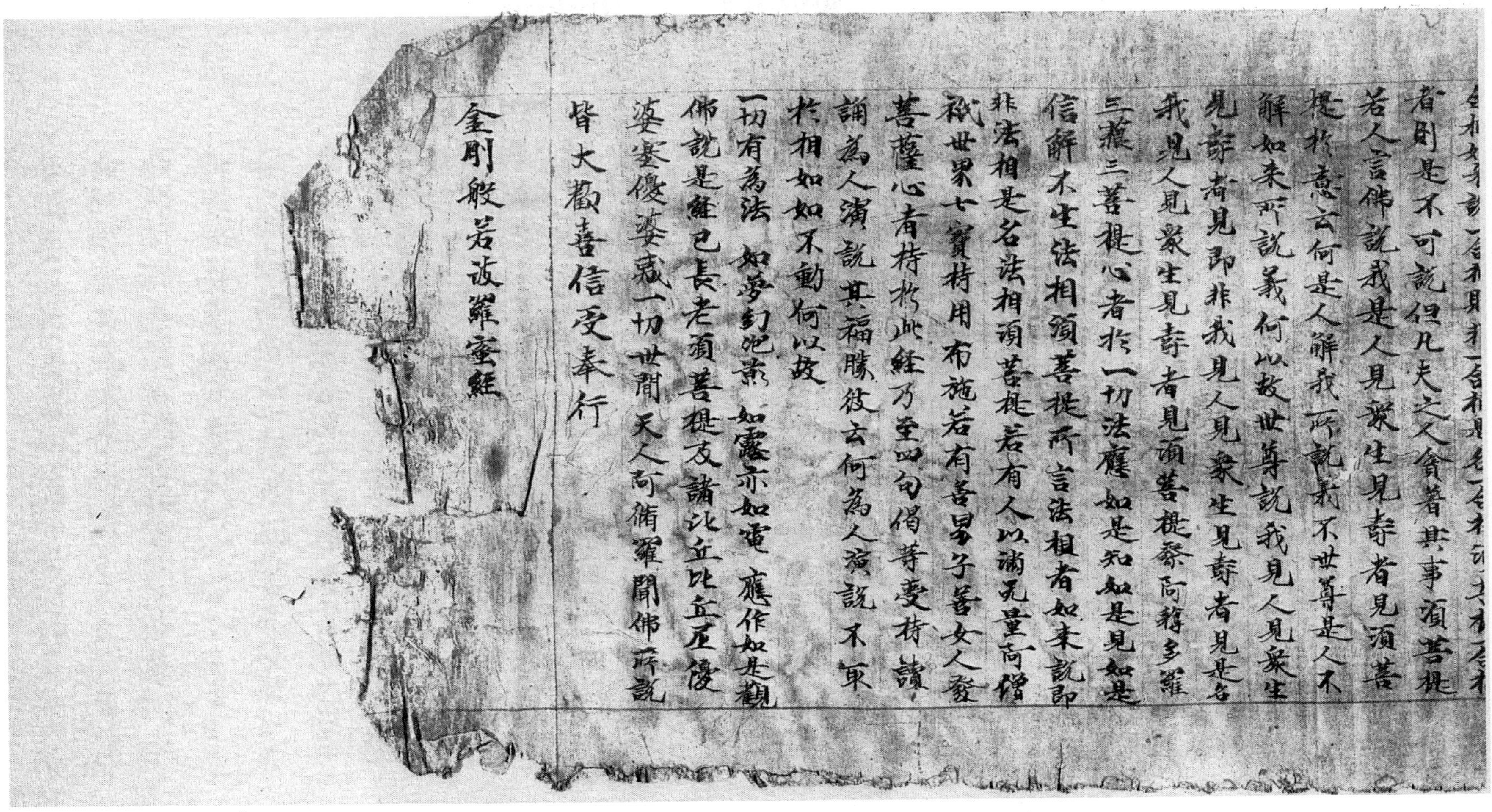

者則是不可說但凡夫之人貪著其事須菩提
若人言佛說我見人見眾生見壽者見須菩
提於意云何是人解我所說義不世尊是人不
解如來所說義何以故世尊說我見人見眾生
見壽者見即非我見人見眾生見壽者見是名
我見人見眾生見壽者見須菩提發阿耨多羅
三藐三菩提心者於一切法應如是知如是見如是
信解不生法相須菩提所言法相者如來說即
非法相是名法相須菩提若有人以滿無量阿僧
祇世界七寶持用布施若有善男子善女人發
菩薩心者持於此經乃至四句偈等受持讀
誦為人演說其福勝彼云何為人演說不取
於相如如不動何以故
一切有為法　如夢幻泡影　如露亦如電　應作如是觀
佛說是經已長老須菩提及諸比丘比丘尼優
婆塞優婆夷一切世間天人阿脩羅聞佛所說
皆大歡喜信受奉行
金剛般若波羅蜜經

BD02915 號　金剛般若波羅蜜經　（9–9）

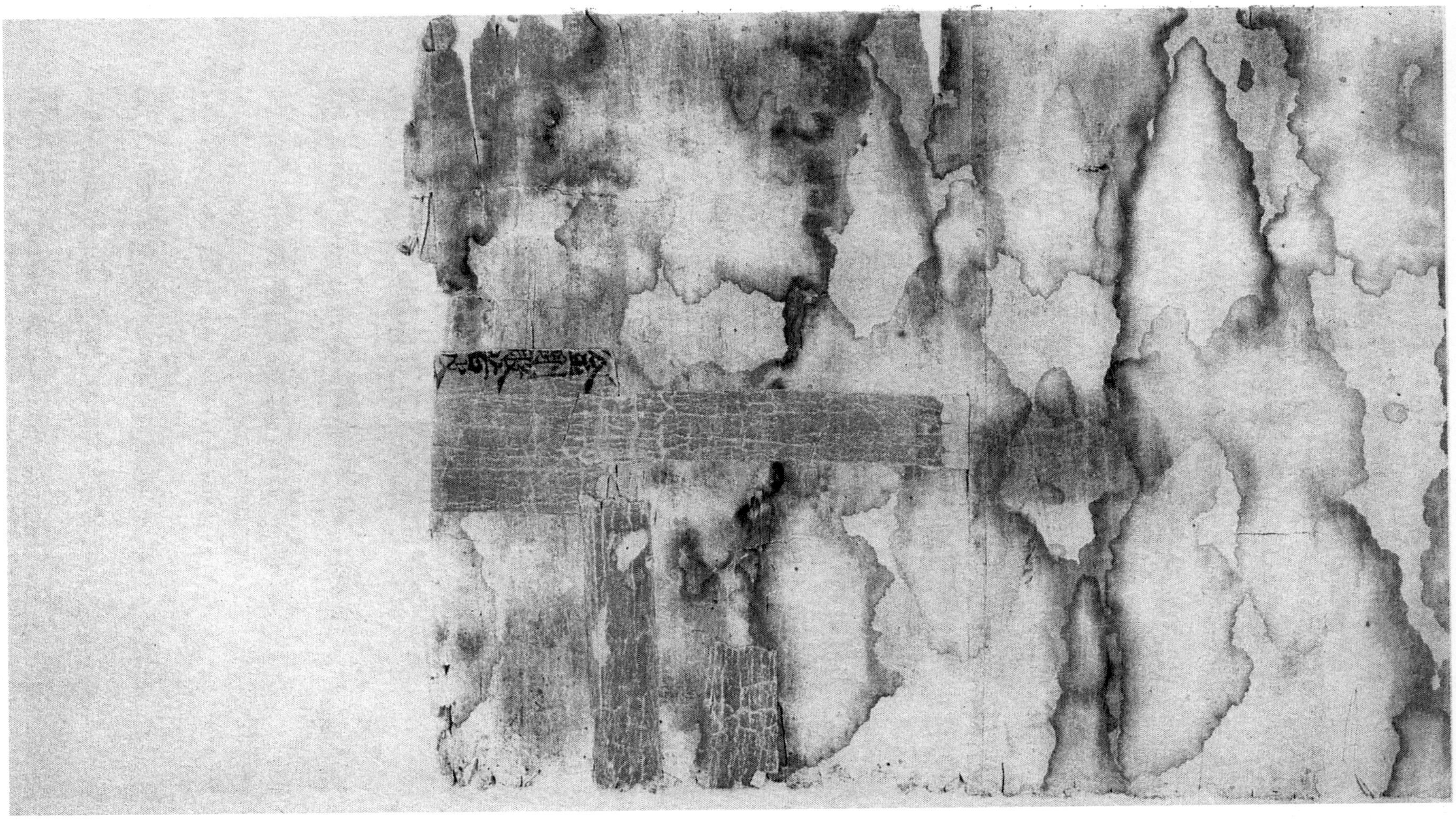

BD02915 號背　古代裱補紙　（1–1）

囑諸菩薩世尊善男子善女人發阿耨多羅
三藐三菩提心應云何住云何降伏其心佛言善
哉善哉須菩提如汝、說如來善護念諸菩
薩善付囑諸菩薩汝今諦聽當為汝說善
男子善女人發阿耨多羅三藐三菩提心
應如是住如是降伏其心唯然世尊願樂欲聞
佛告須菩提諸菩薩摩訶薩應如是降伏
其心所有一切眾生之類若卵生若胎生若
濕生若化生若有色若无色若有想若无
想若非有想非无想我皆令入无餘涅槃而滅
度之如是滅度无量无數无邊眾生實无
眾生得滅度者何以故須菩提若菩薩有我
相人相眾生相壽者相即非菩薩
復次須菩提菩薩於法應无所住行於布
施所謂不住色布施不住聲香味觸法布施
須菩提菩薩應如是布施不住於相何以故
若菩薩不住相布施其福德不可思量須菩
提於意云何東方虛空可思量不不也世尊
須菩提南西北方四維上下虛空可思量不
不也世尊須菩提菩薩无住相布施福德亦

BD02916 號　金剛般若波羅蜜經

（12–1）

須菩提菩薩應如是布施不住於相何以故
若菩薩不住相布施其福德不可思量須菩
提於意云何東方虛空可思量不不也世尊
須菩提南西北方四維上下虛空可思量不
不也世尊須菩提菩薩无住相布施福德亦
復如是不可思量須菩提菩薩但應如所教
住須菩提於意云何可以身相見如來不不
也世尊不可以身相得見如來何以故如來所
說身相即非身相佛告須菩提凡所有
相皆是虛妄若見諸相非相則見如來須
菩提白佛言世尊頗有眾生得聞如是言
說章句生實信不佛告須菩提莫作是說如
來滅後後五百歲有持戒脩福者於此章句
能生信心以此為實當知是人不於一佛二
佛三四五佛而種善根已於无量千万佛所
種諸善根聞是章句乃至一念生淨信者須
菩提如是悉知悉見是諸眾生得如是无量
福德何以故是諸眾生无復我相人相眾生
相壽者相无法相亦无非法相何以故是諸
眾生若心取相則為著我人眾生壽者若取
法相即著我人眾生壽者何以故若取非法
相即著我人眾生壽者是故不應取法不應
取非法以是義故如來常說汝等比丘知我
說法如筏喻者法尚應捨何況非法
須菩提於意云何如來得阿耨多羅三藐三
菩提耶如來有所說法耶須菩提言如我解

BD02916 號　金剛般若波羅蜜經

（12–2）

取非法以是義故如來常說汝等比丘知我
說法如筏喻者法尚應捨何况非法
須菩提於意云何如來得阿耨多羅三藐三
菩提耶如來有所說法耶須菩提言如我解
佛所說義无有定法名阿耨多羅三藐三菩
提亦无有定法如來可說何以故如來所說
法皆不可取不可說非法非非法所以者何一
切賢聖皆以无為法而有差別
須菩提於意云何若人滿三千大千世界七寶以
用布施是人所得福德寧為多不須菩提言甚
多世尊何以故是福德即非福性是故如來
說福德多若復有人於此經中受持乃至四
句偈等為他人說其福勝彼何以故須菩提
一切諸佛及諸佛阿耨多羅三藐三菩提法
皆從此經出須菩提所謂佛法者即非佛法
須菩提於意云何須陁洹能作是念我得須
陁洹果不須菩提言不也世尊何以故須陁洹
名為入流而无所入不入色聲香味觸法是
名須陁洹須菩提於意云何斯陁含能作
是念我得斯陁含果不須菩提言不也世尊
何以故斯陁含名一往來而實无往來是名
斯陁含須菩提於意云何阿那含能作是念
我得阿那含果不須菩提言不也世尊何以
故阿那含名為不來而實无來是故名阿那
含須菩提於意云何阿羅漢能作是念我得

BD02916號　金剛般若波羅蜜經　（12–3）

斯陁含須菩提於意云何阿那含能作是念
我得阿那含果不須菩提言不也世尊何以
故阿那含名為不來而實无來是故名阿那
含須菩提於意云何阿羅漢能作是念我得
阿羅漢道不須菩提言不也世尊何以故實
无有法名阿羅漢世尊若阿羅漢作是念我
得阿羅漢道即為著我人衆生壽者世尊佛說
我得无諍三昧人中最為第一是第一離欲
阿羅漢我不作是念我是離欲阿羅漢世
尊我若作是念我得阿羅漢道世尊則不說
須菩提是樂阿蘭那行者以須菩提實无所
行而名須菩提是樂阿蘭那行
佛告須菩提於意云何如來昔在燃燈佛
所於法有所得不世尊如來在燃燈佛所於
法實无所得須菩提於意云何菩薩莊嚴佛
土不不也世尊何以故莊嚴佛土者則非莊嚴
是名莊嚴是故須菩提諸菩薩摩訶薩應如
是生清淨心不應住色生心不應住聲香味
觸法生心應无所住而生其心須菩提譬如
有人身如須弥山王於意云何是身為大不
須菩提言甚大世尊何以故佛說非身是名
大身
須菩提如恒河中所有沙數如是沙等恒河
於意云何是諸恒河沙寧為多不須菩提言
甚多世尊但諸恒河尚多无數何況其沙須

BD02916號　金剛般若波羅蜜經　（12–4）

須菩提言甚大世尊何以故佛說非身是名
大身
須菩提如恒河中所有沙數如是沙等恒河
於意云何是諸恒河沙寧為多不須菩提言
甚多世尊但諸恒河尚多无數何況其沙須
菩提我今實言告汝若有善男子善女人以
七寶滿尒所恒河沙數三千大千世界以用
布施得福多不須菩提言甚多世尊佛告須
菩提若善男子善女人於此經中乃至受持
四句偈等為他人說而此福德勝前福德復
次須菩提隨說是經乃至四句偈等當知此
處一切世間天人阿脩羅皆應供養如佛塔
廟何況有人盡能受持讀誦須菩提當知是
人成就最上第一希有之法若是經典所在
之處則為有佛若尊重弟子
尒時須菩提白佛言世尊當何名此經我等
云何奉持佛告須菩提是經名為金剛般若
波羅蜜以是名字汝當奉持所以者何須菩
提佛說般若波羅蜜則非般若波羅蜜須菩
提於意云何如來有所說法不須菩提白佛
言世尊如來无所說須菩提於意云何三千
大千世界所有微塵是為多不須菩提言甚
多世尊須菩提諸微塵如來說非微塵是名
微塵如來說世界非世界是名世界須菩提
於意云何可以三十二相見如來不不也世
尊何以故如來說卅二相即是非相是名卅

BD02916號　金剛般若波羅蜜經

（12–5）

多世尊須菩提諸微塵如來說非微塵是名
微塵如來說世界非世界是名世界須菩提
於意云何可以三十二相見如來不不也世
尊何以故如來說卅二相即是非相是名卅
二相須菩提若有善男子善女人以恒河沙
等身命布施若復有人於此經中乃至受
持四句偈等為他人說其福甚多
尒時須菩提聞說是經深解義趣涕淚悲泣
而白佛言希有世尊佛說如是甚深經典
我從昔來所得慧眼未曾得聞如是之經世尊
若復有人得聞是經信心清淨則生實相當
知是人成就第一希有功德世尊是實相者
則是非相是故如來說名實相世尊我今得
聞如是經典信解受持不足為難若當來世
後五百歲其有眾生得聞是經信解受持是
人則為第一希有何以故此人无我相人相眾
生相壽者相所以者何我相即是非相人相眾
生相壽者相即是非相何以故離一切諸相
則名諸佛佛告須菩提如是如是若復有人得
聞是經不驚不怖不畏當知是人甚為希有何
以故須菩提如來說第一波羅蜜非第一波羅蜜
是名第一波羅蜜須菩提忍辱波羅蜜如來
說非忍辱波羅蜜何以故須菩提如我昔為
歌利王割截身體我於尒時无我相无人相
无眾生相无壽者相何以故我於往昔節節
支解時若有我相人相眾生相壽者相應生

BD02916號　金剛般若波羅蜜經

（12–6）

是名第一波羅蜜須菩提忍辱波羅蜜如來
說非忍辱波羅蜜何以故須菩提如我昔為
歌利王割截身體我於尒時无我相无人相
无衆生相无壽者相何以故我於往昔節節
支解時若有我相人相衆生相壽者相應生
瞋恨須菩提又念過去於五百世作忍辱仙人
於尒所世无我相无人相无衆生相无壽者
相是故須菩提菩薩應離一切相發阿耨
多羅三藐三菩提心不應住色生心不應住
聲香味觸法生心應生无所住心若心有住
則為非住是故佛說菩薩心不住色布施須
菩提菩薩為利益一切衆生應如是布施如
來說一切諸相即是非相又說一切衆生則
非衆生須菩提如來是真語者實語者如語
者不誑語者不異語者須菩提如來所得法此
法无實无虛須菩提若菩薩心住於法而
行布施如人入闇則无所見若菩薩心不住法
而行布施如人有目日光明照見種種色
須菩提當來之世若有善男子善女人能於
此經受持讀誦則為如來以佛智慧悉知是
人悉見是人皆得成就无量无邊功德
須菩提若有善男子善女人初日分以恒河
沙等身布施中日分復以恒河沙等身布施
後日分亦以恒河沙等身布施如來无量百
千万億劫以身布施若復有人聞此經典信
心不逆其福勝彼何況書寫受持讀誦為人

BD02916 號　金剛般若波羅蜜經　（12–7）

沙等身布施中日分復以恒河沙等身布施
後日分亦以恒河沙等身布施如來无量百
千万億劫以身布施若復有人聞此經典信
心不逆其福勝彼何況書寫受持讀誦為人
解說須菩提以要言之是經有不可思議不
可稱量无邊功德如來為發大乘者說為發
最上乘者說若有人能受持讀誦廣為人說
如來悉知是人悉見是人皆得成就不可量不
可稱无有邊不可思議功德如是人等則為
荷擔如來阿耨多羅三藐三菩提何以故須
菩提若樂小法者著我見人見衆生見壽見
見則於此經不能聽受讀誦為人解說須菩
提在在處處若有此經一切世間天人阿脩
羅所應供養當知此處則為是塔皆應恭敬
作礼圍繞以諸華香而散其處
復次須菩提善男子善女人受持讀誦此經
若為人輕賤是人先世罪業應墮惡道以今
世人輕賤故先世罪業則為消滅當得阿耨
多羅三藐三菩提須菩提我念過去无量阿
僧祇劫於然燈佛前得值八百四千万億那
由他諸佛悉皆供養承事无空過者若復有
人於後末世能受持讀誦此經所得功德於
我所供養諸佛功德百分不及一千万億分
乃至筭數譬喻所不能及須菩提若善男子
善女人於後末世有受持讀誦此經所得功德
我若具說者或有人聞心則狂亂狐疑不信須菩

BD02916 號　金剛般若波羅蜜經　（12–8）

我所供養諸佛功德百分不及一千万億分
乃至筭數譬喻所不能及須菩提若善男子
善女人於後末世有受持讀誦此經所得功德
我若具說者或有人聞心則狂亂狐疑不信須菩
提當知是經義不可思議果報亦不可思
議
尒時須菩提白佛言世尊善男子善女人發
阿耨多羅三藐三菩提心云何應住云何降
伏其心佛告須菩提善男子善女人發阿耨
多羅三藐三菩提者當生如是心我應滅度
一切衆生滅度一切衆生已而无有一切衆生
實滅度者何以故若菩薩有我相人相衆生
相壽者相則非菩薩所以者何須菩提實无有
法發阿耨多羅三藐三菩提者須菩提於
意云何如来於然燈佛所有法得阿耨多羅三
藐三菩提不世尊如我解佛所說義佛於
然燈佛所无有法得阿耨多羅三藐三菩提
佛言如是如是須菩提實无有法如来得
阿耨多羅三藐三提須菩提若有法如来
得阿耨多三藐三菩提然燈佛則不與我
授記汝於来世當得作佛号釋迦牟尼以實
无有法得阿耨多羅三藐三菩提故然
燈佛我受記作是言汝於来世當作作佛
号釋迦牟尼何以故如来者即諸法如義若有
人言如来得阿耨多羅三藐三菩提須菩提
實无有法佛得阿耨多羅三藐三菩提須

BD02916 號　金剛般若波羅蜜經

(12–9)

燈佛我受記作是言汝於来世當作作佛
号釋迦牟尼何以故如来者即諸法如義若有
人言如来得阿耨多羅三藐三菩提須菩提
實无有法佛得阿耨多羅三藐三菩提須
菩提如来所得阿耨多羅三藐三菩提於是中
无實无虛是故如来說一切法皆是佛法須菩
提所言一切法者即非一切法是名一切法須
菩提譬如人身長大須菩提言世尊如来
說人身長大則為非大身是名大身
須菩提菩薩亦如是若作是言我當滅度无
量衆生則不名菩薩何以故須菩提實无有
法名為菩薩是故佛說一切法无我无人无衆
生无壽者須菩提若菩薩作是言我當莊嚴
佛土是不名菩薩何以故如来說莊嚴佛土
者即非莊嚴是名莊嚴須菩提若菩薩通達
无我法者如来說名真是菩薩
須菩提於意云何如来有肉眼不如是世尊
如来有肉眼須菩提於意云何如来有天眼
不如是世尊如来有天眼須菩提於意云何
如来有慧眼不如是世尊如来有慧眼須菩
提於意云何如来有法眼不如是世尊如来有
法眼須菩提於意云何如来有佛眼不如是
世尊如来有佛眼須菩提於意云何恒河中
所有沙佛說是沙不如是世尊如来說是沙
須菩提於意云何如一恒河中所有沙有如
是等恒河是諸恒河所有沙數佛世界如

BD02916 號　金剛般若波羅蜜經

(12–10)

世尊如来有佛眼須菩提提於意云何恒河中
所有沙佛說是沙不如是世尊如来說是沙
須菩提於意云何如一恒河中所有沙有如
是等恒河是諸恒河所有沙數佛世界如
是寧為多不甚多世尊佛告須菩提尒所國
土中所有衆生若干種心如来悉知何以故如
来說諸心皆為非心是名為心所以者何須
菩提過去心不可得現在心不可得未来心
不可得須菩提於意云何若有人滿三千大
千世界七寶以用布施是人以是因緣得福多
不如是世尊此人以是因緣得福甚多
須菩提若福德有實如来不說得福德多
福德无故如来說得福德多
須菩提於意云何佛可以具足色身見不不
也世尊如来可應以色身見何以故如来說具
足色身即非具足色身是名具足色身須菩
提於意云何如来可以具足諸相見不不也
世尊如来不應以具足諸相見何以故如来
說諸相具足即非具足是名諸相具足
須菩提汝勿謂如来作是念我當有所說法莫
作是念何以故若人言如来有所說法即為
謗佛不能解我所說故須菩提說法者无法
可說是名說法
須菩提白佛言世尊佛得阿耨多羅三藐三
菩提為无所得耶如是如是須菩提我於阿耨

BD02916 號　金剛般若波羅蜜經　（12–11）

須菩提於意云何佛可以具足色身見不不
也世尊如来可應以色身見何以故如来說具
足色身即非具足色身是名具足色身須菩
提於意云何如来可以具足諸相見不不也
世尊如来不應以具足諸相見何以故如来
說諸相具足即非具足是名諸相具足
須菩提汝勿謂如来作是念我當有所說法莫
作是念何以故若人言如来有所說法即為
謗佛不能解我所說故須菩提說法者无法
可說是名說法
須菩提白佛言世尊佛得阿耨多羅三藐三
菩提為无所得耶如是如是須菩提我於阿耨
多羅三藐三菩提乃至无有少法可得是名阿
耨多羅三藐三菩提復次須菩提是法平等
无有高下是名阿耨多羅三藐三菩提以无
我无人无衆生无壽者脩一切善法則得阿
耨多羅三藐三菩提須菩提所言善法者如
来說即非善法是名善法須菩提若三千大
千世界中所有諸須弥山王如是等七寶聚有
有人持用布施若人以此般若波羅蜜經乃
至四句偈等持為他人說於前福德百分不

BD02916 號　金剛般若波羅蜜經　（12–12）

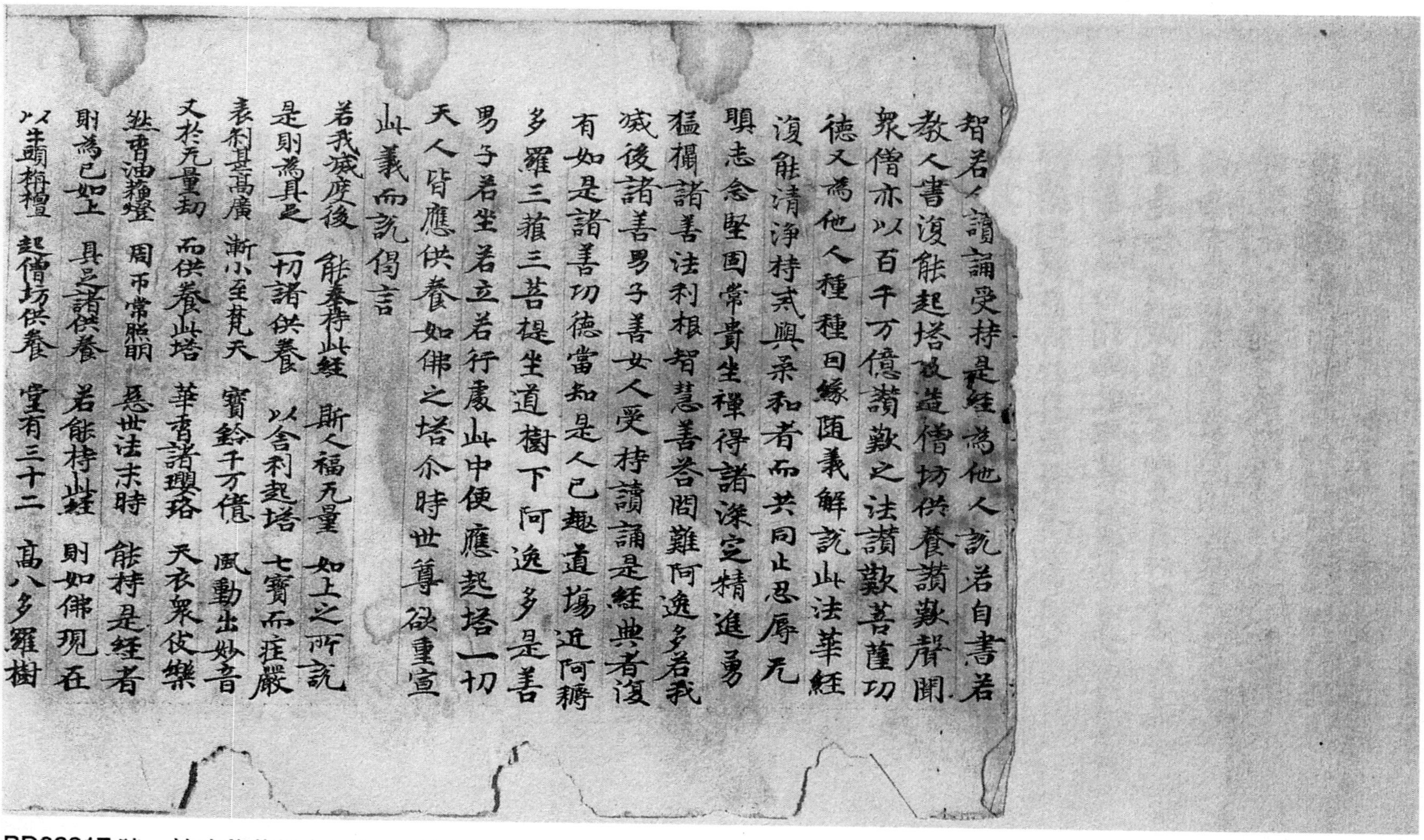

智者々讀誦受持是經為他人說若自書若
教人書復能起塔及造僧坊供養讚歎聲聞
衆僧亦以百千万億讚歎之法讚歎菩薩功
德又為他人種種因緣隨義解說此法華經
復能清淨持戒與柔和者而共同止忍辱无
瞋志念堅固常貴坐禪得諸深定精進勇
猛攝諸善法利根智慧善荅問難阿逸多若我
滅後諸善男子善女人受持讀誦是經典者復
有如是諸善功德當知是人已趣道場近阿耨
多羅三藐三菩提坐道樹下阿逸多是善
男子若坐若立若行處此中便應起塔一切
天人皆應供養如佛之塔尒時世尊欲重宣
此義而說偈言
若我滅度後　能奉持此經　斯人福无量　如上之所說
是則為具足　一切諸供養　以舍利起塔　七寶而莊嚴
表刹甚高廣　漸小至梵天　寶鈴千万億　風動出妙音
又於无量劫　而供養此塔　華香諸瓔珞　天衣衆伎樂
然香油蘇燈　周帀常照明　惡世法末時　能持是經者
則為已如上　具足諸供養　若能持此經　則如佛現在
以牛頭栴檀　起僧坊供養　堂有三十二　高八多羅樹

BD02917 號　妙法蓮華經（八卷本）卷六

（9–1）

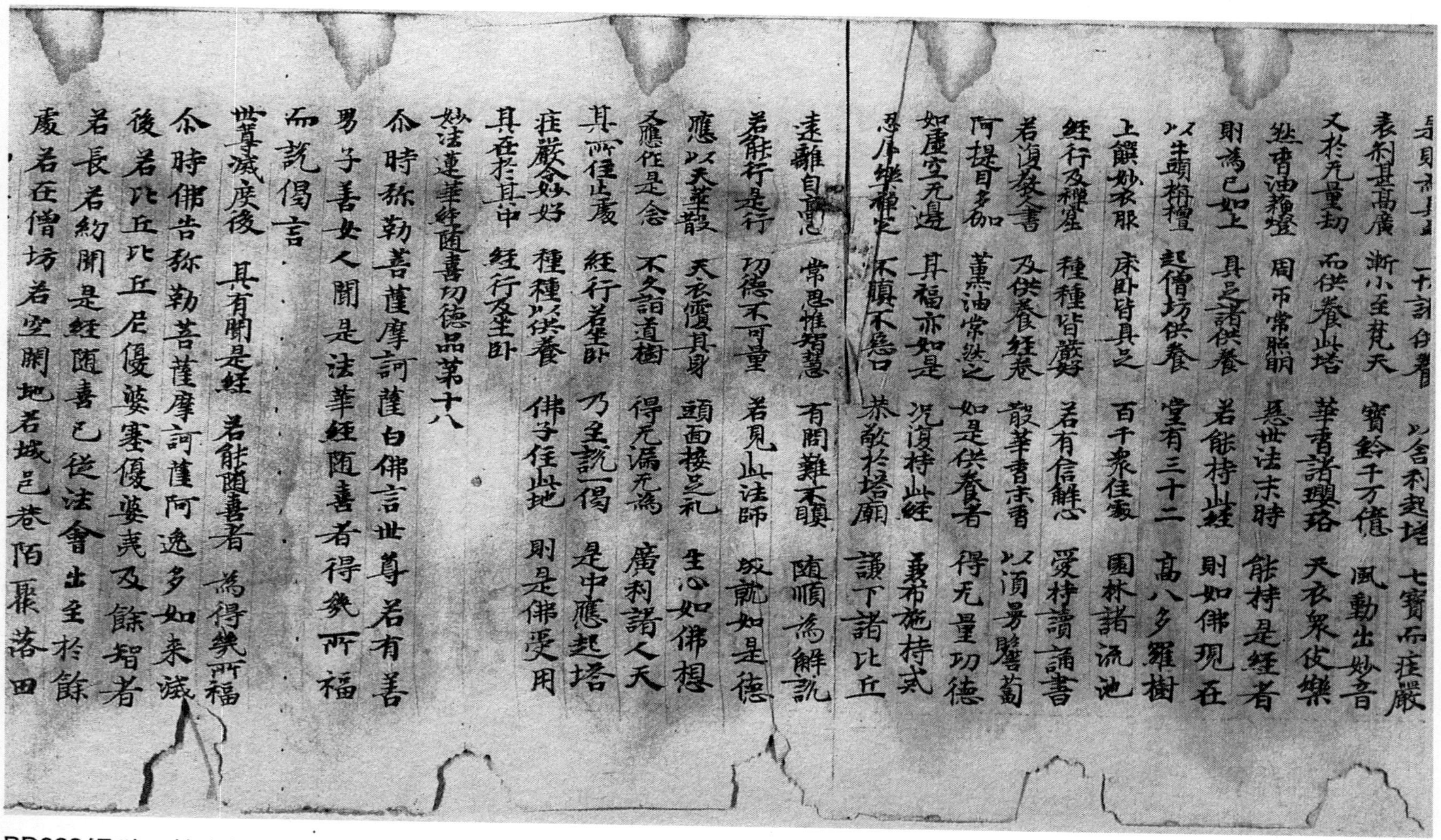

是則為具足　一切諸供養　以舍利起塔　七寶而莊嚴
表刹甚高廣　漸小至梵天　寶鈴千万億　風動出妙音
又於无量劫　而供養此塔　華香諸瓔珞　天衣衆伎樂
然香油蘇燈　周帀常照明　惡世法末時　能持是經者
則為已如上　具足諸供養　若能持此經　則如佛現在
以牛頭栴檀　起僧坊供養　堂有三十二　高八多羅樹
上饌妙衣服　床臥皆具足　百千衆住處　園林諸流池
經行及禪窟　種種皆嚴好　若有信解心　受持讀誦書
若復教人書　及供養經卷　散華香末香　以須曼瞻蔔
阿提目多伽　薰油常然之　如是供養者　得无量功德
如虛空无邊　其福亦如是　況復持此經　兼布施持戒
忍辱樂禪定　不瞋不惡口　恭敬於塔廟　謙下諸比丘
遠離自高心　常思惟智慧　有問難不瞋　隨順為解說
若能行是行　功德不可量　若見此法師　成就如是德
應以天華散　天衣覆其身　頭面接足礼　生心如佛想
又應作是念　不久詣道樹　得无漏无為　廣利諸人天
其所住止處　經行若坐臥　乃至說一偈　是中應起塔
莊嚴令妙好　種種以供養　佛子住此地　則是佛受用
常在於其中　經行及坐臥
妙法蓮華經隨喜功德品第十八
尒時弥勒菩薩摩訶薩白佛言世尊若有善
男子善女人聞是法華經隨喜者得幾所福
而說偈言
世尊滅度後　其有聞是經　若能隨喜者　為得幾所福
尒時佛告弥勒菩薩摩訶薩阿逸多如来滅
後若比丘比丘尼優婆塞優婆夷及餘智者
若長若幼聞是經隨喜已從法會出至於餘
處若在僧坊若空閑地若城邑巷陌聚落田

BD02917 號　妙法蓮華經（八卷本）卷六

（9–2）

而說偈言
世尊滅度後　其有聞是經　若能隨喜者　為得幾所福
尒時佛告弥勒菩薩摩訶薩阿逸多如来滅
後若比丘比丘尼優婆塞優婆夷及餘智者
若長若幼聞是經隨喜已從法會出至於餘
處若在僧坊若空閑地若城邑巷陌聚落田
里如其所聞為父母宗親善友知識隨力演
說是諸人等聞已隨喜復行轉教餘人聞已
亦隨喜轉教如是展轉至第五十阿逸多其
第五十善男子善女人隨喜功德我今說之汝
當善聽若四百万億阿僧祇世界六趣四生
衆生卵生胎生濕生化生若有形无形有想
无想非有想非无想无足二足四足多足如是
等在衆生數者有人求福隨其所欲娛樂
之具皆給與之一一衆生與滿閻浮提金銀
琉璃車璖馬瑙珊瑚虎珀諸妙珎寶及烏
馬車乘七寶所成宮殿樓閣等是大施主如
是布施滿八十年已而作是念我已施衆生娛
樂之具隨意所欲然此衆生皆已衰老
年過八十髮白面皺將死不久我當以佛法而
訓導之即集此衆生宣布法化示教利喜一
時皆得須陁洹道斯陁含道阿那含道阿羅
漢道盡諸有漏於深禪定皆得自在具八解
脫於汝意云何是大施主所得功德寧為多
不弥勒白佛言世尊是人功德甚多无量无
邊若是施主但施衆生一切樂具功德无量
何況令得阿羅漢果佛告弥勒我今分明語

BD02917號　妙法蓮華經（八卷本）卷六　（9–3）

漢道盡諸有漏於深禪定皆得自在具八解
脫於汝意云何是大施主所得功德寧為多
不弥勒白佛言世尊是人功德甚多无量无
邊若是施主但施衆生一切樂具功德无量
何況令得阿羅漢果佛告弥勒我今分明語
汝是人以一切樂具施於四百万億阿僧祇
世界六趣衆生又令得阿羅漢果所得功德
不如是第五十人聞法華經一偈隨喜功德
百分千分百千万億分不及其一乃至筭數
譬喻所不能知阿逸多如是第五十人展轉
聞法華經隨喜功德尚无量无邊阿僧祇何
況最初於會中聞而隨喜者其福復勝无量
无邊阿僧祇不可得比又阿逸多若人為是
經故往詣僧坊若坐若立須臾聽受緣是功
德轉身所生得好上妙烏馬車乘珎寶輦
轝及乘天宮若復有人於講法處坐更有人来
勸令坐聽若分座令坐是人功德轉身得帝
釋坐處若梵王坐處若轉輪聖王所坐之處
阿逸多若復有人語餘人言有經名法華可共
往聽即受其教乃至須臾間聞是人功德
轉身得與陁羅尼菩薩共生一處利根智慧
百千万世終不瘖瘂口氣不臭舌常无漏口
亦无病齒不垢黑不黃不踈亦不缺落不差
不曲脣不下垂亦不褰縮不麁澁不瘡胗
亦不缺壞亦不喎斜不厚不大亦不黧黑无諸
可惡鼻不匾㔸亦不曲戾面色不黑亦不狹
長亦不窪曲无有一切不可喜相脣舌牙齒
悉皆嚴好鼻脩高直面貌圓滿眉高而長額
廣平正人相具足世世所生見佛聞法信受

BD02917號　妙法蓮華經（八卷本）卷六　（9–4）

可惡鼻不匾㔸亦不曲戾面色不黑亦不狹
長亦不窊曲无有一切不可喜相脣舌牙齒
悉皆嚴好鼻脩高直面貌圓滿眉高而長額
廣平正人相具足世世所生見佛聞法信受
教誨阿逸多汝且觀是勸於一人令往聽法
功德如此何況一心聽說讀誦而於大眾為
人分別如說脩行尒時世尊欲重宣此義而
說偈言
若人於法會　得聞是經典　乃至於一偈　隨喜為他說
如是展轉教　至于第五十　最後人獲福　今當分別之
如有大施主　供給无量眾　具滿八十歲　隨意之所欲
見彼衰老相　髮白而面皺　齒疏形枯竭　念其死不久
我今應當教　令得於道果　即為方便說　涅槃真實法
世皆不牢固　如水沫泡焰　汝等咸應當　疾生厭離心
諸人聞是法　皆得阿羅漢　具足六神通　三明八解脫
最後第五十　聞一偈隨喜　是人福勝彼　不可為譬喻
如是展轉聞　其福尚无量　何況於法會　初聞隨喜者
若有勸一人　將引聽法華　言此經深妙　千万劫難遇
即受教往聽　乃至須臾聞　斯人之福報　今當分別說
世世无口患　齒不疏黃黑　脣不厚褰缺　无有可惡相
舌不乾黑短　鼻高脩且直　額廣而平正　面目悉端嚴
為人所憙見　口氣无臭穢　優鉢華之香　常從其口出
若故詣僧坊　欲聽法華經　須臾聞歡喜　今當說其福
後生天人中　得妙象馬車　珎寶之輦輿　及乘天宮殿
若於講法處　勸人坐聽經　是福因緣得　釋梵轉輪座
何況一心聽　解說其義趣　如說而脩行　其福不可限
妙法蓮華經法師功德品第十九

BD02917 號　妙法蓮華經（八卷本）卷六

（9–5）

後生天人中　得妙象馬車　珎寶之輦輿　及乘天宮殿
若於講法處　勸人坐聽經　是福因緣得　釋梵轉輪座
何況一心聽　解說其義趣　如說而脩行　其福不可限
妙法蓮華經法師功德品第十九
尒時佛告常精進菩薩摩訶薩若善男子善
女人受持是法華經若讀若誦若解說若書
寫是人當得八百眼功德千二百耳功德八百
鼻功德千二百舌功德八百身功德千二百
意功德以是功德莊嚴六根皆令清淨是
善男子善女人父母所生清淨肉眼見於三千
大千世界內外所有山林河海下至阿鼻
地獄上至有頂亦見其中一切眾生及業因
緣果報生處悉見悉知尒時世尊欲重宣此
義而說偈言
若於大眾中　以无所畏心　說是法華經　汝聽其功德
是人得八百　功德殊勝眼　以是莊嚴故　其目甚清淨
父母所生眼　悉見三千界　內外弥樓山　須弥及鐵圍
并諸餘山林　大海江河水　下至阿鼻獄　上至有頂處
其中諸眾生　一切皆悉見　雖未得天眼　肉眼力如是
復次常精進若善男子善女人受持此經若
讀若誦若解說若書寫得千二百耳功德以
是清淨耳聞三千大千世界下至阿鼻地獄
上至有頂其中內外種種語言音聲象聲馬
聲牛聲車聲啼哭聲愁歎聲螺聲鼓聲鍾
聲鈴聲笑聲語聲男聲女聲童子聲童女
聲法聲非法聲苦聲樂聲凡夫聲聖人聲
喜聲不喜聲天聲龍聲夜叉聲乾闥婆聲阿
脩羅聲迦樓羅聲緊那羅聲摩睺羅伽聲火

BD02917 號　妙法蓮華經（八卷本）卷六

（9–6）

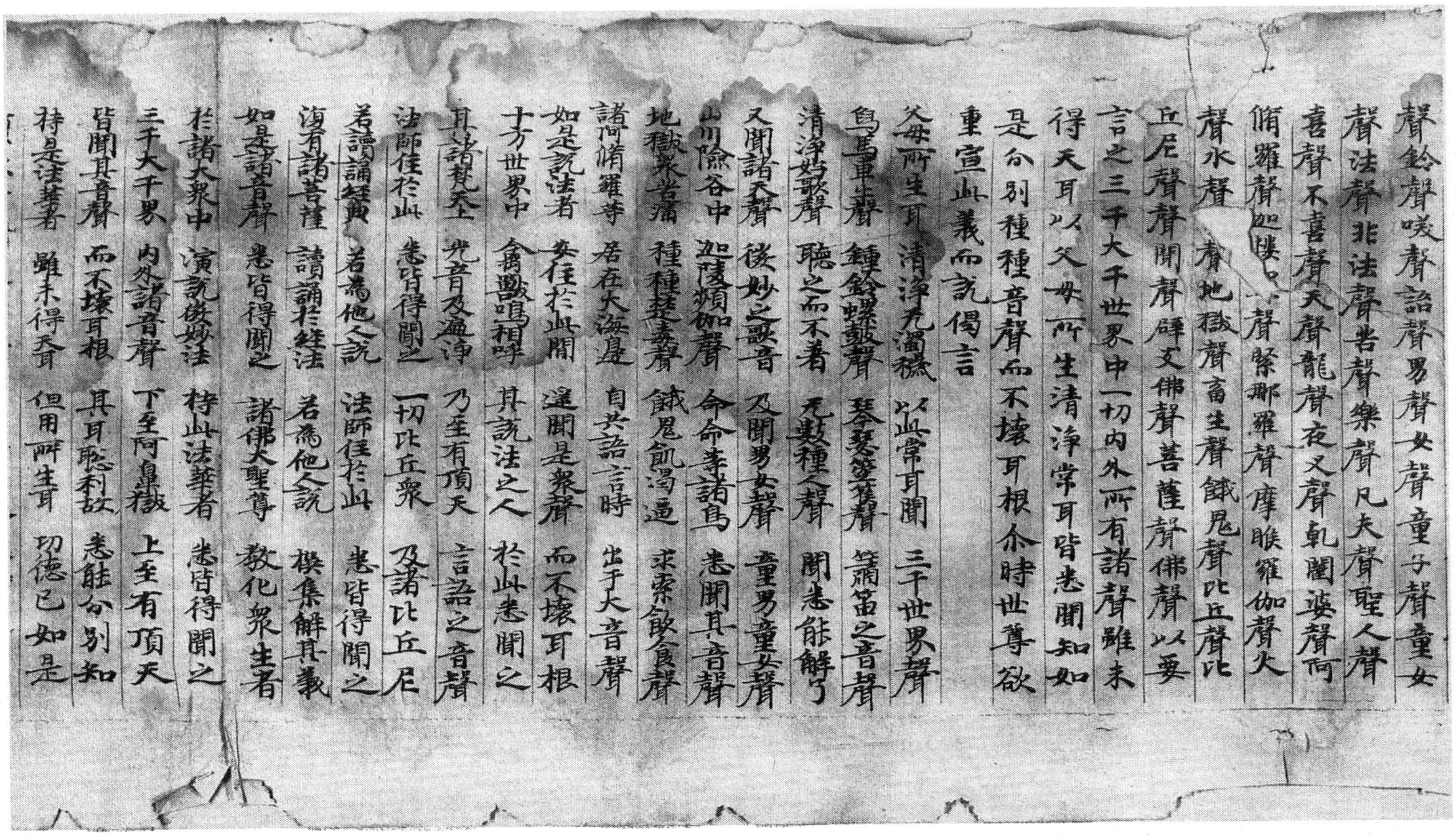
聲鈴聲咲聲語聲男聲女聲童子聲童女
聲法聲非法聲苦聲樂聲凡夫聲聖人聲
喜聲不喜聲天聲龍聲夜叉聲乾闥婆聲阿
脩羅聲迦樓羅聲緊那羅聲摩睺羅伽聲火
聲水聲風聲地獄聲畜生聲餓鬼聲比丘聲比
丘尼聲聲聞聲辟支佛聲菩薩聲佛聲以要
言之三千大千世界中一切內外所有諸聲雖未
得天耳以父母所生清淨常耳皆悉聞知如
是分別種種音聲而不壞耳根尒時世尊欲
重宣此義而說偈言
父母所生耳 清淨无濁穢 以此常耳聞 三千世界聲
象馬車牛聲 鍾鈴螺鼓聲 琴瑟箜篌聲 簫笛之音聲
清淨好歌聲 聽之而不著 无數種人聲 聞悉能解了
又聞諸天聲 微妙之歌音 及聞男女聲 童男童女聲
山川嶮谷中 迦陵頻伽聲 命命等諸鳥 悉聞其音聲
地獄衆苦痛 種種楚毒聲 餓鬼飢渴逼 求索飲食聲
諸阿脩羅等 居在大海邊 自共語言時 出于大音聲
如是說法者 安住於此間 遙聞是衆聲 而不壞耳根
十方世界中 禽獸鳴相呼 其說法之人 於此悉聞之
其諸梵天上 光音及遍淨 乃至有頂天 言語之音聲
法師住於此 悉皆得聞之 一切比丘衆 及諸比丘尼
若讀誦經典 若為他人說 法師住於此 悉皆得聞之
復有諸菩薩 讀誦於經法 若為他人說 撰集解其義
如是諸音聲 悉皆得聞之 諸佛大聖尊 教化衆生者
於諸大衆中 演說微妙法 持此法華者 悉皆得聞之
三千大千界 內外諸音聲 下至阿鼻獄 上至有頂天
皆聞其音聲 而不壞耳根 其耳聰利故 悉能分別知
持是法華者 雖未得天耳 但用所生耳 功德已如是

BD02917 號　妙法蓮華經（八卷本）卷六　（9–7）

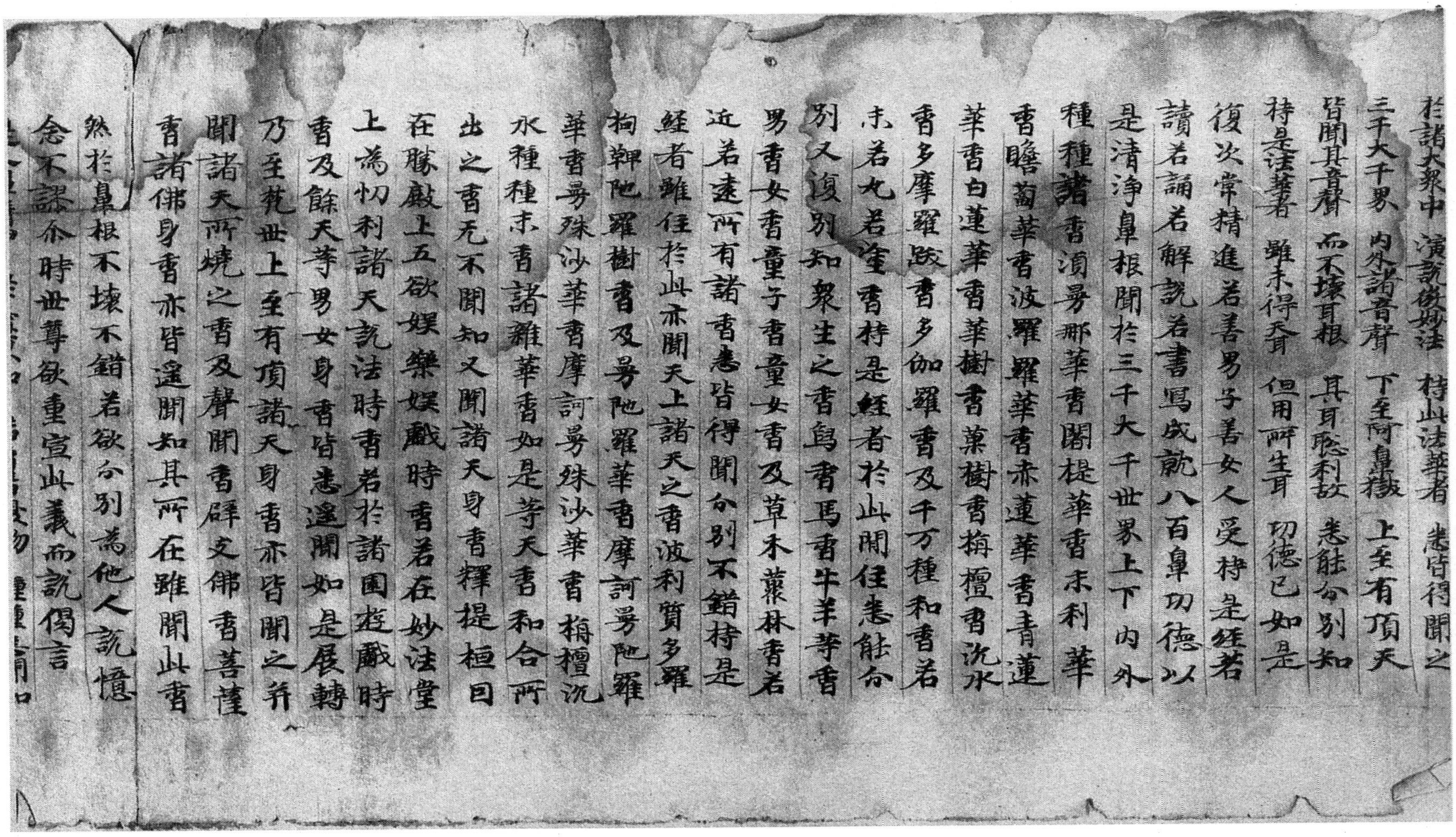
於諸大衆中 演說微妙法 持此法華者 悉皆得聞之
三千大千界 內外諸音聲 下至阿鼻獄 上至有頂天
皆聞其音聲 而不壞耳根 其耳聰利故 悉能分別知
持是法華者 雖未得天耳 但用所生耳 功德已如是
復次常精進若善男子善女人受持是經若
讀若誦若解說若書寫成就八百鼻功德以
是清淨鼻根聞於三千大千世界上下內外
種種諸香須曼那華香闍提華香末利華
香瞻蔔華香波羅羅華香赤蓮華香青蓮
華香白蓮華香華樹香菓樹香栴檀香沉水
香多摩羅跋香多伽羅香及千万種和香若
末若丸若塗香持是經者於此間住悉能分
別又復別知衆生之香象香馬香牛羊等香
男香女香童子香童女香及草木叢林香若
近若遠所有諸香悉皆得聞分別不錯持是
經者雖住於此亦聞天上諸天之香波利質多羅
拘鞞陁羅樹香及曼陁羅華香摩訶曼陁羅
華香曼殊沙華香摩訶曼殊沙華香栴檀沉
水種種末香諸雜華香如是等天香和合所
出之香无不聞知又聞諸天身香釋提桓因
在勝殿上五欲娛樂嬉戲時香若在妙法堂
上為忉利諸天說法時香若於諸園遊戲時
香及餘天等男女身香皆悉遙聞如是展轉
乃至梵世上至有頂諸天身香亦皆聞之并
聞諸天所燒之香及聲聞香辟支佛香菩薩
香諸佛身香亦皆遙聞知其所在雖聞此香
然於鼻根不壞不錯若欲分別為他人說憶
念不謬尒時世尊欲重宣此義而說偈言

BD02917 號　妙法蓮華經（八卷本）卷六　（9–8）

然於鼻根不壞不錯若欲分別為他人說憶
念不謬尒時世尊欲重宣此義而說偈言
是人鼻清淨　於此世界中　若香若臭物　種種悉聞知
須曼那闍提　多摩羅栴檀　沈水及桂香　種種華菓香
及知衆生香　男子女人香　說法者遠住　聞香知所在
大勢轉輪王　小轉輪及子　群臣諸宮人　聞香知所在
身所著珎寶　及地中寶藏　轉輪王寶女　聞香知所在
諸人嚴身具　衣服及瓔珞　種種所塗香　聞則知所在
諸天若行坐　遊戲及神變　持是法華者　聞香悉能知
諸樹華菓實　及蘇油香氣　持經者住此　悉知其所在
諸山深嶮處　栴檀樹華敷　衆生在中者　聞香皆能知
鐵圍山大海　地中諸衆生　持經者聞香　悉知其所在
阿脩羅男女　及其諸眷屬　鬪諍遊戲時　聞香皆能知
曠野險隘處　師子象虎狼　野牛水牛等　聞香知所在
若有懷妊者　未辯其男女　无根及非人　聞香悉能知
以聞香力故　知其初懷妊　成就不成就　安樂產福子
以聞香力故　知男女所念　染欲癡恚心　亦知脩善者
地中衆伏藏　金銀諸珎寶　銅器之所盛　聞香悉能知
種種諸瓔珞　无能識其價　聞香知貴賤　出處及所在
天上諸華等　曼陁曼殊沙　波利質多樹　聞香悉能知
天上諸宮殿　上中下差別　衆寶華莊嚴　聞香悉能知
天園林勝殿　諸觀妙法堂　在中而娛樂　聞香悉能知
諸天若聽法　或受五欲時　來往行坐卧　聞香悉能知
天女所著衣　好華香莊嚴　周旋遊戲時　聞香悉能知
如是展轉上　乃至於梵世　入禪出禪者　聞香悉能知
光音遍淨天　乃至于有頂　初生及退沒　聞香悉能知

BD02917號　妙法蓮華經（八卷本）卷六　（9–9）

給所須，共同羯磨上宿言語，波逸提
若比丘知沙彌作如是語：我從佛聞法，若行婬欲非障
道法。彼比丘諫是沙彌，如是言：汝莫誹謗世尊，謗世尊
者不善，世尊不作是語。沙彌，世尊無數方便說婬欲是
障道法。彼比丘諫此時，沙彌時堅持不捨，彼比丘應乃至
再三呵諫令捨此事故，乃至三諫捨者善，不捨不捨者，
比丘應語彼沙彌言：汝自今已去不得言佛是我世尊，
不得隨逐餘比丘，如諸沙彌得與比丘二三宿，汝今無
是事。汝出去滅去，不應住此。若比丘知是衆中被擯
沙彌而誘將畜養，共止宿者，波逸提 七十
若比丘餘比丘如法諫時，作如是語：我今不學此戒，當難
問餘智慧持律比丘者，波逸提。若為知為學故，應難問
若比丘說戒時作如是語：大德，何用說此雜碎戒為？說是
戒時令人惱愧懷疑，輕呵戒故，波逸提
若比丘說戒時作如是語：大德，我今始知此法戒經所載，
半月半月說戒經中來。餘比丘知是比丘若二若三說戒
坐，何況多。彼比丘無知無解，若犯罪，應如法除，更重
增無知罪。語言：長老，汝無利不善得，汝說戒時不用心念，
不一心兩耳聽法。彼無知故，波逸提
若比丘共同羯磨已，後作如是語：諸比丘隨親厚以衆
僧物與者，波逸提
若比丘衆僧斷事未竟，不與欲而去者，波逸提
若比丘與欲已後更[illegible]

坐何況多彼比丘无知无解若犯罪應如法除更重
增无知罪語言長老汝无利不善得汝說戒時不用心念
不一心兩耳聽法彼无知故波逸提
若比丘共同羯磨已後作如是語諸比丘隨親厚以衆
僧物與者波逸提
若比丘衆僧斷事未竟不與欲而去者波逸提
若比丘與欲已後悔者波逸提
若比丘共比丘鬪諍已聽此語向彼說者波逸提
若比丘嗔恚故不喜打比丘者波逸提
若比丘嗔恚故不喜以手搏比丘者波逸提
若比丘嗔恚故以无根僧伽婆尸沙謗者波逸提
若比丘剎利水澆頭王種王未出未藏寶而入若過
宮門閾者波逸提
若比丘若寶及寶莊飾具若自捉教人捉除僧伽
藍中及寄宿處捉寶若以寶莊飾自捉教人捉
當作是意若有主識者當取作如是因緣非餘
若比丘非時入聚落不囑餘比丘者波逸提
若比丘作繩床木床足應高如來八指除入梐孔上
截竟若過者波逸提
若比丘作兜羅綿貯繩床木床大小褥成者波逸提
若比丘作骨牙角針筒刳刮成者波逸提
若比丘作尼師壇當應量作是中量者長佛二磔
手廣一磔手半更增廣長各半磔手若過截
竟波逸提
若比丘作覆瘡衣當應量作是中量者長佛四
磔手廣二磔手截竟過者波逸提
若比丘作雨浴衣當應量作是中量者長佛六
磔手廣二磔手半過截竟者波逸提
若比丘與如來等量作衣或過量作者波逸提
是中如來衣量者長佛十磔手廣六磔手是謂

若比丘作覆瘡衣當應量作是中量者長佛四
磔手廣二磔手截竟過者波逸提
若比丘作雨浴衣當應量作是中量者長佛六
磔手廣二磔手半過截竟者波逸提
若比丘與如來等量作衣或過量作者波逸提
是中如來衣量者長佛十磔手廣六磔手是謂
如來衣量 九十
諸大德我已說九十波逸提法今問諸大德是中清
淨不 三說 諸大德是中清淨默然故是事如是持
諸大德是四波羅提提舍尼法半月半月說戒經中來
若比丘入村中從非親里比丘尼若無病自手取食
食者是比丘應向餘比丘悔過言大德我犯可呵法
所不應為我今向大德悔過是法名悔過法
若比丘至白衣家內食是中有比丘尼指示與某
甲羹與某甲飯比丘應語彼比丘尼如是言大姊
且止須比丘食竟若無一比丘語彼比丘尼如是言大姊
且止須比丘食竟者是比丘應向餘比丘悔過言大
德我犯可呵法所不應為我今向大德悔過是法名悔過
法 若比 丘阿作丁公音义
若比丘先作學家羯磨比丘於如是學家先不請
無病自手受食食者應向餘比丘悔過言大德我
犯可呵法所不應為我今向大德悔過是名悔過法
若比丘在阿蘭若迥遠有疑恐有處比丘在如是
阿蘭若處住先不語檀越若僧伽藍外不受食
在僧伽藍內無病自手受食食者應向餘比丘悔過
言大德我犯可呵法所不應為我今向大德悔過是
法名悔過法
諸大德我已說四波羅提提舍尼法今問諸大德是中
清淨不 三說
諸大德是中清淨默然故是事如是持
諸大德是眾學戒法半月半月說戒經中來

若比丘在阿蘭若迥遠有疑恐有難處比丘在如是
阿蘭若處住先不語檀越若僧伽藍外不受食
在僧伽藍内无病自手受食食者應向餘比丘悔過
言大德我犯可呵法所不應為我今向大德悔過是
法名悔過法
諸大德我已說四波羅提提舍尼法今問諸大德是中
清淨不 三說
諸大德是中清淨默然故是事如是持
諸大德是衆學戒法半月半月說戒經中來
當齊整著涅槃僧應當學
當齊整著三衣應當學
不得反抄衣行入白衣舍應當學
不得反抄衣入白衣舍坐應當學
不得衣纏頸入白衣舍應當學
不得衣纏頸入白衣舍坐應當學
不得覆頭入白衣舍應當學
不得覆頭入白衣舍坐應當學
不得跳行入白衣舍應當學
不得跳行入白舍坐應當學
不得白衣舍内蹲坐應當學
不得叉腰行入白衣舍應當學
不得叉腰行入白衣舍坐應當學
不得搖身行入白衣舍應當學
不得搖身行入白衣舍坐應當學
不得掉臂行入白衣舍應當學
不得掉臂行入白衣舍坐應當學
好覆身入白衣舍應當學
好覆身入白衣舍坐應當學
不得左右顧視行入白衣舍應當學
不得左右顧視行入白衣舍坐應當學
靜默入白衣舍應當學

不得搭肩行入白衣舍坐應當學
好覆身入白衣舍應當學
好覆身入白衣舍坐應當學
不得左右顧視行入白衣舍應當學
不得左右顧視行入白衣舍坐應當學
不得戲咲行入白衣舍應當學
不得戲咲行入白衣舍坐應當學
靜嘿入白衣舍應當學
靜嘿入白衣舍坐應當學
用意受食應當學
平鉢受食應當學
平鉢受羹應當學
羹飯等食應當學
以次食應當學
不得挑鉢中而食應當學
若比丘無病不得己索羹飯應當學
不得以飯覆羹更望得應當學
不得視比坐鉢中食應當學
當繫鉢想食應當學
不得大摶飯食應當學
不得大張口待食應當學
不得含飯語應當學
不得摶飯遥擲口中應當學
不得遺落飯食應當學
不得頰食食應當學
不得嚼飯作聲食應當學

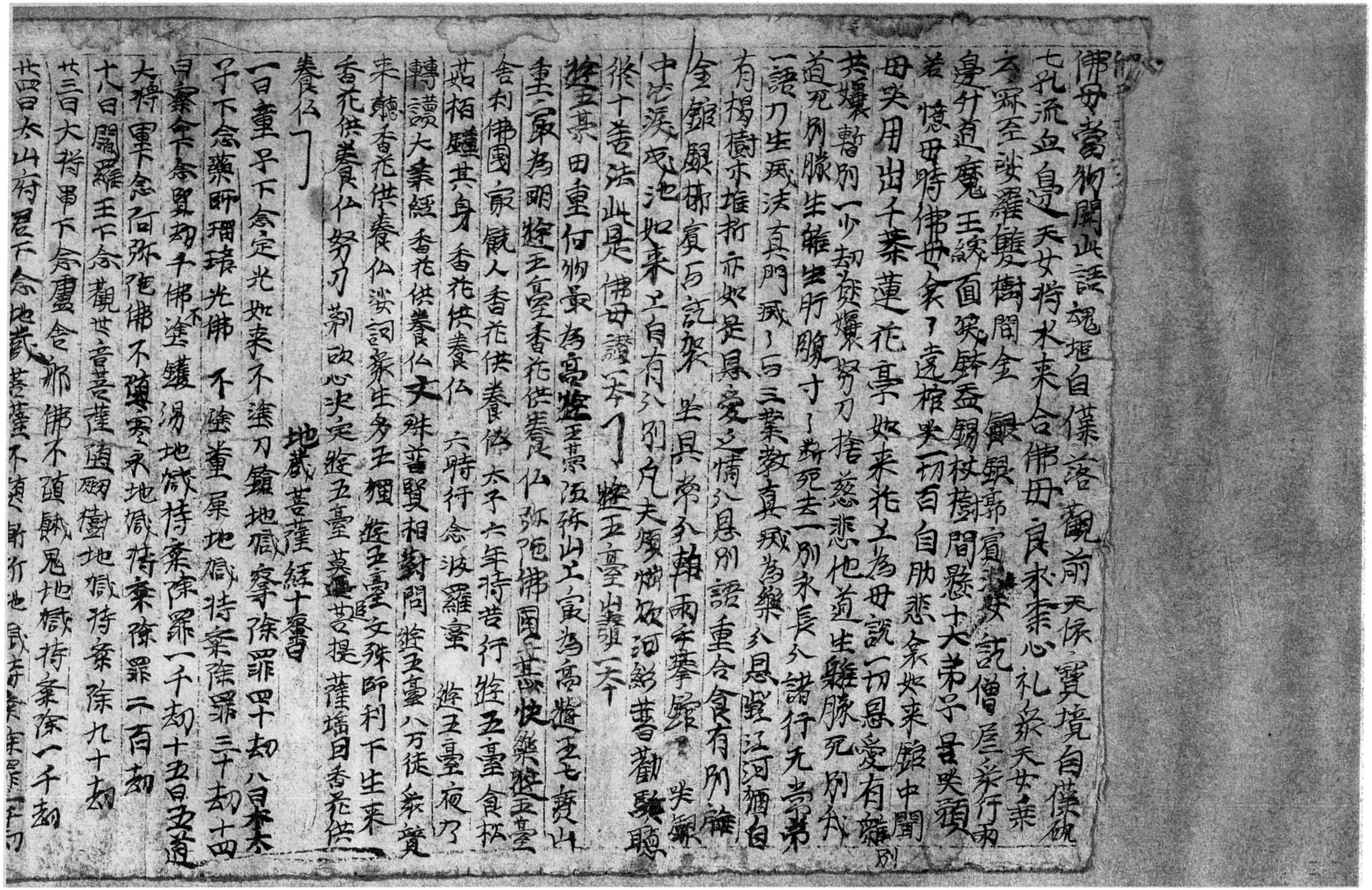
佛母當初聞此語魂埋自傑落觀前天依寶境自傑砌
七孔流血自邊天女將水來合佛母良久蘇心礼衆天女乘
方冣至娑羅雙樹間金銀寶寶女說僧居衆行初
邊升道魔王鐵面突髮盔錫杖樹間懸十大弟子昌哭頓
若憶母時佛母食了遠棺哭一切百自肋悲哀如來館中聞
母哭用出千葉蓮花臺如來花上為母說一切恩愛有離別
共孃暫別一少劫娘孃努力捨慈悲他道生離脉死別我
道死別脉生離出肝腸寸寸斷死去一別永長久諸行无常弟
一語刀生滅法真門滅了与三業教真滅為樂久息遊江河猶自
有楊樹亦堆折亦如是恩愛之情久恩別語重合食有別離
全館顧哪真与說架生具常分離兩手攀歸哭聲
中泥溪屯池如來上自有久別凡夫煩惱河影普勸發聽
徙十善法此是佛母讚一本了　遊五臺山讚一本
遊五臺田重何物最為高遊五臺須彌山上最為高遊五臺七寶山
重重最為明遊五臺香花供養仏彌陀佛國甚快樂遊五臺
舍利佛國最勝人香花供養仏太子六年將苦行遊五臺食松
茹栢隨其身香花供養仏六時行念波羅蜜遊五臺夜乃
轉讀大乘經香花供養仏文殊普賢相對問遊五臺八万徒衆覺
來聽香花供養仏娑訶衆生多王煙遊五臺文殊師利下生來
香花供養仏努力剃改心決定遊五臺莫遲菩提薩埵日香花供
養仏了　地藏菩薩經十齋日
一日童子下念定光如來不墮刀鎗地獄奪除罪四十劫八日太
子下念藥師瑠璃光佛不墮糞屎地獄持齋除罪三十劫十四
日察命下念賢劫千佛不墮鑊湯地獄持齋除罪一千劫十五日五道
大將軍下念阿彌陀佛不墮寒冰地獄持齋除罪二百劫
十八日閻羅王下念觀世音菩薩不墮劍樹地獄持齋除九十劫
廿三日大將軍下念盧舍那佛不墮餓鬼地獄持齋除一千劫
廿四日太山府君下念地藏菩薩不墮斬斫地獄持齋除罪一千劫

BD02918 號背 1　佛母讚
BD02918 號背 2　遊五臺讚文
BD02918 號背 3　地藏菩薩十齋日

（5–1）

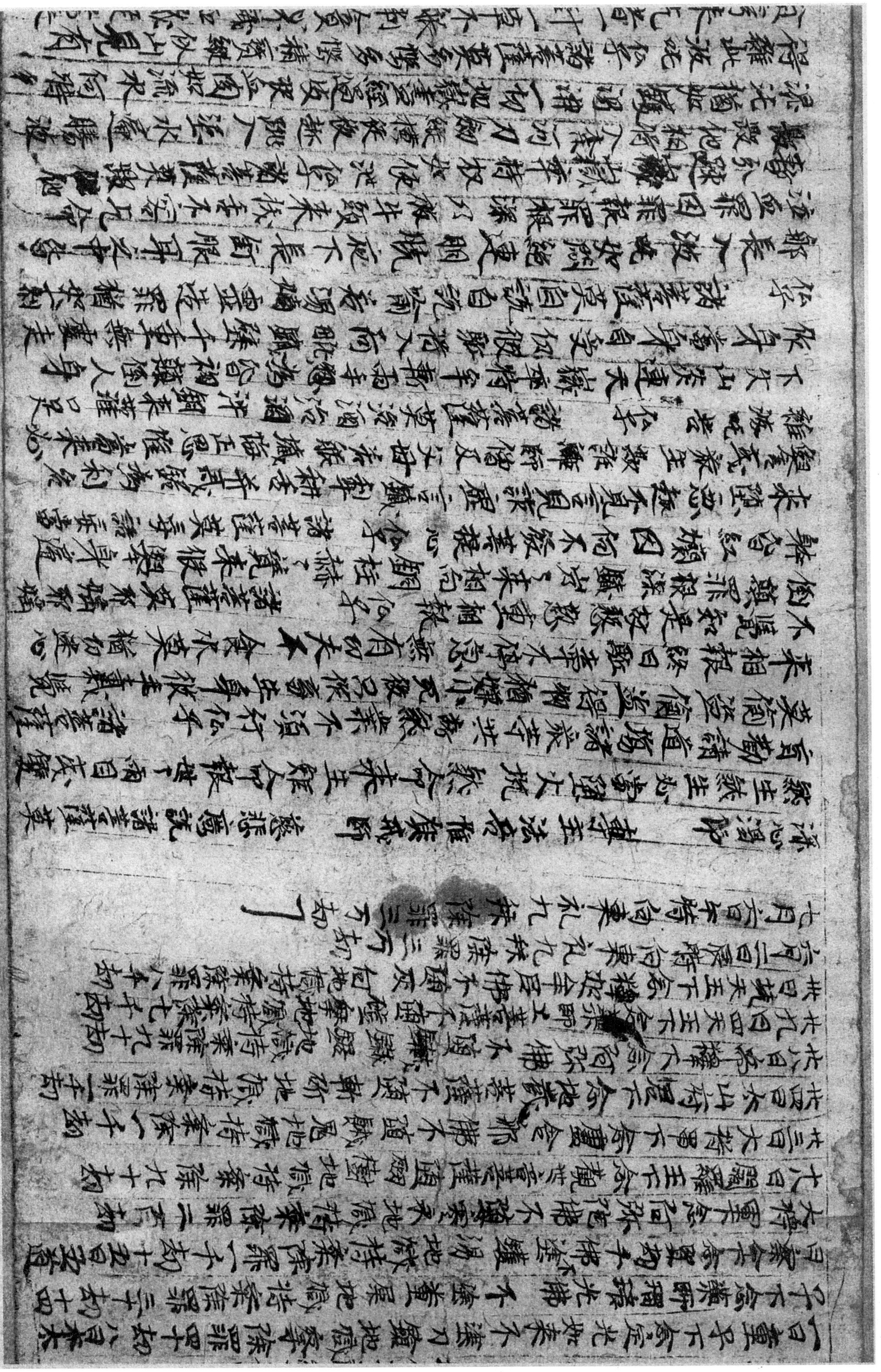

BD02918號背3　地藏菩薩十齋日

BD02918號背4　和菩薩戒文

（5–2）

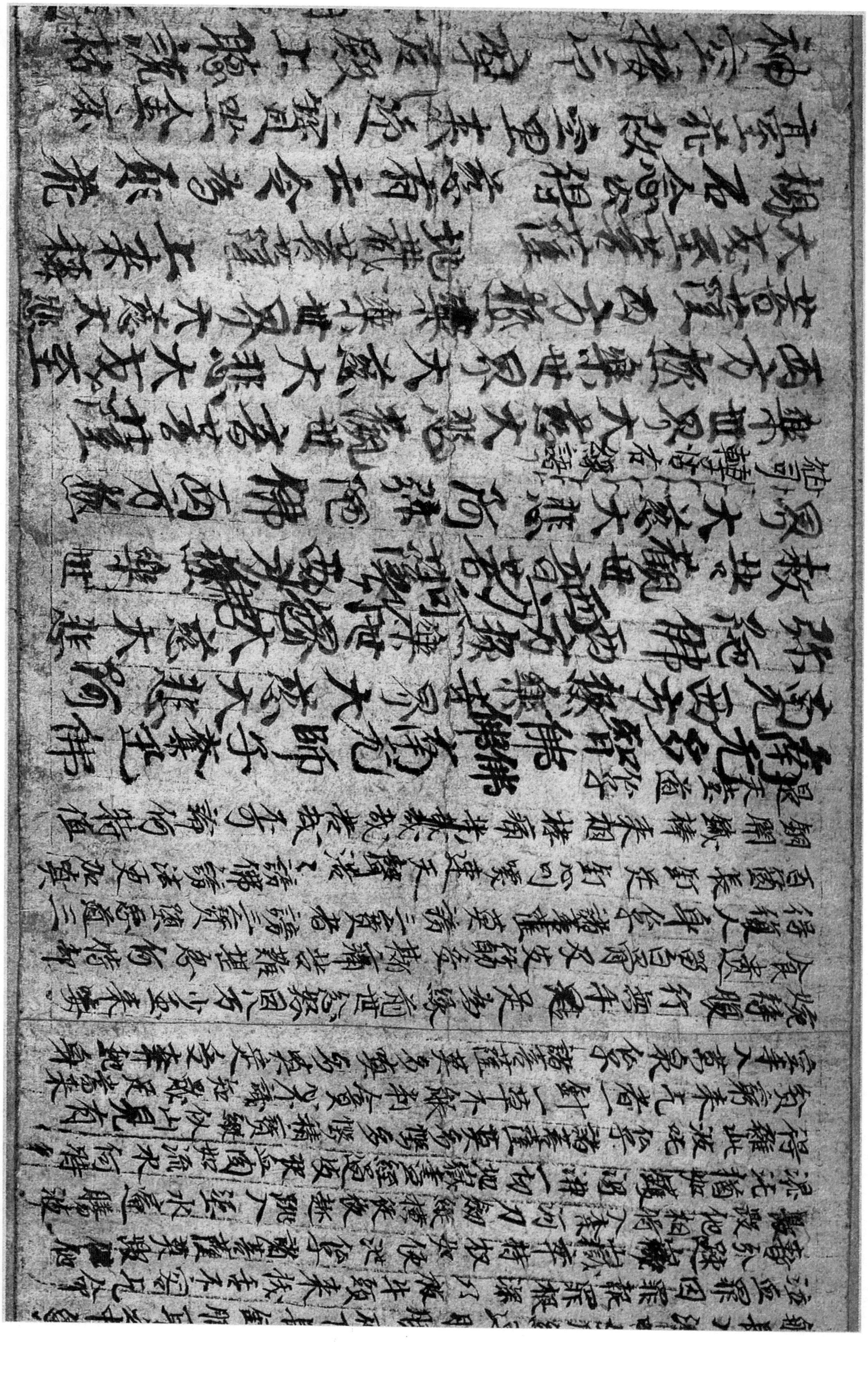

BD02918號背4　和菩薩戒文
BD02918號背5　十念功德文（擬）

（5–3）

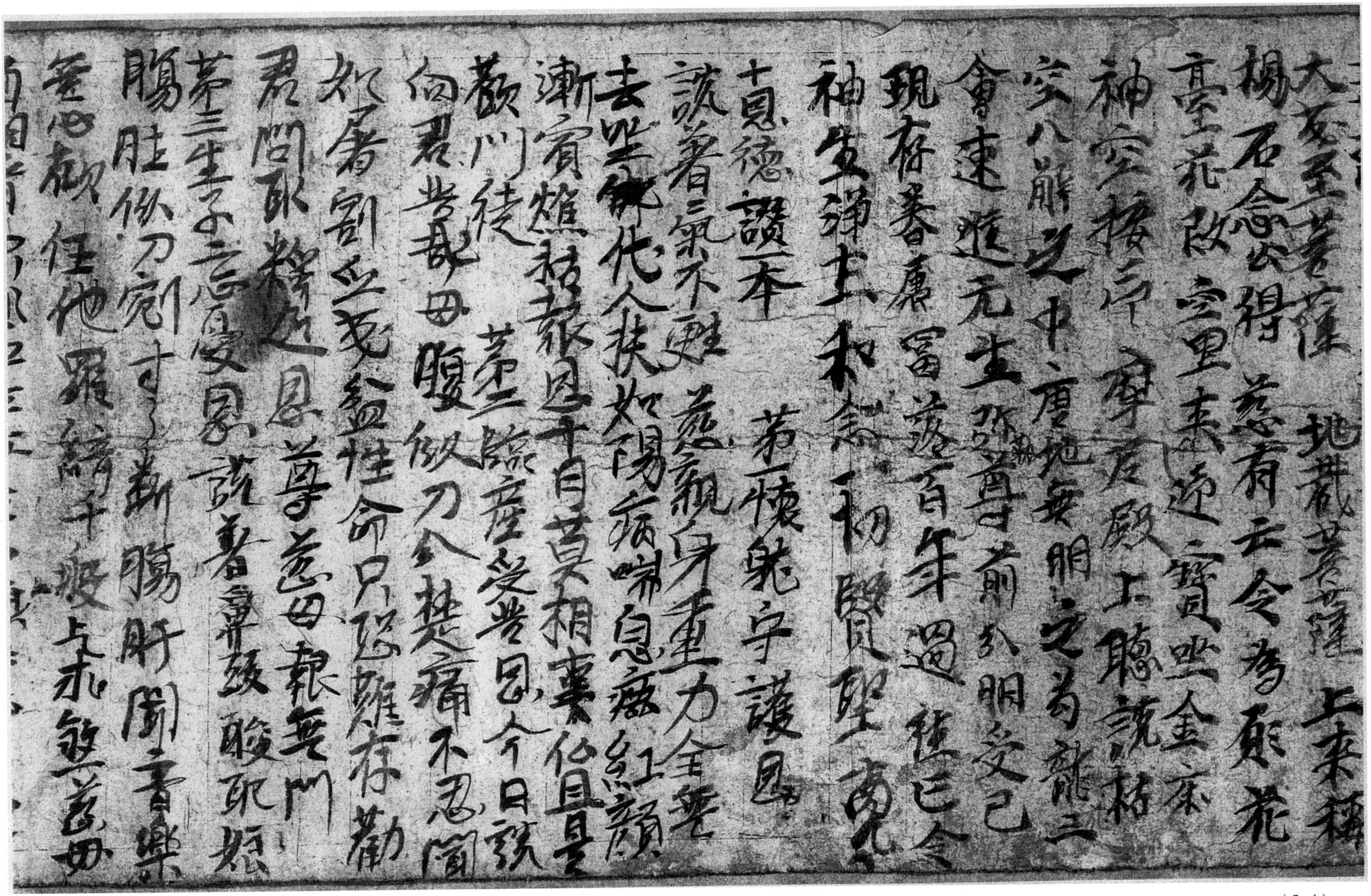

（5–4）

BD02918號背 5　十念功德文（擬）
BD02918號背 6　十恩德讚

如看割血見盆性命只恐難存勸
君聞說努道恩尊慈母報無門
第三生子忘憂恩就著身體酸疼
腸肚似刀剜寸寸斷腸肝悶悶音樂
無心聽任他羅綺千般上衣無慈母
面相看只願早平安第四咽苦吐甘恩今
日各須知可憐慈母自家飢貪餐一餐
孩兒吞男女母飢亂縱食酒肉不飽
須孝順乳哺敢上莫交歡第五乳
飽養育恩喜乳近三年養兒向乳
哺見除由怕更飢寒聞啼哭殊未安
腸肚刀盤小難住諸任他生得百千般
修眼目須看第六迴乾就濕恩
乾處未見眼不織恩及腥膻慈母
臥濕頻專繫縛怕處研不離孩

安押字

說身
是虛妄若見
須菩提白佛言世尊頗
說章句生實信不佛告須菩提
如來滅後後五百歲有持戒脩
句能生信心以此為實當知是人
二佛三四五佛而種善根已於无量
所種諸善根聞是章句乃至一念
須菩提如來悉知悉見是諸眾生
福德何以故是諸眾生无復我相
相壽者相无法相亦无非法相何以
眾生若心取相則為著我人眾生
取法相即著我人眾生壽者何以
法相即着我人眾生壽者是故不
應取非法以是義故如來常說汝等比
我說法如筏喻者法尚應捨何況非法
須菩提於意云何如來得阿耨多羅三藐三
菩提耶如來有所說法耶須菩提言如我解
佛所說義无有定法名阿耨多羅三藐三菩
提亦无有定法如來可說何以故如來所說
法皆不可取不可說非法非非法所以者何
一切賢聖皆以无為法而有差別

BD02919號　金剛般若波羅蜜經　（13-1）

菩提耶如來有所說法耶須菩提言如我解
佛所說義无有定法名阿耨多羅三藐三菩
提亦无有定法如來可說何以故如來所說
法皆不可取不可說非法非非法所以者何
一切賢聖皆以无為法而有差別
須菩提於意云何若人滿三千大千世界七
寶以用布施是人所得福德寧為多不須菩
提言甚多世尊何以故是福德即非福德
性是故如來說福德多若復有人於此經中受
持乃至四句偈等為他人說其福勝彼何以故
須菩提一切諸佛及諸佛阿耨多羅三藐三
菩提法皆從此經出須菩提所謂佛法者即
非佛法
須菩提於意云何須陁洹能作是念我得須
陁洹果不須菩提言不也世尊何以故須陁
洹名為入流而无所入不入色聲香味觸法
是名須陁洹須菩提於意云何斯陁含能
作是念我得斯陁含果不須菩提言不也世尊
何以故斯陁含名一往來而實无往來是名
斯陁含須菩提於意云何阿那含能作是念
我得阿那含果不須菩提言不也世尊何以
故阿那含名為不來而實无來是故名阿那
含須菩提於意云何阿羅漢能作是念我得
阿羅漢道不須菩提言不也世尊何以故實
无有法名阿羅漢世尊若阿羅漢作是念我
得阿羅漢道即為著我人眾生壽者世尊

BD02919號　金剛般若波羅蜜經　（13-2）

故阿那含名爲不來而實无來是故名阿那
含須菩提於意云何阿羅漢能作是念我得
阿羅漢道不須菩提言不也世尊何以故實
无有法名阿羅漢世尊若阿羅漢作是念我
得阿羅漢道即爲著我人衆生壽者世尊
佛說我得无諍三昧人中最爲第一是第一
離欲阿羅漢我不作是念我是離欲阿羅漢
世尊我若作是念我得阿羅漢道世尊則不說
須菩提是樂阿蘭那行者以須菩提實无所
行而名須菩提是樂阿蘭那行
佛告須菩提於意云何如來昔在然燈佛所
於法有所得不世尊如來在然燈佛所於法
實无所得
須菩提於意云何菩薩莊嚴佛土不不也世
尊何以故莊嚴佛土者則非莊嚴是名莊嚴
是故須菩提諸菩薩摩訶薩應如是生清淨
心不應住色生心不應住聲香味觸法生心
應无所住而生其心須菩提譬如有人身如
須弥山王於意云何是身爲大不須菩提言
甚大世尊何以故佛說非身是名大身
須菩提如恒河中所有沙數如是沙等恒河
於意云何是諸恒河沙寧爲多不須菩提言
甚多世尊但諸恒河尚多无數何况其沙須
菩提我今實言告汝若有善男子善女人以
七寶滿尒所恒河沙數三千大千世界以用
布施得福多不須菩提言甚多世尊佛告

BD02919 號　金剛般若波羅蜜經　（13–3）

於意云何是諸恒河沙寧爲多不須菩提言
甚多世尊但諸恒河尚多无數何况其沙須
菩提我今實言告汝若有善男子善女人以
七寶滿尒所恒河沙數三千大千世界以用
布施得福多不須菩提言甚多世尊佛告
須菩提若善男子善女人於此經中乃至受
持四句偈等爲他人說而此福德勝前福德
復次須菩提隨說是經乃至四句偈等當知
此處一切世間天人阿脩羅皆應供養如佛
塔廟何况有人盡能受持讀誦須菩提當知
是人成就最上第一希有之法若是經典所
在之處則爲有佛若尊重弟子
尒時須菩提白佛言世尊當何名此經我等
云何奉持佛告須菩提是經名爲金剛般若
波羅蜜以是名字汝當奉持所以者何須菩
提佛說般若波羅蜜則非般若波羅蜜須菩
提於意云何如來有所說法不須菩提白佛
言世尊如來无所說須菩提於意云何三千
大千世界所有微塵是爲多不須菩提言甚
多世尊須菩提諸微塵如來說非微塵是名
微塵如來說世界非世界是名世界須菩提
於意云何可以三十二相見如來不不也世
尊不可以三十二相得見如來何以故如來
說三十二相即是非相是名三十二相
須菩提若有善男子善女人以恒河沙等身
命布施若復有人於此經中乃至受持四句

BD02919 號　金剛般若波羅蜜經　（13–4）

[illegible]何可以三十二相見如來不不也世
尊不可以三十二相得見如來何以故如來
說三十二相即是非相是名三十二相
須菩提若有善男子善女人以恒河沙等身
命布施若復有人於此經中乃至受持四句
偈等為他人說其福甚多
尒時須菩提聞說是經深解義趣涕淚悲泣
而白佛言希有世尊佛說如是甚深經典我
從昔來所得慧眼未曾得聞如是之經世尊
若復有人得聞是經信心清淨則生實相當
知是人成就第一希有功德世尊是實相者
則是非相是故如來說名實相世尊我今得
聞如是經典信解受持不足為難若當來世
後五百歲其有衆生得聞是經信解受持
是人則為第一希有何以故此人无我相人相
衆生相壽者相所以者何我相即是非相人
相衆生相壽者相即是非相何以故離一切
諸相則名諸佛
佛告須菩提如是如是若復有人得聞是經
不驚不怖不畏當知是人甚為希有何以故
須菩提如來說第一波羅蜜非第一波羅蜜
是名第一波羅蜜
須菩提忍辱波羅蜜如來說非忍辱波羅
蜜何以故須菩提如我昔為歌利王割截身
體我於尒時无我相无人相无衆生相无壽者
相何以故我於往昔節節支解時若有我
相人相衆生相壽者相應生瞋恨須菩提又

BD02919號　金剛般若波羅蜜經　（13–5）

須菩提忍辱波羅蜜如來說非忍辱波羅
蜜何以故須菩提如我昔為歌利王割截身
體我於尒時无我相无人相无衆生相无壽者
相何以故我於往昔節節支解時若有我
相人相衆生相壽者相應生瞋恨須菩提又
念過去於五百世作忍辱仙人於尒所世无我
相无人相无衆生相无壽者相是故須菩提
菩薩應離一切相發阿耨多羅三藐三菩提
心不應住色生心不應住聲香味觸法生心
應生无所住心若心有住則為非住是故佛
說菩薩心不應住色布施須菩提菩薩為
利益一切衆生應如是布施如來說一切諸
相即是非相又說一切衆生則非衆生
須菩提如來是真語者實語者如語者不
誑語者不異語者須菩提如來所得法此法
无實无虛
須菩提若菩薩心住於法而行布施如人入
闇則无所見若菩薩心不住法而行布施如
人有目日光明照見種種色
須菩提當來之世若有善男子善女人能於此
經受持讀誦則為如來以佛智慧悉知是
人悉見是人皆得成就无量无邊功德
須菩提若有善男子善女人初日分以恒河
沙等身布施中日分復以恒河沙等身布施
後日分亦以恒河沙等身布施如是无量百
千万億劫以身布施若復有人聞此經典信心

BD02919號　金剛般若波羅蜜經　（13–6）

人悉見是人皆得成就无量无邊功德
須菩提若有善男子善女人初日分以恒河
沙等身布施中日分復以恒河沙等身布施
後日分亦以恒河沙等身布施如是无量百
千万億劫以身布施若復有人聞此經典信心
不逆其福勝彼何況書寫受持讀誦為人解說
須菩提以要言之是經有不可思議不可稱
量无邊功德如來為發大乘者說為發最上
乘者說若有人能受持讀誦廣為人說如來
悉知是人悉見是人皆得成就不可量不可
稱无有邊不可思議功德如是人等則為荷
擔如來阿耨多羅三藐三菩提何以故須菩
提若樂小法者著我見人見眾生見壽者見
則於此經不能聽受讀誦為人解說須菩提
在在處處若有此經一切世間天人阿脩羅
所應供養當知此處則為是塔皆應恭敬作
礼圍繞以諸華香而散其處
復次須菩提善男子善女人受持讀誦此經
若為人輕賤是人先世罪業應墮惡道以今
世人輕賤故先世罪業則為消滅當得阿耨
多羅三藐三菩提須菩提我念過去无量阿
僧祇劫於然燈佛前得值八百四千万億那
由他諸佛悉皆供養承事无空過者若復有
人於後末世能受持讀誦此經所得功德於
我所供養諸佛功德百分不及一千万億分
乃至筭數譬喻所不能及須菩提若善男

BD02919號　金剛般若波羅蜜經　（13–7）

由他諸佛悉皆供養承事无空過者若復有
人於後末世能受持讀誦此經所得功德於
我所供養諸佛功德百分不及一千万億分
乃至筭數譬喻所不能及須菩提若善男
子善女人於後末世有受持讀誦此經所得功
德我若具說者或有人聞心則狂亂狐疑不信
須菩提當知是經義不可思議果報亦不可思
議尔時須菩提白佛言世尊善男子善女人發
阿耨多羅三藐三菩提心云何應住云何降
伏其心佛告須菩提善男子善女人發阿耨
多羅三藐三菩提者當生如是心我應滅度
一切眾生滅度一切眾生已而无有一眾生
實滅度者何以故若菩薩有我相人相眾生
相壽者相則非菩薩所以者何須菩提實无
有法發阿耨多羅三藐三菩提者
須菩提於意云何如來於然燈佛所有法得
阿耨多羅三藐三菩提不不也世尊如我解
佛所說義佛於然燈佛所无有法得阿耨多
羅三藐三菩提佛言如是如是須菩提實无
有法如來得阿耨多羅三藐三菩提須菩提
若有法如來得阿耨多羅三藐三菩提者然
燈佛則不與我受記汝於來世當得作佛号
釋迦牟尼以實无有法得阿耨多羅三藐三菩
提是故然燈佛與我受記作是言汝於來世
當得作佛号釋迦牟尼何以故如來者即諸

BD02919號　金剛般若波羅蜜經　（13–8）

燈佛則不與我受記汝於來世當得作佛号
釋迦牟尼以實无有法得阿耨多羅三藐三菩
提是故然燈佛與我受記作是言汝於來世
當得作佛号釋迦牟尼何以故如來者即諸
法如義若有人言如來得阿耨多羅三藐三
菩提須菩提實无有法佛得阿耨多羅三藐
三菩提須菩提如來所得阿耨多羅三藐三
菩提於是中无實无虛是故如來說一切法皆
是佛法須菩提所言一切法者即非一切法是故名一
切法須菩提譬如人身長大須菩提言世尊如來說
人身長大則為非大身是名大身
須菩提菩薩亦如是若作是言我當滅度无
量衆生則不名菩薩何以故須菩提實无有
法名為菩薩是故佛說一切法无我无人无
衆生无壽者須菩提若菩薩作是言我當莊
嚴佛土是不名菩薩何以故如來說莊嚴佛
土者即非莊嚴是名莊嚴須菩提若菩薩通
達无我法者如來說名真是菩薩
須菩提於意云何如來有肉眼不如是世尊
如來有肉眼須菩提於意云何如來有天眼
不如是世尊如來有天眼須菩提於意云何
如來有慧眼不如是世尊如來有慧眼須菩
提於意云何如來有法眼不如是世尊如來
有法眼須菩提於意云何如來有佛眼不如
是世尊如來有佛眼須菩提於意云何恒河
中所有沙佛說是沙不如是世尊如來說是

BD02919號　金剛般若波羅蜜經　（13–9）

提於意云何如來有法眼不如是世尊如來
有法眼須菩提於意云何如來有佛眼不如
是世尊如來有佛眼須菩提於意云何恒河
中所有沙佛說是沙不如是世尊如來說是
沙須菩提於意云何如一恒河中所有沙有
如是等恒河是諸恒河所有沙數佛世界如
是寧為多不甚多世尊佛告須菩提尒所國
土中所有衆生若干種心如來悉知何以故
如來說諸心皆為非心是名為心所以者何
須菩提過去心不可得現在心不可得未來
心不可得須菩提於意云何若有人滿三千
大千世界七寶以用布施是人以是因緣得
福多不如是世尊此人以是因緣得福甚多
須菩提若福德有實如來不說得福德多以
福德无故如來說得福德多
須菩提於意云佛可以具足色身見不不
也世尊如來不應以具足色身見何以故如
來說具足色身即非具足色身是名具足色
身須菩提於意云何如來可以具足諸相見
不不也世尊如來不應以具足諸相見何以
故如來說諸相具足即非具足是名諸相具
足須菩提汝勿謂如來作是念我當有所說法
莫作是念何以故若人言如來有所說法即
為謗佛不能解我所說故須菩提說法者无
法可說是名說法
須菩提白佛言世尊佛得阿耨多羅三藐三

BD02919號　金剛般若波羅蜜經　（13–10）

莫作是念何以故若人言如來有所說法即
爲謗佛不能解我所說故須菩提說法者无
法可說是名說法
須菩提白佛言世尊佛得阿耨多羅三藐三
菩提爲无所得耶如是如是須菩提我於阿
耨多羅三藐三菩提乃至无有少法可得是
名阿耨多羅三藐三菩提復次須菩提是法
平等无有高下是名阿耨多羅三藐三菩提
以无我无人无衆生无壽者脩一切善法則
得阿耨多羅三藐三菩提須菩提所言善法
者如來說非善法是名善法
須菩提若三千大千世界中所有諸須弥山
王如是等七寶聚有人持用布施若人以此
般若波羅蜜經乃至四句偈等受持讀誦爲
他人說於前福德百分不及一百千万億分
乃至筭數譬喻所不能及
須菩提於意云何汝等勿謂如來作是念我
當度衆生須菩提莫作是念何以故實无有
衆生如來度者若有衆生如來度者如來則
有我人衆生壽者須菩提如來說有我者
則非有我而凡夫之人以爲有我須菩提凡夫
者如來說則非凡夫
須菩提於意云何可以卅二相觀如來不須
菩提言如是如是以卅二相觀如來佛言須
菩提若以卅二相觀如來者轉輪聖王則是
如來須菩提白佛言世尊如我解佛所說義

BD02919 號　金剛般若波羅蜜經

（13–11）

須菩提於意云何可以卅二相觀如來不須
菩提言如是如是以卅二相觀如來佛言須
菩提若以卅二相觀如來者轉輪聖王則是
如來須菩提白佛言世尊如我解佛所說義
不應以卅二相觀如來尒時世尊而說偈言
若以色見我以音聲求我是人行邪道不能見如來
須菩提汝若作是念如來不以具足相故得
阿耨多羅三藐三菩提須菩提莫作是念如
來不以具足相故得阿耨多羅三藐三菩提
須菩提汝若作是念發阿耨多羅三藐三菩
提者說諸法斷滅莫作是念何以故發阿耨
多羅三藐三菩提者於法不說斷滅相須菩
提若菩薩以滿恒河沙等世界七寶布施若
復有人知一切法无我得成於忍此菩薩勝
前菩薩所得功德須菩提以諸菩薩不受福
德故須菩提白佛言世尊云何菩薩不受福德須
菩提菩薩所作福德不應貪著是故說不受福
德須菩提若有人言如來若來若去若坐若卧是
是人不解我所說義何以故如來者无所從來
亦无所去故名如來
須菩提若善男子善女人以三千大千世界
碎爲微塵於意云何是微塵衆寧爲多不甚
多世尊何以故若是微塵衆實有者佛則不
說是微塵衆所以者何佛說微塵衆則非微
塵衆是名微塵衆世尊如來所說三千大千世

BD02919 號　金剛般若波羅蜜經

（13–12）

是人不解我所說義何以故如來者无所從來
亦无所去故名如來
須菩提若善男子善女人以三千大千世界
碎為微塵於意云何是微塵衆寧為多不甚
多世尊何以故若是微塵衆實有者佛則不
說是微塵衆所以者何佛說微塵衆則非微
塵衆是名微塵衆世尊如來所說三千大千世
界則非世界是名世界何以故若世界實
有者則是一合相如來說一合相則非一合相
是名一合相須菩提一合相者則是不可說
但凡夫之人貪著其事須菩提若人言佛說
我見人見衆生見壽者見須菩提於意云何
是人解我所說義不世尊是人不解如來所
說義何以故世尊說我見人見衆生見壽者
見即非我見人見衆生見壽者見是名我見
人見衆生見壽者見須菩提發阿耨多羅
三藐三菩提心者於一切法應如是知如是見
如是信解不生法相須菩提所言法相者如
來說即非法相是名法相須菩提若有人

BD02919號　金剛般若波羅蜜經　（13–13）

BD02920號　大乘百法明門論開宗義記

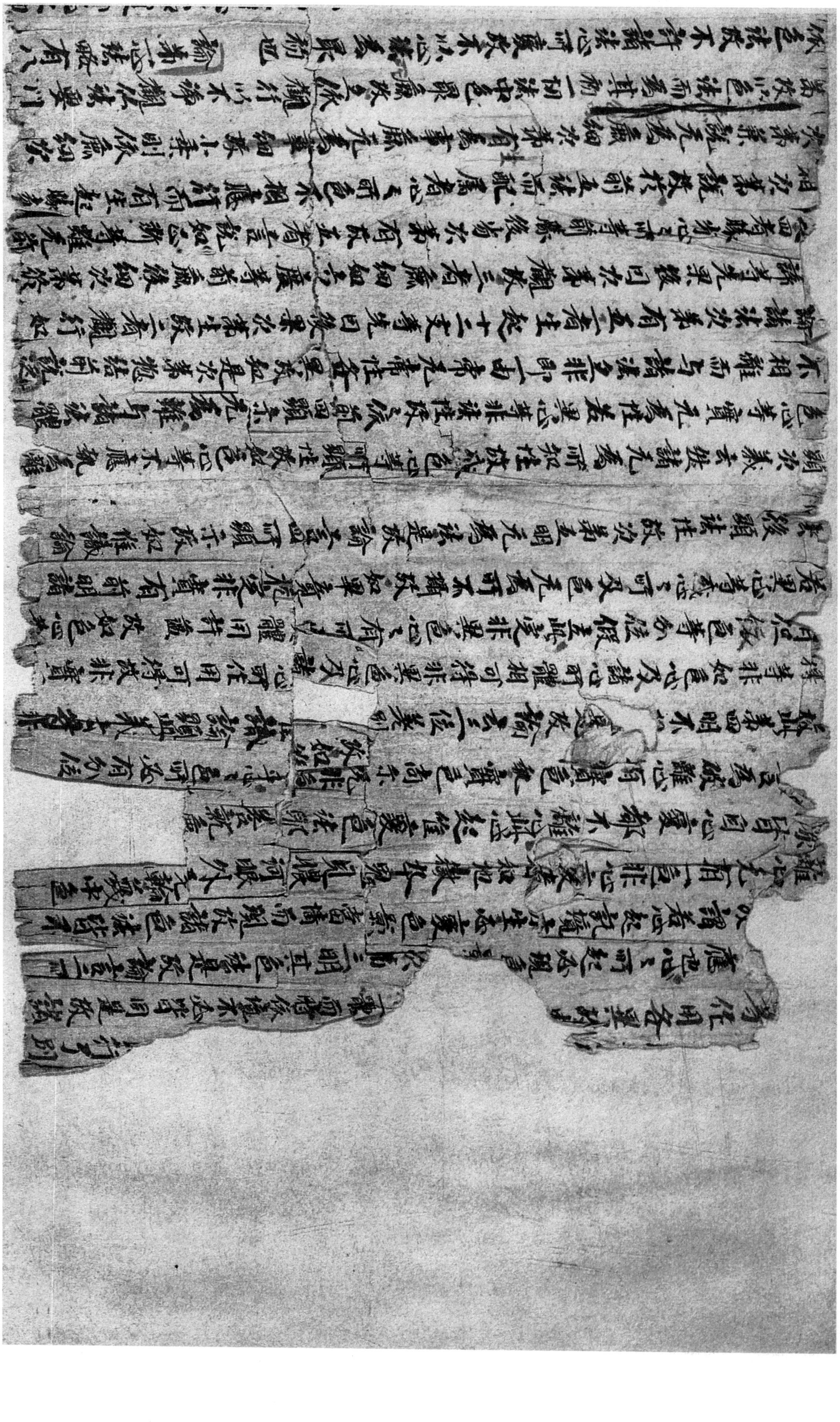

（10–1）

論四者勝劣心〻所等前麁後劣次第有故五者言說如心所等雖先首
細次第說故於前五法而配屬者心〻所色不相應行而有生起勝劣
次第兼說无為麁細次第有為事麁无為事細若小乘則依麁細次
第故以色法而爲其初一切法中色最麁故又依觀行以不淨觀爲法要門
依色法故不許諸法心所處故不以心法爲最初也　論第一心法略有八
種開日次下第四廣弁法相弁前五法即分爲五初心法中復分爲二初
揔數後弁列此初也謂此心法諸教異說若小乘教及大乘中隨轉理門
但說前六仍又不許一念並生故於現在隨起一識楞伽經等開阿
賴耶染淨二位說有九識若攝大乘依前六識根境識三立十一識攝
深密經等開阿賴耶染淨二位說七種名攝論所說一意識宗不開前六
但揔說三如是等教〻〻非一今𠊱體說但有八種諸教多少隨開合故
論一眼識二耳識三鼻識四舌識五身識六意識七末那識八阿賴耶
識 開日此弁列也然此八識唯教大乘宗先德皆有章門廣釋今開
略論未可繁文就要而明十門分別一釋名顯體二心所相應三所緣境
界四諸分行相五諸量同異六諸受有无七所依多少八所緣具闕九
能所薰異十斷常體殊此十義門諸論雖說而唯識論具而且明今名
多依唯識文釋初顯名體復有四句或有教說通中別名八雖通名爲
心意識依相增說心意識殊第八名心集諸法種起諸法故第七名意恒審
思量爲我相故前六名識了境相麁勝餘識故此於通中顯此別名或有教
說別中別名且前六識雖別名識依根境用各立三名依根立名〻眼識
等眼〻識故並依主釋隨境立名〻色識等識有色故並有財釋隨用立
名〻見識等見即識故並持業釋今此論說隨根立名而不隨境立識名者
隨根立名具五義故五謂依發屬助如根二依眼之識故名眼識要根不壞
依眼識生發色現前盲不見故三眼所發識故名眼識如病損眼識並見昔不
由色壞識猶見故三屬眼之識故名眼識種子隨眼種生不隨色種眼識生故
四助眼之識故名眼識由識合根有所領受根有損益非由色故五如眼之
之識故名眼識如根能照定是有情色非是中非定定故眼識說于餘識
准之隨境立名雖順識義但依五根未自在說若自在位諸根互用一境

BD02920號　大乘百法明門論開宗義記　（10–2）

依眼識生從色現前旨不見故三眼所發識故名眼識如底根眼識至與色
因色境識隸見故三屬眼之識故名眼識種子隨眼種生不隨色種眼識生故
四助眼之識故名眼識由識合根有所領受根有損益非由色故五如眼之
之識故名眼識如根能照定是有情色於是中非決定故眼識既不緣識
准之隨境立名難順識義但依五根未自在說若自在位諸根互用一根
發識緣一切境即令識有雜亂過隨用立名當知亦爾但可隨根無
相濫失又第六識楞伽經中更立別名分別事識分別內外種種事故起
信論中名分離識別依六根緣六境故其第七識通中別名名末那者此
譯名意恒審思量為性相此名何異第六意識此持業識如藏識
名識即意故彼依主釋如眼識名識異六意故此意別名復有三種一補
特伽羅我見相應名染淨所意二法我見相應名有覆意三平等
性智相應名清淨意前通一切異生相續二亦有學七地已前一類菩薩
有漏心位彼緣阿賴耶識起補特伽羅我見次通一切異生聲聞獨覺
相續一切菩薩法空智果不現前位彼緣異熟識起法我見後通一切如
來相續菩薩見道及修道中法空智果現在前位彼緣無垢識等起平
等性智其第八識差別名者此依位別有三種名一名阿賴耶此譯名藏識
能藏所藏執藏義故謂前七識皆從種生因果體相不可定異即攝
諸識種子七識所熏是彼氣分不離七識既攝種子為第八識種子
此種為第八識七識皆為此識所攝藏諸法於自體中故名能藏
是前七識所攝藏自體於諸法之中故名所藏從無始來任運相續似
一似實我相故第七識恒執為我我見所攝故名執藏藏是業用識即是
體藏即是識持業釋也此名唯在異生有學非無學位不退菩薩有雜染
法執藏義故二毗播迦此名依執藏說以前二義通於位故由是此名過
失最重最初捨故此中偏說二名毗播迦此名異熟謂此識體性唯無記
乃是能引善不善業果為善惡之記果體名異熟有異熟是而熟
變異而熟異類而熟異時而熟具此三義故名異熟若前二義名異熟者前七
識等亦得此名因時果異果由因變異而果方熟義皆通故依偏一義名異
熟者因是第八識種得此名也善惡因感無記果異類熟義非餘識

法執藏義故。乃有邪名依執藏說。以前二義通據位故，由是此名過
失最重，最初捨故，此中偏說。二名毗播迦，此名異熟，謂此識體，唯無記
乃是能引善不善業異熟生。既是果體，名異熟者，異是而熟
變異而熟，異類而熟，具此三義，故名異熟。若前二義名異熟者，前七
識等亦得此名。因時果異，果由因變，異而果方熟，義皆通，故依偏一義名異
熟者，因第八識攬得此名。以善惡因，感無記果，異類熟義非餘識
故。異熟義通因熟。唯果名異熟，有二種，子現行。若果異屬因，是以之熟。若
異果，果即是熟，異熟即識，熟屬現行異熟。二識熟屬種子。故餘
轉識不得此名。名唯在異生二乘諸菩薩位，非如來地，由有異熟無記法故。
三名末阿羅耶，此名無垢，最極清淨，諸無漏法所依止故。此名
持業識也。此名唯在如來地，菩薩二乘及異生位持有漏種可受熏習，
未得善淨第八識故。此等皆是別中別名。或有教立別中通名，其六
識通名受用，六塵生苦樂故。雜集論中名生起識，數從本識而生起故。
若兼第七通名轉識，見道等中有間轉故。若第八識通前三名及
一切位有四種名。或名根本識，是前七識染淨諸法生根本故。或名阿
陀那，執持種子及諸色根令不壞故。或名所知依，能與染淨所知
諸法為依止故。或名種子識，能遍任持世出世間諸種子故。此等並是別中
通名。或有教說通中通名，名為心意識，即此前別中通名更通名為心意
識故。此前通義通名心者，緣慮集起通諸識故。前標云心法有八
或通諸義皆名為意，皆有能生依止義故。蘊門中通名意處，或
此諸義通名為識，皆能了別諸緣相故。五蘊論中皆識蘊攝而論列
中並名識也。小乘通依三世果等未來名心，即集義故；現名識，能了別
故。果是名意，開道依故。心起必有心所相應，隨心住類，與彼俱起，故名
八識性有善、不善、有覆無記、無覆無記。能於此世他世順益，故名為善，人天樂果雖
於此世能為順益，非於他世，故不名善。能於善、不善損，名為不善。於事中不可
記別，故名無記。若性染污能蔽於心，障聖道故，名有覆；若非染污
不能蔽心，不障聖道，故名無覆。無記第八雖是無覆無記，以此識是異熟性
故。異熟若是善、染污者，流轉還滅應不得成。又此識是善染依故

BD02920號　大乘百法明門論開宗義記　（10-4）

八識性有善不善有覆无記能於此世他世順益故名為善人天樂果雖
於此世能為順益非於他世故不名善能於善不善損益事中不可
記別故名无記若性染汙能蔽於心障導聖道故名有覆若非染汙
不能蔽心不障聖道故名无覆第八唯是无覆无記以此識是異熟性
故異熟若是善染汙者流轉還滅應不得成又此識是善染依故
若善染者互相違故應不与二俱作所依又此識是所熏性故若善染者
如極香臭應不受熏无所熏故雜染清淨因果俱不成立既信貪等是雜
善染故与此識定不相應惡作等四无記性者有間斷故亦不相應
其別境五緣別別境謂欲希望所樂事轉此識任運无所希望勝
解印持決定事轉此識瞢昧无所印持念唯明記曾習事轉此識昧劣不
能明記定能令心專注一境此識任運刹那別緣慧唯簡擇德等事轉此
識微昧不能簡擇故此不与別境相應其觸作意受想思五以是遍行
心所法故若无此五心必不生无觸受等不名心故其遍行相後當廣說
第七唯是有覆无記染汙障導聖道隱蔽自心故名有覆一類
內執不起此世損益故名无記故唯十八心所相應謂觸等五別境中
慧我癡我見我慢我愛八大隨惑惡慧与遍行是相應故執我法者
必有慧故遍於我相迷无我故於非我法妄計度故隨所執我生高舉
故於所執我深耽著故八大隨惑遍染心故何故此識无餘心所我見常起
无餘見故无一心中有二慧故慧与我見義用別故由見審決不猶豫故
愛所執我不增恚故恒緣合境无希望故恒緣定事无印持故恒緣
現境无記憶故刹那別緣不專一故善唯是淨汙故不十處猛此審
細故二中不善此无記故恒緣定境非悔先故眠依外緣此內起尋伺麁
細此一類故七唯十八心所相應第六意識通一切性且諸分別內外
門轉於損益性皆可記故所起染汙雖為受伏性非損益障聖道
故諸業所招異熟果心性非染汙不障道故善一切心所相應
雖非一時一切俱起隨起三性即彼相應眼等五識雖以門轉然同意識
通其四性由无計度隨念分別唯三十四心所相應謂五遍行及五別境十一善
法二本煩惱中三文八中隨煩惱觸等遍与心相應故能微劣緣別別境

緣此一類故[illegible]唯十八心所相應[illegible]
門轉於損蓋性皆可記故所起諸行雖為究休性非損蓋障聖道
彼滿業所招異熟果心性非染汙不障道故二客一切心所相應
雖非一時一切俱起隨起三性即彼相應眼等五識雖從門轉然同意識
通其四性由无計度隨念分別唯三十四心所相應謂五遍行及五別境十一善
法三本煩惱中二丈八十隨煩惱謂等遍与心相應故能彼分緣別別境故然
有翻染諸善法故有貪瞋癡不善根故无慚无愧通不善故掉舉等八
遍染心故所餘心相所何不相應由尋伺等起得等故小十猛利緣分故
追悔睡眠非五法故尋伺是意不共法故此通因中三性位說若在果位皆
无漏善与二十一心所相應遍行別境及善十一与一切心恒相應故常樂讚
知所觀境故於所觀境恒印持故於曾受境恒明記故世尊无有不定
心故於一切法常決擇故極淨信等常相應故无染汙故无散動故非
不定等心所相應既隨此等心所相應於所緣境亦有寬狹因中五識唯
緣色等五塵假實如下所明而五識緣有其二說有說五識但緣實
境由任運起不待名言及待此餘根境起故其長短等諸餘假色要待
名言及餘所起是故不緣長等假色有說五識亦緣假境以長短等
然色處攝故眼識緣不違於理然緣假時必緣於實緣實之時不緣
於假實不依假假依實故第六意識緣一切境其三七等一切分別於別
識中最為勝故若第七識唯緣第八見分為我不緣相分識中種子及相應
法以為我所我我所執不俱起故以此識俱薩迦耶見任運一類恒相續
生无容別起我執故有處說執我所者以執此識是我之我故於一見
義說二言其第八識雖極細故所緣行相俱不可知由因緣力自體
生時內變執受種子色根外變所依起世界相即以所變為自所緣
行相文之而得起故若有色界具三緣无色界唯種子不變心等為所緣
者有漏識變略有二種一隨因緣勢力變故二隨分別勢力變故初必
有用後但為境異熟識變但隨因緣所變色等必有實用若變心
等便為无用相分心等不能緣故須彼實用別從此生是故第八不緣心
等若從此識緣七識種稱本質得名緣但依現行即无緣義此等
皆依有漏位說若无漏位四智相應遍緣真俗一切境界不尒佛果

者有漏識變略有二種一隨因緣世力變故二隨分別勢力變故變前必
有用後但爲境異熟識變但隨因緣所變色等必有實用若變心
等便爲無用相分心等不能緣故須彼實用別從此生是故第八不緣心
等若從此識緣七識種稱未歸本名得名緣但依現行即無緣義此等
皆依有漏位說若無漏位四智相應遍緣真俗一切境界不尔佛果
非遍知故此諸境相皆自心變實不離心是心分故若此心分總有四種
一者相分二者見分三自證分四證自證分謂有漏識自體生時皆似所緣
能緣相現彼相應法應知亦然似所緣相說名相分似能緣相說名
見分若心心所無所緣相應不能緣自所緣境或應一一能緣一切自境
如餘餘如自故若心心所無能緣相應不能緣如虛空等
又是能緣故知必有見相二分是所緣見分名行相相見必有所依自
體即此自體名自證分此若無者自證分應不自憶心心所法如不曾更
境必不能憶故相見應無所依體故所量能量無量果故三知
必有此自證分心分現同必合相證若無第三故應更有證自證分
此是第三自證分果諸能量者必有果故不應見分爲第三果見
分或時非量攝故證自體者必現量故若尔應更立第五分是
則便爲有無窮之失若但以第三即證第四皆是現量得相證故
斯二是外後二是內初唯所緣後三通二謂第二分即非離皆不離心其所能緣無
窮過也有漏識四分皆通若無漏心有無不定謂正體智見有
相無緣真之智必有見分若無見分雖有見分而無分別說無相取不取
相故雖無相分而可說此帶如相起不離如故如自證分緣見分時不變而
緣此亦應尔變而緣者便而非親證如後得智有境相故若後得智二分皆有
說此智品有分別故說此思惟似真如相不見真實真如相故分別諸法自
共相等觀諸有情爲說法故若後二分二智雖通緣用有無則各差別諸根
本智即不相緣若後得智有相緣用有相無相二用別故是謂略說四分之義
而前所說諸識境相應智即是識之相分是心分故非即離心離心心所皆
有四分而能量境則有若別爲八識量總有三種一者現量現謂顯前
[illegible]

說此智亦有分別故說此思惟似真如相不見真實真如相故分別諸法自
共相等觀諸有情為說法故若後二分二智雖一通緣用有無則各差別謂根
本智即不相緣若後得智有相用有相無相二用別故是謂略說四分之義
而前所說諸識境相應智即是識之相分是心分故非即離心心所皆
有四分而能量境則有若別為八識量總有三種一者現量謂現前
謂量謂量度謂於現前明了色等不迷亂相而得了知離諸名言種類
分別照境明白故名現量現即是量持業釋也二者比量比類量義謂
前謂於不現在前色等而精衆相於所觀義有正智生了知有火
無常等是名比量比即是量亦持業釋三者非量謂若有境非可現
知明白而照亦非衆緣而可比度境體實無非可量度於非量而起
心量故名非量故非六釋攝此三量皆約心論不約境說非能量故八
識中五八二識唯是現量由無計度隨念分別但於境界任運轉故若
末那識唯是非量緣第八識執為我故於非我法而横計故若第六識
通有三種具自性等一切分別能遍了知一切境故四分中初之相分唯
是所量其後三通三分之見分通其三量其後二分唯是現量證自體者必
現量故所依因位八識而說若於果位亦有差別則正體智一切現量若
後得智亦通三量緣自共相一切境故即量覺相應領順違受相
略有三種領違境相逼迫身心說名苦受領順境相適悅身心說名樂
受領中容境相於身於心非逼非悅名不苦不樂受於苦樂中復各分二
所謂苦有憂喜樂別故逼悅身心相各異故由無分別有分別故無重輕有差別
故不苦不樂不分二者非逼非悅相無別故無分別故平等轉故諸
逼悅受五識相應恒名為樂意識相應名喜名樂若在欲界初二
靜慮近分名喜但悅心故若在初二靜慮根本名樂名喜悅身心故第
三靜慮根本名樂安靜無重無分別故諸逼迫受五識相應恒名為
苦意識相應名憂名苦若人天中者恒名為憂由有分別非無重故傍
生鬼界名苦名憂雜受純受有輕重故捺落迦中唯名為苦純受
無重無分別故餘不苦不樂若身若心皆名為捨或在第四
靜慮近分并根本已上並名為捨者平等轉故離變易受不動

BD02920 號　大乘百法明門論開宗義記

（10–8）

通悅受五識相應恒名爲樂意識相應名喜名樂若在欲界並一
靜慮近分名喜但悅心故若在初二靜慮根本名樂名喜悅身心故第
三靜慮根本名樂安靜无重无分別故諸過逼受五識相應恒名爲
苦意識相應名憂名苦人天中者恒名爲憂由有分別非尤重故傍
生鬼界名憂名苦雜受純受有輕重故捺落迦中唯名爲苦純受
尤重无分別故除此餘位不苦不樂若身若心皆名爲捨或在第四
靜慮近分根本已上並名爲捨者平等轉故離變易受不動
地故若身若心无分別相故之知六識受三容俱得自在位唯喜
樂捨諸佛已斷苦憂事故若第七識從无始來任運一類緣
内執我恒无轉易与變異受不俱起故其第八識極不明了不能分別
違順境相微細一類相續轉故之唯与捨受相應在果位亦唯捨受任
運恒時平等轉故離此諸義依心心所而心心所皆有所依然彼所依總
有三種一因緣依謂自種子諸有爲法皆託此依離自因緣必不生故
並種自類因果不俱種現相生決定俱有雖如束蘆俱而時有□是八
識及諸心所定各別有種子所依二增上緣依謂內六處諸心心所皆託
此依離俱有根必不轉故於中五識有四所依謂五色根六七八識
隨闕一種必不生故同境分別染淨根本所依異故第六意識俱有
所依但有二種謂七八識隨闕一種必不生故不共根本所依異故若
末那識俱有所依但有一種謂阿賴耶識若无必不轉故阿賴耶識
俱有所依亦有一種謂末那識若无必不轉故說眼識等□
緣等者依与所依義相離說依謂一切有生滅法皆因杖緣而得
生住諸所杖託緣而得生住諸杖所託皆說爲依如王与臣互相依
□此 但
等若法決定有境爲主令心心所取自所緣乃是所依即
如王非如臣等故俱有依但唯爾所三等无間緣依謂前滅意
託此依離開導根必不起故要有緣法爲主能作等无間緣
所法開避引導此但屬心非心所等若此与彼无俱起義說此依
乃一身八識即容俱起故唯自類爲開導依不爾不許六識並
即名爲識道起而滅即名爲意意故許又作等无間緣故

BD02920號　大乘百法明門論開宗義記　　（10–9）

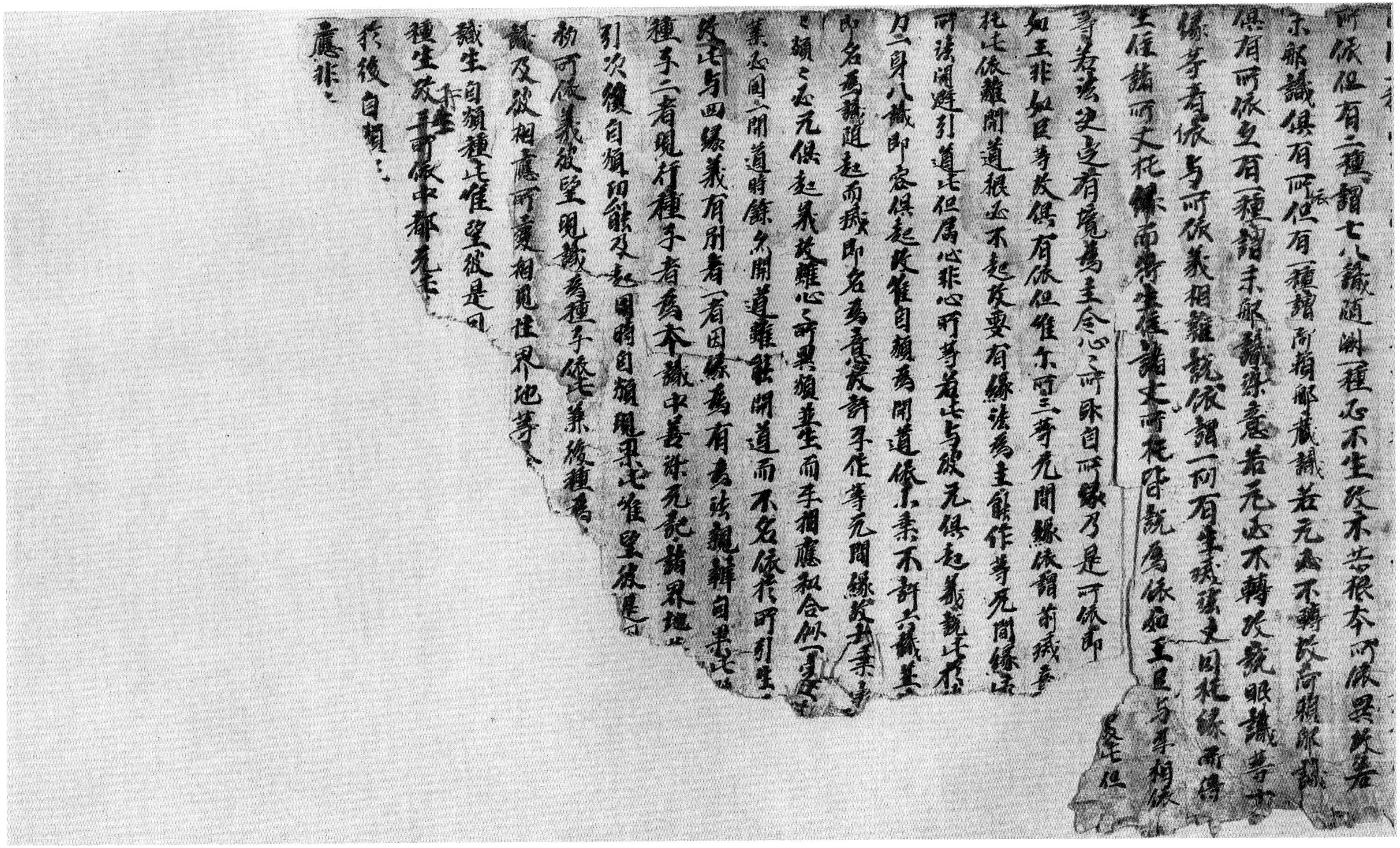

BD02920號　大乘百法明門論開宗義記

（10–10）

BD02920 號背　雜寫　（4–1）

BD02920號背　雜寫

（4–2）

合眼上无聲相　眼即不聞聲　眼上帶色相　帶相能見色
相分量云　眼上无聲相　眼即不聞聲眼上无色相　如何能見色
二云師　眼上无色相　許還眼能見色　眼上无聲相　眼色合聞聲
見分量云　虛空无能緣　无緣不見色　心等无能緣　如何能見色
第二師云　心等无能緣　无緣而見色　虛空无能緣　虛空合見色
合云　虛空无能緣　虛空不見色　心等是能緣　能緣而見色

BD02920號背　論眼心見色（擬）

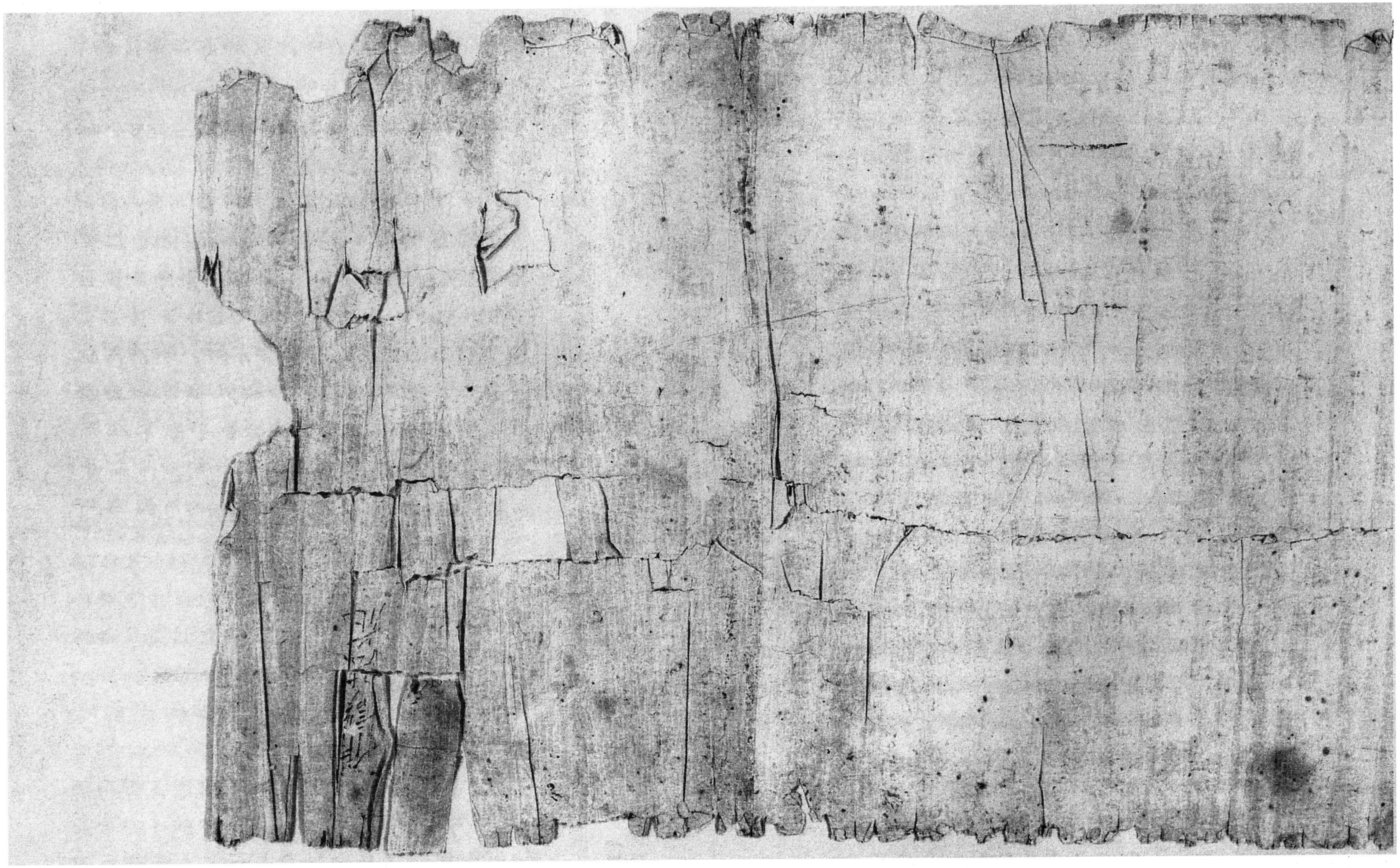

BD02920號背　雜寫　　　　（4–4）

……去永徽三年十一
……見有四人來取一人把
……策腕將向閻羅王處初
令時州縣城相似入銅城又入
……入金城內把文書人引仕強至殿前
見閻羅王當殿正坐威儀服飾甚自嚴毅王
即語把文書人得仕強來送置豬胎中仕強
既聞此語即分疏云仕強小來不盜不煞豬
鷄肉實不曾煞豬遣入豬胎情實不服王即
語把文書人遣汝取煞豬仕強何因將不煞豬
仕強來出去向曹司勘當把文書人并三人牽
仕強出金城外傍墻東向見有數十間舍並
朱柱白壁復有官人坐處方橋案褥官人並
下佐史亦无唯有一人獨守文案見把文書
人并三人㨹仕強入即問為何將此人來把文
書人荅云閻羅王遣將向曹司勘當有死名不
守文案人云官人並下案典復无誰為君勘當
此事任君自檢案把文書人仍與仕強共檢文
案无有死名守文案人即語把文書人云死案
既多難可卒遍君向錄事頭檢抄即知有

BD02921 號 1　黃仕強傳

（24–1）

守文案人云官人並下案典復无誰為君勘當
此事任君自檢案把文書人仍與仕強共檢文
案无有死名守文案人即語把文書人云死案
既多難可卒遍君向錄事頭檢抄即知有
死名不此守文書人即令出去官人尋上仕
強共把文書人同行出得五六步仕強語守
文案人云仕強父母死得二十許日欲請相見
復得以不守文案人語仕強言若死得二十
許日曹司不在此今覓相見事不可得君須
出去仕強行又得十步守文案人喚仕強住
汝有錢否與我少多亦汝長命法仕強云无
有多錢有三十餘文恐畏少短守文案人云
亦是何必須多汝還家訪寫證明經三卷得
壽一百二十歲仕強云家內雖煎不能得三
卷仕強身充衛士一弟捉安州公廨本錢一
弟復向嶺南逃走若遣寫三卷恐不能辦寫
取一卷復得以不守文案鬼云不得要須寫
三卷猶如三人證事始得成證若寫一卷於
事无益仕強云家事雖煎一時不辦漸寫取
足復得以不守文案人云若一時不辦漸寫
取足亦得仕強語訖即出曹司門外見有懸
崖百餘丈投中遂得身活還見家人具說逗
留因即訪寫此經求本竟无所得唯得明證
經仕強不肯寫守文書人令我寫證明經恐
非此本有人語仕強云汝可向彭慧通家借
經目錄勘有證明經不借勘果有此本目錄

BD02921 號 1　黃仕強傳

（24–2）

留因即訪冩此經求本竟无所得唯得明證
經仕強不肯寫守文書人令我寫證明經愁
非此本有人語仕強云汝可向彭慧通家借
經目錄勘有證明經不借勘果有此本目錄
上注云京師兩寺有本江淮南閒一處有本
仕強依目錄上往彼尋覓遂得證明經本寫
三卷竟從尒已後仕強先患瘡癬並悉除損
身體肥健非復常日具說死時逗留事狀如
此

普賢菩薩說證明經

聞如是一時佛在靈鷲山祇水邊說此法時
八万四千人俱皆是阿羅漢諸漏已盡无復
煩惱盡諸有結所作已辦尒時會中比丘比
丘尼優婆塞優婆夷四部衆等皆來集會
一時聽法歡喜合掌一心奉行作礼而去
尒時普賢菩薩即從座起整衣服長跪叉手
前白佛言世尊釋迦涅槃後弥勒未興世衆
生有所疑云何為說之願佛分別說佛言汝
當堂心聽為汝分別說我本根元或是定光
身或是句樓秦佛身或是无光王佛身或是
寶勝佛身或是登明王佛身或是須弥尊
王佛身或是釋迦身我本菩薩時名為阿
逸多釋迦涅槃後先作法王治却後世年弥
勒正身下著有所疑而是略說尒時普賢菩
薩白佛言世尊夫一切衆生云何作功德可見
弥勒佛弥勒言善男子善女人剃除頭髮出
家學道而披法服隱居山林坐禪學道頭陀

BD02921 號 1　黄仕強傳
BD02921 號 2　普賢菩薩說證明經　（24–3）

王佛身或是釋迦身我本菩薩時名為阿
逸多釋迦涅槃後先作法王治却後世年弥
勒正身下著有所疑而是略說尒時普賢菩
薩白佛言世尊夫一切衆生云何作功德可見
弥勒佛弥勒言善男子善女人剃除頭髮出
家學道而披法服隱居山林坐禪學道頭陀
皆行而是之人等可得見弥勒若有善男子
遠離恩愛捨家棄俗剃除頭髮而披法服
一心皆行為人善說善行教化為說十善勸
人受戒廣為演說慈悲憐愍度脫生死長發
无上菩提之心挽拔危厄如是菩薩行如是
真人等亦得見弥勒善男子善女人若有造
浮圖塔廟講堂精舍經書形像莫問大小金
銀素鏤隨像大小速得成就无上發願者如
是之人等亦得見弥勒若有善男子善女人
峪平治道廣作義井河次造浮橋極濟窮者
如是救妙願亦得見弥勒復有善男子善女
人脩持五戒奉行十善一月六齋年三長齋
為人演說度他自度人我兼度如是毛髮
之心者菩提无上願如是之人等亦得見弥
勒若有比丘僧剃除頭髮而披法服雖受二
百五十戒不能持具相不如受持十戒行奉
持十善捨弥妙衣一心皆行莫生染心遠離
恩愛脩持十善一心皆行繩床錫杖香爐瓶
鉢九十日一移初夜後夜明冥礼拜六時行
道遺中一食進心不闕處處村落為人演說
朝唱暮誦極濟群生教于愚癡令出汙泥引

BD02921 號 2　普賢菩薩說證明經　（24–4）

持十善捨殊妙衣一心普行莫生法心遠離
恩應脩持十善一心普行繩床錫杖香爐瓶
鉢九十日一移初夜後夜明寅礼拜六時行
道遣中一食進心不闕處處村落為人演說
朝唱暮誦拯濟群生教于愚癡令出汙泥引
導衆生得出煩惱愚癡衆生火宅自燒不依
自知我遣良師引導化之方便說法得出火
宅遠離生死遭遇明師譬如病人值好良藥
病人得愈无有苦患持戒懺悔一心普行除
罪如是皆發信心不作諸惡長發善願得
入阿耨多羅三藐三菩提无上道意受持守
護斷諸煩惱如是之人得道不久皆弥勒普
賢菩薩白佛言世尊執取正法善治守護
拯濟病困若病厄受持此經典者病得除
愈若有橫官共相牽挽枷鏁繫閉心中憶
念普賢菩薩讀此經一百九遍使令其官即發
慈心廣演大赦解脫枷鏁得離橫官无有諸
苦若有衆生遠行不歸消息不通愁憂苦毒
煩惱自纏心中憶念普賢菩薩讀誦此經典
者心中所願无不獲得若有女人渴之男女少
患兒息亦當讀誦此經典者所願便得若有
女人產生難者心中當憶念普賢菩薩朝暮
礼拜受持讀誦此經典者兒則易產身體平
安長命之子辯才勇猛高遷富貴世尊榮
皆是普賢菩薩威神之力若有衆生衰亡
之後水火焚溺鳥鳴百怪野虫入家如是諸
怪不闕邪師一心精進受持讀誦此經典者

BD02921 號 2　普賢菩薩說證明經

（24–5）

安長命之子辯才勇猛高遷富貴世尊榮
皆是普賢菩薩威神之力若有衆生衰亡
之後水火焚溺鳥鳴百怪野虫入家如是諸
怪不闕邪師一心精進受持讀誦此經典者
衆惡雲除萬善普脩藥病不加身針灸
不近皆是普賢菩薩威神之力若有善男
子善女人若出家在家若白衣若道俗多有
患苦夜夢顛倒出入恐怖迫迮叫喚忘前失
後心中憶念普賢菩薩讀誦此經典者无
有諸患令身安隱不見諸苦皆是普賢菩
薩威神之力若有善男子若有願心中憶念
普賢菩薩受持讀誦行來出入无有諸苦
世值法遇善知識不遭橫苦皆是普賢菩
薩威神之力何以意故普賢菩薩閻浮履
地病之良藥此經閻浮履地厄難橋梁何
以意故此經是病之良師如是受持皆是
普賢菩薩威神之力
尒時普賢菩薩白佛言世尊欲為衆生說呪
三稱南无佛稱九佛名東方王明諸佛南方
離垢㲉金沙佛西方无量華佛北方日轉光
明王佛上方香積如來佛下方師子億像佛
金剛師子億像佛普光功德山王佛善住功
德寶王佛若有善男子善女人受持讀誦此
九佛名字不墮橫死不遭八難憐愍一切衆生
故即稱七佛名字第一維衛佛第二維式佛第
三隨葉佛第四拘樓秦佛第五拘那含牟尼
佛第六迦葉佛第七釋迦牟尼佛一切衆生

BD02921 號 2　普賢菩薩說證明經

（24–6）

九佛名字不墮枉死不遭八難樓陁一切衆生
故即稱七佛名字第一維衛佛第二維式佛第
三隨葉佛第四拘樓秦佛第五拘那含牟尼
佛第六迦葉佛第七釋迦牟尼佛一切衆生
若在病困中若在囙厄中若在大火中若在
山谷虎狼中若在險路賊盜中若在阿尼難
中常當誦七佛名字悉皆消滅何以意故此
經多饒神力往昔過去七十七億佛所說陁
羅尼神呪
南无佛陁南无達摩南无僧伽南无阿弥陁
佛薩陁婆羅婆菩提薩婆婆摩訶薩婆阿
利邪那婆樓薩婆波羅提木叉佛婆豆叉
帝利沙訶迦惻而說呪曰
憐愍一切病困衆生故復稱四天下王名字
南无東方提頭賴吒天王南方毗樓勒叉天
王西方毗樓愽叉天王北方毗沙門天王南无
達迦摩桂羅王上方釋梵天王下方轉輪聖
王海龍王須弥山頭阿脩輪王諸鬼神王菩
収縛諸鬼枷鏁諸鬼収録諸鬼神不得妄近
善男子善女人欲誦此呪時善持五戒不食
酒宍不食五辛一月六齋年三長齋六時行
道一心皆行可得誦此呪若不行是行諸不
善行不得誦此呪不脩十善行此呪還自傷
脩持十善行來四出諸天善神四天大王天
龍八部常來營受持此呪者皆得阿耨三
菩提道爲諸衆生故說諸鬼神名字若有
優樓比婆鬼若有比迦鬼若有鳩槃荼鬼若

善行不得誦此呪不脩十善行此呪還自傷
脩持十善行來四出諸天善神四天大王天
龍八部常來營受持此呪者皆得阿耨三
菩提道爲諸衆生故說諸鬼神名字若有
優樓比婆鬼若有比迦鬼若有鳩槃荼鬼若
有比沙迦鬼若有閦諸鬼我爲衆生解說鬼
神名字五地者狐狸是山神者他虫蟒蛇是
宅神者老鼠蝙蝠是天神者魔邪是若有
東來鬼若有東南來鬼若有南來鬼若有
西南來鬼若有西來鬼若有西北來鬼若有
北來鬼若有東北來鬼若有上方蜚尸鬼若
有下方遁注鬼若有天神地神鬼若有山神
樹神鬼若有五道之神鬼若有南斗北辰鬼
若有奪人精氣鬼若有取人精氣鬼若有奪
人魂魄鬼若有喚人魂神鬼若有破家鬼若
有遭壍失火鬼若有青色鬼若有白色鬼若
有黃色鬼若有赤色鬼若有惡眼毒精鬼若有
乍瞋乍欣鬼若有索酒索肉鬼若有嗜酒嗜肉
鬼若有入人頭中鬼若有入人耳中鬼若有入人
口中鬼若有入人十指中鬼若有入人手脚中鬼
若有入人心肝五藏中鬼若有入人百節中鬼
若有千詐鬼若有詐稱鬼若有假名字鬼若
有七道鬼若有四七日百拉鬼若有百日伏
尸鬼若有病痛誦此鬼神名字若有小孩難
養誦此鬼神名字若有兒啼驚怕亦誦此鬼
神名字此諸鬼神若不隨此呪頭破作七分如
阿梨樹枝劂鉄父母重罪使諸鬼神如壓油

有七道鬼若有四七日百㕦鬼若有百日伏
尸鬼若有痛痛誦此鬼神名字若有小稱難
養誦此鬼神名字若有兒啼驚怖亦誦此鬼
神名字此諸鬼神若不隨此呪頭破作七分如
阿梨樹枝劇煞父母重罪俠諸鬼神如壓油
殃頭破作七分如癡塵善男子善女人受持
三歸五戒者善持十善行者此諸鬼神不能
中害何以意故此大陁羅尼神呪威神之力
不可思議此諸惡氣不得娆近衆耶惡鬼亦
不得中害普賢菩薩言若有善男子善女人
若能善持守護此呪者我尒時乘六牙白
烏雨寶蓮華從空而下并餘諸天善神四大
天王龍神八部皆来集會胡跪合掌整理衣
服説此大陁羅尼呪時三千大千世界六種震
動外道天魔盡来歸伏呪山能崩呪河能竭
日月崩落三千大千世界六種震動衆魔摧
碎猶如微塵衆魔驚怖无不歸伏善男子
善女人受持陁羅尼呪者我尒時遣諸天善
護未營護不随横死自欲命終之時普賢
菩薩迎其精神不隨八難得生東方阿閦
佛國尒時普賢菩薩白佛言世尊有何等
人不得見弥勒佛言善哉善哉諦聽今為
汝略説一者出家沙門剃除鬚髮假染法服
不持身行不離恩愛皆法隨俗如是之人
不得見弥勒二者出家沙門剃除鬚髮避
官役俠假披法服飲酒食肉青黄赤白喜
好莊嚴乘騎驢馬袈裟鮫㲲治生販賣巧

BD02921 號 2　普賢菩薩說證明經

(24–9)

不持身行不離恩愛皆法隨俗如是之人
不得見弥勒二者出家沙門剃除鬚髮避
官役俠假披法服飲酒食肉青黄赤白喜
好莊嚴乘騎驢馬袈裟鮫㲲治生販賣巧
外朴斗捻秤前後大斗重秤謂之劫輕秤
小斗謂之盗如是沙門亦不見弥勒三者出
家沙門剃除鬚髮假披法服飲酒食肉破齋
夜食偷盗三寶破滅三寶不持具相作諸不
軌如是惡行如是之人等亦不見弥勒四者
善根衆生受持五戒不肯增誦損毁正法信
邪倒見作諸不軌毁損五戒六根顛倒如是
之人等不得見弥勒五者受持五戒假佛威
神諸方教化毁破形像破大作小破小作大毁
破成像斷壞形像破滅三寶如是之人亦不得
見弥勒六者受持浄戒毁損十善破此諸戒
飲酒食肉作諸不善破此三惡是之人等亦
不見弥勒七者若有愚癡衆生不信三寶者
謗毁正法謗比丘僧謗毁優婆塞謗毁優婆
夷謗毁三寶四聖鄙如來正道斷絶三寶如
是之人等亦不得見弥勒八者若有衆生斷
官主路破家劫奪焚燒山澤煞害衆生无慈
愍心如是之人等亦不得見弥勒九者若有
衆生高遷富貴輔國大臣假官力勢斷事
不平以直則曲破小作大枉煞良善便取
万民如是之人等亦不得見弥勒十者如
是而為汝説若有白衣道俗作是諸惡无
慙无愧猶如禽獸牛馬畜生如是之人阿鼻

BD02921 號 2　普賢菩薩說證明經

(24–10)

衆生高遷冨貴難國大臣假官力勢出事
不平以直則曲破小作大枉煞良善便取
万民如是之人等亦不得見弥勒千者如
是而爲汝說若有白衣道俗作是諸惡无
慙无愧猶如禽獸牛馬畜生如是之人阿鼻
地獄從闇至闇輪轉五道无有出期
佛說證香火本因經第二
香火之本七佛所說尒時七佛在白淨天中
佛之頭領空王如來上首空王佛第二雲雷
音宿王華智佛第四白淨王如來佛第五寶
住蓮華佛第六无根王佛第七受記弥勒
尊佛七佛去會初首結願在白淨天中又會
結願靈鷲山中又會結願紫微山又會結願
耆闍水尒時空王發最濡制令名諸菩薩北方
有十恒河沙菩薩各乘六牙白象手賫珎寶
金華盖諸佛所尒時東方亦有十恒沙菩薩
亦乘六牙白象雨寶蓮華來諸佛所尒時
南方復有十恒河沙菩薩亦乘六牙白象賫
寶冠瓔珞來諸佛所尒時西方復有十恒河
沙菩薩亦乘六牙白象各賫菩提雜華來諸
佛所尒時六牙白象各賫菩提華乘定國
師子雨寶天衣慇重之心來諸佛所尒時從
地踊出頭戴珎寶各作是言願佛結願歡喜
集會六方菩薩集會之時山河大海六種震
動尒時衆魔心情不寧以佛神力善哉正
法尒時白淨王如來歡喜受教白空王如來
各作是言无有閻浮履地衆生无无有緣爲

BD02921 號 2　普賢菩薩說證明經
BD02921 號 3　證香火本因經　（24–11）

地踊出頭戴珎寶各作是言願佛結願歡喜
集會六方菩薩集會之時山河大海六種震
動尒時衆魔心情不寧以佛神力善哉正
法尒時白淨王如來歡喜受教白空王如來
各作是言无有閻浮履地衆生无无有緣爲
六方菩薩上首普行西方无量壽佛弟子大
慈觀世音此大菩薩與閻浮履地拯濟有緣
尒時東方王明諸佛弟子摩訶波闍波提
普賢菩薩香火證明功德利益有緣此二
菩薩希有拯濟拔諸衆生普希有利益善
說如來將疾往詣白淨天中結願之時寶柱
幢盖八万四千人俱皆如先弟天中有盖絶大
无極縱廣三十由旬東西上下亦復如是結願
神幡縱廣長三十由旬尒時觀世音記生凡夫
尒時普賢菩薩優婆塞身是此二菩薩分身
百億難解難了亦不可思議尒時如童菩薩
月光童子是尒時摩訶迦葉尊者是尒時
憂波利堂公是初羅漢離諸生死秦山僧
朗是清淨羅漢林度是解空羅漢号爲隱
公三賢四聖皆同一字欲說此本衆惡人中
慎莫爲說若與此法善根若人无善根不得
聞此法亦不得說此法未度所度未聞所聞
未見所見未解所解未知所知如是之人皆
從一願如來所說莫不歡喜一心受持必獲
果願莫安進退成寶結果解脫三昧尒時觀
世音并共普賢菩薩來諸佛所蹦跪受勅唯
願如來爲我演說爲我解說諦聽諦受執

BD02921 號 3　證香火本因經　（24–12）

未見所見未解所解未知所知如是之人皆
從一顛如来所説莫不歡喜一心受持必獲
果顛莫安進退成實結果解脱三昧尒時觀
世音并共普賢菩薩来詣佛所𨄔跪受勑唯
顛如来為我演説為我解説諦聽諦受執
取受持不敢違犯不敢缺落不敢毁損尒
時佛言閻浮履地振旦國中神州東西却有
南北一佛境界百億須弥山百億日月百億
海水三千大千世界有一大國名為振旦不識
正法不識如来不解正法不識好人此等衆
生與如盲人不見日月與法无緣亦復如是假
使有緣比丘僧比丘尼優婆塞優婆夷善男
子善女人若受持若讀誦若書寫若受持若
讀誦護慎香火猶獲明珠善男子善女人諸
法子好人四方衆生一越流轉集會一處皆如一
芥子假使有人善持守護香火正法行坐憶念
歲三月六六時行道轉尒時空王如来并告普
賢菩薩將八万億童子四時上下護念法子
若在空野田若五濁惡世若在病困中若在
困厄中若在邪行惡鬼毒道中長當讀誦此
經典者不見八難不墮横死不遭横官我尒
時諸天童子守護此人不見衆惡夫欲説法
講義若有魔人不使可説皆圓一心乃可
為説夫欲平章福德時清淨洗手三遍燒
香各礼佛足懇重之心頷必坐地却坐説法
之時慎莫當户普賢菩薩言男子女人善
持守護我法者不見八難若有退落毁法

BD02921 號 3　證香火本因經

（24–13）

為説夫欲平章福德時清淨洗手三遍燒
香各礼佛足懇重之心頷必坐地却坐説法
之時慎莫當户普賢菩薩言男子女人善
持守護我法者不見八難若有退落毁法
衆无利益復有發露懺悔之者還捉此法
我乘六牙白象乘空而下手摩其頭現其
人前愚癡肉眼而不覩見謂呼輕言説法之
時我遣諸天童子案行此人通慢此法毁壞
此法輕慢此法手把金杖刑害此人若有毁
損獲罪如是莫不奉行一心諦聽尊者白弥
勒香火從何来此法從何起根由在何處弥
勒答尊者此法從空王来度脱何種人空
王佛言度脱八種人尊者問空王何為八種
人閻浮八種人一者諸長老二者老母人三者
善女人四者善男子五者諸貧窮六者諸下賤
七者諸小弱八者諸比丘四千諸胡漢合為
八万四千人尊者白弥勒五胡治化時必有
不信正法破毁此正法實難可挽扶此法非
常行偷竊似奴婢尊者白弥勒世尊出世時
撩除諸織悪分別五種人有緣在水東无緣
在水西水東值聖主見明法王尊者問弥勒顛
為演説之弥勒言尊者汝欲求何等尊者顛
弥勒為我造化城尊者問如来化城在何處佛
言化城在釋迦得道處尊者問空王釋迦得
道在何處空王語尊者汝當善聽尒時尊者
勉理威儀胡跪合掌一心善聽乃有為説釋
迦從起昔行无由瞿夷左脇底生時舉手仍

BD02921 號 3　證香火本因經

（24–14）

道在何處空王語尊者汝當善聽尒時尊者
整理威儀胡跪合掌一心善聽乃有爲說釋
迦從起昔行无由脾夷左脇底生時舉手仍
沛乡脚蹋雙蓮華左脇生釋迦老子作相師
白疊承釋迦老子重瞻相此人非常聖難解難
思議号爲釋迦文九龍與吐水治化弥勒前无初
昔行時居在迦黃山乃久不得道來至崑崙山
乃久不得道來在白鹿山乃久不得道更至檀
特山乃久不得道來至蒲城山展轉至五馬
道從海中心入即爲造化城化城何物作瑠璃
作外郭舉高七百尺白銀作中郭舉高七百
尺黃金作中城尊者聞空王縱廣幾由旬空
王語尊者縱廣四百里東西南北各四百里四
角白銀臺舉高七百尺東廂有九門南廂有
九門西廂有九門北廂有九門門南白銀樓
樓上有金柱舉高百尺九下有鳳凰巾柱上
懸金鼓天人侍兩邊一震八種聲門北白銀樓
舉高七百尺上有白銀柱下有万世銘天女著天
衣柱上懸金鈴一震六種聲名我諸法子一時
入化城如來威神之力實事名不輕善哉諸法
子善持見大明如是今昔說實事不虛言如
是好受持
尒時尊者問空王何人爲聖主何人作明王
空王何言釋迦涅槃後七百年天地大震動
天呼地呼一月三性昔困百姓療除穢惡分
蒲五種專行疾病平治罪人有法盡生无
法盡滅劫後九十九年七百年以過三千大

尒時尊者問空王何人爲聖主何人作明王
空王何言釋迦涅槃後七百年天地大震動
天呼地呼一月三性昔困百姓療除穢惡分
蒲五種專行疾病平治罪人有法盡生无
法盡滅劫後九十九年七百年以過三千大
千世界六種震動七百日闇却後數日天出明
王地出聖主二聖並治并在神州善哉治化廣
興佛法慈愍一切救度生死得出火宅得見
大乘引導生死來詣化城明王聖主俱在化
城樓上打金鼓遠告諸法子此法有因緣尋
聲万里通此法无因緣打鼓隔壁聾根公白
尊者語根公士何可分別根公白尊者隨我
分別之隨我遣弱水我遣力士羅刹王頭戴崑
崙山從地踊泉至化城西展轉娑婆中往詣加
黃山水上七寸橋有緣在橋東无緣在橋西若
我諸法子一時在化城尒時娑婆中无諸五種人
療除諸穢惡賜皆是菩薩名尊者菩薩王
廣宗羅漢王菩薩羅治閻浮无罪人國作佛
國州作佛州郡作佛郡縣作佛縣黨里作佛
里隣作佛隣四海知識一如親兄弟集會化
城中東宮西宮南宮北宮東階西階南階北
階東有博山殿西有縣龍臺巷巷相當門
門相次得見此明王一心好受持若有狐疑
者不得見此法若有退落者不得見此樂若
有類毀者若遭慢者不得見此樂飲酒食肉
人貪財五欲人虛謟耶見人如是不善行終不
見此樂若有退落者復能好懺悔寫却此

有類毀者若通惕者不得見此樂飲酒食肉
人貪財五欲人虛論耶見人如是不善行終不
見此樂若有退落者復能好懺悔寫却此
諸惡寫却煩惱心寫却通惕心寫却衆耶心
復能一懺悔還得入此法達過好明師一心
好受持若有不毀損自責過咎罪瞋罵六根
賊一心好守護亦得見此樂如是爲汝說終不
有虛言一心好受持與汝无上道尒時普賢菩
薩前白佛言世尊世尊出世時我遣力士羅
剎王平除罪惡人尒時遣伽羅菩薩頭戴地
動三千大千世界六種震動天地振烈南北
礔烈七日日闇三㫖有緣衆生无法入地獄
有法生天若有日闇復欲平除罪人我遣羅
剎王分別罪人將領鬼軍尒時羅剎王境界百
億日月百億須弥山百億鐵圍地獄城鐵圍
城地獄百億鬼軍百億鐵圍地獄此鬼神恒河
沙數黑衣服赤繩赤棒療除罪人却後數日
我遣阿脩輪王手把七日劫燒終盡日出之時
閻浮履地草木塠𡎃山石剎烈山谷堤塝地
平融盡我尒時天上遣金翅鳥下㫖取有緣
此鳥身長三十里縱廣三十里口銜七千人皆
負八万人得上兜率天弥勒俱時下餘有受
罪人飲酒食肉者不信有佛出世不信有弥
勒如是之人等九孔同流耳中血出鼻中血出
眼中血出口中血出如是之人未劫終盡盡入
地坼无有出期復遣加羅菩薩手捉地軸天地
平正西方起逆風旃檀香七日七夜吹却穢惡

此鳥身長三十里縱廣三十里口銜七千人皆
負八万人得上兜率天弥勒俱時下餘有受
罪人飲酒食肉者不信有佛出世不信有弥
勒如是之人等九孔同流耳中血出鼻中血出
眼中血出口中血出如是之人未劫終盡盡入
地坼无有出期復遣加羅菩薩手捉地軸天地
平正西方起逆風旃檀香七日七夜吹却穢惡
却後數日我遣龍樹菩薩平除天地上地與銅
地銅地上與水銀地水銀地上與水精地水精地
上與琉璃地琉璃地上與白銀地白銀地上與欝
金地欝金地上與黃金地山作金山山作銀山樹
作銀樹閻浮履地宮殿樓閣樓櫓却敵神珠
明月卦著城塝无晝夜不須火光若有衆生
脩持十善出家在家白衣道俗一心皆行脩
行万善得見微妙上顏作礼奉行
尒時普賢菩薩前白佛言世尊世尊出世時
四天來奉鉢東方提頭賴吒天王獻佛白石
鉢受成萬斛北方毗沙門天王獻佛琉璃鉢受
成萬斛南方婆樓勒叉天王獻佛白銀鉢受成
萬斛西方鞞樓博叉天王獻佛紫金鉢受成
萬斛佛言汝等鬼神王我徑一人下汝等鬼
神王獻我四種鉢尒時世尊捉鉢拍四合
成一尒時釋梵天王獻佛微妙上供粳米長
七寸荻長七尺梨如五升瓠盧棗如二升檀
琉璃縢白銀捥瑠璃匙白銀筯慇重之心奉
獻上供尒時下方轉輪聖王獻佛千丈燈一
丈有萬燈千丈有萬燈上有轉輪座轉輪座

琉璃縢白銀挽瑠璃匙白銀筋懸重之心奉
獻上供尒時下方轉輪聖王獻佛千丈燈一
丈有萬燈千丈有萬燈上有轉輪座轉輪座
上有諸天伎樂長鳴呼吹簫笛箜篌琵琶鐃
銅鈸師子及白鳥鳳凰及麒麟如是諸人等各
來詣佛前海龍王獻佛十二部尊經尒時海龍
王經青卷黃字䏶檐一部來奉佛一部十二駱
駝負不賜況復十二部尊經尒時色究天王
獻佛寶冠瓔珞蓮花上衣尒時无色界天王
獻佛菩提妙華珎寶雜香尒時閻浮提王獻
佛八功浴池尒時切利天王獻佛蓮華寶冠
珠珎瓔珞是等天王獻重供養皆得天上道
尒時兜率天王獻佛七十二應瑞尒時復有阿
陁菩薩獻佛八萬九色六牙白鳥各備縢陁秋
勒金鞍秘來脚走蓮華皆負宮殿雨華動地來
詣佛所尒時藥王菩薩獻佛八萬七千定國師
子佛言善男子善女人脩持十善一心奉行作
礼而去无不獲得耶發无上果顛皆於阿耨
多羅三藐三菩提心
尒時彌勒告普賢菩薩言吾下之時或兜率
天上雀梨浮啚或從空而下或閻浮履地從
地踊出或北方來或東方來或南方來或西
方來四時上下不可思議十方恒河沙菩薩
六趣衆生无惻佛智佛言惟有普賢菩薩乃
能惻佛智尒時雀梨浮啚從空而下安置閻
浮履地尒時寶勝菩薩聞普賢菩薩雀梨
浮啚何物作普賢菩薩言瑠璃作塔基水

BD02921 號 3　證香火本因經　（24–19）

方來四時上下不可思議十方恒河沙菩薩
六趣衆生无惻佛智佛言惟有普賢菩薩乃
能惻佛智尒時雀梨浮啚從空而下安置閻
浮履地尒時寶勝菩薩聞普賢菩薩雀梨
浮啚何物作普賢菩薩言瑠璃作塔基水
精檐作地瑠璃作八壁水精作梁柱瑠璃作
屋搏白玉作櫨栱黃金作角豎金以結椎清
瑠璃作上級清水精珠作中級白珠作上級頗
梨珠作上級白銀作中級黃金作上級豎金
作中級上有瑠璃瑠璃七寶臺舉高卅里四
珠摩尼寶雀梨浮啚高九十九級上有白銀
樓櫓上有神諸寶尒時雀梨浮啚周匝有八
角縱廣八由旬尒時彌勒從空而下諸方菩薩
盡來集會之時三千大千世界六種震動衆
魔外道盡來歸伏時有魔王覺起尒時魔手
羅王多將兵衆嚴器鎧伏刀劍在前共佛爭
力尒時復有魔王挾刀擲劍共佛爭力尒時
復有素天大魔三面六手頭戴山谷共佛爭
力尒時復有悼叉天魔頭戴地抽共佛爭力
尒時復有婆羅蹲天魔身上出水身下出
火身上出火身下出水現大復現小現小復現
大天下惻塞滿虛空共佛爭力尒時復有水
身天魔水火并起雷風疾雨共佛爭力尒時
復有惡叉加天魔夜叉加天魔頭復戴山谷
堤塝共佛爭力尒時復有牛頭天魔復有
虎頭天魔復有鳥頭天魔復有蛇身天魔
山諸魔神各將十万力士走地挽弩前擲叫

BD02921 號 3　證香火本因經　（24–20）

堤塝共佛争力尒時復有牛頭天魔復有
虎頭天魔復有鳥頭天魔復有虵身天魔
此諸魔神各將十万力士走地挽弩前擲叫
喚大興兵馬矛戟在前火車霹靂共佛震鬦
弥勒遣大力菩薩并共无量力菩薩手捻地
抽頭戴地柱尒時天地八種聲衆魔慴怖心
情不寧尒時弥勒左手指地右手指天召諸
方菩薩尒時東方有十恒河沙无邊身菩薩
各乘六牙白象雨寶蓮華來詣佛所尒時南
方復有十恒河沙力士菩薩各乘定國師子
手把金剛楯從空而下尒時下方復有十恒
河沙力士菩薩亦乘定國師子手把金杖從
地踊出尒時普賢菩薩手把金剛三昧杵一
擬定三昧尒時如童菩薩手把金剛橛尒時
復有金剛力手把金棒走地叫喚日月崩落
諸方菩薩盡來集會三千大千世界六種震
動衆魔羅捨刀仗各發慈心五體投地莫
不歸伏尒時普賢菩薩白佛言世尊大聖丈
夫八十種好七十妙姿善哉善哉有如是等
大威神力莊嚴相好威神之力巍巍如是
尒時普賢菩薩白佛言世尊世尊出世時一
放光明三召有緣衆生諸尊普賢菩薩摩訶
薩復有天龍夜叉乾闥婆阿脩羅迦樓羅緊
那羅摩睺羅伽人非人等復有比丘比丘尼優
婆塞優婆夷八部大衆皆來聽法尒時普賢
菩薩白佛言聖尊出世時菩薩受記作佛人
非人等受記捨却鬼神形盡得復人身復有

BD02921 號 3　證香火本因經

(24–21)

薩復有天龍夜叉乾闥婆阿脩羅迦樓羅緊
那羅摩睺羅伽人非人等復有比丘比丘尼優
婆塞優婆夷八部大衆皆來聽法尒時普賢
菩薩白佛言聖尊出世時菩薩受記作佛人
非人等受記捨却鬼神形盡得復人身復有
比丘比丘尼優婆塞優婆夷捨形更受命普
賢菩薩言七佛在世時人受四万歲定光佛
在世時人受七万歲比婆施佛在世時人受
三万歲空王佛在世時人受九万歲迦葉佛
在世時人受五万歲句樓秦佛在世時人受
六万歲釋迦門佛在世時人民恒皆厄三人
百歲人民顛倒惡三牙斷鼻鼻縱眼竪不敬
師長不孝父母北方欝單越人受七百歲東弗
于逮人受四百歲南閻浮提三人共受百歲西
俱耶尼人受二百歲弥勒治化時人受八万七
千歲自欲受終時不勉自然生復欲受終時託
生无量壽自然蓮華生普賢菩薩言天龍夜
叉乾闥婆阿脩羅摩睺羅伽人非人等比丘
比丘尼優婆塞優婆夷善男子善女人長脩
十善歲三月六一日奉行至得佛道尒時四天王
如來滅度後鬼神暴虐世尊出世時我等眷
屬胡跪合掌諦聽諦受執取正法奉行受持
不敢違犯受持守護尒時我等眷屬在須弥
頂上王四天下若有善男子善女人一心脩行
慎莫染著見皆莫避見樂莫貪爲法亡身
尒時普賢菩薩東方將諸天伎樂雨華動

BD02921 號 3　證香火本因經

(24–22)

屬翻跪合掌諦聽諦受執取正法奉行受持
不敢違犯受持守護尒時我等眷屬在須弥
頂上王四天下若有善男子善女人一心脩行
慎莫染著見當莫避見樂莫貪爲法亡身
尒時普賢菩薩東方將諸天伎樂雨華動
地此人臨欲受終時迎其精神不見八難得
生東方阿閦佛國
尒時佛告阿難我遣汝行此法若女人少渴
男子受持此經讀誦百遍心中所願无不稱
果若有縣官口舌共相牽挽若當讀誦此經
典者即使其官化令慈心无有諸惡若多患
連年累歲不得差者信諸妖耶倒見之師卜問
覔禍煞猪狗牛羊祭祀鬼神長有增惡終无
利益不如破魔屬佛懸繒幡蓋燒香散華歌
詠讚歎七日七夜讀經行道離諸魔縛此皆
鬼神不得遠近何以意故此經多饒威神力
是普賢菩薩威神之力阿難白普賢菩薩若
有善男子善女人奉持守護此經典者无有
衆難行來出入長發大慈大悲救度衆生憐
愍眥厄扶諸生皆阿難言衆生不堪大乘小
乘化之三乘方便救度危厄若有善男子善
女人發毛髮善心者長生值善處長發无上
願善神營護之皆是普賢菩薩威神之力
巍巍如是

佛說證明經

BD02921 號 3　證香火本因經　　（24–23）

男子受持此經讀誦百遍心中所願无不稱
果若有縣官口舌共相牽挽若當讀誦此經
典者即使其官化令慈心无有諸惡若多患
連年累歲不得差者信諸妖耶倒見之師卜問
覔禍煞猪狗牛羊祭祀鬼神長有增惡終无
利益不如破魔屬佛懸繒幡蓋燒香散華歌
詠讚歎七日七夜讀經行道離諸魔縛此皆
鬼神不得遠近何以意故此經多饒威神力
是普賢菩薩威神之力阿難白普賢菩薩若
有善男子善女人奉持守護此經典者无有
衆難行來出入長發大慈大悲救度衆生憐
愍眥厄扶諸生皆阿難言衆生不堪大乘小
乘化之三乘方便救度危厄若有善男子善
女人發毛髮善心者長生值善處長發无上
願善神營護之皆是普賢菩薩威神之力
巍巍如是

佛說證明經

BD02921 號 3　證香火本因經　　（24–24）

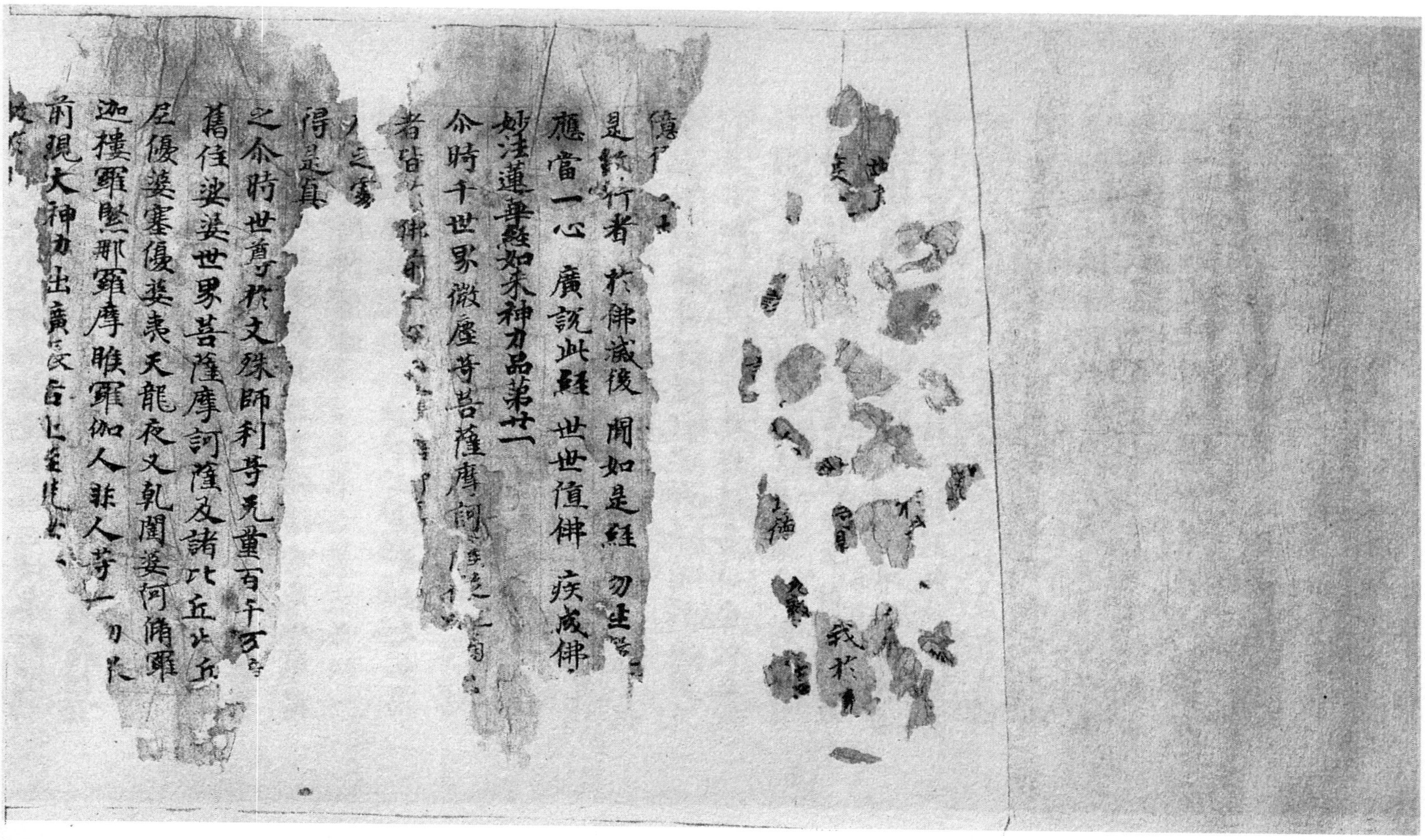
億…
是諸行者　於佛滅後　聞如是經　勿生…
應當一心　廣說此經　世世值佛　疾成佛道
妙法蓮華經如來神力品第廿一
尒時千世界微塵等菩薩摩訶…
者皆…佛前…
…之…
得是真…
之尒時世尊於文殊師利等无量百千万億
舊住娑婆世界菩薩摩訶薩及諸比丘比丘
尼優婆塞優婆夷天龍夜叉乾闥婆阿脩羅
迦樓羅緊那羅摩睺羅伽人非人等一切衆
前現大神力出廣長舌上至梵世…
故…

BD02922號　妙法蓮華經（八卷本）卷七

（18–1）

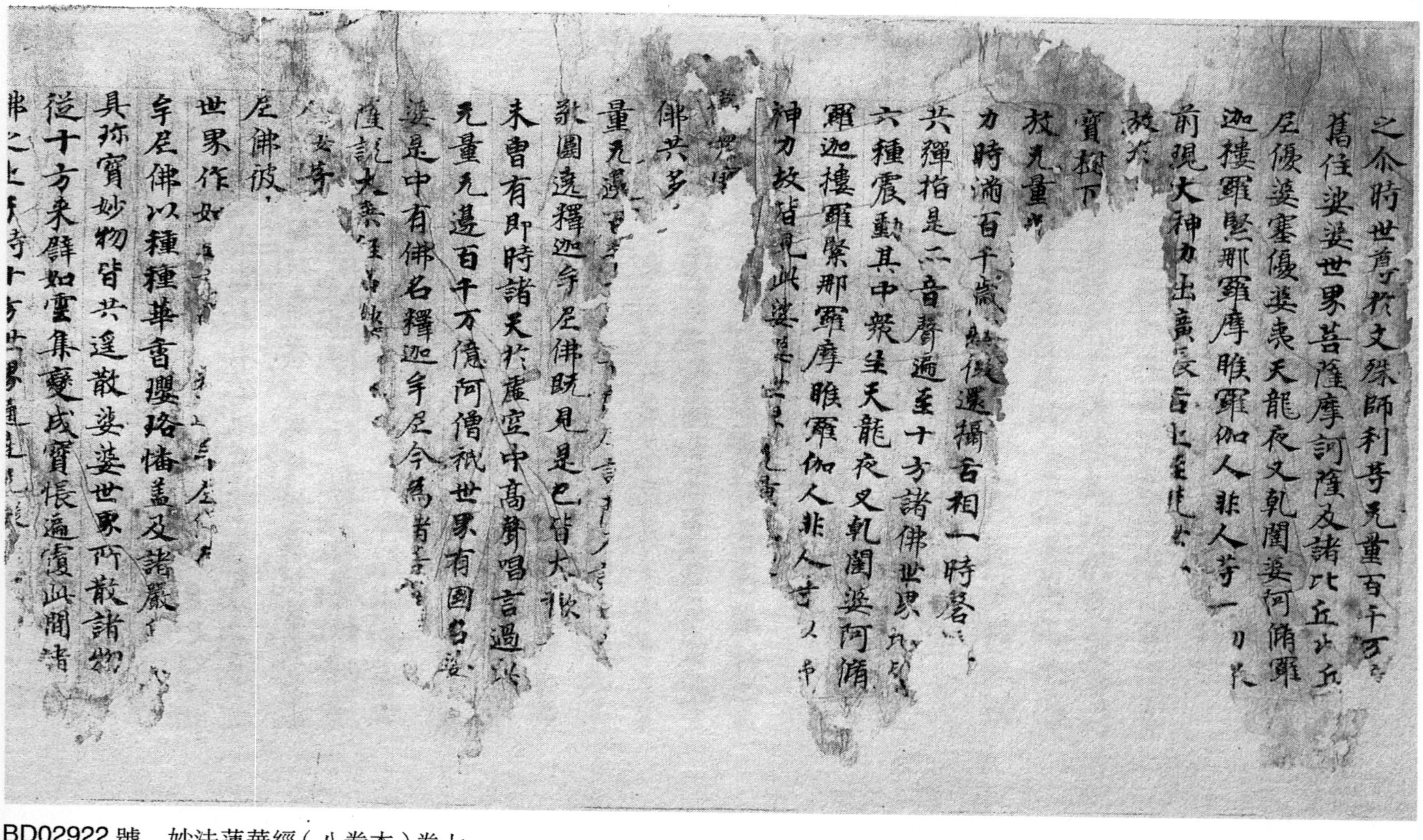
之尒時世尊於文殊師利等无量百千万億
舊住娑婆世界菩薩摩訶薩及諸比丘比丘
尼優婆塞優婆夷天龍夜叉乾闥婆阿脩羅
迦樓羅緊那羅摩睺羅伽人非人等一切衆
前現大神力出廣長舌上至梵世…
放无…
寶樹下
放无量…
力時滿百千歲然後還攝舌相一時謦欬
共彈指是二音聲遍至十方諸佛世界地皆
六種震動其中衆生天龍夜叉乾闥婆阿脩
羅迦樓羅緊那羅摩睺羅伽人非人等
神力故皆見此娑婆世界…
薩說大乘經…
娑是中有佛名釋迦牟尼今為諸菩…
无量无邊百千万億阿僧祇世界有國名娑
未曾有即時諸天於虛空中高聲唱言過此
敬圍遶釋迦牟尼佛既見是已皆大歡…
量无邊…
佛共多…
尼佛彼…
世界作如…
牟尼佛以種種華香瓔珞幡蓋及諸嚴
具珎寶妙物皆共遙散娑婆世界所散諸物
從十方來譬如雲集變成寶帳遍覆此間諸
佛之上…

BD02922號　妙法蓮華經（八卷本）卷七

（18–2）

世界作如[illegible]
牟尼佛以種種華香瓔珞幡蓋及諸嚴[illegible]
具珎寶妙物皆共遥散娑婆世界所散諸物
從十方来譬如雲集變成寶帳遍覆此間諸
佛之上于時十方世界通達无礙
尒時佛告上行[illegible]
无量无[illegible]
无邊百千万
功德猶不能盡以要言之如来一
法如来一切自在神力如来一切秘要之
如来一切甚深之事皆於此經宣示顯說
故汝等於如来滅後應一心受持讀
書寫如說脩行所在國土若有受持讀
說書寫
中若於林中
若在殿堂若山谷[illegible]
所以者何當知[illegible]即是道場諸佛於此
阿耨多羅三藐三菩提諸佛於此轉于法輪
諸佛於此而般涅槃尒時世尊
而說偈言
諸佛救世者[illegible]
舌相至梵天[illegible]
諸佛謦欬聲 及彈指[illegible]
以佛滅度後 能持是經故 諸佛皆歡喜 現无量[illegible]
囑累是經故 讃美受持者 於无量劫中 猶故不能[illegible]
是人之功德 无邊无有窮 如十方虚空 不可得邊際
能持是經者 則為已見我 亦見多寶佛 及諸分身者

BD02922號　妙法蓮華經（八卷本）卷七　（18–3）

以佛滅度後 能持是經故 諸佛皆歡喜 現无量[illegible]
囑累是經故 讃美受持者 於无量劫中 猶故不能盡
是人之功德 无邊无有窮 如十方虚空 不可得邊際
能持是經者 則為已見我 亦見多寶佛 及諸分身者
又見我今日 教化諸菩薩
能持是經者 令我[illegible]
十方現在佛 并[illegible]
諸佛坐道場 所得秘要[illegible]
能持是經者 於諸法之義 名字及言辞 樂說无窮[illegible]
如風於空中 一切无鄣礙
於如来滅後 知佛所說法 因緣及次第 隨義如實說
如日月光明 能除諸幽冥 斯人行世間 能滅衆生[illegible]
教无量菩薩 畢竟住一乘
是故有智者 聞此功[illegible]
是人於佛道 決定无有疑
妙法蓮華經囑累品第廿二
尒時釋迦牟尼佛從法座起現大神力以右
手摩无量菩薩摩訶薩頂而作是言我於无
量百千万億阿僧祇劫脩集是難得阿耨[illegible]
羅三藐三菩提法今以付囑汝等[illegible]
一心流布此經廣令[illegible]
摩訶薩頂而作是言
僧祇劫脩集是難得阿耨多羅三藐三菩[illegible]
法今以付囑汝等汝等當受持讀誦廣宣此
法令一切衆生普得聞知所以者何如来
大慈悲无諸慳悋亦无所畏能與衆生佛之
智慧如来智慧自然智慧如来是一切衆
之大施主汝等亦應隨學

BD02922號　妙法蓮華經（八卷本）卷七　（18–4）

法令以付囑汝等汝等當受持讀誦廣宣此
法令一切衆生普得聞知所以者何如來
大慈悲无諸慳悋亦无所畏能與衆生佛
智慧如來智慧自然智慧如來是一切衆
之大施主汝等亦應隨學
悋於未來世若有善男子善
慧者當為演說此法華經使得聞知為令
人得佛慧故若有衆生不信受者當於如
餘深法中示教利喜汝等若能如是則為已
報諸佛之恩時諸菩薩摩訶薩聞佛作是說
已皆大歡喜遍滿其身益加恭敬曲躬
合掌向佛俱發聲言如世尊
然世尊願不有慮諸菩薩摩訶
又俱發聲言如世尊勅當具奉行
願不有慮尒時釋迦牟尼佛令十方來諸分
身佛各還本土而作是言諸佛各隨所安多
寶佛塔還可如故說是語時十方无量分身
諸佛坐寶樹下師子座上者及多寶佛并
行等无邊阿僧祇菩薩大衆舍利
四衆及一切世間天人阿脩羅
皆大歡喜
妙法蓮華經藥王菩薩本事品第廿三
尒時宿王華菩薩白佛言世尊藥王菩薩云
何遊於娑婆世界世尊是藥王菩薩有若干
百千萬億那由他難行苦行善哉世尊願
解說諸天龍神夜叉乾闥婆阿脩
緊那羅摩睺羅伽人非人等又他
菩薩及此聲聞衆聞皆歡喜尒時

BD02922 號　妙法蓮華經（八卷本）卷七

（18–5）

何[illegible]
百千萬億那由他難行苦行善哉世尊願
解說諸天龍神夜叉乾闥婆阿脩
緊那羅摩睺羅伽人非人等又他
菩薩及此聲聞衆聞皆歡喜尒時
華菩薩乃往過去无量恒河沙劫有佛号曰
月淨明德如來應供正遍知明行足善逝世
間解无上士調御丈夫天人師佛世尊其佛
有八十億大菩薩摩訶薩七十二恒河沙
聲聞衆佛壽四万二千劫菩薩
國无有女人地獄餓鬼畜生阿
諸難地平如掌琉璃所成寶樹莊嚴
上垂寶華幡寶瓶香鑪周遍國界七寶
臺一樹一臺其樹去臺盡一箭道此諸寶樹
皆有菩薩聲聞而坐其下諸寶臺上各有百
億諸天作天伎樂歌歎於佛以為供養尒時彼
佛為一切衆生喜見菩薩及衆
衆說法華經是一切衆生喜見菩薩樂
行於日月淨明德佛法中精進經行
佛滿万二千歲已得現一切色身三昧得此
三昧已心大歡喜即作念言我得現一切色
身三昧皆是得聞法華經力我今當供養日
月淨明德佛及法華經即時入是三昧於虛
空中雨曼陀羅華摩訶曼陀羅華細末
旃檀滿虛空中如雲而下又雨海此岸
之香此香六銖價直娑婆世界以供養
是供養已從三昧起而自念言我雖以神力
供養於佛不如以身供養即服諸香旃檀薰

BD02922 號　妙法蓮華經（八卷本）卷七

（18–6）

空中雨
旃檀滿虛空中如雲而下又雨海此岸
之香此香六銖價直娑婆世界以供養
是供養已從三昧起而自念言我雖以神力
供養於佛不如以身供養即服諸香栴檀薰
陸兜樓婆畢力迦沉水膠香又飲瞻蔔諸華
香油滿千二百歲已香油塗身於日月淨明
德佛前以天寶衣而自纏身灌諸香油
通力願而自然身光明遍照八十億恒
世界其中諸佛同時讚言善哉善哉善男子
是真精進是名真法供養如來若以華香瓔
珞燒香末香塗香天繒幡蓋及海此岸栴檀
之香如是等種種諸物供養所不能及假使
國城妻子布施亦所不及善男子是名第
之施於諸施中最尊最上以法供養諸
故作是語已而各默然其身火然千二百歲
過是已後其身乃盡一切眾生喜見菩薩作
如是法供養已命終之後復生日月淨明德
佛國中於淨德王家結跏趺坐忽然化生即
為其父而說偈言
大王今當知　我經行彼處　即時得一切　現諸身
勤行大精進　捨所愛之身
說是偈已而白父言日月淨明德佛今故現
在我先供養佛已得解一切眾生語言陀羅
尼復聞是法華經八百千万億那由他甄迦
羅頻婆羅阿閦婆等偈大王我今當還供養
此佛白已即坐七寶之臺上昇虛空高七多
羅樹往到佛所頭面禮足合十指爪以偈

BD02922 號　妙法蓮華經（八卷本）卷七　（18–7）

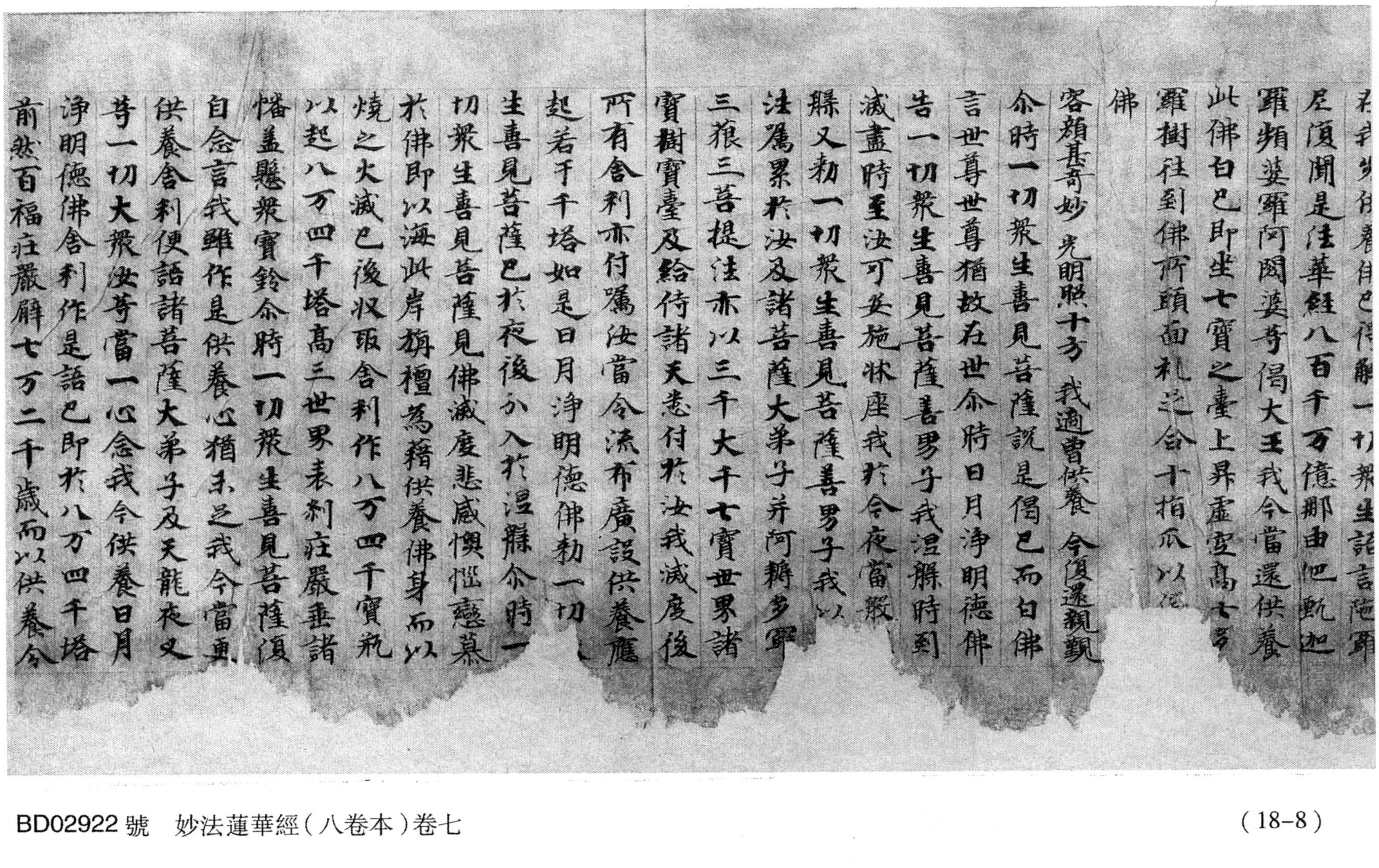

在我先供養佛已得解一切眾生語言陀羅
尼復聞是法華經八百千万億那由他甄迦
羅頻婆羅阿閦婆等偈大王我今當還供養
此佛白已即坐七寶之臺上昇虛空高七多
羅樹往到佛所頭面禮足合十指爪以偈
佛
容顏甚奇妙　光明照十方　我適曾供養　今復還親覲
尒時一切眾生喜見菩薩說是偈已而白佛
言世尊世尊猶故在世尒時日月淨明德佛
告一切眾生喜見菩薩善男子我涅槃時到
滅盡時至汝可安施牀座我於今夜當般
槃又勅一切眾生喜見菩薩善男子我以
法屬累於汝及諸菩薩大弟子并阿耨多羅
三藐三菩提法亦以三千大千七寶世界諸
寶樹寶臺及給侍諸天悉付於汝我滅度後
所有舍利亦付囑汝當令流布廣設供養應
起若干千塔如是日月淨明德佛勅一切
生喜見菩薩已於夜後分入於涅槃尒時一
切眾生喜見菩薩見佛滅度悲感懊惱戀慕
於佛即以海此岸栴檀為積供養佛身而以
燒之火滅已後收取舍利作八万四千寶瓶
以起八万四千塔高三世界表刹莊嚴垂諸
幡蓋懸眾寶鈴尒時一切眾生喜見菩薩復
自念言我雖作是供養心猶未足我今當更
供養舍利便語諸菩薩大弟子及天龍夜叉
等一切大眾汝等當一心念我今供養日月
淨明德佛舍利作是語已即於八万四千塔
前然百福莊嚴臂七万二千歲而以供養令

BD02922 號　妙法蓮華經（八卷本）卷七　（18–8）

供養舍利便語諸菩薩大弟子及天龍夜叉
等一切大衆汝等當一心念我今供養日月
淨明德佛舍利作是語已即於八万四千塔
前然百福莊嚴臂七万二千歲而以供養令
无數求聲聞衆无量阿僧祇人發阿耨多羅
三藐三菩提心皆使得住現一切色身三昧
尒時諸菩薩天人阿脩羅等見其无臂憂惱
悲哀而作是言此一切衆生喜見菩薩是我
等師教化我者而今燒臂身不具足于時一
切衆生喜見菩薩於大衆中立此誓言我捨
兩臂必當得佛金色之身若實不虛令我兩
臂還復如故作是誓已自然還復由斯菩薩
福德智慧淳厚所致當尒之時三千大千世
界六種震動天雨寶華一切天人得未曾有
佛告宿王華菩薩於汝意云何一切衆生喜
見菩薩豈異人乎今藥王菩薩是也其所捨
身布施如是无量百千万億那由他數宿王
華若有發心欲得阿耨多羅三藐三菩提者
能然手指乃至足一指供養佛塔勝以國城
妻子及三千大千國土山林河池諸珎寶物
而供養者若復有人以七寶滿三千大千世
界供養於佛及大菩薩辟支佛阿羅漢是人
所得功德不如受持此法華經乃至一四句
偈其福最多宿王華譬如一切川流江河諸
水之中海為第一此法華經亦復如是於諸
如來所說經中最為深大又如土山黑山小
鐵圍山大鐵圍山及十寶山衆山之中須弥

BD02922號　妙法蓮華經（八卷本）卷七

（18–9）

偈其福最多宿王華譬如一切川流江河諸
水之中海為第一此法華經亦復如是於諸
如來所說經中最為深大又如土山黑山小
鐵圍山大鐵圍山及十寶山衆山之中須弥
山為第一此法華經亦復如是於諸經中最
為其上又如衆星之中月天子最為第一此
法華經亦復如是於千万億種諸經法中最
為照明又如日天子能除諸闇此經亦復如
是能破一切不善之闇又如諸小王中轉輪
聖王最為第一此經亦復如是於衆經中最
為其尊又如帝釋於三十三天中王此經亦
復如是諸經中王又如大梵天王一切衆生之
父此經亦復如是一切賢聖學无學及發菩
薩心者之父又如一切凡夫人中須陁洹斯
陁含阿那含阿羅漢辟支佛為第一此經亦
復如是一切如來所說若菩薩所說若聲聞
所說諸經法中最為第一有能受持是經
典者亦復如是於一切衆生中亦為第一
一切聲聞辟支佛中菩薩為第一此經亦復如
是於一切諸經法中最為第一如佛為諸法
王此經亦復如是諸經中王宿王華此經能
救一切衆生者此經能令一切衆生離諸苦
惱此經能大饒益一切衆生充滿其願如清
涼池能滿一切諸渴乏者如寒者得火如裸
者得衣如商人得主如子得母如渡得船如
病得醫如闇得燈如貧得寶如民得王如賈
客得海如炬除闇此法華經亦復如是能令
衆生離一切苦一切病痛能解一切生死之

BD02922號　妙法蓮華經（八卷本）卷七

（18–10）

涼池能滿一切諸渴之者如寒者得火如裸
者得衣如商人得主如子得母如渡得船如
病得醫如闇得燈如貧得寶如民得王如賈
客得海如炬除闇此法華經亦復如是能令
衆生離一切苦一切病痛能解一切生死之
縛若人得聞此法華經若自書若使人書所
得功德以佛智慧籌量多少不得其邊若書
是經卷華香瓔珞燒香末香塗香幡蓋衣服
種種之燈穌燈油燈諸香油燈瞻蔔油燈須
曼油燈波羅羅油燈婆利師迦油燈那婆摩
利油燈供養所得功德亦復无量宿王華若
有人聞是藥王菩薩本事品者亦得无量无
邊功德若有女人聞是藥王菩薩本事品能
受持者盡是女身後不復受若如來滅後後
五百歲中若有女人聞是經典如說脩行於
此命終即往安樂世界阿弥陁佛大菩薩衆
圍遶住處生蓮華中寶座之上不復為貪欲
所惱亦復不為瞋恚愚癡所惱亦復不為憍
慢嫉妬諸垢所惱得菩薩神通无生法忍得
是忍已眼根清淨以是清淨眼根見七百万
二千億那由他恒河沙等諸佛如來是時諸
佛遙共讚言善哉善哉善男子汝能於釋迦
牟尼佛法中受持讀誦思惟是經為他人說
所得福德无量无邊火不能燒水不能漂汝
之功德千佛共說不能令盡汝今已能破諸
魔賊壞生死軍諸餘怨敵皆悉摧滅善男子
百千諸佛以神通力共守護汝於一切世間

BD02922號　妙法蓮華經（八卷本）卷七　（18–11）

所得福德无量无邊火不能燒水不能漂汝
之功德千佛共說不能令盡汝今已能破諸
魔賊壞生死軍諸餘怨敵皆悉摧滅善男子
百千諸佛以神通力共守護汝於一切世間
天人之中无如汝者唯除如來其諸聲聞辟
支佛乃至菩薩智慧禪定无有與汝等者宿
王華此菩薩成就如是功德智慧之力若有
人聞是藥王菩薩本事品能隨喜讚善者是
人現世口中常出青蓮華香身毛孔中常出
牛頭栴檀香所得功德如上所說是故宿王
華以此藥王菩薩本事品屬累於汝我滅度
後後五百歲中廣宣流布於閻浮提无令斷
絶惡魔魔民諸天龍夜叉鳩槃荼等得其便
也宿王華汝當以神通之力守護是經所以
者何此經則為閻浮提人病之良藥若人有
病得聞是經病即消滅不老不死宿王華汝
若見有受持是經者應以青蓮華盛滿末香
共散其上散已作是念言此人不久必當取
華坐於道場破諸魔軍當吹法蠡擊大法鼓
度脫一切衆生老病死海是故求佛道者見
有受持是經典人應當如是生恭敬心說是
藥王菩薩本事品時八万四千菩薩得解一
切衆生語言陁羅尼多寶如來於寶塔中讚
宿王華菩薩言善哉善哉宿王華汝成就不
可思議功德乃能問釋迦牟尼佛如此之事
利益无量一切衆生
妙法蓮華經妙音菩薩品第廿四

BD02922號　妙法蓮華經（八卷本）卷七　（18–12）

宿王華菩薩言善哉善哉宿王華汝成就不
可思議功德乃能問釋迦牟尼佛如此之事
利益无量一切衆生

妙法蓮華經妙音菩薩品第廿四

尒時釋迦牟尼佛放大人相肉髻光明及放
眉間白毫相光遍照東方百八万億那由他
恒河沙等諸佛世界過是數已有世界名淨
光莊嚴其國有佛号淨華宿王智如來應供
正遍知明行足善逝世間解无上士調御丈
夫天人師佛世尊為无量无邊菩薩大衆恭
敬圍遶而為說法釋迦牟尼佛白毫光明遍
照其國尒時一切淨光莊嚴國中有一菩薩
名曰妙音久已殖衆德本供養親近无量百
千万億諸佛而悉成就甚深智慧得妙幢相
三昧法華三昧淨德三昧宿王戲三昧无緣
三昧智印三昧解一切衆生語言三昧集一
切功德三昧清淨三昧神通遊戲三昧慧炬
三昧莊嚴王三昧淨光明三昧淨藏三昧不
共三昧日旋三昧得如是等百千万億恒河
沙等諸大三昧釋迦牟尼佛光照其身即白
淨華宿王智佛言世尊我當往詣娑婆世界
礼拜親近供養釋迦牟尼佛及見文殊師利
法王子菩薩藥王菩薩勇施菩薩宿王華菩
薩上行意菩薩莊嚴王菩薩藥上菩薩尒時淨
華宿王智佛告妙音菩薩汝莫輕彼國生下
劣想善男子彼娑婆世界高下不平土石諸
山穢惡充滿佛身卑小諸菩薩衆其形亦小

BD02922 號　妙法蓮華經（八卷本）卷七　（18–13）

法王子菩薩藥王菩薩勇施菩薩宿王華菩
薩上行意菩薩莊嚴王菩薩藥上菩薩尒時淨
華宿王智佛告妙音菩薩汝莫輕彼國生下
劣想善男子彼娑婆世界高下不平土石諸
山穢惡充滿佛身卑小諸菩薩衆其形亦小
而汝身四万二千由旬我身六百八十万由
旬汝身第一端正百千万福光明殊妙是故
汝往莫輕彼國若佛菩薩及國土生下劣想
妙音菩薩白其佛言世尊我今詣娑婆世界
皆是如來之力如來神通遊戲如來功德智
慧莊嚴於是妙音菩薩不起于座身不動搖
而入三昧以三昧力於耆闍崛山去法座不
遠化作八万四千衆寶蓮華閻浮檀金為莖
白銀為葉金剛為鬚甄叔迦寶以為其臺尒
時文殊師利法王子見是蓮華而白佛言世
尊是何因緣先現此瑞有若干千万蓮華閻
浮檀金為莖白銀為葉金剛為鬚甄叔迦寶
以為其臺尒時釋迦牟尼佛告文殊師利是
妙音菩薩摩訶薩欲從淨華宿王智佛國與
八万四千菩薩圍遶而來至此娑婆世界供
養親近礼拜於我亦欲供養聽法華經文殊
師利白佛言世尊是菩薩種何善本脩何功
德而能有是大神通力行何三昧願為我等
說是三昧名字我等亦欲勤脩行之行此三
昧乃能見是菩薩色相大小威儀進止唯
願世尊以神通力彼菩薩來令我得見尒時
釋迦牟尼佛告文殊師利此久滅度多寶如

BD02922 號　妙法蓮華經（八卷本）卷七　（18–14）

德而能有是大神通力行何三昧願爲我等
說是三昧名字我等亦欲勤脩行之行此三
昧乃能見是菩薩色相大小威儀進止唯
願世尊以神通力彼菩薩來令我得見尒時
釋迦牟尼佛告文殊師利此久滅度多寶如
來當爲汝等而現其相時多寶佛告彼菩薩
善男子來文殊師利法王子欲見汝身于時
妙音菩薩於彼國沒與八万四千菩薩俱共
發來所經諸國六種震動皆悉雨於七寶蓮
華百千天樂不鼓自鳴是菩薩目如廣大青
蓮華葉正使和合百千万月其面貌端正復
過於此身真金色无量百千功德莊嚴威德
熾盛光明照曜諸相具足如那羅延堅固之
身入七寶臺上昇虛空去地七多羅樹諸菩
薩衆恭敬圍繞而來詣此娑婆世界耆闍崛
山到已下七寶臺以價直百千瓔珞持至釋
迦牟尼佛所頭面禮足奉上瓔珞而白佛言
世尊淨華宿王智佛問訊世尊少病少惱起
居輕利安樂行不四大調和不世尊可忍不
衆生易度不无多貪欲瞋恚愚癡嫉妬慳
不无不孝父母不敬沙門邪見不善心不攝
五情不世尊衆生能降伏諸魔怨不久滅度
多寶如來在七寶塔中來聽法不又問訊

BD02922號　妙法蓮華經（八卷本）卷七　（18–15）

寶如來安隱少惱堪忍久住不世尊我今欲
見多寶佛身唯願世尊示我令見尒時釋迦
牟尼佛語多寶佛是妙音菩薩欲得相見時
多寶佛告妙音言善哉善哉汝能爲供養釋
迦牟尼佛及聽法華經并見文殊師利等故
來至此尒時華德菩薩白佛言世尊是妙音
菩薩種何善根脩何功德有是神力佛告華
德菩薩過去有佛名雲雷音王多陀阿伽度
阿羅訶三藐三佛陁國名現一切世間劫名
喜見妙音菩薩於万二千歲以十万種伎樂
供養雲雷音王佛并奉上八万四千七寶鉢
以是因緣果報今生淨華宿王智佛國有是
神力華德於汝意云何尒時雲雷音王佛所
妙音菩薩伎樂供養奉上寶器者豈異人乎
今此妙音菩薩摩訶薩是華德是妙音菩薩
已曾供養親近无量諸佛久殖德本又值恒
河沙等百千万億那由他佛華德汝但見妙
音菩薩其身在此而是菩薩現種種身處處
爲諸衆生說是經典或現梵王身或現帝釋
身或現自在天身或現大自在天身或現天
大將軍身或現毗沙門天王身或現轉輪聖
王身或現諸小王身或現長者身或現居士
身或現宰官身或現婆羅門身或現比丘比

BD02922號　妙法蓮華經（八卷本）卷七　（18–16）

河沙等百千万億那由他佛華德汝但見妙
音菩薩其身在此而是菩薩現種種身處處
為諸衆生說是經典或現梵王身或現帝釋
身或現自在天身或現大自在天身或現天
大將軍身或現毗沙門天王身或現轉輪聖
王身或現諸小王身或現長者身或現居士
身或現宰官身或現婆羅門身或現比丘比
丘尼優婆塞優婆夷身或現長者居士婦女
身或現宰官婦女身或現婆羅門婦女身或
現童男童女身或現天龍夜叉乾闥婆阿脩
羅迦樓羅緊那羅摩睺羅伽人非人等身而
說是經諸有地獄餓鬼畜生及衆難處皆能
救濟乃至於王後宮變為女身而說是經華
德是妙音菩薩能救護娑婆世界諸衆生者
是妙音菩薩如是種種變化現身在此娑婆
國土為諸衆生說是經典於神通變化智慧
无所損減是菩薩以若干智慧明照娑婆世
界令一切衆生各得所知於十方恒河沙世
界中亦復如是若應以聲聞形得度者現聲
聞形而為說法應以辟支佛形得度者現辟
支佛形而為說法應以菩薩形得度者現菩
薩形而為說法應以佛形得度者即現佛形
而為說法如是種種隨所應度者而為現形
乃至應以滅度而得度者示現滅度華德妙
音菩薩摩訶薩成就大神通智慧之力其事
如是尒時華德菩薩白佛言世尊是妙音菩
薩深種善根世尊是菩薩住何三昧而能如
是在所變現度脫衆生佛告華德菩薩善男

BD02922 號　妙法蓮華經（八卷本）卷七

（18–17）

國土為諸衆生說是經典於神通變化智慧
无所損減是菩薩以若干智慧明照娑婆世
界令一切衆生各得所知於十方恒河沙世
界中亦復如是若應以聲聞形得度者現聲
聞形而為說法應以辟支佛形得度者現辟
支佛形而為說法應以菩薩形得度者現菩
薩形而為說法應以佛形得度者即現佛形
而為說法如是種種隨所應度者而為現形
乃至應以滅度而得度者示現滅度華德妙
音菩薩摩訶薩成就大神通智慧之力其事
如是尒時華德菩薩白佛言世尊是妙音菩
薩深種善根世尊是菩薩住何三昧而能如
是在所變現度脫衆生佛告華德菩薩善男
子其三昧名現一切色身妙音菩薩住是三
昧中能如是饒益无量衆生說是妙音菩薩
品時與妙音菩薩俱來者八万四千人皆得
現一切色身三昧此娑婆世界无量菩薩亦
得是三昧及陀羅尼尒時妙音菩薩摩訶薩
供養釋迦牟尼佛及多寶佛塔已還歸本土
所經諸國六種震動雨寶蓮華作百千万億
種種伎樂既到本國與八万四千菩薩
至淨華宿王智佛所白佛言世尊我至娑
世界饒益衆生……佛及見多寶
塔礼拜供養又見文殊師利法王子及
王菩薩得勤精進力菩薩勇施菩薩……

BD02922 號　妙法蓮華經（八卷本）卷七

（18–18）

是二時
若布薩日新學菩
十重四十八輕戒若誦戒時當於諸佛菩
形像前一人布薩即一人誦若二若三乃至百千
人亦一人誦誦者高坐聽者下坐各各披九條
七條五條袈裟結夏安居一一如法若行頭陀
時莫入難處若國難惡王土地高下草木深
邃師子虎狼水火惡風劫賊毒蛇道路一切
難處悉不得入一切難處若頭陀行道乃至夏
坐安居是諸難處皆不得入此難處若行頭
陀若見難處入者犯輕垢罪
若佛子應如法次第坐先受戒者在前坐後
受戒者在後坐不問老少比丘比丘尼貴人國
王王子乃至黃門奴婢皆應先受戒者在前
坐後受戒者隨次第坐莫如外道癡人若老
若少无前无後坐无次第兵奴之法我佛法
中先者先坐後者後坐而菩薩若不如法次
第坐者犯輕垢罪
若佛子常應教化一切衆生建立僧房山林
園田立作佛塔冬夏安居坐禪處所一切行
道處皆應立之而菩薩應為一切衆生講說
大乘經律若疾病國難賊難父母兄弟和上

BD02923號　梵網經盧舍那佛說菩薩心地戒品第十卷下　（2–1）

受戒者在後坐不問老少比丘比丘尼貴人國
王王子乃至黃門奴婢皆應先受戒者在前
坐後受戒者隨次第坐莫如外道癡人若老
若少无前无後坐无次第兵奴之法我佛法
中先者先坐後者後坐而菩薩若不如法次
第坐者犯輕垢罪
若佛子常應教化一切衆生建立僧房山林
園田立作佛塔冬夏安居坐禪處所一切行
道處皆應立之而菩薩應為一切衆生講說
大乘經律若疾病國難賊難父母兄弟和上
阿闍梨亡滅之日及三七日四五七日乃至七七
日亦應講說大乘經律一切齋會求福行來
持生大火所燒大水所漂黑風所吹船舫江
河大海羅剎之難亦讀誦講說此大乘經律
乃至一切罪報三惡七逆八難杻械枷鎖繫
縛其身多婬多瞋多愚癡多疾病皆應讀誦
講說大乘經律而新學菩薩若不尒者犯
輕垢罪
如是九戒應當學敬心奉持梵壇品中廣說

BD02923號　梵網經盧舍那佛說菩薩心地戒品第十卷下　（2–2）

車誘引諸子
然後但與大車寶物莊嚴安隱第一然彼長
者无虛妄之咎如來亦復如是无有虛妄初
說三乘引導衆生然後但以大乘而度脫之
何以故如來有无量智慧力无所畏諸法之
藏能與一切衆生大乘之法但不盡能受舍
利弗以是因緣當知諸佛方便力故於一佛
乘分別說三佛欲重宣此義而說偈言
譬如長者 有一大宅 其宅久故 而復頓弊
堂舍高危 柱根摧朽 梁棟傾斜 基陛頹毀
牆壁圮坼 泥塗褫落 覆苫亂墜 椽梠差脫
周障屈曲 雜穢充滿 有五百人 止住其中
鵄梟鵰鷲 烏鵲鳩鴿 蚖蛇蝮蠍 蜈蚣蚰蜒
守宮百足 狖狸鼷鼠 諸惡蟲輩 交橫馳走
屎尿臭處 不淨流溢 蜣蜋諸蟲 而集其上
狐狼野干 咀嚼踐蹋 嚌齧死屍 骨肉狼藉
由是群狗 競來搏撮 飢羸慞惶 處處求食
鬪諍摣掣 啀喍嘷吠 其舍恐怖 變狀如是

BD02924 號　妙法蓮華經卷二　（8–1）

狐狼野干 咀嚼踐蹋 嚌齧死屍 骨肉狼藉
由是群狗 競來搏撮 飢羸慞惶 處處求食
鬪諍摣掣 啀喍嘷吠 其舍恐怖 變狀如是
處處皆有 魑魅魍魎 夜叉惡鬼 食噉人肉
毒蟲之屬 諸惡禽獸 孚乳產生 各自藏護
夜叉競來 爭取食之 食之既飽 惡心轉熾
鬪諍之聲 甚可怖畏 鳩槃荼鬼 蹲踞土埵
或時離地 一尺二尺 往返遊行 縱逸嬉戲
捉狗兩足 撲令失聲 以腳加頸 怖狗自樂
復有諸鬼 其身長大 裸形黑瘦 常住其中
發大惡聲 叫呼求食 復有諸鬼 其咽如針
復有諸鬼 首如牛頭 或食人肉 或復噉狗
頭髮蓬亂 殘害凶險 飢渴所逼 叫喚馳走
夜叉餓鬼 諸惡鳥獸 飢急四向 窺看窗牖
如是諸難 恐畏无量 是朽故宅 屬于一人
其人近出 未久之間 於後舍宅 欻然火起
四面一時 其炎俱熾 棟梁椽柱 爆聲震裂
摧折墮落 牆壁崩倒 諸鬼神等 揚聲大叫
鵰鷲諸鳥 鳩槃荼等 周慞惶怖 不能自出
惡獸毒蟲 藏竄孔穴 毗舍闍鬼 亦住其中
薄福德故 為火所逼 共相殘害 飲血噉肉
野干之屬 並已前死 諸大惡獸 競來食噉
臭烟熢㶿 四面充塞 蜈蚣蚰蜒 毒蛇之類
為火所燒 爭走出穴 鳩槃荼鬼 隨取而食
又諸餓鬼 頭上火燃 飢渴熱惱 周慞悶走
其宅如是 甚可怖畏 毒害火災 衆難非一

BD02924 號　妙法蓮華經卷二　（8–2）

野干之屬 並已前死 諸大惡獸 競來食噉
臭烟熢㶻 四面充塞 蜈蚣蚰蜒 毒蛇之類
為火所燒 爭走出穴 鳩槃荼鬼 隨取而食
又諸餓鬼 頭上火燃 飢渴熱惱 周章悶走
其宅如是 甚可怖畏 毒害火災 衆難非一
是時宅主 在門外立 聞有人言 汝諸子等
先因遊戲 來入此宅 幼稚无知 歡娛樂著
長者聞已 驚入火宅 方宜救濟 令无燒害
告喻諸子 說衆患難 惡鬼毒虫 災火蔓莚
衆苦次第 相續不絕 毒蛇蚖蝮 及諸夜叉
鳩槃荼鬼 野干狐狗 鵰鷲鵄梟 百足之屬
飢渴惱急 甚可怖畏 此苦難處 況復大火
諸子无知 雖聞父誨 猶故樂著 嬉戲不已
是時長者 而作是念 諸子如此 益我愁惱
今此舍宅 无一可樂 而諸子等 耽湎嬉戲
不受父教 將為火害 即便思惟 設諸方便
告諸子等 我有種種 珍玩之具 妙寶好車
羊車鹿車 大牛之車 今在門外 汝等出來
吾為汝等 造作此車 隨意所樂 可以遊戲
諸子聞說 如此諸車 即時奔競 馳走而出
到於空地 離諸苦難 長者見子 得出火宅
住於四衢 坐師子座 而自慶言 我今快樂
此諸子等 生育甚難 愚小无知 而入險宅
多諸毒虫 魑魅可畏 大火猛焰 四面俱起
而此諸子 貪樂嬉戲 我已救之 令得脫難

BD02924號　妙法蓮華經卷二　（8–3）

住於四衢 坐師子座 而自慶言 我今快樂
此諸子等 生育甚難 愚小无知 而入險宅
多諸毒虫 魑魅可畏 大火猛焰 四面俱起
而此諸子 貪樂嬉戲 我已救之 令得脫難
是故諸人 我今快樂 尒時諸子 知父安坐
皆詣父所 而白父言 願賜我等 三種寶車
如前所許 諸子出來 當以三車 隨汝所欲
今正是時 唯垂給與 長者大富 庫藏衆多
金銀琉璃 車𤥭馬瑙 以衆寶物 造諸大車
莊校嚴飾 周匝欄楯 四面懸鈴 金繩交絡
真珠羅網 張施其上 金華諸瓔 處處垂下
衆綵雜色 周匝圍繞 柔軟繒纊 以為茵褥
上妙細㲲 價直千億 鮮白淨潔 以覆其上
有大白車 肥壯多力 形體姝好 以駕寶車
多諸儐從 而侍衛之 以是妙車 等賜諸子
諸子是時 歡喜踊躍 乘是寶車 遊於四方
嬉戲快樂 自在无礙 告舍利弗 我亦如是
衆聖中尊 世間之父 一切衆生 皆是吾子
深著世樂 无有慧心 三界无安 猶如火宅
衆苦充滿 甚可怖畏 常有生老 病死憂患
如是等火 熾然不息 如來已離 三界火宅
寂然閑居 安處林野 今此三界 皆是我有
其中衆生 悉是吾子 而今此處 多諸患難
唯我一人 能為救護 雖復教詔 而不信受
於諸欲染 貪著深故 是以方便 為說三乘

BD02924號　妙法蓮華經卷二　（8–4）

其中衆生　悉是吾子　而今此處　多諸患難
唯我一人　能為救護　雖復教詔　而不信受
扵諸欲染　貪著深故　是以方便　為說三乘
令諸子等　知三界苦　開示演說　出世間道
是諸子等　若心決定　具足三明　及六神通
有得緣覺　不退菩薩　汝舍利弗　我為衆生
以此譬喻　說一佛乘　汝等若能　信受是語
一切皆當　得成佛道　是乘微妙　清淨第一
扵諸世間　為无有上　佛所悅可　一切衆生
所應供養　供養礼拜　无量億千　諸力解脫
禪定智慧　及佛餘法　得如是乘　令諸子等
日夜劫數　常得遊戲　與諸菩薩　及聲聞衆
乘此寶乘　直至道場　以是因緣　十方諦求
更无餘乘　除佛方便　告舍利弗　汝諸人等
皆是吾子　我則是父　汝等累劫　衆苦所燒
我皆濟拔　令出三界　我雖先說　汝等滅度
但盡生死　而實不滅　今所應作　唯佛智慧
若有菩薩　扵是衆中　能一心聽　諸佛實法
諸佛世尊　雖以方便　所化衆生　皆是菩薩
若人小智　深著愛欲　為此等故　說扵苦諦
衆生心喜　得未曾有　佛說苦諦　真實无異
若有衆生　不知苦本　深著苦因　不能暫捨
為是等故　方便說道　諸苦所因　貪欲為本
若滅貪欲　无所依止　滅盡諸苦　名第三諦
為滅諦故　脩行扵道　離諸苦縛　名得解脫
是人扵何　而得解脫　但盡虛妄　名為解脫

BD02924 號　妙法蓮華經卷二

（8–5）

為是等故　方便說道　諸苦所因　貪欲為本
若滅貪欲　无所依止　滅盡諸苦　名第三諦
為滅諦故　脩行扵道　離諸苦縛　名得解脫
是人扵何　而得解脫　但盡虛妄　名為解脫
其實未得　一切解脫　佛說是人　未實滅度
斯人未得　无上道故　我意不欲　令至滅度
我為法王　扵法自在　安隱衆生　故現扵世
汝舍利弗　我此法印　為欲利益　世間故說
在所遊方　勿妄宣傳　若有聞者　隨喜頂受
當知是人　阿鞞跋致　若有信受　此經法者
是人已曾　見過去佛　恭敬供養　亦聞是法
若人有能　信汝所說　則為見我　亦見扵汝
及比丘僧　并諸菩薩　斯法華經　為深智說
淺識聞之　迷惑不解　一切聲聞　及辟支佛
扵此經中　力所不及　汝舍利弗　尚扵此經
以信得入　況餘聲聞　其餘聲聞　信佛語故
隨順此經　非己智分　又舍利弗　憍慢懈怠
計我見者　莫說此經　凡夫淺識　深著五欲
聞不能解　亦勿為說　若人不信　毀謗此經
則斷一切　世間佛種　或復顰蹙　而懷疑惑
汝當聽說　此人罪報　若佛在世　若滅度後
其有誹謗　如斯經典　見有讀誦　書持經者
輕賤憎嫉　而懷結恨　此人罪報　汝今復聽
其人命終　入阿鼻獄　具足一劫　劫盡更生
如是展轉　至无數劫　從地獄出　當墮畜生

BD02924 號　妙法蓮華經卷二

（8–6）

其有誹謗　如斯經典　見有讀誦　書持經者
輕賤憎嫉　而懷結恨　此人罪報　汝今復聽
其人命終　入阿鼻獄　具足一劫　劫盡更生
如是展轉　至无數劫　從地獄出　當墮畜生
若狗野干　其形頷瘦　梨黮疥癩　人所觸嬈
又復為人　之所惡賤　常困飢渴　骨肉枯竭
生受楚毒　死被瓦石　斷佛種故　受斯罪報
若作駱駝　或生驢中　身常負重　加諸杖捶
但念水草　餘无所知　謗斯經故　獲罪如是
有作野干　來入聚落　身體疥癩　又无一目
為諸童子　之所打擲　受諸苦痛　或時致死
於此死已　更受蟒身　其形長大　五百由旬
聾騃无足　宛轉腹行　為諸小虫　之所唼食
晝夜受苦　无有休息　謗斯經故　獲罪如是
若得為人　諸根闇鈍　矬陋攣躄　盲聾背傴
所有言說　人不信受　口氣常臭　鬼魅所著
貧窮下賤　為人所使　多病痟瘦　无所依怙
雖親附人　人不在意　若有所得　尋復忘失
若脩醫道　順方治病　更增他疾　或復致死
若自有病　无人救療　設服良藥　而復增劇
若他反逆　抄劫竊盜　如是等罪　橫羅其殃
如斯罪人　永不見佛　衆聖之王　說法教化
如斯罪人　常生難處　狂聾心亂　永不聞法
於无數劫　如恒河沙　生輒聾瘂　諸根不具
常處地獄　如遊園觀　在餘惡道　如己舍宅
駝驢豬狗　是其行處　謗斯經故　獲罪如是

BD02924號　妙法蓮華經卷二　（8–7）

如斯罪人　永不見佛　衆聖之王　說法教化
於无數劫　如恒河沙　生輒聾瘂　諸根不具
常處地獄　如遊園觀　在餘惡道　如己舍宅
駝驢豬狗　是其行處　謗斯經故　獲罪如是
若得為人　聾盲瘖瘂　貧窮諸衰　以自莊嚴
水腫乾痟　疥癩癰疽　如是等病　以為衣服
身常臭處　垢穢不淨　深著我見　增益瞋恚
婬欲熾盛　不擇禽獸　謗斯經故　獲罪如是
告舍利弗　謗斯經者　若說其罪　窮劫不盡
以是因緣　我故語汝　无智人中　莫說此經
若有利根　智慧明了　多聞強識　求佛道者
如是之人　乃可為說　若人曾見　億百千佛
殖諸善本　深心堅固　如是之人　乃可為說
若人精進　常脩慈心　不惜身命　乃可為說
若人恭敬　无有異心　離諸凡愚　獨處山澤
如是之人　乃可為說　又舍利弗　若見有人
捨惡知識　親近善友　如是之人　乃可為說
若見佛子　持戒清潔　如淨明珠　求大乘經
如是之人　乃可為說　若人无瞋　質直柔軟
常愍一切　恭敬諸佛　如是之人　乃可為說
復有佛子　於大衆中　以清淨心　種種因緣

BD02924號　妙法蓮華經卷二　（8–8）

猫貍猪猶若故養者犯輕垢罪
若佛子以惡心故觀一切男女等鬪軍陣兵
衆劫賊等鬪亦不得聽吹貝鼓角琴瑟箏笛
箜篌歌叫妓樂之聲不得樗蒱圍碁波羅塞
戲彈碁六博拍毱擲石投壺牽道八道行成
抓鏡芝草楊枝鉢盂髑髏而作卜筮不得作
盜賊使命一一不得作若故作者犯輕垢罪
若佛子護持禁戒行住坐卧日夜六時讀誦
是戒猶如金剛如帶持浮囊欲度大海如草
繫比丘常生大乘善信自知我是未成之佛
諸佛是已成之佛發菩提心念念不去心若
起一念二乘外道心者犯輕垢罪
若佛子常應發一切願孝順父母師僧三寶
常願得好師同學善友知識常教我大乘經
律十發趣十長養十金剛十地使我開解如法脩
行堅持佛戒寧捨身命念念不去心若一切
菩薩不發是願者犯輕垢罪
若佛子應發十大願已持佛禁戒作是願言
寧以此身投於熾然猛火大坑刀山終不敢毀
犯三世諸佛經律与一切女人作不淨行

BD02925 號　梵網經盧舍那佛說菩薩心地戒品第十卷下　（3–1）

行堅持佛戒寧捨身命念念不去心若一切
菩薩不發是願者犯輕垢罪
若佛子應發十大願已持佛禁戒作是願言
寧以此身投於熾然猛火大坑刀山終不敢毀
犯三世諸佛經律与一切女人作不淨行
復作是願寧以熱鐵羅網千重周帀纏身終
不以破戒之身受於信心檀越一切衣服
復作是願寧以此口呑熱鐵丸及大流猛火
經百千劫終不以破戒之口食信心檀越百
味飲食
復作是願寧以此身卧大猛火羅網熱鐵地
上終不以破戒之身受信心檀越百種床座
復作是願寧以此身受三百鉾刺身終不以
破戒之身受信心檀越百味醫藥
復作是願寧以此身投熱鐵鑊千劫終不以
破戒之身受信心檀越千種房舍屋宅園
林田地
復作是願寧以鐵鎚打碎此身從頭至足令
如微塵終不以此破戒之身受信心檀越恭
敬礼拜
復作是願寧以百千熱鐵刀鉾挑其兩目終
不以破戒之心視他好色
復作是願寧以百千鐵錐遍身攙刺耳根經
一劫二劫終不以破戒之心聽好音聲
復作是願寧以百千刃刀割去其鼻終不以
破戒之心貪嗅諸香

BD02925 號　梵網經盧舍那佛說菩薩心地戒品第十卷下　（3–2）

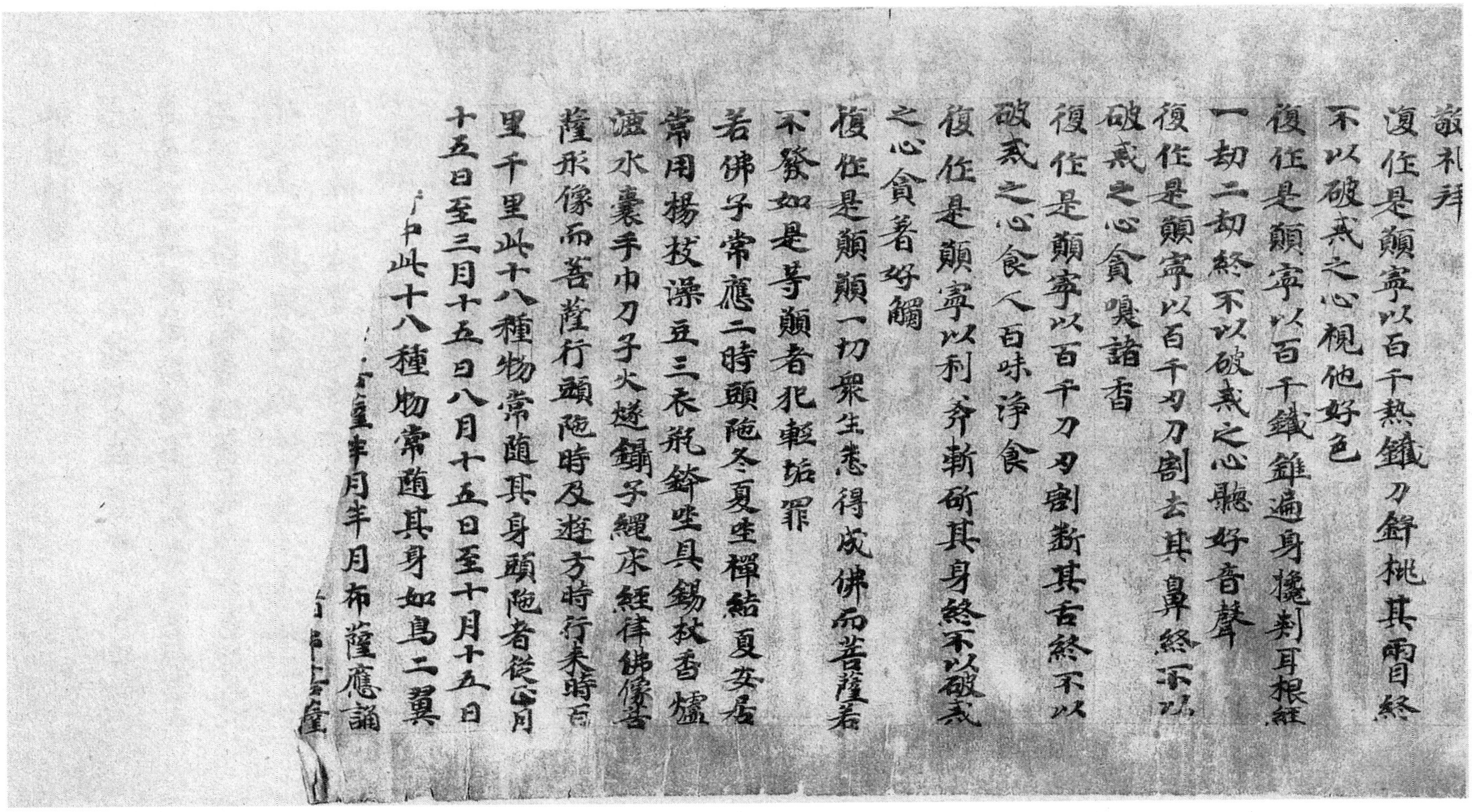

敬礼拜
復作是願寧以百千熱鐵刀鉾挑其兩目終
不以破戒之心視他好色
復作是願寧以百千鐵錐遍身攙刺耳根經
一劫二劫終不以破戒之心聽好音聲
復作是願寧以百千刃刀割去其鼻終不以
破戒之心貪嗅諸香
復作是願寧以百千刃刀割斷其舌終不以
破戒之心食人百味淨食
復作是願寧以利斧斬斫其身終不以破戒
之心貪著好觸
復作是願願一切衆生悉得成佛而菩薩若
不發如是等願者犯輕垢罪
若佛子常應二時頭陁冬夏坐禪結夏安居
常用楊枝澡豆三衣瓶鉢坐具錫杖香爐
漉水囊手巾刀子火燧鑷子繩床經律佛像菩
薩形像而菩薩行頭陁時及遊方時行來百
里千里此十八種物常隨其身頭陁者從正月
十五日至三月十五日八月十五日至十月十五日
□中此十八種物常隨其身如鳥二翼
□菩薩半月半月布薩應誦

BD02925 號　梵網經盧舍那佛說菩薩心地戒品第十卷下　（3–3）

妙法蓮華經卷第三

BD02926 號背　妙法蓮華經卷三護首　（1–1）

妙法蓮華經藥草喻品第五　三
尒時世尊告摩訶迦葉及諸大弟子善哉
善哉迦葉善說如來真實功德誠如所言如
來復有無量無邊阿僧祇功德汝等若於无量
億劫說不能盡迦葉當知如來是諸法之王
若有所說皆不虛也於一切法以智方便而
演說之其所說法皆悉到於一切智地如來

BD02926 號　妙法蓮華經卷三

（7–1）

善哉迦葉善說如來真實功德誠如所言如
來復有無量無邊阿僧祇功德汝等若於无量
億劫說不能盡迦葉當知如來是諸法之王
若有所說皆不虛也於一切法以智方便而
演說之其所說法皆悉到於一切智地如來
觀知一切諸法之所歸趣亦知一切衆生深
心所行通達無礙又於諸法究盡明了示諸
衆生一切智慧迦葉譬如三千大千世界山
川谿谷土地所生卉木叢林及諸藥草種類
若干名色各異密雲彌布遍覆三千大千
世界一時等澍其澤普洽卉木叢林及諸藥
草小根小莖小枝小葉中根中莖中枝中葉大根
大莖大枝大葉諸樹大小隨上中下各有
所受一雲所雨稱其種性而得生長華菓
敷實雖一地所生一雨所潤而諸草木各有差
別迦葉當知如來亦復如是出現於世如大
雲起以大音聲普遍世界天人阿脩羅如彼
大雲遍覆三千大千國土於大衆中而唱是
言我是如來應供正遍知明行足善逝世間
解无上士調御丈夫天人師佛世尊未度者
令度未解者令解未安者令安未涅槃者令
得涅槃今世後世如實知之我是一切知者一切
見者知道者開道者說道者汝等天人阿
脩羅衆皆應到此為聽法故尒時无數千萬
億種衆生來至佛所而聽法如來于時觀是

BD02926 號　妙法蓮華經卷三

（7–2）

得涅槃令世後世如實知之我是一切知者一切
見者知道者開道者說道者汝等天人阿
脩羅衆皆應到此為聽法故尒時无數千萬
億種衆生来至佛所而聽法如来于時觀是
衆生諸根利鈍精進懈怠隨其所堪而為說
法種種無量皆令歡喜快得善利是諸衆生
聞是法已現世安隱後生善處以道受樂亦
得聞法既聞法已離諸障礙於諸法中任力
所能漸得入道如彼大雲雨於一切卉木叢
林及諸藥草如其種性具足蒙潤各得生長
如来說法一相一味所謂解脫相離相滅相究
竟至於一切種智其有衆生聞如来法若
持讀誦如說脩行所得功德不自覺知所以
者何唯有如来知此衆生種相體性念何事
思何事脩何事云何念云何思云何脩以何
法念以何法思以何法脩以何法得何法衆
生住於種種之地唯有如来如實見之明了
无礙如彼卉木叢林諸藥草等而不自知上
中下性如来知是一相一味之法所謂解脫
相離相滅相究竟涅槃常寂滅相終歸於空
佛知是已觀衆生心欲而將護之是故不即
為說一切種智汝等迦葉甚為希有能知如
来隨宜說法能信能受所以者何諸佛世尊
隨宜說法難解難知尒時世尊欲重宣此義
而說偈言

BD02926 號　妙法蓮華經卷三　（7–3）

為說一切種智汝等迦葉甚為希有能知如
来隨宜說法能信能受所以者何諸佛世尊
隨宜說法難解難知尒時世尊欲重宣此義
而說偈言
頗有法王　出現世間　隨衆生欲　種種說法
如来尊重　智慧深遠　久默斯要　不務速說
有智若聞　則能信解　無智疑悔　則為永失
是故迦葉　隨力為說　以種種緣　令得正見
迦葉當知　譬如大雲　起於世間　遍覆一切
慧雲含潤　電光晃耀　雷聲遠震　令衆悅豫
日光掩蔽　地上清涼　靉靆垂布　如可承攬
其雨普等　四方俱下　流澍無量　率土充洽
山川險谷　幽邃所生　卉木藥草　大小諸樹
百穀苗稼　甘蔗蒲萄　雨之所潤　無不豐足
乾地普洽　藥木並茂　其雲所出　一味之水
草木叢林　隨分受潤　一切諸樹　上中下等
稱其大小　各得生長　根莖枝葉　華菓光色
一雨所及　皆得鮮澤　如其體相　性分大小
所潤是一　而各滋茂　佛亦如是　出現於世
譬如大雲　普覆一切　既出于世　為諸衆生
分別演說　諸法之實　大聖世尊　於諸天人
一切衆中　而宣是言　我為如来　兩足之尊
出于世間　猶如大雲　充潤一切　枯槁衆生
皆令離苦　得安隱樂　世間之樂　及涅槃樂
諸天人衆　一心善聽　皆應到此　覲無上尊

BD02926 號　妙法蓮華經卷三　（7–4）

譬如大雲　普覆一切　既出于世　為諸衆生
分別演說　諸法之實　大聖世尊　於諸天人
一切衆中　而宣是言　我為如來　兩足之尊
出于世間　猶如大雲　充潤一切　枯槁衆生
皆令離苦　得安隱樂　世間之樂　及涅槃樂
諸天人衆　一心善聽　皆應到此　覲無上尊
我為世尊　無能及者　安隱衆生　故現於世
為大衆說　甘露淨法　其法一味　解脫涅槃
以一妙音　演暢斯義　常為大乘　而作因緣
我觀一切　普皆平等　無有彼此　愛憎之心
我無貪著　亦無限礙　恒為一切　平等說法
如為一人　衆多亦然　常演說法　曾無他事
去來坐立　終不疲猒　充足世間　如雨普潤
貴賤上下　持戒毀戒　威儀具足　及不具足
正見邪見　利根鈍根　等雨法雨　而無懈倦
一切衆生　聞我法者　隨力所受　住於諸地
或處人天　轉輪聖王　釋梵諸王　是小藥草
知無漏法　能得涅槃　起六神通　及得三明
獨處山林　常行禪定　得緣覺證　是中藥草
求世尊處　我當作佛　行精進定　是上藥草
又諸佛子　專心佛道　常行慈悲　自知作佛
決定無疑　是名小樹　安住神通　轉不退輪
度無量億　百千衆生　如是菩薩　名為大樹
佛平等說　如一味雨　隨衆生性　所受不同
如彼草木　所稟各異　佛以此喻　方便開示

BD02926號　妙法蓮華經卷三

(7–5)

度無量億　百千衆生　如是菩薩　名為大樹
佛平等說　如一味雨　隨衆生性　所受不同
如彼草木　所稟各異　佛以此喻　方便開示
種種言辭　演說一法　於佛智慧　如海一渧
我雨法雨　充滿世間　一味之法　隨力脩行
如彼叢林　藥草諸樹　隨其大小　漸增茂好
諸佛之法　常以一味　令諸世間　普得具足
漸次脩行　皆得道果　聲聞緣覺　處於山林
住最後身　聞法得果　是名藥草　各得增長
若諸菩薩　智慧堅固　了達三界　求最上乘
是名小樹　而得增長　復有住禪　得神通力
聞諸法空　心大歡喜　放無數光　度諸衆生
是名大樹　而得增長　如是迦葉　佛所說法
譬如大雲　以一味雨　潤於人華　各得成實
迦葉當知　以諸因緣　種種譬喻　開示佛道
是我方便　諸佛亦然　今為汝等　說最實事
諸聲聞衆　皆非滅度　汝等所行　是菩薩道
漸漸脩學　悉當成佛

妙法蓮華經授記品第六

尒時世尊說是偈已　告諸大衆　唱如是言　我
此弟子摩訶迦葉　於未來世　當得奉覲三百
萬億諸佛世尊　供養恭敬　尊重讚歎　廣宣
諸佛無量大法　於最後身　得成為佛　名曰光明
如來　應供　正遍知　明行足　善逝　世間解　無上
士　調御丈夫　天人師　佛　世尊　國名光德　劫名

BD02926號　妙法蓮華經卷三

(7–6)

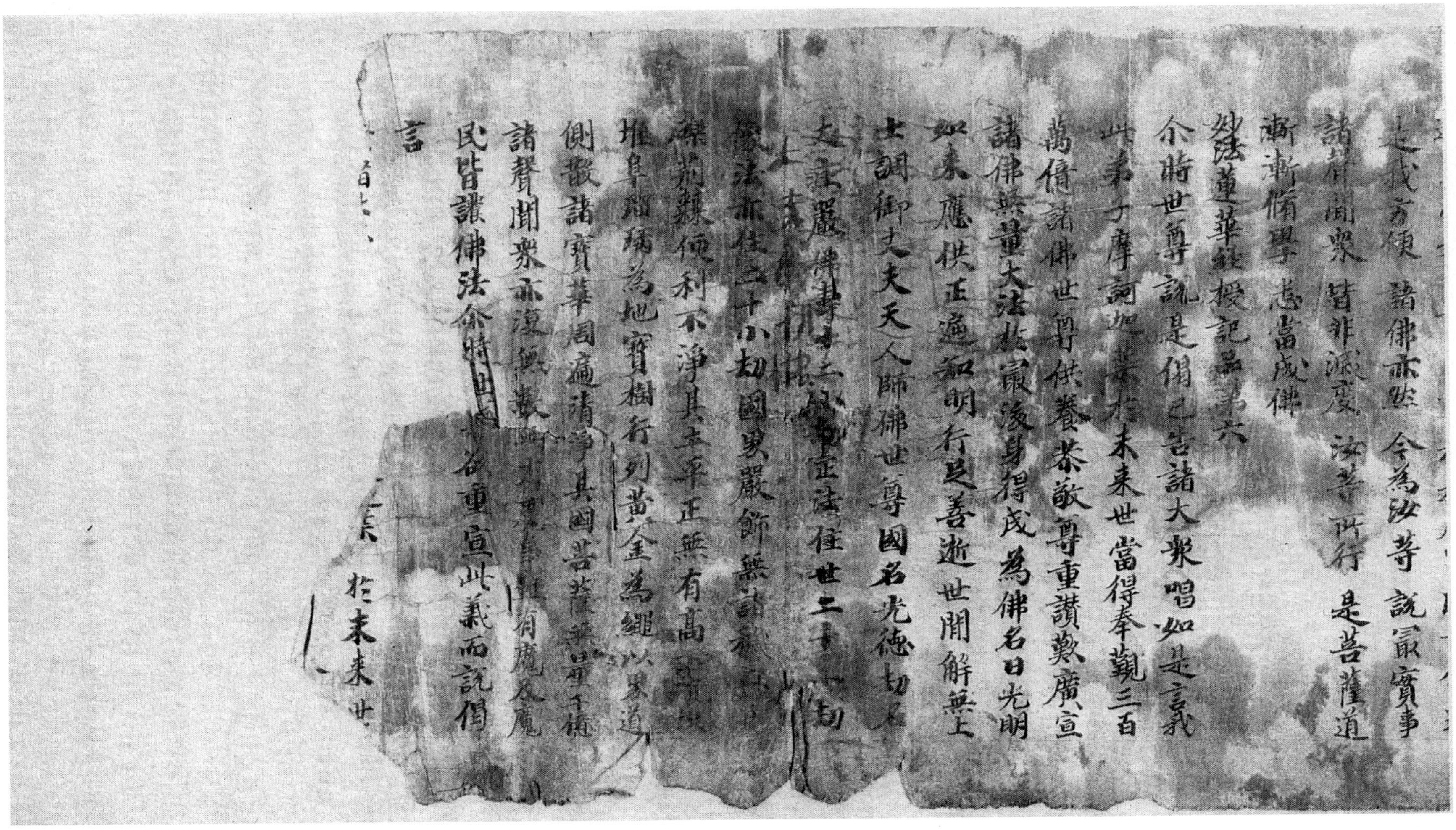

是我方便　諸佛亦然　今為汝等　說最實事
諸聲聞眾　皆非滅度　汝等所行　是菩薩道
漸漸脩學　悉當成佛
妙法蓮華經授記品第六
尒時世尊說是偈已告諸大衆唱如是言我
此弟子摩訶迦葉於未來世當得奉覲三百
萬億諸佛世尊供養恭敬尊重讚歎廣宣
諸佛無量大法於最後身得成為佛名曰光明
如來應供正遍知明行足善逝世間解無上
士調御丈夫天人師佛世尊國名光德劫名
大莊嚴佛壽十二小劫正法住世二十小劫
像法亦住二十小劫國界嚴飾無諸穢惡
瓦礫荊棘便利不淨其土平正無有高下坑
坎堆阜琉璃為地寶樹行列黃金為繩以界道
側散諸寶華周遍清淨其國菩薩無量千億
諸聲聞眾亦復無數無有魔事雖有魔及魔
民皆護佛法尒時世尊欲重宣此義而說偈
言

BD02926 號　妙法蓮華經卷三　（7–7）

BD02926 號背　雜寫　（1–1）

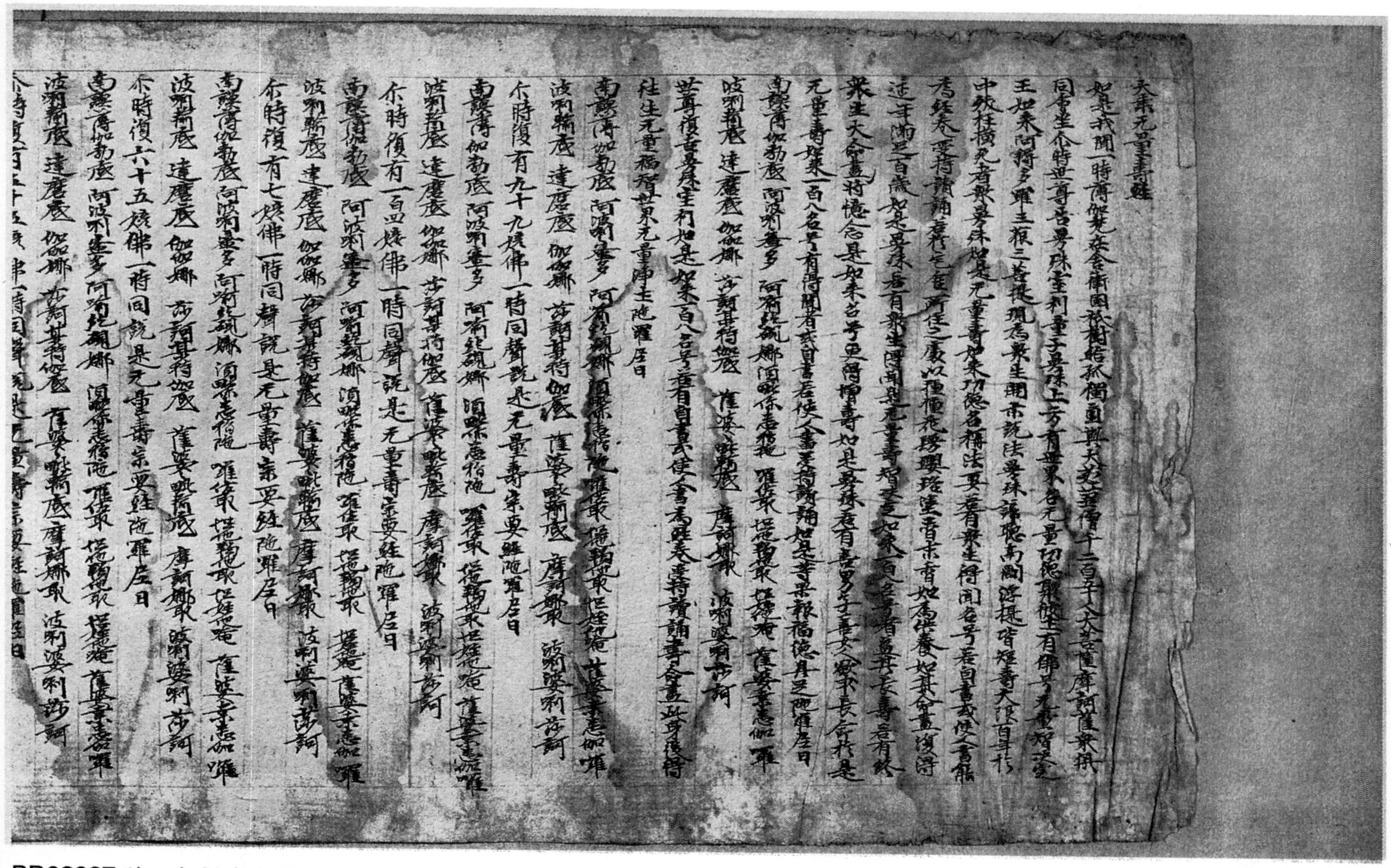

大乘无量壽經

如是我聞一時薄伽梵在舍衛國祇樹給孤獨園與大苾芻僧千二百五十人大菩薩摩訶薩衆俱

尒時世尊告曼殊室利童子曼殊上方有世界名无量功德聚彼土有佛号无量智決定

王如來阿羅訶三藐三菩提現為衆生開示說法曼殊諦聽閻浮提人壽命百年於

中夭枉横死者衆多曼殊此无量壽如來功德名稱法要若有衆生得聞名号若自書或使人書能

為經卷受持讀誦舍宅所住之處以種種花鬘瓔珞塗香末香而為供養如其命盡復得

延年滿足百歲如是曼殊若有衆生聞是无量壽智決定如來一百八名号者益其長壽若有終

衆生大命將盡憶念是如來名号更得增壽如是曼殊若有善男子善女人欲求長命於是

无量壽決定一百八名号有得聞者或自書若使人書受持讀誦如是等果報福德具足陁羅尼曰

南謨薄伽勃底 阿波唎蜜多 阿喻紇硯孃 須毗你悉指陀 囉佐耶 怛他揭他耶 怛姪他 唵 薩婆桑悉迦囉

波唎輸底 達磨底 伽伽娜 莎訶娑揭伽底 薩婆婆毗輸底 摩訶娜耶 波唎婆唎 莎訶

世尊復告曼殊室利如是如來一百八名号若有自書或使人書為經卷受持讀誦壽命盡此等復得

往生无量福智世界无量壽淨土陁羅尼曰

南謨薄伽勃底 阿波唎蜜多 阿喻紇硯孃 須毗你悉指陀 囉佐耶 怛他揭他耶 怛姪他 唵 薩婆桑悉迦囉

波唎輸底 達磨底 伽伽娜 莎訶娑揭伽底 薩婆婆毗輸底 摩訶娜耶 波唎婆唎 莎訶

尒時復有九十九姟佛一時同聲說是无量壽宗要經陁羅尼曰

南謨薄伽勃底 阿波唎蜜多 阿喻紇硯孃 須毗你悉指陀 囉佐耶 怛他揭他耶 怛姪他 唵 薩婆桑悉迦囉

波唎輸底 達磨底 伽伽娜 莎訶娑揭伽底 薩婆婆毗輸底 摩訶娜耶 波唎婆唎 莎訶

尒時復有一百四姟佛一時同聲說是无量壽宗要經陁羅尼曰

南謨薄伽勃底 阿波唎蜜多 阿喻紇硯孃 須毗你悉指陀 囉佐耶 怛他揭他耶 怛姪他 唵 薩婆桑悉迦囉

波唎輸底 達磨底 伽伽娜 莎訶娑揭伽底 薩婆婆毗輸底 摩訶娜耶 波唎婆唎 莎訶

尒時復有七姟佛一時同聲說是无量壽宗要經陁羅尼曰

南謨薄伽勃底 阿波唎蜜多 阿喻紇硯孃 須毗你悉指陀 囉佐耶 怛他揭他耶 怛姪他 唵 薩婆桑悉迦囉

波唎輸底 達磨底 伽伽娜 莎訶娑揭伽底 薩婆婆毗輸底 摩訶娜耶 波唎婆唎 莎訶

尒時復六十五姟佛一時同說是无量壽宗要經陁羅尼曰

南謨薄伽勃底 阿波唎蜜多 阿喻紇硯孃 須毗你悉指陀 囉佐耶 怛他揭他耶 怛姪他 唵 薩婆桑悉迦囉

波唎輸底 達磨底 伽伽娜 莎訶娑揭伽底 薩婆婆毗輸底 摩訶娜耶 波唎婆唎 莎訶

尒時復有五十五姟佛一時同聲說是无量壽宗要經陁羅尼曰

BD02927 號　無量壽宗要經

（5–1）

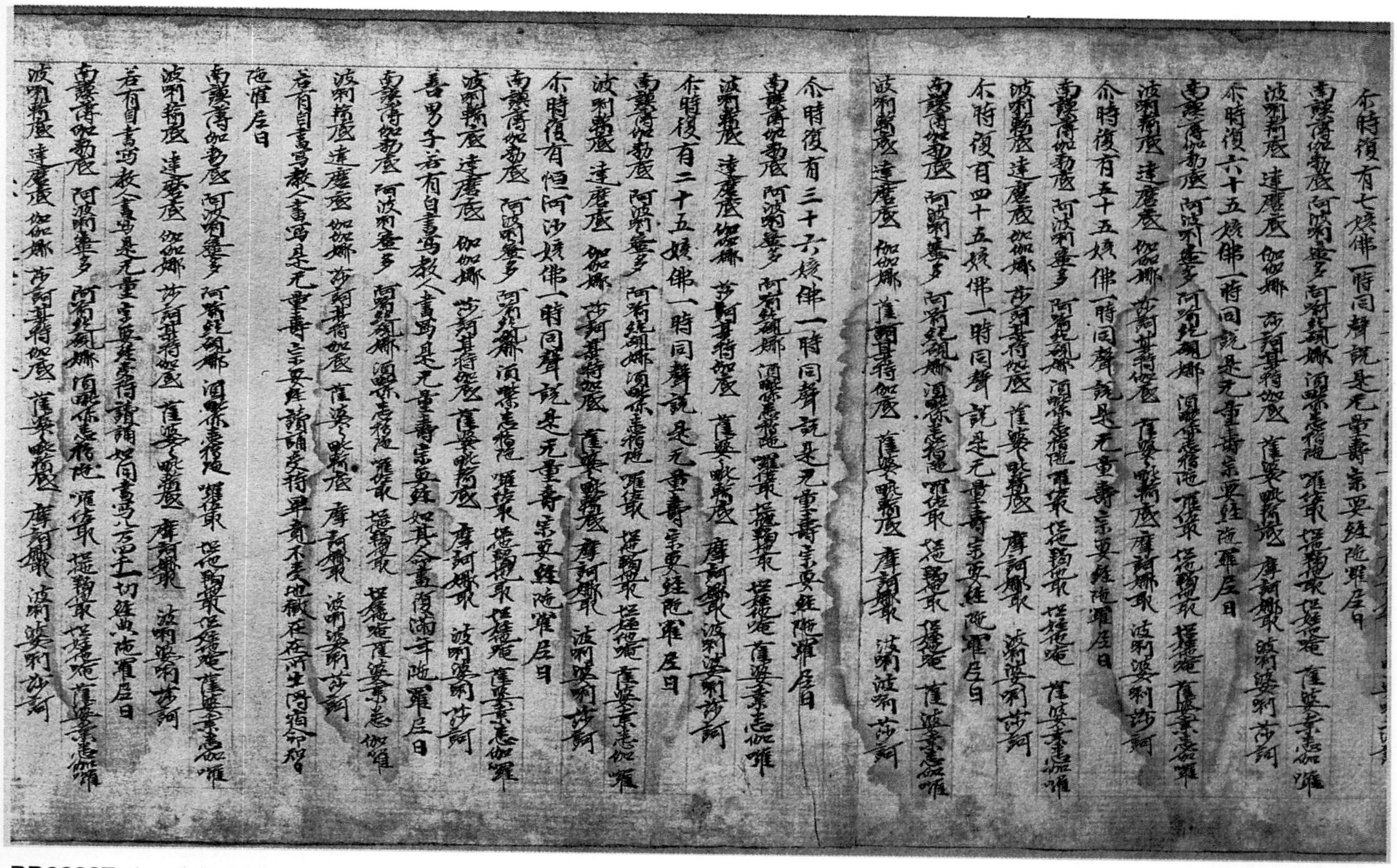

尒時復有七姟佛一時同聲說是无量壽宗要經陁羅尼曰

南謨薄伽勃底 阿波唎蜜多 阿喻紇硯孃 須毗你悉指陀 囉佐耶 怛他揭他耶 怛姪他 唵 薩婆桑悉迦囉

波唎輸底 達磨底 伽伽娜 莎訶娑揭伽底 薩婆婆毗輸底 摩訶娜耶 波唎婆唎 莎訶

尒時復六十五姟佛一時同說是无量壽宗要經陁羅尼曰

南謨薄伽勃底 阿波唎蜜多 阿喻紇硯孃 須毗你悉指陀 囉佐耶 怛他揭他耶 怛姪他 唵 薩婆桑悉迦囉

波唎輸底 達磨底 伽伽娜 莎訶娑揭伽底 薩婆婆毗輸底 摩訶娜耶 波唎婆唎 莎訶

尒時復有五十五姟佛一時同聲說是无量壽宗要經陁羅尼曰

南謨薄伽勃底 阿波唎蜜多 阿喻紇硯孃 須毗你悉指陀 囉佐耶 怛他揭他耶 怛姪他 唵 薩婆桑悉迦囉

波唎輸底 達磨底 伽伽娜 莎訶娑揭伽底 薩婆婆毗輸底 摩訶娜耶 波唎婆唎 莎訶

尒時復有四十五姟佛一時同聲說是无量壽宗要經陁羅尼曰

南謨薄伽勃底 阿波唎蜜多 阿喻紇硯孃 須毗你悉指陀 囉佐耶 怛他揭他耶 怛姪他 唵 薩婆桑悉迦囉

波唎輸底 達磨底 伽伽娜 莎訶娑揭伽底 薩婆婆毗輸底 摩訶娜耶 波唎婆唎 莎訶

尒時復有三十六姟佛一時同聲說是无量壽宗要經陁羅尼曰

南謨薄伽勃底 阿波唎蜜多 阿喻紇硯孃 須毗你悉指陀 囉佐耶 怛他揭他耶 怛姪他 唵 薩婆桑悉迦囉

波唎輸底 達磨底 伽伽娜 莎訶娑揭伽底 薩婆婆毗輸底 摩訶娜耶 波唎婆唎 莎訶

尒時復有二十五姟佛一時同聲說是无量壽宗要經陁羅尼曰

南謨薄伽勃底 阿波唎蜜多 阿喻紇硯孃 須毗你悉指陀 囉佐耶 怛他揭他耶 怛姪他 唵 薩婆桑悉迦囉

波唎輸底 達磨底 伽伽娜 莎訶娑揭伽底 薩婆婆毗輸底 摩訶娜耶 波唎婆唎 莎訶

尒時復有恒河沙姟佛一時同聲說是无量壽宗要經陁羅尼曰

南謨薄伽勃底 阿波唎蜜多 阿喻紇硯孃 須毗你悉指陀 囉佐耶 怛他揭他耶 怛姪他 唵 薩婆桑悉迦囉

波唎輸底 達磨底 伽伽娜 莎訶娑揭伽底 薩婆婆毗輸底 摩訶娜耶 波唎婆唎 莎訶

善男子若有自書寫教人書寫是无量壽宗要經如其命盡復滿年陁羅尼曰

南謨薄伽勃底 阿波唎蜜多 阿喻紇硯孃 須毗你悉指陀 囉佐耶 怛他揭他耶 怛姪他 唵 薩婆桑悉迦囉

波唎輸底 達磨底 伽伽娜 莎訶娑揭伽底 薩婆婆毗輸底 摩訶娜耶 波唎婆唎 莎訶

若有自書寫教人書寫是无量壽宗要經讀誦受持畢竟不受地獄在在所生得宿命智

陁羅尼曰

南謨薄伽勃底 阿波唎蜜多 阿喻紇硯孃 須毗你悉指陀 囉佐耶 怛他揭他耶 怛姪他 唵 薩婆桑悉迦囉

波唎輸底 達磨底 伽伽娜 莎訶娑揭伽底 薩婆婆毗輸底 摩訶娜耶 波唎婆唎 莎訶

若有自書寫教人書寫是无量壽宗要經受持讀誦如同書寫八万四千一切經典陁羅尼曰

南謨薄伽勃底 阿波唎蜜多 阿喻紇硯孃 須毗你悉指陀 囉佐耶 怛他揭他耶 怛姪他 唵 薩婆桑悉迦囉

波唎輸底 達磨底 伽伽娜 莎訶娑揭伽底 薩婆婆毗輸底 摩訶娜耶 波唎婆唎 莎訶

BD02927 號　無量壽宗要經

（5–2）

陀羅尼曰
南謨薄伽勃底 阿波唎蜜多 阿喻紇硯娜 須毗你悉指陀 囉佐耶 怛他羯他耶 怛姪他 薩婆桑悉迦囉
波唎輸底 達磨底 伽伽娜 莎訶其待伽底 薩婆婆毗輸底 摩訶娜耶 波唎婆唎 莎訶
若有自書寫教人書寫是无量壽宗要經受持讀誦 如同書寫八万四千一切經典 陀羅尼曰
南謨薄伽勃底 阿波唎蜜多 阿喻紇硯娜 須毗你悉指陀 囉佐耶 怛他羯他耶 怛姪他 薩婆桑悉迦囉
波唎輸底 達磨底 伽伽娜 莎訶其待伽底 薩婆婆毗輸底 摩訶娜耶 波唎婆唎 莎訶
若有自書寫教人書寫是无量壽宗要經 即如書寫八万四千部建立塔廟 陀羅尼曰
南謨薄伽勃底 阿波唎蜜多 阿喻紇硯娜 須毗你悉指陀 囉佐耶 怛他羯他耶 怛姪他 薩婆桑悉迦囉
波唎輸底 達磨底 伽伽娜 莎訶其待伽底 薩婆婆毗輸底 摩訶娜耶 波唎婆唎 莎訶
若有自書寫教人書寫是无量壽宗要經 能消五无間等一切重罪 陀羅尼曰
南謨薄伽勃底 阿波唎蜜多 阿喻紇硯娜 須毗你悉指陀 囉佐耶 怛他羯他耶 怛姪他 薩婆桑悉迦囉
波唎輸底 達磨底 伽伽娜 莎訶其待伽底 薩婆婆毗輸底 摩訶娜耶 波唎婆唎 莎訶
若有自書寫教人書寫是无量壽宗要經受持讀誦 設有重罪猶如須弥 盡能消除 陀羅尼曰
南謨薄伽勃底 阿波唎蜜多 阿喻紇硯娜 須毗你悉指陀 囉佐耶 怛他羯他耶 怛姪他 薩婆桑悉迦囉
波唎輸底 達磨底 伽伽娜 莎訶其待伽底 薩婆婆毗輸底 摩訶娜耶 波唎婆唎 莎訶
若有自書寫教人書寫是无量壽宗要經受持讀誦 若魔〻之眷屬夜叉羅剎不得其便
无枉橫死 陀羅尼曰
南謨薄伽勃底 阿波唎蜜多 阿喻紇硯娜 須毗你悉指陀 囉佐耶 怛他羯他耶 怛姪他 薩婆桑悉迦囉
波唎輸底 達磨底 伽伽娜 莎訶其待伽底 薩婆婆毗輸底 摩訶娜耶 波唎婆唎 莎訶
若有自書寫教人書寫是无量壽宗要經受持讀誦 當命終時 有九十九垓佛現其人前來
千佛授手 能遊一切佛剎 莫於此經生於疑惑 陀羅尼曰
南謨薄伽勃底 阿波唎蜜多 阿喻紇硯娜 須毗你悉指陀 囉佐耶 怛他羯他耶 怛姪他 薩婆桑悉迦囉
波唎輸底 達磨底 伽伽娜 莎訶其待伽底 薩婆婆毗輸底 摩訶娜耶 波唎婆唎 莎訶
若有自書寫教人書寫是无量壽宗要經受持讀誦 常得四天大王隨其衛護 陀羅尼曰
南謨薄伽勃底 阿波唎蜜多 阿喻紇硯娜 須毗你悉指陀 囉佐耶 怛他羯他耶 怛姪他 薩婆桑悉迦囉
波唎輸底 達磨底 伽伽娜 莎訶其待伽底 薩婆婆毗輸底 摩訶娜耶 波唎婆唎 莎訶
若有自書寫教人書寫是无量壽宗要經受持讀誦 當得往生西方極樂世界阿彌陀淨土
陀羅尼曰
南謨薄伽勃底 阿波唎蜜多 阿喻紇硯娜 須毗你悉指陀 囉佐耶 怛他羯他耶 怛姪他 薩婆桑悉迦囉
波唎輸底 達磨底 伽伽娜 莎訶其待伽底 薩婆婆毗輸底 摩訶娜耶 波唎婆唎 莎訶
若有自書寫教人書寫是无量壽宗要經典之即為是塔 皆應恭敬作禮 若是畜生或為鳥獸得
聞是經 如是等類皆當不久得成一切陀羅尼曰

BD02927 號　無量壽宗要經　（5–3）

南謨薄伽勃底 阿波唎蜜多 阿喻紇硯娜 須毗你悉指陀 囉佐耶 怛他羯他耶 怛姪他 薩婆桑悉迦囉
波唎輸底 達磨底 伽伽娜 莎訶其待伽底 薩婆婆毗輸底 摩訶娜耶 波唎婆唎 莎訶
若有自書寫教人書寫是无量壽宗要經受持讀誦 當得往生西方極樂世界阿彌陀淨土
陀羅尼曰
南謨薄伽勃底 阿波唎蜜多 阿喻紇硯娜 須毗你悉指陀 囉佐耶 怛他羯他耶 怛姪他 薩婆桑悉迦囉
波唎輸底 達磨底 伽伽娜 莎訶其待伽底 薩婆婆毗輸底 摩訶娜耶 波唎婆唎 莎訶
若有自書寫教人書寫是无量壽宗要經典之即為是塔 皆應恭敬作禮 若是畜生或為鳥獸得
聞是經 如是等類皆當不久得成一切陀羅尼曰
南謨薄伽勃底 阿波唎蜜多 阿喻紇硯娜 須毗你悉指陀 囉佐耶 怛他羯他耶 怛姪他 薩婆桑悉迦囉
波唎輸底 達磨底 伽伽娜 莎訶其待伽底 薩婆婆毗輸底 摩訶娜耶 波唎婆唎 莎訶
若有於是无量壽經自書或使人書寫 畢竟不受女人之身 陀羅尼曰
南謨薄伽勃底 阿波唎蜜多 阿喻紇硯娜 須毗你悉指陀 囉佐耶 怛他羯他耶 怛姪他 薩婆桑悉迦囉
波唎輸底 達磨底 伽伽娜 莎訶其待伽底 薩婆婆毗輸底 摩訶娜耶 波唎婆唎 莎訶
若有能於是經少分能惠施者 等於三千大千世界滿中七寶布施 陀羅尼曰
南謨薄伽勃底 阿波唎蜜多 阿喻紇硯娜 須毗你悉指陀 囉佐耶 怛他羯他耶 怛姪他 薩婆桑悉迦囉
波唎輸底 達磨底 伽伽娜 莎訶其待伽底 薩婆婆毗輸底 摩訶娜耶 波唎婆唎 莎訶
若有能於侍養是經者 則是侍養一切諸經等无有異 陀羅尼曰
南謨薄伽勃底 阿波唎蜜多 阿喻紇硯娜 須毗你悉指陀 囉佐耶 怛他羯他耶 怛姪他 薩婆桑悉迦囉
波唎輸底 達磨底 伽伽娜 莎訶其待伽底 薩婆婆毗輸底 摩訶娜耶 波唎婆唎 莎訶
如毗婆尸佛 尸弃佛 毗舍浮佛 拘留孫佛 俱那含牟尼佛 迦葉佛 釋迦牟尼佛
若有人以七寶供養如是七佛 其福有限量 書寫受持是无量壽經典 所有功德不可限量 陀羅尼曰
南謨薄伽勃底 阿波唎蜜多 阿喻紇硯娜 須毗你悉指陀 囉佐耶 怛他羯他耶 怛姪他 薩婆桑悉迦囉
波唎輸底 達磨底 伽伽娜 莎訶其待伽底 薩婆婆毗輸底 摩訶娜耶 波唎婆唎 莎訶
若有七寶等於須弥 次用布施 其福尚能知其限量 是无量壽經典其福不可校數 陀羅尼曰
南謨薄伽勃底 阿波唎蜜多 阿喻紇硯娜 須毗你悉指陀 囉佐耶 怛他羯他耶 怛姪他 薩婆桑悉迦囉
波唎輸底 達磨底 伽伽娜 莎訶其待伽底 薩婆婆毗輸底 摩訶娜耶 波唎婆唎 莎訶
如是四大海水可知滴數 是无量壽經典所生果報不可數量 陀羅尼曰
南謨薄伽勃底 阿波唎蜜多 阿喻紇硯娜 須毗你悉指陀 囉佐耶 怛他羯他耶 怛姪他 薩婆桑悉迦囉
波唎輸底 達磨底 伽伽娜 莎訶其待伽底 薩婆婆毗輸底 摩訶娜耶 波唎婆唎 莎訶
若有自書使人書寫是无量壽宗要經典 又能讚持供養 即如禮敬供養一切十方佛土如來无
有別異 陀羅尼曰
南謨薄伽勃底 阿波唎蜜多 阿喻紇硯娜 須毗你悉指陀 囉佐耶 怛他羯他耶 怛姪他 薩婆桑悉迦囉

BD02927 號　無量壽宗要經　（5–4）

波唎輸底 達磨底 伽伽娜 莎訶莫特伽底 薩婆婆毗輸底 摩訶娜耶 波唎婆唎莎訶
如是毗婆尸佛 尸弃佛 俱留孫佛 俱那含牟尼佛 迦葉佛 釋迦牟尼佛
若有人以七寶供養如是七佛其福有限量 書寫是无量壽經典所有功德不可限量陀羅尼曰
南謨薄伽勃底 阿波唎蜜多 阿喻紇硏那 須毗你悉指陀 囉佐耶 怛他羯他耶 怛姪他唵 薩婆桑悉迦囉
波唎輸底 達磨底 伽伽娜 莎訶莫特伽底 薩婆婆毗輸底 摩訶娜耶 波唎婆唎莎訶
若有七寶等於須彌以用布施其福上能知其限量 書寫是无量壽經典其福不可知數陀羅尼曰
南謨薄伽勃底 阿波唎蜜多 阿喻紇硏那 須毗你悉指陀 囉佐耶 怛他羯他耶 怛姪他唵 薩婆桑悉迦囉
波唎輸底 達磨底 伽伽娜 莎訶莫特伽底 薩婆婆毗輸底 摩訶娜耶 波唎婆唎莎訶
如是四大海水可知滴數 是无量壽經典所生果報不可數量陀羅尼曰
南謨薄伽勃底 阿波唎蜜多 阿喻紇硏那 須毗你悉指陀 囉佐耶 怛他羯他耶 怛姪他唵 薩婆桑悉迦囉
波唎輸底 達磨底 伽伽娜 莎訶莫特伽底 薩婆婆毗輸底 摩訶娜耶 波唎婆唎莎訶
若有自書使人書寫是无量壽經典之能護持供養 即如恭敬供養一切十方佛土如來无
有別異陀羅尼曰
南謨薄伽勃底 阿波唎蜜多 阿喻紇硏那 須毗你悉指陀 囉佐耶 怛他羯他耶 怛姪他唵 薩婆桑悉迦囉
波唎輸底 達磨底 伽伽娜 莎訶莫特伽底 薩婆婆毗輸底 摩訶娜耶 波唎婆唎莎訶
布施力能成正覺 悟布施力人師子 布施力能聲普聞 慈悲階漸衆能入
持戒力能成正覺 悟持戒力人師子 持戒力能聲普聞 慈悲階漸衆能入
忍辱力能成正覺 悟忍辱力人師子 忍辱力能聲普聞 慈悲階漸衆能入
精進力能成正覺 悟精進力人師子 精進力能聲普聞 慈悲階漸衆能入
禪定力能成正覺 悟禪定力人師子 禪定力能聲普聞 慈悲階漸衆能入
智慧力能成正覺 悟智慧力人師子 智慧力能聲普聞 慈悲階漸衆能入
尒時如來說是經已一切世間天人阿脩羅揵闥婆等聞佛所說皆大歡喜信受
奉行
佛說无量壽宗要經

BD02927 號　無量壽宗要經　（5–5）

於此
所欲皆當與汝尒時諸
子聞父所說珎玩之物適其願故心各勇銳
手相推排競共馳走争出大宅是時長者見
諸子等安隱得出皆於四衢道中露地而坐
无復障礙其心泰然歡喜踊躍時諸子等各
白父言父先所許玩好之具羊車鹿車牛車
願時賜與舍利弗尒時長者各賜諸子等一
大車其車高廣衆寶莊校周帀欄楯四面懸
鈴又於其上張設幰蓋亦以珎奇雜寶而嚴
飾之寶繩交絡垂諸華瓔重敷綩綖安置丹
枕駕以白牛膚色充潔形體姝好有大筋力
行步平正其疾如風又多僕從而侍衛之所
以者何是大長者財富无量種種諸藏悉皆
充溢而作是念我物无極不應以下劣小
車與諸子等今此幼童皆是吾子愛无偏黨
我有如是七寶大車其數无量應當等心各
各與之不宜差別所以者何以我此物周給
一國猶尚不匱何況諸子是時諸子各乘大
車得未曾有非本所望舍利弗於汝意云何
是長者等與諸子珎寶大車寧有虛妄不

BD02928 號　妙法蓮華經卷二　（4–1）

車與諸子等今此幼童皆是吾子愛无偏黨
我有如是七寶大車其數无量應當等心各
各與之不宜差別所以者何以我此物周給
一國猶尚不匱何況諸子是時諸子各乘大
車得未曾有非本所望舍利弗於汝意云何
是長者等與諸子珎寶大車寧有虛妄不舍
利弗言不也世尊是長者但令諸子得免火
難全其軀命非為虛妄何以故若全身命便
為已得玩好之具况復方便於彼火宅而拔
濟之世尊若是長者乃至不與最小一車猶
不虛妄何以故是長者先作是意我以方便
令子得出以是因緣无虛妄也何況長者自
知財富无量欲饒益諸子等與大車佛告舍
利弗善哉善哉如汝所言舍利弗如來亦復
如是則為一切世間之父於諸怖畏衰惱憂
患无明暗蔽永盡无餘而悉成就无量知見
力无所畏有大神力及智慧力具足方便智
慧波羅蜜大慈大悲常无懈惓恒求善事利
益一切而生三界朽故火宅為度衆生生老
病死憂悲苦惱愚癡暗蔽三毒之火教化令
得阿耨多羅三藐三菩提見諸衆生為生老
病死憂悲苦惱之所燒煑亦以五欲財利故
受種種苦又以貪著追求故現受衆苦後受
地獄畜生餓鬼之苦若生天上及在人間貧
窮困苦愛別離苦怨憎會苦如是等種種諸
苦衆生沒在其中歡喜遊戲不覺不知不驚

BD02928 號　妙法蓮華經卷二　（4–2）

受種種苦又以貪著追求故現受衆苦後受
地獄畜生餓鬼之苦若生天上及在人間貧
窮困苦愛別離苦怨憎會苦如是等種種諸
苦衆生沒在其中歡喜遊戲不覺不知不驚
不怖亦不生猒不求解脫於此三界大宅東
西馳走雖遭大苦不以為患舍利弗佛見此
已便作是念我為衆生之父應拔其苦難與
无量无邊佛智慧樂令其遊戲舍利弗如來
復作是念若我但以神力及智慧力捨於方
便為諸衆生讚如來知見力无所畏者衆生
不能以是得度所以者何是諸衆生未免生
老病死憂悲苦惱而為三界大宅所燒何由
能解佛之智慧舍利弗如彼長者雖復身手
有力而不用之但以慇勤方便免濟諸子大宅
之難然後各與珎寶大車如來亦復如是
雖有力无所畏而不用之但以智慧方便於
三界大宅拔濟衆生為說三乘聲聞辟支佛
乘乘而作是言汝等莫得樂住三界大宅勿
貪麁弊色聲香味觸也若貪著生愛則為所
燒汝速出三界當得三乘聲聞辟支佛佛乘
我今為汝保任此事終不虛也汝等但當勤
修精進如來以是方便誘進衆生復作是言
汝等當知此三乘法皆是聖所稱歎自在无
繫无所依求乘是三乘以无漏根力覺道禪
定解脫三昧等而自娛樂便得无量安隱快
樂舍利弗若有衆生內有智性從佛世尊聞

BD02928 號　妙法蓮華經卷二　（4–3）

汝等當知此三乘法皆是聖所稱歎自在无
繫无所依求乘是三乘以无漏根力覺道禪
定解脫三昧等而自娛樂便得无量安隱快
樂舍利弗若有衆生內有智性從佛世尊聞
法信受慇懃精進欲速出三界自求涅槃是
名聲聞乘如彼諸子為求羊車出於火宅若
有衆生從佛世尊聞法信受慇懃精進求自
然慧樂獨善寂深知諸法因緣是名辟支佛
乘如彼諸子為求鹿車出於火宅若有衆生
從佛世尊聞法信受勤修精進求一切智佛
智自然智无師智如來知見力无所畏愍念
安樂无量衆生利益天人度脫一切是名大
乘菩薩求此乘故名為摩訶薩如彼諸子為
求牛車出於火宅舍利弗如彼長者見諸子
等安隱得出火宅到无畏處自惟財富无量
等以大車而賜諸子如來亦復如是為一切
衆生之父若見无量億千衆生以佛教門出
三界苦怖畏險道得涅槃樂如來尒時便作
是念我有无量无邊智慧力无畏等諸佛法
藏是諸衆生皆是我子等與大乘不令有人
獨得滅度皆以如來滅度而滅度之是諸衆
生脫三界者悉與諸佛禪定解脫等娛樂之
具皆是一相一種聖所稱歎能生淨妙第一
之樂舍利弗如彼長者初以三車

BD02928號　妙法蓮華經卷二

（4–4）

除亂　攝念山
又見菩薩　餚饍
名衣上服　價直千萬　或无價
千萬億種　栴檀寶舍　衆
清淨園林　華菓茂盛
如是等施　種種微
或有菩薩　說寂滅
或見菩薩　觀諸法
又見佛子　心无所
文殊師利　又有菩　[illegible]　舍利
又見佛子　造諸塔廟　无數恒沙　嚴飾國界
寶塔高妙　五千由旬　縱廣正等　二千由旬
一一塔廟　各千幢幡　珠交露幔　寶鈴和鳴
諸天龍神　人及非人　香華伎樂　常以供養
文殊師利　諸佛子等　為供舍利　嚴飾塔廟
國界自然　殊特妙好　如天樹王　其華開敷
佛放一光　我及衆會　見此國界　種種殊妙
諸佛神力　智慧希有　放一淨光　照无量國
我等見此　得未曾有　佛子文殊　願決衆疑
四衆欣仰　瞻仁及我　世尊何故　放斯光明

BD02929號　妙法蓮華經卷一

（20–1）

國界自然殊特妙好如天樹王其華開敷
佛放一光我及衆會見此國界種殊妙
諸佛神力智慧希有放一淨光照无量國
我等見此得未曾有佛子文殊願決衆疑
四衆欣仰瞻仁及我世尊何故放斯光明
佛子時荅決疑令喜何所饒益演斯光明
佛坐道場所得妙法為欲說此為當授記
示諸佛土衆寶嚴淨及見諸佛此非小緣
文殊當知四衆龍神瞻察仁者為說何等
尒時文殊師利語彌勒菩薩摩訶薩及諸大
士善男子等如我惟忖今佛世尊欲說大法
雨大法雨吹大法螺擊大法鼓演大法義諸
善男子我於過去諸佛曾見此瑞放斯光已
即說大法是故當知今佛現光亦復如是欲
令衆生咸得聞知一切世間難信之法故現
斯瑞諸善男子如過去无量无邊不可思
議阿僧祇劫尒時有佛号日月燈明如來
應供正遍知明行足善逝世間解无上士調御丈
夫天人師佛世尊演說正法初善中善後善
其義深遠其語巧妙純一無雜具足清白梵
行之相為求聲聞者說應四諦法度生老病
死究竟涅槃為求辟支佛者說應十二因緣
法為諸菩薩說應六波羅蜜令得阿耨多羅
三藐三菩提成一切種智次復有佛亦名日
月燈明次復有佛亦名日月燈明如是二萬
佛皆同一字号日月燈明又同一姓姓頗羅

死究竟涅槃為求辟支佛者說應十二因緣
法為諸菩薩說應六波羅蜜令得阿耨多羅
三藐三菩提成一切種智次復有佛亦名日
月燈明次復有佛亦名日月燈明如是二萬
佛皆同一字号日月燈明又同一姓姓頗羅
墮弥勒當知初佛後佛皆同一字名日月燈
明十号具足所可說法初中後善其最後佛
未出家時有八王子一名有意二名善意三
名无量意四名寶意五名增意六名除疑意
七名響意八名法意是八王子威德自在各
領四天下是諸王子聞父出家得阿耨多
羅三藐三菩提悉捨王位亦隨出家發大乘
意常脩梵行皆為法師已於千萬佛所殖諸
善本是時日月燈明佛說大乘經名无量義
教菩薩法佛所護念說是經已即於大衆中
結跏趺坐入於无量義處三昧身心不動是時
天雨曼陁羅華摩訶曼陁羅華曼殊沙華
摩訶曼殊沙華而散佛上及諸大衆普佛世
界六種震動尒時會中比丘比丘尼優婆塞
優婆夷天龍夜叉乾闥婆阿脩羅迦樓羅
緊那羅摩睺羅伽人非人及諸小王轉輪聖王
等是諸大衆得未曾有歡喜合掌一心觀佛
尒時如來放眉間白豪相光照東方萬八千
佛土靡不周遍如今所見是諸佛土弥勒當知
尒時會中有二十億菩薩樂欲聽法是諸菩
薩見此光明普照佛土得未曾有欲知此光

等是諸大衆得未曾有歡喜合掌一心觀佛
尒時如來放眉間白毫相光照東方萬八千
佛土靡不周遍如今所見是諸佛土彌勒當知
尒時會中有二十億菩薩樂欲聽法是諸菩
薩見此光明普照佛土得未曾有欲知此光
所為因緣時有菩薩名曰妙光有八百弟子是
時日月燈明佛從三昧起因妙光菩薩 說
大乘經名妙法蓮華教菩薩法佛所護念
六十小劫不起于座時會聽者亦坐一處六十
小劫身心不動聽佛所說謂如食頃是時衆
中无有一人若身若心而生懈惓日月燈明
佛於六十小劫說是經已即於梵魔沙門婆
羅門及天人阿脩羅衆中而宣此言如來於
今日中夜當入无餘涅槃時有菩薩名曰德
藏日月燈明佛即授其記告諸比丘是德藏
菩薩次當作佛号曰淨身多陁阿伽度阿羅
訶三藐三佛陁佛授記已便於中夜入无餘涅
槃佛滅度後妙光菩薩持妙法蓮華經滿
八十小劫為人演說日月燈明佛八子皆師妙
光妙光教化令其堅固阿耨多羅三藐三菩
提是諸王子供養无量百千萬億佛已皆成
佛道其最後成佛者名曰燃燈八百弟子中
有一人号曰求名貪著利養雖復讀誦衆經
而不通利多所忘失故号求名是人亦以種
諸善根因緣故得值無量百千萬億諸佛
供養恭敬尊重讚歎彌勒當知尒時妙光

BD02929 號　妙法蓮華經卷一

佛道其最後成佛者名曰燃燈八百弟子中
有一人号曰求名貪著利養雖復讀誦衆經
而不通利多所忘失故号求名是人亦以種
諸善根因緣故得值無量百千萬億諸佛
供養恭敬尊重讚歎彌勒當知尒時妙光
菩薩豈異人乎我身是也求名菩薩汝身是
也今見此瑞與本无異是故惟忖今日如來當
說大乘經名妙法蓮華教菩薩法佛所護念
尒時文殊師利於大衆中欲重宣此義而說
偈言
我念過去世　无量无數劫　有佛人中尊　号日月燈明
世尊演說法　度无量衆生　无數億菩薩　令入佛智慧
佛未出家時　所生八王子　見大聖出家　亦隨脩梵行
時佛說大乘　經名无量義　於諸大衆中　而為廣分別
佛說此經已　即於法座上　跏趺坐三昧　名无量義處
天雨曼陁華　天鼓自然鳴　諸天龍鬼神　供養人中尊
一切諸佛土　即時大震動　佛放眉間光　現諸希有事
此光照東方　萬八千佛土　示一切衆生　生死業報處
有見諸佛土　以衆寶莊嚴　瑠璃頗梨色　斯由佛光照
及見諸天人　龍神夜叉衆　乾闥緊那羅　各供養其佛
又見諸如來　自然成佛道　身色如金山　端嚴甚微妙
如淨瑠璃中　內現真金像　世尊在大衆　敷演深法義
一一諸佛土　聲聞衆无數　因佛光所照　悉見彼大衆
或有諸比丘　在於山林中　精進持淨戒　猶如護明珠
又見諸菩薩　行施忍辱等　其數如恒沙　斯由佛光照
又見諸菩薩　深入諸禪定　身心寂不動　以求无上道

BD02929 號　妙法蓮華經卷一

又見諸如來　自然成佛道　身色如金山　端嚴甚微妙
如淨瑠璃中　內現真金像　世尊在大衆　敷演深法義
一一諸佛土　聲聞衆无數　因佛光所照　悉見彼大衆
或有諸比丘　在於山林中　精進持淨戒　猶如護明珠
又見諸菩薩　行施忍辱等　其數如恒沙　斯由佛光照
又見諸菩薩　深入諸禪定　身心寂不動　以求无上道
又見諸菩薩　知法寂滅相　各於其國土　說法求佛道
尒時四部衆　見日月燈明　現大神通力　其心皆歡喜
各各自相問　是事何因緣　天人所奉尊　適從三昧起
讚妙光菩薩　汝為世間眼　一切所歸信　能奉持法藏
如我所說法　唯汝能證知　世尊既讚歎　令妙光歡喜
說是法華經　滿六十小劫　不起於此座　所說上妙法
是妙光法師　悉皆能受持　佛說是法華　令衆歡喜已
尋即於是日　告於天人衆　諸法實相義　已為汝等說
我今於中夜　當入於涅槃　汝一心精進　當離於放逸
諸佛甚難值　億劫時一遇　世尊諸子等　聞佛入涅槃
各各懷悲惱　佛滅一何速　聖主法之王　安慰无量衆
我若滅度時　汝等勿憂怖　是德藏菩薩　於无漏實相
心已得通達　其次當作佛　號曰為淨身　亦度无量衆
佛此夜滅度　如薪盡火滅　分布諸舍利　而起无量塔
比丘比丘尼　其數如恒沙　倍復加精進　以求无上道
是妙光法師　奉持佛法藏　八十小劫中　廣宣法華經
是諸八王子　妙光所開化　堅固无上道　當見无數佛
供養諸佛已　隨順行大道　相繼得成佛　轉次而授記
最後天中天　號曰燃燈佛　諸仙之導師　度脫无量衆
是妙光法師　時有一弟子　心常懷懈怠　貪著於名利

BD02929 號　妙法蓮華經卷一　（20–6）

比丘比丘尼　其數如恒沙　倍復加精進　以求无上道
是妙光法師　奉持佛法藏　八十小劫中　廣宣法華經
是諸八王子　妙光所開化　堅固无上道　當見无數佛
供養諸佛已　隨順行大道　相繼得成佛　轉次而授記
最後天中天　號曰燃燈佛　諸仙之導師　度脫无量衆
是妙光法師　時有一弟子　心常懷懈怠　貪著於名利
求名利无猒　多遊族姓家　棄捨所習誦　廢忘不通利
以是因緣故　號之為求名　亦行衆善業　得見无數佛
供養於諸佛　隨順行大道　具六波羅蜜　今見釋師子
其後當作佛　號名曰彌勒　廣度諸衆生　其數无有量
彼佛滅度後　懈怠者汝是　妙光法師者　今則我身是
我見燈明佛　本光瑞如此　以是知今佛　欲說法華經
今相如本瑞　是諸佛方便　今佛放光明　助發實相義
諸人今當知　合掌一心待　佛當雨法雨　充足求道者
諸求三乘人　若有疑悔者　佛當為除斷　令盡无有餘
妙法蓮華經方便品第二
尒時世尊從三昧安詳而起告舍利弗諸佛
智慧甚深无量其智慧門難解難入一切聲
聞辟支佛所不能知所以者何佛曾親近百
千萬億无數諸佛盡行諸佛无量道法勇猛
精進名稱普聞成就甚深未曾有法隨宜所
說意趣難解舍利弗吾從成佛已來種種因
緣種種譬喻廣演言教无數方便引導衆生
令離諸著所以者何如來方便知見波羅蜜皆
已具足舍利弗如來知見廣大深遠无量无
礙力无所畏禪定解脫三昧深入无際成就

BD02929 號　妙法蓮華經卷一　（20–7）

說意趣難解舍利弗吾從成佛已來種種因
緣種種譬喻廣演言教无數方便引導衆生
令離諸著所以者何如来方便知見波羅蜜皆
已具足舍利弗如来知見廣大深遠无量无
礙力无所畏禪定解脫三昧深入无際成就
一切未曾有法舍利弗如来能種種分別巧說
諸法言辭柔軟悅可衆心舍利弗取要言之
无量无邊未曾有法佛悉成就止舍利弗不
須復說所以者何佛所成就第一希有難解
之法唯佛與佛乃能究盡諸法實相所謂諸
法如是相如是性如是體如是力如是作如是
因如是緣如是果如是報如是本末究竟等
尒時世尊欲重宣此義而說偈言
世雄不可量　諸天及世人　一切衆生類　无能知佛者
佛力无所畏　解脫諸三昧　及佛諸餘法　无能測量者
本從无數佛　具足行諸道　甚深微妙法　難見難可了
於无量億劫　行此諸道已　道場得成果　我已悉知見
如是大果報　種種性相義　我及十方佛　乃能知是事
是法不可示　言辭相寂滅　諸餘衆生類　无有能得解
除諸菩薩衆　信力堅固者　諸佛弟子衆　曾供養諸佛
一切漏已盡　住是㝡後身　如是諸人等　其力所不堪
假使滿世間　皆如舍利弗　盡思共度量　不能測佛智
正使滿十方　皆如舍利弗　及餘諸弟子　亦滿十方剎
盡思共度量　亦復不能知　辟支佛利智　无漏㝡後身
亦滿十方界　其數如竹林　斯等共一心　於億无量劫
欲思佛實智　莫能知少分　新發意菩薩　供養无數佛

BD02929號　妙法蓮華經卷一

（20–8）

正使滿十方　皆如舍利弗　及餘諸弟子　亦滿十方剎
盡思共度量　亦復不能知　辟支佛利智　无漏㝡後身
亦滿十方界　其數如竹林　斯等共一心　於億无量劫
欲思佛實智　莫能知少分　新發意菩薩　供養无數佛
了達諸義趣　又能善說法　如稻麻竹葦　充滿十方剎
一心以妙智　於恒河沙劫　咸皆共思量　不能知佛智
不退諸菩薩　其數如恒沙　一心共思求　亦復不能知
又告舍利弗　无漏不思議　甚深微妙法　我今已具得
唯我知是相　十方佛亦然　舍利弗當知　諸佛語无異
於佛所說法　當生大信力　世尊法久後　要當說真實
告諸聲聞衆　及求緣覺乘　我令脫苦縛　逮得涅槃者
佛以方便力　示以三乘教　衆生處處著　引之令得出
尒時大衆中有諸聲聞漏盡阿漢羅阿若憍
陳如等千二百人及發聲聞辟支佛心比丘比
丘尼優婆塞優婆夷各作是念今者世尊
何故慇懃稱嘆方便而作是言佛所得法甚
深難解有所言說意趣難知一切聲聞辟支
佛所不能及佛說一解脫義我等亦得此法到
於涅槃而今不知是義所趣尒時舍利弗知
四衆心疑自亦未了而白佛言世尊何因何
緣慇懃稱歎諸佛第一方便甚深微妙難
解之法我自昔来未曾從佛聞如是說今者
四衆咸皆有疑唯願世尊敷演斯事世尊
何故慇懃稱歎甚深微妙難解之法尒時舍利
弗欲重宣此義而說偈言
慧日大聖尊　久乃說是法　自說得如是　力无畏三昧

BD02929號　妙法蓮華經卷一

（20–9）

緣慇懃稱歎諸佛第一方便甚深微妙難
解之法我自昔來未曾從佛聞如是說今者
四衆咸皆有疑唯願世尊敷演斯事世尊
何故慇懃稱歎甚深微妙難解之法尒時舍利
弗欲重宣此義而說偈言
慧日大聖尊 久乃說是法 自說得如是 力无畏三昧
禪定解脫等 不可思議法 道場所得法 无能發問者
我意難可測 亦无能問者 无問而自說 稱歎所行道
智慧甚微妙 諸佛之所得 无漏諸羅漢 及求涅槃者
今皆墮疑網 佛何故說是 其求緣覺者 比丘比丘尼
諸天龍鬼神 及乾闥婆等 相視懷猶豫 瞻仰兩足尊
是事為云何 願佛為解說 於諸聲聞衆 佛說我第一
我今自於智 疑惑不能了 為是究竟法 為是所行道
佛口所生子 合掌瞻仰待 願出微妙音 時為如實說
諸天龍神等 其數如恒沙 求佛諸菩薩 大數有八萬
又諸萬億國 轉輪聖王至 合掌以敬心 欲聞具足道
尒時佛告舍利弗止止不須復說若說是事
一切世間諸天及人皆當驚疑舍利弗重白
佛言世尊唯願說之唯願說之所以者何是
會无數百千萬億阿僧祇衆生曾見諸佛諸
根猛利智慧明了聞佛所說則能敬信尒時
舍利弗欲重宣此義而說偈言
法王无上尊 唯說願勿慮 是會无量衆 有能敬信者
佛復止舍利弗若說是事一切世間天人阿
脩羅皆當驚疑增上慢比丘將墜於大坑尒
時世尊重說偈言

BD02929號　妙法蓮華經卷一　(20–10)

舍利弗欲重宣此義而說偈言
法王无上尊 唯說願勿慮 是會无量衆 有能敬信者
佛復止舍利弗若說是事一切世間天人阿
脩羅皆當驚疑增上慢比丘將墜於大坑尒
時世尊重說偈言
止止不須說 我法妙難思 諸增上慢者 聞必不敬信
尒時舍利弗重白佛言世尊唯願說之唯願
說之今此會中如我等比百千萬億世世已
曾從佛受化如此人等必能敬信長夜安隱
多所饒益尒時舍利弗欲重宣此義而說
偈言
无上兩足尊 願說第一法 我為佛長子 唯垂分別說
是會无量衆 能敬信此法 佛已曾世世 教化如是等
皆一心合掌 欲聽受佛語 我等千二百 及餘求佛者
願為此衆故 唯垂分別說 是等聞此法 則生大歡喜
尒時世尊告舍利弗汝已慇懃三請豈得
不說汝今諦聽善思念之吾當為汝分別解
說說此語時會中有比丘比丘尼優婆塞優
婆夷五千人等即從座起禮佛而退所以者何
此輩罪根深重及增上慢未得謂得未證謂
證有如此失是以不住世尊嘿然而不制止
尒時佛告舍利弗我今此衆无復枝葉純有
貞實舍利弗如是增上慢人退亦佳矣汝今
善聽當為汝說舍利弗言唯然世尊願樂欲
聞佛告舍利弗如是妙法諸佛如來時乃說

BD02929號　妙法蓮華經卷一　(20–11)

尒時佛告舍利弗我今此衆无復枝葉純有
貞實舍利弗如是增上慢人退亦佳矣汝今
善聽當為汝說舍利弗言唯然世尊願樂欲
聞佛告舍利弗如是妙法諸佛如來時乃說
之如優曇鉢華時一現耳舍利弗汝等當信
佛之所說言不虛妄舍利弗諸佛隨宜說法
意趣難解所以者何我以无數方便種種因
緣譬喻言辭演說諸法是法非思量分別之
所能解唯有諸佛乃能知之所以者何諸佛
世尊唯以一大事因緣故出現於世舍利弗
云何名諸佛世尊唯以一大事因緣故出現
於世諸佛世尊欲令衆生開佛知見使得清
淨故出現於世欲示衆生佛之知見故出現
於世欲令衆生悟佛知見故出現於世欲令
衆生入佛知見道故出現於世舍利弗是為
諸佛以一大事因緣故出現於世佛告舍利
弗諸佛如來但教化菩薩諸有所作常為一
事唯以佛之知見示悟衆生舍利弗如來但
以一佛乘故為衆生說法无有餘乘若二若
三舍利弗一切十方諸佛法亦如是舍利弗
過去諸佛以无量无數方便種種因緣譬喻
言辭而為衆生演說諸法是法皆為一佛乘
故是諸衆生從諸佛聞法究竟皆得一切種
智舍利弗未來諸佛當出於世亦以无量无
數方便種種因緣譬喻言辭而為衆生演說

BD02929 號　妙法蓮華經卷一

(20–12)

言辭而為衆生演說諸法是法皆為一佛乘
故是諸衆生從諸佛聞法究竟皆得一切種
智舍利弗未來諸佛當出於世亦以无量无
數方便種種因緣譬喻言辭而為衆生演說
諸法是法皆為一佛乘故是諸衆生從佛聞
法究竟皆得一切種智舍利弗現在十方无
量百千萬億佛土中諸世尊多所饒益安
隱衆生是諸佛亦以无量无數方便種種因
緣譬喻言辭而為衆生演說諸法是法皆為
一佛乘故是諸衆生從佛聞法究竟皆得一
切種智舍利弗是諸佛但教化菩薩欲以佛
之知見示衆生故欲以佛之知見悟衆生故
欲令衆生入佛知見故舍利弗我今亦復如
是知諸衆生有種種欲深心所著隨其本性
以種種因緣譬喻言辭方便力故而為說法舍
利弗如此皆為得一佛佛乘一切種智故舍
利弗十方世界中尚无二乘何況有三舍利
弗諸佛出於五濁惡世所謂劫濁煩惱濁衆
生濁見濁命濁如是舍利弗劫濁亂時衆生
垢重慳貪嫉妬成就諸不善根故諸佛以方
便力於一佛乘分別說三舍利弗若我弟子
自謂阿羅漢辟支佛者不聞不知諸佛如來
但教化菩薩事此非佛弟子非阿羅漢非辟
支佛又舍利弗是諸比丘比丘尼自謂已得
阿羅漢是最後身究竟涅槃便不復志求阿
耨多羅三藐三菩提當知此輩皆是增上慢

BD02929 號　妙法蓮華經卷一

(20–13)

自謂阿羅漢辟支佛者不聞不知諸佛如來
但教化菩薩事此非佛弟子非阿羅漢非辟
支佛又舍利弗是諸比丘比丘尼自謂已得
阿羅漢是最後身究竟涅槃便不復志求
阿耨多羅三藐三菩提當知此輩皆是增上慢
人所以者何若有比丘實得阿羅漢若不信
此法无有是處除佛滅度後現前无佛所以
者何佛滅度後如是等經受持讀誦解義者
是人難得若遇餘佛於此法中便得決了舍
利弗汝等當一心信解受持佛語諸佛如來
言无虛妄无有餘乘唯一佛乘尒時世尊欲
重宣此義而說偈言
比丘比丘尼　有懷增上慢　優婆塞我慢　優婆夷不信
如是四衆等　其數有五千　不自見其過　於戒有缺漏
護惜其瑕疵　是小智已出　衆中之糟糠　佛威德故去
斯人尠福德　不堪受是法　此衆无枝葉　唯有諸貞實
舍利弗善聽　諸佛所得法　无量方便力　而為衆生說
衆生心所念　種種所行道　若干諸欲性　先世善惡業
佛悉知是已　以諸緣譬喻　言辭方便力　令一切歡喜
或說修多羅　伽陀及本事　本生未曾有　亦說於因緣
譬喻并祇夜　優婆提舍經　鈍根樂小法　貪著於生死
於諸无量佛　不行深妙道　衆苦所惱亂　為是說涅槃
我設是方便　令得入佛慧　未曾說汝等　當得成佛道
所以未曾說　說時未至故　今正是其時　決定說大乘
我此九部法　隨順衆生說　入大乘為本　以故說是經
有佛子心淨　柔軟亦利根　无量諸佛所　而行深妙道

BD02929號　妙法蓮華經卷一　（20–14）

[illegible]
於諸无量佛　不行深妙道　衆苦所惱亂　為是說涅槃
我設是方便　令得入佛慧　未曾說汝等　當得成佛道
所以未曾說　說時未至故　今正是其時　決定說大乘
我此九部法　隨順衆生說　入大乘為本　以故說是經
有佛子心淨　柔軟亦利根　无量諸佛所　而行深妙道
為此諸佛子　說是大乘經　我記如是人　來世成佛道
以深心念佛　修持淨戒故　此等聞得佛　大喜充遍身
佛知彼心行　故為說大乘　聲聞若菩薩　聞我所說法
乃至於一偈　皆成佛无疑　十方佛土中　唯有一乘法
无二亦无三　除佛方便說　但以假名字　引導於衆生
說佛智慧故　諸佛出於世　唯此一事實　餘二則非真
終不以小乘　濟度於衆生　佛自住大乘　如其所得法
定慧力莊嚴　以此度衆生　自證无上道　大乘平等法
若以小乘化　乃至於一人　我則墮慳貪　此事為不可
若人信歸佛　如來不欺誑　亦无貪嫉意　斷諸法中惡
故佛於十方　而獨无所畏　我以相嚴身　光明照世間
无量衆所尊　為說實相印　舍利弗當知　我本立誓願
欲令一切衆　如我等无異　如我昔所願　今者已滿足
化一切衆生　皆令入佛道　若我遇衆生　盡教以佛道
无智者錯亂　迷惑不受教　我知此衆生　未曾修善本
堅著於五欲　癡愛故生惱　以諸欲因緣　墜墮三惡道
輪迴六趣中　備受諸苦毒　受胎之微形　世世常增長
薄德少福人　衆苦所逼迫　入邪見稠林　若有若无等
依止此諸見　具足六十二　深著虛妄法　堅受不可捨
我慢自矜高　諂曲心不實　於千萬億劫　不聞佛名字
[illegible]

BD02929號　妙法蓮華經卷一　（20–15）

輪迴六趣中　備受諸苦毒　受胎之微形　世世常增長
薄德少福人　衆苦所逼迫　入邪見稠林　若有若无等
依止此諸見　具足六十二　深著虛妄法　堅受不可捨
我慢自矜高　諂曲心不實　於千萬億劫　不聞佛名字
亦不聞正法　如是人難度　是故舍利弗　我為設方便
說諸盡苦道　示之以涅槃　我雖說涅槃　是亦非真滅
諸法從本來　常自寂滅相　佛子行道已　來世得作佛
我有方便力　開示三乘法　一切諸世尊　皆說一乘道
今此諸大衆　皆應除疑惑　諸佛語无異　唯一无二乘
過去无數劫　无量滅度佛　百千萬億種　其數不可量
如是諸世尊　種種緣譬喻　无數方便力　演說諸法相
是諸世尊等　皆說一乘法　化无量衆生　令入於佛道
又諸大聖主　知一切世間　天人群生類　深心之所欲
更以異方便　助顯第一義　若有衆生類　值諸過去佛
若聞法布施　或持戒忍辱　精進禪智等　種種脩福慧
如是諸人等　皆已成佛道　諸佛滅度已　若人善軟心
如是諸衆生　皆已成佛道　諸佛滅度已　供養舍利者
起萬億種塔　金銀及頗梨　車𤦲與馬瑙　玫瑰琉璃珠
清淨廣嚴飾　莊校於諸塔　或有起石廟　栴檀及沈水
木櫁并餘材　甎瓦泥土等　若於曠野中　積土成佛廟
乃至童子戲　聚沙為佛塔　如是諸人等　皆已成佛道
若人為佛故　建立諸形像　刻雕成衆相　皆已成佛道
或以七寶成　鍮鉐赤白銅　白鑞及鉛錫　鐵木及與泥
或以膠漆布　嚴飾作佛像　如是諸人等　皆已成佛道
綵畫作佛像　百福莊嚴相　自作若使人　皆已成佛道
乃至童子戲

BD02929號　妙法蓮華經卷一　(20-16)

乃至童子戲　聚沙為佛塔　如是諸人等　皆已成佛道
若人為佛故　建立諸形像　刻雕成衆相　皆已成佛道
或以七寶成　鍮鉐赤白銅　白鑞及鉛錫　鐵木及與泥
或以膠漆布　嚴飾作佛像　如是諸人等　皆已成佛道
綵畫作佛像　百福莊嚴相　自作若使人　皆已成佛道
乃至童子戲　若草木及筆　或以指爪甲　而畫作佛像
如是諸人等　漸漸積功德　具足大悲心　皆已成佛道
但化諸菩薩　度脫无量衆　若人於塔廟　寶像及畫像
以華香幡蓋　敬心而供養　若使人作樂　擊鼓吹角貝
簫笛琴箜篌　琵琶鐃銅鈸　如是衆妙音　盡持以供養
或以歡喜心　歌唄頌佛德　乃至一小音　皆已成佛道
若人散亂心　乃至以一華　供養於畫像　漸見无數佛
或有人禮拜　或復但合掌　乃至舉一手　或復小低頭
以此供養像　漸見无量佛　自成无上道　廣度无數衆
入无餘涅槃　如薪盡火滅　若人散亂心　入於塔廟中
一稱南无佛　皆已成佛道　於諸過去佛　在世或滅後
若有聞是法　皆已成佛道　未來諸世尊　其數无有量
是諸如來等　亦方便說法　一切諸如來　以无量方便
度脫諸衆生　入佛无漏智　若有聞法者　无一不成佛
諸佛本誓願　我所行佛道　普欲令衆生　亦同得此道
未來世諸佛　雖說百千億　无數諸法門　其實為一乘
諸佛兩足尊　知法常无性　佛種從緣起　是故說一乘
是法住法位　世間相常住　於道場知已　導師方便說
天人所供養　現在十方佛　其數如恒沙　出現於世間
安隱衆生故　亦說如是法　知第一寂滅　以方便力故

BD02929號　妙法蓮華經卷一　(20-17)

未來世諸佛　雖說百千億　无數諸法門　其實為一乘
諸佛兩足尊　知法常无性　佛種從緣起　是故說一乘
是法住法位　世間相常住　於道場知已　導師方便說
天人所供養　現在十方佛　其數如恒沙　出現於世間
安隱衆生故　亦說如是法　知第一寂滅　以方便力故
雖示種種道　其實為佛乘　知衆生諸行　深心之所念
過去所習業　欲性精進力　及諸根利鈍　以種種因緣
譬喻亦言辭　隨應方便說　今我亦如是　安隱衆生故
以種種法門　宣示於佛道　我以智慧力　知衆生性欲
方便說諸法　皆令得歡喜　舍利弗當知　我以佛眼觀
見六道衆生　貧窮无福慧　入生死嶮道　相續苦不斷
深著於五欲　如犛牛愛尾　以貪愛自蔽　盲瞑无所見
不求大勢佛　及與斷苦法　深入諸邪見　以苦欲捨苦
為是衆生故　而起大悲心　我始坐道場　觀樹亦經行
於三七日中　思惟如是事　我所得智慧　微妙最第一
衆生諸根鈍　著樂癡所盲　如斯之等類　云何而可度
尒時諸梵王　及諸天帝釋　護世四天王　及大自在天
并餘諸天衆　眷屬百千万　恭敬合掌礼　請我轉法輪
我即自思惟　若但讚佛乘　衆生沒在苦　不能信是法
破法不信故　墜於三惡道　我寧不說法　疾入於涅槃
尋念過去佛　所行方便力　我今所得道　亦應說三乘
作是思惟時　十方佛皆現　梵音慰喻我　善哉釋迦文
第一之導師　得是无上法　隨諸一切佛　而用方便力
我等亦皆得　最妙第一法　為諸衆生類　分別說三乘
少智樂小法　不自信作佛　是故以方便　分別說諸果
雖復說三乘　但為教菩薩　舍利弗當知　我聞聖師子

BD02929號　妙法蓮華經卷一　（20–18）

作是思惟時　十方佛皆現　梵音慰喻我　善哉釋迦文
第一之導師　得是无上法　隨諸一切佛　而用方便力
我等亦皆得　最妙第一法　為諸衆生類　分別說三乘
少智樂小法　不自信作佛　是故以方便　分別說諸果
雖復說三乘　但為教菩薩　舍利弗當知　我聞聖師子
深淨微妙音　稱南无諸佛　復作如是念　我出濁惡世
如諸佛所說　我亦隨順行　思惟是事已　即趣波羅柰
諸法寂滅相　不可以言宣　以方便力故　為五比丘說
是名轉法輪　便有涅槃音　及以阿羅漢　法僧差別名
從久遠劫來　讚示涅槃法　生死苦永盡　我常如是說
舍利弗當知　我見佛子等　志求佛道者　无量千万億
咸以恭敬心　皆來至佛所　曾從諸佛聞　方便所說法
我即作是念　如來所以出　為說佛慧故　今正是其時
舍利弗當知　鈍根小智人　著相憍慢者　不能信是法
今我喜无畏　於諸菩薩中　正直捨方便　但說无上道
菩薩聞是法　疑網皆已除　千二百羅漢　悉亦當作佛
如三世諸佛　說法之儀式　我今亦如是　說无分別法
諸佛興出世　懸遠值遇難　正使出于世　說是法復難
无量无數劫　聞是法亦難　能聽是法者　斯人亦復難
譬如優曇華　一切皆愛樂　天人所希有　時時乃一出
聞法歡喜讚　乃至發一言　則為已供養　一切三世佛
是人甚希有　過於優曇華　汝等勿有疑　我為諸法王
普告諸大衆　但以一乘道　教化諸菩薩　无聲聞弟子
汝等舍利弗　聲聞及菩薩　當知是妙法　諸佛之秘要
以五濁惡世　但樂著諸欲　如是等衆生　終不求佛道
當來世惡人　聞佛說一乘　迷惑不信受　破法墮惡道

BD02929號　妙法蓮華經卷一　（20–19）

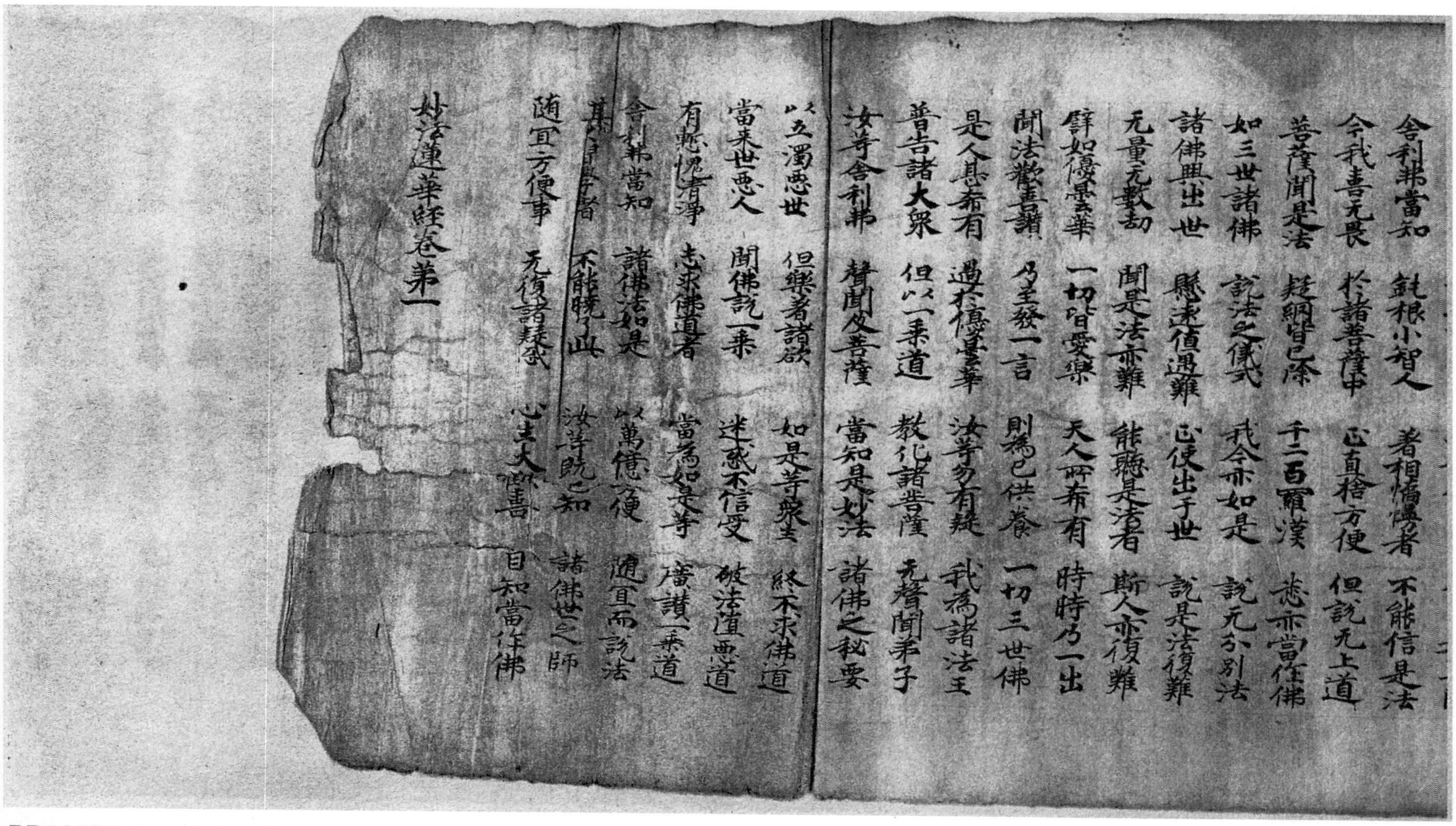

舍利弗當知 鈍根小智人 著相憍慢者 不能信是法
今我喜无畏 於諸菩薩中 正直捨方便 但說无上道
菩薩聞是法 疑網皆已除 千二百羅漢 悉亦當作佛
如三世諸佛 說法之儀式 我今亦如是 說无分別法
諸佛興出世 懸遠值遇難 正使出于世 說是法復難
无量无數劫 聞是法亦難 能聽是法者 斯人亦復難
譬如優曇華 一切皆愛樂 天人所希有 時時乃一出
聞法歡喜讚 乃至發一言 則為已供養 一切三世佛
是人甚希有 過於優曇華 汝等勿有疑 我為諸法王
普告諸大眾 但以一乘道 教化諸菩薩 无聲聞弟子
汝等舍利弗 聲聞及菩薩 當知是妙法 諸佛之秘要
以五濁惡世 但樂著諸欲 如是等眾生 終不求佛道
當來世惡人 聞佛說一乘 迷惑不信受 破法墮惡道
有慚愧清淨 志求佛道者 當為如是等 廣讚一乘道
舍利弗當知 諸佛法如是 以萬億方便 隨宜而說法
其不習學者 不能曉了此 汝等既已知 諸佛世之師
隨宜方便事 无復諸疑惑 心生大歡喜 自知當作佛
妙法蓮華經卷第一

BD02929號 妙法蓮華經卷一 （20–20）

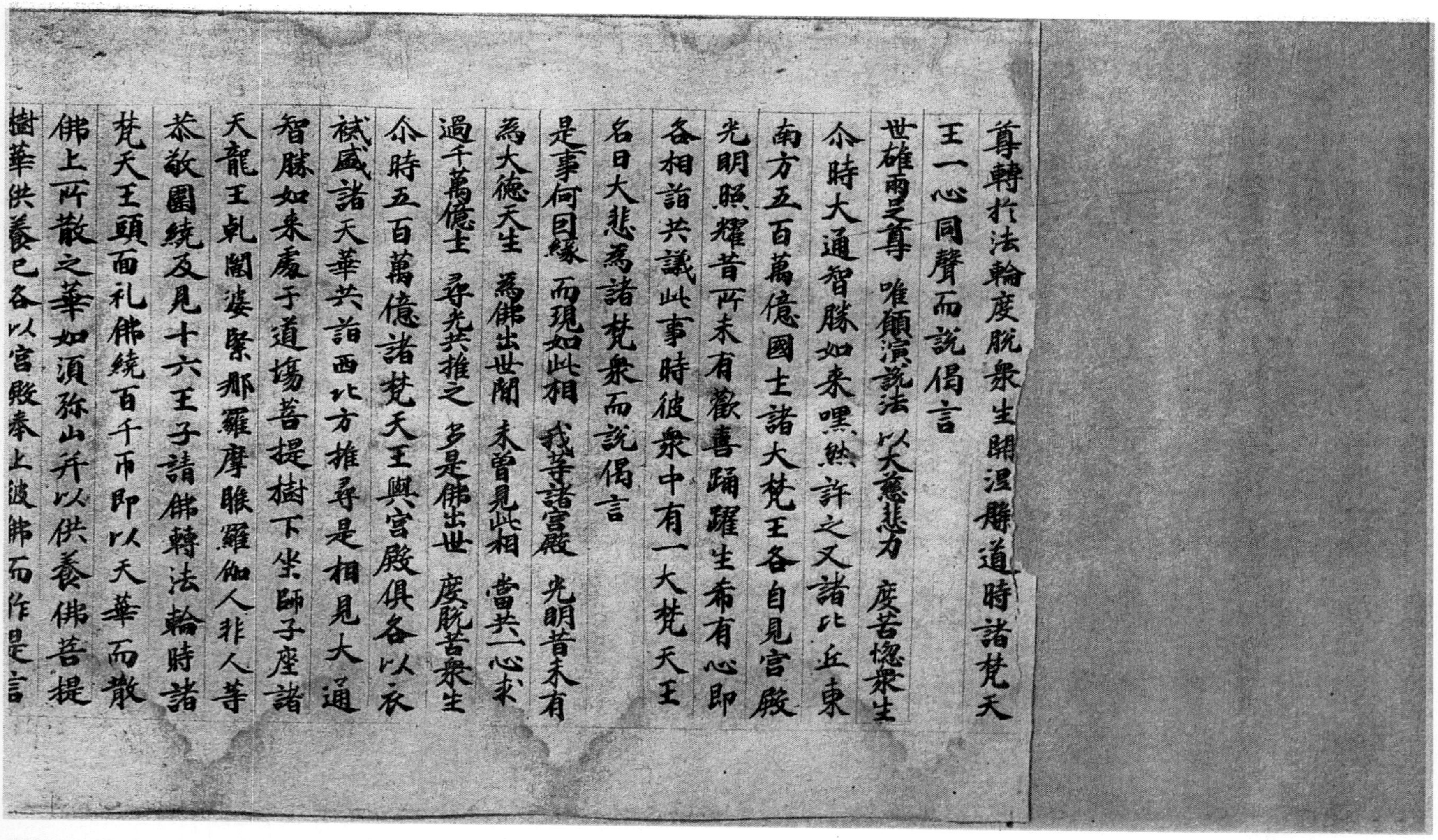

尊轉於法輪 度脫眾生開涅槃道 時諸梵天
王一心同聲而說偈言
世雄兩足尊 唯願演說法 以大慈悲力 度苦惱眾生
尒時大通智勝如來默然許之 又諸比丘 東
南方五百萬億國土諸大梵王各自見宮殿
光明照耀 昔所未有 歡喜踊躍生希有心 即
各相詣共議此事 時彼眾中有一大梵天王
名曰大悲 為諸梵眾而說偈言
是事何因緣 而現如此相 我等諸宮殿 光明昔未有
為大德天生 為佛出世間 未曾見此相 當共一心求
過千萬億土 尋光共推之 多是佛出世 度脫苦眾生
尒時五百萬億諸梵天王與宮殿俱 各以衣
裓盛諸天華 共詣西北方推尋是相 見大通
智勝如來處于道場菩提樹下坐師子座 諸
天龍王乾闥婆緊那羅摩睺羅伽人非人等
恭敬圍繞 及見十六王子請佛轉法輪 時諸
梵天王頭面礼佛 繞百千帀 即以天華而散
佛上 所散之華如須弥山 并以供養佛菩提
樹華 供養已 各以宮殿奉上彼佛 而作是言

BD02930號 妙法蓮華經卷三 （11–1）

恭敬圍繞及見十六王子請佛轉法輪時諸
梵天王頭面礼佛繞百千帀即以天華而散
佛上所散之華如須弥山幷以供養佛菩提
樹華供養已各以宮殿奉上彼佛而作是言
唯見哀愍饒益我等所獻宮殿願垂納處尒
時諸梵天王即於佛前一心同聲以偈頌曰
聖主天中王　迦陵頻伽聲　哀愍衆生者　我等今敬礼
世尊甚希有　久遠乃一現　一百八十劫　空過无有佛
三惡道充滿　諸天衆減少　今佛出於世　為衆生作眼
世間所歸趣　救護於一切　為衆生之父　哀愍饒益者
我等宿福慶　今得值世尊
尒時諸梵天王偈讚佛已各作是言唯願世
尊哀愍一切轉於法輪度脫衆生時諸梵天
王一心同聲而說偈言
大聖轉法輪　顯示諸法相　度苦惱衆生　令得大歡喜
衆生聞是法　得道若生天　諸惡道減少　忍善者增益
尒時大通智勝如來默然許之又諸比丘南
方五百萬億國土諸大梵王各自見宮殿光
明照耀昔所未有歡喜踊躍生希有心即各
相詣共議此事以何因緣我等宮殿有此光
耀而彼衆中有一大梵天王名曰妙法為諸
梵衆而說偈言
我等諸宮殿　光明甚威耀　此非无因緣　是相宜求之
過於百千劫　未曾見是相　為大德天王　為佛出世間
尒時五百萬億諸梵天王與宮殿俱各以衣
祴盛諸天華共詣北方推尋是相見大通智

BD02930號　妙法蓮華經卷三　（11-2）

梵衆而說偈言
我等諸宮殿　光明甚威耀　此非无因緣　是相宜求之
過於百千劫　未曾見是相　為大德天王　為佛出世間
尒時五百萬億諸梵天王與宮殿俱各以衣
祴盛諸天華共詣北方推尋是相見大通智
勝如來處于道場菩提樹下坐師子座諸天
龍王乾闥婆緊那羅摩睺羅伽人非人等恭
敬圍繞及見十六王子請佛轉法輪時諸梵
天王頭面礼佛繞百千帀即以天華而散佛
上所散之華如須弥山幷以供養佛菩提樹
華供養已各以宮殿奉上彼佛而作是言唯
見哀愍饒益我等所獻宮殿願垂納處尒時
諸梵天王即於佛前一心同聲以偈頌曰
世尊甚難見　破諸煩惱者　過百三十劫　今乃得一見
諸飢渴衆生　以法雨充滿　昔所未曾覩　无量智慧者
如優曇鉢羅　今日乃值遇　我等諸宮殿　蒙光故嚴飾
世尊大慈愍　唯願垂納受
尒時諸梵天王偈讚佛已各作是言唯願世
尊轉於法輪令一切世間諸天魔梵沙門婆
羅門皆獲安隱而得度脫時諸梵天王一心
同聲以偈頌曰
唯願天人尊　轉无上法輪　擊于大法鼓　而吹大法螺
普雨大法雨　度无量衆生　我等咸歸請　當演深遠音
尒時大通智勝如來默然許之西南方乃至
下方亦復如是尒時上方五百萬億國土諸
大梵王皆悉自覩所止宮殿光明威耀昔所
未曾有歡喜踊躍生希有心即各相詣共議此

BD02930號　妙法蓮華經卷三　（11-3）

尒時大通智勝如来嘿然許之西南方乃至
下方亦復如是尒時上方五百萬億國土諸
大梵王皆悉自覩所止宮殿光明威耀昔所
未有歡喜踊躍生希有心即各相詣共議此
事以何因緣我等宮殿有斯光明時彼衆中
有一大梵天王名曰尸棄為諸梵衆而說偈
言
今以何因緣　我等諸宮殿　威德光明耀　嚴飾未曾有
如是之妙相　昔所不聞見　為大德天生　為佛出世間
尒時五百萬億諸梵天王與宮殿俱各以衣
祴盛諸天華共詣下方推尋是相見大通智
勝如来處于道場菩提樹下坐師子座諸天
龍王乾闥婆緊那羅摩睺羅伽人非人等恭
敬圍繞及見十六王子請佛轉法輪時諸梵
天王頭面礼佛繞百千帀即以天華而散佛
上所散之華如須弥山并以供養佛菩提樹
華供養已各以宮殿奉上彼佛而作是言唯
見哀愍饒益我等所獻宮殿願垂納處時諸
梵天王即於佛前一心同聲以偈頌曰
善哉見諸佛　救世之聖尊　能於三界獄　勉出諸衆生
普智天人尊　愍哀群萌類　能開甘露門　廣度於一切
於昔无量劫　空過无有佛　世尊未出時　十方常闇瞑
三惡道增長　阿脩羅亦盛　諸天衆轉減　死多墮惡道
不從佛聞法　常行不善事　色力及智慧　斯等皆減少
罪業因緣故　失樂及樂想　住於邪見法　不識善儀則
不蒙佛所化　常墮於惡道　佛為世間眼　久遠時乃出

三惡道增長　阿脩羅亦盛　諸天衆轉減　死多墮惡道
不從佛聞法　常行不善事　色力及智慧　斯等皆減少
罪業因緣故　失樂及樂想　住於邪見法　不識善儀則
不蒙佛所化　常墮於惡道　佛為世間眼　久遠時乃出
哀愍諸衆生　故現於世間　超出成正覺　我等甚欣慶
及餘一切衆　喜歎未曾有　我等諸宮殿　蒙光故嚴飾
今以奉世尊　唯垂哀納受　願以此功德　普及於一切
我等與衆生　皆共成佛道
尒時五百萬億諸梵天王偈讚佛已各白佛
言唯願世尊轉於法輪多所安隱多所度脫
時諸梵天王而說偈言
世尊轉法輪　擊甘露法鼓　度苦惱衆生　開示涅槃道
唯願受我請　以大微妙音　哀愍而敷演　无量劫習法
尒時大通智勝如来受十方諸梵天王及十
六王子請即時三轉十二行法輪若沙門婆
羅門若天魔梵及餘世間所不能轉謂是苦
是苦集是苦滅是苦滅道及廣說十二因緣
法无明緣行行緣識識緣名色名色緣六入
六入緣觸觸緣受受緣愛愛緣取取緣有有
緣生生緣老死憂悲苦惱无明滅則行滅行
滅則識滅識滅則名色滅名色滅則六入滅
六入滅則觸滅觸滅則受滅受滅則愛滅愛
滅則取滅取滅則有滅有滅則生滅生滅則
老死憂悲苦惱滅佛於天人大衆之中說是
法時六百萬億那由他人以不受一切法故
而於諸漏心得解脫皆得深妙禪定三明六

六入滅則觸滅觸滅則受滅受滅則愛滅愛
滅則取滅取滅則有滅有滅則生滅生滅則
老死憂悲苦惱滅佛於天人大衆之中說是
法時六百萬億那由他人以不受一切法故
而於諸漏心得解脫皆得深妙禪定三明六
通具八解脫第二第三第四說法時千萬億
恒河沙那由他等衆生亦以不受一切法故
而於諸漏心得解脫從是已後諸聲聞衆无
量无邊不可稱數尒時十六王子皆以童子
出家而爲沙弥諸根通利智慧明了已曾供
養百千萬億諸佛淨脩梵行求阿耨多羅三
藐三菩提俱白佛言世尊是諸无量千萬億
大德聲聞皆已成就世尊亦當爲我等說阿
耨多羅三藐三菩提法我等聞已皆共脩學
世尊我等志願如來知見深心所念佛自證
知尒時轉輪聖王所將衆中八萬億人見十
六王子出家亦求出家王即聽許尒時彼佛
受沙弥請過二萬劫已乃於四衆之中說是
大乘經名妙法蓮華教菩薩法佛所護念說
是經已十六沙弥爲阿耨多羅三藐三菩提
故皆共受持諷誦通利說是經時十六菩薩
沙弥皆悉信受聲聞衆中亦有信解其餘衆
生千萬億種皆生疑惑佛說是經於八千劫
未曾休廢說此經已即入靜室住於禪定八
萬四千劫是時十六菩薩沙弥知佛入室寂
然禪定各昇法座亦於八萬四千劫爲四部

BD02930號　妙法蓮華經卷三　（11–6）

未曾休廢說此經已即入靜室住於禪定八
萬四千劫是時十六菩薩沙弥知佛入室寂
然禪定各昇法座亦於八萬四千劫爲四部
衆廣說分別妙法華經一一皆度六百萬億
那由他恒河沙等衆生示教利喜令發阿耨
多羅三藐三菩提心大通智勝佛過八萬四
千劫已從三昧起往詣法座安詳而坐普告
大衆是十六菩薩沙弥甚爲希有諸根通利
智慧明了已曾供養无量千萬億數諸佛於
諸佛所常脩梵行受持佛智開示衆生令入
其中汝等皆當數數親近而供養之所以者
何若聲聞辟支佛及諸菩薩能信是十六菩
薩所說經法受持不毀者是人皆當得阿耨
多羅三藐三菩提如來之慧佛告諸比丘是
十六菩薩常樂說是妙法華經一一菩薩所
化六百萬億那由他恒河沙等衆生世世所
生與菩薩俱從其聞法悉皆信解以此因緣
得值四萬億諸佛世尊于今不盡諸比丘我
今語汝彼佛弟子十六沙弥今皆得阿耨多
羅三藐三菩提於十方國土現在說法有无
量百千萬億菩薩聲聞以爲眷屬其二沙弥
東方作佛一名阿閦在歡喜國二名須弥頂
東南方二佛一名師子音二名師子相南方
二佛一名虛空住二名常滅西南方二佛一
名帝相二名梵相西方二佛一名阿弥陁二
名度一切世間苦惱西北方二佛一名多摩

BD02930號　妙法蓮華經卷三　（11–7）

東南方二佛一名師子音二名師子相南方
二佛一名虛空住二名常滅西南方二佛一
名帝相二名梵相西方二佛一名阿弥陁二
名度一切世間苦惱西北方二佛一名多摩
羅跋栴檀香神通二名須弥相北方二佛一
名雲自在二名雲自在王東北方佛名壞一
切世間怖畏第十六我釋迦牟尼佛於娑婆
國土成阿耨多羅三藐三菩提諸比丘我等
為沙弥時各各教化无量百千萬億恒河沙
等衆生從我聞法為阿耨多羅三藐三菩提
此諸衆生于今有住聲聞地者我常教化阿
耨多羅三藐三菩提是諸人等應以是法漸
入佛道所以者何如来智慧難信難解尒時
所化无量恒河沙等衆生者汝等諸比丘及
我滅度後未来世中聲聞弟子是也我滅度
後復有弟子不聞是經不知不覺菩薩所行
自於所得功德生滅度想當入涅槃我於餘
國作佛更有異名是人雖生滅度之想入於
涅槃而於彼土求佛智慧得聞是經唯以佛
乘而得滅度更无餘乘除諸如来方便說法
諸比丘若如来自知涅槃時到衆又清淨信
解堅固了達空法深入禪定便集諸菩薩及
聲聞衆為說是經世間无有二乘而得滅度
唯一佛乘得滅度耳比丘當知如来方便深
入衆生之性知其志樂小法深著五欲為是
等故說於涅槃是人若聞則便受辟如五

BD02930號　妙法蓮華經卷三

（11–8）

聲聞衆為說是經世間无有二乘而得滅度
唯一佛乘得滅度耳比丘當知如来方便深
入衆生之性知其志樂小法深著五欲為是
等故說於涅槃是人若聞則便受辟如五
百由旬險難惡道曠絕无人怖畏之處若有
多衆欲過此道至珎寶處有一導師聰慧明
達善知險道通塞之相將導衆人欲過此難
所將人衆中路懈退白導師言我等疲極而
復怖畏不能復進前路猶遠今欲退還導師
多諸方便而作是念此等可愍云何捨大珎
寶而欲退還作是念已以方便力於險道中
過三百由旬化作一城告衆人言汝等勿怖
莫得退還今是大城可於中止隨意所作若
入是城快得安隱若能前至寶所亦可得去
是時疲極之衆心大歡喜嘆未曾有我等今
者免斯惡道快得安隱於是衆人前入化城
生已度想生安隱想尒時導師知此人衆既
得止息无復疲惓即滅化城語衆人言汝等
去来寶處在近向者大城我所化作為止息
耳諸比丘如来亦復如是今為汝等作大導
師知諸生死煩惱惡道險難長遠應去應度
若衆生但聞一佛乘者則不欲見佛不欲親
近便作是念佛道長遠久受懃苦乃可得成
佛知是心怯弱下劣以方便力而於中道為
止息故說二涅槃若衆生住於二地如来尒
時即便為說汝等所作未辦汝所住地近於

BD02930號　妙法蓮華經卷三

（11–9）

若衆生但聞一佛乘者則不欲見佛不欲親
近便作是念佛道長遠久受懃苦乃可得成
佛知是心怯弱下劣以方便力而於中道為
止息故說二涅槃若衆生住於二地如來尒
時即便為說汝等所作未辦汝所住地近於
佛慧當觀察籌量所得涅槃非真實也但是
如來方便之力於一佛乘分別說三如彼導
師為止息故化作大城既知息已而告之言
寶處在近此城非實我化作耳尒時世尊欲
重宣此義而說偈言
大通智勝佛　十劫坐道場　佛法不現前　不得成佛道
諸天神龍王　阿脩羅衆等　常雨於天華　以供養彼佛
諸天擊天鼓　并作衆伎樂　香風吹萎華　更雨新好者
過十小劫已　乃得成佛道　諸天及世人　心皆懷踊躍
彼佛十六子　皆與其眷屬　千萬億圍繞　俱行至佛所
頭面礼佛足　而請轉法輪　聖師子法雨　充我及一切
世尊甚難值　久遠時一時　為覺悟群生　震動於一切
東方諸世界　五百萬億國　梵宮殿光耀　昔所未曾有
諸梵見此相　尋來至佛所　散華以供養　并奉上宮殿
請佛轉法輪　以偈而讚嘆　佛知時未至　受請嘿然坐
三方及四維　上下亦復尒　散華奉宮殿　請佛轉法輪
世尊甚難值　願以大慈悲　廣開甘露門　轉无上法輪
无量慧世尊　受彼衆人請　為宣種種法　四諦十二緣
无明至老死　皆從生緣有　如是衆過患　汝等應當知
宣暢是法時　六百萬億姟　得盡諸苦際　皆成阿羅漢
第二說法時　千萬恒沙衆　於諸法不受　亦得阿羅漢

BD02930號　妙法蓮華經卷三　（11-10）

諸天神龍王　阿脩羅衆等　常雨於天華　以供養彼佛
諸天擊天鼓　并作衆伎樂　香風吹萎華　更雨新好者
過十小劫已　乃得成佛道　諸天及世人　心皆懷踊躍
彼佛十六子　皆與其眷屬　千萬億圍繞　俱行至佛所
頭面礼佛足　而請轉法輪　聖師子法雨　充我及一切
世尊甚難值　久遠時一時　為覺悟群生　震動於一切
東方諸世界　五百萬億國　梵宮殿光耀　昔所未曾有
諸梵見此相　尋來至佛所　散華以供養　并奉上宮殿
請佛轉法輪　以偈而讚嘆　佛知時未至　受請嘿然坐
三方及四維　上下亦復尒　散華奉宮殿　請佛轉法輪
世尊甚難值　願以大慈悲　廣開甘露門　轉无上法輪
无量慧世尊　受彼衆人請　為宣種種法　四諦十二緣
无明至老死　皆從生緣有　如是衆過患　汝等應當知
宣暢是法時　六百萬億姟　得盡諸苦際　皆成阿羅漢
第二說法時　千萬恒沙衆　於諸法不受　亦得阿羅漢
從是後得道　其數无有量　萬億劫筭數　不能得其邊
時十六王子　出家作沙弥　皆共請彼佛　演說大乘法
我等及營從　皆當成佛道　願得如世尊　慧眼第一淨
佛知童子心　宿世之所行　以无量因緣　種種諸譬喻
說六波羅蜜　及諸神通事　分別真實法　菩薩所行道
說是法華經　如恒河沙偈　彼佛說經已　靜室入禪定
一心一處坐　八萬四千劫　是諸沙弥等　知佛禪未出
為无量億衆　說佛无上慧　各各坐法座　說是大乘經

BD02930號　妙法蓮華經卷三　（11-11）

神通身出
光明飛行自在志念堅固精進智慧普皆金
色三十二相而自莊嚴其國眾生常以二食
一者法喜食二者禪悅食有无量阿僧祇千
万億那由他諸菩薩眾得大神通四无礙智
善能教化眾生之類其聲聞眾筭數校計所
不能知皆得具足六通三明及八解脫其佛國
土有如是等无量功德莊嚴成就劫名寶
明國名善淨其佛壽命无量阿僧祇劫法住
甚久佛滅度後起七寶塔遍滿其國尒時世
尊欲重宣此義而說偈言
諸比丘諦聽　佛子所行道　善學方便故　不可得思議
知眾樂小法　而畏於大智　是故諸菩薩　作聲聞緣覺
以无數方便　化諸眾生類　自說是聲聞　去佛道甚遠
度脫无量眾　皆悉得成就　雖小欲懈怠　漸當令作佛
內祕菩薩行　外現是聲聞　少欲厭生死　實自淨佛土
示眾有三毒　又現邪見相　我弟子如是　方便度眾生
若我具足說　種種現化事　眾生聞是者　心則懷疑惑
今此富樓那　於昔千億佛　勤修所行道　宣護諸佛法
為求无上慧　而於諸佛所　現居弟子上　多聞有智慧
所說无所畏　能令眾歡喜　未曾有疲惓　而以助佛事
已度大神通　具四无礙智　知眾根利鈍　常說清淨法
演暢如是義　教諸千億眾　令住大乘法　而自淨佛土

BD02931號　妙法蓮華經卷四

（4–1）

今此富樓那　於昔千億佛　勤修所行道　宣護諸佛法
為求无上慧　而於諸佛所　現居弟子上　多聞有智慧
所說无所畏　能令眾歡喜　未曾有疲惓　而以助佛事
已度大神通　具四无礙智　知眾根利鈍　常說清淨法
演暢如是義　教諸千億眾　令住大乘法　而自淨佛土
未來亦供養　无量无數佛　護助宣正法　亦自淨佛土
常以諸方便　說法无所畏　度不可計眾　成就一切智
供養諸如來　護持法寶藏　其後得作佛　号名曰法明
其國名善淨　七寶所合成　劫名為寶明　菩薩眾甚多
其數无量億　皆度大神通　威德力具足　充滿其國土
聲聞亦无數　三明八解脫　得四无礙智　以是等為僧
其國諸眾生　婬欲皆已斷　純一變化生　具相莊嚴身
法喜禪悅食　更无餘食想　无有諸女人　亦无諸惡道
富樓那比丘　功德悉成滿　當得斯淨土　賢聖眾甚多
如是无量事　我今但略說
尒時千二百阿羅漢心自在者作是念我等
歡喜得未曾有若世尊各見授記如餘大弟
子者不亦快乎佛知此等心之所念告摩訶
迦葉是千二百阿羅漢我今當現前次第與
授阿耨多羅三藐三菩提記於此眾中我大
弟子憍陳如比丘當供養六万二千億佛然
後得成為佛号曰普明如來應供正遍知明
行足善逝世間解无上士調御丈夫天人師
佛世尊其五百阿羅漢優樓頻螺迦葉伽耶
迦葉那提迦葉迦留陀夷優陀夷阿㝹樓馱
離婆多劫賓那薄拘羅周陀莎伽陀等皆當
得阿耨多羅三藐三菩提盡同一号名曰普

BD02931號　妙法蓮華經卷四

（4–2）

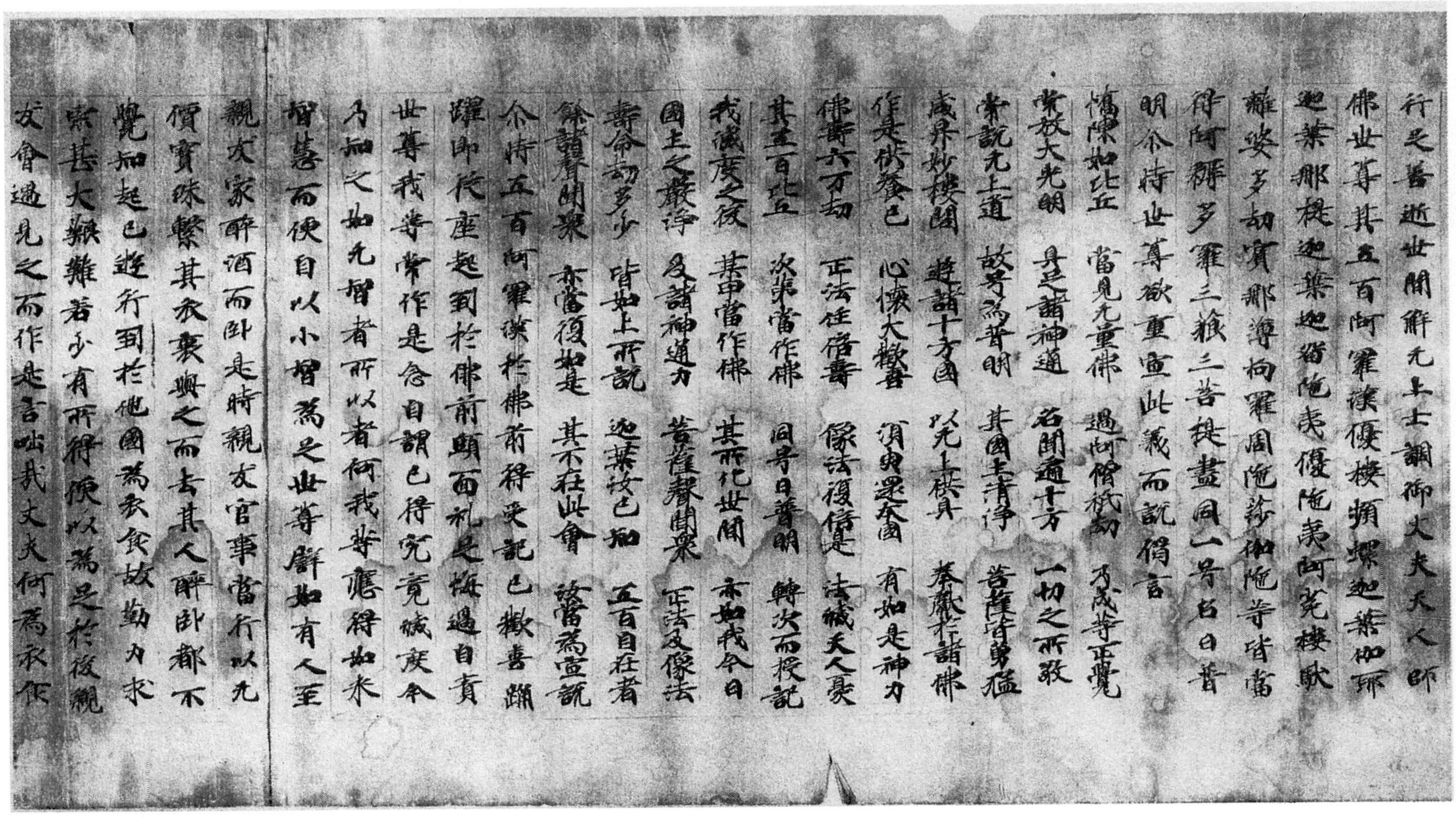
行足善逝世間解无上士調御丈夫天人師
佛世尊其五百阿羅漢優樓頻螺迦葉伽耶
迦葉那提迦葉迦留陀夷優陀夷阿㝹樓馱
離婆多劫賓那薄拘羅周陀莎伽陀等皆當
得阿耨多羅三藐三菩提盡同一号名曰普
明尒時世尊欲重宣此義而說偈言
憍陳如比丘　當見无量佛　過阿僧祇劫　乃成等正覺
常放大光明　具足諸神通　名聞遍十方　一切之所敬
常說无上道　故号為普明　其國土清淨　菩薩皆勇猛
咸昇妙樓閣　遊諸十方國　以无上供具　奉獻於諸佛
作是供養已　心懷大歡喜　須臾還本國　有如是神力
佛壽六万劫　正法住倍壽　像法復倍是　法滅天人憂
其五百比丘　次第當作佛　同号曰普明　轉次而授記
我滅度之後　某甲當作佛　其所化世間　亦如我今日
國土之嚴淨　及諸神通力　菩薩聲聞衆　正法及像法
壽命劫多少　皆如上所說　迦葉汝已知　五百自在者
餘諸聲聞衆　亦當復如是　其不在此會　汝當為宣說
尒時五百阿羅漢於佛前得受記已歡喜踊
躍即從座起到於佛前頭面禮足悔過自責
世尊我等常作是念自謂已得究竟滅度今
乃知之如无智者所以者何我等應得如來
智慧而便自以小智為足世尊譬如有人至
親友家醉酒而臥是時親友官事當行以无
價寶珠繫其衣裏與之而去其人醉臥都不
覺知起已遊行到於他國為衣食故勤力求
索甚大艱難若少有所得便以為足於後親
友會遇見之而作是言咄哉丈夫何為衣食

BD02931號　妙法蓮華經卷四　（4–3）

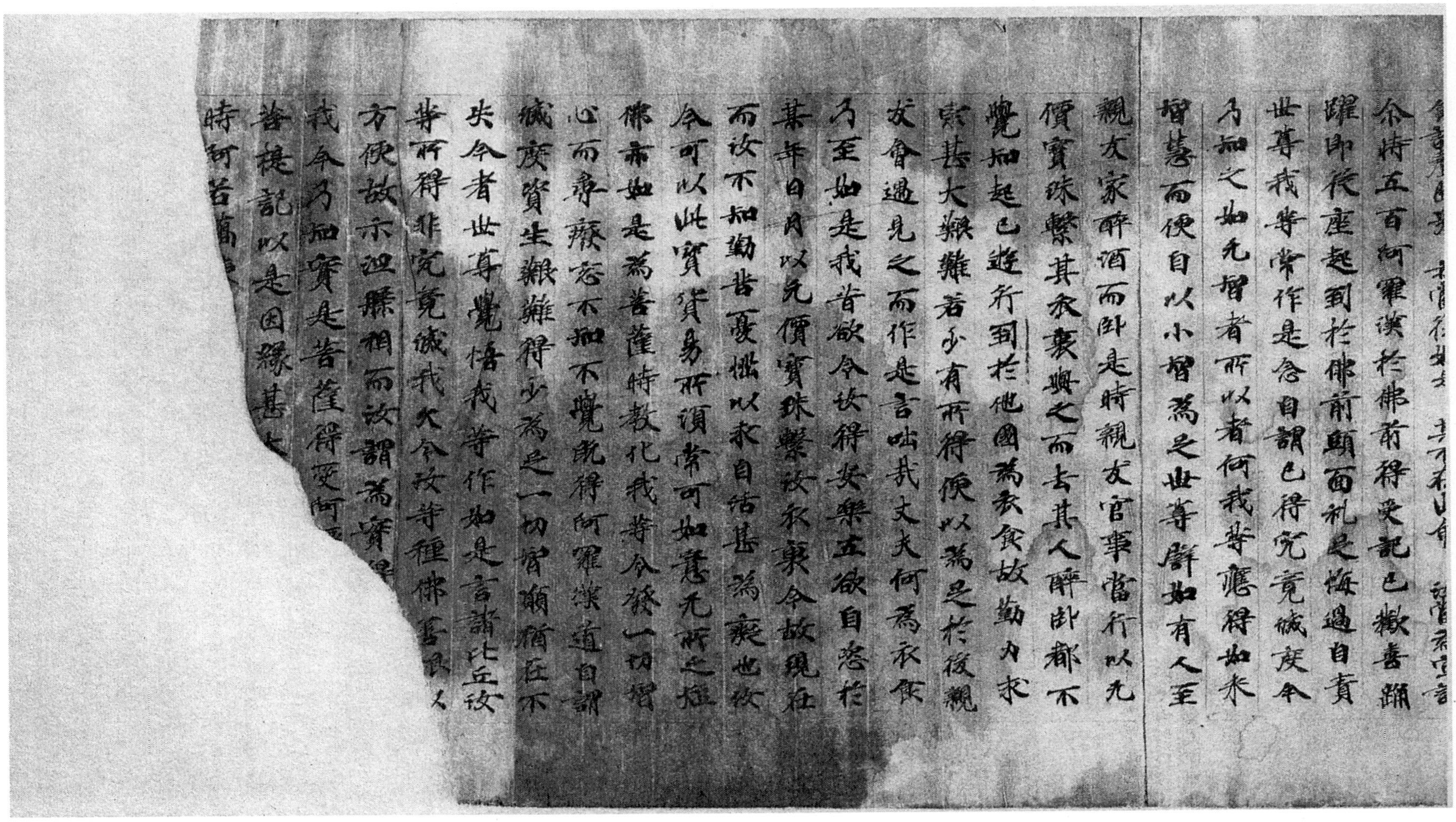
餘諸聲聞衆　亦當復如是　其不在此會　汝當為宣說
尒時五百阿羅漢於佛前得受記已歡喜踊
躍即從座起到於佛前頭面禮足悔過自責
世尊我等常作是念自謂已得究竟滅度今
乃知之如无智者所以者何我等應得如來
智慧而便自以小智為足世尊譬如有人至
親友家醉酒而臥是時親友官事當行以无
價寶珠繫其衣裏與之而去其人醉臥都不
覺知起已遊行到於他國為衣食故勤力求
索甚大艱難若少有所得便以為足於後親
友會遇見之而作是言咄哉丈夫何為衣食
乃至如是我昔欲令汝得安樂五欲自恣於
某年日月以无價寶珠繫汝衣裏今故現在
而汝不知勤苦憂惱以求自活甚為癡也汝
今可以此寶貿易所須常可如意无所乏短
佛亦如是為菩薩時教化我等令發一切智
心而尋廢忘不知不覺既得阿羅漢道自謂
滅度資生艱難得少為足一切智願猶在不
失今者世尊覺悟我等作如是言諸比丘汝
等所得非究竟滅我久令汝等種佛善根
方便故示涅槃相而汝謂為實得
我今乃知實是菩薩得受阿
菩提記以是因緣甚大
時阿若憍

BD02931號　妙法蓮華經卷四　（4–4）

鉢洗足已敷座而坐時長老
起偏袒右肩右膝著地合
來善護念諸菩薩善付囑諸菩
善女人發阿耨多羅三藐三菩提心應云何住云何降
伏其心佛言善哉善哉須菩提如汝所說如來善護念
諸菩薩善付囑諸菩薩汝今諦聽當為汝說善男
子善女人發阿耨多羅三藐三菩提心應如是住如是
降伏其心唯然世尊願樂欲聞
佛告須菩提諸菩薩摩訶薩應如是降伏其心所
有一切眾生之類若卵生若胎生若濕生若化生若有色
若无色若有想若无想若非有想非无想我皆令入
而滅度之如是滅度无量无數无邊眾生實无眾生
得滅度者何以故須菩提若菩薩有我相人相眾生
相壽者相即非菩薩
復次須菩提菩薩於法應无所住行於布施所謂不住
色布施不住聲香味觸法布施須菩提菩薩應如是
布施不住於相何以故若菩薩不住相布

BD02932號　金剛般若波羅蜜經

（13–1）

復次須菩提菩薩於法應无所住行於布施所謂不住
色布施不住聲香味觸法布施須菩提菩薩應如是
布施不住於相何以故若菩薩不住相布
施其福德不可思量須菩提於意云何東方虛
空可思量不不也世尊須菩提南西北方四維
上下虛空可思量不不也世尊須菩提菩薩
无住相布施福德亦復如是不可思量須菩提
菩薩但應如所教住須菩提於意云何可以身
相見如來不不也世尊不可以身相得見如來何
以故如來所說身相即非身相
佛告須菩提凡所有相皆是虛妄若見諸相非
相則見如來須菩提白佛言世尊頗有眾生得
聞如是言說章句生實信不佛告須菩提莫作
是說如來滅後後五百歲有持戒脩福者於此
章句能生信心以此為實當知是人不於一佛二佛
三四五佛而種善根已於无量千万佛所種諸善根
聞是章句乃至一念生淨信者須菩提如來悉知
悉見是諸眾生得如是无量福德何以故是諸眾
生得如是无量福德何以故是諸眾生无復我相
人相眾生相壽者相无法相亦无非法相何以故是
諸眾生若心取相則為著我人眾生壽者若取
法相即著我人眾生壽者何以故若取非法相即
著我人眾生壽者是故不應取法不應取非法以
是義故如來常說汝等比丘知我說法如筏喻者
法尚應捨何況非法

BD02932號　金剛般若波羅蜜經

（13–2）

法相即著我人眾生壽者何以故若取非法相即
著我人眾生壽者是故不應取法不應取非法以
是義故如來常說汝等比丘知我說法如筏喻者
法尚應捨何況非法
須菩提於意云何如來得阿耨多羅三藐三菩
提所說義无有定法名阿耨多羅三藐三菩提亦
无有定法如來所說何以故如來所說法皆不可取
不可說非法非非法所以者何一切賢聖皆以无為
法而有差別
須菩提於意云何若人滿三千大千世界七寶以用
布施是人所得福德寧為多不須菩提言甚多
世尊何以故是福德即非福德性是故如來說福德
多若復有人於此經中受持乃至四句偈等為他人
說其福勝彼何以故須菩提一切諸佛及諸佛阿耨
多羅三藐三菩提法皆從此經出須菩提所謂佛
法者即非佛法
須菩提於意云何須陁洹能作是念我得須陁洹
果不須菩提言不也世尊何以故須陁洹名為入流而
无所入不入色聲香味觸法是名須陁洹須菩提於
意云何斯陁含能作是念我得斯陁含果不須菩提
言不也世尊何以故斯陁含名一往來而實无往來是
名斯陁含須菩提於意云何阿那含能作是念我
得阿那含果不須菩提言不也世尊何以故阿那含名
為不來而實无來是名阿那含須菩提於意云何
阿羅漢能作是念我得阿羅漢道不須菩提言不
也世尊何以故實无有法名阿羅漢世尊若阿羅漢

BD02932號　金剛般若波羅蜜經　（13–3）

名斯陁含須菩提於意云何阿那含能作是念我
得阿那含果不須菩提言不也世尊何以故阿那含名
為不來而實无來是名阿那含須菩提於意云何
阿羅漢能作是念我得阿羅漢道不須菩提言不
也世尊何以故實无有法名阿羅漢世尊若阿羅漢
作是念我得阿羅漢道即為著我人眾生壽者世尊
佛說我得无諍三昧人中最為第一是第一離欲阿
羅漢我不作是念我是離欲阿羅漢世尊我若作
是念我得阿羅漢道世尊則不說須菩提是樂阿
蘭那行者以須菩提實无所行而名須菩提是
樂阿蘭那行
佛告須菩提於意云何如來昔在然燈佛所於法
有所得不世尊如來在然燈佛所於法實无所得須
菩提於意云何菩薩莊嚴佛土不不也世尊何以故莊
嚴佛土者則非莊嚴是名莊嚴是故須菩提諸菩
薩摩訶薩應如是生清淨心不應住色生心不應住
聲香味觸法生心應无所住而生其心須菩提譬如
有人身如須弥山王於意云何是身為大不須菩
提言甚大世尊何以故佛說非身是名大身
須菩提如恒河中所有沙數如是沙等恒河於意
云何是諸恒河沙寧為多不須菩提言甚多世尊
但諸恒河尚多无數何況其沙須菩提我今實言告
汝若有善男子善女人以七寶滿尒所恒河沙數三
千大千世界以用布施得福多不須菩提言甚多世
尊佛告須菩提若善男子善女人於此經中乃至
受持四句偈等為他人說而此福德勝前福德復次

BD02932號　金剛般若波羅蜜經　（13–4）

汝若有善男子善女人以七寶滿尒所恒河沙數三
千大千世界以用布施得福多不須菩提言甚多世
尊佛告須菩提若善男子善女人於此經中乃至
受持四句偈等為他人說而此福德勝前福德復次
須菩提隨說是經乃至四句偈等當知此處一切世
間天人阿脩羅皆應供養如佛塔廟何況有人盡能
受持讀誦須菩提當知是人成就最上第一希有之
法若是經典所在之處則為有佛若尊重弟子
尒時須菩提白佛言世尊當何名此經我等云何奉
持佛告須菩提是經名為金剛般若波羅蜜以是
名字汝當奉持所以者何須菩提佛說般若波羅蜜
則非般若波羅蜜須菩提於意云何如來有所說法
不須菩提白佛言世尊如來无所說須菩提於意云
何三千大千世界所有微塵是為多不須菩提言甚
多世尊須菩提是諸微塵如來說非微塵是名微塵
如來說世界非世界是名世界須菩提於意云何可以三
十二相見如來不不也世尊何以故如來說三十二相即
是非相是名三十二相須菩提若有善男子善女人
以恒河沙等身命布施若復有人於此經中乃至
受持四句偈等為他人說其福甚多
尒時須菩提聞說是經深解義趣涕淚悲泣而白
佛言希有世尊佛說如是甚深經典我從昔來所
得慧眼未曾得聞如是之經世尊若復有人得聞是
經信心清淨則生實相當知是人成就第一希有功
德世尊是實相者則是非相是故如來說名實相

BD02932 號　金剛般若波羅蜜經　（13–5）

尒時須菩提聞說是經深解義趣涕淚悲泣而白
佛言希有世尊佛說如是甚深經典我從昔來所
得慧眼未曾得聞如是之經世尊若復有人得聞是
經信心清淨則生實相當知是人成就第一希有功
德世尊是實相者則是非相是故如來說名實相
世尊我今得聞如是經典信解受持不足為難若當
來世後五百歲其有眾生得聞是經信解受持是
人則為第一希有何以故此人无我相人相眾生相
壽者相所以者何我相人相眾生相壽者相即是非
相何以故離一切諸相則名諸佛
佛告須菩提如是如是若復有人得聞是經不驚不
怖不畏當知是人甚為希有何以故須菩提如來說
第一波羅蜜非第一波羅蜜是名第一波羅蜜
須菩提忍辱波羅蜜如來說非忍辱波羅蜜何以
故須菩提如我昔為歌利王割截身體我於尒時
无我相无人相无眾生相无壽者相何以故我於往
昔節節支解時若有我相人相眾生相壽者相
應生嗔恨須菩提又念過去於五百世作忍辱仙人於
尒所世无我相无人相无眾生相无壽者相是故須菩
提菩薩應離一切相發阿耨多羅三藐三菩提心
不應住色生心不應住聲香味觸法生心應生无所
住心若心有住則為非住是故佛說菩薩不應住色布
施須菩提菩薩為利益一切眾生應如是布施如
來說一切諸相即是非相又說一切眾生則非眾生
須菩提如來是真語者實語者如語者不誑語者

BD02932 號　金剛般若波羅蜜經　（13–6）

施須菩提菩薩為利益一切衆生應如是布施如
来說一切諸相即是非相又說一切衆生則非衆生
須菩提如来是真語者實語者如語者不誑語者
不異語者須菩提如来所得法此法无實无虛須
菩提若菩薩心住於法而行布施如人入闇則无所
見若菩薩心不住法而行布施如人有目日光明照
見種種色須菩提當来之世若有善男子善女人
能於此經受持讀誦則為如来以佛智慧悉知是
人悉見是人皆得成就无量无邊功德
須菩提若有善男子善女人初日分以恒河沙等身
布施中日分復以恒河沙等身布施後日分亦以恒河
沙等身布施如是无量百千万億劫以身布施若
復有人聞此經典信心不逆其福勝彼何况書寫受
持讀誦為人解說須菩提以要言之是經有不可
思議不可稱量无邊功德如来為發大乘者說
為發最上乘者說若有人能受持讀誦廣為人說
如来悉知是人悉見是人皆得成就不可量不可
稱无有邊不可思議功德如是人等則為荷擔如
来阿耨多羅三藐三菩提何以故須菩提若樂小
法者著我見人見衆生見壽者見則於此經不能
聽受讀誦為人解說須菩提在在處處若有此經
一切世間天人阿脩羅所應供養當知此處則為是塔
皆應恭敬作禮圍繞以諸華香而散其處
復次須菩提善男子善女人受持讀誦此經若為人
輕賤是人先世罪業應墮惡道以今世人輕賤故先世
罪業則為消滅當得阿耨多羅三藐三菩提

BD02932號　金剛般若波羅蜜經　（13–7）

皆應恭敬作禮圍繞以諸華香而散其處
復次須菩提善男子善女人受持讀誦此經若為人
輕賤是人先世罪業應墮惡道以今世人輕賤故先世
罪業則為消滅當得阿耨多羅三藐三菩提須菩提
須菩提我念過去无量阿僧祇劫於然燈佛前得
值八百四千万億那由他諸佛悉皆供養承事无空
過者若復有人於後末世能受持讀誦此經所得功
德於我所供養諸佛功德百分不及一千万億分乃至
筭數譬喻所不能及須菩提若善男子善女人於後
末世有受持讀誦此經所得功德我若具說者或
有人聞心則狂亂狐疑不信須菩提當知是經義不
可思議果報亦不可思議
尒時須菩提白佛言世尊善男子善女人發阿耨多
羅三藐三菩提心云何應住云何降伏其心佛告須菩
提善男子善女人發阿耨多羅三藐三菩提者當生
如是心我應滅度一切衆生滅度一切衆生已而无有
一衆生實滅度者何以故若菩薩有我相人相衆生
相壽者相則非菩薩所以者何須菩提實无有法
發阿耨多羅三藐三菩提者須菩提於意云何如来
於然燈佛所有法得阿耨多羅三藐三菩提不不也
世尊如我解佛所說義佛於然燈佛所无有法得
阿耨多羅三藐三菩提佛言如是如是須菩提實
无有法如来得阿耨多羅三藐三菩提須菩提
若有法如来得阿耨多羅三藐三菩提者然燈佛則
不與我受記汝於来世當得作佛号釋迦牟尼以
實无有法得阿耨多羅三藐三菩提然燈佛則

BD02932號　金剛般若波羅蜜經　（13–8）

不與我受記汝於来世當得作佛号釋迦牟尼以
實无有法得阿耨多羅三藐三菩提然燈佛則
與我受記作是言汝於来世當得作佛号釋迦牟
尼何以故如来者即諸法如義若有人言如来得阿
耨多羅三藐三菩提須菩提實无有法佛得阿耨
多羅三藐三菩提須菩提如来所得阿耨多羅三
藐三菩提於是中无實无虚是故如来說一切法皆
是佛法須菩提所言一切法者即非一切法是名一切
法須菩提譬如人身長大須菩提言世尊如来說
人身長大則為非大身是名大身須菩提菩薩亦
如是若作是言我當滅度无量衆生則不名菩薩何
以故須菩提實无有法名為菩薩是故佛說一切法
无我无人无衆生无壽者須菩提若菩薩作是言
我當莊嚴佛土是不名菩薩何以故如来說莊嚴
佛土者即非莊嚴是名莊嚴須菩提若菩薩通
達无我法者如来說名真是菩薩
須菩提於意云何如来有肉眼不如是世尊如来
有肉眼須菩提於意云何如来有天眼不如是世
尊如来有天眼須菩提於意云何如来有慧眼不如是
世尊如来有慧眼須菩提於意云何如来有法眼
不如是世尊如来有法眼須菩提於意云何如来
有佛眼不如是世尊如来有佛眼須菩提於意云何
如恒河中有沙數佛說是沙不如是世尊如来說是
沙須菩提於意云何如一恒河中所有沙有如是等恒
河是諸恒河所有沙數佛世界如是寧為多不甚多
世尊佛告須菩提尒所國土中所有衆生若干種心

BD02932 號　金剛般若波羅蜜經

（13–9）

如恒河中有沙數佛說是沙不如是世尊如来說是
沙須菩提於意云何如一恒河中所有沙有如是等恒
河是諸恒河所有沙數佛世界如是寧為多不甚多
世尊佛告須菩提尒所國土中所有衆生若干種心
如来悉知何以故如来說諸心皆為非心是名為心所
以者何須菩提過去心不可得現在心不可得未来心
不可得須菩提於意云何若有人滿三千大千世
界七寶以用布施是人以是因緣得福多不如是世
尊此人以是因緣得福甚多須菩提若福德有實
如来不說得福德多以福德无故如来說得福德多
須菩提於意云何佛可以具足色身見不不也世尊如
来不應以具足色身見何以故如来說具足色身即
非具足色身是名具足色身須菩提於意云何如
来可以具足諸相見不不也世尊如来不應以具足
諸相見何以故如来說諸相具足即非具足是名諸
相具足須菩提汝勿謂如来作是念我當有所說
法莫作是念何以故若人言如来有所說法即為謗
佛不能解我所說故須菩提說法者无法可說是名
說法須菩提白佛言世尊佛得阿耨多羅三藐
三菩提為无有耶如是如是須菩提我於阿耨多
羅三藐三菩提乃至无有少法可得是名阿耨多羅
三藐三菩提復次須菩提是法平等无有高下是
名阿耨多羅三藐三菩提以无我无人无衆生无壽
者脩一切善法則得阿耨多羅三藐三菩提須菩
提所言善法者如来說非善法是名善法須菩提
若三千大千世界中所有諸須弥山王如是等七

BD02932 號　金剛般若波羅蜜經

（13–10）

羅三藐三菩提乃至无有少法可得是名阿耨多羅
三藐三菩提復次須菩提是法平等无有高下是
名阿耨多羅三藐三菩提以无我无人无衆生无壽
者脩一切善法則得阿耨多羅三藐三菩提須菩
提所言善法者如來說非善法是名善法須菩提
若三千大千世界中所有諸須弥山王如是等七
寶聚有人持用布施若人以此般若波羅蜜經乃
至四句偈等受持為他人說於前福德百分不及
一百千万億分乃至筭數譬喻所不能及
須菩提於意云何汝等勿謂如來作是念我當
度衆生須菩提莫作是念何以故實无有衆生如
來度者若有衆生如來度者如來則有我人衆
生壽者須菩提如來說有我者則非有我而凡
夫之人以為有我須菩提凡夫者如來說則非凡夫
須菩提於意云何可以三十二相觀如來不須菩
提言如是如是以三十二相觀如來佛言須菩提
若以三十二相觀如來者轉輪聖王則是如來須
菩提白佛言世尊如我解佛所說義不應以三
十二相觀如來尒時世尊而說偈言
若以色見我 以音聲求我 是人行邪道 不能見如來
須菩提汝若作是念如來不以具足相故得阿耨
多羅三藐三菩提須菩提莫作是念如來不以
具足相故得阿耨多羅三藐三菩提須菩提汝
若作是念發阿耨多羅三藐三菩提者說諸
法斷滅莫作是念何以故發阿耨多羅三藐三
菩提者於法不說斷滅相須菩提若菩薩以

BD02932 號　金剛般若波羅蜜經　（13–11）

具足相故得阿耨多羅三藐三菩提須菩提汝
若作是念發阿耨多羅三藐三菩提者說諸
法斷滅莫作是念何以故發阿耨多羅三藐三
菩提者於法不說斷滅相須菩提若菩薩以
滿恒河沙等世界七寶布施若復有人知一切
法无我得成於忍此菩薩勝前菩薩所得功德
須菩提以諸菩薩不受福德故須菩提白佛言
世尊云何菩薩不受福德須菩提菩薩所作福德
不應貪著是故說不受福德須菩提若有人
言如來若來若去若坐若卧是人不解我所說
義何以故如來者无所從來亦无所去故名如來須
菩提若善男子善女人以三千大千世界碎為微
塵於意云何是微塵衆寧為多不甚多世尊何
以故若是微塵衆實有者佛則不說是微塵衆
所以者何佛說微塵衆則非微塵衆是名微塵
衆世尊如來所說三千大千世界則非世界是名
世界何以故若世界實有者則是一合相如來說一合
相則非一合相是名一合相須菩提一合相者則是
不可說但凡夫之人貪著其事須菩提若人言佛說
我見人見衆生見壽者見須菩提於意云何是
人解我所說義不世尊是人不解如來所說義何
以故世尊說我見人見衆生見壽者見即非我見
人見衆生見壽者見是名我見人見衆生見壽者
見須菩提發阿耨多羅三藐三菩提心者於一切法
應如是知如是見如是信解不生法相須菩提所

BD02932 號　金剛般若波羅蜜經　（13–12）

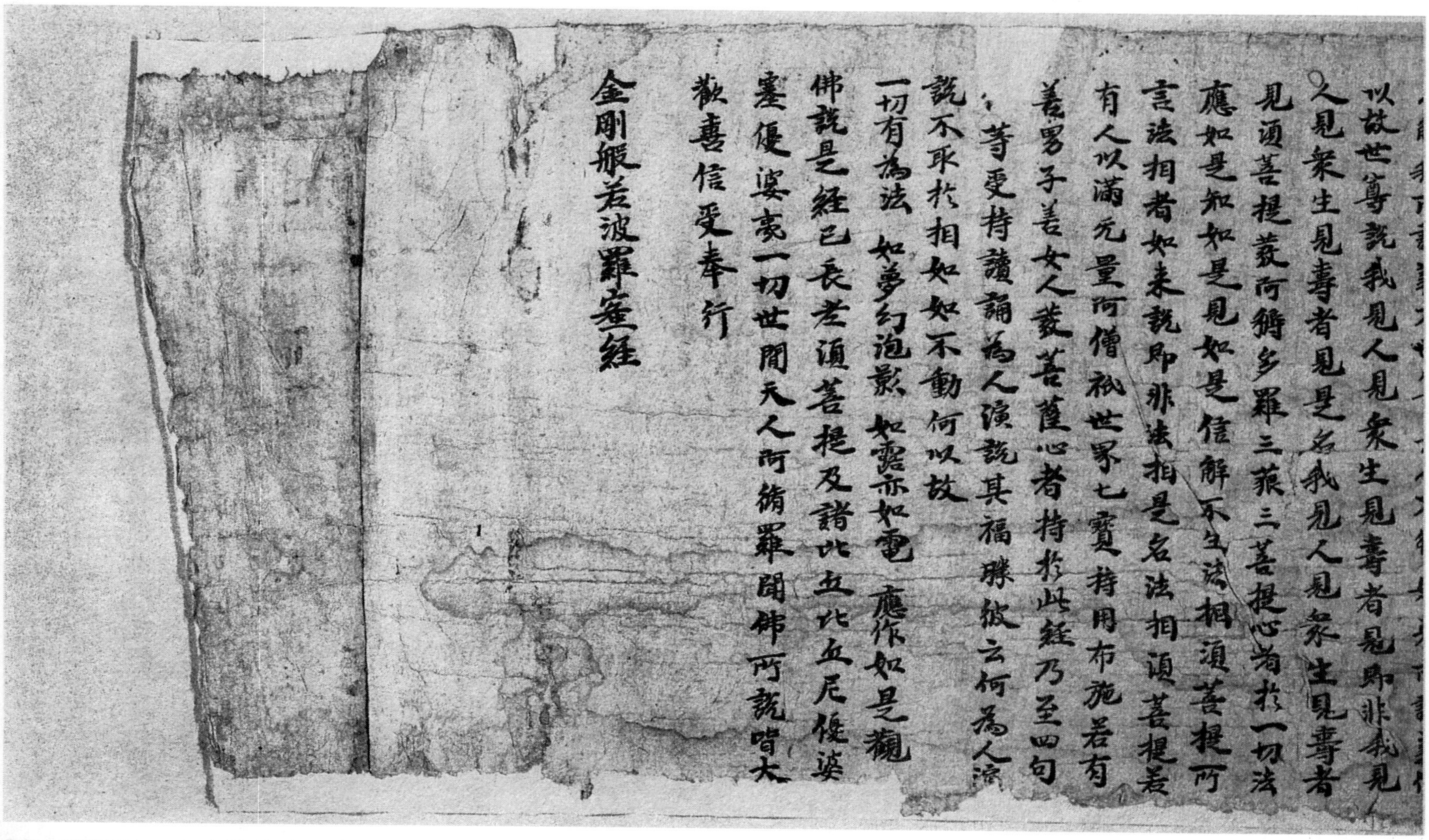

BD02932 號　金剛般若波羅蜜經

（13–13）

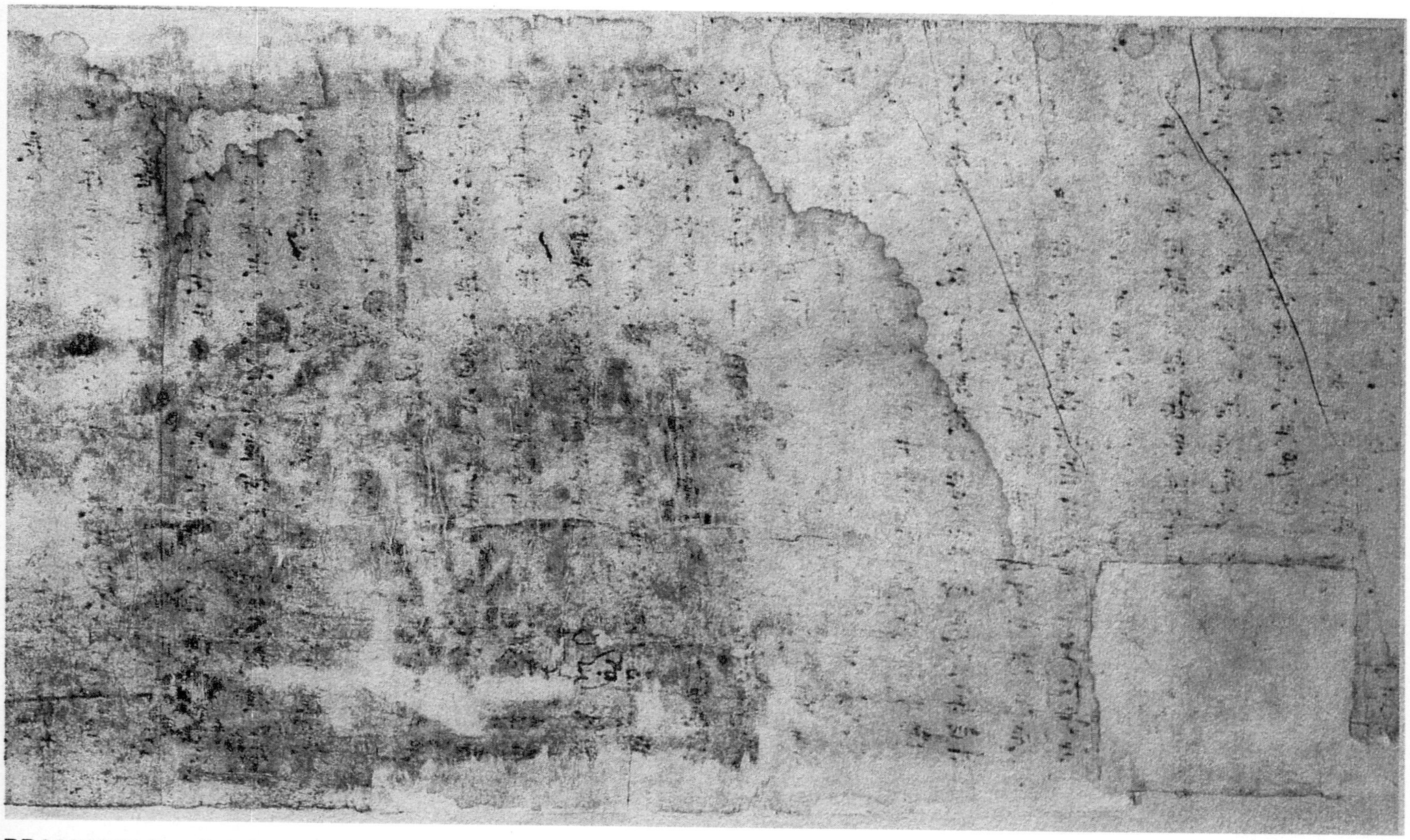
BD02932 號背　藏文雜寫

（2–1）

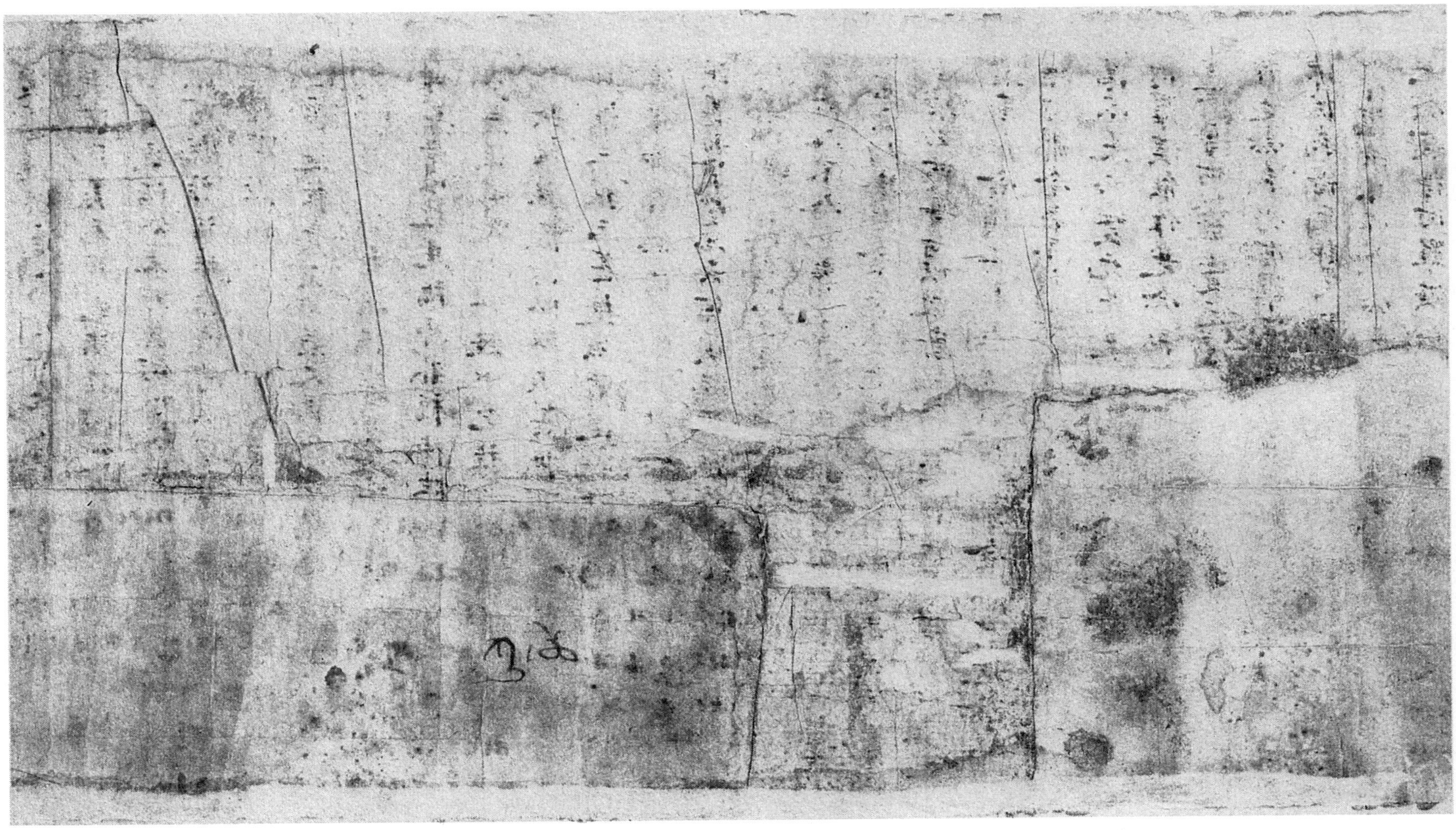

BD02932 號背　藏文雜寫　　（2–2）

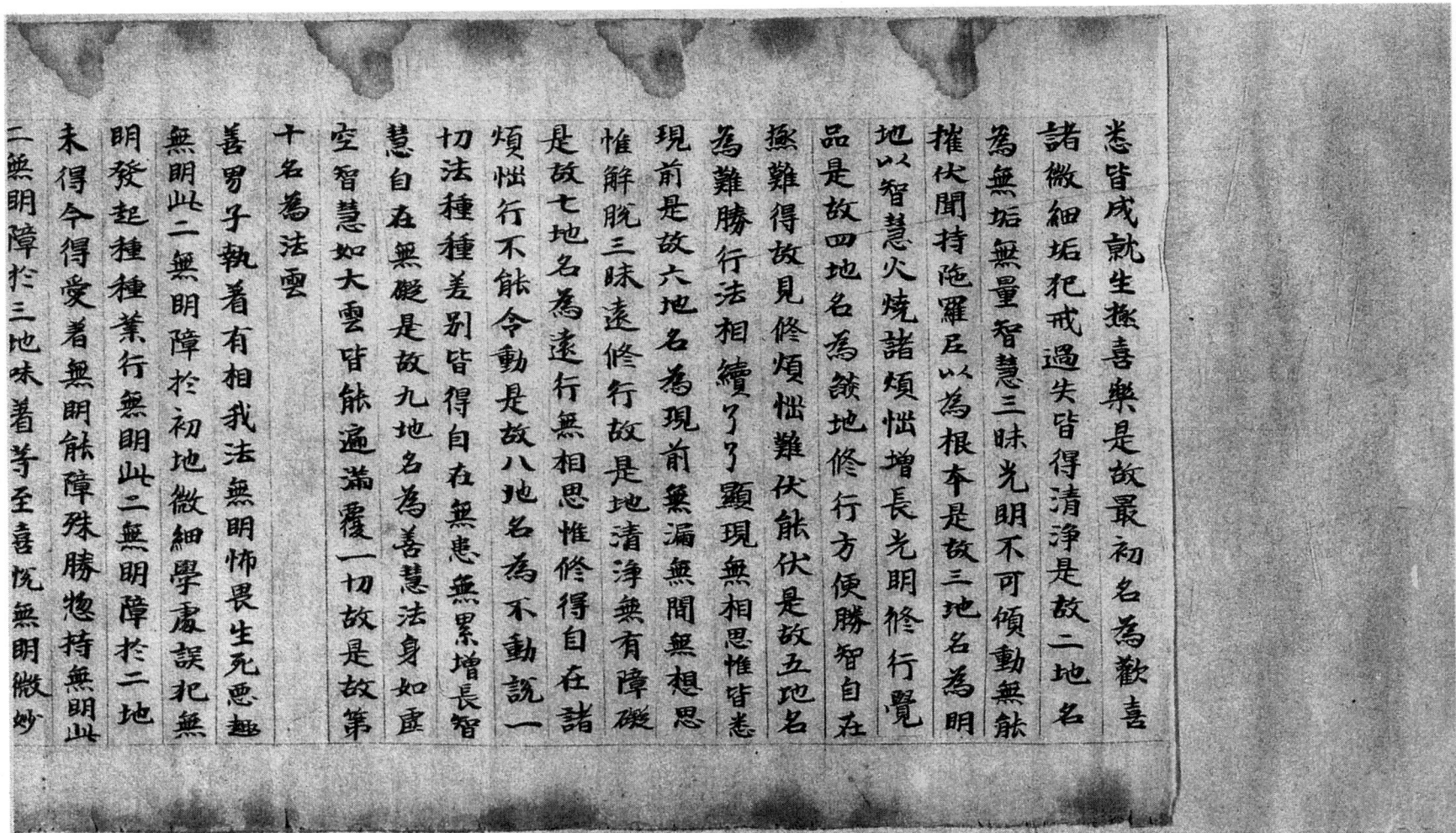

悉皆成就生歡喜樂是故最初名為歡喜
諸微細垢犯戒過失皆得清淨是故二地名
為無垢無量智慧三昧光明不可傾動無能
摧伏聞持陀羅尼以為根本是故三地名為明
地以智慧火燒諸煩惱增長光明修行覺
品是故四地名為燄地修行方便勝智自在
極難得故見修煩惱難伏能伏是故五地名
為難勝行法相續了了顯現無相思惟皆悉
現前是故六地名為現前無漏無間無想思
惟解脫三昧遠修行故是地清淨無有障礙
是故七地名為遠行無相思惟修得自在諸
煩惱行不能令動是故八地名為不動說一
切法種種差別皆得自在無患無累增長智
慧自在無礙是故九地名為善慧法身如虛
空智慧如大雲皆能遍滿覆一切故是故第
十名為法雲
善男子執着有相我法無明怖畏生死惡趣
無明此二無明障於初地微細學處誤犯無
明發起種種業行無明此二無明障於二地
未得令得愛着無明能障殊勝摠持無明此
二無明障於三地味着等至喜悅無明微妙

BD02933 號　金光明最勝王經卷四　　（7–1）

十名爲法雲
善男子執着有相我法無明怖畏生死惡趣
無明此二無明障於初地微細學處誤犯無
明發起種種業行無明此二無明障於二地
未得今得愛着無明能障殊勝惣持無明此
二無明障於三地味着等至喜悅無明微妙
淨法愛樂無明此二無明障於四地欲背生
死無明希趣涅槃無明此二無明障於五地
觀行流轉無明麁相現前無明此二無明障
於六地微細諸相現行無明作意欣樂無相
無明此二無明障於七地於無相觀功用無
明執相自在無明此二無明障於八地於所
說義及名句文此二無量未善巧無明於詞
辯才不隨意無明此二無明障於九地於大
神通未得自在變現無明微細秘密未能悟
解事業無明此二無明障於十地於一切境
微細所知障礙無明極細煩惱麁重無明
此二無明障於佛地
善男子菩薩摩訶薩於初地中行施波羅蜜
於第二地行戒波羅蜜於第三地行忍波羅
蜜於第四地行勤波羅蜜於第五地行定波
羅蜜於第六地行慧波羅蜜於第七地行方
便勝智波羅蜜於第八地行願波羅蜜於第
九地行力波羅蜜於第十地行智波羅蜜善
男子菩薩摩訶薩最初發心攝受能生妙寶
三摩地第二發心攝受能生可愛樂三摩地

BD02933號　金光明最勝王經卷四

（7–2）

羅蜜於第六地行慧波羅蜜於第七地行方
便勝智波羅蜜於第八地行願波羅蜜於第
九地行力波羅蜜於第十地行智波羅蜜善
男子菩薩摩訶薩最初發心攝受能生妙寶
三摩地第二發心攝受能生可愛樂三摩地
第三發心攝受能生難動三摩地第四發心
攝受能生不退轉三摩地第五發心攝受能
生寶花三摩地第六發心攝受能生日圓光
餤三摩地第七發心攝受能生一切願如意
成就三摩地第八發心攝受能生現前證
住三摩地第九發心攝受能生智藏三摩地
第十發心攝受能生勇進三摩地善男子是
名菩薩摩訶薩十種發心善男子菩薩摩訶
薩於此初地得陁羅尼名依功德力尒時世
尊即說呪曰
怛　姪　他　　晡嚕你曼奴喇剃
獨虎　獨虎　獨虎　耶跋　蘇利瑜
阿婆婆薩底（丁里反下皆同）　耶跋　旃達囉
調　怛　底　　多跋　達喀　叉　湯
憚荼　鉢喇訶藍　矩　嚕　莎　訶
善男子此陁羅尼是過一恒河沙數諸佛所
說爲護初地菩薩故若有誦持此陁羅尼呪
者得脫一切怖畏所謂虎狼師子惡獸之類
一切惡鬼人非人等怨賊災橫及諸苦惱解
脫五障不忘念初地
善男子菩薩摩訶薩於第二地得陁羅之

BD02933號　金光明最勝王經卷四

（7–3）

者得脫一切怖畏所謂虎狼師子惡獸之類
一切惡鬼人非人等怨賊灾橫及諸苦惱解
脫五障不忘念初地
善男子菩薩摩訶薩於第二地得陀羅尼
名善安樂住
怛 姪 他 嗢 篅入聲下同 里
質 里 質 里 嗢篅羅篅羅引喃
繕覩繕覩嗢篅里 虎嚕虎嚕莎訶
善男子此陀羅尼是過二恒河沙數諸佛所
說為護二地菩薩故若有誦持此陀羅尼呪
者脫諸怖畏惡獸惡鬼人非人等怨賊灾橫
及諸苦惱解脫五障不忘念二地
善男子菩薩摩訶薩於第三地得陀羅尼名
難勝力
呾 姪 他 憚宅枳般宅枳
羯喇撥高喇撥 雞由哩憚撥里莎訶
善男子此陀羅尼是過三恒河沙數諸佛所
說為護三地菩薩故若有誦持此陀羅尼呪
者脫諸怖畏惡獸惡鬼人非人等怨賊灾橫
及諸苦惱解脫五障不忘念三地
善男子菩薩摩訶薩於第四地得陀羅尼名
大利益
怛 姪 他 室 唎 室 唎
陀弭你陀弭你 陀哩陀哩你
室唎室唎你 毗舍羅波世波始娜

BD02933號　金光明最勝王經卷四　（7–4）

大利益
怛 姪 他 室 唎 室 唎
陀弭你陀弭你 陀哩陀哩你
室唎室唎你 毗舍羅波世波始娜
畔陀弭帝莎訶
善男子此陀羅尼是過四恒河沙數諸佛所
說為護四地菩薩故若有誦持此陀羅尼呪
者脫諸怖畏惡獸惡鬼人非人等怨賊灾橫
及諸苦惱解脫五障不忘念四地
善男子菩薩摩訶薩於第五地得陀羅尼
名種種功德莊嚴
怛 姪 他 訶哩訶哩你
遮哩遮哩你 羯喇摩引你
僧羯喇摩引你 三婆山你瞻跋你
悉耽婆你謨漠你 碎闍步陛莎訶
善男子此陀羅尼是過五恒河沙數諸佛所
說為護五地菩薩摩訶薩故若有誦持此
陀羅尼呪者脫諸怖畏惡獸惡鬼人非人等怨
賊灾橫及諸苦惱解脫五障不忘念五地
善男子菩薩摩訶薩於第六地得陀羅尼
名圓滿智
怛 姪 他 毗徒哩毗徒哩
摩哩你迦里迦里 毗度漢底
嚕 嚕 嚕 主 嚕 主 嚕
杜嚕婆杜嚕婆 捨捨設者婆哩灑

BD02933號　金光明最勝王經卷四　（7–5）

名圓滿智
怛　姪　他　毗徒哩毗徒哩
摩哩你迦里迦里　毗度　漢　底
嚕　嚕　嚕　嚕　主　嚕　主　嚕
杜嚕婆杜嚕婆　捨捨設者娑哩𭘾
莎八悉底薩婆薩埵喃　悉　句　覩　湯
曷怛囉鉢陁你莎訶
善男子此陁羅尼是過六恒河沙數諸佛所
說為護六地菩薩摩訶薩故若有誦持此陁
羅尼呪者脫諸怖畏悪獸悪鬼人非人等怨
賊灾橫及諸苦惱解脫五障不忘念六地
善男子菩薩摩訶薩於第七地得陁羅尼
名法勝行
怛　姪　他　勺訶上勺訶引嚕
勺訶勺訶勺訶嚕　鞞陸枳鞞陸枳
阿蜜栗多嚧漢你　勃　里　山　你
鞞嚕勅枳婆嚕伐底　鞞　提　呬　枳
頻陁　鞞　哩　你　阿　蜜　哩　底　枳
薄　虎　主　愈　薄　虎　主　愈　莎　訶
善男子此陁羅尼是過七恒河沙數諸佛所
說為護七地菩薩故若有誦持此陁羅尼呪
者脫諸怖畏悪獸悪鬼人非人等怨賊灾橫
及諸苦惱解脫五障不忘念七地
善男子菩薩摩訶薩於第八地得陁羅尼名
無盡藏
怛　姪　他　室利室唎室唎你

BD02933號　金光明最勝王經卷四

（7–6）

說為護七地菩薩故若有誦持此陁羅尼呪
者脫諸怖畏悪獸悪鬼人非人等怨賊灾橫
及諸苦惱解脫五障不忘念七地
善男子菩薩摩訶薩於第八地得陁羅尼名
無盡藏
怛　姪　他　室唎室唎室唎你
蜜　底　蜜　底　羯哩羯哩醯嚕醯嚕
主　嚕　主　嚕　畔陁弭　莎訶
善男子此陁羅尼過八恒河沙數諸佛所說
為護八地菩薩故若有誦持此陁羅尼呪者
脫諸怖畏悪獸悪鬼人非人等怨賊灾橫及
諸苦惱解脫五障不忘念八地
善男子菩薩摩訶薩於第九地得陁羅尼
名無量門
怛　姪　他　訶哩旃荼哩枳
俱藍婆唎髗　都　剌　死
拔吒拔吒死室唎室唎　迦室哩迦必室唎
莎　悉　底　薩婆薩埵喃莎訶
善男子此陁羅尼是過九恒河沙數諸佛所
說為護九地菩薩故若有誦持此陁羅尼呪
者脫諸怖畏悪獸悪鬼人非人等怨賊灾橫
及諸苦惱解脫五障不忘念九地
善男子菩薩摩訶薩於第十地得陁羅尼名

BD02933號　金光明最勝王經卷四

（7–7）

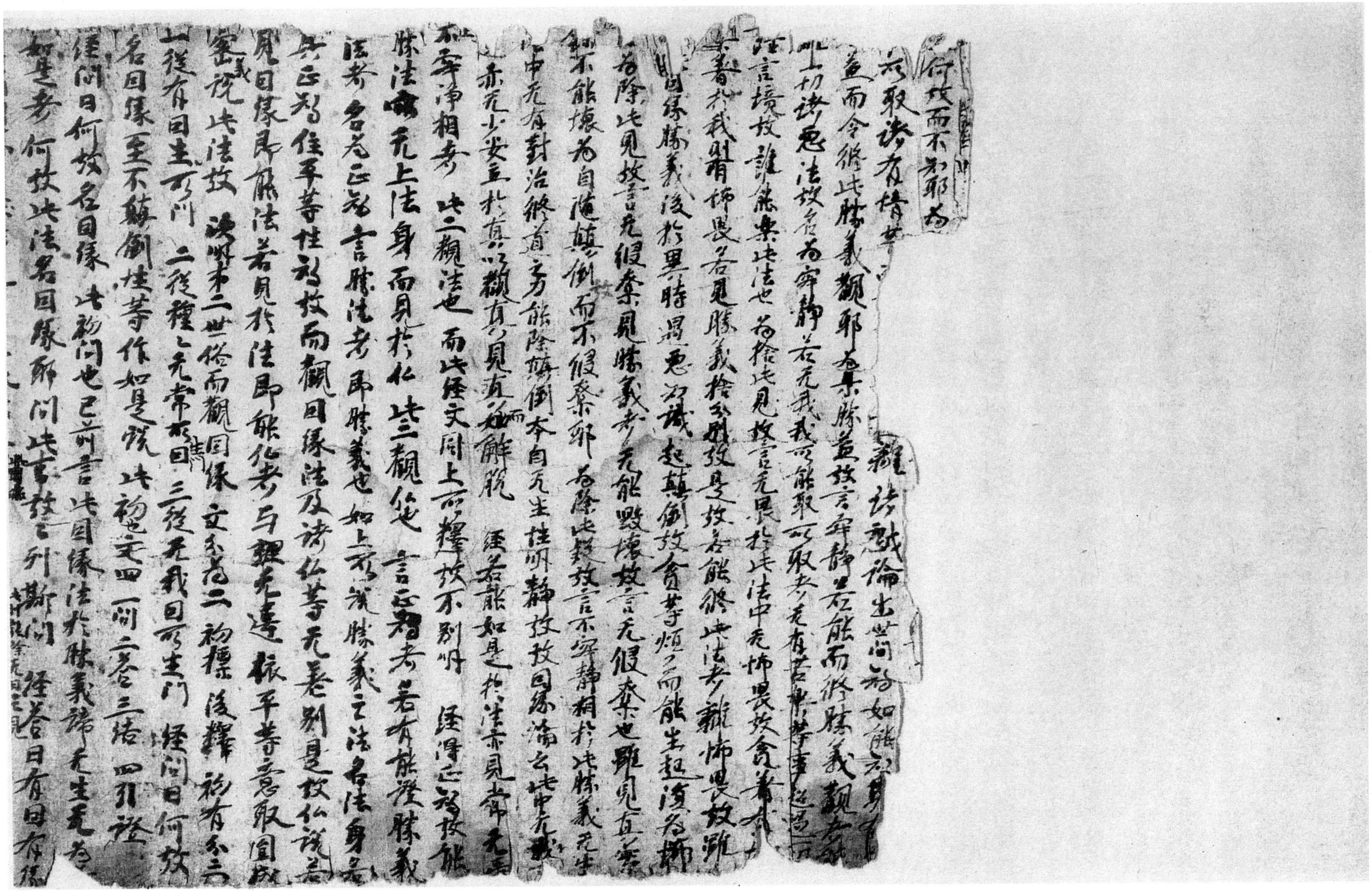

(10–1)

BD02934號　大乘稻芉經隨聽疏

見因緣民能法若見於法即能化彼与離无邊 根平等意取圓成
實[義]說此法故 次明第二世俗而觀因緣文分為二 初標 後釋 初有分三
一從有因生所門 二從種種无常[故]因[性] 三從无我因所生門 經問曰何故
名因緣至不顛倒性等作如是說 此初迴定四 一問 二答 三結 四引證
經問曰何故名因緣 此初問也 已前言此因緣法於勝義諦无生无為
如是者何故此法名因緣耶 問此意故 列斯問 經答曰有因有緣
名為因緣 經非无因无緣故 此二答也 次釋[此]非法於第一義雖
无有生然約世諦 如幻如化假因假緣 有能徒故 是故諸仏留教於世
與俚无違 若世諦門如幻化者 何故說次法耶 雖然為捨外道五種
見故 所謂无因執常有我不能作者 故仏為說有因所生 從種種无[常]
[生]從我无因所生 從能成因所生 從无作者因所生門也 經是
故名為因之法 此三結也 經世尊略說因緣之相至不顛倒性等作如
說 此四引證也 言彼緣生者 如來出現 法性常住者 從因生果 生果之法不[illegible]
諸仏出現於世及以不出涅槃 此法亦故 言法性者 是因緣性故 言法住性者
因緣之法本自住故 言法定性者 依本因故 言与因緣相應性者 无有[illegible]
法不候因緣而能生故 言真如性者 若證此法了真如故 言无錯謬性
者 捨顛倒故 言无變異性者 捨邪曲故 言真實性者 无虛誑故 言實
際性者 是聖諦故 言不虛妄性者 非顛倒計故 言不顛倒性者 是正
境界故 又師解云 前文釋後 如理應思 次二明從種種无常因所生門
文三 初標 次徵 後答 經此因緣法以其二種而得生起 此初標也 經云
何為二 此徵也 所謂因相應緣相應 此二答也 此是取因不共有故 言
緣相應者 是助因不共有故 經彼復有二 謂外及內 次第三從无
我因所生門也 言彼者 即是与因緣相應法也 右諸凡愚執內諸入
為其我 於外諸入執為我所 捨此二故 [所]說二種內外因緣 同一无我因
緣生故 第二此明釋 文二 初外 後內 初復有二 一因相應 二緣相應 經
此中何者是外因緣法因相應 [如是]外因緣法因相應義 [illegible]
此初問因相應也 文三 從能成因所生門 二從无作者因所生門 初文[illegible]
一問 二答 三證成 經此中何者是外因緣法因相應 此初問也 經所謂
從種生芽 至從花生實 次二答也 為種芽等諸法各為因故 此則
顯其從一切不生 一切能成 之法各各別故 經若无有種芽則不
生至如是有花實亦有生 此三證成也 此明示其能成義也

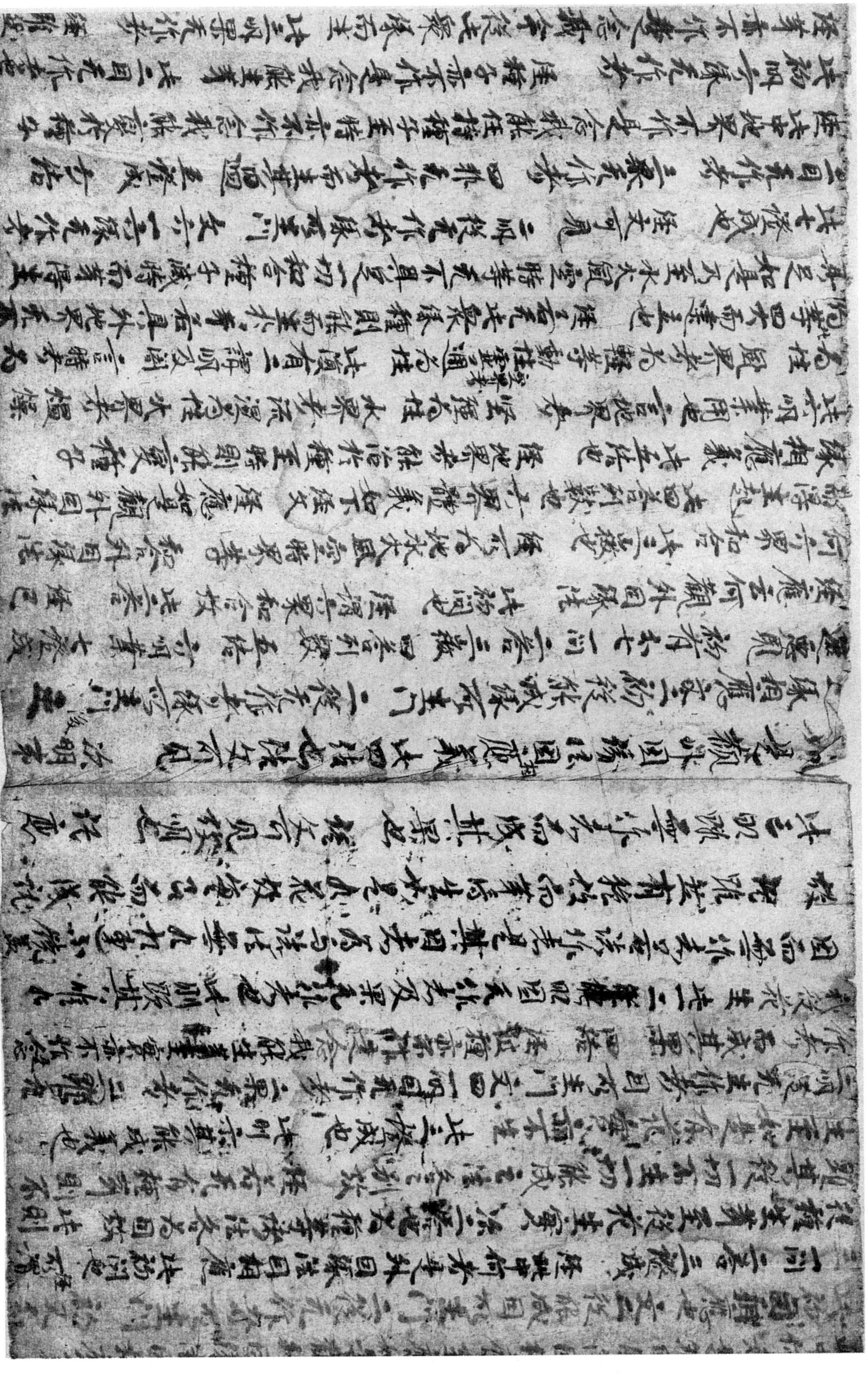

BD02934號　大乘稻芊經隨聽疏

（10–3）

此七證成也　經文可見　二明從无作者緣而生　文六　一云從无作者
二因无作者　三果无作者　四非无作者而生其過　五證成　六結
經此中地界不作是念我能任持種子至時亦不作念我能變於種子
此初明六緣无作者　經種子亦不作是念我能生芽　此二因无作者
經芽亦不作是念我今從此衆緣而生　此三明果无作者　經雖從
有此衆緣而種滅時芽即得生如是有花之時實即得生　此四非
无作者而成其果也　經從芽亦非自非自至作種滅之時而芽得生　此五證
成也　言非自作者謂法自性若有若无不為自因无可施為不能成故
言亦非他作者无有作者而先起意而造作故　此明顯其六一切諸法无
有我也　言非自他俱作者自性及餘不造作故　言非自在作者謂諸
法因常自在等時時而生与理遷无因具足故　言亦非時變者　諸法假因
緣有不待時故　言非自性生者　非是數論所計法故　此明斷除不同
因故也　言亦非无因而生者　諸法假因緣故　此捨无因見故　經是
故應如是觀外因緣法　緣相應義　此六結也　三明遮邪見　文五　一標
二問　三答　四解釋　經應以五種觀外因緣法　此初標也　經何等
為五　此二問　經不常不斷不移從於小因而生大果以彼相似　此三答
經云何不常至是故与彼相似　此四解釋也　文五　一明不常　二明不斷
三明不移　四明小因生大　五相似　初有三　一問　二答　三結　經云何不常
此初問也　經謂芽与種各別異故彼芽非種非種壞時為芽得生亦
非不滅而得生起種壞之時而芽得生　此二答也　以若異常者與身因果
不可說故　經是故不常　此三結也　二明不斷　文三　初問　次答　後結　經云何
不斷　此初問　經非過去種壞而生於芽亦一王如秤高下而芽得生　此二
答因果相續无有斷絕故名不斷　經文可見　此三結也
三明不移　文三　初問　次答　後結　經云何不移　此初問也　經芽与種別
芽非種故　此二答也　因与種別故名不移　經是故不移　此三結也　次明小因
生大　文三　初問　次答　後結　經云何小因而生大果　此初問也　經從小種子而生
大果　此二答也　如尼拘陀樹等因雖極小生葉甚大故從小因生大果也　經是故
從於小因而生大果　此三結也　五明相似　文三　初問　次答　後結　經

芽非種子　此二答也　[illegible]
生大文三　初問　次答　後結　經云何小因而生大果　此初問也　經從小種子而生
大果　此二答也　如拘儜陁樹等因雖極小莖葉甚大故從小因生大果也　經是故
從於小因而生大果　此三結也　云何相似　文三　初問　次答　後結　經
云何与彼相似　此初問也　經如所植種生彼果故　此二答也　如穀
種子即生穀果不為餘故　若果与因不類倒故　此明業用无有失
也　有二種法而失業用　一等及小　二顛倒生果　經是故与彼相似
此三結也　經是以五種觀外因緣之法　此五總結也　結文可見　明外因緣
竟　次明內緣法　一因相應　二緣相應　初復有三　一從種種无常因所生門　二
能成因所生門　三從无作者因所生門　經如是內因緣法至所謂因相應
緣相應　此初明從種種无常因所生門　文三　初標　次問　後答　經如是內因
緣法亦以二種而得生起　此初標也　經云何為二　此二問也　經所謂
因相應緣相應　此三答也　二明從能成因所生門　文三　初問　次答
後證成

經何者是內因緣法因相應義　此初問　經所謂始從无明緣行至生緣老者
此二答也　經若无明不生行亦不有至乃有生故老死得有　此三證成也　三明
從无作因所生門　文四　一因无作者　二果无作者　三雖无作者而成其果　四結
經无明亦不作是念我能生行至老死亦不作念我從生有　此一二明因无作者及果无
作者也　經文可見　經雖然有无明故行得生如是有生故老死得有　此三明雖无
作者而成其果也　經是故應如是觀內因緣法因相應義　此四結也　第二明緣
相應義　文八　一從種種无常因所生門　二從能成緣所生門　三從无作者緣所
生門　四辯體　五釋名　六續支　七離二邊　八速迴　初門分五　一問　二答　三徵
四答列數　五結　經應云何觀內因緣法緣相應義　此初問也　經謂六界和合故
為答也　經以何六界和合　此三徵也　經所謂地水火風空識界等和合故　此四答
列數也　經應如是觀內因緣法緣相應事　次五結也　二明從能緣所生門　文三
初問　次答　後結成　經何者是內因緣法地界之相　此初問也　經能以身中作堅硬者
名為地界至成就此身名色芽者名為識　此三答亦相也　文亦為六　一明地界　二明水
界　三火界　四風界　五空　六識界　經為此身中作堅硬者名為地界　此初明地

六合也 經以何六界和合 此三段也 經云謂地水火風空識界等和合故 以四名
數也 經應如是觀內因緣法緣相應事 治五陰也 二明從能緣所生門文二
初問 後答能示相 後結成 經何者是內因緣法地界之相 此初問也 經謂以身中作堅硬者
名為地界 至成就此身名色芽者名為識 此三名示相也 文分為六 一明地界 二明水
界 三火界 四風界 五空 六識界 經為此身中作堅硬者名為地界 此初明地
界也 經為令此身如聚集者 名為水界 此二明水界 若此身中無水界者而散失
也 經能消身所食飲嚼噉者 名為火界 此三明火界也 言食者謂諸所食
言飲者謂諸漿等 言嚼者即是正食 言噉者謂內若無火界不能變故
經作內外出入息者 名為風界 此四名風界也 經文可見 經為此身中作虛通者名為
空界 此五名空界也 若無空界為一和故 經五識身相應及有漏意識
猶如束蘆能成就此身名色芽者名為識界 此六明識界也 言五識身
者為眼等五識 言相應者與彼五識相應法也 言有漏意識者為有一分
無漏故也 言束蘆者 此則顯其緣生之法獨一不立也 經若無此眾緣
身則不生至一切和合身即得生 此三辨成也 經文可見 三明從無作者緣所
門 文四 一明六緣無作者 二業無作者 三雖無作者而成其果 四除疑 經彼
地界亦不作是念我能而作身中堅硬之事 至識亦不作是念我能成就
此身名色之芽 此初明六緣無作者也 經文自顯 經身亦不作是念我
從此眾緣而生 此二業無作者也 經雖然有此眾緣之時身即得生
此三雖無作者而成其果也 經彼地界亦非是我至非我所 亦非餘等
此四除疑也 何故地等諸界不作是念我等為此身中堅硬等事也 為
舍此見故 言彼地界亦非是我 愛我者執我之所名為諸家等彼者
是我 離我偈故為即彼我而於諸趣 名為眾生 數受生故 地等諸
界離趣生故 非眾生也 有者我故 盡形受生 名之為命 諸法剎那
故非命者 於諸趣中而則生故 名為生者 離生作者 故非儒童也
言儒童者 從作者生故 地等諸界離作者 故非儒童也 執有能為
故名作者 從業生 故非作者也 言非男非女非黃門者 男等諸相約地界
[illegible]

界諸趣生於非□□□□大有我如盡形受生名之為命□法□□
故非命生者於諸趣中而則生故名為生者　雜生作者故非儒童者也
言儒童者從作者生故地等諸界雜作者故非儒童也　執有能為
故名作者從業生非作者也　言非男非女非黃門者男等諸相約地界
等横計立故　言非我非我所者為離横計我我所故　言亦非餘等者為六
自在等不造作生故　自餘經文同上可釋　四明辯體文亦十七　經從
辯无明體義至此之自相者一釋明无體文三　初問　次答　後結　經何
者是无明　此初問也　經於此六界起於一想至及餘種種无知　此二
答也　言六界者謂地水火風空識界　於六界差別起无異想者名為一想　無敵成身執一見者名一
合相　刹那思覺執常為常存名為常相　於无命有執自然生名堅牢
相　起已還无能過去有名不壞想　於三途若苦起樂想者名安
樂想　衆生命生者義如前解　為有我故能生諸趣養育六身故名
養育　執有士夫有大力兼於內動轉故名士夫　言人者亦云數取趣　能往諸趣故
受人天等身故名數取趣　言及餘種種无知者為取知者見者等故
也　經此是无明　此三結也　二明於行　文二一釋二結　經有无明故　於諸境界
起貪嗔癡　於諸境界起貪嗔癡者　此初釋也　經於貪嗔癡起三行故　經此是无明緣行　此二結也
三明時識　文二　一解　二結　經而於之事能了別也　此初解　言諸事者為色聲等　經名之為識　此二結
也　四明名色　文二　初解　後結　經與識俱生　四取蘊也　此初辯也　言四取
蘊者色受想行識
經此是名色　此二結也　五明六入　經依名色諸根名為六入　若无名色
六入无因故　六明觸　經三和合名為觸　言三和合者
者謂根境識也　七明受　經覺受觸者名之為受　從觸生
受故也　八明愛　經於受貪著名愛　九明取　經長愛者
名之為取　十明有　經從取而生能生業者名之為有　言能
生業者為近因故　十一明生　經而從彼因所生之蘊名之為生　言彼
因者即近因也　十二明老死　經生已蘊成熟者名之為老　老已蘊
滅壞者名之為死　熟即是老壞即死故　十三明愁　經臨終之
時內具貪著熱惱者名之為愁　言貪著者謂男女妻子等

（10–7）

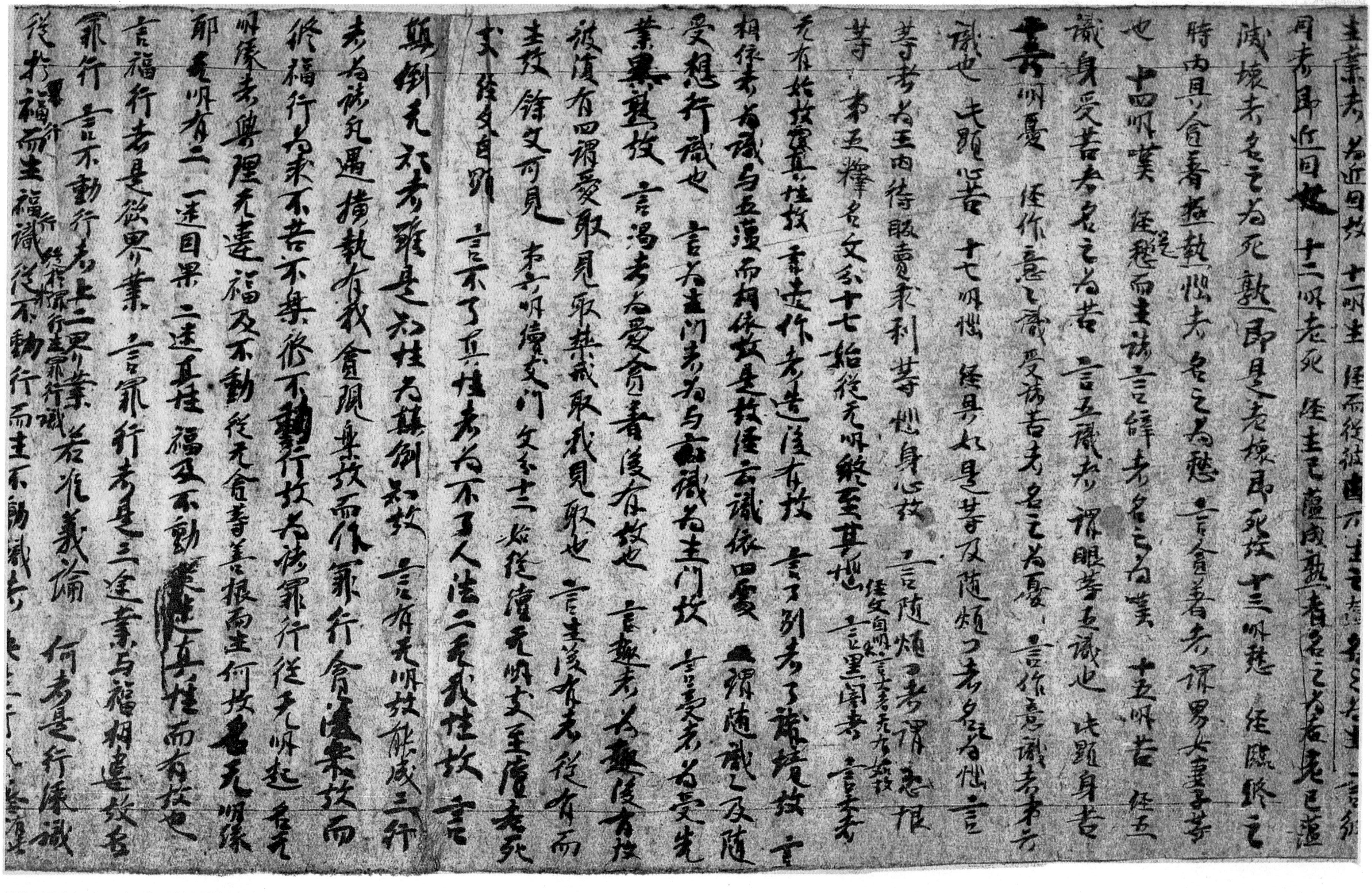

BD02934 號　大乘稻芉經隨聽疏　　（10–8）

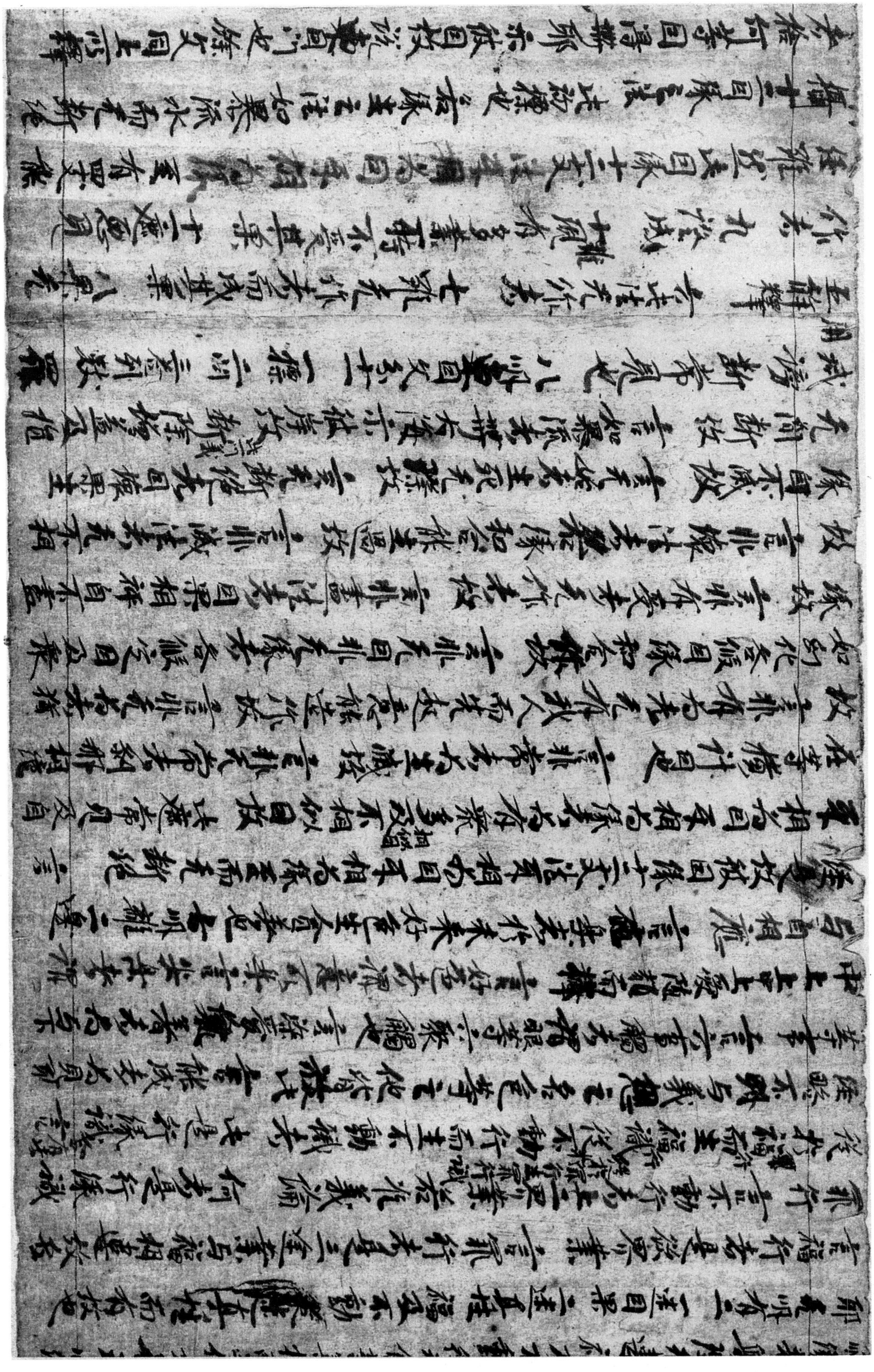

（10–9）

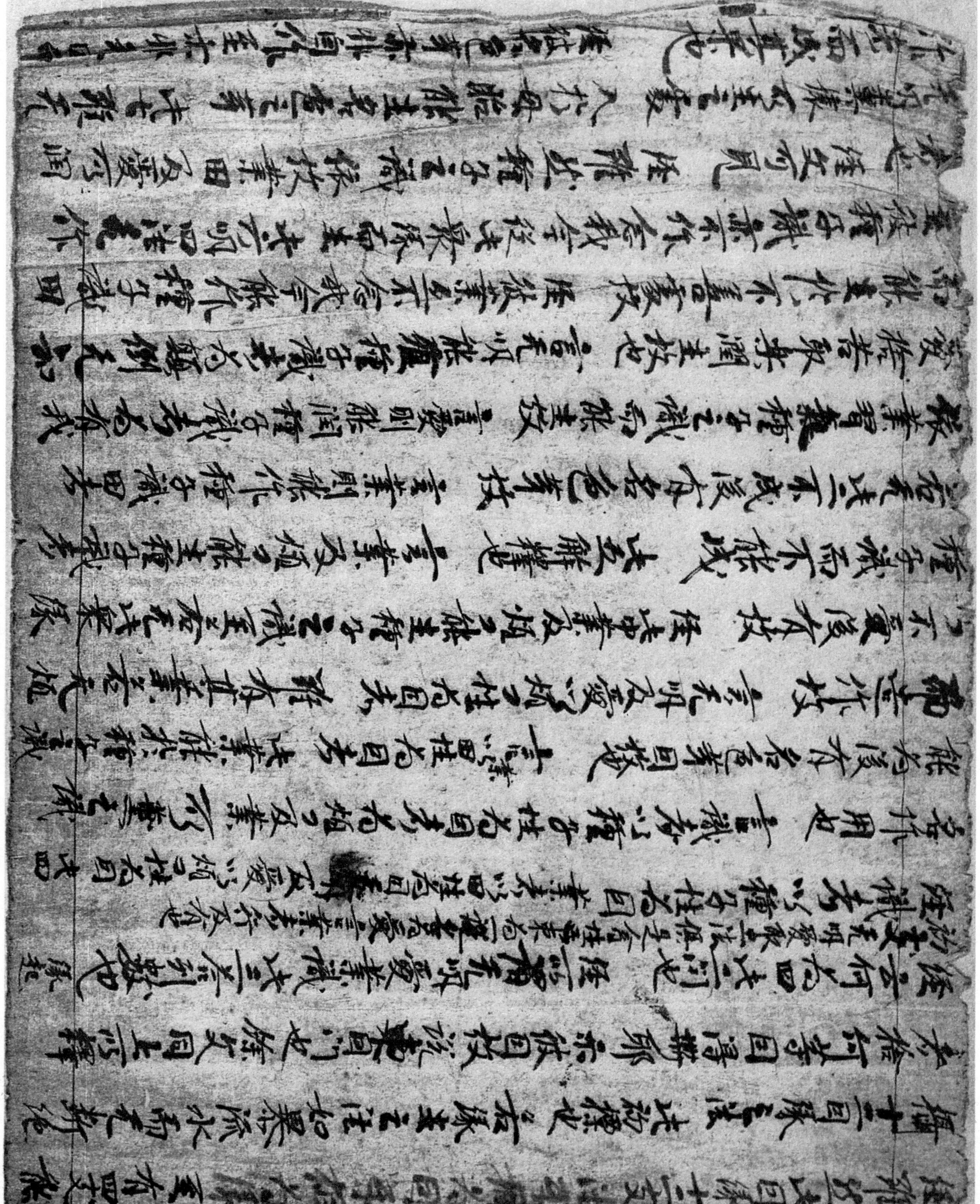

（10–10）

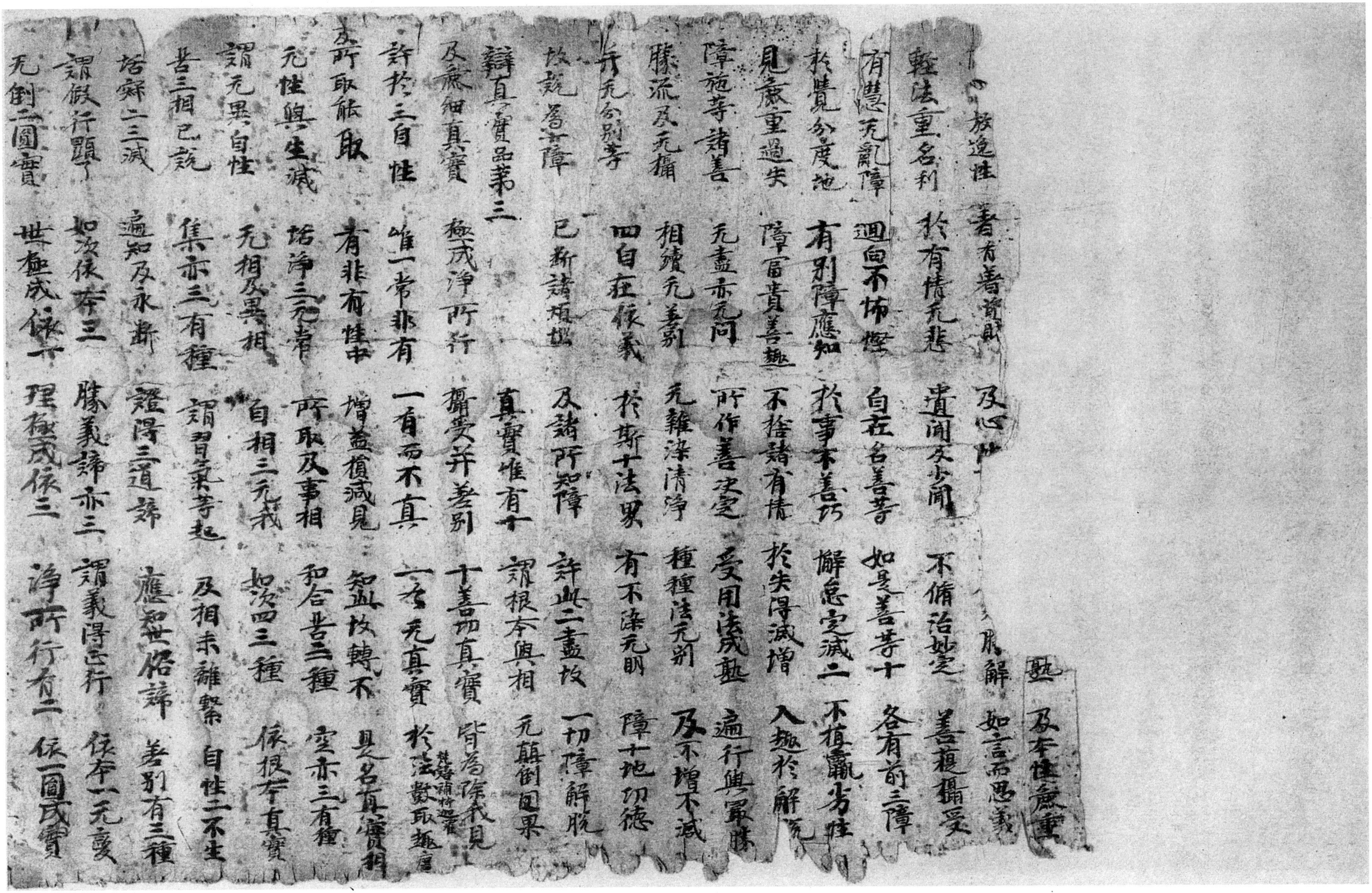
及本性麁重
放逸性　著有善資財　及心…劣解　如言而思義
輕法重名利　於有情无悲　遺聞及少聞　不脩治妙定　善種攝受
有慧无亂障　迴向不怖慳　自在名善等　如是善等十　各有前三障
於覺分度地　有別障應知　於事不善巧　懈怠定減二　不植羸劣性
見麁重過失　障富貴善趣　不捨諸有情　於失得減增　入趣於解脫
障施等諸善　无盡亦无間　所作善決定　受用法成熟　遍行與最勝
勝流及无攝　相續无差別　无雜染清淨　種種法无別　及不增不減
并无分別等　四自在依義　於斯十法界　有不染无明　障十地功德
故說為十障　已斷諸煩惱　及諸所知障　許此二盡故　一切障解脫
辯真實品第三　真實唯有十　謂根本與相　无顛倒因果
及麁細真實　極成淨所行　攝受并差別　十善巧真實　皆為除我見
許於三自性　唯一常非有　一有而不真　一有无真實　於法數取趣處
及所取能取　有非有性中　增益損減見　知故轉不　是名真實相
无性與生滅　垢淨三无本　所取及事相　和合苦三種　空亦三有種
謂无異自性　无相及異相　自相三无我　如次四三種　依根本真實
苦三相已說　集亦三有種　謂習氣等起　及相未離繫　自性二不生
垢寂二三滅　遍知及永斷　證得三道諦　應知世俗諦　差別有三種
謂假行顯了　如次依本三　勝義諦亦三　謂義得正行　依本一无變
无倒二圓實　世極成依一　理極成依三　淨所行有二　依一圓成實

BD02934 號背 1　辯中邊論頌

（7–1）

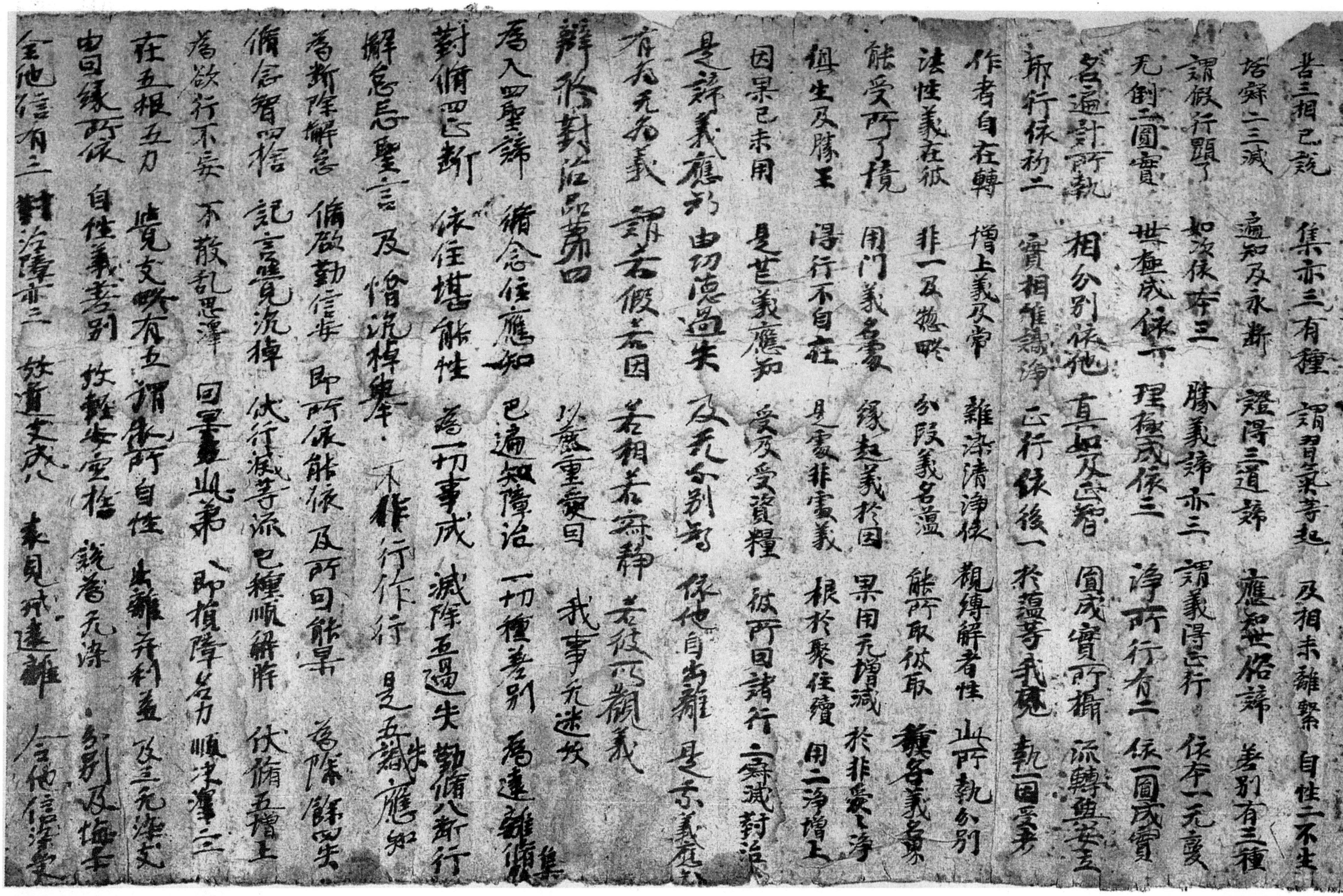
謂无果自性 [illegible]
苦三相已說 集亦三有種 謂習氣等起 及相未離繫 自性二不生
垢寂二三滅 遍知及永斷 證得三道諦 應知世俗諦 差別有三種
謂假行顯了 如次依本三 勝義諦亦三 謂義得正行 依本一无變
无倒二圓實 世極成依一 理極成依三 淨所行有二 依一圓成實
名遍計所執 相分別依他 真如及正智 圓成實所攝 流轉與安立
邪行依初二 實相唯識淨 正行依後一 於蘊等我見 執一因受者
作者自在轉 增上義及常 雜染清淨依 觀縛解者性 此所執分別
法性義在彼 非一及總略 分段義名蘊 能所取彼取 種子義名界
能受所了境 用門義名處 緣起義於因 果用无增減 於非愛愛淨
俱生及勝主 得行不自在 是處非處義 根於取住續 用二淨增上
因果已未用 是世義應知 受及受資糧 彼所因諸行 二諦滅對治
是諦義應知 由初德過失 及无分別智 依他自出離 是乘義應知
有為无為義 謂若假若因 若相若寂靜 若彼所觀義
辯脩對治品第四 以麁重愛因 我事无迷故
為入四聖諦 脩念住應知 已遍知障治 一切種差別 為遠離脩集
對脩四正斷 依住堪能性 為一切事成 滅除五過失 勤脩八斷行
懈怠忘聖言 及惛沈掉舉 不作行作行 是五失應知
為斷除懈怠 脩欲勤信安 即所依能依 及所因能果 為除餘四失
脩念智思捨 記言覺沈掉 伏行滅等流 已種順解脫 伏脩五增上
為欲行不妄 不散亂思擇 田器增上弟 即損障名力 順決擇二三
在五根五力 覺支略有五 謂覺所自性 出離并利益 及三无染支
由因緣所依 自性義差別 故輕安定捨 說為无染支 分別及誨示
令他信有三 對治障亦三 故道支成八 表見戒遠離 令他信深受

BD02934號背 1　辯中邊論頌

（7–2）

懈怠忘聖言 及惛沈掉舉 不作行作行 是五失應知
為斷除懈怠 脩欲勤信安 即所依能依 及所因能果 為除餘四失
脩念智思捨 記言覺沈掉 伏行滅等流 已種順解脫 復脩五增上
為欲行不忘 不散亂思擇 因果立次第 即損障名力 順決擇二二
在五根五力 覺支略有五 謂所依自性 出離并利益 及三無染支
由因緣所依 自性義差別 故輕安定捨 說為無染支 分別及誨示
令他信有三 對治障亦三 故道支成八 表見戒遠離 令他深信受
對治本隨惑 及自在障故 有倒順無倒 無倒有倒隨 無倒無倒隨
是脩治差別 菩薩所脩習 由所緣作意 證得殊勝故 與二乘差別
辯脩分位品第五
所說脩對治 分位有十八 謂因入行果 作無作殊勝
上無上解行 入出離記說 灌頂及證得 勝利成所作 應知法界中
略有三分位 不淨淨不淨 清淨隨所應 依前諸位中 所有差別相
隨所應建立 諸補特伽羅
略五支 一所依支 二自性支 三出離支 四利益支
五無染支 齊七支

BD02934號背 1　辯中邊論頌　（7–3）

四分律初分攝頌及戒本攝頌一卷
問依何部受若五部之中依四分如受於四分中有幾種受戒
有五種受 何者是五 善來 上法 三歸 八敬 羯磨 等是 於此五中
依何等如受 依羯磨受 具幾緣 又問制此戒有何意 答以結
戒故三意 一滅得未起非法 二滅得已起疑 但能知輕重識別犍
除 三招生十利 一攝僧者即於僧 若下坐持戒則為如法之
衆 極在數中 二令僧者歡喜 若中坐持有所施為悅可衆
心 三者令僧安樂 若上坐持戒則光飾衆儀 又能隱
蓋 後 四者未信者令信 戒德內揄外聞 發心信敬堪爲
師範 弄之以齊世 是以未出家者信樂出家從其受
戒 五者已信令增廣 既度弟子復能教授教戒 令
其八雜持增進心行 六者難調者令調順 從衆
之中若有惡性侫散違教犯禁不順威儀者 復
能如法治罰懽伏令改 七者慚愧者得安樂 從衆
之中若有道心失意犯罪 十三懷慚愧改往修來 衆
衆求乞洗過 復能拔救作歸衣處 八者斷現在有漏
已生惡 既除身心清淨 現應布薩行無數漏 九者
斷未來漏 未生惡永不令起也 十者令正法久住 持戒
之人自行清淨 復能令他持戒 綱維理要 匡衆益時
托化相乘 隨而更等
四分云言 如來出世 見衆過失 詺十利故 與諸比丘制戒
乃至正法久住 已來此是通意 言別者 婬欲之性 鼻
是雜識生死根本 若不斷除 沉淪三有 是故聖制
第一 釋名 者亦有通別 言通者 戒是通名 不淨行
善是別号 第二 具緣者 有通別 言通者 有二
一是大比丘 簡非 不教文 言義比丘者故 二廣制教後

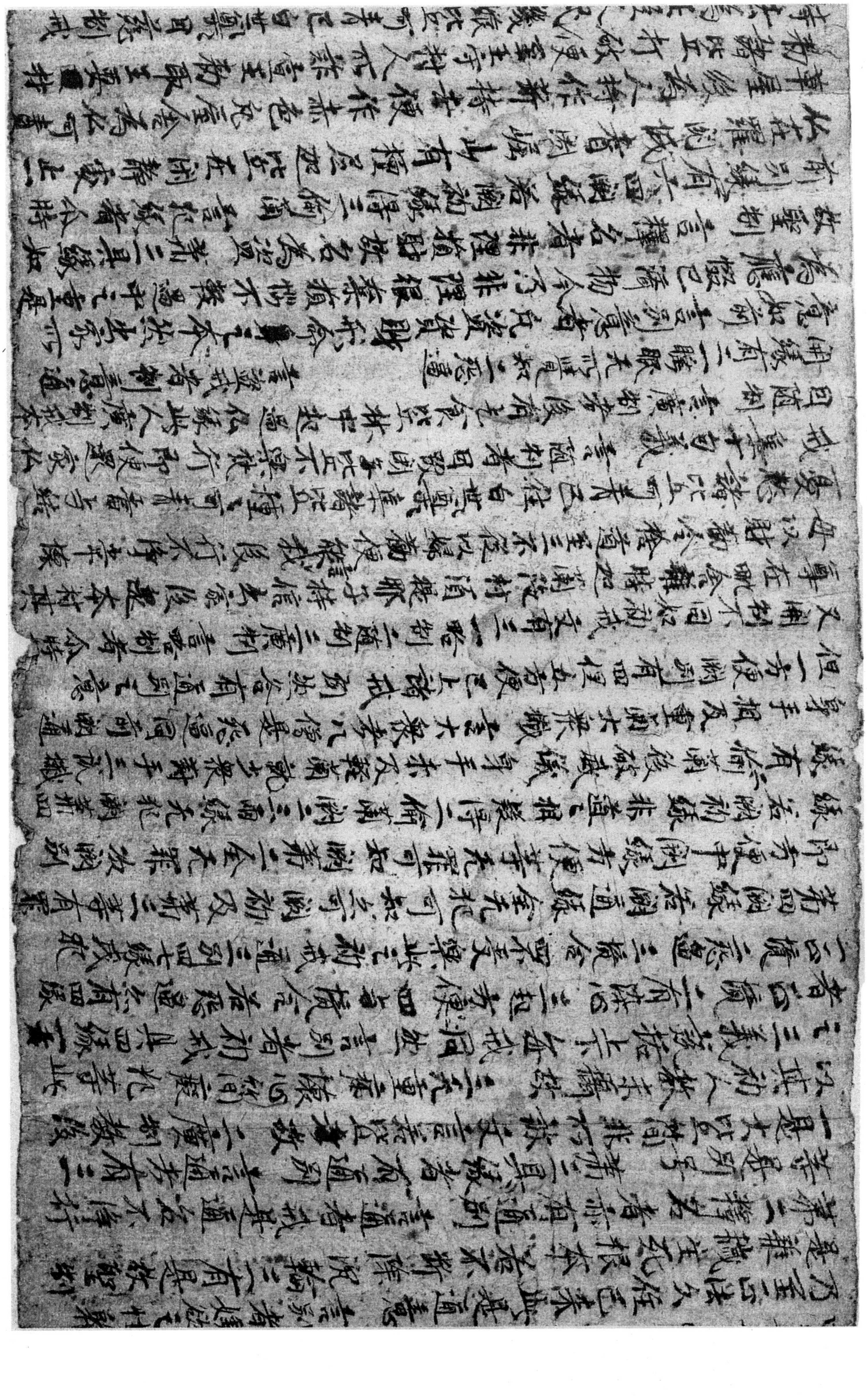

BD02934號背 2　四分律初分攝頌及戒本攝頌　（7–5）

BD02934號背 2　四分律初分攝頌及戒本攝頌

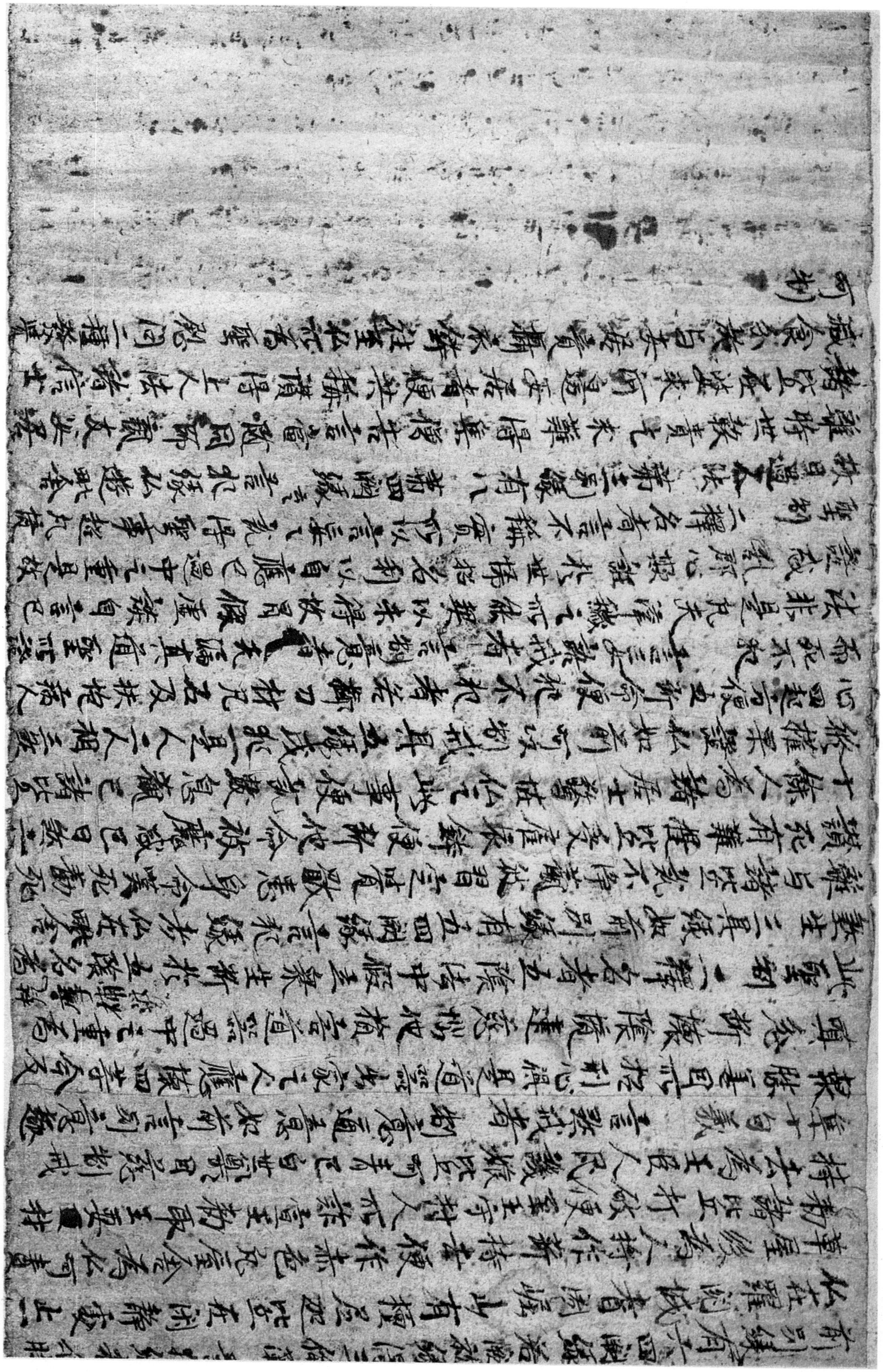

（7–6）

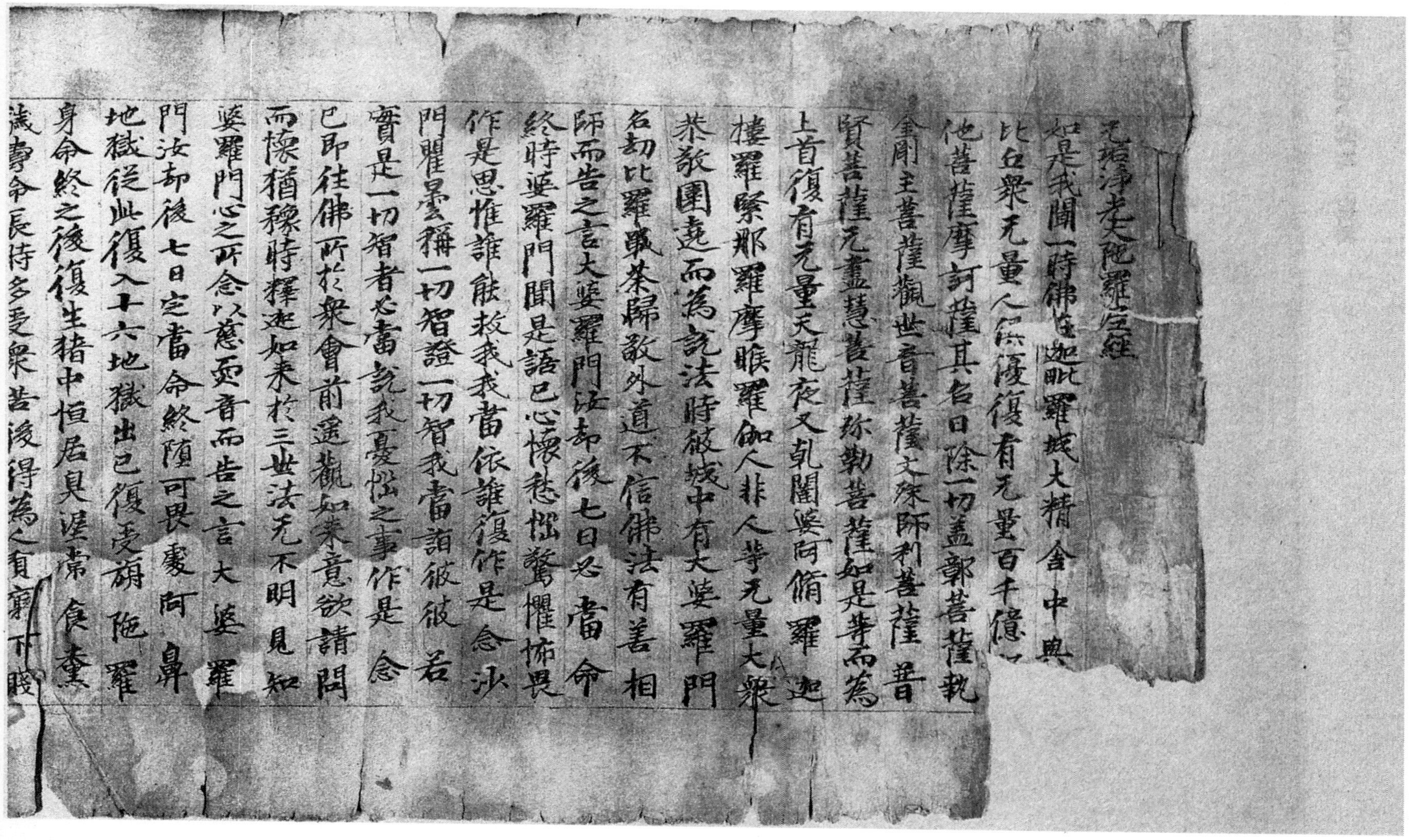
无垢淨光大陁羅尼經
如是我聞一時佛在迦毗羅城大精舍中與
比丘衆无量人俱復有无量百千億
他菩薩摩訶薩其名曰除一切蓋鄣菩薩執
金剛主菩薩觀世音菩薩文殊師利菩薩普
賢菩薩无盡慧菩薩弥勒菩薩如是等而爲
上首復有无量天龍夜叉乾闥婆阿脩羅迦
樓羅緊那羅摩睺羅伽人非人等无量大衆
恭敬圍遶而爲說法時彼城中有大婆羅門
名刧比羅戰荼歸敬外道不信佛法有善相
師而告之言大婆羅門汝却後七日必當命
終時婆羅門聞是語已心懷愁惱驚懼怖畏
作是思惟誰能救我我當依誰復作是念沙
門瞿曇稱一切智證一切智我當詣彼彼若
實是一切智者必當說我憂惱之事作是念
已即往佛所於衆會前遥觀如来意欲請問
而懷猶豫時釋迦如来於三世法无不明見知
婆羅門心之所念以慈悲音而告之言大婆羅
門汝却後七日定當命終隨可畏處向鼻
地獄從此復入十六地獄出已復受旃陁羅
身命終之後復生猪中恒居臭溼常食糞
穢壽命長時多受衆苦後得爲人貧窮下賤

BD02935 號　無垢淨光大陀羅尼經

（3-1）

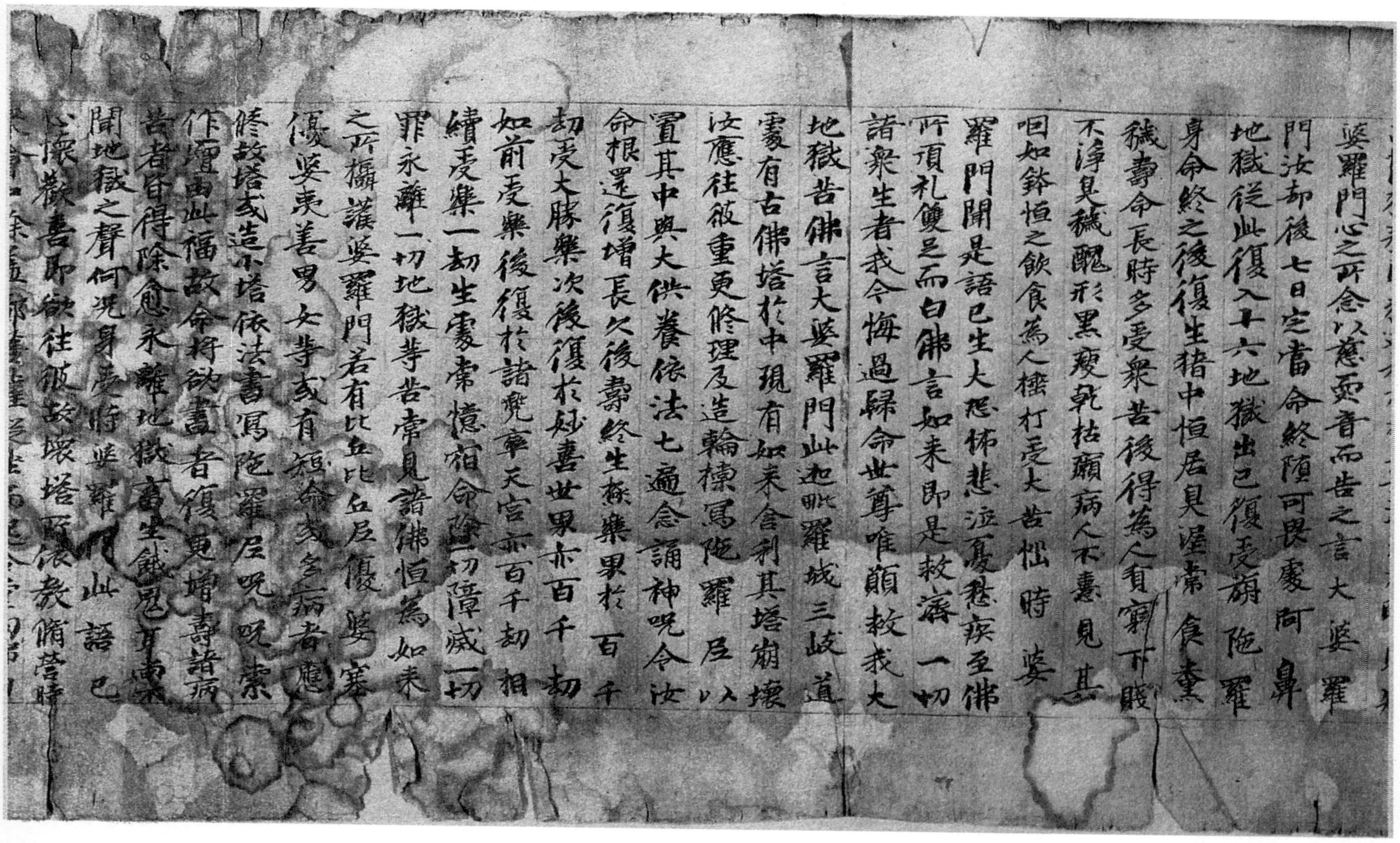
婆羅門心之所念以慈悲音而告之言大婆羅
門汝却後七日定當命終隨可畏處向鼻
地獄從此復入十六地獄出已復受旃陁羅
身命終之後復生猪中恒居臭溼常食糞
穢壽命長時多受衆苦後得爲人貧窮下賤
不淨臭穢醜形黑瘦乾枯癩病人不喜見其
咽如鉢恒之飲食爲人撻打受大苦惱時婆
羅門聞是語已生大恐怖悲泣憂愁疾至佛
所頂礼雙足而白佛言如来即是救濟一切
諸衆生者我今悔過歸命世尊唯願救我大
地獄苦佛言大婆羅門此迦毗羅城三岐道
處有古佛塔於中現有如来舍利其塔崩壞
汝應往彼重更修理及造輪橖寫陁羅尼以
置其中與大供養依法七遍念誦神呪令汝
命根還復增長久後壽終生極樂果於百千
劫受大勝樂次後復於妙喜世界亦百千劫
如前受樂後復於諸兜率天宮亦百千劫相
續受樂一劫生處常憶宿命除一切障滅一切
罪永離一切地獄等苦常見諸佛恒爲如来
之所擁護婆羅門若有比丘比丘尼優婆塞
優婆夷善男女等或有短命或多病者應
修故塔或造小塔依法書寫陁羅尼呪呪索
作壇由此福故命將欲盡者復更增壽諸病
苦者皆得除愈永離地獄畜生餓鬼耳
聞地獄之聲何況身受時婆羅門聞此語已
心懷歡喜即欲往彼故壞塔所依教脩營時

BD02935 號　無垢淨光大陀羅尼經

（3-2）

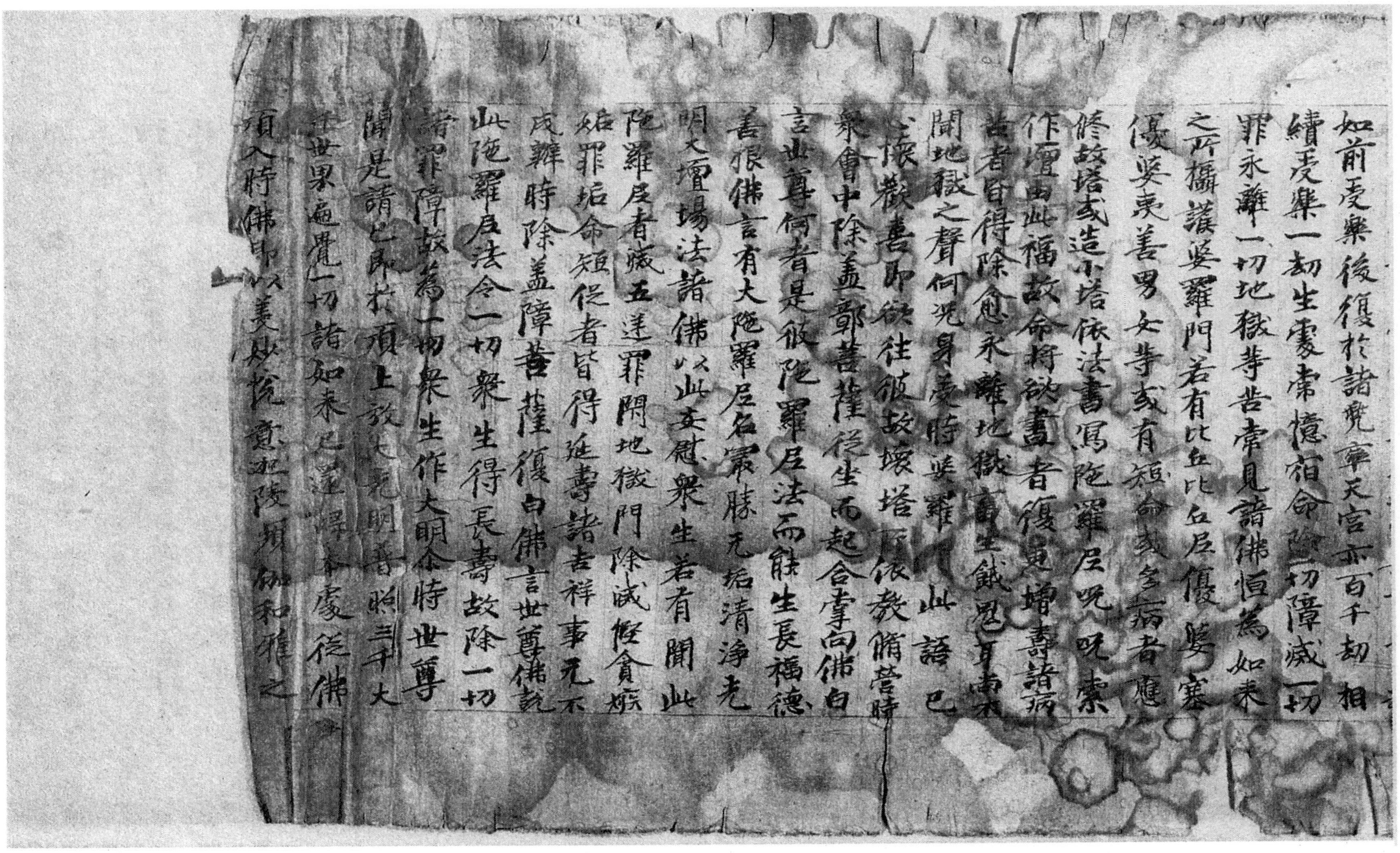
如前受樂後復於諸覺寧天宮亦百千劫相
續受樂一劫生處常憶宿命除一切障滅一切
罪永離一切地獄等苦常見諸佛恒爲如來
之所攝護婆羅門若有比丘比丘尼優婆塞
優婆夷善男女等或有短命或多病者應
修故塔或造小塔依法書寫陀羅尼咒咒索
作壇而此福故命將欲盡者復更增壽諸病
苦者自得除愈永離地獄畜生餓鬼
聞地獄之聲何況身受時婆羅門聞此語已
心懷歡喜即欲往彼故壞塔所依教脩營時
衆會中除蓋鄣菩薩從坐而起合掌向佛白
言世尊何者是彼陀羅尼法而能生長福德
善根佛言有大陀羅尼名最勝无垢清淨光
明大壇場法諸佛以此安慰衆生若有聞此
陀羅尼者滅五逆罪開地獄門除滅慳貪嫉
妬罪垢命短從者皆得延壽諸吉祥事无不
成辦時除蓋障菩薩復白佛言世尊佛說
此陀羅尼法令一切衆生得長壽故除一切
有罪障故爲一切衆生作大明介時世尊
聞是請已即於頂上放大光明普照三千大
千世界遍覺一切諸如來已還歸本處從佛
頂入時佛即以美妙梵音迦陵頻伽和雅之

BD02935 號　無垢淨光大陀羅尼經　（3–3）

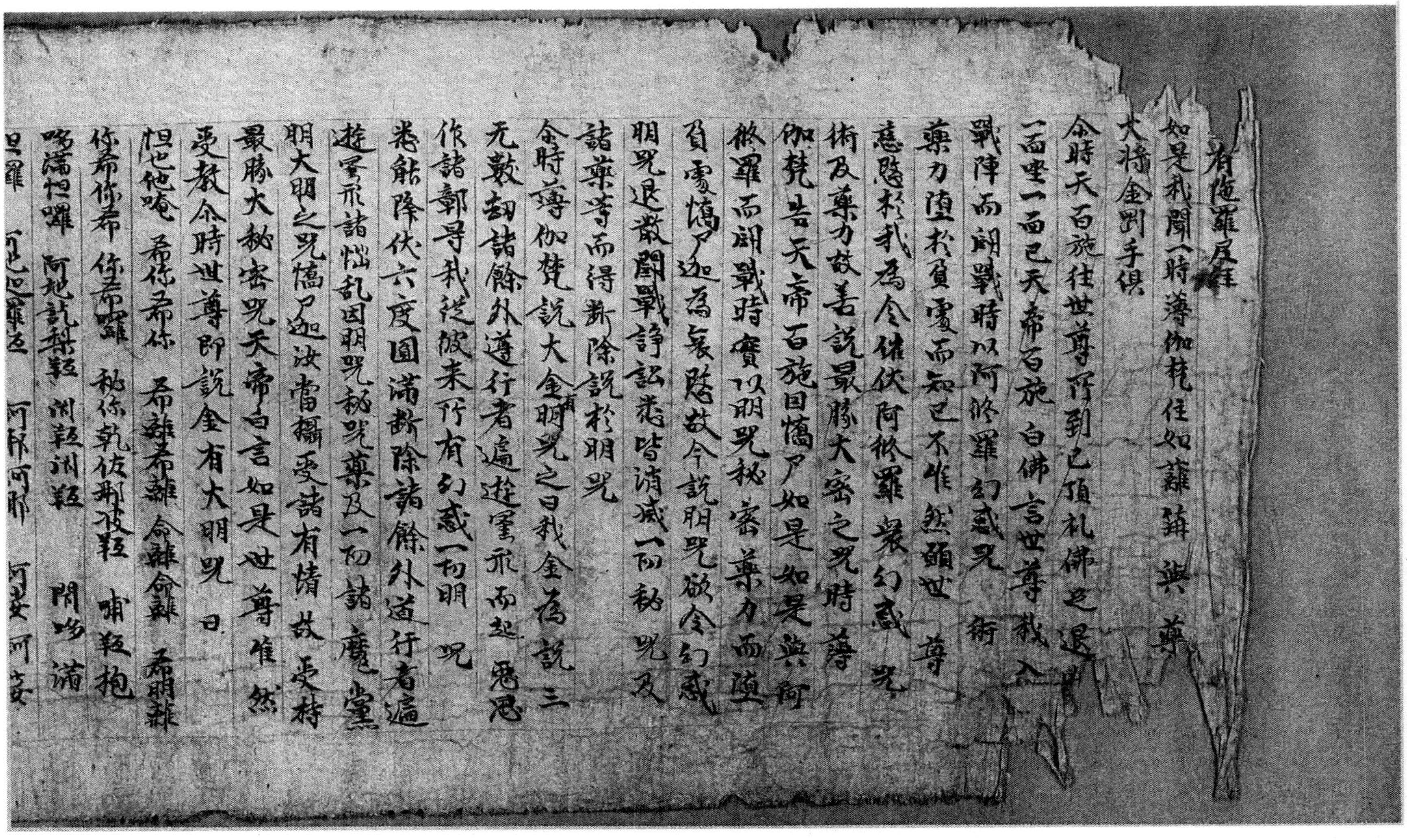
有陀羅尼經
如是我聞一時薄伽梵住如蘇迷與藥
大橋金剛手俱
介時天百施往世尊所到已頂禮佛足退坐
一面坐一面已天帝百施白佛言世尊我入
戰陣而鬪戰時以阿修羅幻惑咒術
藥力墮於負處而知已不惟然頤世尊
慈愍於我爲令降伏阿修羅衆幻惑咒
術及藥力故善說最勝大密之咒時薄
伽梵告天帝百施曰憍尸迦如是與阿
修羅而鬪戰時實以明咒秘密藥力而墮
負處憍尸迦爲哀愍故今說明咒欲令幻惑
明咒退散鬪戰諍訟悉皆消滅一切秘咒及
諸藥等而得斷除說於明咒
介時薄伽梵說大金剛咒之曰我今爲說三
无數劫諸餘外道行者遍遊世界而起惡思
作諸鄣导我從彼來所有幻惑一切明咒
悉能降伏六度圓滿斷除諸餘外道行者遍
遊世界諸惱亂因明咒秘咒藥及一切諸魔黨
明大明之咒憍尸迦汝當攝受諸有情故受持
最勝大秘密咒天帝白言如是世尊唯然
受教介時世尊即說金有大明咒曰
怛他唵　希你希你　希離希離　命離命離　希明離
你希你希　你希囉　秘你乾伐耶波羅　哺羅抱
咯瑞怛囉　阿地訖梨羅　訓羅訓羅　問哆　諵
旦羅　阿迦羅迦　阿胝阿胝　阿安　阿安

BD02936 號　金有陀羅尼經　（3–1）

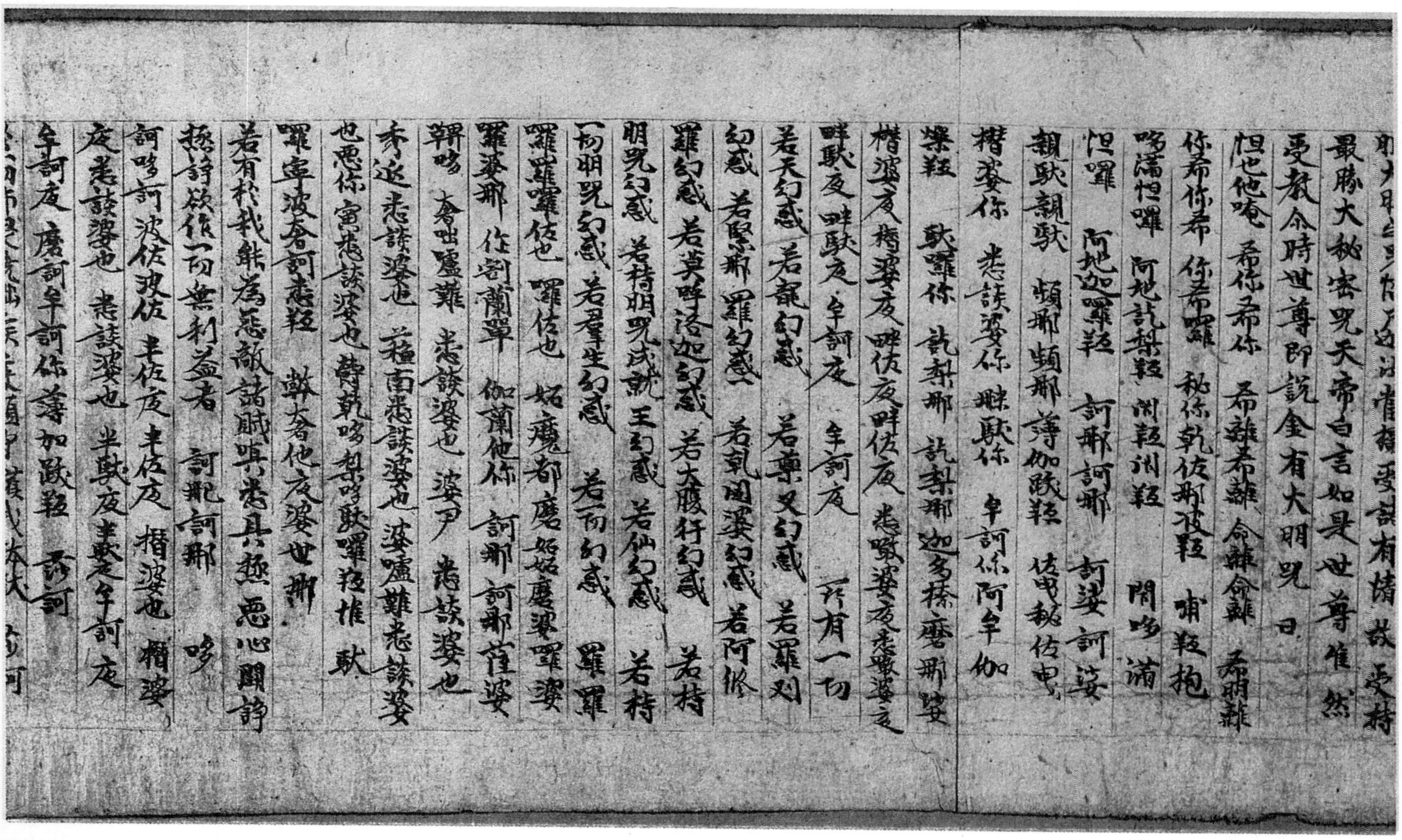
……有情故受持
最勝大秘密呪天帝白言如是世尊唯然
受敎佘時世尊即說金有大明呪曰
怛也他唵 希你希你 希雖希雖 希明雖
你希你希 你希囉 秘你軋佉那波羅 哺羅抱
哆羅怛囉 阿地訖梨羅 阐羅阐羅 閇哆蒲
怛囉 阿地迦囉羅 訶那訶那 訶婆訶婆
覩馱覩馱 頻那頻那 薄伽獸羅 佉電秘佉電
摺婆你 悉訖婆你 毗馱你 牟訶你阿牟伽
爍羅 馱囉你 訖梨那 訖梨那迦多捺磨那婆
摺婆夜 摺婆夜 毗佉夜毗佉夜 悉嚩婆夜悉嚩婆夜
毗馱夜 毗馱夜 牟訶夜 牟訶夜 所有一切
若天幻惑 若龍幻惑 若藥叉幻惑 若羅刹
幻惑 若緊那羅幻惑 若乾闥婆幻惑 若阿修
羅幻惑 若莫呼洛迦幻惑 若大腹行幻惑 若持
明呪幻惑 若持明呪成就王幻惑 若仙幻惑 若持
一切明呪幻惑 若羣生幻惑 若一切幻惑 羅羅
囉羅羅囉佉也 囉佉也 姞癡都麼姞麼婆囉婆
羅婆那 佉剳蘭單 伽蘭他你 訶那 訶那薩婆
鞞哆 奢咄盧雞 悉誐婆也 婆尸 悉誐婆也
秀逆悉誐婆也 薩南悉誐婆也 婆嚧雞悉誐婆
也惡你 寅悉誐婆也 薛軋哆 梨哆馱囉羅推 馱
囉寧波奢訶悉羅 弊奢他夜婆世那
若有於我能為惡敵諸賊嗔恚具興惡心鬪諍
撓詐欲作一切無利益者 訶那訶那 哆
訶哆訶 波佉波佉 串佐夜 串佐夜 摺婆也 摺婆
夜悉誐婆也 悉誐婆也 半馱夜 半馱夜牟訶夜
牟訶夜 麼訶牟訶你 薄加獸羅 莎訶

BD02936號　金有陀羅尼經　（3–2）

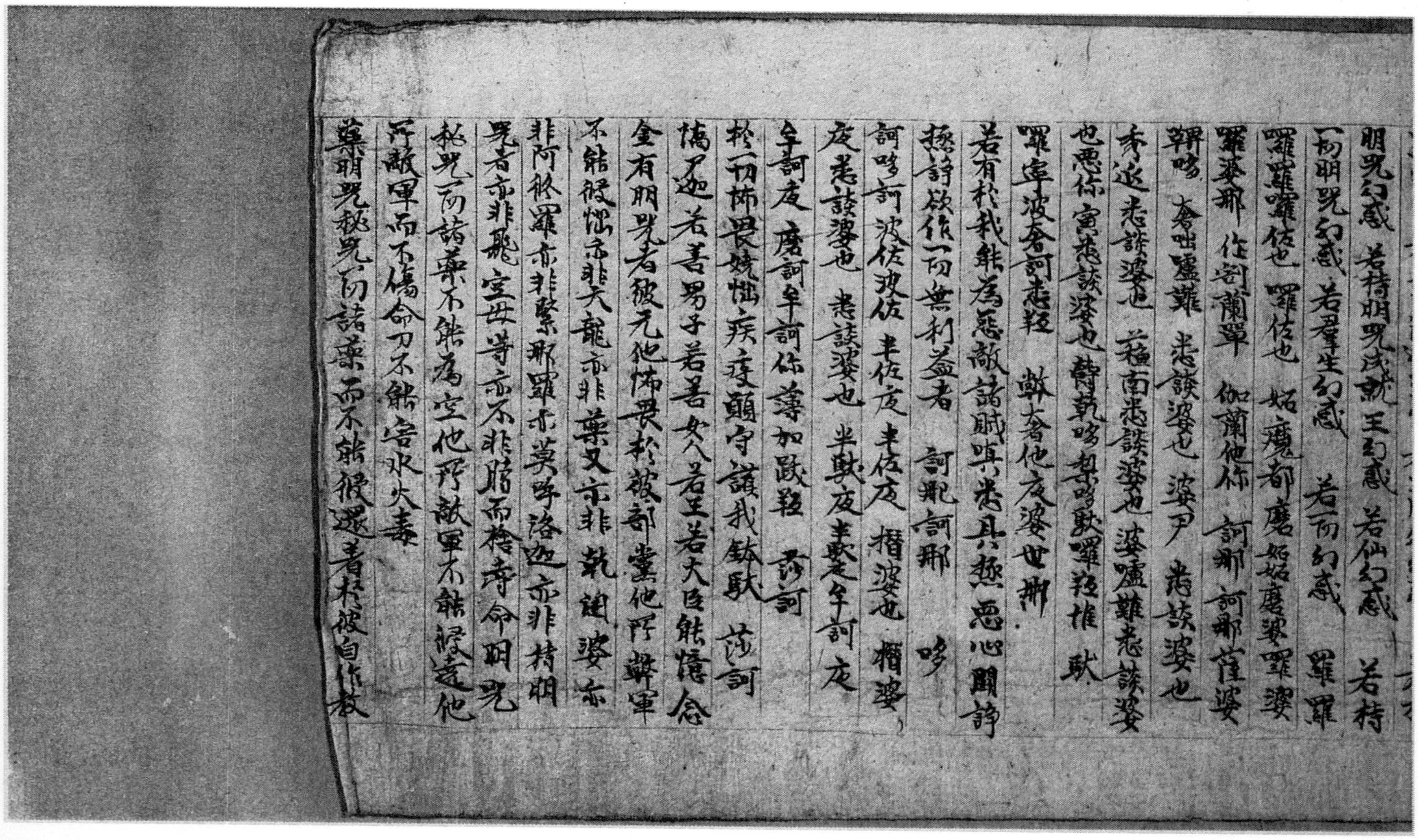
明呪幻惑 若持明呪成就王幻惑 若仙幻惑 若持
一切明呪幻惑 若羣生幻惑 若一切幻惑 羅羅
囉羅羅囉佉也 囉佉也 姞癡都麼姞麼婆囉婆
羅婆那 佉剳蘭單 伽蘭他你 訶那 訶那薩婆
鞞哆 奢咄盧雞 悉誐婆也 婆尸 悉誐婆也
秀逆悉誐婆也 薩南悉誐婆也 婆嚧雞悉誐婆
也惡你 寅悉誐婆也 薛軋哆 梨哆馱囉羅推 馱
囉寧波奢訶悉羅 弊奢他夜婆世那
若有於我能為惡敵諸賊嗔恚具興惡心鬪諍
撓詐欲作一切無利益者 訶那訶那 哆
訶哆訶 波佉波佉 串佐夜 串佐夜 摺婆也 摺婆
夜悉誐婆也 悉誐婆也 半馱夜 半馱夜牟訶夜
牟訶夜 麼訶牟訶你 薄加獸羅 莎訶
於一切怖畏婈惱疾疫願守護我缽馱 莎訶
憍尸迦 若善男子若善女人若王若大臣能憶念
金有明呪者彼无他怖畏於彼部黨他所鬭軍
不能殺惱亦非天龍亦非藥叉亦非乾闥婆亦
非阿修羅亦非緊那羅亦非莫呼洛迦亦非持明
呪者亦非飛空毋等亦不非時而橫夭命明呪
秘呪一切諸藥不能為害他所敵軍不能殺逆他
所敵軍而不傷命刀不能害水火毒
藥明呪秘呪一切諸藥而不能殺還着於彼自作教

BD02936號　金有陀羅尼經　（3–3）

BD02936 號背　藏文雜寫　（1–1）

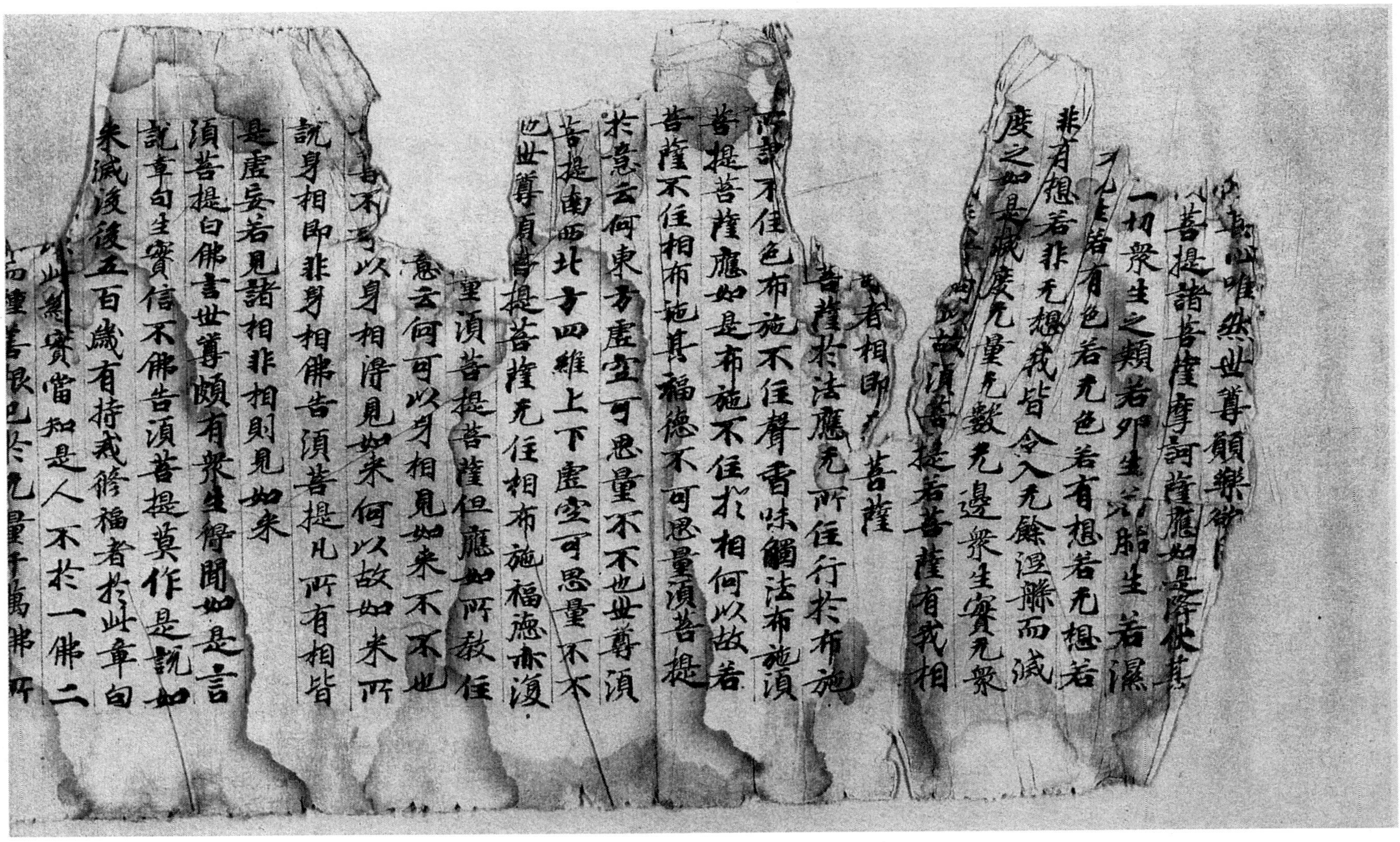
…心唯然世尊願樂欲
菩提諸菩薩摩訶薩應如是降伏其
一切眾生之類若卵生若胎生若濕
…若有色若无色若有想若无想若
非有想若非无想我皆令入无餘涅槃而滅
度之如是滅度无量无數无邊眾生實无眾
…故須菩提若菩薩有我相
…者相即非菩薩
…菩薩於法應无所住行於布施
所謂不住色布施不住聲香味觸法布施須
菩提菩薩應如是布施不住於相何以故若
菩薩不住相布施其福德不可思量須菩提
於意云何東方虛空可思量不不也世尊須
菩提南西北方四維上下虛空可思量不不
也世尊須菩提菩薩无住相布施福德亦復
量須菩提菩薩但應如所教住
意云何可以身相見如來不不也
不可以身相得見如來何以故如來所
說身相即非身相佛告須菩提凡所有相皆
是虛妄若見諸相非相則見如來
須菩提白佛言世尊頗有眾生得聞如是言
說章句生實信不佛告須菩提莫作是說如
來滅後後五百歲有持戒脩福者於此章句
…此為實當知是人不於一佛二
…種善根已於无量千萬佛所

BD02937 號　金剛般若波羅蜜經　（13–1）

須菩提白佛言世尊頗有衆生得聞如是言
說章句生實信不佛告須菩提莫作是說如
来滅後後五百歲有持戒脩福者於此章句
以此爲實當知是人不於一佛二
而種善根已於无量千萬佛所
種善根聞是章句乃至一念生淨信者須
菩提如来悉知悉見是諸衆生得如是无量
福德何以故是諸衆生无復我相人相衆生
相壽者相无法相亦无非法相何以故是諸
衆生若心取相則爲著我人衆生壽者若取
法相即著我人衆生壽者何以故若取非法
即著我人衆生壽者是故不應取法不應
取非法以是義故如来常說汝等比丘知我
說法如筏喻者法尚應捨何況非法
須菩提於意云何如来得阿耨多羅三藐三
菩提聽如来有所說法耶須菩提言如我解
佛所說義无有定法名阿耨多羅三藐三菩
提亦无有定法如来可說何以故如来所說法
皆不可取不可說非法非非法所以者何一
切賢聖皆以无爲法而有差別
須菩提於意云何若人滿三千大千世界七
寶以用布施是人所得福德寧爲多不須菩
提言甚多世尊何以故是福德即非福德性
是故如来說福德多若復有人於此經中受
持乃至四句偈等爲他人說其福勝彼何以
故須菩提一切諸佛及諸佛阿耨多羅三藐
三菩提法皆從此經出須菩提所謂佛法者
即非佛法

BD02937號　金剛般若波羅蜜經

（13–2）

是故如来說福德多若復有人於此經中受
持乃至四句偈等爲他人說其福勝彼何以
故須菩提一切諸佛及諸佛阿耨多羅三藐
三菩提法皆從此經出須菩提所謂佛法者
即非佛法
須菩提於意云何須陁洹能作是念我得須
陁洹果不須菩提言不也世尊何以故須陁洹
名爲入流而无所入不入色聲香味觸法是
名須陁洹須菩提於意云何斯陁含能作
是念我得斯陁含果不須菩提言不也世尊
何以故斯陁含名一往来而實无往来是名
斯陁含須菩提於意云何阿那含能作是念
我得阿那含果不須菩提言不也世尊何以
故阿那含名爲不来而實无来是故名阿那
含須菩提於意云何阿羅漢能作是念我得
阿羅漢道不須菩提言不也世尊何以故實
无有法名阿羅漢世尊若阿羅漢作是念我
得阿羅漢道即爲著我人衆生壽者世尊佛
說我得无諍三昧人中最爲第一是第一離
欲阿羅漢我不作是念我是離欲阿羅漢世
尊我若作是念我得阿羅漢道世尊則不說
須菩提是樂阿蘭那行者以須菩提實无所
行而名須菩提是樂阿蘭那行
佛告須菩提於意云何如来昔在然燈佛所於
法有所得不不也世尊如来昔在然燈佛所
於法實无所得須菩提於意云何菩薩莊嚴
佛土不不也世尊何以故莊嚴佛土者則非
莊嚴是名莊嚴是故須菩提諸菩薩摩訶

BD02937號　金剛般若波羅蜜經

（13–3）

法有所得不不也世尊如来昔在然燈佛所
於法實无所得須菩提於意云何菩薩莊嚴
佛土不不也世尊何以故莊嚴佛土者則非
莊嚴是名莊嚴是故須菩提諸菩薩摩訶
薩應如是生清淨心不應住色生心不應住
聲香味觸法生心應无所住而生其心須菩
提譬如有人身如須弥山王於意云何是身
為大不須菩提言甚大世尊何以故佛説非
身是名大身
須菩提如恒河中所有沙數如是沙等恒河
於意云何是諸恒河沙寧為多不須菩提言
甚多世尊但諸恒河尚多无數何况其沙須
菩提我今實言告汝若有善男子善女人以
七寶滿尒所恒河沙數三千大千世界以用
布施得福多不須菩提言甚多世尊佛告須
菩提若有善男子善女人於此經中乃至受
持四句偈等為他人説而此福德勝前福德
復次須菩提隨説是經乃至四句偈等當知
此處一切世間天人阿脩羅皆應供養如佛
塔廟何况有人盡能受持讀誦須菩提當知
是人成就最上第一希有之法若是經典所
在之處則為有佛若尊重弟子
尒時須菩提白佛言世尊當何名此經我等
云何奉持佛告須菩提是經名為金剛般若
波羅蜜以是名字汝當奉持所以者何須菩
提佛説般若波羅蜜則非般若波羅蜜須菩
提於意云何如来有所説法不須菩提白佛

提佛説般若波羅蜜則非般若波羅蜜須菩
提於意云何如来有所説法不須菩提白佛
言世尊如来无所説須菩提於意云何三千
大千世界所有微塵是為多不須菩提言甚
多世尊須菩提諸微塵如来説非微塵是名
微塵如来説世界非世界是名世界須菩提
於意云何可以三十二相見如来不不也世
尊何以故如来説三十二相即是非相是名
三十二相須菩提若有善男子善女人以恒
河沙等身命布施若復有人於此經中乃至
受持四句偈等為他人説其福甚多
尒時須菩提聞説是經深解義趣涕淚悲泣
而白佛言希有世尊佛説如是甚深經典我
從昔来所得慧眼未曾得聞如是之經世尊
若復有人得聞是經信心清淨則生實相當
知是人成就第一希有功德世尊是實相者
則是非相是故如来説名實相世尊我今得
聞如是經典信解受持不足為難若當来世
後五百歲其有衆生得聞是經信解受持是
人則為第一希有何以故此人无我相人相
衆生相壽者相所以者何我相即是非相人
相衆生相壽者相即是非相何以故離一切
諸相則名諸佛
佛告須菩提如是如是若復有人得聞是經
不驚不怖不畏當知是人甚為希有何以故
須菩提如来説第一波羅蜜非第一波羅蜜
是名第一波羅蜜

佛告須菩提如是如是若復有人得聞是經
不驚不怖不畏當知是人甚為希有何以故
須菩提如來說第一波羅蜜非第一波羅蜜
是名第一波羅蜜
須菩提忍辱波羅蜜如來說非忍辱波羅蜜
何以故須菩提如我昔為歌利王割截身體
我於尒時无我相无人相无衆生相无壽者
相何以故我於往昔節節支解時若有我相
人相衆生相壽者相應生瞋恨須菩提又念
過去於五百世作忍辱仙人於尒所世无我
相无人相无衆生相无壽者相是故須菩提
菩薩應離一切相發阿耨多羅三藐三菩提
心不應住色生心不應住聲香味觸法生心
應生无所住心若心有住則為非住是故佛
說菩薩心不應住色布施須菩提菩薩為利
益一切衆生應如是布施如來說一切諸相
即是非相又說一切衆生則非衆生須菩提
如來是真語者實語者如語者不誑語者不
異語者須菩提如來所得法此法无實无虛
須菩提若菩薩心住於法而行布施如人入
闇則无所見若菩薩心不住法而行布施如
人有目日光明照見種種色須菩提當來之
世若有善男子善女人能於此經受持讀誦
則為如來以佛智慧悉知是人悉見是人皆
得成就无量无邊功德
須菩提若有善男子善女人初日分以恒河
沙等身布施中日分復以恒河沙等身布施
後日分亦以恒河沙等身布施如是无量百

BD02937 號　金剛般若波羅蜜經

（13–6）

則為如來以佛智慧悉知是人悉見是人皆
得成就无量无邊功德
須菩提若有善男子善女人初日分以恒河
沙等身布施中日分復以恒河沙等身布施
後日分亦以恒河沙等身布施如是无量百
千萬億劫以身布施若復有人聞此經典信
心不逆其福勝彼何況書寫受持讀誦為人
解說須菩提以要言之是經有不可思議不
可稱量无邊功德如來為發大乘者說為發
最上乘者說若有人能受持讀誦廣為人說
如來悉知是人悉見是人皆得成就不可量不
可稱无有邊不可思議功德如是人等則為
荷擔如來阿耨多羅三藐三菩提何以故須
菩提若樂小法者著我見人見衆生見壽者
見則於此經不能聽受讀誦為人解說須菩
提在在處處若有此經一切世間天人阿脩
羅所應供養當知此處則為是塔皆應恭敬
作礼圍遶以諸華香而散其處
復次須菩提善男子善女人受持讀誦此經
若為人輕賤是人先世罪業應墮惡道以今
世人輕賤故先世罪業則為消滅當得阿耨
多羅三藐三菩提須菩提我念過去无量阿
僧祇劫於然燈佛前得值八百四千万億那
由他諸佛悉皆供養承事无空過者若復有
人於後末世能受持讀誦此經所得功德於
我所供養諸佛功德百分不及一千万億分
乃至筭數譬喻所不能及須菩提若善男子
善女人於後末世有受持讀誦此經所得功

BD02937 號　金剛般若波羅蜜經

（13–7）

由他諸佛悉皆供養承事无空過者若復有
人於後末世能受持讀誦此經所得功德於
我所供養諸佛功德百分不及一千万億分
乃至筭數譬喻所不能及須菩提若善男子
善女人於後末世有受持讀誦此經所得功
德我若具說者或有人聞心則狂亂狐疑不
信須菩提當知是經義不可思議果報亦不
可思議
尒時須菩提白佛言世尊善男子善女人發
阿耨多羅三藐三菩提心云何應住云何降伏
其心佛告須菩提善男子善女人發阿耨
多羅三藐三菩提者當生如是心我應滅度
一切衆生滅度一切衆生已而无有一衆生
實滅度者何以故若菩薩有我相人相衆生
相壽者相則非菩薩所以者何須菩提實无
有法發阿耨多羅三藐三菩提者須菩提於
意云何如來於然燈佛所有法得阿耨多羅
三藐三菩提不不也世尊如我解佛所說義
佛於然燈佛所无有法得阿耨多羅三藐三
菩提佛言如是如是須菩提實无有法如來
得阿耨多羅三藐三菩提須菩提若有法如
來得阿耨多羅三藐三菩提者然燈佛則不
與我授記汝於來世當得作佛号釋迦牟尼
以實无有法得阿耨多羅三藐三菩提是故
然燈佛與我授記作是言汝於來世當得作
佛号釋迦牟尼何以故如來者即諸法如義
若有人言如來得阿耨多羅三藐三菩提須
菩提實无有法佛得阿耨多羅三藐三菩提

BD02937 號　金剛般若波羅蜜經　（13-8）

以實无有法得阿耨多羅三藐三菩提是故
然燈佛與我授記作是言汝於來世當得作
佛号釋迦牟尼何以故如來者即諸法如義
若有人言如來得阿耨多羅三藐三菩提須
菩提實无有法佛得阿耨多羅三藐三菩提
須菩提如來所得阿耨多羅三藐三菩提於
是中无實无虛是故如來說一切法皆是佛
法須菩提所言一切法者即非一切法是故
名一切法須菩提譬如人身長大須菩提白佛
言世尊如來說人身長大則為非大身是名大
身須菩提菩薩亦如是若作是言我當滅度无
量衆生則不名菩薩何以故須菩提實无
有法名為菩薩是故佛說一切法无我无人
无衆生无壽者須菩提若菩薩作是言我當
莊嚴佛土是不名菩薩何以故如來說莊嚴
佛土者即非莊嚴是名莊嚴須菩提若菩薩
通達无我法者如來說名真是菩薩
須菩提於意云何如來有肉眼不如是世尊
如來有肉眼須菩提於意云何如來有天眼不
如是世尊如來有天眼須菩提於意云何如
來有慧眼不如是世尊如來有慧眼須菩提
於意云何如來有法眼不如是世尊如來
有法眼須菩提於意云何如來有佛眼不如
是世尊如來有佛眼須菩提於意云何如恒
河中所有沙佛說是沙不如是世尊如來說
是沙須菩提於意云何如一恒河中所有沙
有如是等恒河是諸恒河所有沙數佛世界
如是寧為多不甚多世尊佛告須菩提尒所

BD02937 號　金剛般若波羅蜜經　（13-9）

於意云何如来有法眼不如是世尊如来
有法眼須菩提於意云何如来有佛眼不如
是世尊如来有佛眼須菩提於意云何如恒
河中所有沙佛説是沙不如是世尊如来説
是沙須菩提於意云何如一恒河中所有沙
有如是等恒河是諸恒河所有沙數佛世界
如是寧為多不甚多世尊佛告須菩提尒所
國土中所有衆生若干種心如来悉知何以
故如来説諸心皆為非心是名為心所以者
何須菩提過去心不可得現在心不可得未
来心不可得須菩提於意云何若有人滿三
千大千世界七寶以用布施是人以是因緣
得福多不如是世尊此人以是因緣得福甚
多須菩提若福德有實如来不説得福德多
以福德无故如来説得福德多
須菩提於意云何佛可以具足色身見不不
也世尊如来不應以具足色身見何以故如
来説具足色身即非具足色身是名具足色
身須菩提於意云何如来可以具足諸相見
不不也世尊如来不應以具足諸相見何以
故如来説諸相具足即非具足是名諸相具
足須菩提汝勿謂如来作是念我當有所説
法莫作是念何以故若人言如来有所説法
即為謗佛不能解我所説故須菩提説法者
无法可説是名説法須菩提白佛言世尊佛
得阿耨多羅三藐三菩提為无所得耶如是如
是須菩提我於阿耨多羅三藐三菩提乃
至无有少法可得是名阿耨多羅三藐三菩

BD02937號　金剛般若波羅蜜經　（13–10）

法莫作是念何以故若人言如来有所説法
即為謗佛不能解我所説故須菩提説法者
无法可説是名説法須菩提白佛言世尊佛
得阿耨多羅三藐三菩提為无所得耶如是如
是須菩提我於阿耨多羅三藐三菩提乃
至无有少法可得是名阿耨多羅三藐三菩
提復次須菩提是法平等无有高下是名阿
耨多羅三藐三菩提以无我无人无衆生无
壽者修一切善法則得阿耨多羅三藐三菩
提須菩提所言善法者如来説非善法是名
善法須菩提若三千大千世界中所有諸須
弥山王如是等七寶聚有人持用布施若人
以此般若波羅蜜經乃至四句偈等受持為
他人説於前福德百分不及一百千万億分
乃至筭數譬喻所不能及
須菩提於意云何汝等勿謂如来作是念我
當度衆生須菩提莫作是念何以故實无有
衆生如来度者若有衆生如来度者如来則
有我人衆生壽者須菩提如来説有我者則
非有我而凡夫之人以為有我須菩提凡夫
者如来説則非凡夫須菩提於意云何可以
三十二相觀如来不須菩提言如是如是以
三十二相觀如来佛言須菩提若以三十二
相觀如来者轉輪聖王則是如来須菩提白
佛言世尊如我解佛所説義不應以三十二
相觀如来尒時世尊而説偈言
若以色見我　以音聲求我　是人行邪道　不能見如来
須菩提汝若作是念如来不以具足相故得

BD02937號　金剛般若波羅蜜經　（13–11）

相觀如来者轉輪聖王則是如来須菩提白
佛言世尊如我解佛所說義不應以三十二
相觀如来尒時世尊而說偈言
若以色見我 以音聲求我 是人行邪道 不能見如来
須菩提汝若作是念如来不以具足相故得
阿耨多羅三藐三菩提須菩提莫作是念如
来不以具足相故得阿耨多羅三藐三菩提
須菩提汝若作是念發阿耨多羅三藐三菩
提者說諸法斷滅莫作是念何以故發阿耨
多羅三藐三菩提者於法不說斷滅相須菩
提若菩薩以滿恒河沙等世界七寶布施若
復有人知一切法无我得成於忍此菩薩勝
前菩薩所得功德何以故須菩提以諸菩薩
不受福德故須菩提白佛言世尊云何菩薩
不受福德須菩提菩薩所作福德不應貪著
是故佛說不受福德須菩提若有人言如来
若来若去若坐若卧是人不解我所說義何
以故如来者无所從来亦无所去故名如来須
菩提若善男子善女人以三千大千世界碎
為微塵於意云何是微塵衆寧為多不甚多
世尊何以故若是微塵衆實有者佛則不說
是微塵衆所以者何佛說微塵衆則非微塵
衆是名微塵衆世尊如来所說三千大千世
界則非世界是名世界何以故若世界實有
者則是一合相如来說一合相則非一合相
是名一合相須菩提一合相者則是不可說
但凡夫之人貪著其事須菩提若人言佛說
我見人見衆生見壽者見須菩提於意云何

BD02937號　金剛般若波羅蜜經　（13–12）

衆是名微塵衆世尊如来所說三千大千世
界則非世界是名世界何以故若世界實有
者則是一合相如来說一合相則非一合相
是名一合相須菩提一合相者則是不可說
但凡夫之人貪著其事須菩提若人言佛說
我見人見衆生見壽者見須菩提於意云何
是人解我所說義不不也世尊是人不解如
来所說義何以故世尊說我見人見衆生見
壽者見即非我見人見衆生見壽者見是名
我見人見衆生見壽者見須菩提發阿耨多
羅三藐三菩提心者於一切法應如是知如
是見如是信解不生法相須菩提所言法相
如来說即非法相是名法相須菩提若有人
以滿无量阿僧祇世界七寶持用布施若有
善男子善女人發菩薩心者持於此經乃至
四句偈等受持讀誦為人演說其福勝彼云
何為人演說不取於相如如不動何以故
一切有為法 如夢幻泡影 如露亦如電 應作如是觀
佛說是經已長老須菩提及諸比丘比丘尼
優婆塞優婆夷一切世間天人阿脩羅聞佛
所說皆大歡喜信受奉行

金剛般若波羅蜜經

BD02937號　金剛般若波羅蜜經　（13–13）

迦鄔波斯迦及菩薩摩訶……
三十三天夜摩天覩史……
自在天……梵眾天梵輔……
少光天無量光天極光淨……
量淨天遍淨天廣天少廣……
天無繁天無熱天善現天善……
皆集和合同為明證於是願……
尸迦若菩薩摩訶薩若苾芻……
迦鄔波斯迦若諸天子若諸……
若善女人不離一切智智心以無所得為方
便於此般若波羅蜜多受持讀誦精勤修
習如理思惟為他演說廣令流布當知是輩諸
惡魔王及魔眷屬無能得便為惱害者何以
故憍尸迦是善男子善女人等善住色空無
相無願善住受想行識空無相無願不可以
空而得空便不可無相得無相便不可無願
得無願便何以故以色蘊等自性皆空能惱
所惱及惱害事不可得故憍尸迦是善男子
善女人等善住眼處空無相無願善住耳鼻
舌身意處空無相無願不可以空而得空便

BD02938號　大般若波羅蜜多經卷一〇〇

（21–1）

空而得空便不可無相得無相便不可無願
得無願便何以故以色蘊等自性皆空能惱
所惱及惱害事不可得故憍尸迦是善男子
善女人等善住眼處空無相無願善住耳鼻
舌身意處空無相無願不可以空而得空便
不可無相得無相便不可無願得無願便何
以故以眼處等自性皆空能惱所惱及惱害
事不可得故憍尸迦是善男子善女人等善
住色處空無相無願善住聲香味觸法處空
無相無願不可以空而得空便不可無相得
無相便不可無願得無願便何以故以色處
等自性皆空能惱所惱及惱害事不可得故
憍尸迦是善男子善女人等善住眼界空無
相無願善住色界眼識界及眼觸眼觸為緣
所生諸受空無相無願不可以空而得空便
不可無相得無相便不可無願得無願便何
以故以眼界等自性皆空能惱所惱及惱害
事不可得故憍尸迦是善男子善女人等善
住耳界空無相無願善住聲界耳識界及耳
觸耳觸為緣所生諸受空無相無願不可以
空而得空便不可無相得無相便不可無願
得無願便何以故以耳界等自性皆空能惱
所惱及惱害事不可得故憍尸迦是善男子
善女人等善住鼻界空無相無願善住香界
鼻識界及鼻觸鼻觸為緣所生諸受空無相
無願不可以空而得空便不可無相得無相
便不可無願得無願便何以故以鼻界等自
性皆空能惱所惱及惱害事不可得故憍尸

BD02938號　大般若波羅蜜多經卷一〇〇

（21–2）

鼻識界及鼻觸鼻觸為緣所生諸受空無相
無願不可以空而得空便不可無相得無相
便不可無願得無願便何以故以鼻界等自
性皆空能惱所惱及惱害事不可得故憍尸
迦是善男子善女人等善住舌界空無相無
願善住味界舌識界及舌觸舌觸為緣所生
諸受空無相無願不可以空而得空便不可
無相得無相便不可無願得無願便何以故
以舌界等自性皆空能惱所惱及惱害事不
可得故憍尸迦是善男子善女人等善住身
界空無相無願善住觸界身識界及身觸身
觸為緣所生諸受空無相無願不可以空而
得空便不可無相得無相便不可無願得無
願便何以故以舌界等自性皆空能惱所惱
及惱害事不可得故憍尸迦是善男子善女
人等善住意界空無相無願善住法界意識
界及意觸意觸為緣所生諸受無相無願
不可以空而得空便不可無相得無相便不
可無願得無願便何以故以意界等自性皆
空能惱所惱及惱害事不可得故
憍尸迦是善男子善女人等善住地界空無
相無願善住水火風空識界空無相無願不
可以空而得空便不可無相得無相便不可
無願得無願便何以故以地界等自性皆空
能惱所惱及惱害事不可得故憍尸迦是善
男子善女人等善住苦聖諦空無相無願善
住集滅道聖諦空無相無願不可以空而得

BD02938 號　大般若波羅蜜多經卷一〇〇　（21-3）

可以空而得空便不可無相得無相便不可
無願得無願便何以故以地界等自性皆空
能惱所惱及惱害事不可得故憍尸迦是善
男子善女人等善住苦聖諦空無相無願善
住集滅道聖諦空無相無願不可以空而得
空便不可無相得無相便不可無願得無願
便何以故以苦聖諦等自性皆空能惱所惱
及惱害事不可得故憍尸迦是善男子善女
人等善住無明空無相無願善住行識名色
六處觸受愛取有生老死愁歎苦憂惱空
無相無願不可以空而得空便不可無相得無
相便不可無願得無願便何以故以無明等
自性皆空能惱所惱及惱害事不可得故憍
尸迦是善男子善女人等善住內空空無相
無願善住外空內外空空空大空勝義空有
為空無為空畢竟空無際空散空無變異空
本性空自相空共相空一切法空不可得空
無性空自性空無性自性空無相無願不
可以空而得空便不可無相得無相便不可
無願得無願便何以故以內空等自性皆空
能惱所惱及惱害事不可得故憍尸迦是善
男子善女人等善住真如空無相無願善住
法界法性不虛妄性不變異性平等性離生
性法定法住實際虛空界不思議界空無相
無願不可以空而得空便不可無相得無相
便不可無願得無願便何以故以法界等自
性皆空能惱所惱及惱害事不可得故憍尸
迦是善男子善女人等善住布施波羅蜜多

BD02938 號　大般若波羅蜜多經卷一〇〇　（21-4）

法界法性不虛妄性不變異性平等性離生
性法定法住實際虛空界不思議界空無相
無願不可以空而得空便不可無相得無相
便不可無願得無願便何以故以法界等自
性皆空能惱所惱及惱害事不可得故憍尸
迦是善男子善女人等善住布施波羅蜜多
空無相無願善住淨戒安忍精進靜慮般若
波羅蜜多空無相無願不可以空而得空便
不可無相得無相便不可無願得無願便何
以故以布施波羅蜜多等自性皆空能惱所
惱及惱害事不可得故憍尸迦是善男子善
女人等善住四靜慮空無相無願善住四無
量四無色定空無相無願不可以空而得空
便不可無相得無相便不可無願得無願便
何以故以四靜慮等自性皆空能惱所惱及
惱害事不可得故憍尸迦是善男子善女人
等善住八解脫空無相無願善住八勝處九
次第定十遍處空無相無願不可以空而得
空便不可無相得無相便不可無願得無願
便何以故以八解脫等自性皆空能惱所惱
及惱害事不可得故憍尸迦是善男子善女
人等善住四念住空無相無願善住四正斷
四神足五根五力七等覺支八聖道支空無
相無願不可以空而得空便不可無相得無
相便不可無願得無願便何以故以四念住
等自性皆空能惱所惱及惱害事不可得故
憍尸迦是善男子善女人等善住空解脫門
空無相無願善住無相解脫門無願解脫門

BD02938 號　大般若波羅蜜多經卷一〇〇

（21–5）

四神足五根五力七等覺支八聖道支空無
相無願不可以空而得空便不可無相得無
相便不可無願得無願便何以故以四念住
等自性皆空能惱所惱及惱害事不可得故
憍尸迦是善男子善女人等善住空解脫門
空無相無願善住無相解脫門無願解脫門
空無相無願不可以空而得空便不可無相
得無相便不可無願得無願便何以故以空
解脫門等自性皆空能惱所惱及惱害事不
可得故憍尸迦是善男子善女人等善住五
眼空無相無願善住六神通空無相無願不
可以空而得空便不可無相得無相便不可
無願得無願便何以故以五眼等自性皆空
能惱所惱及惱害事不可得故憍尸迦是善
男子善女人等善住佛十力空無相無願善
住四無所畏四無礙解大慈大悲大喜大捨
十八佛不共法空無相無願不可以空而得
空便不可無相得無相便不可無願得無願
便何以故以佛十力等自性皆空能惱所惱
及惱害事不可得故憍尸迦是善男子善女
人等善住無忘失法空無相無願善住恒住
捨性空無相無願不可以空而得空便不可
無相得無相便不可無願得無願便何以故
以無忘失法等自性皆空能惱所惱及惱害
事不可得故憍尸迦是善男子善女人等善
住一切智空無相無願善住道相智一切相智
空無相無願不可以空而得空便不可無相
得無相便不可無願得無願便何以故以一

BD02938 號　大般若波羅蜜多經卷一〇〇

（21–6）

事不可得故憍尸迦是善男子善女人等善
住一切智空無相無願善住道相智一切相智
空無相無願不可以空而得空便不可無相
得無相便不可無願得無願便何以故以一
切智等自性皆空能惱所惱及惱害事不可
得故憍尸迦是善男子善女人等善住一切
陀羅尼門空無相無願善住一切三摩地門
空無相無願不可以空而得空便不可無相
得無相便不可無願得無願便何以故以一切
陀羅尼門等自性皆空能惱所惱及惱害事
不可得故憍尸迦是善男子善女人等善住
預流空無相無願善住一來不還阿羅漢空
無相無願不可以空而得空便不可無相得
無相便不可無願得無願便何以故以預流
等自性皆空能惱所惱及惱害事不可得故
憍尸迦是善男子善女人等善住預流向預
流果空無相無願善住一來向一來果不還向
不還果阿羅漢向阿羅漢果空無相無願不
可以空而得空便不可無相得無相便不可
無願得無願便何以故以預流向預流果等
自性皆空能惱所惱及惱害事不可得故憍
尸迦是善男子善女人等善住獨覺空無相
無願善住獨覺向獨覺果空無相無願不可
以空而得空便不可無相得無相便不可無
願得無願便何以故以獨覺等自性皆空能
惱所惱及惱害事不可得故憍尸迦是善男
子善女人等善住菩薩摩訶薩空無相無願

以空而得空便不可無相得無相便不可無
願得無願便何以故以獨覺等自性皆空能
惱所惱及惱害事不可得故憍尸迦是善男
子善女人等善住菩薩摩訶薩空無相無願
善住三藐三佛陀空無相無願不可以空而
得空便不可無相得無相便不可無願得無
願便何以故以菩薩摩訶薩等自性皆空能
惱所惱及惱害事不可得故憍尸迦是善男
子善女人等善住菩薩摩訶薩法空無相無
願善住無上正等菩提空無相無願不可以
空而得空便不可無相得無相便不可無願
得無願便何以故以菩薩摩訶薩法等自性
皆空能惱所惱及惱害事不可得故憍尸迦
是善男子善女人等善住聲聞乘空無相無
願善住獨覺乘無上乘空無相無願不可以
空而得空便不可無相得無相便不可無願
得無願便何以故以聲聞乘等自性皆空能
惱所惱及惱害事不可得故
復次憍尸迦是善男子善女人等人及非人
無能得便為惱害者何以故是善男子善女
人等以無所得為方便於一切有情善脩慈
悲喜捨心故憍尸迦是善男子善女人等終
不橫為諸險惡緣之所惱害亦不橫死何以
故是善男子善女人等脩行布施波羅蜜多
故於諸有情正安養故
復次憍尸迦於此三千大千世界所有四大
王眾天三十三天夜魔天覩史多天樂變化
天他化自在天梵眾天

故是善男子善女人等脩行布施波羅蜜多
故於諸有情正安養故
復次憍尸迦於此三千大千世界所有　四大
王衆天三十三天夜魔天覩史多天樂變化
天他化自在天梵衆天極光淨天遍淨天廣
果天等已發無上正等覺心於此般若波羅
蜜多若未聽聞受讀誦精勤脩學正思惟
者今應不離一切智智心以無所得為方便
於此般若波羅蜜多至心聽聞受持讀誦精
勤脩學如理思惟憍尸迦若善男子善女人
等不離一切智智心以無所得為方便於此
般若波羅蜜多至心聽聞受持讀誦精勤脩
學如理思惟是善男子善女人等若在空宅
若在曠野若在險道及危難處終不怖畏
驚恐毛竪所以者何是善男子善女人等不離
一切智智心以無所得為方便善脩內空故
善脩外空內外空空空大空勝義空有為空
無為空畢竟空無際空散空無變異空本
性空自相空共相空一切法空不可得空無
性空自性空無性自性空故
尒時於此三千大千世界所有四大王衆天
三十三天夜魔天覩史多天樂變化天他化
自在天梵衆天梵輔天梵會天大梵天光天
少光天無量光天極光淨天淨天少淨天無
量淨天遍淨天廣天少廣天無量廣天廣果
天無繁天無熱天善現天善見天色究竟天
等俱白佛言世尊若善男子善女人等不離

BD02938號　大般若波羅蜜多經卷一〇〇

（21-9）

自在天梵衆天梵輔天梵會天大梵天光天
少光天無量光天極光淨天淨天少淨天無
量淨天遍淨天廣天少廣天無量廣天廣果
天無繁天無熱天善現天善見天色究竟天
等俱白佛言世尊若善男子善女人等不離
一切智智心以無所得為方便常能於此甚
深般若波羅蜜多受持讀誦精勤脩學如理
思惟書寫解說廣令流布我等常隨恭敬擁
衛不令一切災横侵惱何以故此善男子善
女人等即是菩薩
摩訶薩故令諸有情永斷地獄傍生鬼界阿
素洛等諸嶮惡趣世尊由是菩薩摩訶薩故
令諸天人永離一切災横疾疫貧窮飢渴寒
熱等苦世尊由是菩薩摩訶薩故世間便有
十善業道世尊由是菩薩摩訶薩故世間便
有四靜慮四無量四無色定世尊由是菩薩
摩訶薩故世間便有八解脫八勝處九次第
定十遍處世尊由是菩薩摩訶薩故世間便
有布施波羅蜜多淨戒安忍精進靜慮般若
波羅蜜多世尊由是菩薩摩訶薩故世間便
有內空外空內外空空空大空勝義空有為
空無為空畢竟空無際空散空無變異空
本性空自相空共相空一切法空不可得空無
性空自性空無性自性空世尊由是菩薩摩
訶薩故世間便有真如法界法性不虛妄性
不變異性平等性離生性法定法住實際虛
空界不思議界世尊由是菩薩摩訶薩故世

BD02938號　大般若波羅蜜多經卷一〇〇

（21-10）

本性空自相空共相空一切法空不可得空無
性空自性空無性自性空世尊由是菩薩摩
訶薩故世間便有真如法界法性不虛妄性
不變異性平等性離生性法定法住實際虛
空界不思議界世尊由是菩薩摩訶薩故世
間便有苦聖諦集滅道聖諦世尊由是菩薩
摩訶薩故世間便有四念住四正斷四神足
五根五力七等覺支八聖道支世尊由是菩
薩摩訶薩故世間便有空解脫門無相解脫
門無願解脫門世尊由是菩薩摩訶薩故世
間便有五眼六神通世尊由是菩薩摩訶薩
故世間便有佛十力四無所畏四無礙解大
慈大悲大喜大捨十八佛不共法世尊由是
菩薩摩訶薩故世間便有無忘失法恒住捨
性世尊由是菩薩摩訶薩故世間便有一切
智道相智一切相智世尊由是菩薩摩訶薩
故世間便有一切陀羅尼門一切三摩地門
世尊由是菩薩摩訶薩故世間便有剎帝利
大族婆羅門大族長者大族居士大族諸小
國王轉輪聖王輔臣僚佐世尊由是菩薩摩
訶薩故世間便有四大王眾天三十三天夜
魔天覩史多天樂變化天他化自在天世尊
由是菩薩摩訶薩故世間便有梵眾天梵輔
天梵會天大梵天光天少光天無量光天極
光淨天淨天少淨天無量淨天遍淨天廣天
少廣天無量廣天廣果天世尊由是菩薩摩
訶薩故世間便有無繁天無熱天善現天善

BD02938號　大般若波羅蜜多經卷一〇〇　（21–11）

天梵會天大梵天光天少光天無量光天極
光淨天淨天少淨天無量淨天遍淨天廣天
少廣天無量廣天廣果天世尊由是菩薩摩
訶薩故世間便有無繁天無熱天善現天善
見天色究竟天世尊由是菩薩摩訶薩故世
間便有空無邊處天識無邊處天無所有處
天非想非非想處天世尊由是菩薩摩訶薩
故世間便有預流一來不還阿羅漢及預流
向預流果一來向一來果不還向不還果阿
羅漢向阿羅漢果世尊由是菩薩摩訶薩故
世間便有獨覺及獨覺向獨覺果世尊由是
菩薩摩訶薩故世間便有菩薩摩訶薩成熟
有情嚴淨佛土世尊由是菩薩摩訶薩故世
間便有如來應正等覺證得無上正等菩提
轉妙法輪度無量眾世尊由是菩薩摩訶薩
故世間便有佛寶法寶苾芻僧寶世尊以是
緣故我等天龍及阿素洛揵達縛揭路荼緊
捺洛藥叉羅剎娑莫呼洛伽人非人等常應
隨逐恭敬守護此菩薩摩訶薩不令一切災
橫侵惱
尒時世尊告天帝釋及諸天龍阿素洛等 如
是如是如汝所說憍尸迦若善男子善女人
等不離一切智智心以無所得為方便常能
於此甚深般若波羅蜜多受持讀誦精勤脩
學如理思惟書寫解說廣令流布當知是善
男子善女人等即是菩薩摩訶薩憍尸迦由
是菩薩摩訶薩故令諸有情永斷地獄傍生

BD02938號　大般若波羅蜜多經卷一〇〇　（21–12）

等不離一切智智心以無所得為方便常能
於此甚深般若波羅蜜多受持讀誦精勤脩
學如理思惟書寫解說廣令流布當知是善
男子善女人等即是菩薩摩訶薩憍尸迦由
是菩薩摩訶薩故令諸有情永斷地獄傍生
鬼界阿素洛等憍尸迦由是菩薩摩訶薩故
令諸天人永離一切災橫疾疫貧窮飢渴寒
熱等苦憍尸迦由是菩薩摩訶薩故十善業
道出現世間憍尸迦由是菩薩摩訶薩故四
靜慮四無量四無色定出現世間憍尸迦由
是菩薩摩訶薩故八解脫八勝處九次第定
十遍處出現世間憍尸迦由是菩薩摩訶薩
故布施波羅蜜多淨戒安忍精進靜慮般若
波羅蜜多出現世間憍尸迦由是菩薩摩訶
薩故內空外空內外空空空大空勝義空有
為空無為空畢竟空無際空散空無變異空
本性空自相空共相空一切法空不可得空
無性空自性空無性自性空出現世間憍尸
迦由是菩薩摩訶薩故真如法界法性不虛
妄性不變異性平等性離生性法定法住實際
虛空界不思議界出現世間憍尸迦由是菩
薩摩訶薩故苦聖諦集滅道聖諦出現世間
憍尸迦由是菩薩摩訶薩故四念住四正斷
四神足五根五力七等覺支八聖道支出現
世間憍尸迦由是菩薩摩訶薩故空解脫門
無相無願解脫門出現世間憍尸迦由是菩
薩摩訶薩故五眼六神通出現世間憍尸迦

BD02938號　大般若波羅蜜多經卷一〇〇　　(21–13)

憍尸迦由是菩薩摩訶薩故四念住四正斷
四神足五根五力七等覺支八聖道支出現
世間憍尸迦由是菩薩摩訶薩故空解脫門
無相無願解脫門出現世間憍尸迦由是菩
薩摩訶薩故五眼六神通出現世間憍尸迦
由是菩薩摩訶薩故佛十力四無所畏四無
礙解大慈大悲大喜大捨十八佛不共法出
現世間憍尸迦由是菩薩摩訶薩故無忘失
法恒住捨性出現世間憍尸迦由是菩薩摩
訶薩故一切智道相智一切相智出現世間
憍尸迦由是菩薩摩訶薩故一切陀羅尼門
一切三摩地門出現世間憍尸迦由是菩薩
摩訶薩故剎帝利大族婆羅門大族長者大
族居士大族諸小國王轉輪聖王輔臣僚佐
出現世間憍尸迦由是菩薩摩訶薩故四大
王眾天三十三天夜摩天覩史多天樂變化
天他化自在天出現世間憍尸迦由是菩薩
摩訶薩故梵眾天梵輔天梵會天大梵天
光天少光天無量光天極光淨天淨天少淨
天無量淨天遍淨天廣天少廣天無量廣天
廣果天出現世間憍尸迦由是菩薩摩訶薩
故無繁天無熱天善現天善見天色究竟天
出現世間憍尸迦由是菩薩摩訶薩故空無
邊處天識無邊處天無所有處天非想非非
想處天出現世間憍尸迦由是菩薩摩訶薩
故預流一來不還阿羅漢及預流向預流果
一來向一來果不還向不還果阿羅漢向阿
羅漢果出現世間憍尸迦由是菩薩摩訶薩

BD02938號　大般若波羅蜜多經卷一〇〇　　(21–14)

出現世間憍尸迦由是菩薩摩訶薩故空無
邊處天識無邊處天無所有處天非想非非
想處天出現世間憍尸迦由是菩薩摩訶薩
故預流一來不還阿羅漢及預流向預流果
一來向一來果不還向不還果阿羅漢向阿
羅漢果出現世間憍尸迦由是菩薩摩訶薩
故獨覺及獨覺向獨覺果出現世間憍尸迦
由是菩薩摩訶薩故菩薩摩訶薩出現世間
成熟有情嚴淨佛土憍尸迦由是菩薩摩訶
薩故如來應正等覺出現世間證得無上正
等菩提轉妙法輪度無量衆憍尸迦由是菩
薩摩訶薩故佛寶法寶苾芻僧寶出現世間
憍尸迦以是緣故汝等天龍阿素洛等常應
隨逐供養恭敬尊重讚歎勸加守護此菩薩
摩訶薩勿令一切災横侵惱憍尸迦若有人
能供養恭敬尊重讚歎如是菩薩摩訶薩者
當知即是供養恭敬尊重讚歎我及十方一
切如來應正等覺是故汝等一切天龍阿素
洛等常應隨逐供養恭敬尊重讚歎勸加守
護此菩薩摩訶薩勿令一切災横侵惱
憍尸迦假使遍滿南贍部洲聲聞獨覺譬如
甘蔗蘆葦竹林稻麻藂等間無空隙有善男
子善女人等於彼福田以無量種上妙樂具
供養恭敬尊重讚歎盡其形壽若復有人經
須臾頃供養恭敬尊重讚歎一初發心不離
六波羅蜜多菩薩摩訶薩以前功德比此福
聚百分不及一千分不及一百千分不及一

BD02938號　大般若波羅蜜多經卷一〇〇　（21–15）

甘蔗蘆葦竹林稻麻藂等間無空隙有善男
子善女人等於彼福田以無量種上妙樂具
供養恭敬尊重讚歎盡其形壽若復有人經
須臾頃供養恭敬尊重讚歎一初發心不離
六波羅蜜多菩薩摩訶薩以前功德比此福
聚百分不及一千分不及一百千分不及一
俱胝分不及一百俱胝分不及一千俱胝分
不及一百千俱胝分不及一數分筭分計分
喻分乃至鄔波尼殺曇分亦不及一憍尸迦
假使遍滿南贍部洲東勝身洲聲聞獨覺譬
如甘蔗蘆葦竹林稻麻藂等間無空隙有善
男子善女人等於彼福田以無量種上妙樂
具供養恭敬尊重讚歎盡其形壽若復有人
經須臾頃供養恭敬尊重讚歎一初發心不
離六波羅蜜多菩薩摩訶薩以前功德比此
福聚百分不及一千分不及一百千分不及
一乃至鄔波尼殺曇分亦不及一憍尸迦假
使遍滿南贍部洲東勝身洲西牛貨洲聲聞
獨覺譬如甘蔗蘆葦竹林稻麻藂等間無空
隙有善男子善女人等於彼福田以無量種
上妙樂具供養恭敬尊重讚歎盡其形壽若
復有人經須臾頃供養恭敬尊重讚歎一初
發心不離六波羅蜜多菩薩摩訶薩以前功
德比此福聚百分不及一千分不及一百千
分不及一乃至鄔波尼殺曇分亦不及一憍
尸迦假使遍滿南贍部洲東勝身洲西牛貨
洲北俱盧洲聲聞獨覺譬如甘蔗蘆葦竹林

BD02938號　大般若波羅蜜多經卷一〇〇　（21–16）

發心不離六波羅蜜多菩薩摩訶薩以前功
德比此福聚百分不及一千分不及一百千
分不及一乃至鄔波尼殺曇分亦不及一憍
尸迦假使遍滿南贍部洲東勝身洲西牛貨
洲北俱盧洲聲聞獨覺譬如甘蔗蘆葦竹林
稻麻藂等無空隙有善男子善女人等於
彼福田以無量種上妙樂具供養恭敬尊重
讚歎盡其形壽若復有人經須臾頃供養恭
敬尊重讚歎一初發心不離六波羅蜜多菩
薩摩訶薩以前功德比此福聚百分不及一
千分不及一百千分不及一乃至鄔波尼殺
曇分亦不及一憍尸迦假使遍滿一四洲界
聲聞獨覺譬如甘蔗蘆葦竹林稻麻藂等間
無空隙有善男子善女人等於彼福田以無
量種上妙樂具供養恭敬尊重讚歎盡其形
壽若復有人經須臾頃供養恭敬尊重讚歎
一初發心不離六波羅蜜多菩薩摩訶薩以前
功德比此福聚百分不及一千分不及一百
千分不及一乃至鄔波尼殺曇分亦不及一
憍尸迦假使遍滿小千世界聲聞獨覺譬如
甘蔗蘆葦竹林稻麻藂等間無空隙有善男
子善女人等於彼福田以無量種上妙樂具
供養恭敬尊重讚歎盡其形壽若復有人經
須臾頃供養恭敬尊重讚歎一初發心不離
六波羅蜜多菩薩摩訶薩以前功德比此福
聚百分不及一千分不及一百千分不及一
乃至鄔波尼殺曇分亦不及一憍尸迦假使
遍滿中千世界聲聞獨覺譬如甘蔗蘆葦竹

BD02938號　大般若波羅蜜多經卷一〇〇　（21–17）

須臾頃供養恭敬尊重讚歎一初發心不離
六波羅蜜多菩薩摩訶薩以前功德比此福
聚百分不及一千分不及一百千分不及一
乃至鄔波尼殺曇分亦不及一憍尸迦假使
遍滿中千世界聲聞獨覺譬如甘蔗蘆葦竹
林稻麻藂等間無空隙有善男子善女人等
於彼福田以無量種上妙樂具供養恭敬尊
重讚嘆盡其形壽若復有人經須臾頃供養
恭敬尊重讚歎一初發心不離六波羅蜜多
菩薩摩訶薩以前功德比此福聚百分不及
一千分不及一百千分不及一乃至鄔波尼
殺曇分亦不及一憍尸迦假使遍滿三千大
千佛之世界聲聞獨覺譬如甘蔗蘆葦竹林
稻麻藂等間無空隙有善男子善女人等於
彼福田以無量種上妙樂具供養恭敬尊重
讚嘆盡其形壽若復有人經須臾頃供養恭
敬尊重讚歎一初發心不離六波羅蜜多菩
薩摩訶薩以前功德比此福聚百分不及一
千分不及一百千分不及一乃至鄔波尼殺
曇分亦不及一憍尸迦假使遍滿十方無量
無邊世界聲聞獨覺譬如甘蔗蘆葦竹林稻
麻藂等間無空隙有善男子善女人等於彼
福田以無量種上妙樂具供養恭敬尊重讚
歎盡其形壽若復有人經須臾頃供養恭敬
尊重讚歎一初發心不離六波羅蜜多菩薩
摩訶薩以前功德比此福聚百分不及一千
分不及一百千分不及一乃至鄔波尼殺曇

BD02938號　大般若波羅蜜多經卷一〇〇　（21–18）

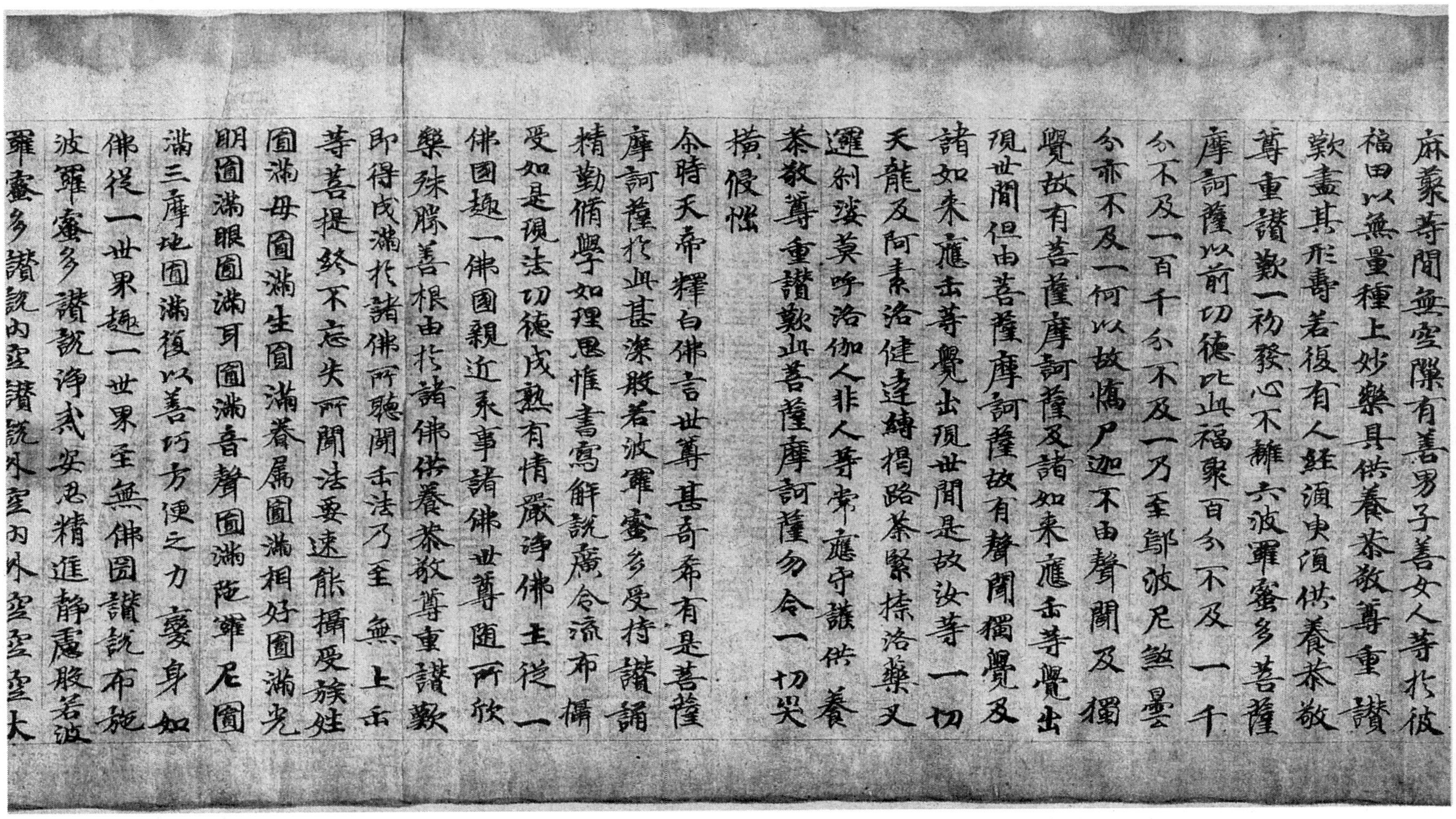
麻葦等間無空隙有善男子善女人等於彼
福田以無量種上妙樂具供養恭敬尊重讚
歎盡其形壽若復有人經須臾頃供養恭敬
尊重讚歎一初發心不離六波羅蜜多菩薩
摩訶薩以前功德比此福聚百分不及一千
分不及一百千分不及一乃至鄔波尼殺曇
分亦不及一何以故憍尸迦不由聲聞及獨
覺故有菩薩摩訶薩及諸如來應正等覺出
現世間但由菩薩摩訶薩故有聲聞獨覺及
諸如來應正等覺出現世間是故汝等一切
天龍及阿素洛健達縛揭路茶緊捺洛藥叉
邏刹娑莫呼洛伽人非人等常應守護供養
恭敬尊重讚歎此菩薩摩訶薩勿令一切災
橫侵惱
尒時天帝釋白佛言世尊甚奇希有是菩薩
摩訶薩於此甚深般若波羅蜜多受持讀誦
精勤修學如理思惟書寫解說廣令流布攝
受如是殊勝功德成熟有情嚴淨佛土從一
佛國趣一佛國親近承事諸佛世尊隨所欣
樂殊勝善根由於諸佛供養恭敬尊重讚歎
即得成滿於諸佛所聽聞正法乃至無上正
等菩提終不忘失所聞法要速能攝受族姓
圓滿母圓滿生圓滿眷屬圓滿相好圓滿光
明圓滿眼圓滿耳圓滿音聲圓滿陁羅尼圓
滿三摩地圓滿復以善巧方便之力變身如
佛從一世界趣一世界至無佛國讚說布施
波羅蜜多讚說淨戒安忍精進靜慮般若波
羅蜜多讚說內空讚說外空內外空空空大

BD02938 號　大般若波羅蜜多經卷一〇〇　（21–19）

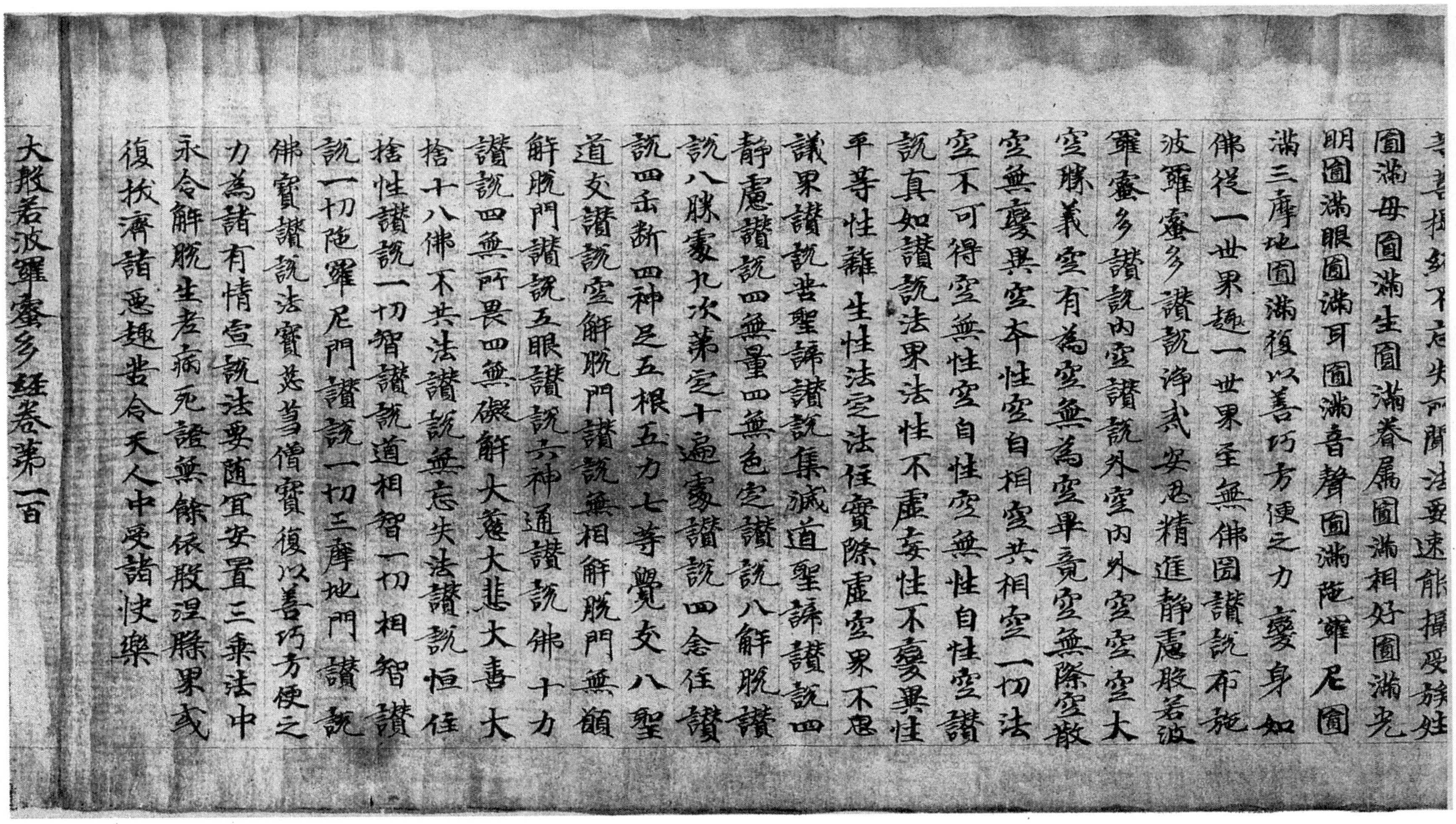
等菩提終不忘失所聞法要速能攝受族姓
圓滿母圓滿生圓滿眷屬圓滿相好圓滿光
明圓滿眼圓滿耳圓滿音聲圓滿陁羅尼圓
滿三摩地圓滿復以善巧方便之力變身如
佛從一世界趣一世界至無佛國讚說布施
波羅蜜多讚說淨戒安忍精進靜慮般若波
羅蜜多讚說內空讚說外空內外空空空大
空勝義空有為空無為空畢竟空無際空散
空無變異空本性空自相空共相空一切法
空不可得空無性空自性空無性自性空讚
說真如讚說法界法性不虛妄性不變異性
平等性離生性法定法住實際虛空界不思
議界讚說苦聖諦讚說集滅道聖諦讚說四
靜慮讚說四無量四無色定讚說八解脫讚
說八勝處九次第定十遍處讚說四念住讚
說四正斷四神足五根五力七等覺支八聖
道支讚說空解脫門讚說無相解脫門無願
解脫門讚說五眼讚說六神通讚說佛十力
讚說四無所畏四無礙解大慈大悲大喜大
捨十八佛不共法讚說無忘失法讚說恒住
捨性讚說一切智讚說道相智一切相智讚
說一切陁羅尼門讚說一切三摩地門讚說
佛寶讚說法寶苾芻僧寶復以善巧方便之
力為諸有情宣說法要隨宜安置三乘法中
永令解脫生老病死證無餘依般涅槃果或
復拔濟諸惡趣苦令天人中受諸快樂
大般若波羅蜜多經卷第一百

BD02938 號　大般若波羅蜜多經卷一〇〇　（21–20）

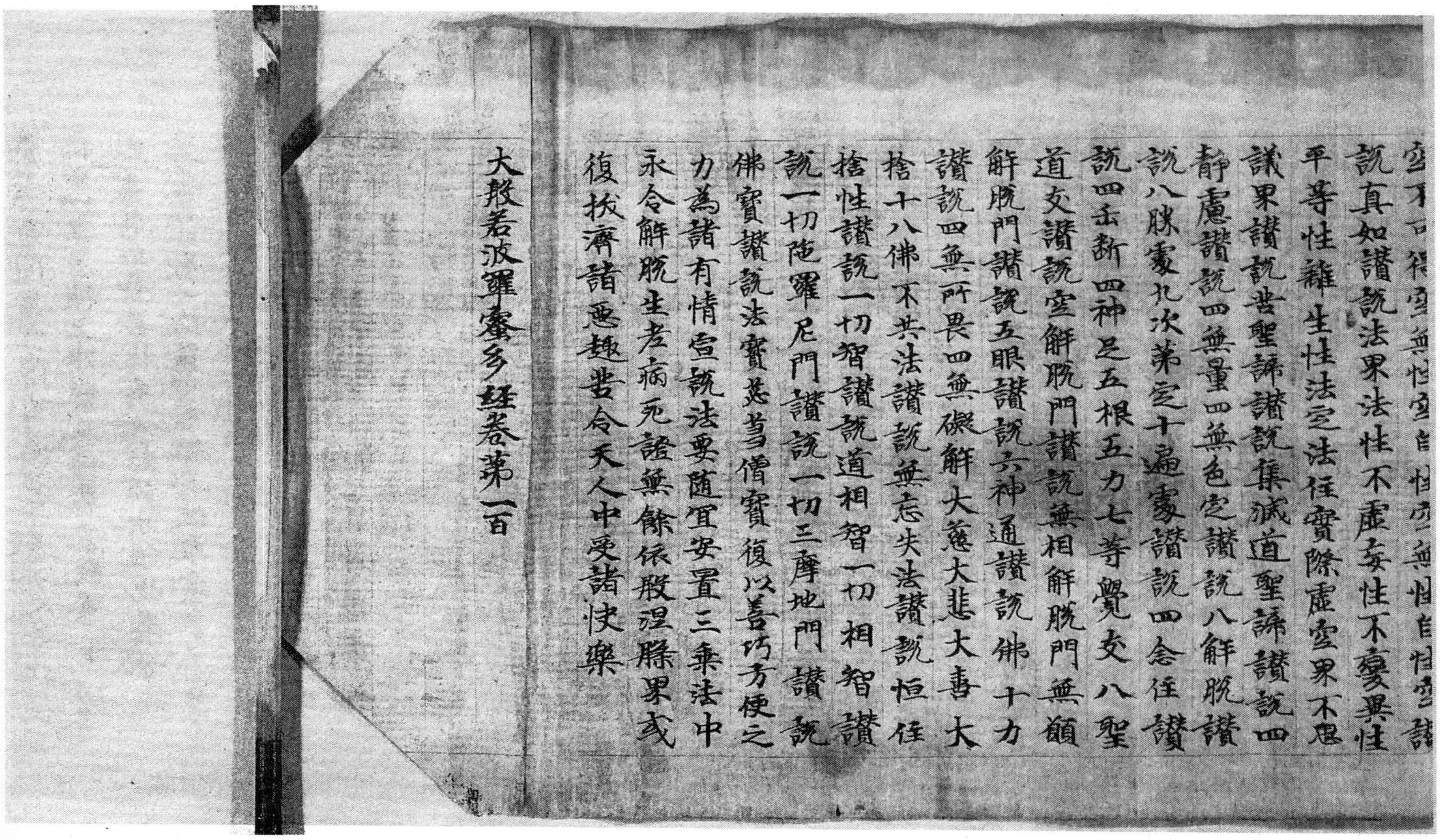

空不可得空無性空自性空無性自性空讚
說真如讚說法界法性不虛妄性不變異性
平等性離生性法定法住實際虛空界不思
議界讚說苦聖諦讚說集滅道聖諦讚說四
靜慮讚說四無量四無色定讚說八解脫讚
說八勝處九次第定十遍處讚說四念住讚
說四正斷四神足五根五力七等覺支八聖
道支讚說空解脫門讚說無相無願
解脫門讚說五眼讚說六神通讚說佛十力
讚說四無所畏四無礙解大慈大悲大喜大
捨十八佛不共法讚說無忘失法讚說恒住
捨性讚說一切智讚說道相智一切相智讚
說一切陀羅尼門讚說一切三摩地門讚說
佛寶讚說法寶苾芻僧寶復以善巧方便之
力為諸有情宣說法要隨宜安置三乘法中
永令解脫生老病死證無餘依般涅槃界或
復拔濟諸惡趣苦令天人中受諸快樂

大般若波羅蜜多經卷第一百

BD02938號　大般若波羅蜜多經卷一〇〇　　（21–21）

於獨
薩衆俱同會坐尒時世尊告曼殊室利童子
号无量智決定王如来阿彌多羅三藐三菩提
人皆短壽大限百年於中夭枉横死者衆曼殊
此名号益自書或使人書能為經卷受持讀
誦者而為供養如其命盡復得長壽滿足
智決定王如来一百八名号者益其長壽若
書如是曼殊若有善男子善女人欲求長壽
有或自書若使人書受持讀誦得如是等果報福德具足
世尊復告曼殊室利如是如来一百八名号若有自書或使人書為經卷受持讀
盡復滿百年壽終此身後得往生无量福智世界无量壽淨土陁羅尼曰
南謨薄伽勃底一阿波唎蜜多二阿喻紇硯那三須毗你悉指陁四囉佐耶五怛他羯他耶六怛姪
薩婆桑悉迦羅八波唎輸底九達磨底十伽伽那十一娑訶娑特迦底十二薩婆婆毗輸底十三
摩訶娜耶十四波唎婆唎莎訶十五
尒時有九十九姟佛等一時同聲說是无量壽宗要經陁羅尼曰
南謨薄伽勃底一阿波唎蜜多二阿喻紇硯那三須毗你悉指陁四囉佐耶五怛他羯他耶六怛姪
他唵七薩婆桑悉迦羅八波唎輸底九達磨底十伽伽那十一莎訶娑特迦底十二薩婆婆毗輸底十三

BD02939號　無量壽宗要經　　（7–1）

世尊復告曼殊室利如是如來一百八名號若有自書若使人書是經者受
盡復滿百年壽終此身後得往生無量福智世界無量壽淨土陁羅尼曰
南謨薄伽勃底一阿波利蜜多二阿喻紇硯那三須毗你悉指陁四囉佐耶五怛他羯他耶六怛姪他唵七
薩婆桑悉迦囉八波利輸底九達磨底十伽伽那十一莎訶某特迦底十二薩婆婆毗輸底十三
摩訶那耶十四波利婆囉莎訶十五
爾時有九十九姟佛等一時同聲說是無量壽宗要經陁羅尼曰
南謨薄伽勃底一阿波利蜜多二阿喻紇硯那三須毗你悉指陁四囉佐耶五怛他羯他耶六怛姪
他唵七薩婆桑悉迦囉八波利輸底九達磨底十伽伽那十一莎訶某特迦底十二薩婆婆毗輸底十三
摩訶那耶十四波利婆囉莎訶十五
爾時復有一百四姟佛一時同聲說是無量壽宗要經陁羅尼曰
南謨薄伽勃底一阿波利蜜多二阿喻紇硯那三須毗你悉指陁四囉佐耶五怛他羯他耶六怛姪
他唵七薩婆桑悉迦囉八波利輸底九達磨底十伽伽那十一莎訶某特迦底十二薩婆婆毗
摩訶那耶十四波利婆囉莎訶十五
爾時復有七姟佛一時同聲說是無量壽宗要經陁羅尼曰
南謨薄伽勃底一阿波利蜜多二阿喻紇硯那三須毗你悉指陁四囉佐耶五怛他羯他耶六怛姪他
薩婆桑悉迦囉八波利輸底九達磨底十伽伽那十一莎訶某特迦底十二薩婆婆毗輸底十三
摩訶那耶十四波利婆囉莎訶十五
爾時復有六十五姟佛一時同聲說是無量壽宗要經陁羅尼曰
南謨薄伽勃底一阿波利蜜多二阿喻紇硯那三須毗你悉指陁四囉佐耶五怛他羯他耶六怛姪他唵七
薩婆桑悉迦囉八波利輸底九達磨底十伽伽那十一莎訶某特迦底十二薩婆婆毗輸底十三
摩訶那耶十四波利婆囉莎訶十五
爾時復有五十五姟佛一時同聲說是無量壽宗要經陁羅尼曰
南謨薄伽勃底一阿波利蜜多二阿喻紇硯那三須毗你悉指陁四囉佐耶五怛他羯他耶六怛姪他唵七
薩婆桑悉迦囉八波利輸底九達磨底十伽伽那十一莎訶某特迦底十二薩婆婆毗輸底十三
摩訶那耶十四波利婆囉莎訶十五
爾時復有四十五姟佛一時同聲說是無量壽宗要經陁羅尼曰
南謨薄伽勃底一阿波利蜜多二阿喻紇硯那三須毗你悉指陁四囉佐耶五怛他羯他耶六怛姪他唵
薩婆桑悉迦囉八波利輸底九達磨底十伽伽那十一莎訶某特迦底十二薩婆婆毗輸底十三
摩訶那耶十四波利婆囉莎訶十五
爾時復有三十六姟佛一時同聲說是無量壽宗要經陁羅尼曰

BD02939號　無量壽宗要經　（7–2）

摩訶那耶十四波利婆囉莎訶十五
爾時復有四十五姟佛一時同聲說是無量壽宗要經陁羅尼曰
南謨薄伽勃底一阿波利蜜多二阿喻紇硯那三須毗你悉指陁四囉佐耶五怛他羯他耶六怛姪他
薩婆桑悉迦囉八波利輸底九達磨底十伽伽那十一莎訶某特迦底十二薩婆婆毗輸底十三
摩訶那耶十四波利婆囉莎訶十五
爾時復有三十六姟佛一時同聲說是無量壽宗要經陁羅尼曰
南謨薄伽勃底一阿波利蜜多二阿喻紇硯那三須毗你悉指陁四囉佐耶五怛他羯他耶六怛姪他
唵七薩婆桑悉迦囉八波利輸底九達磨底十伽伽那十一莎訶某特迦底十二薩婆婆毗輸底十三
摩訶那耶十四波利婆囉莎訶十五
爾時復有二十五姟佛一時同聲說是無量壽宗要經陁羅尼曰
南謨薄伽勃底一阿波利蜜多二阿喻紇硯那三須毗你悉指陁四囉佐耶五怛他羯他耶六怛姪他唵七
薩婆桑悉迦囉八波利輸底九達磨底十伽伽那十一莎訶某特迦底十二薩婆婆毗輸底十三
摩訶那耶十四波利婆囉莎訶十五
爾時復有恒河沙姟佛一時同聲說是無量壽宗要經陁羅尼曰
南謨薄伽勃底一阿波利蜜多二阿喻紇硯那三須毗你悉指陁四囉佐耶五怛他羯他耶六怛姪他
薩婆桑悉迦囉八波利輸底九達磨底十伽伽那十一莎訶某特迦底十二薩婆婆毗輸底十三
摩訶那耶十四波利婆囉莎訶十五
善男子若有自書寫教人書寫是無量壽宗要經如其命盡復得長壽而滿年陁
羅尼曰　南謨薄伽勃底一阿波利蜜多二阿喻紇硯那三須毗你悉指陁四囉佐耶五怛他羯他耶六
怛姪他唵七薩婆桑悉迦囉八波利輸底九達磨底十伽伽那十一薩訶某特迦底十二薩婆
婆毗輸底十三摩訶那耶十四波利婆囉莎訶十五
若有自書寫教人書寫是無量壽宗要經讀誦受持畢竟不墮地獄地在所生得宿命智陁羅
尼曰　南謨薄伽勃底一阿波利蜜多二阿喻紇硯那三須毗你悉指陁四囉佐耶五怛他羯他耶六怛姪他
耶六姪他唵七薩婆桑悉迦囉八波利輸底九達磨底十伽伽那十一莎訶某特迦底十二薩婆婆毗輸
底十三摩訶那耶十四波利婆囉莎訶十五
若有自書寫教人書寫是無量壽宗要經受持讀誦如同書寫八万四千一切經典陁羅尼曰
南謨薄伽勃底一阿波利蜜多二阿喻紇硯那三須毗你悉指陁四囉佐耶五怛他羯他耶六怛姪他唵
薩婆桑悉迦囉八波利輸底九達磨底十伽伽那十一莎訶某特迦底十二薩婆婆毗輸底十三
摩訶那耶十四波利婆囉莎訶十五

BD02939號　無量壽宗要經　（7–3）

底十三 摩訶娜耶十四 波唎婆嚟莎訶十五
若有自書寫教人書寫是無量壽宗要經受持讀誦如同書寫八万四千一切經典陀羅尼曰
南謨薄伽勃底一 阿波唎蜜多二 阿喻紇硯娜三 須毗你悉指陀四 囉佐耶五 怛他羯他耶六 怛姪他唵七
薩婆桑悉迦囉八 波唎輸底九 達磨底十 伽伽娜十一 莎訶其特迦底十二 薩婆婆毗輸底十三
摩訶娜耶十四 波唎婆嚟莎訶十五
若有自書寫教人書寫是無量壽宗要經即是書寫八万四千部建立塔廟陀羅尼曰
南謨薄伽勃底一 阿波唎蜜多二 阿喻紇硯娜三 須毗你悉指陀四 囉佐耶五 怛他羯他耶六 怛姪他唵七 薩
婆桑悉迦囉八 波唎輸底九 達磨底十 伽伽娜十一 莎訶其特迦底十二 薩婆婆毗輸底十三 摩訶
娜耶十四 波唎婆嚟莎訶十五 若有自書寫教人書寫是無量壽宗要經能消五無間等一切重罪陀羅尼曰
南謨薄伽勃底一 阿波唎蜜多二 阿喻紇硯娜三 須毗你悉指陀四 囉佐耶五 怛他羯他耶六 怛姪他唵七
薩婆桑悉迦囉八 波唎輸底九 達磨底十 伽伽娜十一 莎訶其特迦底十二 薩婆婆毗輸底十三
摩訶娜耶十四 波唎婆嚟莎訶十五
若有自書寫教人書寫是無量壽宗要經受持讀誦設有重罪猶如須彌盡能除滅陀羅尼曰
南謨薄伽勃底一 阿波唎蜜多二 阿喻紇硯娜三 須毗你悉指陀四 囉佐耶五 怛他羯他耶六 怛姪他唵七
薩婆桑悉迦囉八 波唎輸底九 達磨底十 伽伽娜十一 莎訶其特迦底十二 薩婆婆毗輸底十三
摩訶娜耶十四 波唎婆嚟莎訶十五
若有自書寫教人書寫是無量壽宗要經受持讀誦若魔魔之眷屬夜叉羅剎不得
其便終无枉死陀羅尼曰 南謨薄伽勃底一 阿波唎蜜多二 阿喻紇硯娜三 須毗你悉指陀四
囉佐耶五 怛他羯他耶六 怛姪他唵七 薩婆桑悉迦囉八 波唎輸底九 達磨底十 伽伽娜十一 莎訶
其特迦底十二 薩婆婆毗輸底十三 摩訶娜耶十四 波唎婆嚟莎訶十五
若有自書寫教人書寫是無量壽宗要經受持讀誦當命終時有九十九億佛現
其人前來千佛授手能遊一切佛剎莫於此經生於疑惑陀羅尼曰
南謨薄伽勃底一 阿波唎蜜多二 阿喻紇硯娜三 須毗你悉指陀四 囉佐耶五 怛他羯他耶六 怛姪他
唵七 薩婆桑悉迦囉八 波唎輸底九 達磨底十 伽伽娜十一 莎訶其特迦底十二 薩婆婆毗輸底十三
摩訶娜耶十四 波唎婆嚟莎訶十五
若有自書寫教人書寫是無量壽宗要經受持讀誦常得四天大王隨其衛護陀羅尼曰
南謨薄伽勃底一 阿波唎蜜多二 阿喻紇硯娜三 須毗你悉指陀四 囉佐耶五 怛他羯他耶六 怛姪他唵七
薩婆桑悉迦囉八 波唎輸底九 達磨底十 伽伽娜十一 莎訶其特迦底十二 薩婆婆毗輸底十三
摩訶娜耶十四 波唎婆嚟莎訶十五

BD02939號　無量壽宗要經

（7–4）

摩訶娜耶十四 波唎婆嚟莎訶十五
若有自書寫教人書寫是無量壽宗要經受持讀誦常得四天大王隨其衛護陀羅尼曰
南謨薄伽勃底一 阿波唎蜜多二 阿喻紇硯娜三 須毗你悉指陀四 囉佐耶五 怛他羯他耶六 怛姪他唵七
薩婆桑悉迦囉八 波唎輸底九 達磨底十 伽伽娜十一 莎訶其特迦底十二 薩婆婆毗輸底十三
摩訶娜耶十四 波唎婆嚟莎訶十五
若有自書寫教人書寫是無量壽宗要經受持讀誦當得往生西方極樂世界阿彌陀
淨土陀羅尼曰 南謨薄伽勃底一 阿波唎蜜多二 阿喻紇硯娜三 須毗你悉指陀四 囉耶五 怛他
羯他耶六 怛姪他唵七 薩婆桑悉迦囉八 波唎輸底九 達磨底十 伽伽娜十一 莎訶其特迦底十二 薩婆
婆毗輸底十三 摩訶娜耶十四 波唎婆嚟莎訶十五
若有方所自書寫教人書寫是無量壽經典之處則為是塔皆應恭敬作礼若是畜生
或生禽獸得聞是經如是等類皆當不久得成一切種智陀羅尼曰
南謨薄伽勃底一 阿波唎蜜多二 阿喻紇硯娜三 須毗你悉指陀四 囉佐耶五 怛他羯他耶六 怛姪他唵七
薩婆桑悉迦囉八 波唎輸底九 達磨底十 伽伽娜十一 莎訶其特迦底十二 薩婆婆毗輸底十三
摩訶娜耶十四 波唎婆嚟莎訶十五
若有於是無量壽經自書寫若使人書寫畢竟不受女人之身陀羅尼曰
南謨薄伽勃底一 阿波唎蜜多二 阿喻紇硯娜三 須毗你悉指陀四 囉佐耶五 怛他羯他耶六 怛姪他
唵七 薩婆桑悉迦囉八 波唎輸底九 達磨底十 伽伽娜十一 莎訶其特迦底十二 薩婆婆毗輸底
十三 摩訶娜耶十四 波唎婆嚟莎訶十五
若有能於是經少分能惠施者等於三千大千世界滿中七寶布施陀羅尼曰
南謨薄伽勃底一 阿波唎蜜多二 阿喻紇硯娜三 須毗你悉指陀四 囉佐耶五 怛他羯他耶六 怛姪
他唵七 薩婆桑悉迦囉八 波唎輸底九 達磨底十 伽伽娜十一 莎訶其特迦底十二 薩婆婆
毗輸底十三 摩訶娜耶十四 波唎婆嚟莎訶十五
若有能供養是經者則是供養一切諸經等无有異陀羅尼曰
南謨薄伽勃底一 阿波唎蜜多二 阿喻紇硯娜三 須毗你悉指陀四 囉佐耶五 怛他羯他耶六 怛姪他
唵七 薩婆桑悉迦囉八 波唎輸底九 達磨底十 伽伽娜十一 莎訶其特迦底十二 薩婆婆毗輸底十三
摩訶娜耶十四 波唎婆嚟莎訶十五
如是毗婆尸佛 尸棄佛 毗舍浮佛 俱留孫佛 俱那含牟尼佛 迦葉佛 釋迦牟尼佛 若有
人以七寶供養如是七佛其福有限書寫受持是無量壽經典所有功德不可限量陀
羅尼曰 南謨薄伽勃底一 阿波唎蜜多二 阿喻紇硯娜三 須毗你悉指陀四 囉佐耶五 怛他羯他耶六

BD02939號　無量壽宗要經

（7–5）

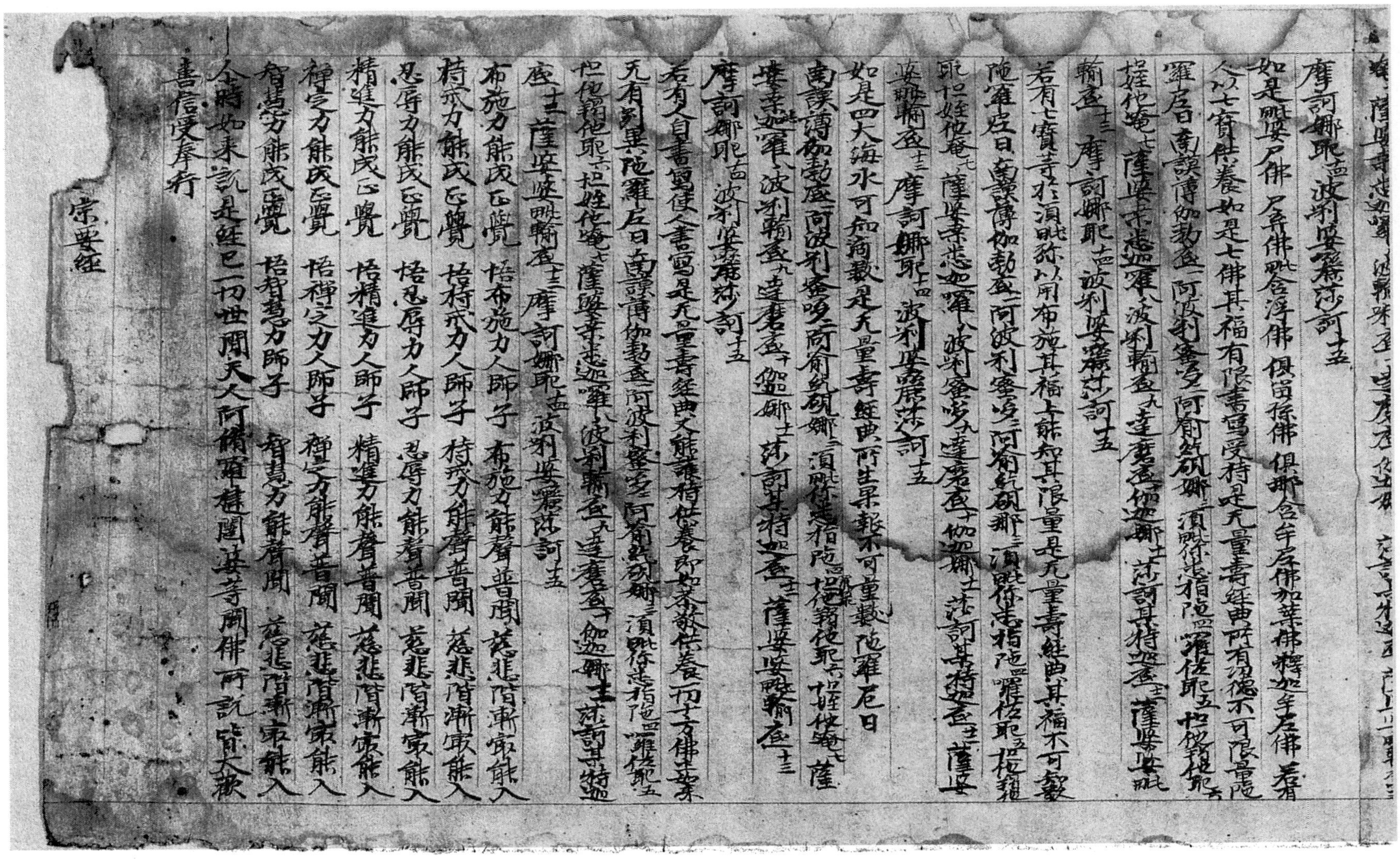

摩訶娜耶十四 波唎婆羅莎訶十五
如是毗婆尸佛 尸棄佛 毗舍浮佛 俱留孫佛 俱那含牟尼佛 迦葉佛 釋迦牟尼佛 若有
人以七寶供養如是七佛 其福有限 書寫受持是无量壽經典 所有功德不可限量 陁
羅尼曰 南謨薄伽勃底一 阿波唎蜜多二 阿俞紇硯娜三 須毗你失指陁四 囉佐耶五 怛他揭他耶六
怛姪他 唵七 薩婆桑悉迦囉八 波唎輸底九 達磨底十 伽迦娜十一 莎訶娑木特伽底十二 薩婆毗
輸底十三 摩訶娜耶十四 波唎婆羅莎訶十五
若有七寶等於須彌山 以用布施 其福尚能知其限量 是无量壽經典 其福不可數
陁羅尼曰 南謨薄伽勃底一 阿波唎蜜多二 阿俞紇硯娜三 須毗你失指陁四 囉佐耶五 怛他揭
他耶六 怛姪他 唵七 薩婆桑悉迦囉八 波唎輸底九 達磨底十 伽迦娜十一 莎訶娑木特伽底十二 薩婆
婆毗輸底十三 摩訶娜耶十四 波唎婆羅莎訶十五
如是四大海水可知渧數 是无量壽經典 所生果報不可量數 陁羅尼曰
南謨薄伽勃底一 阿波唎蜜多二 阿俞紇硯娜三 須毗你失指陁四 囉佐耶五 怛他揭他耶六 怛姪他 唵七 薩
婆桑悉迦囉八 波唎輸底九 達磨底十 伽迦娜十一 莎訶娑木特伽底十二 薩婆婆毗輸底十三
摩訶娜耶十四 波唎婆羅莎訶十五
若有人自書寫使人書寫是无量壽經典 又能護持供養 即如恭敬供養一切十方佛土如來
无有別異 陁羅尼曰 南謨薄伽勃底一 阿波唎蜜多二 阿俞紇硯娜三 須毗你失指陁四 囉佐耶五
怛他揭他耶六 怛姪他 唵七 薩婆桑悉迦囉八 波唎輸底九 達磨底十 伽迦娜十一 莎訶娑木特伽
底十二 薩婆婆毗輸底十三 摩訶娜耶十四 波唎婆羅莎訶十五
布施力能成正覺 悟布施力人師子 布施力能聲普聞 慈悲階漸寂能入
持戒力能成正覺 悟持戒力人師子 持戒力能聲普聞 慈悲階漸寂能入
忍辱力能成正覺 悟忍辱力人師子 忍辱力能聲普聞 慈悲階漸寂能入
精進力能成正覺 悟精進力人師子 精進力能聲普聞 慈悲階漸寂能入
禪定力能成正覺 悟禪定力人師子 禪定力能聲普聞 慈悲階漸寂能入
智慧力能成正覺 悟智慧力師子 智慧力能聲聞 慈悲階漸寂能入
今時如來說是經已 一切世間天人阿脩羅揵闥婆等 聞佛所說 皆大歡
喜信受奉行

宗要經

BD02939 號　無量壽宗要經　（7–6）

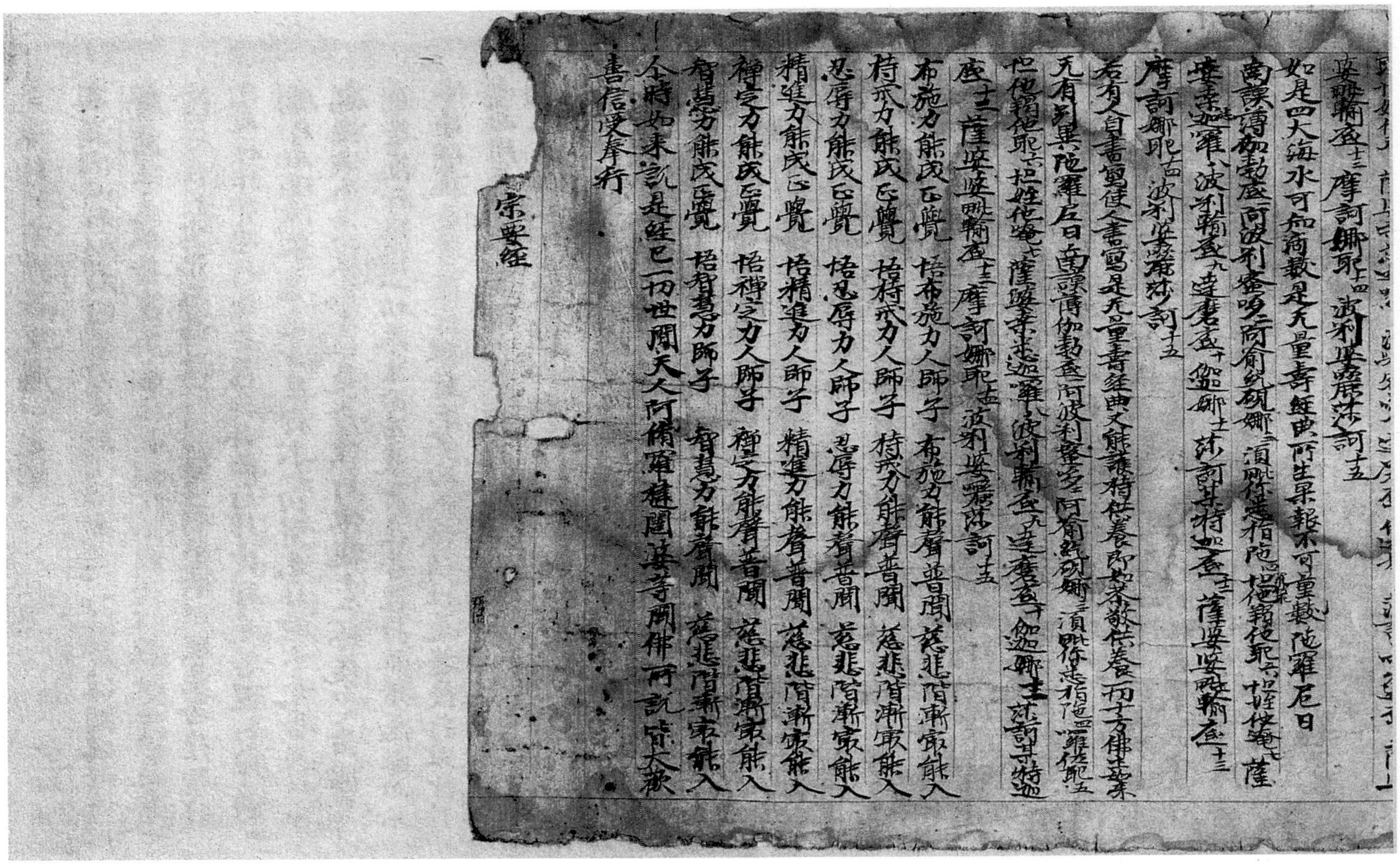

如是四大海水可知渧數 是无量壽經典 所生果報不可量數 陁羅尼曰
南謨薄伽勃底一 阿波唎蜜多二 阿俞紇硯娜三 須毗你失指陁四 囉佐耶五 怛他揭他耶六 怛姪他 唵七 薩
婆桑悉迦囉八 波唎輸底九 達磨底十 伽迦娜十一 莎訶娑木特伽底十二 薩婆婆毗輸底十三
摩訶娜耶十四 波唎婆羅莎訶十五
若有人自書寫使人書寫是无量壽經典 又能護持供養 即如恭敬供養一切十方佛土如來
无有別異 陁羅尼曰 南謨薄伽勃底一 阿波唎蜜多二 阿俞紇硯娜三 須毗你失指陁四 囉佐耶五
怛他揭他耶六 怛姪他 唵七 薩婆桑悉迦囉八 波唎輸底九 達磨底十 伽迦娜十一 莎訶娑木特伽
底十二 薩婆婆毗輸底十三 摩訶娜耶十四 波唎婆羅莎訶十五
布施力能成正覺 悟布施力人師子 布施力能聲普聞 慈悲階漸寂能入
持戒力能成正覺 悟持戒力人師子 持戒力能聲普聞 慈悲階漸寂能入
忍辱力能成正覺 悟忍辱力人師子 忍辱力能聲普聞 慈悲階漸寂能入
精進力能成正覺 悟精進力人師子 精進力能聲普聞 慈悲階漸寂能入
禪定力能成正覺 悟禪定力人師子 禪定力能聲普聞 慈悲階漸寂能入
智慧力能成正覺 悟智慧力師子 智慧力能聲聞 慈悲階漸寂能入
今時如來說是經已 一切世間天人阿脩羅揵闥婆等 聞佛所說 皆大歡
喜信受奉行

宗要經

BD02939 號　無量壽宗要經　（7–7）

……无悲者則於生死有
疲厭心…有疲厭…不為愛見之所覆也
所生无縛能為眾生說法解…說若自有縛能解彼
縛无有是處若自无縛能…斯有是處是故菩薩不
應起縛何謂縛何謂解貪著禪味是菩薩縛以方便生是
菩薩解又无方便慧縛有方便慧解无慧方便縛有慧
方便解何謂无方便慧縛謂菩薩以愛見心莊嚴佛土
就眾生於空无相无作法中而自調伏是名无方便慧縛
謂有方便慧解謂不以愛見莊嚴佛土成就眾生於空无
无作法中以自調伏而不疲厭是名有方…謂无慧有
便縛謂菩薩住貪欲瞋恚耶見等諸煩惱而殖眾德本是名
无慧方便縛何謂有慧方便解謂離諸貪欲瞋恚耶見
等諸煩惱而殖眾德本迴向阿耨多羅三藐三菩提是名有
慧方便解文殊師利彼有疾菩薩應如是觀諸法又復觀
身无常苦空非我是名為慧雖身有疾常在生死饒益一
切而不厭倦是名方便又復觀身身不離病病不離身是病
是身非新非故是名為慧設身有病而不…
文殊師利有疾菩薩應如是調
不調伏心所以者何若住不調伏心是愚人法若住調伏心是…
聲聞法是故菩薩不當住於調伏不調伏心離此二法是菩
薩行在於生死不為汙行住於涅槃不永滅度是菩薩行非
凡夫行非賢聖行是菩薩行非垢行非淨行是菩薩行雖過

BD02940號　維摩詰所說經卷中　（17–1）

文殊師利有疾菩薩應如是調
不調伏心所以者何若住不調伏心是愚人法若住調伏心是
聲聞法是故菩薩不當住於調伏不調伏心離此二法是菩
薩行在於生死不為汙行住於涅槃不永滅度是菩薩行非
凡夫行非賢聖行是菩薩行非垢行非淨行是菩薩行雖過
魔行而現降眾魔是菩薩行求一切智无非時求是菩薩行雖
觀諸法不生而不入正位是菩薩行雖觀十二緣起而入諸耶見
是菩薩行雖攝一切眾生而不愛著是菩薩行雖樂遠離而不
依身心盡是菩薩行雖行三界而不壞法性是菩薩行雖行於
空而殖眾德本是菩薩行雖行无相而度眾生是菩薩行雖行
无作而現受身是菩薩行雖行无起而起一切善行是菩薩行雖
行六波羅蜜而遍知眾生心心數法是菩薩行雖行六通而不盡
漏是菩薩行雖行四无量心而不貪著生於梵世是菩薩行雖
行禪定解脫三昧而不隨禪生是菩薩行雖行四念處而不永離
身受心法是菩薩行雖行四正懃而不捨身心精進是菩薩行雖
行四如意足而得自在神通是菩薩行雖行五根而分別眾生諸根
利鈍是菩薩行雖行五力而樂求佛十力是菩薩行雖行七覺
分而分別佛之智慧是菩薩行雖行八正道而樂行无量佛道是
菩薩行雖行止觀助道之法而不畢竟墮於寂滅是菩薩行雖
行諸法不生不滅而以相好莊嚴其身是菩薩行雖現聲聞辟
支佛威儀而不捨佛法是菩薩行雖隨諸法究竟淨相而隨所
應為現其身是菩薩行雖觀諸佛國土永寂如空而現種種
清淨佛土是菩薩行雖得佛道轉于法輪入於涅槃而不捨於
菩薩之道是菩薩行說是語時文殊師利所將大眾其中八千
天子皆發阿耨多羅三藐三菩提心

不思議品第六

尒時舍利弗見此室中无有床坐作是念斯諸菩薩大弟子眾當
於何坐長者維摩詰知其意語舍利弗言云何仁者為法來耶求床

BD02940號　維摩詰所說經卷中　（17–2）

清淨佛土是菩薩行雖得佛道轉於法輪入於涅槃而不捨於
菩薩之道是菩薩行說是語時文殊師利所將大衆其中八千
天子皆發阿耨多羅三藐三菩提心
不思議品第六
尒時舍利弗見此室中无有床坐作是念斯諸菩薩大弟子衆當
於何坐長者維摩詰知其意語舍利弗言云何仁者為法來耶求床
坐耶舍利弗言我為法來非為床坐維摩詰言唯舍利弗夫求法
者不貪軀命何況床坐夫求法者非有色受想行識之求非有
界入之求非有欲色无色之求唯舍利弗夫求法者不著佛求不
著法求不著衆求夫求法者无見苦求无斷集求无造盡證脩
道之求所以者何法无戲論若言我當見苦斷集證滅脩道是則
戲論非求法也唯舍利弗法名寂滅若行生滅是求生滅非求法
也法名无染若染於法乃至涅槃是則染著非求法也法无行
處若行於法是則行處非求法也法无取捨若取捨法是則取捨
非求法也法无處所若著處所是則著處非求法也法名无相若
隨相識是則求相非求法也法不可住若住於法是則住法非求法
也法不可見聞覺知若行見聞覺知是則見聞覺知非求法也法
名无為若行有為是求有為非求法也是故舍利弗若求法者於
一切法應无所求說是語時五百天子於諸法中得法眼淨尒時長
者維摩詰問文殊師利仁者遊於无量千万億阿僧祇國何等佛
土有好上妙功德成就師子之坐文殊師利言居士東方度卅六恒
河沙國有世界名須弥相其佛号須弥燈王今現在彼佛身長八万
四千由旬其師子座高八万四千由旬嚴飾第一於是長者維摩詰
現神通力即時彼佛遣三万二千師子座高廣嚴淨來入維摩詰
室諸菩薩大弟子釋梵四天王等昔所未見其室廣博悉皆包容
三万二千師子座无所妨㝵於毗耶離城及閻浮提四天下亦不迫迮
悉見如故尒時維摩詰語文殊師利就師子座與諸菩薩上人俱
坐當自立身如彼坐像其得神通菩薩即自變形為四万二千由旬

BD02940號　維摩詰所說經卷中　（17–3）

現神通力即時彼佛遣三万二千師子座高廣嚴淨來入維摩詰
室諸菩薩大弟子釋梵四天王等昔所未見其室廣博悉皆包容
三万二千師子座无所妨㝵於毗耶離城及閻浮提四天下亦不迫迮
悉見如故尒時維摩詰語文殊師利就師子座與諸菩薩上人俱
坐當自立身如彼坐像其得神通菩薩即自變形為四万二千由旬
坐師子座諸新發意菩薩及大弟子皆不能昇尒時維摩詰
語舍利弗就師子坐舍利弗言居士此座高廣吾不能昇維摩詰言
唯舍利弗為須弥燈王如來作礼乃可得坐於是新發意菩薩
及大弟子即為須弥燈王如來作礼便得坐師子座舍利弗言居
士未曾有也如是小室乃容受此高廣之坐於毗耶離城无所妨㝵
又於閻浮提聚落城邑及四天下諸天龍王鬼神宮殿亦不迫迮維
摩詰言唯舍利弗諸佛菩薩有解脫名不可思議若菩薩住是
解脫者以須弥之高廣內芥子中无所增減須弥山王本相如故而
四天王忉利諸天不覺不知己之所入唯應度者乃見須弥入芥子
中是名不可思議解脫法門又以四大海水入一毛孔不嬈魚鼈黿
鼉水性之屬而彼大海本相如故諸龍鬼神阿脩羅等不覺不知
己之所入於此衆生亦无所嬈又舍利弗住不可思議解脫菩薩斷
取三千大千世界如陶家輪著右掌中擲過恒沙世界之外其中衆
生不覺不知己之所往又復還置本處都不使人有往來想而此
世界本相如故又舍利弗或有衆生樂久住世而可度者菩薩即
演七日以為一劫令彼衆生謂之一劫或有衆生不樂久住而可度者
菩薩即促一劫以為七日令彼衆生謂之七日又舍利弗住不可思
議解脫菩薩以一切佛土嚴飾之事集在一國示於衆生又菩薩以
一佛土衆生置之右掌飛到十方遍示一切而不動本處又舍利弗
十方衆生供養諸佛之具菩薩於一毛孔皆令得見又十方國土
所有日月星宿於一毛孔普使見之又舍利弗十方世界所有諸風
菩薩悉能吸著口中而身无損外諸樹木亦不摧折又十方世界
劫盡燒時以一切火內於腹中火事如故而不為害又於下方過恒

BD02940號　維摩詰所說經卷中　（17–4）

十方衆生供養諸佛之具菩薩於一毛孔皆令得見又十方國土
所有日月星宿於一毛孔普使見之又舍利弗十方世界所有諸風
菩薩悉能吸著口中而身无損外諸樹木亦不摧折又十方世界
劫盡燒時以一切火內於腹中火事如故而不爲害又於下方過恒
河沙等諸佛世界取一佛土舉著上方過恒河沙无數世界如持
鍼鋒舉一棗葉而无所嬈又舍利弗住不可思議解脫菩薩能以
神通現作佛身或現辟支佛身或現聲聞身或現帝釋身或現梵
王身或現世主身或現轉輪王身又十方世界所有衆聲上中下音
皆能變之令作佛聲演出无常苦空无我之音及十方諸佛所說
種種之法皆於其中普令得聞舍利弗我今略說菩薩不可思議解
脫之力若廣說者窮劫不盡是時大迦葉聞說菩薩不可思議解
脫法門歎未曾有謂舍利弗譬如有人於盲者前現衆色像非彼
所見一切聲聞聞是不可思議解脫法門不能解了爲若此也智
者聞是其誰不發阿耨多羅三藐三菩提心我等何爲永絕其
根於此大乘已如敗種一切聲聞聞是不可思議解脫法門皆應號
泣聲震三千大千世界一切菩薩應大欣慶頂受此法若有菩薩
信解不可思議解脫法門者一切魔衆无如之何大迦葉說是語
時三万二千天子皆發阿耨多羅三藐三菩提心
尒時維摩詰語大迦葉仁者十方无量阿僧祇世界中作魔王者
多時是住不可思議解脫菩薩以方便力教化衆生現作魔王又
迦葉十方无量菩薩或有人從乞手足耳鼻頭目髓腦血宍皮骨
聚落城邑妻子奴婢象馬車乘金銀琉璃車渠馬瑙珊瑚虎魄真
珠珂貝衣服飲食如此乞者多是住不可思議解脫菩薩以方便
力而往試之令其堅固所以者何住不可思議解脫菩薩有威德力
故行逼迫示諸衆生如是難事凡夫下劣无有力勢不能如是逼
迫菩薩辟如龍象蹴蹋非驢所堪是名住不可思議解脫菩薩智
慧方便之門

BD02940號　維摩詰所說經卷中

珠珂貝衣服飲食如此乞者多是住不可思議解脫菩薩以方便
力而往試之令其堅固所以者何住不可思議解脫菩薩有威德力
故行逼迫示諸衆生如是難事凡夫下劣无有力勢不能如是逼
迫菩薩辟如龍象蹴蹋非驢所堪是名住不可思議解脫菩薩智
慧方便之門

觀衆生品第七

尒時文殊師利問維摩詰言菩薩云何觀衆生維摩詰言譬如幻
師見所幻人菩薩觀衆生爲若此如智者見水中月如鏡中見其面
像如熱時炎如呼聲響如空中雲如水聚沫如水上泡如芭蕉堅如
電久住如第五大如第六陰如第七情如十三入如十九界菩薩觀
衆生爲若此如无色界色如燋穀牙如須陀洹身見如阿那含入胎如
阿羅漢三毒如得忍菩薩貪恚毀禁如佛煩惱習如盲者見色
如入滅定出入息如空中鳥跡如石女兒如化人煩惱如夢所見已寤
如滅度者受身如无烟之火菩薩觀衆生爲若此
文殊師利言若菩薩作是觀者云何行慈維摩詰言菩薩作是
觀已自念我當爲衆生說如斯法是即真實慈也行寂滅慈无
所生故行不熱慈无煩惱故行等之慈等三世故行无諍慈无
所起故行不二慈內外不合故行不壞慈畢竟盡故行堅固慈
心无毀故行清淨慈諸法性淨故行无邊慈如虛空故行阿羅漢
慈破結賊故行菩薩慈安衆生故行如來慈得如相故行佛之
慈覺衆生故行自然慈无因得故行菩提慈等一味故行无比
慈斷諸愛故行大悲慈導以大乘故行无猒慈觀空无我故
行法施慈无遺惜故行持戒慈化毀禁故行忍辱慈護彼我
故行精進慈荷負衆生故行禪定慈不受味故行智慧慈无不
知時故行方便慈一切示現故行无隱慈直心清淨故行深心慈
无雜行故行无誑慈不虛假故行安樂慈令得佛樂故菩薩之慈
爲若此也

BD02940號　維摩詰所說經卷中

慈斷諸愛故行大悲慈導以大乘故行无猒慈觀空无我故
行法施慈无遺惜故行持戒慈化毀禁故行忍辱慈護彼我
故行精進慈荷負衆生故行禪定慈不受味故行智慧慈无不
知時故行方便慈一切示現故行无隱慈直心清淨故行深心慈
无雜行故行无誑慈不虛假故行安樂慈令得佛樂故菩薩之慈
爲若此也
文殊師利又問何謂爲悲答曰菩薩所作功德皆與一切衆生共
之何謂爲喜答曰有所饒益歡喜无悔何謂爲捨答曰所作福
祐无所希望文殊師利又問生死有畏菩薩當何所依維摩詰言
菩薩於生死畏中當依如來功德之力文殊師利又問菩薩欲依
如來功德之力當於何住答曰菩薩欲依如來功德力者當住度
脫一切衆生又問欲度衆生當何所除答曰欲度衆生除其煩惱
又問欲除煩惱當何所行答曰當行正念又問云何行於正念答
曰當行不生不滅又問何法不生何法不滅答曰不善不生善法
不滅又問善不善孰爲本答曰身爲本又問身孰爲本答曰
欲貪爲本又問欲貪孰爲本答曰虛妄分別爲本又問虛妄分
別孰爲本答曰顛倒想爲本又問顛倒想孰爲本答曰无住爲
本又問无住孰爲本答曰无住則无本文殊師利從无住本立一
切法
時維摩詰室有一天女見諸大人聞所說法便現其身即以天華散
諸菩薩大弟子上華至諸菩薩即皆墮落至大弟子便著不墮
一切弟子神力去華不能令去尒時天問舍利弗何故去華答曰此
華不如法是以去之天曰勿謂此華爲不如法所以者何是華无所
分別仁者自生分別想耳若於佛法出家有所分別爲不如法若无
分別是則如法觀諸菩薩華不著者以斷一切分別想故譬如人
畏時非人得其便如是弟子畏生死故色聲香味觸得其便已
離畏者一切五欲无能爲也結習未盡華著身耳結習盡者華不

BD02940 號　維摩詰所說經卷中　（17–7）

華不如法是以去之天曰勿謂此華爲不如法所以者何是華无
分別仁者自生分別想耳若於佛法出家有所分別爲不如法若无
分別是則如法觀諸菩薩華不著者以斷一切分別想故譬如人
畏時非人得其便如是弟子畏生死故色聲香味觸得其便已
離畏者一切五欲无能爲也結習未盡華著身耳結習盡者華不
著也舍利弗言天止此室其已久如答曰我止此室如耆年解脫
舍利弗言止此久耶答曰耆年解脫亦何如久舍利弗默然不答
天曰如何耆舊大智而默答曰解脫者无所言說故吾於是不知
所云天曰言說文字皆解脫相所以者何解脫者不內不外不在
兩間文字亦不內不外不在兩間是故舍利弗无離文字說解
脫也所以者何一切諸法是解脫相舍利弗言不復以離婬怒癡
爲解脫乎天曰佛爲增上慢人說離婬怒癡爲解脫耳若无增
上慢者佛說婬怒癡性即是解脫舍利弗言善哉善哉天女
汝何所得以何爲證辯乃如是天曰我无得无證故辯如是所以者
何若有得有證者則於佛法爲增上慢舍利弗問天汝於三乘
爲何志求天曰以聲聞法化衆生故我爲聲聞以因緣法化衆生
故我爲辟支佛以大悲法化衆生故我爲大乘舍利弗如人入瞻蔔
林唯嗅瞻蔔不嗅餘香如是若入此室但聞佛功德之香不樂
聞聲聞辟支佛功德香也舍利弗其有釋梵四天王諸天龍鬼
神等入此室者聞斯上人講說正法皆樂佛功德之香發心而
出舍利弗吾止此室十有二年初不聞說聲聞辟支佛法但聞
菩薩大慈大悲不可思議諸佛之法舍利弗此室常現八未曾
有難得之法何等爲八此室常以金色光耀晝夜无異不以日
月所照爲明是爲一未曾有難得之法此室入者不爲諸垢之所
惱也是爲二未曾有難得之法此室常有釋梵四天王他方菩
薩來會不絕是爲三未曾有難得之法此室常說六波羅蜜
不退轉法是爲四未曾有難得之法此室常作天人第一之樂絃

BD02940 號　維摩詰所說經卷中　（17–8）

有難得之法何等爲八此室常以金色光耀晝夜无異不以日
月所照爲明是爲一未曾有難得之法此室入者不爲諸垢之所
惱也是爲二未曾有難得之法此室常有釋梵四天王他方菩
薩來會不絶是爲三未曾有難得之法此室常說六波羅蜜
不退轉法是爲四未曾有難得之法此室常作天人第一之樂絃
出无量法化之聲是爲五未曾有難得之法此室有四大藏衆
寶積滿周窮濟乏求得无盡是爲六未曾有難得之法此室
釋迦牟尼佛阿彌陁佛阿閦佛寶德寶炎寶月寶嚴難勝師
子響一切利成如是等十方无量諸佛是上人念時即皆爲來
廣說諸佛秘要法藏說已還去是爲七未曾有難得之法此
室一切諸天嚴飾宮殿諸佛淨土皆於中現是爲八未曾有難
得之法舍利弗此室常現八未曾有難得之法誰有見斯不
思議事而復樂於聲聞法乎
舍利弗言汝何以不轉女身天曰我從十二年來求女人相了不可
得當何所轉譬如幻師化作幻女若有人問何以不轉女身是人
爲正問不舍利弗言不也幻无定相當何所轉天曰一切諸法亦復
如是无有定相云何乃問不轉女身即時天女以神通力變舍
利弗令如天女天自化身如舍利弗而問言何以不轉女身舍利
弗以天女像而荅言我今不知何轉而變爲女身天曰舍利弗若
能轉此女身則一切女人亦當能轉如舍利弗非女而現女身一切
女人亦復如是雖現女身而非女也是故佛說一切諸法非男非女
即時天女還攝神力舍利弗身還復如故天問舍利弗女身色相
今何所在舍利弗言女身色相无在无不在天曰一切諸法亦復如
是无在无不在夫无在无不在者佛所說也
舍利弗問天汝於此沒當生何所天曰佛化所生吾如彼生曰佛化
所生非沒生也天曰衆生猶然无沒生也舍利弗問天汝久如當
得阿耨多羅三藐三菩提天曰如舍利弗還爲凡夫我乃當成
阿耨多羅三藐三菩提舍利弗言我作凡夫无有是處天曰

BD02940 號　維摩詰所說經卷中

（17–9）

今何所在舍利弗言女身色相无在无不在天曰一切諸法亦復如
是无在无不在夫无在无不在者佛所說也
舍利弗問天汝於此沒當生何所天曰佛化所生吾如彼生曰佛化
所生非沒生也天曰衆生猶然无沒生也舍利弗問天汝久如當
得阿耨多羅三藐三菩提天曰如舍利弗還爲凡夫我乃當成
阿耨多羅三藐三菩提舍利弗言我作凡夫无有是處天曰
我得阿耨多羅三藐三菩提亦无是處所以者何菩提无住
處是故无有得者舍利弗言今諸佛得阿耨多羅三藐三菩
提已得當得如恒河沙皆謂何乎天曰皆以世俗文字數故說
有三世非謂菩提有去來今天曰舍利弗汝得阿羅漢道耶
曰无所得故而得天曰諸佛菩薩亦復如是无所得故而得
尒時維摩詰語舍利弗是天女曾已供養九十二億佛已能
遊戲菩薩神通所願具足得无生忍住不退轉以本願故隨
意能現教化衆生

佛道品第八

尒時文殊師利問維摩詰言菩薩云何通達佛道維摩詰言若菩
薩行於非道是爲通達佛道又問云何菩薩行於非道荅曰若菩薩行五
无間而无惱恚至于地獄无諸罪垢至于畜生无有无明憍慢等
過至于餓鬼而具足功德行色无色界道不以爲勝示行貪欲離
諸染著示行瞋恚於諸衆生无有恚㝵示行愚癡而以智慧調
伏其心示行慳貪而捨内外所有不惜身命示行毀禁而安住淨戒
乃至小罪猶懷大懼示行瞋恚而常慈忍示行懈怠而懃脩功德
示行乱意而常念定示行愚癡而通達世間出世間慧示行諂僞
而善方便隨諸經義示行憍慢而於衆生猶如橋梁示行諸煩惱
而心常清淨示入於魔而順佛智慧不隨他教示入聲聞而爲衆生
說未聞法示入辟支佛而成就大悲教化衆生示入貧窮而有寶
手功德无盡示入形殘而具諸相好以自莊嚴示入下賤而生佛種姓
中具諸功德示入羸劣醜陋而得那羅延身一切衆生之所樂見

BD02940 號　維摩詰所說經卷中

（17–10）

而善方便隨諸經義示行憍慢而於衆生猶如橋梁示行諸煩惱
而心常清淨示入於魔而順佛智慧不隨他教示入聲聞而爲衆生
說未聞法示入辟支佛而成就大悲教化衆生示入貧窮而有寶
手功德无盡示入形殘而具諸相好以自莊嚴示入下賤而生佛種姓
中具諸功德示入羸劣醜陋而得那羅延身一切衆生之所樂見
示入老病而永斷病根超越死畏示有資生而恒觀无常實无所
貪示有妻妾婇女而常遠離五欲泥現於訥鈍而成就辯才揔持
无失示入耶濟而以正濟度諸衆生現遍入諸道而斷其因緣現於涅
槃而不斷生死文殊師利菩薩能如是行於非道是爲通達佛道
於是維摩詰問文殊師利何等爲如來種文殊師利言有身爲
種无明有愛爲種貪恚癡爲種四顛倒爲種五蓋爲種六入爲種
七識處爲種八耶法爲種九惱處爲種十不善道爲種以要言之
六十二見及一切煩惱皆是佛種曰何謂也荅曰若見无爲入正位者不
能復發阿耨多羅三藐三菩提心譬如高原陸地不生蓮華卑濕
汙泥乃生此華如是見无爲法入正位者終不復能生於佛法煩惱
泥中乃有衆生起佛法耳又如殖種於空終不得生糞壤之地乃
能滋茂如是入无爲正位者不生佛法起於我見如須弥山猶能發
于阿耨多羅三藐三菩提心生佛法矣是故當知一切煩惱爲如來
種譬如不下入巨海不能得无價寶珠如是不入煩惱大海則不能
得生一切智寶
尒時大迦葉嘆言善哉善哉文殊師利快說此語誠如所言塵勞
之疇爲如來種我等今者不復堪任發阿耨多羅三藐三菩提
心乃至五无間罪猶能發意生於佛法而今我等永不能發譬
如根敗之士其於五欲不能復利如是聲聞諸結斷者於佛法中无
所復益永不志願是故文殊師利凡夫於佛法有反復而聲聞
无也所以者何凡夫聞佛法能起无上道心不斷三寶正使聲聞
終身聞佛法力无畏等永不能發无上道意
尒時會中有菩薩名普現色身問維摩詰言居士父母妻子親戚

BD02940號　維摩詰所說經卷中　（17–11）

如根敗之士其於五欲不能復利如是聲聞諸結斷者於佛法中无
所復益永不志願是故文殊師利凡夫於佛法有反復而聲聞
无也所以者何凡夫聞佛法能起无上道心不斷三寶正使聲聞
終身聞佛法力无畏等永不能發无上道意
尒時會中有菩薩名普現色身問維摩詰言居士父母妻子親戚
眷屬吏民知識悉爲是誰奴婢僮僕象馬車乘皆何所在於是
維摩詰以偈荅曰
智度菩薩母　方便以爲父　一切衆導師　无不由是生　法喜以爲妻
慈悲心爲女　善心誠實男　畢竟空寂舍　弟子衆塵勞　隨意之所轉
道品善知識　由是成正覺　諸度法等侶　四攝衆伎女　歌詠誦法言
以此爲音樂　揔持之園苑　无漏法林樹　覺意淨妙華　解脫智慧菓
八解之浴池　定水湛然滿　布以七淨華　浴此无垢人　象馬五通馳
大乘以爲車　調御以一心　遊於八正路　相具以嚴容　衆好飾其姿
慚愧之上服　深心爲華鬘　富有七財寶　教授以滋息　如所說脩行
迴向爲大利　四禪爲床坐　從於淨命生　多聞增智慧　以爲自覺音
甘露法之食　解脫味爲漿　淨心以澡浴　戒品爲塗香　摧滅煩惱賊
勇健无能踰　降伏四種魔　勝幡建道場　雖知无起滅　示彼故有生
悉現諸國土　如日无不見　供養於十方　无量億如來　諸佛及己身
无有分別想　雖知諸佛國　及與衆生空　而常脩淨土　教化於羣生
諸有衆生類　形聲及威儀　无畏力菩薩　一時能盡現　覺知衆魔事
而示隨其行　以善方便智　隨意皆能現　或示老病死　成就諸羣生
了知如幻化　通達无有㝵　或現劫盡燒　天地皆洞然　衆人有常想
照令知无常　无數億衆生　俱來請菩薩　一時到其舍　化令向佛道
經書禁呪術　工巧諸伎藝　盡現行此事　饒益諸羣生　世間衆道法
悉於中出家　因以解人惑　而不墮耶見　或作日月天　梵王世界主
或時作地水　或復作風火　劫中有疾疫　現作諸藥草　若有服之者
除病消衆毒　劫中有飢饉　現身作飲食　先救彼飢渴　却以法語人

BD02940號　維摩詰所說經卷中　（17–12）

經書禁呪術 工巧諸伎藝 盡現行此事 饒益諸羣生 世間衆道法
悉於中出家 因以解人惑 而不墮耶見 或作日月天 梵王世界主
或時作地水 或復作風火 劫中有疾疫 現作諸藥草 若有服之者
除病消衆毒 劫中有飢饉 現身作飲食 先救彼飢渴 却以法語人
劫中有刀兵 為之起慈悲 化彼諸衆生 令住无諍地 若有大戰陣
立之以等力 菩薩現威勢 降伏使安和 一切國土中 諸有地獄處
輙往到于彼 勉濟其苦惱 一切國土中 畜生相食噉 皆現生於彼
為之作利益 示受於五欲 亦復現行禪 令魔心憒乱 不能得其便
火中生蓮華 是可謂希有 在欲而行禪 希有亦如是 或現作婬女
引諸好色者 先以慾鉤牽 後令入佛智 或為邑中主 或作商人導
國師及大臣 以祐利衆生 諸有貧窮者 現作无盡藏 因以勸導之
令發菩提心 我心憍慢者 為現大力士 消伏諸貢高 令住佛上道
其有恐懼衆 居前而慰安 先施以无畏 後令發道心 或現離婬慾
為五通仙人 開導諸羣生 令住戒忍慈 見須供事者 現為作僮僕
既悅可其意 乃發以道心 隨彼之所須 得入於佛道 以善方便力
皆能給足之 如是道无量 所行无有崖 智慧无邊際 度脫无數衆
假令一切佛 於无數億劫 讚歎其功德 猶尚不能盡 誰聞如是法
不發菩提心 除彼不肖人 癡冥无智者

入不二法門品第九

尒時維摩詰謂衆菩薩言諸仁者云何菩薩入不二法門各隨所
樂說之會中有菩薩名法自在說言諸仁者生滅為二法本不
生今則无滅得此无生法忍是為入不二法門
德守菩薩曰我我所為二因有我故便有我所若无有我則无
我所是為入不二法門
不眴菩薩曰受不受為二若法不受則不可得以不可得故无取无
捨无作无行是為入不二法門
德頂菩薩曰垢淨為二見垢實性則无淨相順於滅相是為入不二
法門

BD02940號　維摩詰所說經卷中

(17–13)

我所是為入不二法門
不眴菩薩曰受不受為二若法不受則不可得以不可得故无取无
捨无作无行是為入不二法門
德頂菩薩曰垢淨為二見垢實性則无淨相順於滅相是為入不二
法門
善宿菩薩曰是動是念為二不動則无念无念即无分別通達此
者是為入不二法門
善眼菩薩曰一相无相為二若知一相即是无相亦不取无相入於
平等是為入不二法門
妙臂菩薩曰菩薩心聲聞心為二觀心相空如幻化者无菩薩
心无聲聞心是為入不二法門
弗沙菩薩曰善不善為二若不起善不善入无相際而通達者
是為入不二法門
師子菩薩曰罪福為二若達罪性則與福无異以金剛慧決了此
相无縛无解者是為入不二法門
師子意菩薩曰有漏无漏為二若得諸法等則不起漏不漏想不
著於相亦不住无相是為入不二法門
淨解菩薩曰有為无為為二若離一切數則心如虛空以清淨
慧无所㝵者是為入不二法門
那羅延菩薩曰世間出世間為二世間性空即是出世間於其中
不入不出不溢不散是為入不二法門
善意菩薩曰生死涅槃為二若見生死性則无生死无縛无解
不然不滅如是解者是為入不二法門
現見菩薩曰盡不盡為二法若究竟盡若不盡皆是无盡相
无盡相即是空空則无有盡不盡相如是入者是為入不二法門
普守菩薩曰我无我為二我尚不可得非我何可得見我實性者
不復起二是為入不二法門
電天菩薩曰明无明為二无明實性即是明明亦不可取離一切數於

BD02940號　維摩詰所說經卷中

(17–14)

現見菩薩曰盡不盡爲二法若究竟盡若不盡皆是无盡相
无盡相即是空空則无有盡不盡相如是入者是爲入不二法門
普守菩薩曰我无我爲二我尚不可得非我何可得見我實性者
不復起二是爲入不二法門
電天菩薩曰明无明爲二无明性即是明明亦不可取離一切數於
其中平等无二者是爲入不二法門
喜見菩薩曰色色空爲二色即是空非色滅空色性自空如是
受想行識識空爲二識即是空非識滅空識性自空於其中
而通達者是爲入不二法門
明相菩薩曰四種異空種異爲二四種性即是空種性如前際
後際空故中際亦空若能如是知諸種性者是爲入不二法門
妙意菩薩曰眼色爲二若知眼性於色不貪不恚不癡是名寂
滅如是耳聲鼻香舌味身觸意法爲二若知意性於法不貪
不恚不癡是名寂滅安住其中是爲入不二法門
无盡意菩薩曰布施迴向一切智爲二布施性即是迴向一切智性
如是持戒忍辱精進禪定智慧迴向一切智爲二智慧性即是
迴向一切智性於其中入一相者是爲入不二法門
深慧菩薩曰是空是无相是作无爲二空即是无相无相即是无作若空
无相无作則无心意識於一解脫門即是三解脫門者是爲入不二法
門
寂根菩薩曰佛法衆爲二佛即是法法即是衆是三寶皆无爲
相與虛空等一切法亦尒能隨此行者是爲入不二法門
心无㝵菩薩曰身身滅爲二身即是身滅所以者何見身實相者
不起見身及見滅身身與滅身无二无分別於其中不驚不懼者
是爲入不二法門
上善菩薩曰身口意善爲二是三業皆无作相身无作相即口无
作相口无作相即意无作相是三業无作相即一切法无作相能如

BD02940 號　維摩詰所說經卷中　（17–15）

寂根菩薩曰佛法衆爲二佛即是法法即是衆是三寶皆无爲
相與虛空等一切法亦尒能隨此行者是爲入不二法門
心无㝵菩薩曰身身滅爲二身即是身滅所以者何見身實相者
不起見身及見滅身身與滅身无二无分別於其中不驚不懼者
是爲入不二法門
上善菩薩曰身口意善爲二是三業皆无作相身无作相即口无
作相口无作相即意无作相是三業无作相即一切法无作相能如
是隨无作慧者是爲入不二法門
福田菩薩曰福行罪行不動行爲二三行實性即是空空則无福
无罪无不動行於此三行而不起者是爲入不二法門
華嚴菩薩曰從我起二爲二見我實相者不起二法若不住二法
則无有識无所識者是爲入不二法門
德[illegible]有所得相爲二若无所得則无取捨无取捨者是爲
入不二法門
月上菩薩曰闇與明爲二无闇无明則无有二所以者何如入滅受
想定无闇无明一切法相亦復如是於其中平等入者是爲入不二
法門
寶印手菩薩曰樂涅槃不樂世間爲二若不樂涅槃不猒世間
則无有二所以者何若有縛則有解若本无縛其誰求解无縛
无解則无樂猒是爲入不二法門
珠頂王菩薩曰正道耶道爲二住正道者則不分別是耶是正離
此二法者是爲入不二法門
樂實菩薩曰實不實爲二實見者尚不見實何況非實所以
者何非肉眼所見慧眼乃能見而此慧眼无見无不見是爲入不
二法門
如是諸菩薩各各說已問文殊師利何等是菩薩入不二法門文
殊師利曰如我意者於一切法无言无說无示无識離諸問荅是

BD02940 號　維摩詰所說經卷中　（17–16）

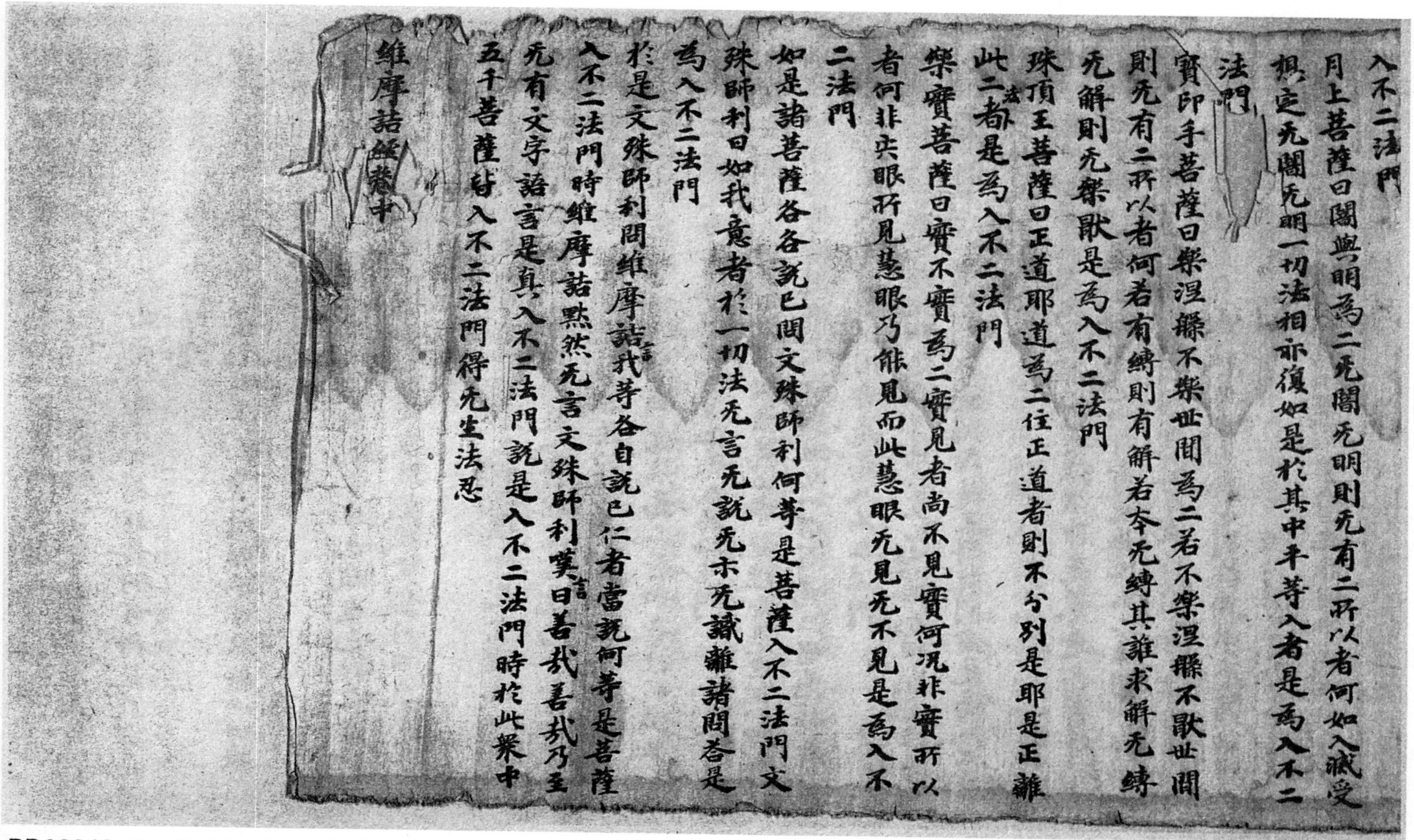

入不二法門
月上菩薩曰闇與明為二无闇无明則无有二所以者何如入滅受
想定无闇无明一切法相亦復如是於其中平等入者是為入不二
法門
寶印手菩薩曰樂涅槃不樂世間為二若不樂涅槃不猒世間
則无有二所以者何若有縛則有解若本无縛其誰求解无縛
无解則无樂猒是為入不二法門
珠頂王菩薩曰正道耶道為二住正道者則不分別是耶是正離
此二法者是為入不二法門
樂實菩薩曰實不實為二實見者尚不見實何況非實所以
者何非肉眼所見慧眼乃能見而此慧眼无見无不見是為入不
二法門
如是諸菩薩各各說已問文殊師利何等是菩薩入不二法門文
殊師利曰如我意者於一切法无言无說无示无識離諸問答是
為入不二法門
於是文殊師利問維摩詰我等各自說已仁者當說何等是菩薩
入不二法門時維摩詰黙然无言文殊師利歎曰善哉善哉乃至
无有文字語言是真入不二法門說是入不二法門時於此衆中
五千菩薩皆入不二法門得无生法忍
維摩詰經卷中

BD02940號　維摩詰所說經卷中

（17–17）

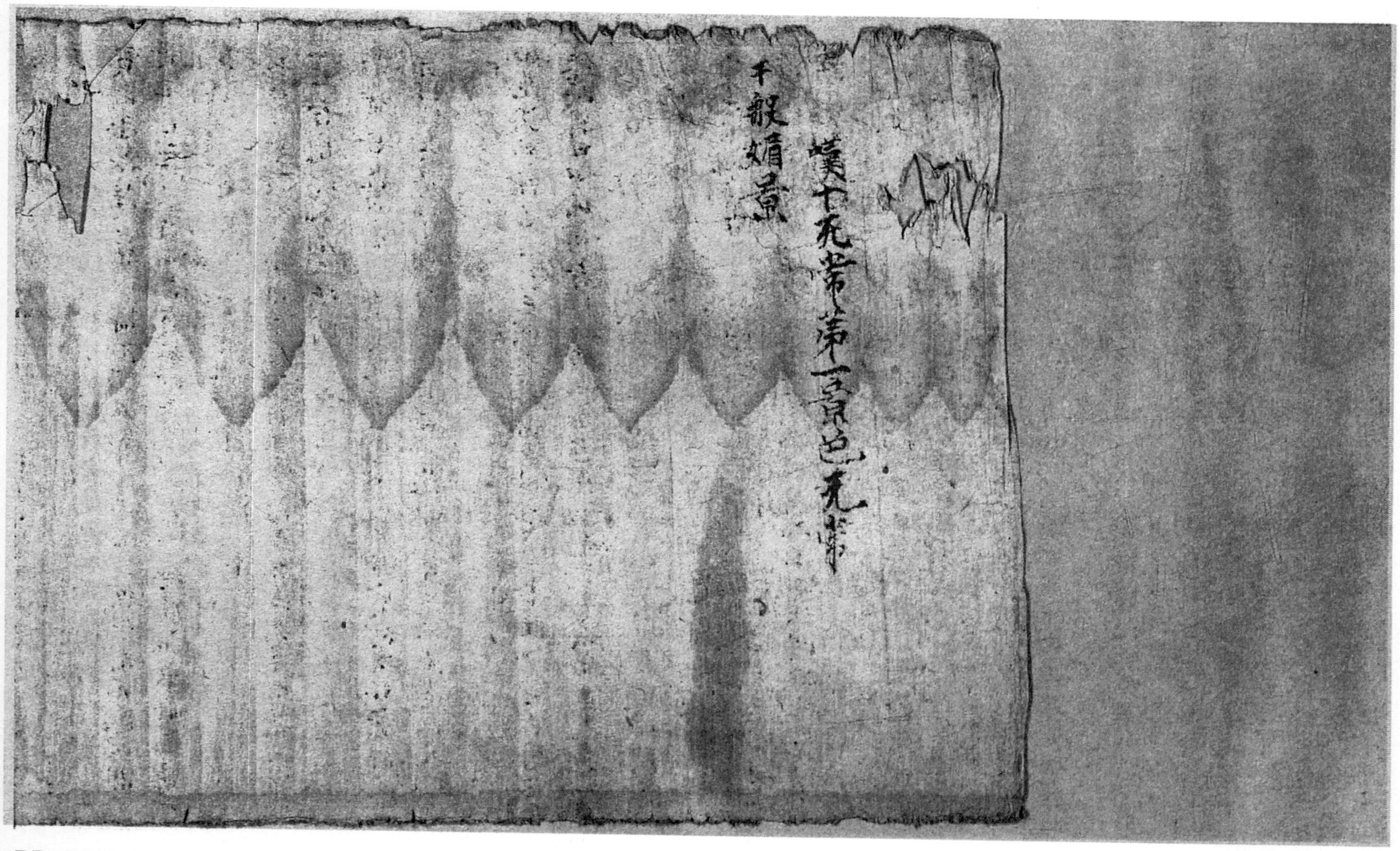

嘆十无常第一首已无常
千般婧慕

BD02940號背　雜寫

（2–1）

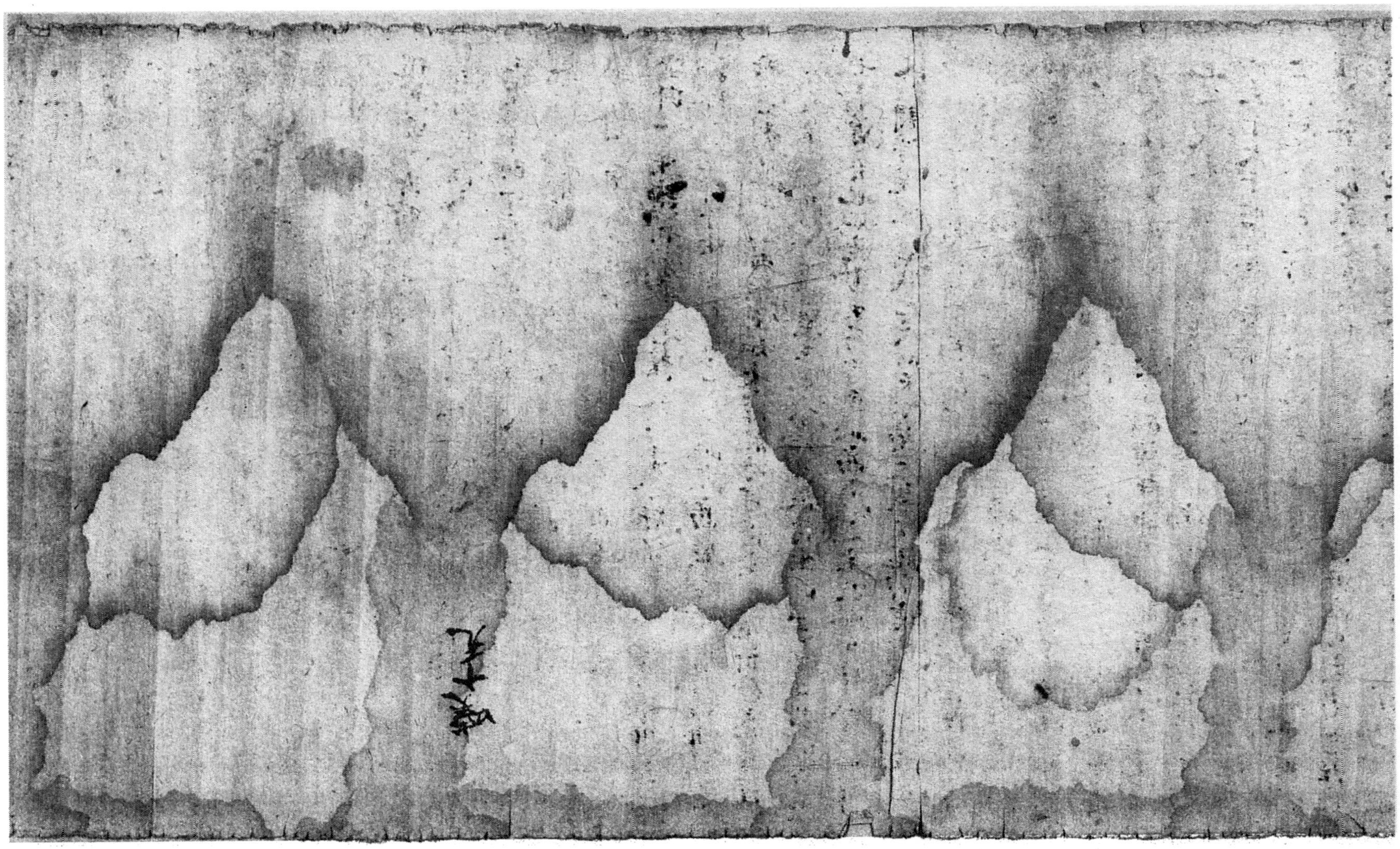

BD02940 號背　雜寫　　　（2–2）

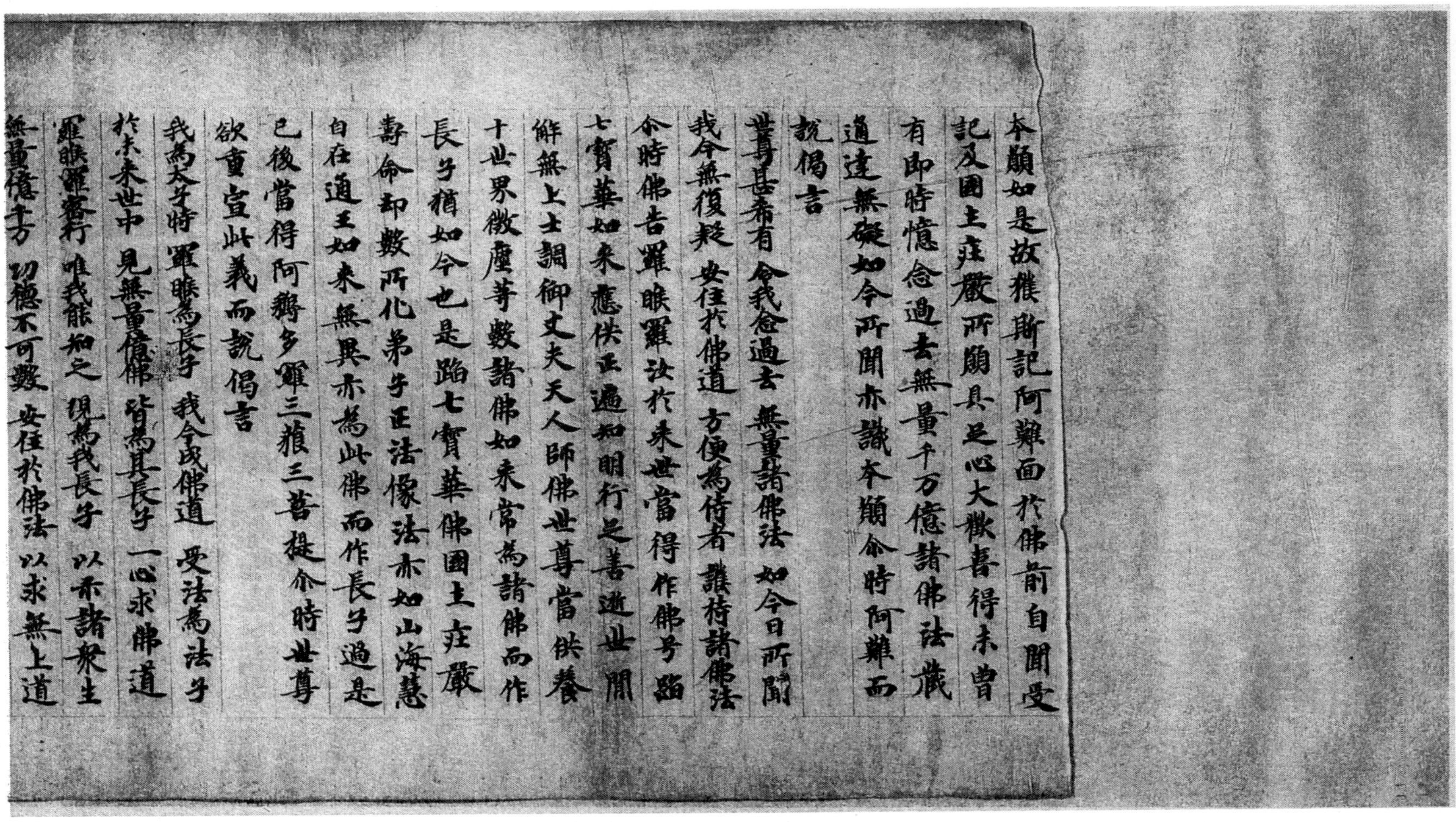

本願如是故獲斯記阿難面於佛前自聞受
記及國土莊嚴所願具足心大歡喜得未曾
有即時憶念過去無量千万億諸佛法藏
通達無礙如今所聞亦識本願尒時阿難而
說偈言
世尊甚希有　令我念過去　無量諸佛法　如今日所聞
我今無復疑　安住於佛道　方便為侍者　護持諸佛法
尒時佛告羅睺羅汝於來世當得作佛号蹈
七寶華如來應供正遍知明行足善逝世間
解無上士調御丈夫天人師佛世尊當供養
十世界微塵等數諸佛如來常為諸佛而作
長子猶如今也是蹈七寶華佛國土莊嚴
壽命劫數所化弟子正法像法亦如山海慧
自在通王如來無異亦為此佛而作長子過是
已後當得阿耨多羅三藐三菩提尒時世尊
欲重宣此義而說偈言
我為太子時　羅睺為長子　我今成佛道　受法為法子
於未來世中　見無量億佛　皆為其長子　一心求佛道
羅睺羅密行　唯我能知之　現為我長子　以示諸衆生
無量億千万　功德不可數　安住於佛法　以求無上道

BD02941 號　妙法蓮華經（八卷本）卷四　　　（15–1）

已後當得阿耨多羅三藐三菩提尒時世尊
欲重宣此義而說偈言
我為太子時　羅睺為長子　我今成佛道　受法為法子
於未來世中　見無量億佛　皆為其長子　一心求佛道
羅睺羅密行　唯我能知之　現為我長子　以示諸衆生
無量億千万　功德不可數　安住於佛法　以求無上道
尒時世尊見學無學二千人其意柔軟寂然
清淨一心觀佛佛告阿難汝見是學無學二
千人不唯然已見阿難是諸人等當供養五
十世界微塵數諸佛如來恭敬尊重護持法
藏末後同時於十方國各得成佛皆同一号名
曰寶相如來應供正遍知明行足善逝世間
解无上士調御丈夫天人師佛世尊壽命一劫
國土莊嚴聲聞菩薩正法像法皆悉同等
尒時世尊欲重宣此義而說偈言
是二千聲聞　今於我前　悉皆與授記　未來當成佛
所供養諸佛　如上說塵數　護持其法藏　後當成正覺
各於十方國　悉同一名号　俱時坐道場　以證无上慧
皆名為寶相　國土及弟子　正法與像法　悉等无有異
咸以諸神通　度十方衆生　名聞普周遍　漸入於涅槃
尒時學无學二千人聞佛授記歡喜踊躍而說
偈言
世尊慧燈明　我聞授記音　心歡喜充滿　如甘露見灌
妙法蓮華經法師品第十
尒時世尊因藥王菩薩告八萬大士藥王汝見
是大衆中无量諸天龍王夜叉乾闥婆阿脩
羅迦樓羅緊那羅摩睺羅伽人與非人及比

BD02941 號　妙法蓮華經（八卷本）卷四

（15–2）

偈言
世尊慧燈明　我聞授記音　心歡喜充滿　如甘露見灌
妙法蓮華經法師品第十
尒時世尊因藥王菩薩告八萬大士藥王汝見
是大衆中无量諸天龍王夜叉乾闥婆阿脩
羅迦樓羅緊那羅摩睺羅伽人與非人及比
丘比丘尼優婆塞優婆夷求聲聞者求辟
支佛者求佛道者如是等類咸於佛前聞妙
法華經一偈一句乃至一念隨喜者我皆與授
記當得阿耨多羅三藐三菩提佛告藥王
又如來滅度之後若有人聞妙法華經乃至
一偈一句一念隨喜者我亦與授阿耨多羅
三藐三菩提記若復有人受持讀誦解說書
寫妙法華經乃至一偈於此經卷敬視如佛種
種供養華香瓔珞抹香塗香燒香繒蓋幢幡
衣服伎樂乃至合掌恭敬藥王當知是諸
人等已曾供養十萬億佛於諸佛所成就大
願愍衆生故生此人間藥王若有人問何等
衆生於未來世當得作佛應示是諸人等於
未來世必得作佛何以故若善男子善女人
於法華經乃至一句受持讀誦解說書寫種
種供養經卷華香瓔珞抹香塗香燒香繒
蓋幢幡衣服伎樂合掌恭敬是人一切世間所
應瞻奉應以如來供養而供養之當知此人
是大菩薩成就阿耨多羅三藐三菩提哀愍
衆生願生此間廣演分別妙法華經何況盡
能受持種種供養者藥王當知是人自捨清
淨業報於我滅度後愍衆生故生於惡世廣

BD02941 號　妙法蓮華經（八卷本）卷四

（15–3）

盖幢幡衣服伎樂合掌恭敬是人一切世間所
應瞻奉應以如來供養而供養之當知此人
是大菩薩成就阿耨多羅三藐三菩提哀愍
衆生願生此間廣演分別妙法華經何况盡
能受持種種供養者藥王當知是人自捨清
淨業報於我滅度後愍衆生故生於惡世廣
演此經若是善男子善女人我滅度後能竊
為一人說法華經乃至一句當知是人則如來
使如來所遣行如來事何况於大衆中廣為
人說藥王若有惡人以不善心於一劫中現於
佛前常毀罵佛其罪尚輕若人以一惡言毀
訾在家出家讀誦法華經者其罪甚重
藥王其有讀誦法華經者當知是人以佛莊
嚴而自莊嚴則為如來肩所荷擔其所至方
應隨向礼一心合掌恭敬供養尊重讚歎華
香瓔珞抹香塗香燒香繒蓋幢幡衣服餚
饌作諸伎樂人中上供而供養之應持天寶而
以散之天上寶聚應以奉獻所以者何是人
歡喜說法須臾聞之即得究竟阿耨多羅三
藐三菩提故尒時世尊欲重宣此義而說偈
言
若欲住佛道　成就自然智　常當懃供養　受持法華者
其有欲疾得　一切種智慧　當受持是經　并供養持者
若有能受持　妙法華經者　當知佛所使　愍念諸衆生
諸有能受持　妙法華經者　捨於清淨土　愍衆故生此
當知如是人　自在所欲生　能於此惡世　廣說无上法
應以天華香　及天寶衣服　天上妙寶聚　供養說法者
吾滅後惡世　能持是經者　當合掌礼敬　如供養世尊

BD02941號　妙法蓮華經（八卷本）卷四　（15–4）

若有能受持　妙法華經者　當知佛所使　愍念諸衆生
諸有能受持　妙法華經者　捨於清淨土　愍衆故生此
當知如是人　自在所欲生　能於此惡世　廣說无上法
應以天華香　及天寶衣服　天上妙寶聚　供養說法者
吾滅後惡世　能持是經者　當合掌礼敬　如供養世尊
上饌衆甘美　及種種衣服　供養是佛子　兾得須臾聞
若能於後世　受持是經者　我遣在人中　行於如來事
若於一劫中　常懷不善心　作色而罵佛　獲无量重罪
其有讀誦持　是法華經者　須臾加惡言　其罪復過彼
有人求佛道　而於一劫中　合掌在我前　以无數偈讚
由是讚佛故　得无量功德　歎美持經者　其福復過彼
於十八億劫　以最妙色聲　及與香味觸　供養持經者
如是供養已　若得須臾聞　則應自欣慶　我今獲大利
藥王今告汝　我所說諸經　而於此經中　法華最第一
尒時佛復告藥王菩薩摩訶薩我所說經
典无量千萬億已說今說當說而於其中
此法華經最為難信難解藥王此經是諸佛
秘要之藏不可分布妄授與人諸佛世尊之所
守護從昔已來未曾顯說而此經者如來現
在猶多怨嫉况滅度後藥王當知如來滅後
其能書持讀誦供養為他人說者如來則為
以衣覆之又為他方現在諸佛之所護念是人
有大信力及志願力諸善根力當知是人與
如來共宿則為如來手摩其頭藥王在在處
處若說若讀若誦若書若經卷所住處皆
應起七寶塔極令高廣嚴飾不須復安舍
利所以者何此中已有如來全身此塔應以一切

BD02941號　妙法蓮華經（八卷本）卷四　（15–5）

如來共宿則為如來手摩其頭藥王在在處
處若說若讀若誦若書若經卷所住處皆
應起七寶塔極令高廣嚴飾不須復安舍
利所以者何此中已有如來全身此塔應以一切
華香瓔珞繒蓋幢幡伎樂歌頌供養恭敬
尊重讚歎若有人得見此塔礼拜供養當知
是等皆近阿耨多羅三藐三菩提藥王多有
人在家出家行菩薩道若不能得見聞讀誦
書持供養是法華經者當知是人未善行
菩薩道若有得聞是經典者乃能善行菩
薩之道其有衆生求佛道者若見若聞是法
華經聞已信解受持者當知是人得近阿耨
多羅三藐三菩提藥王譬如有人渴乏須水於彼
高原穿鑿求之猶見乾土知水尚遠施功不
已轉見濕土遂漸至泥其心決定知水必近菩
薩亦復如是若未聞未解未能脩習是法華
經當知是人去阿耨多羅三藐三菩提尚遠若
得聞解思惟脩習必知得近阿耨多羅三藐
三菩提所以者何一切菩薩阿耨多羅三藐
三菩提皆屬此經此經開方便門示真實
相是法華經藏深固幽遠無人能到今佛教
化成就菩薩而為開示藥王若有菩薩聞是
法華經驚疑怖畏當知是為新發意菩薩
若聲聞人聞是經驚疑怖畏當知是為增
上慢者藥王若有善男子善女人如來滅後
欲為四衆說是法華經者云何應說是善男
子善女人入如來室著如來衣坐如來座爾乃
應為四衆廣說斯經如來室者一切衆生中

BD02941號　妙法蓮華經（八卷本）卷四　（15–6）

若聲聞人聞是經驚疑怖畏當知是為增
上慢者藥王若有善男子善女人如來滅後
欲為四衆說是法華經者云何應說是善男
子善女人入如來室著如來衣坐如來座爾乃
應為四衆廣說斯經如來室者一切衆生中
大慈悲心是如來衣者柔和忍辱心是如來座
者一切法空是安住是中然後以不懈怠心為
諸菩薩及四衆廣說是法華經藥王我於
餘國遣化人為其集聽法衆亦遣化比丘比
丘尼優婆塞優婆夷聽其說法是諸化人聞
法信受隨順不逆若說法者在空閑處我
時廣遣天龍鬼神乾闥婆阿脩羅等聽其說
法我雖在異國時時令說法者得見我身若
於此經忘失句逗我還為說令得具足爾時世
尊欲重宣此義而說偈言
欲捨諸懈怠　應當聽此法　是經難得聞　信受者亦難
如人渴須水　穿鑿於高原　猶見乾燥土　知去水尚遠
漸見濕土泥　決定知近水　藥王汝當知　如是諸人等
不聞法華經　去佛智甚遠　若聞是深經　決了聲聞法
是諸經之王　聞已諦思惟　當知此人等　近於佛智慧
若人說此經　應入如來室　著於如來衣　而坐如來座
處衆無所畏　廣為分別說　大慈悲為室　柔和忍辱衣
諸法空為座　處此為說法　若說此經時　有人惡口罵
加刀杖瓦石　念佛故應忍　我千萬億土　現淨堅固身
於無量億劫　為衆生說法　若我滅度後　能說此經者
我遣化四衆　比丘比丘尼　及清信士女　供養於法師
引導諸衆生　集之令聽法　若人欲加惡　刀杖及瓦石
則遣變化人　為之作衛護　若說法之人　獨在空閑處

BD02941號　妙法蓮華經（八卷本）卷四　（15–7）

諸法空爲座　處此爲說法　若說此經時　有人惡口罵
加刀杖瓦石　念佛故應忍　我千萬億土　現淨堅固身
於無量億劫　爲衆生說法　若我滅度後　能說此經者
我遣化四衆　比丘比丘尼　及清信士女　供養於法師
引導諸衆生　集之令聽法　若人欲加惡　刀杖及瓦石
則遣變化人　爲之作衛護　若說法之人　獨在空閑處
寂寞無人聲　讀誦此經典　我尒時爲現　清淨光明身
若忘失章句　爲說令通利　若人具是德　或爲四衆說
空處讀誦經　皆得見我身　若人在空閑　我遣天龍王
夜叉鬼神等　爲作聽法衆　是人樂說法　分別無罣礙
諸佛護念故　能令大衆喜　若親近法師　速得菩薩道
隨順是師學　得見恒沙佛
妙法蓮華經見寶塔品第十一
尒時佛前有七寶塔高五百由旬縱廣二百五十
由旬從地踊出住在空中種種寶物而莊校
之五千欄楯龕室千萬無數幢幡以爲嚴
餝垂寶瓔珞寶鈴万億而懸其上四面皆出
多摩羅䟦栴檀之香充遍世界其諸幡蓋
以金銀琉璃車𤦲馬瑙真珠玫瑰七寶合成高
至四天王宮三十三天雨天曼陁羅華供養
寶塔餘諸天龍夜叉乾闥婆阿脩羅迦樓
羅緊那羅摩睺羅伽人非人等千万億衆以
一切華香瓔珞幡蓋伎樂供養寶塔恭敬
尊重讚歎尒時寶塔中出大音聲歎言善哉
善哉釋迦牟尼世尊能以平等大慧教菩薩
法佛所護念妙法華經爲大衆說如是如是釋
迦牟尼世尊如所說者皆是真實尒時四衆
見大寶塔住在空中又聞塔中所出音聲皆

BD02941 號　妙法蓮華經（八卷本）卷四　　（15-8）

尊重讚歎尒時寶塔中出大音聲歎言善哉
善哉釋迦牟尼世尊能以平等大慧教菩薩
法佛所護念妙法華經爲大衆說如是如是釋
迦牟尼世尊如所說者皆是真實尒時四衆
見大寶塔住在空中又聞塔中所出音聲皆
得法喜怪未曾有從座而起恭敬合掌却住
一面尒時有菩薩摩訶薩名大樂說知一切世
間天人阿脩羅等心之所疑而白佛言世尊以
何因緣有此寶塔從地踊出又於其中發是
音聲尒時佛告大樂說菩薩此寶塔中有
如來全身乃往過去東方無量千万億阿僧祇
世界國名寶淨彼中有佛号曰多寶其佛
行菩薩道時作大誓願若我成佛滅度之
後於十方國土有說法華經處我之塔廟爲
聽是經故踊現其前爲作證明讚言善哉彼
佛成道已臨滅度時於天人大衆中告諸
比丘我滅度後欲供養我全身者應起一大塔
其佛以神通願力十方世界在在處處若有說
法華經者彼之寶塔皆踊出其前全身在
於塔中讚言善哉善哉大樂說今多寶如
來塔聞說法華經故從地踊出讚言善哉善
哉是時大樂說菩薩以如來神力故白佛言世
尊我等願欲見此佛身佛告大樂說菩薩
摩訶薩是多寶佛有深重願若我寶塔爲
聽法華經故出於諸佛前時其有欲以我身示
四衆者彼佛分身諸佛在於十方世界說法盡
還集一處然後我身乃出現耳大樂說我分
身諸佛在於十方世界說法者今應當集大

BD02941 號　妙法蓮華經（八卷本）卷四　　（15-9）

摩訶薩是多寶佛有深重願若我寶塔
聽法華經故出於諸佛前時其有欲以我身示
四衆者彼佛分身諸佛在於十方世界說法盡
還集一處然後我身乃出現耳大樂說我分
身諸佛在於十方世界說法者今應當集大
樂說白佛言世尊我等亦願欲見世尊分身
諸佛礼拜供養尒時佛放白毫一光即見東
方五百万億那由他恒河沙等國土諸佛彼
諸國土皆以頗梨為地寶樹寶衣以為莊嚴
无數千万億菩薩充滿其中遍張寶幔寶網
羅上彼國諸佛以大妙音而說諸法及見无量
千萬億菩薩遍滿諸國為衆說法南西北方
四維上下白毫相光所照之處亦復如是尒
時十方諸佛各告衆菩薩言善男子我今應
往娑婆世界釋迦牟尼佛所并供養多寶
如來寶塔時娑婆世界即變清淨琉璃為
地寶樹莊嚴黃金為繩以界八道无諸聚落
村營城邑大海江河山川林藪燒大寶香曼
陁羅華遍布其地以寶網幔羅覆其上懸諸
寶鈴唯留此會衆移諸天人置於他土是時
諸佛各將一大菩薩以為侍者至娑婆世界
各到寶樹下一一寶樹高五百由旬枝葉華
菓次第莊嚴諸寶樹下皆有師子之座高
五由旬亦以大寶而校餝之尒時諸佛各於此
座結跏趺坐如是展轉遍滿三千大千世界
而於釋迦牟尼佛一方所分之身猶故未盡時
釋迦牟尼佛欲容受所分身諸佛故八方各更
變二百万億那由他國皆令清淨无有地獄餓

BD02941 號　妙法蓮華經（八卷本）卷四

（15–10）

五由旬亦以大寶而校餝之尒時諸佛各於此
座結跏趺坐如是展轉遍滿三千大千世界
而於釋迦牟尼佛一方所分之身猶故未盡時
釋迦牟尼佛欲容受所分身諸佛故八方各更
變二百万億那由他國皆令清淨无有地獄餓
鬼畜生及阿脩羅又移諸天人置於他土所
化之國亦以琉璃為地寶樹莊嚴樹高五百
由旬枝葉華菓次第嚴餝樹下皆有寶
師子座高五由旬種種諸寶以為莊校亦无
大海江河及目真隣陁山摩訶目真隣陁山
鐵圍山大鐵圍山須弥山等諸山王通為一佛國
土寶地平正寶交露幔遍覆其上懸諸
幡蓋燒大寶香諸天寶華遍布其地釋迦
牟尼佛為諸佛當來坐故復於八方各變二
百万億那由他國皆令清淨无有地獄餓鬼
畜生及阿脩羅又移諸天人置於他土所化之
國亦以琉璃為地寶樹莊嚴樹高五百由旬
枝葉華菓次第莊嚴樹下皆有寶師子
座高五由旬亦以大寶而校餝之亦无大海江
河及目真隣陁山摩訶目真隣陁山鐵圍山
大鐵圍山須弥山等諸山王通為一佛國土寶
地平正寶交露幔遍覆其上懸諸幡蓋燒
大寶香諸天寶華遍布其地尒時東方釋迦
牟尼佛所分之身百千万億那由他恒河沙等
國土中諸佛各各說法來集於此如是次第十
方諸佛皆悉來集坐於八方尒時一一方四百万
億那由他國土諸佛如來遍滿其中是時諸
佛各在寶樹下坐師子座皆遣侍者問訊釋

BD02941 號　妙法蓮華經（八卷本）卷四

（15–11）

牟尼佛所分之身百千万億那由他恒河沙等
國土中諸佛各各說法来集於此如是次第十
方諸佛皆悉来集坐於八方尒時一一方四百万
億那由他國土諸佛如来遍滿其中是時諸
佛各在寶樹下坐師子座皆遣侍者問訊釋
迦牟尼佛各齎寶華滿掬而告之言善男子
汝往詣耆闍崛山釋迦牟尼佛所如我辭曰
少病少惱氣力安樂及菩薩聲聞衆悉安
隱不以此寶華散佛供養而作是言彼某甲
佛與欲開此寶塔諸佛遣使亦復如是尒時
釋迦牟尼佛見所分身諸佛悉已来集各各
坐於師子之座皆聞諸佛與欲同開寶塔即
從座起住虛空中一切四衆起立合掌一心觀佛
於是釋迦牟尼佛以右指開七寶塔戶出大
音聲如却關鑰開大城門即時一切衆會皆
見多寶如来於寶塔中坐師子座全身不散
如入禪定又聞其言善哉善哉釋迦牟尼佛
快說是法華經我為聽是經故而来至此尒
時四衆等見過去无量千万億劫滅度佛說
如是言歎未曾有以天寶華聚散多寶佛及
釋迦牟尼佛上尒時多寶佛於寶塔中分半
座與釋迦牟尼佛而作是言釋迦牟尼佛可
就此座即時釋迦牟尼佛入其塔中坐其半
座結加趺坐尒時大衆見二如来在七寶塔
中師子座上結加趺坐各作是念佛座高遠
唯願如来以神通力令我等輩俱處虛空即
時釋迦牟尼佛以神通力接諸大衆皆在虛空

BD02941號　妙法蓮華經（八卷本）卷四　（15–12）

座結加趺坐尒時大衆見二如来在七寶塔
中師子座上結加趺坐各作是念佛座高遠
唯願如来以神通力令我等輩俱處虛空即
時釋迦牟尼佛以神通力接諸大衆皆在虛空
以大音聲普告四衆誰能於此娑婆國土廣
說妙法華經今正是時如来不久當入涅槃佛
欲以此妙法華經付囑有在尒時世尊欲重
宣此義而說偈言
聖主世尊　雖久滅度　在寶塔中　尚為法来
諸人云何　不懃為法　此佛滅度　无央數劫
處處聽法　以難遇故　彼佛本願　我滅度後
在在所往　常為聽法　又我分身　无量諸佛
如恒沙等　来欲聽法　及見滅度　多寶如来
各捨妙土　及弟子衆　天人龍神　諸供養事
令法久住　故来至此　為坐諸佛　以神通力
移无量衆　令國清淨　諸佛各各　詣寶樹下
如清淨池　蓮華莊嚴　其寶樹下　諸師子座
佛坐其上　光明嚴飾　如夜暗中　然大炬火
身出妙音　遍十方國　衆生蒙薰　喜不自勝
譬如大風　吹小樹枝　以是方便　令法久住
告諸大衆　我滅度後　誰能護持　讀說斯經
今於佛前　自說誓言　其多寶佛　雖久滅度
以大誓願　而師子吼　多寶如来　及與我身
所集化佛　當知此意　諸佛子等　誰能護法
當發大願　令得久住　其有能護　此經法者
則為供養　我及多寶　此多寶佛　處於寶塔
常遊十方　為是經故　亦復供養　諸来化佛

BD02941號　妙法蓮華經（八卷本）卷四　（15–13）

而集化佛　當知此意　諸佛子等　誰能護法
當發大願　令得久住　其有能護　此經法者
則為供養　我及多寶　此多寶佛　處於寶塔
常遊十方　為是經故　亦復供養　諸來化佛
莊嚴光飾　諸世界者　若說此經　則為見我
多寶如來　及諸化佛　諸善男子　各諦思惟
此為難事　宜發大願　諸餘經典　數如恒沙
雖說此等　未足為難　若接須彌　擲置他方
无數佛土　亦未為難　若以足指　動大千界
遠擲他國　亦未為難　若立有頂　為衆演說
无量餘經　亦未為難　若佛滅後　於惡世中
能說此經　是則為難　假使有人　手把虛空
而以遊行　亦未為難　於我滅後　若自書持
若使人書　是則為難　若以大地　置足甲上
昇於梵天　亦未為難　佛滅度後　於惡世中
蹔讀此經　是則為難　假使劫燒　擔負乾草
入中不燒　亦未為難　我滅度後　若持此經
為一人說　是則為難　若持八萬　四千法藏
十二部經　為人演說　令諸聽者　得六神通
雖能如是　亦未為難　於我滅後　聽受此經
問其義趣　是則為難　若人說法　令千万億
无量无數　恒沙衆生　得阿羅漢　具六神通
雖有是益　亦未為難　於我滅後　若能奉持
如斯經典　是則為難　我為佛道　於无量土
從始至今　廣說諸經　而於其中　此經第一
若有能持　則持佛身　諸善男子　於我滅後
誰能受持　讀誦此經　令於佛前　自說誓言
此經難持　若暫持者　我則歡喜　諸佛亦然

BD02941號　妙法蓮華經（八卷本）卷四　　（15–14）

十二部經　為人演說　令諸聽者　得六神通
雖能如是　亦未為難　於我滅後　聽受此經
問其義趣　是則為難　若人說法　令千万億
无量无數　恒沙衆生　得阿羅漢　具六神通
雖有是益　亦未為難　於我滅後　若能奉持
如斯經典　是則為難　我為佛道　於无量土
從始至今　廣說諸經　而於其中　此經第一
若有能持　則持佛身　諸善男子　於我滅後
誰能受持　讀誦此經　令於佛前　自說誓言
此經難持　若暫持者　我則歡喜　諸佛亦然
如是之人　諸佛所歎　是則勇猛　是則精進
是名持戒　行頭陀者　則為疾得　无上佛道
能於來世　讀持此經　是真佛子　住淳善地
佛滅度後　能解其義　是諸天人　世間之眼
於恐畏世　能須臾說　一切天人　皆應供養

妙法蓮華經卷第四

BD02941號　妙法蓮華經（八卷本）卷四　　（15–15）

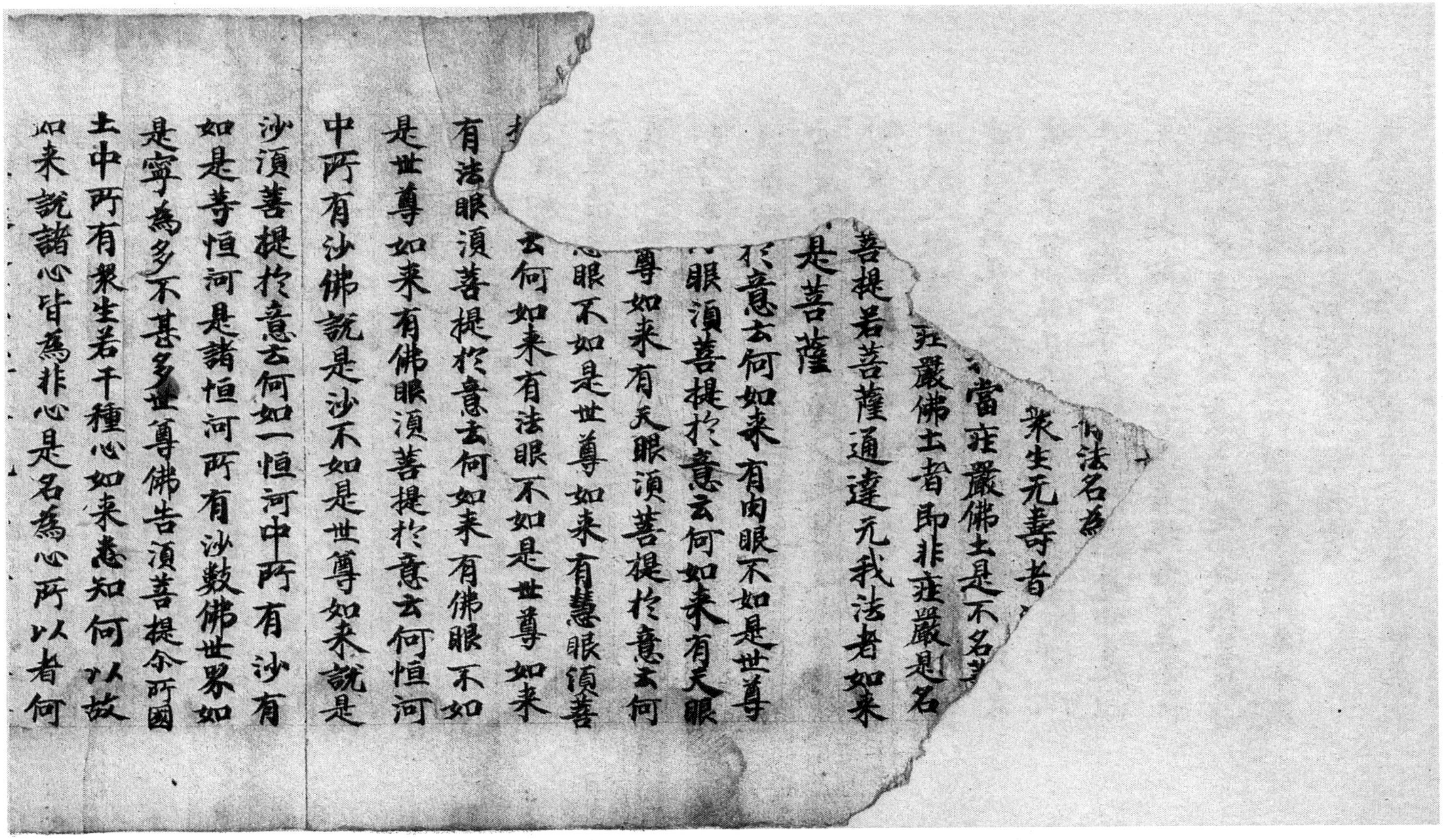

法名為
衆生无壽者
當莊嚴佛土是不名菩
莊嚴佛土者即非莊嚴是名
菩提若菩薩通達无我法者如來
是菩薩
於意云何如來有肉眼不如是世尊
眼須菩提於意云何如來有天眼
尊如來有天眼須菩提於意云何
心眼不如是世尊如來有慧眼須菩
云何如來有法眼不如是世尊如來
有法眼須菩提於意云何如來有佛眼不如
是世尊如來有佛眼須菩提於意云何恒河
中所有沙佛說是沙不如是世尊如來說是
沙須菩提於意云何如一恒河中所有沙有
如是等恒河是諸恒河所有沙數佛世界如
是寧為多不甚多世尊佛告須菩提尒所國
土中所有衆生若干種心如來悉知何以故
如來說諸心皆為非心是名為心所以者何

BD02942 號　金剛般若波羅蜜經　（6–1）

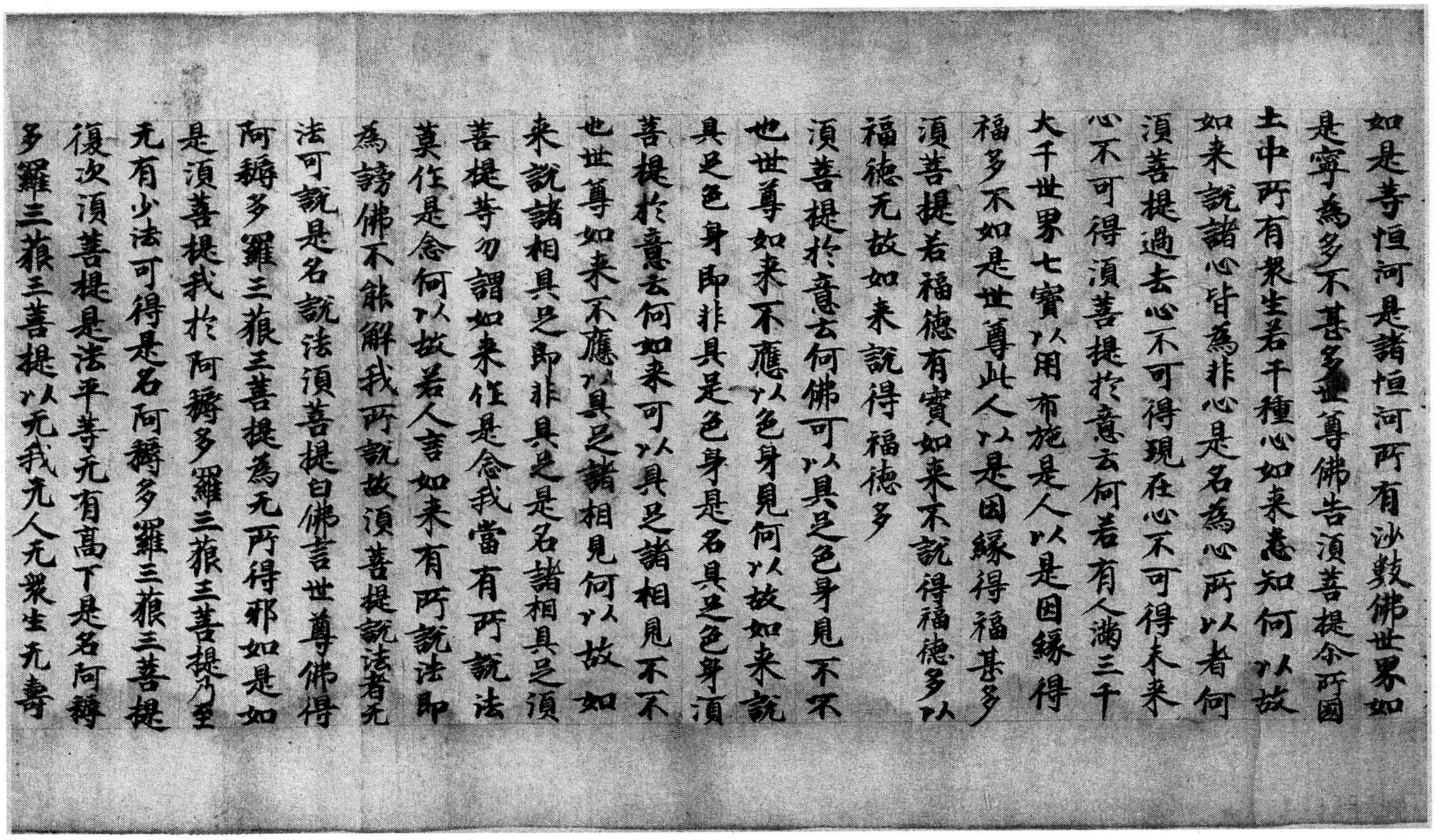

如是等恒河是諸恒河所有沙數佛世界如
是寧為多不甚多世尊佛告須菩提尒所國
土中所有衆生若干種心如來悉知何以故
如來說諸心皆為非心是名為心所以者何
須菩提過去心不可得現在心不可得未來
心不可得須菩提於意云何若有人滿三千
大千世界七寶以用布施是人以是因緣得
福多不如是世尊此人以是因緣得福甚多
須菩提若福德有實如來不說得福德多以
福德无故如來說得福德多
須菩提於意云何佛可以具足色身見不不
也世尊如來不應以色身見何以故如來說
具足色身即非具足色身是名具足色身須
菩提於意云何如來可以具足諸相見不不
也世尊如來不應以具足諸相見何以故如
來說諸相具足即非具足是名諸相具足須
菩提汝勿謂如來作是念我當有所說法
莫作是念何以故若人言如來有所說法即
為謗佛不能解我所說故須菩提說法者无
法可說是名說法須菩提白佛言世尊佛得
阿耨多羅三藐三菩提為无所得耶如是如
是須菩提我於阿耨多羅三藐三菩提乃至
无有少法可得是名阿耨多羅三藐三菩提
復次須菩提是法平等无有高下是名阿耨
多羅三藐三菩提以无我无人无衆生无壽

BD02942 號　金剛般若波羅蜜經　（6–2）

阿耨多羅三藐三菩提為无所得耶如是如
是須菩提我於阿耨多羅三藐三菩提乃至
无有少法可得是名阿耨多羅三藐三菩提
復次須菩提是法平等无有高下是名阿耨
多羅三藐三菩提以无我无人无衆生无壽
者脩一切善法則得阿耨多羅三藐三菩提
須菩提所言善法者如来說非善法是名善
法須菩提若三千大千世界中所有諸須弥
山王如是等七寶聚有人持用布施若人以
此般若波羅蜜經乃至四句偈等受持讀誦
為他人說於前福德百分不及一百千万億
分乃至笇數譬喻所不能及
須菩提於意云何汝等勿謂如来作是念我
當度衆生須菩提莫作是念何以故實无有
衆生如来度者若有衆生如来度者如来則
有我人衆生壽者須菩提如来說有我者則
非有我而凡夫之人以為有我須菩提凡夫
者如来說則非凡夫須菩提於意云何可以
三十二相觀如来不須菩提言如是如是以
三十二相觀如来佛言須菩提若以三十二
相觀如来者轉輪聖王則是如来須菩提白
佛言世尊如我解佛所說義不應以三十二
相觀如来尒時世尊而說偈言
若以色見我　以音聲求我　是人行邪道　不能見如来

BD02942 號　金剛般若波羅蜜經

（6–3）

佛言世尊如我解佛所說義不應以三十二
相觀如来尒時世尊而說偈言
若以色見我　以音聲求我　是人行邪道　不能見如来
須菩提汝若作是念如来不以具足相故得
阿耨多羅三藐三菩提須菩提莫作是念如
来不以具足相故得阿耨多羅三藐三菩提
須菩提汝若作是念發阿耨多羅三藐三菩
提者說諸法斷滅相莫作是念何以故發阿
耨多羅三藐三菩提者於法不說斷滅相
須菩提若菩薩以滿恒河沙等世界七寶布
施若復有人知一切法无我得成於忍此
菩薩勝前菩薩所得功德須菩提以諸菩薩
不受福德故須菩提白佛言世尊云何菩薩
不受福德須菩提菩薩所作福德不應貪著
是故說不受福德須菩提若有人言如来若
来若去若坐若卧是人不解我所說義何以
故如来者无所從来亦无所去故名如来
須菩提若善男子善女人以三千大千世界
碎為微塵於意云何是微塵衆寧為多不甚
多世尊何以故若是微塵衆實有者佛則不
說是微塵衆所以者何佛說微塵衆則非微
塵衆是名微塵衆世尊如来所說三千大千
世界則非世界是名世界何以故若世界實
有者則是一合相如来說一合相則非一合

BD02942 號　金剛般若波羅蜜經

（6–4）

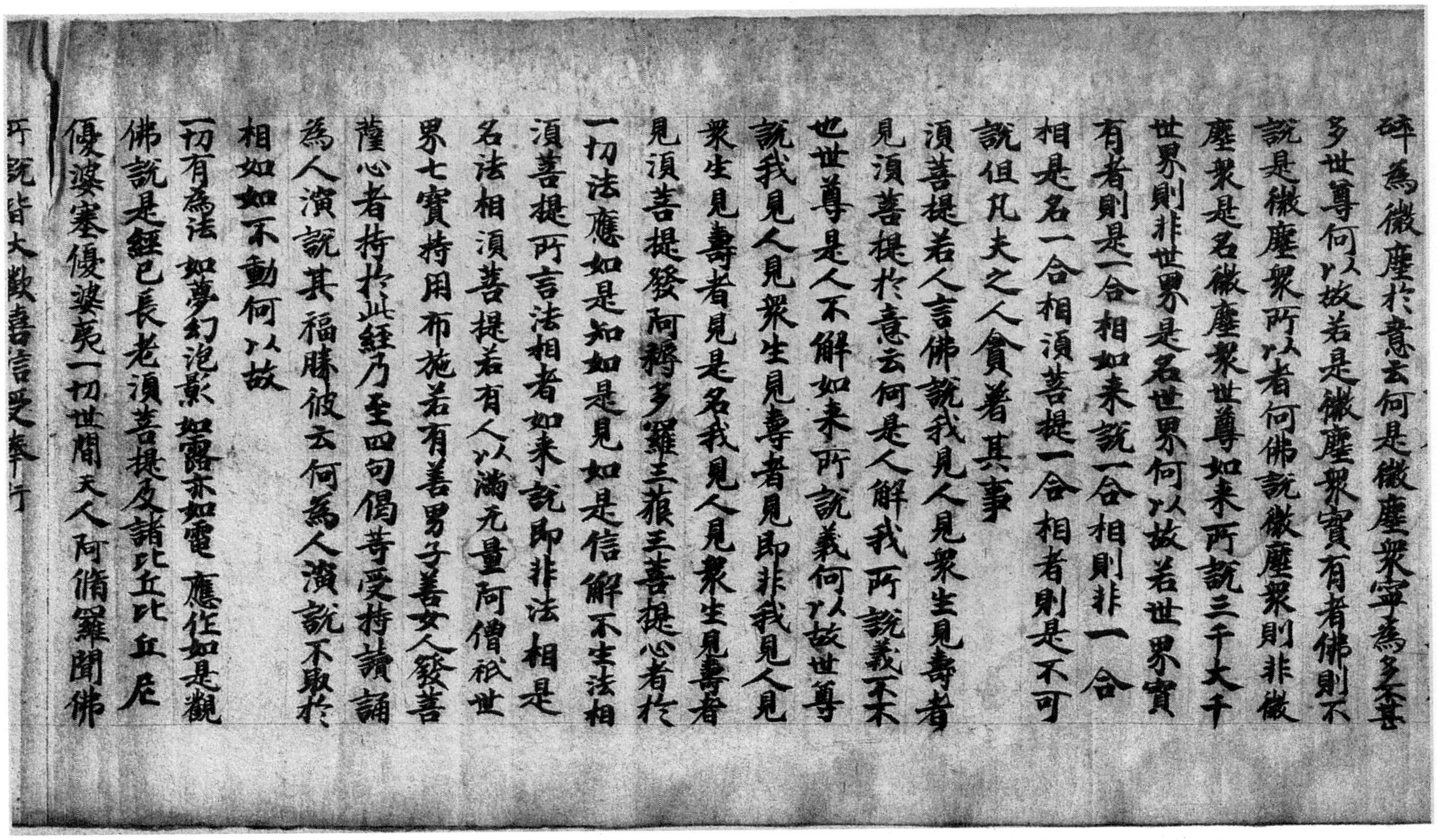

碎為微塵於意云何是微塵衆寧為多不甚
多世尊何以故若是微塵衆實有者佛則不
說是微塵衆所以者何佛說微塵衆則非微
塵衆是名微塵衆世尊如來所說三千大千
世界則非世界是名世界何以故若世界實
有者則是一合相如來說一合相則非一合
相是名一合相須菩提一合相者則是不可
說但凡夫之人貪著其事
須菩提若人言佛說我見人見衆生見壽者
見須菩提於意云何是人解我所說義不不
也世尊是人不解如來所說義何以故世尊
說我見人見衆生見壽者見即非我見人見
衆生見壽者見是名我見人見衆生見壽者
見須菩提發阿耨多羅三藐三菩提心者於
一切法應如是知如是見如是信解不生法相
須菩提所言法相者如來說即非法相是
名法相須菩提若有人以滿无量阿僧祇世
界七寶持用布施若有善男子善女人發菩
薩心者持於此經乃至四句偈等受持讀誦
為人演說其福勝彼云何為人演說不取於
相如如不動何以故
一切有為法 如夢幻泡影 如露亦如電 應作如是觀
佛說是經已長老須菩提及諸比丘比丘尼
優婆塞優婆夷一切世間天人阿脩羅聞佛
所說皆大歡喜信受奉行

BD02942 號　金剛般若波羅蜜經　（6–5）

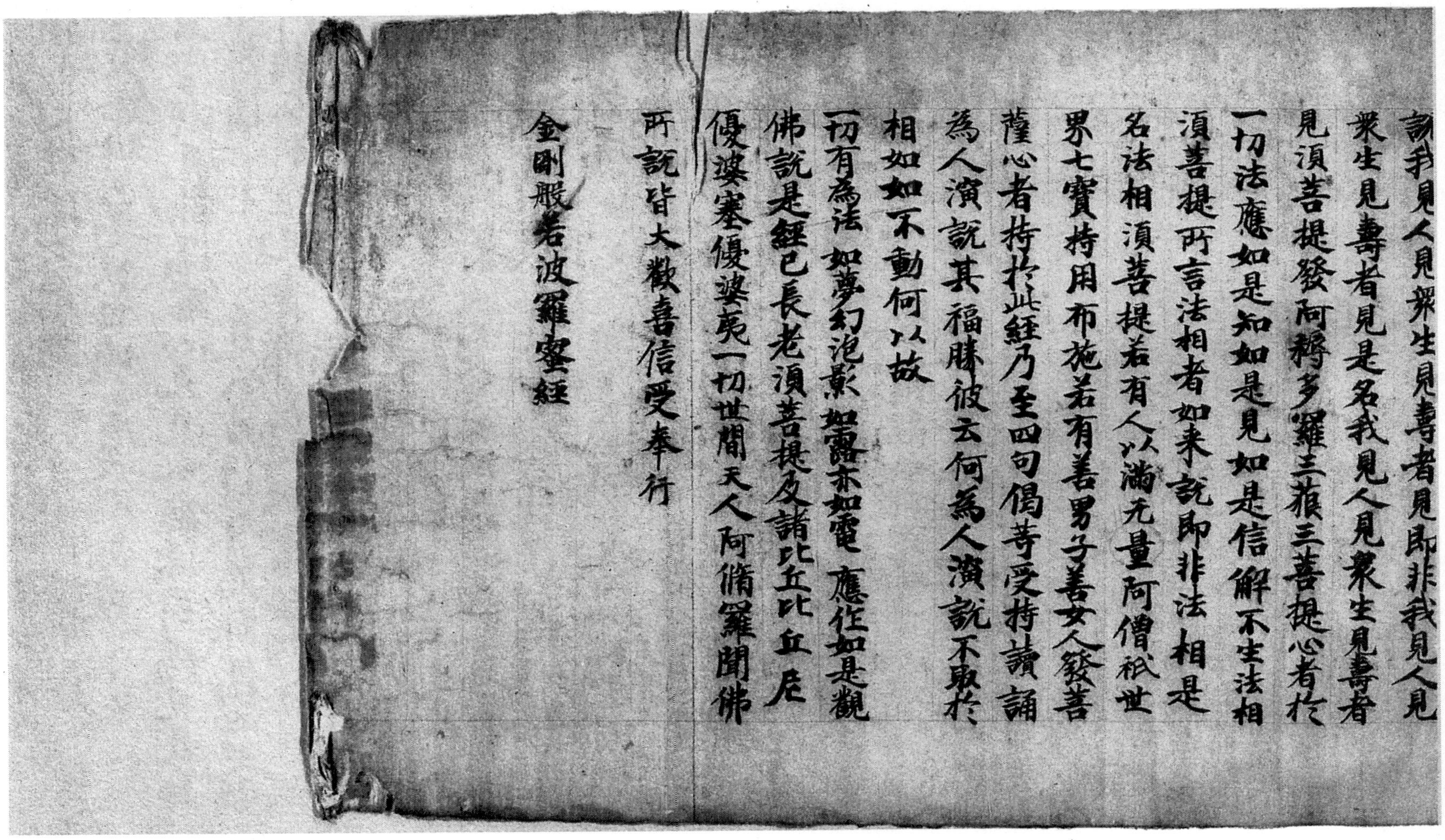

說我見人見衆生見壽者見即非我見人見
衆生見壽者見是名我見人見衆生見壽者
見須菩提發阿耨多羅三藐三菩提心者於
一切法應如是知如是見如是信解不生法相
須菩提所言法相者如來說即非法相是
名法相須菩提若有人以滿无量阿僧祇世
界七寶持用布施若有善男子善女人發菩
薩心者持於此經乃至四句偈等受持讀誦
為人演說其福勝彼云何為人演說不取於
相如如不動何以故
一切有為法 如夢幻泡影 如露亦如電 應作如是觀
佛說是經已長老須菩提及諸比丘比丘尼
優婆塞優婆夷一切世間天人阿脩羅聞佛
所說皆大歡喜信受奉行
金剛般若波羅蜜經

BD02942 號　金剛般若波羅蜜經　（6–6）

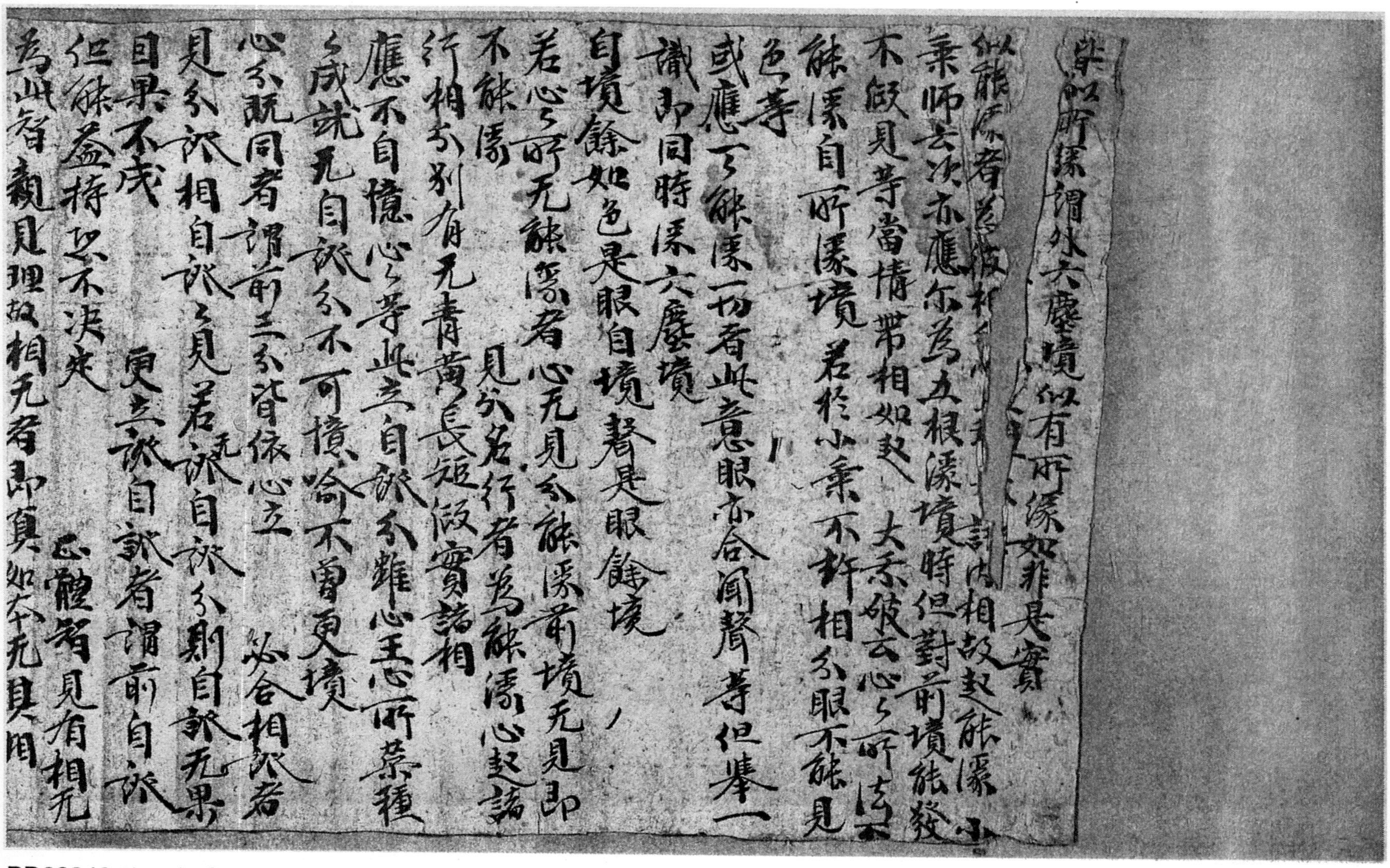

緣似所緣謂外六塵境似有所緣如非是實
似能緣者謂於根……計內相故起能緣
乘師云決亦應爾為五根緣境時但對前境能發
不假見等當情帶相如起 大示頌云心心所法
能緣自所緣境 若於小乘不許相分眼不能見
色等
或應下能緣一切者此意眼亦合聞聲等但舉一
識即同時緣六塵境
自境餘如色是眼自境聲是眼餘境
若心心所无能緣者心无見分能緣前境无見即
不能緣 見分名行者為能緣心起諸
行相分別有无青黃長短假實諸相
應不自憶心心等此立自證分雖心王心所集種
成就无自證分不可憶念不曾更境
心分既同者謂前三分皆依心立 必合相證者
見分證相自證證見若无證自證分則自證无果
自果不成
但能益持恐不決定 更立證自證者謂前自證
為此智親見理故相无者即真如本无其相 正體智見有相无

BD02943號　大乘百法明門論開宗義記疏（擬）　（2–1）

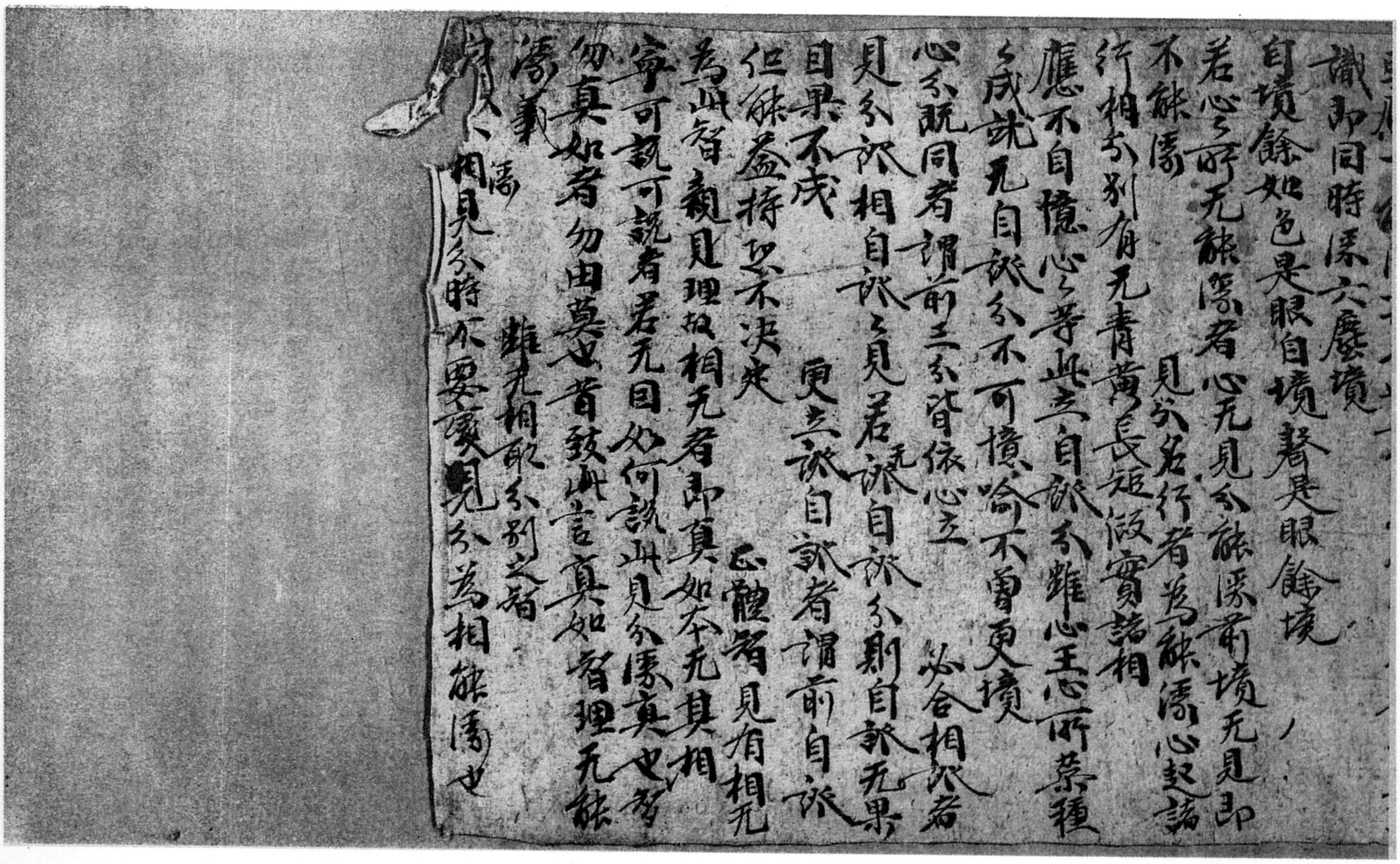

識即同時緣六塵境
自境餘如色是眼自境聲是眼餘境
若心心所无能緣者心无見分能緣前境无見即
不能緣 見分名行者為能緣心起諸
行相分別有无青黃長短假實諸相
應不自憶心心等此立自證分雖心王心所集種
成就无自證分不可憶念不曾更境
心分既同者謂前三分皆依心立 必合相證者
見分證相自證證見若无證自證分則自證无果
自果不成
但能益持恐不決定 更立證自證者謂前自證
為此智親見理故相无者即真如本无其相 正體智見有相无
實可說可說者若无因緣何說此見分緣真也 智
勿真如者勿由莫也 昔致此言真如智理无能
緣義 雖无相取分別之智
相見分時不要須見分為相能緣也

BD02943號　大乘百法明門論開宗義記疏（擬）　（2–2）

及一百千万億分乃至筭數譬喻所不能及
須菩提於意云何汝等勿謂如来作是念我
當度衆生須菩提莫作是念何以故實无有
衆生如来度者若有衆生如来度者如来則
有我人衆生壽者須菩提如来說有我者則
非有我而凡夫之人以為有我須菩提凡夫
者如来說則非凡夫須菩提於意云何可以
卅二相觀如来不須菩提言如是如是以卅三
相觀如来佛言須菩提若以卅二相觀如来
者轉輪聖王則是如来須菩提白佛言世尊
如我解所說義不應以卅二相觀如来尒時
世尊而說偈言
若以色見我　以音聲求我　是人行耶道　不能見如来
須菩提汝若作是念如来不以具足相故得
阿耨多羅三藐三菩提須菩提汝莫作是念
如来不以具足相故得阿耨多羅三藐三菩提
須菩提汝若作是念發阿耨多羅三藐三菩
提者說諸法斷滅莫作是念何以故發阿耨
多羅三藐三菩提者於法不說斷滅故須菩
提若菩薩以滿恒河沙等世界七寶布施若

BD02944 號　金剛般若波羅蜜經　（2–1）

如我解所說義不應以卅二相觀如来尒時
世尊而說偈言
若以色見我　以音聲求我　是人行耶道　不能見如来
須菩提汝若作是念如来不以具足相故得
阿耨多羅三藐三菩提須菩提汝莫作是念
如来不以具足相故得阿耨多羅三藐三菩提
須菩提汝若作是念發阿耨多羅三藐三菩
提者說諸法斷滅莫作是念何以故發阿耨
多羅三藐三菩提者於法不說斷滅故須菩
提若菩薩以滿恒河沙等世界七寶布施若
復有人知一切法无我得成於忍此菩薩勝
前菩薩所得功德須菩提以諸菩薩不受福
德須菩提菩薩所作福德不應貪著是故
說不受福德須菩提若有人言如来若来若
去若坐若卧是人不解我所說義何以故如
来者无所從来亦无所去故名如来
須菩提若善男子善女人以三千大千世界
碎為微塵於意云何是微塵衆寧為多不甚

BD02944 號　金剛般若波羅蜜經　（2–2）

大般若波羅蜜多經卷第一百九十三
初分難信解品第卅四之十二　三藏法師玄奘奉　詔譯
復次善現意生清淨即色清淨色清淨即
意生清淨何以故是意生清淨與色清淨无
二无二分无別无斷故意生清淨即受想行識
清淨受想行識清淨即意生清淨何以故是
意生清淨與受想行識清淨无二无二分无
別无斷故善現意生清淨即眼處清淨眼
清淨即意生清淨何以故是意生清淨與眼
處清淨无二无二分无別无斷故意生清淨
即耳鼻舌身意處清淨耳鼻舌身意處清淨
即意生清淨何以故是意生清淨與耳鼻舌
身意處清淨无二无二分无別无斷故善現
意生清淨即色處清淨色處清淨即意生
清淨何以故是意生清淨與色處清淨无二无
二分无別无斷故意生清淨即聲香味觸法
處清淨聲香味觸法處清淨即意生清淨何
以故是意生清淨與聲香味觸法處清淨无

BD02945 號　大般若波羅蜜多經卷一九三　（7–1）

別无斷故善現意生清淨即眼處清淨眼
清淨即意生清淨何以故是意生清淨與眼
處清淨无二无二分无別无斷故意生清淨
即耳鼻舌身意處清淨耳鼻舌身意處清淨
即意生清淨何以故是意生清淨與耳鼻舌
身意處清淨无二无二分无別无斷故善現
意生清淨即色處清淨色處清淨即意生
清淨何以故是意生清淨與色處清淨无二无
二分无別无斷故意生清淨即聲香味觸法
處清淨聲香味觸法處清淨即意生清淨何
以故是意生清淨與聲香味觸法處清淨无
二无二分无別无斷故善現意生清淨即眼
界清淨眼界清淨即意生清淨何以故是意
生清淨與眼界清淨无二无二分无別无斷
故意生清淨即色界眼識界及眼觸眼觸
為緣所生諸受清淨色界乃至眼觸為緣所生
諸受清淨即意生清淨何以故是意生清淨
與色界乃至眼觸為緣所生諸受清淨无二
无二分无別无斷故善現意生清淨即耳界
清淨耳界清淨即意生清淨何以故是意生
清淨與耳界清淨无二无二分无別无斷故
意生清淨即聲界耳識界及耳觸耳觸為
緣所生諸受清淨聲界乃至耳觸為緣所生
諸受清淨即意生清淨何以故是意生清淨
與聲界乃至耳觸為緣所生諸受清淨无
二无二分无別无斷故善現意生清淨即鼻
界清淨鼻界清淨即意生清淨何以故是意

BD02945 號　大般若波羅蜜多經卷一九三　（7–2）

諸受清淨即意生清淨何以故是意生清淨
與聲界乃至耳觸為緣所生諸受清淨无
二无二分无別无斷故善現意生清淨即鼻
界清淨鼻界清淨即意生清淨何以故是意
生清淨與鼻界清淨无二无二分无別无
斷故意生清淨即香界鼻識界及鼻觸鼻
觸為緣所生諸受清淨香界乃至鼻觸為
緣所生諸受清淨即意生清淨何以故是意
生清淨與香界乃至鼻觸為緣所生諸受清
淨无二无二分无別无斷故善現意生清淨
即舌界清淨舌界清淨即意生清淨何以
故是意生清淨與舌界清淨无二无二分无
別无斷故意生清淨即味界舌識界及舌觸
舌觸為緣所生諸受清淨味界乃至舌觸為
緣所生諸受清淨即意生清淨何以故是意
生清淨與味界乃至舌觸為緣所生諸受清
淨无二无二分无別无斷故善現意生清淨
即身界清淨身界清淨即意生清淨何以故
是意生清淨與身界猜淨无二无二分无別
无斷故意生清淨即觸界身識界及身觸身
觸為緣所生諸受清淨觸界乃至身觸為
緣所生諸受清淨即意生清淨何以故是意
生清淨與觸界乃至身觸為緣所生諸受清
淨无二无二分无別无斷故善現意生清淨
即意界清淨意界清淨即意生清淨何以故
是意生清淨與意界清淨无二无二分无別

BD02945號　大般若波羅蜜多經卷一九三　（7–3）

生清淨與觸界乃至身觸為緣所生諸受清
淨无二无二分无別无斷故善現意生清淨
即意界清淨意界清淨即意生清淨何以故
是意生清淨與意界清淨无二无二分无別
无斷故意生清淨即法界意識界及意觸意
觸為緣所生諸受清淨法界乃至意觸為
緣所生諸受清淨即意生清淨何以故是意
生清淨與法界乃至意觸為緣所生諸受清
淨无二无二分无別无斷故善現意生清淨即
地界清淨地界清淨即意生清淨何以故是
意生清淨與地界清淨无二无二分无別无
斷故意生清淨即水火風空識界清淨水火
風空識界清淨即意生清淨何以故是意生
清淨與水火風空識界清淨无二无二分无
別无斷故善現意生清淨即无明清淨无明
清淨即意生清淨何以故是意生清淨與无
明清淨无二无二分无別无斷故意生清淨
即行識名色六處觸受愛取有生老死愁歎
苦憂惱清淨行乃至老死愁歎苦憂惱清淨
即意生清淨何以故是意生清淨與行乃至
老死愁歎苦憂惱清淨无二无二分无別无
斷故善現意生清淨即布施波羅蜜多清
淨布施波羅蜜多清淨即意生清淨何以故
是意生清淨與布施波羅蜜多猜淨无二无
二分无別无斷故意生清淨即淨戒安忍精
進靜慮般若波羅蜜多清淨淨戒乃至般若波
羅蜜多清淨即意生清淨何以故是意生清

BD02945號　大般若波羅蜜多經卷一九三　（7–4）

是意生清淨與布施波羅蜜多清淨无二无
二分无別无斷故意生清淨即淨戒安忍精
進靜慮般若波羅蜜多清淨淨戒乃至般若波
羅蜜多清淨即意生清淨何以故是意生清
淨與淨戒乃至般若波羅蜜多清淨无二无
二分无別无斷故善現意生清淨即內空清
淨內空清淨即意生清淨何以故是意生清
淨與內空清淨无二无二分无別无斷故意
生清淨即外空內外空空空大空勝義空有
為空无為空畢竟空无際空散空无變異空
本性空自相空共相空一切法空不可得空
无性空自性空无性自性空清淨外空乃至
无性自性空清淨即意生清淨何以故是意
生清淨與外空乃至无性自性空清淨无二
无二分无別无斷故善現意生清淨即真如
清淨真如清淨即意生清淨何以故是意
生清淨與真如清淨无二无二分无別无斷
故意生清淨即法界法性不虛妄性不變異
性平等性離生性法定法住實際虛空界不
思議界清淨法界乃至不思議界清淨即意
生清淨何以故是意生清淨與法界乃至不
思議界清淨无二无二分无別无斷故善現
意生清淨即苦聖諦清淨苦聖諦清淨即
意生清淨何以故是意生清淨與苦聖諦清
淨无二无二分无別无斷故意生清淨即集
滅道聖諦清淨集滅道聖諦清淨即意生
清淨何以故是意生清淨與集滅道聖諦

BD02945號　大般若波羅蜜多經卷一九三

（7-5）

意生清淨即苦聖諦清淨苦聖諦清淨即
意生清淨何以故是意生清淨與苦聖諦清
淨无二无二分无別无斷故意生清淨即集
滅道聖諦清淨集滅道聖諦清淨即意生
清淨何以故是意生清淨與集滅道聖諦
清淨无二无二分无別无斷故
善現意生清淨即四靜慮清
淨四靜慮清淨即意生清淨何以故是意生清淨與四靜
慮清淨无二无二分无別无斷故意生清淨即
四无量四无色定清淨四无量四无色定清
淨即意生清淨何以故是意生清淨與四无
量四无色定清淨无二无二分无別无斷故善
現意生清淨即八解脫清淨八解脫清淨
即意生清淨何以故是意生清淨與八解
脫清淨无二无二分无別无斷故意生清淨即
八勝處九次第定十遍處清淨八勝處九次
第定十遍處清淨即意生清淨何以故是意
生清淨與八勝處九次第定十遍處清淨无
二无二分无別无斷故善現意生清淨即四
念住清淨四念住清淨即意生清淨何以故
是意生清淨與四念住清淨无二无二分无
別无斷故意生清淨即四正斷四神足五根
五力七等覺支八聖道支清淨四正斷乃至
八聖道支清淨即意生清淨何以故是意生
清淨與四正斷乃至八聖道支清淨无二无
二分无別无斷故善現意生清淨即空解
脫門清淨空解脫門清淨即意生清淨何

BD02945號　大般若波羅蜜多經卷一九三

（7-6）

第定十遍處清淨即意生清淨何以故是意
生清淨與八勝處九次第定十遍處清淨无
二无二分无別无斷故善現意生清淨即四
念住清淨四念住清淨即意生清淨何以故
是意生清淨與四念住清淨无二无二分无
別无斷故意生清淨即四正斷四神足五根
五力七等覺支八聖道支清淨四正斷乃至
八聖道支清淨即意生清淨何以故是意生
清淨與四正斷乃至八聖道支清淨无二无
二分无別无斷故善現意生清淨即空解
脫門清淨空解脫門清淨即意生清淨何
以故是意生清淨與空解脫門清淨无二无二
分无別无斷故意生清淨即无相无願解脫
門清淨无相无願解脫門清淨即意生清淨
何以故是意生清淨與无相无願解脫門清淨
无二无二分无別无斷故善現意生清淨即
菩薩十地清淨菩薩十地清淨即意生清淨
何以故是意生清淨與菩薩十地清淨无二
无二分无別无斷故
善現意生清淨即五眼清淨五眼清淨即意
生清淨何以故是意生清淨與五眼清淨无
二无二分无別无斷故意生清淨即六神通
清淨六神通清淨即意生清淨何以故是意
生清淨與六神通清淨无二无二分无別无
斷故善現意生清淨即佛十力清淨佛十力

BD02945號　大般若波羅蜜多經卷一九三　（7–7）

[illegible]充滿　甚可怖畏
如是等火　熾然不息
寂然閑居　安處林野　[illegible]有
其中衆生　悉是吾子　而今此處　多諸患難
唯我一人　能為救護　雖復教詔　而不信受
於諸欲染　貪著深故　以是方便　為說三乘
令諸衆生　知三界苦　開示演說　出世間道
是諸子等　若心決定　具足[illegible]　[illegible]神通
有得緣覺　不退菩薩　汝舍利[illegible]　[illegible]為衆生
以此譬喻　說一佛乘　汝等若能　信受是語
一切皆當　得成佛道　是乘微妙　清淨第一
於諸世間　為无有上　佛所悅可　一切衆生
所應稱讚　供養礼拜　无量億千　諸力解脫
禪定智慧　及諸餘法　得如是乘　令諸子等
日夜劫數　常得遊戲　與諸菩薩　及聲聞衆
乘此寶乘　直至道場　以是因緣　十方諦求
更无餘乘　除佛方便　告舍利弗　汝諸人等
皆是吾子　我則是父　汝等累劫　衆苦所燒
我皆濟拔　令出三界　我雖先說　汝等滅度
但盡生死　而實不滅　今所應作　唯佛智慧
若有菩薩　於是衆中　能一心聽　諸佛實法
諸佛世尊　雖以方便　所化衆生　皆是菩薩

BD02946號　妙法蓮華經卷二　（3–1）

更无餘乘　除佛方便　告舍利弗　汝諸人等
皆是吾子　我則是父　汝等累劫　衆苦所燒
我皆濟拔　令出三界　我雖先說　汝等滅度
但盡生死　而實不滅　今所應作　唯佛智慧
若有菩薩　於是衆中　能一心聽　諸佛實法
諸佛世尊　雖以方便　所化衆生　皆是菩薩
若人小智　深著愛欲　為此等故　說於苦諦
衆生心喜　得未曾有　佛說苦諦　真實无異
若有衆生　不知苦本　深著苦因　不能暫捨
為是等故　方便說道　諸苦所因　貪欲為本
若滅貪欲　无所依止　滅盡諸苦　名第三諦
為滅諦故　修行於道　離諸苦縛　名得解脫
是人於何　而得解脫　但離虛妄　名為解脫
其實未得　一切解脫　佛說是人　未實滅度
斯人未得　无上道故　我意不欲　令至滅度
我為法王　於法自在　安隱衆生　故現於世
汝舍利弗　我此法印　為欲利益　世間故說
在所遊方　勿妄宣傳　若有聞者　隨喜頂受
當知是人　阿惟越致　若有信受　此經法者
是人已曾　見過去佛　恭敬供養　亦聞是法
若人有能　信汝所說　則為見我　亦見於汝
及比丘僧　并諸菩薩　斯法華經　為深智說
淺識聞之　迷惑不解　一切聲聞　及辟支佛
於此經中　力所不及　汝舍利弗　尚於此經
以信得入　況餘聲聞　其餘聲聞　信佛語故

BD02946號　妙法蓮華經卷二　（3–2）

汝舍利弗　我此法印　為欲利益　世間故說
在所遊方　勿妄宣傳　若有聞者　隨喜頂受
當知是人　阿惟越致　若有信受　此經法者
是人已曾　見過去佛　恭敬供養　亦聞是法
若人有能　信汝所說　則為見我　亦見於汝
及比丘僧　并諸菩薩　斯法華經　為深智說
淺識聞之　迷惑不解　一切聲聞　及辟支佛
於此經中　力所不及　汝舍利弗　尚於此經
以信得入　況餘聲聞　其餘聲聞　信佛語故
隨順此經　非已智分　又舍利弗　憍慢懈怠
計我見者　莫說此經　凡夫淺識　深著五欲
聞不能解　亦勿為說　若人不信　毀謗此經
則斷一切　世間佛種　或復顰蹙　而懷疑惑
汝當聽說　此人罪報　若佛在世　若滅度後
其有誹謗　如斯經典　見有讀誦　書持經者
輕賤憎嫉　而懷結恨　此人罪報　汝今復聽
其人命終　入阿鼻獄　具足一劫　劫盡更生
如是展轉　至无數劫　從地獄出　當墮畜生
若狗野干　其形領瘦　黧黮疥癩　人所觸嬈
又復為人　之所惡賤　常困飢渴　骨肉枯竭

BD02946號　妙法蓮華經卷二　（3–3）

雨曼陀羅　曼殊沙華　旃檀香風　悅可衆心
以是因緣　地皆嚴淨　而此世界　六種震動
時四部衆　咸皆歡喜　身意快然　得未曾有
眉間光明　照于東方　万八千土　皆如金色
從阿鼻獄　上至有頂　諸世界中　六道衆生
生死所趣　善惡業緣　受報好醜　於此悉見
又覩諸佛　聖主師子　演說經典　微妙第一
其聲清淨　出柔軟音　教諸菩薩　無數億万
梵音深妙　令人樂聞　各於世界　講說正法
種種因緣　以無量喻　照明佛法　開悟衆生
若人遭苦　厭老病死　為說涅槃　盡諸苦際
若人有福　曾供養佛　志求勝法　為說緣覺
若有佛子　修種種行　求無上慧　為說淨道
文殊師利　我住於此　見聞若斯　及千億事
如是衆多　今當略說
我見彼土　恒沙菩薩　種種因緣　而求佛道
或有行施　金銀珊瑚　真珠摩尼　車磲馬瑙
金剛諸珍　奴婢車乘　寶飾輦轝　歡喜布施

BD02947號　妙法蓮華經卷一　（22–1）

文殊師利　我住於此　見聞若斯　及千億事
如是衆多　今當略說
我見彼土　恒沙菩薩　種種因緣　而求佛道
或有行施　金銀珊瑚　真珠摩尼　車磲馬瑙
金剛諸珍　奴婢車乘　寶飾輦轝　歡喜布施
迴向佛道　願得是乘　三界第一　諸佛所歎
或有菩薩　駟馬寶車　欄楯華蓋　軒飾布施
復見菩薩　身肉手足　及妻子施　求無上道
又見菩薩　頭目身體　欣樂施與　求佛智慧
文殊師利　我見諸王　往詣佛所　問無上道
便捨樂土　宮殿臣妾　剃除鬚髮　而被法服
或見菩薩　而作比丘　獨處閑靜　樂誦經典
又見菩薩　勇猛精進　入於深山　思惟佛道
又見離欲　常處空閑　深修禪定　得五神通
又見菩薩　安禪合掌　以千万偈　讚諸法王
復見菩薩　智深志固　能問諸佛　聞悉受持
又見佛子　定慧具足　以無量喻　為衆講法
欣樂說法　化諸菩薩　破魔兵衆　而擊法鼓
又見菩薩　寂然宴默　天龍恭敬　不以為喜
又見菩薩　處林放光　濟地獄苦　令入佛道
又見佛子　未嘗睡眠　經行林中　勤求佛道
又見具戒　威儀無缺　淨如寶珠　以求佛道
又見佛子　住忍辱力　增上慢人　惡罵捶打
皆悉能忍　以求佛道
又見菩薩　離諸戲笑　及癡眷屬　親近智者

BD02947號　妙法蓮華經卷一　（22–2）

又見佛子 未甞睡眠 經行林中 懃求佛道
又見具戒 威儀無缺 淨如寶珠 以求佛道
又見佛子 住忍辱力 增上慢人 惡罵捶打
皆悉能忍 以求佛道
又見菩薩 離諸戲笑 及癡眷屬 親近智者
一心除亂 攝念山林 億千万歲 以求佛道
或見菩薩 餚膳飲食 百種湯藥 施佛及僧
名衣上服 價直千万 或無價衣 施佛及僧
千万億種 旃檀寶舍 眾妙卧具 施佛及僧
清淨園林 華菓茂盛 流泉浴池 施佛及僧
如是等施 種種微妙 歡喜無厭 求无上道
或有菩薩 說寂滅法 種種教詔 無數眾生
或見菩薩 觀諸法性 無有二相 猶如虛空
又見佛子 心無所著 以此妙慧 求無上道
文殊師利 又有菩薩 佛滅度後 供養舍利
又見佛子 造諸塔廟 無數恒沙 嚴飾國界
寶塔高妙 五千由旬 縱廣正等 二千由旬
一一塔廟 各千幢幡 珠交露幔 寶鈴和鳴
諸天龍神 人及非人 香華伎樂 常以供養
文殊師利 諸佛子等 為供舍利 嚴飾塔廟
國界自然 殊特妙好 如天樹王 其華開敷
佛放一光 我及眾會 見此國界 種種殊妙
諸佛神力 智慧希有 放一淨光 照無量國
我等見此 得未曾有 佛子文殊 願決眾疑

BD02947號 妙法蓮華經卷一 (22-3)

佛放一光 我及眾會 見此國界 種種殊妙
諸佛神力 智慧希有 放一淨光 照無量國
我等見此 得未曾有 佛子文殊 願決眾疑
四眾欣仰 瞻仁及我 世尊何故 放斯光明
佛子時答 決疑令喜 何所饒益 演斯光明
佛坐道場 所得妙法 為欲說此 為當授記
示諸佛土 眾寶嚴淨 及見諸佛 此非小緣
文殊當知 四眾龍神 瞻察仁者 為說何等
尒時文殊師利語彌勒菩薩摩訶薩及諸大
士善男子等如我惟忖今佛世尊欲說大法
雨大法雨吹大法螺擊大法鼓演大法義諸
善男子我於過去諸佛曾見此瑞放斯光已
即說大法是故當知今佛現光亦復如是欲
令眾生咸得聞知一切世間難信之法故現
斯瑞諸善男子如過去無量無邊不可思議
阿僧祇劫尒時有佛号日月燈明如來應供
正遍知明行足善逝世間解無上士調御丈
夫天人師佛世尊演說正法初善中善後善
其義深遠其語巧妙純一無雜具足清白梵
行之相為求聲聞者說應四諦法度生老病
死究竟涅槃為求辟支佛者說應十二因緣
法為諸菩薩說應六波羅蜜令得阿耨多
羅三藐三菩提成一切種智次復有佛亦名日
月燈明次復有佛亦名日月燈明如是二萬

BD02947號 妙法蓮華經卷一 (22-4)

死究竟涅槃為求辟支佛者說應十二因緣
法為諸菩薩說應六波羅蜜令得阿耨多
羅三藐三菩提成一切種智次復有佛亦名日
月燈明次復有佛亦名日月燈明如是二萬
佛皆同一字号日月燈明又同一姓姓頗羅墮
弥勒當知初佛後佛皆同一字名日月燈
明十号具足所可說法初中後善其最後佛
未出家時有八王子一名有意二名善意三
名無量意四名寶意五名增意六名除疑意
七名響意八名法意是八王子威德自在各
領四天下是諸王子聞父出家得阿耨多羅
三藐三菩提悉捨王位亦隨出家發大乘意
常脩梵行皆為法師已於千万佛所殖諸善
本是時日月燈明佛說大乘經名無量義教
菩薩法佛所護念說是經已即於大衆中結
加趺坐入於無量義處三昧身心不動是時
天雨曼陁羅華摩訶曼陁羅華曼殊沙華摩
訶曼殊沙華而散佛上及諸大衆普佛世界
六種震動尒時會中比丘比丘尼優婆塞優
婆夷天龍夜叉乹闥婆阿脩羅迦樓羅緊那
羅摩睺羅伽人非人等及諸小王轉輪聖王
等是諸大衆得未曾有歡喜合掌一心觀佛
尒時如來放眉間白毫相光照東方萬八千
佛土靡不周遍如今所見是諸佛土弥勒當知
尒時會中有二十億菩薩樂欲聽法是諸

羅摩睺羅伽人非人等及諸小王轉輪聖王
等是諸大衆得未曾有歡喜合掌一心觀佛
尒時如來放眉間白毫相光照東方萬八千
佛土靡不周遍如今所見是諸佛土弥勒當知
尒時會中有二十億菩薩樂欲聽法是諸
菩薩見此光明普照佛土得未曾有欲知此
光所為因緣時有菩薩名曰妙光有八百弟
子是時日月燈明佛從三昧起因妙光菩薩
說大乘經名妙法蓮華教菩薩法佛所護念
六十小劫不起于座時會聽者亦坐一處六
十小劫身心不動聽佛所說謂如食頃是時
衆中無有一人若身若心而生懈惓日月燈
佛於六十小劫中說是經已即於梵魔沙門
婆羅門及天人阿脩羅衆中而宣此言如來
於今日中夜當入無餘涅槃時有菩薩名曰
德藏日月燈明佛即授其記告諸比丘是德
藏菩薩次當作佛号曰淨身多陁阿伽度阿
羅訶三藐三佛陁佛授記已便於中夜入於
涅槃佛滅度後妙光菩薩持妙法蓮華經滿
八十小劫為人演說日月燈明佛八子皆師
妙光妙光教化令其堅固阿耨多羅三藐三
菩提是諸王子供養無量百千万億佛已皆
成佛道其最後成佛者名曰然燈八百弟子
中有一人号曰求名貪著利養雖復讀誦衆
經而不通利多所忘失故号求名是人亦以

菩提是諸王子供養無量百千万億佛已皆
成佛道其最後成佛者名曰然燈八百弟子
中有一人号曰求名貪著利養雖復讀誦衆
經而不通利多所忘失故号求名是人亦以
種諸善根因緣故得值無量百千萬億諸佛
供養恭敬尊重讚歎弥勒當知尒時妙光菩
薩豈異人乎我身是也求名菩薩汝身是也
今見此瑞與本無異是故惟忖今日如來當
說大乘經名妙法蓮華教菩薩法佛所護念
尒時文殊師利於大衆中欲重宣此義而說
偈言
我念過去世　無量無數劫　有佛人中尊　号日月燈明
世尊演說法　度無量衆生　無數億菩薩　令入佛智慧
佛未出家時　所生八王子　見大聖出家　亦隨脩梵行
時佛說大乘　經名無量義　於諸大衆中　而為廣分別
佛說此經已　即於法座上　跏趺坐三昧　名無量義處
天雨曼陁華　天鼓自然鳴　諸天龍鬼神　供養人中尊
一切諸佛土　即時大震動　佛放眉間光　現諸希有事
此光照東方　萬八千佛土　示一切衆生　生死業報處
有見諸佛土　以衆寶莊嚴　琉璃頗梨色　斯由佛光照
及見諸天人　龍神夜叉衆　乾闥婆那羅　各供養其佛
又見諸如來　自然成佛道　身色如金山　端嚴甚微妙
如淨琉璃中　內現真金像　世尊在大衆　敷演深法義
一一諸佛土　聲聞衆無數　因佛光所照　悉見彼大衆

BD02947號　妙法蓮華經卷一　　(22-7)

及見諸天人　龍神夜叉衆　乾闥婆那羅　各供養其佛
又見諸如來　自然成佛道　身色如金山　端嚴甚微妙
如淨琉璃中　內現真金像　世尊在大衆　敷演深法義
一一諸佛土　聲聞衆無數　因佛光所照　悉見彼大衆
或有諸比丘　在於山林中　精進持淨戒　猶如護明珠
又見諸菩薩　行施忍辱等　其數如恒沙　斯由佛光照
又見諸菩薩　深入諸禪定　身心寂不動　以求無上道
又見諸菩薩　知法寂滅相　各於其國土　說法求佛道
尒時四部衆　見日月燈佛　現大神通力　其心皆歡喜
各各自相問　是事何因緣　天人所奉尊　適從三昧起
讚妙光菩薩　汝為世間眼　一切所歸信　能奉持法藏
如我所說法　唯汝能證知　世尊既讚歎　令妙光歡喜
說是法華經　滿六十小劫　不起於此座　所說上妙法
是妙光法師　悉皆能受持　佛說是法華　令衆歡喜已
尋即於是日　告於天人衆　諸法實相義　已為汝等說
我今於中夜　當入於涅槃　汝一心精進　當離於放逸
諸佛甚難值　億劫時一遇　世尊諸子等　聞佛入涅槃
各各懷悲惱　佛滅一何速　聖主法之王　安慰無量衆
我若滅度時　汝等勿憂怖　是德藏菩薩　於無漏實相
心已得通達　其次當作佛　号曰為淨身　亦度無量衆
佛此夜滅度　如薪盡火滅　分布諸舍利　而起無量塔
比丘比丘尼　其數如恒沙　倍復加精進　以求無上道
是妙光法師　奉持佛法藏　八十小劫中　廣宣法華經
是諸八王子　妙光所開化　堅固無上道　當見無數佛

BD02947號　妙法蓮華經卷一　　(22-8)

佛此夜滅度 如薪盡火滅 分布諸舍利 而起無量塔
比丘比丘尼 其數如恒沙 倍復加精進 以求無上道
是妙光法師 奉持佛法藏 八十小劫中 廣宣法華經
是諸八王子 妙光所開化 堅固無上道 當見無數佛
供養諸佛已 隨順行大道 相繼得成佛 轉次而授記
最後天中天 号曰然燈佛 諸仙之導師 度脫無量眾
是妙光法師 時有一弟子 心常懷懈怠 貪著於名利
求名利無猒 多遊族姓家 弃捨所習誦 廢忘不通利
以是因緣故 号之為求名 亦行眾善業 得見無數佛
供養於諸佛 隨順行大道 具六波羅蜜 今見釋師子
其後當作佛 号名曰弥勒 廣度諸眾生 其數無有量
彼佛滅度後 懈怠者汝是 妙光法師者 今則我身是
我見燈明佛 本光瑞如此 以是知今佛 欲說法華經
今相如本瑞 是諸佛方便 今佛放光明 助發實相義
諸人今當知 合掌一心待 佛當雨法雨 充足求道者
諸求三乘人 若有疑悔者 佛當為除斷 令盡無有餘

妙法蓮華經方便品第二

尒時世尊從三昧安詳而起告舍利弗 諸佛
智慧甚深無量 其智慧門難解難入 一切聲
聞辟支佛所不能知 所以者何 佛曾親近百
千萬億無數諸佛 盡行諸佛無量道法 勇猛
精進 名稱普聞 成就甚深未曾有法 隨宜所
說 意趣難解 舍利弗 吾從成佛已來 種種因
緣 種種譬喻 廣演言教 無數方便 引導眾生
令離諸著 所以者何 如來方便知見波羅蜜

BD02947號　妙法蓮華經卷一　（22–9）

精進名稱普聞 成就甚深未曾有法 隨宜所
說意趣難解 舍利弗 吾從成佛已來 種種因
緣種種譬喻 廣演言教 無數方便 引導眾生
令離諸著 所以者何 如來方便知見波羅蜜
皆已具足 舍利弗 如來知見 廣大深遠 無量
無礙力 無所畏 禪定解脫三昧 深入無際 成
就一切未曾有法 舍利弗 如來能種種分別
巧說諸法 言辭柔軟 悅可眾心 舍利弗 取要
言之 無量無邊未曾有法 佛悉成就 止 舍利
弗 不須復說 所以者何 佛所成就第一希有
難解之法 唯佛與佛乃能究盡諸法實相
所謂諸法如是相 如是性 如是體 如是力 如是
作 如是因 如是緣 如是果 如是報 如是本末
究竟等 尒時世尊欲重宣此義而說偈言
世雄不可量 諸天及世人 一切眾生類 無能知佛者
佛力無所畏 解脫諸三昧 及佛諸餘法 無能測量者
本從無數佛 具足行諸道 甚深微妙法 難見難可了
於無量億劫 行此諸道已 道場得成果 我已悉知見
如是大果報 種種性相義 我及十方佛 乃能知是事
是法不可示 言辭相寂滅 諸餘眾生類 無有能得解
除諸菩薩眾 信力堅固者 諸佛弟子眾 曾供養諸佛
一切漏已盡 住是最後身 如是諸人等 其力所不堪
假使滿世間 皆如舍利弗 盡思共度量 不能測佛智
正使滿十方 皆如舍利弗 及餘諸弟子 亦滿十方剎

BD02947號　妙法蓮華經卷一　（22–10）

一切漏已盡　住是最後身　如是諸人等　其力所不堪
假使滿世間　皆如舍利弗　盡思共度量　不能測佛智
正使滿十方　皆如舍利弗　及餘諸弟子　亦滿十方刹
盡思共度量　亦復不能知　辟支佛利智　無漏最後身
亦滿十方界　其數如竹林　斯等共一心　於億無量劫
欲思佛實智　莫能知少分　新發意菩薩　供養無數佛
了達諸義趣　又能善說法　如稻麻竹葦　充滿十方刹
一心以妙智　於恒河沙劫　咸皆共思量　不能知佛智
不退諸菩薩　其數如恒沙　一心共思求　亦復不能知
又告舍利弗　無漏不思議　甚深微妙法　我今已具得
唯我知是相　十方佛亦然　舍利弗當知　諸佛語無異
於佛所說法　當生大信力　世尊法久後　要當說真實
告諸聲聞衆　及求緣覺乘　我令脫苦縛　逮得涅槃者
佛以方便力　示以三乘教　衆生處處著　引之令得出
爾時大衆中有諸聲聞漏盡阿羅漢阿若憍
陳如等千二百人及發聲聞辟支佛心比丘比
丘尼優婆塞優婆夷各作是念今者世尊
何故慇懃稱歎方便而作是言佛所得法甚
深難解有所言說意趣難知一切聲聞辟支
佛所不能及佛說一解脫義我等亦得此法
到於涅槃而今不知是義所趣爾時舍利弗知
四衆心疑自亦未了而白佛言世尊何因何
緣慇懃稱嘆諸佛第一方便甚深微妙難
解之法我自昔來未曾從佛聞如是說今者
四衆咸皆有疑唯願世尊敷演斯事世尊何

到於涅槃而今不知是義所趣爾時舍利弗知
四衆心疑自亦未了而白佛言世尊何因何
緣慇懃稱嘆諸佛第一方便甚深微妙難
解之法我自昔來未曾從佛聞如是說今者
四衆咸皆有疑唯願世尊敷演斯事世尊何
故慇懃稱歎甚深微妙難解之法爾時舍利
弗欲重宣此義而說偈言
慧日大聖尊　久乃說是法　自說得如是　力無畏三昧
禪定解脫等　不可思議法　道場所得法　無能發問者
我意難可測　亦無能問者　無問而自說　稱歎所行道
智慧甚微妙　諸佛之所得　無漏諸羅漢　及求涅槃者
今皆墮疑網　佛何故說是　其求緣覺者　比丘比丘尼
諸天龍鬼神　及乾闥婆等　相視懷猶豫　瞻仰兩足尊
是事為云何　願佛為解說　於諸聲聞衆　佛說我第一
我今自於智　疑惑不能了　為是究竟法　為是所行道
佛口所生子　合掌瞻仰待　願出微妙音　時為如實說
諸天龍神等　其數如恒沙　求佛諸菩薩　大數有八万
又諸万億國　轉輪聖王至　合掌以敬心　欲聞具足道
爾時佛告舍利弗止止不須復說若說是事
一切世間諸天及人皆當驚疑舍利弗重白佛
言世尊唯願說之唯願說之所以者何是
會無數百千万億阿僧祇衆生曾見諸佛諸
根猛利智慧明了聞佛所說則能敬信爾時
舍利弗欲重宣此義而說偈言
法王無上尊　唯說願勿慮　是會無量衆　有能敬信者

會無數百千万億阿僧祇衆生曾見諸佛諸
根猛利智慧明了聞佛所說則能敬信尒時
舍利弗欲重宣此義而說偈言
法王無上尊 唯說願勿慮 是會無量衆 有能敬信者
佛復止舍利弗若說是事一切世間天人阿
脩羅皆當驚疑增上慢比丘將墜於大坑尒
時世尊重說偈言
止止不須說 我法妙難思 諸增上慢者 聞必不敬信
尒時舍利弗重白佛言世尊唯願說之唯願
說之今此會中如我等比百千万億世世已
曾從佛受化如此人等必能敬信長夜安隱
多所饒益尒時舍利弗欲重宣此義而說偈言
無上兩足尊 願說第一法 我為佛長子 唯垂分別說
是會無量衆 能敬信此法 佛已曾世世 教化如是等
皆一心合掌 欲聽受佛語 我等千二百 及餘求佛者
願為此衆故 唯垂分別說 是等聞此法 則生大歡喜
尒時世尊告舍利弗汝已慇懃三請豈得不
說汝今諦聽善思念之吾當為汝分別解說
說此語時會中有比丘比丘尼優婆塞優婆
夷五千人等即從座起礼佛而退所以者何
此輩罪根深重及增上慢未得謂得未證謂
證有如此失是以不住世尊嘿然而不制止
尒時佛告舍利弗我今此衆無復枝葉純有
貞實舍利弗如是增上慢人退亦佳矣汝今
善聽當為汝說舍利弗言唯然世尊願樂

BD02947 號　妙法蓮華經卷一

(22–13)

證有如此失是以不住世尊嘿然而不制止
尒時佛告舍利弗我今此衆無復枝葉純有
貞實舍利弗如是增上慢人退亦佳矣汝今
善聽當為汝說舍利弗言唯然世尊願樂
欲聞佛告舍利弗如是妙法諸佛如來時乃說
之如優曇鉢華時一現耳舍利弗汝等當信
佛之所說言不虛妄舍利弗諸佛隨宜說法
意趣難解所以者何我以無數方便種種因
緣譬喻言辭演說諸法是法非思量分別之
所能解唯有諸佛乃能知之所以者何諸佛
世尊唯以一大事因緣故出現於世舍利弗
云何名諸佛世尊唯以一大事因緣故出現
於世諸佛世尊欲令衆生開佛知見使得清
淨故出現於世欲示衆生佛之知見故出現
於世欲令衆生悟佛知見故出現於世欲令
衆生入佛知見道故出現於世舍利弗是為
諸佛以一大事因緣故出現於世佛告舍利
弗諸佛如來但教化菩薩諸有所作常為一
事唯以佛之知見示悟衆生舍利弗如來但
以一佛乘故為衆生說法無有餘乘若二若
三舍利弗一切十方諸佛法亦如是舍利弗
過去諸佛以無量無數方便種種因緣譬喻
言辭而為衆生演說諸法是法皆為一佛乘
故是諸衆生從佛聞法究竟皆得一切種智
舍利弗未來諸佛當出於世亦以無量無數

BD02947 號　妙法蓮華經卷一

(22–14)

過去諸佛以無量無數方便種種因緣譬喻
言辭而為眾生演說諸法是法皆為一佛乘
故是諸眾生從佛聞法究竟皆得一切種智
舍利弗未來諸佛當出於世亦以無量無數
方便種種因緣譬喻言辭而為眾生演說諸
法是法皆為一佛乘故是諸眾生從佛聞法
究竟皆得一切種智舍利弗現在十方無量
百千万億佛土中諸佛世尊多所饒益安樂
眾生是諸佛亦以無量無數方便種種因緣
譬喻言辭而為眾生演說諸法是法皆為一
佛乘故是諸眾生從佛聞法究竟皆得一切
種智舍利弗是諸佛但教化菩薩欲以佛之
知見示眾生故欲以佛之知見悟眾生故欲
令眾生入佛知見道故舍利弗我今亦復如
是知諸眾生有種種欲深心所著隨其本性
以種種因緣譬喻言辭方便力故而為說法
舍利弗如此皆為得一佛乘一切種智故舍
利弗十方世界中尚無二乘何況有三舍利
弗諸佛出於五濁惡世所謂劫濁煩惱濁眾
生濁見濁命濁如是舍利弗劫濁亂時眾生
垢重慳貪嫉妬成就諸不善根故諸佛以方
便力於一佛乘分別說三舍利弗若我弟子
自謂阿羅漢辟支佛者不聞不知諸佛如來但
教化菩薩事此非佛弟子非阿羅漢非辟支
佛又舍利弗是諸比丘比丘尼自謂已得阿羅

BD02947號　妙法蓮華經卷一　（22–15）

便力於一佛乘分別說三舍利弗若我弟子
自謂阿羅漢辟支佛者不聞不知諸佛如來但
教化菩薩事此非佛弟子非阿羅漢非辟支
佛又舍利弗是諸比丘比丘尼自謂已得阿羅
漢是最後身究竟涅槃便不復志求阿耨多
羅三藐三菩提當知此輩皆是增上慢人
所以者何若有比丘實得阿羅漢若不信此
法無有是處除佛滅度後現前無佛所以者
何佛滅度後如是等經受持讀誦解義者是
人難得若遇餘佛於此法中便得決了舍利
弗汝等當一心信解受持佛語諸佛如來言
無虛妄無有餘乘唯一佛乘尒時世尊欲重
宣此義而說偈言
比丘比丘尼　有懷增上慢　優婆塞我慢　優婆夷不信
如是四眾等　其數有五千　不自見其過　於戒有缺漏
護惜其瑕疵　是小智已出　眾中之糟糠　佛威德故去
斯人尠福德　不堪受是法　此眾無枝葉　唯有諸貞實
舍利弗善聽　諸佛所得法　無量方便力　而為眾生說
眾生心所念　種種所行道　若干諸欲性　先世善惡業
佛悉知是已　以諸緣譬喻　言辭方便力　令一切歡喜
或說修多羅　伽陀及本事　本生未曾有　亦說於因緣
譬喻并祇夜　優波提舍經　鈍根樂小法　貪著於生死
於諸無量佛　不行深妙道　眾苦所惱亂　為是說涅槃
我設是方便　令得入佛慧　未曾說汝等　當得成佛道

BD02947號　妙法蓮華經卷一　（22–16）

或說修多羅　伽陀及本事　本生未曾有　亦說於因緣
譬喻并祇夜　優波提舍經　鈍根樂小法　貪著於生死
於諸無量佛　不行深妙道　衆苦所惱亂　為是說涅槃
我設是方便　令得入佛慧　未曾說汝等　當得成佛道
所以未曾說　說時未至故　今正是其時　決定說大乘
我此九部法　隨順衆生說　入大乘為本　以故說是經
有佛子心淨　柔軟亦利根　無量諸佛所　而行深妙道
為此諸佛子　說是大乘經　我記如是人　來世成佛道
以深心念佛　修持淨戒故　此等聞得佛　大喜充遍身
佛知彼心行　故為說大乘　聲聞若菩薩　聞我所說法
乃至於一偈　皆成佛无疑　十方佛土中　唯有一乘法
無二亦無三　除佛方便說　但以假名字　引導於衆生
說佛智慧故　諸佛出於世　唯此一事實　餘二則非真
終不以小乘　濟度於衆生　佛自住大乘　如其所得法
定慧力莊嚴　以此度衆生　自證无上道　大乘平等法
若以小乘化　乃至於一人　我則墮慳貪　此事為不可
若人信歸佛　如來不欺誑　亦無貪嫉意　斷諸法中惡
故佛於十方　而獨無所畏　我以相嚴身　光明照世間
無量衆所尊　為說實相印　舍利弗當知　我本立誓願
欲令一切衆　如我等無異　如我昔所願　今者已滿足
化一切衆生　皆令入佛道　若我遇衆生　盡教以佛道
無智者錯亂　迷惑不受教　我知此衆生　未曾修善本
堅著於五欲　癡愛故生惱　以諸欲因緣　墜墮三惡道
輪迴六趣中　備受諸苦毒　受胎之微形　世世常增長
薄德少福人　衆苦所逼迫　入邪見稠林　若有若無等

BD02947 號　妙法蓮華經卷一　（22–17）

化一切衆生　皆令入佛道　若我遇
無智者錯亂　迷惑不受教　我知此衆生　未曾修善本
堅著於五欲　癡愛故生惱　以諸欲因緣　墜墮三惡道
輪迴六趣中　備受諸苦毒　受胎之微形　世世常增長
薄德少福人　衆苦所逼迫　入邪見稠林　若有若無等
依止此諸見　具足六十二　深著虛妄法　堅受不可捨
我慢自矜高　諂曲心不實　於千万億劫　不聞佛名字
亦不聞正法　如是人難度　是故舍利弗　我為設方便
說諸盡苦道　示之以涅槃　我雖說涅槃　是亦非真滅
諸法從本來　常自寂滅相　佛子行道已　來世得作佛
我有方便力　開示三乘法　一切諸世尊　皆說一乘道
今此諸大衆　皆應除疑惑　諸佛語無異　唯一無二乘
過去無數劫　無量滅度佛　百千万億種　其數不可量
如是諸世尊　種種緣譬喻　無數方便力　演說諸法相
是諸世尊等　皆說一乘法　化無量衆生　令入於佛道
又諸大聖主　知一切世間　天人群生類　深心之所欲
更以異方便　助顯第一義　若有衆生類　值諸過去佛
若聞法布施　或持戒忍辱　精進禪智等　種種修福慧
如是諸人等　皆已成佛道　諸佛滅度已　若人善軟心
如是諸衆生　皆已成佛道　諸佛滅度已　供養舍利者
起万億種塔　金銀及頗梨　車𤦲與馬瑙　玫瑰琉璃珠
清淨廣嚴飾　莊校於諸塔　或有起石廟　栴檀及沈水
木櫁并餘材　甎瓦泥土等　若於曠野中　積土成佛廟
乃至童子戲　聚沙為佛塔　如是諸人等　皆已成佛道
若人為佛故　建立諸形像　刻雕成衆相　皆已成佛道

BD02947 號　妙法蓮華經卷一　（22–18）

木樒并餘材　甎瓦泥土等　若於曠野中　積土成佛廟
乃至童子戲　聚沙為佛塔　如是諸人等　皆已成佛道
若人為佛故　建立諸形像　刻彫成衆相　皆已成佛道
或以七寶成　鍮石赤白銅　白鑞及鉛錫　鐵木及與泥
或以膠漆布　嚴飾作佛像　如是諸人等　皆已成佛道
綵畫作佛像　百福莊嚴相　自作若使人　皆已成佛道
乃至童子戲　若草木及筆　或以指爪甲　而畫作佛像
如是諸人等　漸漸積功德　具足大悲心　皆已成佛道
但化諸菩薩　度脫無量衆　若人於塔廟　寶像及畫像
以華香幡蓋　敬心而供養　若使人作樂　擊鼓吹角貝
簫笛琴箜篌　琵琶鐃銅鈸　如是衆妙音　盡持以供養
或以歡喜心　歌唄頌佛德　乃至一小音　皆已成佛道
若人散亂心　乃至以一華　供養於畫像　漸見無數佛
或有人禮拜　或復但合掌　乃至舉一手　或復小低頭
以此供養像　漸見無量佛　自成无上道　廣度無數衆
入無餘涅槃　如薪盡火滅　若人散亂心　入於塔廟中
一稱南无佛　皆已成佛道　於諸過去佛　在世或滅後
若有聞是法　皆已成佛道　未來諸世尊　其數无有量
是諸如來等　亦方便說法　一切諸如來　以无量方便
度脫諸衆生　入佛无漏智　若有聞法者　无一不成佛
諸佛本誓願　我所行佛道　普欲令衆生　亦同得此道
未來世諸佛　雖說百千億　無數諸法門　其實為一乘
諸佛兩足尊　知法常無性　佛種從緣起　是故說一乘
是法住法位　世間相常住　於道場知已　導師方便說

BD02947號　妙法蓮華經卷一

（22–19）

諸佛本誓願　我所行佛道　普欲令衆生　亦同得此道
未來世諸佛　雖說百千億　無數諸法門　其實為一乘
諸佛兩足尊　知法常無性　佛種從緣起　是故說一乘
是法住法位　世間相常住　於道場知已　導師方便說
天人所供養　現在十方佛　其數如恒沙　出現於世間
安隱衆生故　亦說如是法　知第一寂滅　以方便力故
雖示種種道　其實為佛乘　知衆生諸行　深心之所念
過去所習業　欲性精進力　及諸根利鈍　以種種因緣
辟喻亦言辞　隨應方便說　今我亦如是　安隱衆生故
以種種法門　宣示於佛道　我以智慧力　知衆生性欲
方便說諸法　皆令得歡喜　舍利弗當知　我以佛眼觀
見六道衆生　貧窮無福慧　入生死險道　相續苦不斷
深著於五欲　如犛牛愛尾　以貪愛自蔽　盲瞑無所見
不求大勢佛　及與斷苦法　深入諸邪見　以苦欲捨苦
為是衆生故　而起大悲心　我始坐道場　觀樹亦經行
於三七日中　思惟如是事　我所得智慧　微妙最第一
衆生諸根鈍　著樂癡所盲　如斯之等類　云何而可度
爾時諸梵王　及諸天帝釋　護世四天王　及大自在天
并餘諸天衆　眷屬百千萬　恭敬合掌禮　請我轉法輪
我即自思惟　若但讚佛乘　衆生沒在苦　不能信是法
破法不信故　墜於三惡道　我寧不說法　疾入於涅槃
尋念過去佛　所行方便力　我今所得道　亦應說三乘
作是思惟時　十方佛皆現　梵音慰喻我　善哉釋迦文
第一之導師　得是無上法　隨諸一切佛　而用方便力
我等亦皆得　最妙第一法　為諸衆生類　分別說三乘

BD02947號　妙法蓮華經卷一

（22–20）

尋念過去佛　所行方便力　我今所得道　亦應說三乘
作是思惟時　十方佛皆現　梵音慰喻我　善哉釋迦文
第一之導師　得是无上法　隨諸一切佛　而用方便力
我等亦皆得　最妙第一法　為諸眾生類　分別說三乘
少智樂小法　不自信作佛　是故以方便　分別說諸果
雖復說三乘　但為教菩薩　舍利弗當知　我聞聖師子
深淨微妙音　稱南無諸佛　復作如是念　我出濁惡世
如諸佛所說　我亦隨順行　思惟是事已　即趣波羅奈
諸法寂滅相　不可以言宣　以方便力故　為五比丘說
是名轉法輪　便有涅槃音　及以阿羅漢　法僧差別名
從久遠劫來　讚示涅槃法　生死苦永盡　我常如是說
舍利弗當知　我見佛子等　志求佛道者　無量千萬億
咸以恭敬心　皆來至佛所　曾從諸佛聞　方便所說法
我即作是念　如來所以出　為說佛慧故　今正是其時
舍利弗當知　鈍根小智人　著相憍慢者　不能信是法
今我喜無畏　於諸菩薩中　正直捨方便　但說无上道
菩薩聞是法　疑網皆已除　千二百羅漢　悉亦當作佛
如三世諸佛　說法之儀式　我今亦如是　說无分別法
諸佛興出世　懸遠值遇難　正使出于世　說是法復難
無量無數劫　聞是法亦難　能聽是法者　斯人亦復難
譬如優曇華　一切皆愛樂　天人所希有　時時乃一出
聞法歡喜讚　乃至發一言　則為已供養　一切三世佛
是人甚希有　過於優曇花　汝等勿有疑　我為諸法王
普告諸大眾　但以一乘道　教化諸菩薩　无聲聞弟子
汝等舍利弗　聲聞及菩薩　當知是妙法　諸佛之祕要
[illegible]

BD02947號　妙法蓮華經卷一　（22–21）

菩薩聞是法　疑網皆已除　千二百羅漢　悉亦當作佛
如三世諸佛　說法之儀式　我今亦如是　說无分別法
諸佛興出世　懸遠值遇難　正使出于世　說是法復難
無量無數劫　聞是法亦難　能聽是法者　斯人亦復難
譬如優曇華　一切皆愛樂　天人所希有　時時乃一出
聞法歡喜讚　乃至發一言　則為已供養　一切三世佛
是人甚希有　過於優曇花　汝等勿有疑　我為諸法王
普告諸大眾　但以一乘道　教化諸菩薩　无聲聞弟子
汝等舍利弗　聲聞及菩薩　當知是妙法　諸佛之祕要
以五濁惡世　但樂著諸欲　如是等眾生　終不求佛道
當來世惡人　聞佛說一乘　迷惑不信受　破法墮惡道
有慚愧清淨　志求佛道者　當為如是等　廣讚一乘道
舍利弗當知　諸佛法如是　以萬億方便　隨宜而說法
其不習學者　不能曉了此　汝等既已知　諸佛世之師
隨宜方便事　无復諸疑惑　心生大歡喜　自知當作佛

妙法蓮華經卷第一

BD02947號　妙法蓮華經卷一　（22–22）

法華經卷第一

BD02947號背　勘記　　（1–1）

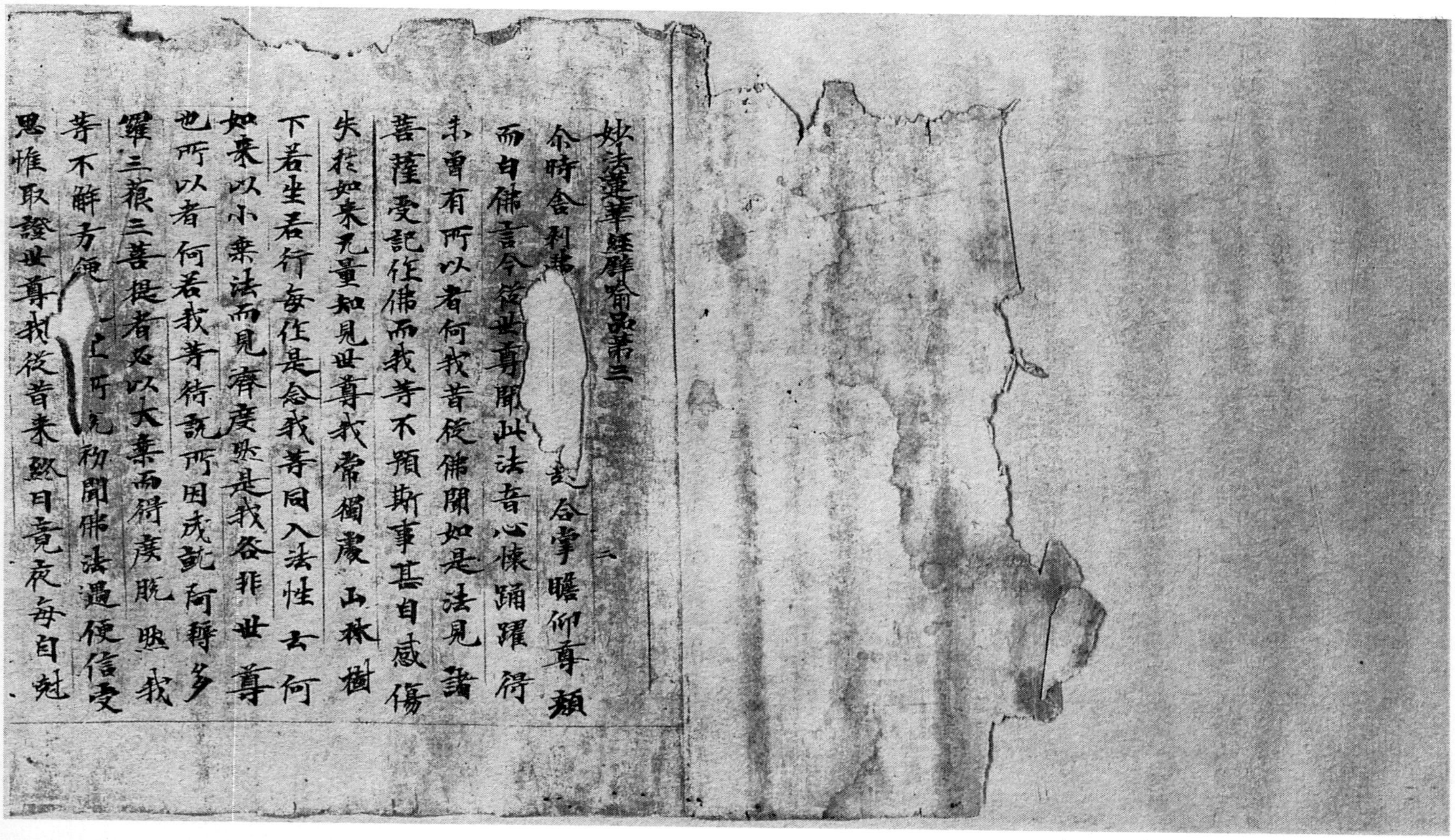
妙法蓮華經譬喻品第三
尒時舍利弗　　起合掌瞻仰尊顏
而白佛言今從世尊聞此法音心懷踊躍得
未曾有所以者何我昔從佛聞如是法見諸
菩薩受記作佛而我等不預斯事甚自感傷
失於如來无量知見世尊我常獨處山林樹
下若坐若行每作是念我等同入法性云何
如來以小乘法而見濟度是我等咎非世尊
也所以者何若我等待說所因成就阿耨多
羅三藐三菩提者必以大乘而得度脫然我
等不解方便　之所說初聞佛法遇便信受
思惟取證世尊我從昔來終日竟夜每自剋

BD02948號　妙法蓮華經卷二　　（29–1）

如來以小乘法而見濟度是我等咎非世尊
也所以者何若我等待說所因成就阿耨多
羅三藐三菩提者必以大乘而得度脫然我
等不解方便隨宜所說初聞佛法遇便信受
思惟取證世尊我從昔來終日竟夜每自剋
責而今從佛聞所未聞未曾有法斷諸疑悔
身意泰然快得安隱今日乃知真是佛子從
佛口生從法化生得佛法分尒時舍利弗欲
重宣此義而說偈言
我聞是法音　得所未曾有　心懷大歡喜　疑網皆已除
昔來蒙佛教　不失於大乘　佛音甚希有　能除眾生惱
我已得漏盡　聞亦除憂惱　我處於山谷　或在林樹下
若坐若經行　常思惟是事　嗚呼深自責　云何而自欺
我等亦佛子　同入无漏法　不能於未來　演說无上道
金色三十二　十力諸解脫　同共一法中　而不得此事
八十種妙好　十八不共法　如是等功德　而我皆已失
我獨經行時　見佛在大眾　名聞滿十方　廣饒益眾生
自惟失此利　我為自欺誑　我常於日夜　每思惟是事
欲以問世尊　為失為不失　我常見世尊　稱讚諸菩薩
以是於日夜　籌量如此事　今聞佛音聲　隨宜而說法
无漏難思議　令眾至道場　我本著邪見　為諸梵志師
世尊知我心　拔邪說涅槃　我悉除邪見　於空法得證
尒時心自謂　得至於滅度　而今乃自覺　非是實滅度
若得作佛時　具三十二相　天人夜叉眾　龍神等恭敬
是時乃可謂　永盡滅无餘　佛於大眾中　說我當作佛
聞如是法音　疑悔悉已除　初聞佛所說　心中大驚疑
將非魔作佛　惱亂我心耶　佛以種種緣　譬喻巧言說

BD02948號　妙法蓮華經卷二　（29-2）

尒時心自謂　得至於滅度　而今乃自覺　非是實滅度
若得作佛時　具三十二相　天人夜叉眾　龍神等恭敬
是時乃可謂　永盡滅无餘　佛於大眾中　說我當作佛
聞如是法音　疑悔悉已除　初聞佛所說　心中大驚疑
將非魔作佛　惱亂我心耶　佛以種種緣　譬喻巧言說
其心安如海　我聞疑網斷　佛說過去世　无量滅度佛
安住方便中　亦皆說是法　現在未來佛　其數无有量
亦以諸方便　演說如是法　如今者世尊　從生及出家
得道轉法輪　亦以方便說　世尊說實道　波旬无此事
以是我定知　非是魔作佛　我墮疑網故　謂是魔所為
聞佛柔軟音　深遠甚微妙　演暢清淨法　我心大歡喜
疑悔永已盡　安住實智中　我定當作佛　為天人所敬
轉无上法輪　教化諸菩薩
尒時佛告舍利弗吾今於天人沙門婆羅門
等大眾中說我昔曾於二万億佛所為无上
道故常教化汝汝亦長夜隨我受學我以方
便引導汝故生我法中舍利弗我昔教汝志
願佛道汝今悉忘而便自謂已得滅度我今
還欲令汝憶念本願所行道故為諸聲聞說
是大乘經名妙法蓮華教菩薩法佛所護念
舍利弗汝於未來世過无量无邊不可思議
劫供養若干千万億佛奉持正法具足菩薩
所行之道當得作佛號曰華光如來應供正
遍知明行足善逝世間解无上士調御丈夫
天人師佛世尊國名離垢其土平正清淨嚴
飾安隱豐樂天人熾盛琉璃為地有八交道
黃金為繩以界其側其傍各有七寶行樹常

BD02948號　妙法蓮華經卷二　（29-3）

所行之道當得作佛號曰華光如來應供
正遍知明行足善逝世間解无上士調御丈夫
天人師佛世尊國名離垢其土平正清淨嚴
飾安隱豐樂天人熾盛瑠璃為地有八交道
黃金為繩以界其側其傍各有七寶行樹常
有華菓華光如來亦以三乘教化衆生舍利
弗彼佛出時雖非惡世以本願故說三乘法
其劫名大寶莊嚴何故名曰大寶莊嚴其國
中以菩薩為大寶故彼諸菩薩无量无邊不
可思議筭數譬喻所不能及非佛智力无能
知者若欲行時寶華承足此諸菩薩非初發
意皆久殖德本於无量百千万億佛所淨脩
梵行恒為諸佛之所稱歎常脩佛慧具大神
通善知一切諸法之門質直无偽志念堅固
如是菩薩充滿其國舍利弗華光佛壽十二
小劫除為王子未作佛時其國人民壽八小
劫華光如來過十二小劫授堅滿菩薩阿耨
多羅三藐三菩提記告諸比丘是堅滿菩薩
次當作佛號曰華足安行多陀阿伽度阿羅
訶三藐三佛陀其佛國土亦復如是舍利弗
是華光佛滅度之後正法住世三十二小劫像
法住世亦三十二小劫尒時世尊欲重宣此義
而說偈言
舍利弗來世　成佛普智尊　号名曰華光　當度无量衆
供養无數佛　具足菩薩行　十力等功德　證於无上道
過无量劫已　劫名大寶嚴　世界名離垢　清淨无瑕穢
以瑠璃為地　金繩界其道　七寶雜色樹　常有華菓實

BD02948號　妙法蓮華經卷二

（29–4）

而說偈言
舍利弗來世　成佛普智尊　号名曰華光　當度无量衆
供養无數佛　具足菩薩行　十力等功德　證於无上道
過无量劫已　劫名大寶嚴　世界名離垢　清淨无瑕穢
以瑠璃為地　金繩界其道　七寶雜色樹　常有華菓實
彼國諸菩薩　志念常堅固　神通波羅蜜　皆已悉具足
於无數佛所　善學菩薩道　如是等大士　華光佛所化
佛為王子時　棄國捨世榮　於最末後身　出家成佛道
華光佛住世　壽十二小劫　其國人民衆　壽命八小劫
佛滅度之後　正法住於世　三十二小劫　廣度諸衆生
正法滅盡已　像法三十二　舍利廣流布　天人普供養
華光佛所為　其事皆如是　其兩足聖尊　取勝无倫匹
彼即是汝身　宜應自欣慶
尒時四部衆比丘比丘尼優婆塞優婆夷天龍
夜叉乾闥婆阿脩羅迦樓羅緊那羅摩睺
羅伽等大衆見舍利弗於佛前受阿耨多羅
三藐三菩提記心大歡喜踊躍无量各各脫
身所著上衣以供養佛釋提桓因梵天王等
與无數天子亦以天妙衣天曼陀羅華摩訶
曼陀羅華等供養於佛所散天衣住虛空中
而自迴轉諸天伎樂百千万種於虛空中一
時俱作雨衆天華而作是言佛昔於波羅柰
初轉法輪今乃復轉无上最大法輪尒時諸
天子欲重宣此義而說偈言
昔於波羅柰　轉四諦法輪　分別說諸法　五衆之生滅
今復轉最妙　无上大法輪　是法甚深奧　少有能信者

BD02948號　妙法蓮華經卷二

（29–5）

初轉法輪今乃復轉无上最大法輪尒時諸
天子欲重宣此義而說偈言
昔於波羅柰　轉四諦法輪　分別說諸法　五衆之生滅
今復轉最妙　无上大法輪　是法甚深奧　少有能信者
我等從昔來　數聞世尊說　未曾聞如是　深妙之上法
世尊說是法　我等皆隨喜　大智舍利弗　今得受尊記
我等亦如是　必當得作佛　於一切世間　最尊无有上
佛道叵思議　方便隨宜說　我所有福業　今世若過世
及見佛功德　盡迴向佛道
尒時舍利弗白佛言世尊我今无復疑悔親
於佛前得受阿耨多羅三藐三菩提記是諸
千二百心自在者昔住學地佛常教化言我
法能離生老病死究竟涅槃是學无學人亦
各自以離我見及有无見等謂得涅槃而今
於世尊前聞所未聞皆墮疑惑善哉世尊願
為四衆說其因緣令離疑悔尒時佛告舍利
弗我先不言諸佛世尊以種種因緣譬喻言
辞方便說法皆為阿耨多羅三藐三菩提耶
是諸所說皆為化菩薩故然舍利弗今當復
以譬喻更明此義諸有智者以譬喻得解舍
利弗若國邑聚落有大長者其年衰邁財富
无量多有田宅及諸僮僕其家廣大唯有一門
多諸人衆一百二百乃至五百人止住其中堂
閣朽故墻壁頹落柱根腐敗梁棟傾危周
帀俱時欻然火起焚燒舍宅長者諸子若
十二十或至三十在此宅中長者見是大火

BD02948 號　妙法蓮華經卷二　（29–6）

无量多有田宅及諸僮僕其家廣大唯有一門
多諸人衆一百二百乃至五百人止住其中堂
閣朽故墻壁頹落柱根腐敗梁棟傾危周
帀俱時欻然火起焚燒舍宅長者諸子若
十二十或至三十在此宅中長者見是大火
從四面起即大驚怖而作是念我雖能於此
所燒之門安隱得出而諸子等於火宅內樂
著嬉戲不覺不知不驚不怖火來逼身苦痛
切己心不猒患无求出意舍利弗是長者作
是思惟我身手有力當以衣裓若以几案從
舍出之復更思惟是舍唯有一門而復狹小
諸子幼稚未有所識戀著戲處或當墮落為
火所燒我當為說怖畏之事此舍已燒宜時
疾出无令為火之所燒害作是念已如所思
惟具告諸子汝等速出父雖憐愍善言誘喻
而諸子等樂著嬉戲不肯信受不驚不畏了
无出心亦復不知何者是火何者為舍云何
為失但東西走戲視父而已尒時長者即作
是念此舍已為大火所燒我及諸子若不時
出必為所焚我今當設方便令諸子等得免
斯害父知諸子先心各有所好種種珍玩奇
異之物情必樂著而告之言汝等所可玩好
希有難得汝若不取後必憂悔如此種種羊
車鹿車牛車今在門外可以遊戲汝等於此
火宅宜速出來隨汝所欲皆當與汝尒時諸
子聞父所說珍玩之物適其願故心各勇銳

BD02948 號　妙法蓮華經卷二　（29–7）

希有難得，汝若不取，後必憂悔。如此種種羊
車、鹿車、牛車，今在門外，可以遊戲。汝等於此
火宅宜速出來，隨汝所欲，皆當與汝。尒時諸
子聞父所說珍玩之物，適其願故，心各勇銳，
互相推排，競共馳走，爭出火宅。是時長者見
諸子等安隱得出，皆於四衢道中露地而坐，
无復障礙，其心泰然，歡喜踊躍。時諸子等各
白父言：父先所許玩好之具，羊車、鹿車、牛車，
願時賜與。舍利弗，尒時長者各賜諸子等一
大車，其車高廣，衆寶莊校，周帀欄楯，四面懸
鈴。又於其上張設幰蓋，亦以珍奇雜寶而嚴
飾之，寶繩交絡，垂諸華瓔，重敷綩綖，安置丹
枕。駕以白牛，膚色充潔，形體姝好，有大筋力，
行步平正，其疾如風。又多僕從而侍衛之。所
以者何？是大長者財富无量，種種諸藏悉皆
充溢，而作是念：我財物无極，不應以下劣小
車與諸子等。今此幼童皆是吾子，愛无偏黨。
我有如是七寶大車，其數无量，應當等心各各
與之，不宜差別。所以者何？以我此物周給
一國猶尚不匱，何況諸子。是時諸子各乘大
車，得未曾有，非本所望。舍利弗，於汝意云何？
是長者等與諸子珍寶大車，寧有虛妄不？舍
利弗言：不也，世尊。是長者但令諸子得免火
難，全其軀命，非為虛妄。何以故？若全身命，便
為已得玩好之具，況復方便，於彼火宅而拔
濟之。世尊，若是長者乃至不與最小一車，猶

利弗言：不也，世尊。是長者但令諸子得免火
難，全其軀命，非為虛妄。何以故？若全身命，便
為已得玩好之具，況復方便，於彼火宅而拔
濟之。世尊，若是長者乃至不與最小一車，猶
不虛妄。何以故？是長者先作是意：我以方便
令子得出。以是因緣，无虛妄也。何況長者自
知財富无量，欲饒益諸子，等與大車。佛告舍
利弗：善哉善哉，如汝所言。舍利弗，如來亦復
如是，則為一切世間之父，於諸怖畏、衰惱、憂
患、无明暗蔽，永盡无餘，而悉成就无量知見、
力、无所畏，有大神力及智慧力，具足方便、智
慧波羅蜜，大慈大悲，常无懈惓，恒求善事，利
益一切，而生三界朽故火宅，為度衆生生老病
死、憂悲苦惱、愚癡暗蔽、三毒之火，教化令
得阿耨多羅三藐三菩提。見諸衆生為生老
病死、憂悲苦惱之所燒煑，亦以五欲財利故
受種種苦。又以貪著追求故，現受衆苦，後受
地獄、畜生、餓鬼之苦。若生天上及在人間，貧
窮困苦、愛別離苦、怨憎會苦，如是等種種諸
苦。衆生沒在其中，歡喜遊戲，不覺不知，不驚
不怖，亦不生厭，不求解脫。於此三界火宅，東
西馳走，雖遭大苦，不以為患。舍利弗，佛見此
已，便作是念：我為衆生之父，應拔其苦難，與
无量无邊佛智慧，令其遊戲。舍利弗，如來
復作是念：若我但以神力及智慧力，捨於方
便，為諸衆生讚如來知見力、无所畏者，衆生

已便作是念我為衆生之父應拔其苦難與
无量无邊佛智慧令其遊戲舍利弗如来
復作是念若我但以神力及智慧力捨於方
便為諸衆生讃如来知見力无所畏者衆生
不能以是得度所以者何是諸衆生未免生
老病死憂悲苦惱而為三界火宅所燒何由
能解佛之智慧舍利弗如彼長者雖復身手
有力而不用之但以慇懃方便免濟諸子火
宅之難然後各與珍寶大車如来亦復如是
雖有力无所畏而不用之但以智慧方便於
三界火宅拔濟衆生為說三乘聲聞辟支佛
佛乘而作是言汝等莫得樂住三界火宅勿
貪麁弊色聲香味觸也若貪著生愛則為所
燒汝速出三界當得三乘聲聞辟支佛佛乘
我今為汝保任此事終不虛也汝等但當勤
脩精進如来以是方便誘進衆生復作是言
汝等當知此三乘法皆是聖所稱歎自在无
繫无所依求乘是三乘以无漏根力覺道禪
定解脫三昧等而自娛樂便得无量安隱快
樂舍利弗若有衆生内有智性從佛世尊聞
法信受慇懃精進欲速出三界自求涅槃是
名聲聞乘如彼諸子為求羊車出於火宅若
有衆生從佛世尊聞法信受慇懃精進求自
然慧樂獨善寂深知諸法因緣是名辟支佛
乘如彼諸子為求鹿車出於火宅若有衆生
從佛世尊聞法信受勤脩精進求一切智佛

BD02948 號　妙法蓮華經卷二　（29–10）

名聲聞乘如彼諸子為求羊車出於火宅若
有衆生從佛世尊聞法信受慇懃精進求自
然慧樂獨善寂深知諸法因緣是名辟支佛
乘如彼諸子為求鹿車出於火宅若有衆生
從佛世尊聞法信受勤脩精進求一切智佛
智自然智无師智如来知見力无所畏愍念
安樂无量衆生利益天人度脫一切是名大
乘菩薩求此乘故名為摩訶薩如彼諸子為
求牛車出於火宅舍利弗如彼長者見諸子
等安隱得出火宅到无畏處自惟財富无量
等以大車而賜諸子如来亦復如是為一切
衆生之父若見无量億千衆生以佛教門出
三界苦怖畏險道得涅槃樂如来尒時便作
是念我有无量无邊智慧力无畏等諸佛法
藏是諸衆生皆是我子等與大乘不令有人
獨得滅度皆以如来滅度而滅度之是諸衆
生脫三界者悉與諸佛禪定解脫等娛樂之
具皆是一相一種聖所稱歎能生淨妙第一
之樂舍利弗如彼長者初以三車誘引諸子
然後但與大車寶物莊嚴安隱第一然彼長
者无虛妄之咎如来亦復如是无有虛妄初
說三乘引導衆生然後但以大乘而度脫之
何以故如来有无量智慧力无所畏諸法之
藏能與一切衆生大乘之法但不盡能受舍
利弗以是因緣當知諸佛方便力故於一乘
分別說三佛欲重宣此義而說偈言

BD02948 號　妙法蓮華經卷二　（29–11）

何以故如來有无量智慧力无所畏諸法之
藏能與一切衆生大乘之法但不盡能受舍
利弗以是因緣當知諸佛方便力故於一佛
乘分別三說佛欲重宣此義而說偈言
譬如長者　有一大宅　其宅久故　而復頓弊
堂舍高危　柱根摧朽　梁棟傾斜　基陛頹毀
牆壁圮坼　泥塗褫落　覆苫亂墜　椽梠差脫
周障屈曲　雜穢充遍　有五百人　止住其中
鵄梟鵰鷲　烏鵲鳩鴿　蚖蛇蝮蠍　蜈蚣蚰蜒
守宮百足　狖狸鼷鼠　諸惡蟲輩　交橫馳走
屎尿臭處　不淨流溢　蜣蜋諸蟲　而集其上
狐狼野干　咀嚼踐蹋　嚌齧死屍　骨肉狼藉
由是群狗　競來搏撮　飢羸慞惶　處處求食
鬪諍摣掣　啀喍嘷吠　其舍恐怖　變狀如是
處處皆有　魑魅魍魎　夜叉惡鬼　食噉人肉
毒蟲之屬　諸惡禽獸　孚乳產生　各自藏護
夜叉競來　爭取食之　食之既飽　惡心轉熾
鬪諍之聲　甚可怖畏　鳩槃荼鬼　蹲踞土埵
或時離地　一尺二尺　往返遊行　縱逸嬉戲
捉狗兩足　撲令失聲　以腳加頸　怖狗自樂
復有諸鬼　其身長大　裸形黑瘦　常住其中
發大惡聲　叫呼求食　復有諸鬼　其咽如針
復有諸鬼　首如牛頭　或食人肉　或復噉狗
頭髮蓬亂　殘害凶險　飢渴所逼　叫喚馳走
夜叉餓鬼　諸惡鳥獸　飢急四向　窺看窗牖
如是諸難　恐畏无量　是朽故宅　屬于一人

BD02948 號　妙法蓮華經卷二

（29–12）

復有諸鬼　首如牛頭　或食人肉　或復噉狗
頭髮蓬亂　殘害凶險　飢渴所逼　叫喚馳走
夜叉餓鬼　諸惡鳥獸　飢急四向　窺看窗牖
如是諸難　恐畏无量　是朽故宅　屬于一人
其人近出　未久之間　於後舍宅　忽然火起
四面一時　其焰俱熾　棟梁椽柱　爆聲震裂
摧折墮落　牆壁崩倒　諸鬼神等　揚聲大叫
鵰鷲諸鳥　鳩槃荼等　周慞惶怖　不能自出
惡獸毒蟲　藏竄孔穴　毗舍闍鬼　亦住其中
薄福德故　為火所逼　共相殘害　飲血噉肉
野干之屬　並已前死　諸大惡獸　競來食噉
臭煙熢㶿　四面充塞　蜈蚣蚰蜒　毒蛇之類
為火所燒　爭走出穴　鳩槃荼鬼　隨取而食
又諸餓鬼　頭上火燃　飢渴熱惱　周慞悶走
其宅如是　甚可怖畏　毒害火災　衆難非一
是時宅主　在門外立　聞有人言　汝諸子等
先因遊戲　來入此宅　稚小无知　歡娛樂著
長者聞已　驚入火宅　方宜救濟　令无燒害
告喻諸子　說衆患難　惡鬼毒蟲　災火蔓莚
衆苦次第　相續不絕　毒蛇蚖蝮　及諸夜叉
鳩槃荼鬼　野干狐狗　鵰鷲鵄梟　百足之屬
飢渴惱急　甚可怖畏　此苦難處　況復大火
諸子无知　雖聞父誨　猶故樂著　嬉戲不已
是時長者　而作是念　諸子如此　益我愁惱
今此舍宅　无一可樂　而諸子等　耽湎嬉戲

BD02948 號　妙法蓮華經卷二

（29–13）

飢渴惱急　甚可怖畏　此苦難處　況復大火
諸子無知　雖聞父誨　猶故樂著　嬉戲不已
是時長者　而作是念　諸子如此　益我愁惱
今此舍宅　無一可樂　而諸子等　耽湎嬉戲
不受我教　將為火害　即便思惟　設諸方便
告諸子等　我有種種　珍玩之具　妙寶好車
羊車鹿車　大牛之車　今在門外　汝等出來
吾為汝等　造作此車　隨意所樂　可以遊戲
諸子聞說　如此諸車　即時奔競　馳走而出
到於空地　離諸苦難　長者見子　得出火宅
住於四衢　坐師子座　而自慶言　我今快樂
此諸子等　生育甚難　愚小無知　而入險宅
多諸毒虫　魑魅可畏　大火猛焰　四面俱起
而此諸子　貪樂嬉戲　我已救之　令得脫難
是故諸人　我今快樂　爾時諸子　知父安坐
皆詣父所　而白父言　願賜我等　三種寶車
如前所許　諸子出來　當以三車　隨汝所欲
今正是時　唯垂給與　長者大富　庫藏眾多
金銀琉璃　車𤦲馬瑙　以眾寶物　造諸大車
莊校嚴飾　周帀欄楯　四面懸鈴　金繩交絡
真珠羅網　張施其上　金華諸瓔　處處垂下
眾綵雜飾　周帀圍繞　柔軟繒纊　以為茵蓐
上妙細㲲　價直千億　鮮白淨潔　以覆其上
有大白牛　肥壯多力　形體姝好　以駕寶車
多諸儐從　而侍衛之　以是妙車　等賜諸子
諸子是時　歡喜踊躍　乘是寶車　遊於四方

BD02948 號　妙法蓮華經卷二　（29–14）

上妙細㲲　價直千億　鮮白淨潔　以覆其上
有大白牛　肥壯多力　形體姝好　以駕寶車
多諸儐從　而侍衛之　以是妙車　等賜諸子
諸子是時　歡喜踊躍　乘是寶車　遊於四方
嬉戲快樂　自在無礙　告舍利弗　我亦如是
眾聖中尊　世間之父　一切眾生　皆是吾子
深著世樂　無有慧心　三界無安　猶如火宅
眾苦充滿　甚可怖畏　常有生老　病死憂患
如是等火　熾然不息　如來已離　三界火宅
寂然閑居　安處林野　今此三界　皆是我有
其中眾生　悉是吾子　而今此處　多諸患難
唯我一人　能為救護　雖復教詔　而不信受
於諸欲染　貪著深故　是以方便　為說三乘
令諸眾生　知三界苦　開示演說　出世間道
是諸子等　若心決定　具足三明　及六神通
有得緣覺　不退菩薩　汝舍利弗　我為眾生
以此譬喻　說一佛乘　汝等若能　信受是語
一切皆當　得成佛道　是乘微妙　清淨第一
於諸世間　為無有上　佛所悅可　一切眾生
所應稱讚　供養禮拜　無量億千　諸力解脫
禪定智慧　及佛餘法　得如是乘　令諸子等
日夜劫數　常得遊戲　與諸菩薩　及聲聞眾
乘此寶乘　直至道場　以是因緣　十方諦求
更無餘乘　除佛方便　告舍利弗　汝諸人等
皆是吾子　我則是父　汝等累劫　眾苦所燒
我皆濟拔　令出三界　我雖先說　汝等滅度

BD02948 號　妙法蓮華經卷二　（29–15）

日夜劫數　常得遊戲　與諸菩薩　及聲聞眾
乘此寶乘　直至道場　以是因緣　十方諦求
更无餘乘　除佛方便　告舍利弗　汝諸人等
皆是吾子　我則是父　汝等累劫　眾苦所燒
我皆濟拔　令出三界　我雖先說　汝等滅度
但盡生死　而實不滅　今所應作　唯佛智慧
若有菩薩　於是眾中　能一心聽　諸佛實法
諸佛世尊　雖以方便　所化眾生　皆是菩薩
若人小智　深著愛欲　為此等故　說於苦諦
眾生心喜　得未曾有　佛說苦諦　真實无異
若有眾生　不知苦本　深著苦因　不能暫捨
為是等故　方便說道　諸苦所因　貪欲為本
若滅貪欲　无所依止　滅盡諸苦　名第三諦
為滅諦故　修行於道　離諸苦縛　名得解脫
是人於何　而得解脫　但離虛妄　名為解脫
其實未得　一切解脫　佛說是人　未實滅度
斯人未得　无上道故　我意不欲　令至滅度
我為法王　於法自在　安隱眾生　故現於世
汝舍利弗　我此法印　為欲利益　世間故說
在所遊方　勿妄宣傳　若有聞者　隨喜頂受
當知是人　阿鞞跋致　若有信受　此經法者
是人已曾　見過去佛　恭敬供養　亦聞是法
若人有能　信汝所說　則為見我　亦見於汝
及比丘僧　并諸菩薩　斯法華經　為深智說
淺識聞之　迷惑不解　一切聲聞　及辟支佛
於此經中　力所不及　汝舍利弗　尚於此經

BD02948號　妙法蓮華經卷二

（29–16）

及比丘僧　并諸菩薩　斯法華經　為深智說
淺識聞之　迷惑不解　一切聲聞　及辟支佛
於此經中　力所不及　汝舍利弗　尚於此經
以信得入　況餘聲聞　其餘聲聞　信佛語故
隨順此經　非己智分　又舍利弗　憍慢懈怠
計我見者　莫說此經　凡夫淺識　深著五欲
聞不能解　亦勿為說　若人不信　毀謗此經
則斷一切　世間佛種　或復顰蹙　而懷疑惑
汝當聽說　此人罪報　若佛在世　若滅度後
其有誹謗　如斯經典　見有讀誦　書持經者
輕賤憎嫉　而懷結恨　此人罪報　汝今復聽
其人命終　入阿鼻獄　具足一劫　劫盡更生
如是展轉　至无數劫　從地獄出　當墮畜生
若狗野干　其形頦瘦　黧黮疥癩　人所觸嬈
又復為人　之所惡賤　常困飢渴　骨肉枯竭
生受楚毒　死被瓦石　斷佛種故　受斯罪報
若作駱駝　或生驢中　身常負重　加諸杖捶
但念水草　餘无所知　謗斯經故　獲罪如是
有作野干　來入聚落　身體疥癩　又无一目
為諸童子　之所打擲　受諸苦痛　或時致死
於此死已　更受蟒身　其形長大　五百由旬
聾騃无足　宛轉腹行　為諸小虫　之所唼食
晝夜受苦　无有休息　謗斯經故　獲罪如是
若得為人　諸根闇鈍　矬陋攣躄　盲聾背傴
有所言說　人不信受　口氣常臭　鬼魅所著
貧窮下賤　為人所使　多病痟瘦　无所依怙

BD02948號　妙法蓮華經卷二

（29–17）

晝夜受苦 无有休息 謗斯經故 獲罪如是
若得為人 諸根闇鈍 矬陋攣躄 盲聾背傴
有所言說 人不信受 口氣常臭 鬼魅所著
貧窮下賤 為人所使 多病痟瘦 无所依怙
雖親附人 人不在意 若有所得 尋復忘失
若脩醫道 順方治病 更增他疾 或復致死
若自有病 无人救療 設服良藥 而復增劇
若他反逆 抄劫竊盜 如是等罪 橫羅其殃
如斯罪人 永不見佛 衆聖之王 說法教化
如斯罪人 常生難處 狂聾心亂 永不聞法
於无數劫 如恒河沙 生輒聾瘂 諸根不具
常處地獄 如遊園觀 在餘惡道 如己舍宅
駝驢猪狗 是其行處 謗斯經故 獲罪如是
若得為人 聾盲瘖瘂 貧窮諸衰 以自莊嚴
水腫乾痟 疥癩癰疽 如是等病 以為衣服
身常臭處 垢穢不淨 深著我見 增益瞋恚
婬欲熾盛 不擇禽獸 謗斯經故 獲罪如是
告舍利弗 謗斯經者 若說其罪 窮劫不盡
以是因緣 我故語汝 无智人中 莫說此經
若有利根 智慧明了 多聞強識 求佛道者
如是之人 乃可為說 若人曾見 億百千佛
殖諸善本 深心堅固 如是之人 乃可為說
若人精進 常脩慈心 不惜身命 乃可為說
若人恭敬 无有異心 離諸凡愚 獨處山澤
如是之人 乃可為說 又舍利弗 若見有人
捨惡知識 親近善友 如是之人 乃可為說

若人精進 常脩慈心 不惜身命 乃可為說
若人恭敬 无有異心 離諸凡愚 獨處山澤
如是之人 乃可為說 又舍利弗 若見有人
捨惡知識 親近善友 如是之人 乃可為說
若見佛子 持戒清潔 如淨明珠 求大乘經
如是之人 乃可為說 若人无瞋 質直柔軟
常愍一切 恭敬諸佛 如是之人 乃可為說
復有佛子 於大衆中 以清淨心 種種因緣
譬喻言辭 說法无礙 如是之人 乃可為說
若有比丘 為一切智 四方求法 合掌頂受
但樂受持 大乘經典 乃至不受 餘經一偈
如是之人 乃可為說 如人至心 求佛舍利
如是求經 得已頂受 其人不復 志求餘經
亦未曾念 外道典籍 如是之人 乃可為說
告舍利弗 我說是相 求佛道者 窮劫不盡
如是等人 則能信解 汝當為說 妙法華經
妙法蓮華經信解品第四
尒時慧命須菩提 摩訶迦旃延 摩訶迦葉 摩
訶目揵連從佛所聞未曾有法 世尊授舍利
弗阿耨多羅三藐三菩提記 發希有心 歡喜
踊躍 即從座起 整衣服 偏袒右肩 右膝著地
一心合掌 曲躬恭敬 瞻仰尊顏 而白佛言 我
等居僧之首 年並朽邁 自謂已得涅槃 无所
堪任 不復進求阿耨多羅三藐三菩提 世尊
往昔說法既久 我時在座 身體疲懈 但念空
无相无作 於菩薩法 遊戲神通 淨佛國土 成

等居僧之首年並朽邁自謂已得涅槃无所
堪任不復進求阿耨多羅三藐三菩提世尊
往昔說法既久我時在座身體疲懈但念空
无相无作於菩薩法遊戲神通淨佛國土成
就衆生心不喜樂所以者何世尊令我等出
於三界得涅槃證又今我等年已朽邁於佛
教化菩薩阿耨多羅三藐三菩提不生一念
好樂之心我等今於佛前聞授聲聞阿耨多
羅三藐三菩提記心甚歡喜得未曾有不謂
於今忽然得聞希有之法深自慶幸獲大善
利无量珍寶不求自得世尊我等今者樂說
譬喻以明斯義譬若有人年既幼稚捨父逃
逝久住他國或十二十至五十歲年既長大加
復窮困馳騁四方以求衣食漸漸遊行遇
向本國其父先來求子不得中止一城其家
大富財寶无量金銀琉璃珊瑚虎珀頗梨珠
等其諸倉庫悉皆盈溢多有僮僕臣佐吏
民象馬車乘牛羊无數出入息利乃遍他國商
估賈客亦甚衆多時貧窮子遊諸聚落經
歷國邑遂到其父所止之城父每念子與子離
別五十餘年而未曾向人說如此事但自思
惟心懷悔恨自念老朽多有財物金銀珍寶
倉庫盈溢无有子息一旦終沒財物散失无
所委付是以慇懃每憶其子復作是念我若
得子委付財物坦然快樂无復憂慮世尊爾
時窮子傭賃展轉遇到父舍住立門側遙見

BD02948號　妙法蓮華經卷二

（29–20）

別五十餘年而未曾向人說如此事但自思
惟心懷悔恨自念老朽多有財物金銀珍寶
倉庫盈溢无有子息一旦終沒財物散失无
所委付是以慇懃每憶其子復作是念我若
得子委付財物坦然快樂无復憂慮世尊爾
時窮子傭賃展轉遇到父舍住立門側遙見
其父踞師子床寶机承足諸婆羅門刹利居
士皆恭敬圍繞以真珠瓔珞價直千万莊嚴其
身吏民僮僕手執白拂侍立左右覆以寶
帳垂諸華幡香水灑地散衆名華羅列寶物
出內取與有如是等種種嚴飾威德特尊窮
子見父有大力勢即懷恐怖悔來至此竊作
是念此或是王或是王等非我傭力得物之
處不如往至貧里肆力有地衣食易得若久
住此或見逼迫強使我作作是念已疾走而
去時富長者於師子座見子便識心大歡喜
即作是念我財物庫藏今有所付我常思念
此子无由見之而忽自來甚適我願我雖年
朽猶故貪惜即遣傍人急追將還爾時使者
疾走往捉窮子驚愕稱怨大喚我不相犯何
為見捉使者執之愈急強牽將還于時窮子
自念无罪而被囚執此必定死轉更惶怖悶
絕躄地父遙見之而語使言不須此人勿強
將來以冷水灑面令得醒悟莫復與語所以
者何父知其子志意下劣自知豪貴為子所
難審知是子而以方便不語他人云是我子

BD02948號　妙法蓮華經卷二

（29–21）

自念无罪而被囚執此必定死轉更惶怖
絕躄地父遙見之而語使言不須此人勿強
將來以冷水灑面令得醒悟莫復與語所以
者何父知其子志意下劣自知豪貴為子所
難審知是子而以方便不語他人云是我子
使者語之我今放汝隨意所趣窮子歡喜
得未曾有從地而起往至貧里以求衣食尒時
長者將欲誘引其子而設方便密遣二人形
色憔悴无威德者汝可詣彼徐語窮子此有
作處倍與汝直窮子若許將來使作若言欲
何所作便可語之雇汝除糞我等二人亦共
汝作時二使人即求窮子既已得之具陳上
事尒時窮子先取其價尋與除糞其父見子
愍而怪之又以他日於窗牖中遙見子身羸瘦
憔悴糞土塵坌污穢不淨即脫瓔珞細軟上
服嚴飾之具更著麤弊垢膩之衣塵土坌
身右手執持除糞之器狀有所畏語諸作人
汝等勤作勿得懈息以方便故得近其子後
復告言咄男子汝常此作勿復餘去當加汝
價諸有所須盆器米麵塩酢之屬莫自疑難
亦有老弊使人須者相給好自安意我如汝
父勿復憂慮所以者何我年老大而汝少壯
汝常作時无有欺怠瞋恨怨言都不見汝有
此諸惡如餘作人自今已後如所生子即時
長者更與作字名之為兒尒時窮子雖欣此
遇猶故自謂客作賤人由是之故於二十年
中常令除糞過是已後心相體信入出无難

BD02948號　妙法蓮華經卷二

（29–22）

汝常作時无有欺怠瞋恨怨言都不見汝有
此諸惡如餘作人自今已後如所生子即時
長者更與作字名之為兒尒時窮子雖欣此
遇猶故自謂客作賤人由是之故於二十年
中常令除糞過是已後心相體信入出无難
然其所止猶在本處世尊尒時長者有疾自
知將死不久語窮子言我今多有金銀珎寶
倉庫盈溢其中多少所應取與汝悉知之我
心如是當體此意所以者何今我與汝便為
不異宜加用心无令漏失尒時窮子即受教
勑領知眾物金銀珎寶及諸庫藏而无悕取
一食之意然其所止故在本處下劣之心亦
未能捨復經少時父知子意漸已通泰成就
大志自鄙先心臨欲終時而命其子并會親
族國王大臣剎利居士皆悉已集即自宣言
諸君當知此是我子我之所生於某城中捨
吾逃走跉跰辛苦五十餘年其本字某我名
某甲昔在本城懷憂推覓忽於此間遇會
得之此實我子我實其父今我所有一切財物
皆是子有先所出內是子所知世尊是時窮
子聞父此言即大歡喜得未曾有而作是念
我本无心有所悕求今此寶藏自然而至世
尊大富長者則是如來我等皆似佛子如來
常說我等為子世尊我等以三苦故於生死中
受諸熱惱迷惑无知樂著小法今日世尊令
我等思惟蠲除諸法戲論之糞我等於中
[illegible]

BD02948號　妙法蓮華經卷二

（29–23）

聞父此言即大歡喜得未

我本无心有所悕求今此寶藏自然而至世
尊大富長者則是如來我等皆似佛子如來
常說我等為子世尊我等以三苦故於生死中
受諸熱惱迷惑无知樂著小法今日世尊令
我等思惟蠲除諸法戲論之糞我等於中
勤加精進得至涅槃一日之價既得此已心
大歡喜自以為足便自謂言於佛法中勤精進
故所得弘多然世尊先知我等心著弊欲樂
於小法便見縱捨不為分別汝等當有如來
知見寶藏之分世尊以方便力說如來智慧
我等從佛得涅槃一日之價以為大得於此
大乘无有志求我等又因如來智慧為諸菩
薩開示演說而自於此无有志願所以者何
佛知我等心樂小法以方便力隨我等說而
我等不知真是佛子今我等方知世尊於佛
智慧无所悋惜所以者何我等昔來真是佛
子而但樂小法若我等有樂大之心佛則為
我說大乘法於此經中唯說一乘而昔於菩薩
前毀呰聲聞樂小法者然佛實以大乘教化
是故我等說本无心有所悕求今法王大寶
自然而至如佛子所應得者皆已得之尒時
摩訶迦葉欲重宣此義而說偈言
我等今日　聞佛音教　歡喜踊躍　得未曾有
佛說聲聞　當得作佛　无上寶聚　不求自得
譬如童子　幼稚无識　捨父逃逝　遠到他土
周流諸國　五十餘年　其父憂念　四方推求

摩訶迦葉欲重宣此義而說偈言
我等今日　聞佛音教　歡喜踊躍　得未曾有
佛說聲聞　當得作佛　无上寶聚　不求自得
譬如童子　幼稚无識　捨父逃逝　遠到他土
周流諸國　五十餘年　其父憂念　四方推求
求之既疲　頓止一城　造立舍宅　五欲自娛
其家巨富　多諸金銀　車𤦲馬瑙　真珠琉璃
為馬牛羊　輦輿車乘　田業僮僕　人民衆多
出入息利　乃遍他國　商估賈人　无處不有
千万億衆　圍繞恭敬　常為王者　之所愛念
群臣豪族　皆共宗重　以諸緣故　往來者衆
豪富如是　有大力勢　而年朽邁　益憂念子
夙夜惟念　死時將至　癡子捨我　五十餘年
庫藏諸物　當如之何　尒時窮子　求索衣食
從邑至邑　從國至國　或有所得　或无所得
飢餓羸瘦　體生瘡癬　漸次經歷　到父住城
傭賃展轉　遂至父舍　尒時長者　於其門內
施大寶帳　處師子座　眷屬圍繞　諸人侍衛
或有計算　金銀寶物　出內財產　注記券疏
窮子見父　豪貴尊嚴　謂是國王　若是王等
驚怖自怪　何故至此　覆自念言　我若久住
或見逼迫　強驅使作　思惟是已　馳走而去
借問貧里　欲往傭作　長者是時　在師子座
遙見其子　默而識之　即勑使者　追捉將來
窮子驚喚　迷悶躃地　是人執我　必當見殺
何用衣食　使我至此　長者知子　愚癡狹劣

遥見其子 黙而識之 即勅使者 追捉將来
窮子驚喚 迷悶躃地 是人執我 必當見煞
何用衣食 使我至此 長者知子 愚癡狭劣
不信我言 不信是父 即以方便 更遣餘人
眇目矬陋 无威徳者 汝可語之 云當相雇
除諸糞穢 倍與汝價 窮子聞之 歡喜随来
為除糞穢 淨諸房舍 長者於牖 常見其子
念子愚劣 樂為鄙事 於是長者 著弊垢衣
執除糞器 往到子所 方便附近 語令勤作
既益汝價 并塗足油 飲食充足 薦席厚暖
如是苦言 汝當勤作 又以軟語 若如我子
長者有智 漸令入出 經二十年 執作家事
示其金銀 真珠頗梨 諸物出入 皆使令知
猶處門外 止宿草菴 自念貧事 我无此物
父知子心 漸已曠大 欲與財物 即聚親族
國王大臣 剎利居士 於此大衆 説是我子
捨我他行 經五十歳 自見子来 已二十年
昔於某城 而失是子 周行求索 遂来至此
凡我所有 舍宅人民 悉以付之 恣其所用
子念昔貧 志意下劣 今於父所 大獲珍寶
并及舍宅 一切財物 甚大歡喜 得未曾有
佛亦如是 知我樂小 未曾説言 汝等作佛
而説我等 得諸无漏 成就小乘 聲聞弟子
佛勅我等 説最上道 脩習此者 當得成佛
我承佛教 為大菩薩 以諸因縁 種種譬喩
若干言辭 説无上道 諸佛子等 從我聞法

BD02948號　妙法蓮華經卷二　（29–26）

佛亦如是 知我樂小 未曾説言 汝等作佛
而説我等 得諸无漏 成就小乘 聲聞弟子
佛勅我等 説最上道 脩習此者 當得成佛
我承佛教 為大菩薩 以諸因縁 種種譬喩
若干言辭 説无上道 諸佛子等 從我聞法
日夜思惟 精勤脩習 是時諸佛 即授其記
汝於来世 當得作佛 一切諸佛 秘藏之法
但為菩薩 演其實事 而不為我 説斯真要
如彼窮子 得近其父 雖知諸物 心不悕取
我等雖説 佛法寶藏 自无志願 亦復如是
我等内滅 自謂為足 唯了此事 更无餘事
我等若聞 淨佛國土 教化衆生 都无欣樂
所以者何 一切諸法 皆悉空寂 无生无滅
无大无小 无漏无為 如是思惟 不生喜樂
我等長夜 於佛智慧 无貪无著 无復志願
而自於法 謂是究竟 我等長夜 脩習空法
得脱三界 苦惱之患 住最後身 有餘涅槃
佛所教化 得道不虚 則為已得 報佛之恩
我等雖為 諸佛子等 説菩薩法 以求佛道
而於是法 永无願樂 導師見捨 觀我心故
初不勸進 説有實利 如富長者 知子志劣
以方便力 柔伏其心 然後乃付 一切財物
佛亦如是 現希有事 知樂小者 以方便力
調伏其心 乃教大智 我等今日 得未曾有
非先所望 而今自得 如彼窮子 得无量寶
世尊我今 得道得果 於无漏法 得淨清眼

BD02948號　妙法蓮華經卷二　（29–27）

我等雖為 諸佛子等 說菩薩法 以求佛道
而於是法 永无願樂 導師見捨 觀我心故
初不勸進 說有實利 如富長者 知子志劣
以方便力 柔伏其心 然後乃付 一切財物
佛亦如是 現希有事 知樂小者 以方便力
調伏其心 乃教大智 我等今日 得未曾有
非先所望 而今自得 如彼窮子 得无量寶
世尊我今 得道得果 於无漏法 得淨清眼
我等長夜 持佛淨戒 始於今日 得其果報
法王法中 久脩梵行 今得无漏 无上大果
我等今者 真是聲聞 以佛道聲 令一切聞
我等今者 真阿羅漢 於諸世間 天人魔梵
普於其中 應受供養 世尊大恩 以希有事
憐愍教化 利益我等 无量億劫 誰能報者
手足供給 頭頂礼敬 一切供養 皆不能報
若以頂戴 兩肩荷負 於恒沙劫 盡心恭敬
又以美膳 无量寶衣 及諸卧具 種種湯藥
牛頭栴檀 及諸珎寶 以起塔廟 寶衣布地
如斯等事 以用供養 於恒沙劫 亦不能報
諸佛希有 无量无邊 不可思議 大神通力
无漏无為 諸法之王 能為下劣 忍于斯事
取相凡夫 隨宜為說 諸佛於法 得最自在
知諸衆生 種種欲樂 及其志力 隨所堪任
以无量喻 而為說法 隨諸衆生 宿世善根
又知成熟 未成熟者 種種籌量 分別知已
於一乘道 隨宜說三

BD02948號　妙法蓮華經卷二

（29–28）

我等今者 真阿羅漢 於諸世間 天人魔梵
普於其中 應受供養 世尊大恩 以希有事
憐愍教化 利益我等 无量億劫 誰能報者
手足供給 頭頂礼敬 一切供養 皆不能報
若以頂戴 兩肩荷負 於恒沙劫 盡心恭敬
又以美膳 无量寶衣 及諸卧具 種種湯藥
牛頭栴檀 及諸珎寶 以起塔廟 寶衣布地
如斯等事 以用供養 於恒沙劫 亦不能報
諸佛希有 无量无邊 不可思議 大神通力
无漏无為 諸法之王 能為下劣 忍于斯事
取相凡夫 隨宜為說 諸佛於法 得最自在
知諸衆生 種種欲樂 及其志力 隨所堪任
以无量喻 而為說法 隨諸衆生 宿世善根
又知成熟 未成熟者 種種籌量 分別知已
於一乘道 隨宜說三
妙法蓮華經卷第二

BD02948號　妙法蓮華經卷二

（29–29）

名聲聞乘如彼諸
有衆生從佛世尊聞法信
然慧樂獨善寂深知諸法因
乘如彼諸子為求鹿車出於
從佛世尊聞法信受勤修精進求
智自然智无師智如來知見力无所畏愍念
安樂无量衆生利益天人度脫一切是名大
乘菩薩求此乘故名為摩訶薩如彼諸子為
求牛車出於火宅舍利弗如彼長者見諸子
等安隱得出火宅到无畏處自惟財富无量
等以大車而賜諸子如來亦復如是為一切衆
生之父若見无量億千衆生以佛教門出三
界苦怖畏險道得涅槃樂如來爾時便作是
念我有无量无邊智慧力无畏等諸佛法
藏是諸衆生皆是我子等與大乘不令有人
獨得滅度皆以如來滅度而滅度之是諸衆
生脫三界者悉與諸佛禪定解脫等娛樂之
具皆是一相一種聖所稱歎能生淨妙第一
之樂舍利弗如彼長者初以三車誘引諸子
然後但與大車寶物莊嚴安隱第一然彼長
者无虛妄之咎如來亦復如是无有虛妄初

BD02949 號　妙法蓮華經卷二　（2–1）

界苦怖畏險道得涅槃樂如來爾時便作是
念我有无量无邊智慧力无畏等諸佛法
藏是諸衆生皆是我子等與大乘不令有人
獨得滅度皆以如來滅度而滅度之是諸衆
生脫三界者悉與諸佛禪定解脫等娛樂之
具皆是一相一種聖所稱歎能生淨妙第一
之樂舍利弗如彼長者初以三車誘引諸子
然後但與大車寶物莊嚴安隱第一然彼長
者无虛妄之咎如來亦復如是无有虛妄初
說三乘引導衆生然後但以大乘而度脫之
何以故如來有无量智慧力无所畏諸法之
藏能與一切衆生大乘之法但不盡能受舍
利弗以是因緣當知諸佛方便力故於一佛
乘分別說三佛欲重宣此義而說偈言
譬如長者　有一大宅　其宅久故　而復頓弊
陛隤毀

BD02949 號　妙法蓮華經卷二　（2–2）

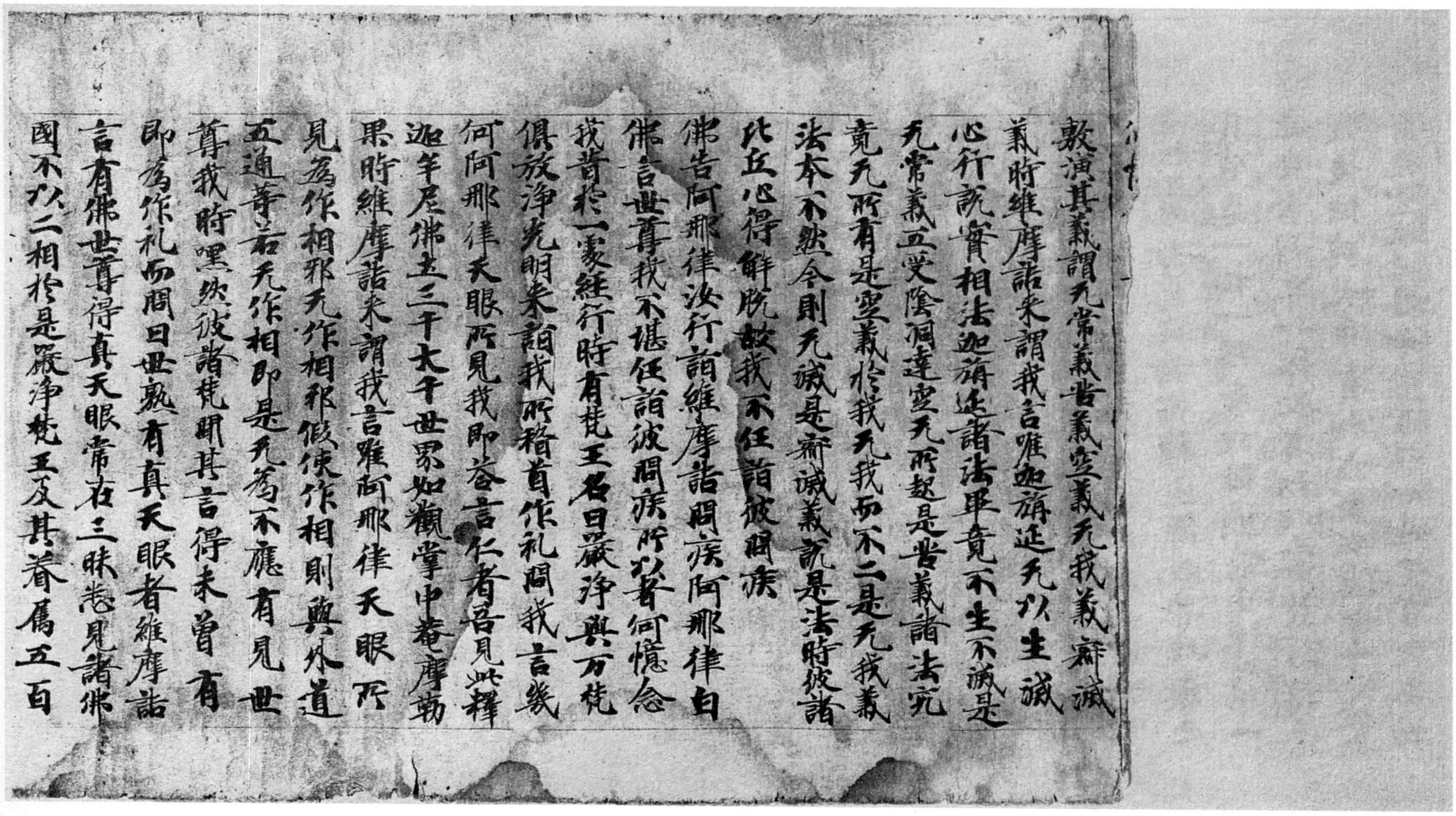

敷演其義謂无常義苦義空義无我義寂滅
義時維摩詰来謂我言唯迦旃延无以生滅
心行說實相法迦旃延諸法畢竟不生不滅是
无常義五受陰洞達空无所起是苦義諸法究
竟无所有是空義於我无我而不二是无我義
法本不然今則无滅是寂滅義說是法時彼諸
比丘心得解脫故我不任詣彼問疾
佛告阿那律汝行詣維摩詰問疾阿那律白
佛言世尊我不堪任詣彼問疾所以者何憶念
我昔於一處經行時有梵王名曰嚴淨與万梵
俱放淨光明来詣我所稽首作礼問我言幾
何阿那律天眼所見我即荅言仁者吾見此釋
迦牟尼佛土三千大千世界如觀掌中菴摩勒
果時維摩詰来謂我言唯阿那律天眼所
見為作相耶无作相耶假使作相則與外道
五通等若无作相即是无為不應有見世
尊我時嘿然彼諸梵聞其言得未曾有
即為作礼而問曰世孰有真天眼者維摩詰
言有佛世尊得真天眼常在三昧悉見諸佛
國不以二相於是嚴淨梵王及其眷屬五百

BD02950 號　維摩詰所說經卷上　　（2–1）

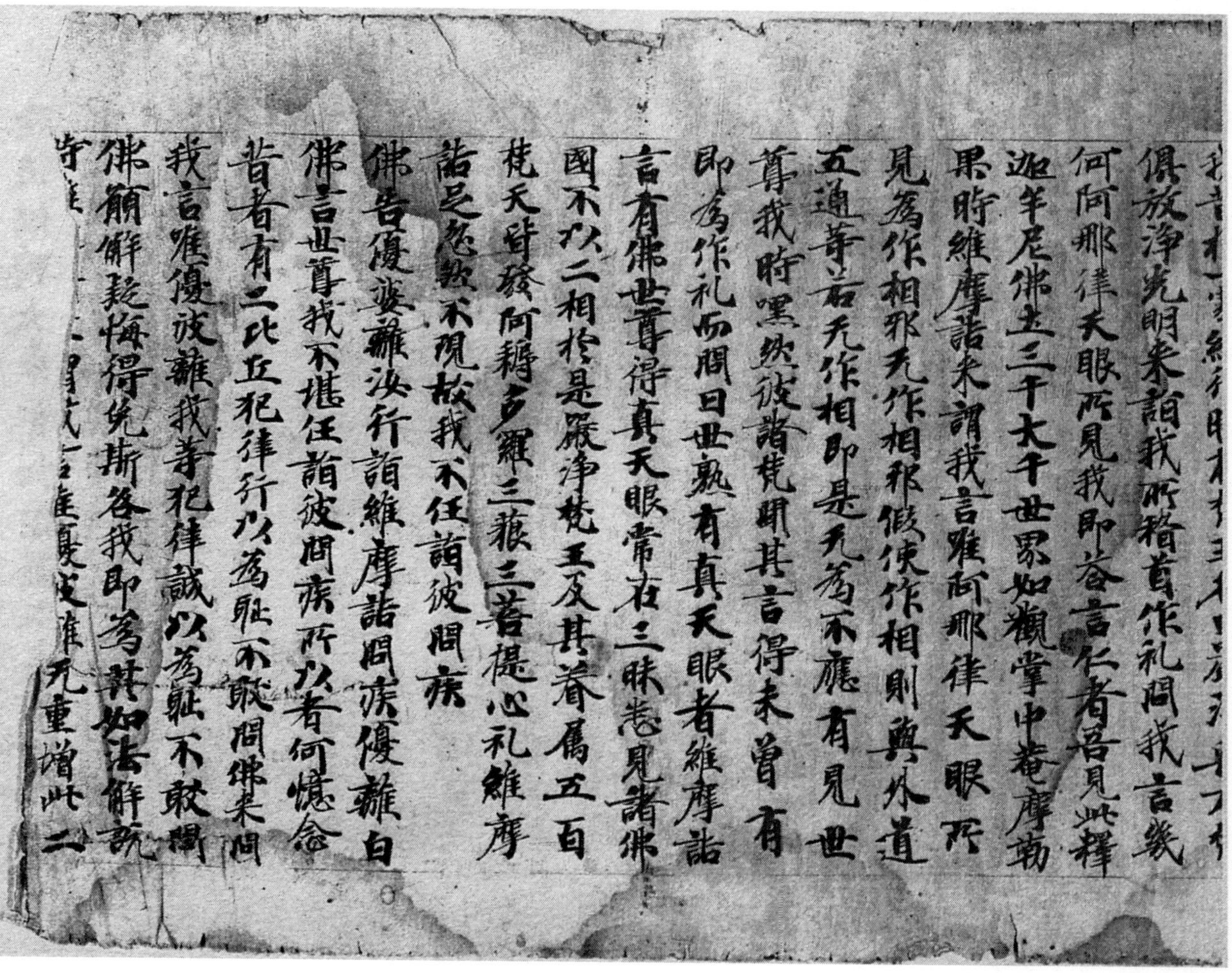

俱放淨光明来詣我所稽首作礼問我言幾
何阿那律天眼所見我即荅言仁者吾見此釋
迦牟尼佛土三千大千世界如觀掌中菴摩勒
果時維摩詰来謂我言唯阿那律天眼所
見為作相耶无作相耶假使作相則與外道
五通等若无作相即是无為不應有見世
尊我時嘿然彼諸梵聞其言得未曾有
即為作礼而問曰世孰有真天眼者維摩詰
言有佛世尊得真天眼常在三昧悉見諸佛
國不以二相於是嚴淨梵王及其眷屬五百
梵天皆發阿耨多羅三藐三菩提心礼維摩
詰足忽然不現故我不任詣彼問疾
佛告優波離汝行詣維摩詰問疾優波離白
佛言世尊我不堪任詣彼問疾所以者何憶念
昔者有二比丘犯律行以為恥不敢問佛来問
我言唯優波離我等犯律誠以為耻不敢問
佛願解疑悔得免斯咎我即為其如法解說
時維[illegible]言唯優波離无重增此二

BD02950 號　維摩詰所說經卷上　　（2–2）

……人熾盛瑠璃為地有八……
側其傍各有七寶行樹常
[illegible]……以三乘教化衆生舍利弗彼
佛出時雖非惡世以本願故說三乘法其劫名
大寶莊嚴何故名曰大寶莊嚴其國中以菩薩
為大寶故彼諸菩薩无量无邊不可思議筭
譬喻所不能及非佛智力无能知者若欲行時
寶華承足此諸菩薩非初發意皆久殖
於无量百千万億佛所淨脩梵行恒為諸佛之所
稱歎常脩佛慧具大神通善知一切諸法之門質
直无偽志念堅固如是菩薩充滿其國舍利弗
華光佛壽十二小劫除為王子未作佛時其國
人民壽八小劫華光如來過十二小劫授堅滿菩薩
阿耨多羅三藐三菩提記告諸比丘是堅滿菩
薩次當作佛号曰華足安行多陀阿伽度阿
羅訶三藐三佛陀其佛國土亦復如是舍利弗
是華光佛滅度之後正法住世三十二小劫像法
住……三十二小劫尒時世尊欲重宣此義而說偈言
舍利弗來世　成佛普智尊　号名曰華光　當度无量衆
供養无數佛　具足菩薩道　十力等功德　證於无上道
過无量劫已　劫名大寶嚴　世界名離垢　清淨无瑕穢
以瑠璃為地　金繩界其道　七寶雜色樹　常有華菓實
彼國諸菩薩　志念常堅固　神通波羅蜜　皆已悉具足
於无數佛所　善學菩薩道　如是等大士　華光佛所化
佛為王子時　棄國捨世榮　於最末後身　出家成佛道
……命八小劫

BD02951號　妙法蓮華經卷二　（21–1）

舍利弗來世　成佛普智尊　号名曰華光　當度无量衆
供養无數佛　具足菩薩道　十力等功德　證於无上道
過无量劫已　劫名大寶嚴　世界名離垢　清淨无瑕穢
以瑠璃為地　金繩界其道　七寶雜色樹　常有華菓實
彼國諸菩薩　志念常堅固　神通波羅蜜　皆已悉具足
於无數佛所　善學菩薩道　如是等大士　華光佛所化
佛為王子時　棄國捨世榮　於最末後身　出家成佛道
華光佛住世　壽十二小劫　其國人民衆　壽命八小劫
佛滅度之後　正法住於世　三十二小劫　廣度諸衆生
正法滅盡已　像法三十二　舍利廣流布　天人普供養
華光佛所為　其事皆如是　其兩足聖尊　最勝无倫匹
彼即是汝身　宜應自欣慶
尒時四部衆比丘比丘尼優婆塞優婆夷天龍夜
叉乾闥婆阿脩羅迦樓羅緊那羅摩睺羅伽等
大衆見舍利弗於佛前得受阿耨多羅三藐三
菩提記心大歡喜踊躍无量各各脫身所著上
衣以供養佛釋提桓因梵天王等與无數天子亦
以天妙衣天曼陀羅華摩訶曼陀羅華等供養
於佛所散天衣住虛空中而自迴轉諸天伎樂百
千万種於虛空中一時俱作雨衆天華而作是言
佛昔於波羅柰初轉法輪今乃復轉无上最大法
輪尒時諸天子欲重宣此義而說偈言
昔於波羅柰　轉四諦法輪　分別說諸法　五衆之生滅
今復轉最妙　无上大法輪　是法甚深奧　少有能信者
我等從昔來　數聞世尊說　未曾聞如是　深妙之上法
世尊說是法　我等皆隨喜　大智舍利弗　今得受尊記
我等亦如是　必當得作佛　於一切世間　最尊无有上
佛道叵思議　方便隨宜說　我所有福業　今世若過世
及見佛功德　盡迴向佛道
尒時舍利弗白佛言世尊我今无復疑悔親於佛
前得受阿耨多羅三藐三菩提記是諸千二百

BD02951號　妙法蓮華經卷二　（21–2）

我等亦如是　必當得作佛　於一切世間　最尊无有上
佛道叵思議　方便隨宜說　我所有福業　今世若過世
及見佛功德　盡迴向佛道
尒時舍利弗白佛言世尊我今无復疑悔親於佛
前得受阿耨多羅三藐三菩提記是諸千二百
心自在者昔住學地佛常教化言我法能離生
老病死究竟涅槃是學无學人亦各自以離我見
及有无見等謂得涅槃而今於世尊前聞所未
聞皆墮疑惑善哉世尊願爲四衆說其因緣令
離疑悔尒時佛告舍利弗我先不言諸佛世尊以
種種因緣譬喻言辭方便說法皆爲阿耨多羅
三藐三菩提耶是諸所說皆爲化菩薩故然舍利
弗今當復以譬喻更明此義諸有智者以譬喻
得解舍利弗若國邑聚落有大長者其年衰邁
財富无量多有田宅及諸僮僕其家廣大唯有一
門多諸人衆一百二百乃至五百人止住其中堂
閣朽故牆壁頹落柱根腐敗梁棟傾危周帀俱時
欻然火起焚燒舍宅長者諸子若十二十或至
三十在此宅中長者見是大火從四面起即大
驚怖而作是念我雖能於此所燒之門安隱得
出而諸子等於火宅內樂著嬉戲不覺不知不
驚不怖火來逼身苦痛切已心不猒患无求出
意舍利弗是長者作是思惟我身有力當以衣祴
若以几案從舍出之復更思惟是舍唯有一門而
復狹小諸子幼稚未有所識戀著戲處或當墮
落爲火所燒我當爲說怖畏之事此舍已燒宜
時疾出无令爲火之所燒害作是念已如所思惟
具告諸子汝等速出父雖憐愍善言誘喻而
諸子等樂著嬉戲不肯信受不驚不畏了
无出心亦復不知何者是火何者爲舍云何爲
失但東西走戲視父而已尒時長者即作是

落爲火所燒我當爲說怖畏之事此舍已燒宜
時疾出无令爲火之所燒害作是念已如所思惟
具告諸子汝等速出父雖憐愍善言誘喻而
諸子等樂著嬉戲不肯信受不驚不畏了
无出心亦復不知何者是火何者爲舍云何爲
失但東西走戲視父而已尒時長者即作是
念此舍已爲大火所燒我及諸子若不時出必
爲所焚我今當設方便令諸子等得免斯害
父知諸子先心各有所好種種珍玩奇異之物情
必樂著而告之言汝等所可玩好希有難得汝
若不取後必憂悔如此種種羊車鹿車牛車
今在門外可以遊戲汝等於此火宅宜速出來
隨汝所欲皆當與汝尒時諸子聞父所說珍玩
之物適其願故心各勇銳互相推排競共馳走
爭出火宅是時長者見諸子等安隱得出火
宅皆於四衢道中露地而坐无復鄣礙其心泰
然歡喜踊躍時諸子等各白父言父先所許
玩好之具羊車鹿車牛車願時賜與舍利弗尒
時長者各賜諸子等一大車其車高廣衆寶
莊校周帀欄楯四面懸鈴又於其上張設幰
蓋亦以珍奇雜寶而嚴飾之寶繩交絡垂
諸華纓重敷綩綖安置丹枕駕以白牛膚色
充潔形體姝好有大筋力行步平正其疾如
風又多僕從而侍衛之所以者何是大長者財富
无量種種諸藏悉皆充溢而作是念我財物
无極不以下劣小車與諸子等今此幼童皆是
吾子愛无偏黨我有如是七寶大車其數无量
應當等心各各與之不宜差別所以者何以我此
物周給一國猶尚不匱何況諸子是時諸子各乘
大車得未曾有非本所望舍利弗於汝意云何

无極不以下……
吾子愛无偏黨我有如是七寶大車其數无量
應當等心各各與之不宜差別所以者何以我此
物周給一國猶尚不匱何況諸子是時諸子各乘
大車得未曾有非本所望舍利弗於汝意云何
是長者等與諸子珍寶大車寧有虛妄不舍利
弗言不也世尊是長者但令諸子得免火難全其
軀命非為虛妄何以故若全身命便為已得玩好
之具況復方便於彼火宅而拔濟之世尊若是長
者乃至不與最小一車猶不虛妄何以故是長者
先作是意我以方便令子得出以是因緣无虛妄也
何況長者自知財富无量欲饒益諸子等與大
車佛告舍利弗善哉善哉如汝所言舍利弗如
來亦復如是則為一切世間之父於諸怖畏衰惱憂
患无明闇蔽永盡无餘而悉成就无量知見力无
所畏有大神力及智慧力具足方便智慧波羅
蜜大慈大悲常无懈惓恒求善事利益一切而生
三界朽故火宅為度眾生生老病死憂悲苦惱愚
癡闇蔽三毒之火教化令得阿耨多羅三藐三
菩提見諸眾生為生老病死憂悲苦惱之所燒煮
亦以五欲財利故受種種苦又以貪著追求故現
受眾苦後受地獄畜生餓鬼之苦若生天上及在
人間貧窮困苦愛別離苦怨憎會苦如是等
種種諸苦眾生沒在其中歡喜遊戲不覺不知
不驚不怖亦不生厭不求解脫於此三界火宅
東西馳走雖遭大苦不以為患舍利弗如來復
作是念若我但以神力及智慧力捨於方便為
諸眾生讚如來知見力无所畏者眾生不能以是
得度所以者何是諸眾生未免生老病死憂悲苦
惱而為三界火宅所燒何由能解佛之智慧舍
利弗如彼長者雖復身手有力而不用之但以

BD02951號　妙法蓮華經卷二　（21–5）

得度所以者何是諸眾生未免生老病死憂悲苦
惱而為三界火宅所燒何由能解佛之智慧舍
利弗如彼長者雖復身手有力而不用之但以
慇懃方便免濟諸子火宅之難然後各與珍寶
大車如來亦復如是雖有力无所畏而不用之但以
智慧方便於三界火宅拔濟眾生為說三乘聲
聞辟支佛佛乘而作是言汝等莫得樂住三界
火宅勿貪麤弊色聲香味觸也若貪著生愛則
為所燒汝速出三界當得三乘聲聞辟支佛佛
乘我今為汝保任此事終不虛也汝等但當勤
脩精進如來以是方便誘進眾生復作是言汝
等當知此三乘法皆是聖所稱歎自在无繫无
所依求乘是三乘以无漏根力覺道禪定解脫三
昧等而自娛樂便得无量安隱快樂舍利弗若
有眾生內有智性從佛世尊聞法信受殷勤精進
欲速出三界自求涅槃是名聲聞乘如彼諸子為
求羊車出於火宅若有眾生從佛世尊聞法信受
慇懃精進求自然慧樂獨善寂深知諸法因緣是
名辟支佛乘如彼諸子為求鹿車出於火宅若
眾生從佛世尊聞法信受勤脩精進求一切智佛
智自然智无師智如來知見力无所畏愍念安樂
无量眾生利益天人度脫一切是名大乘菩薩求
此乘故名為摩訶薩如彼諸子為求牛車出於
火宅舍利弗如彼長者見諸子等安隱得出火
宅到无畏處自惟財富无量等以大車而賜諸
子如來亦復如是為一切眾生之父若見无量億
千眾生以佛教門出三界苦怖畏險道得涅槃樂
如來尒時便住是念我有无量无邊智慧力无
畏等諸佛法藏是諸眾生皆是我子等與大乘
不令有人獨得滅度皆以如來滅度而滅度之是
諸眾生脫三界者悉與諸佛禪定解脫等娛樂

BD02951號　妙法蓮華經卷二　（21–6）

弗如來亦復如是為一切衆生之父若見无量億
千衆生以佛教門出三界苦怖畏險道得涅槃樂
如來尒時便作是念我有无量无邊智慧力无
畏等諸佛法藏是諸衆生皆是我子等與大乘
不令有人獨得滅度皆以如來滅度而滅度之是
諸衆生脫三界者悉與諸佛禪定解脫等娛樂
之具皆是一相一種聖所稱歎能生淨妙第一之
樂舍利弗如彼長者初以三車誘引諸子然
後但以大車寶物莊嚴安隱第一然彼長者无虛
妄之咎舍利弗如來亦復如是无有虛妄初說
三乘引導衆生然後但以大乘而度脫之何以
故如來有无量智慧力无所畏諸法之藏能與
一切衆生大乘之法但不盡能受舍利弗以是因
緣當知諸佛方便力故於一佛乘分別說三佛欲
重宣此義而說偈言
譬如長者　有一大宅　其宅久故　而復頓弊
堂舍高危　柱根摧朽　梁棟傾斜　基陛頹毀
牆壁圮坼　泥塗褫落　覆苫亂墜　椽梠差脫
周障屈曲　雜穢充遍　有五百人　止住其中
鵄梟鵰鷲　烏鵲鳩鴿　蚖蛇蝮蠍　蜈蚣蚰蜒
守宮百足　狖貍鼷鼠　諸惡虫輩　交橫馳走
屎尿臭處　不淨流溢　蜣蜋諸虫　而集其上
狐狼野干　咀嚼踐蹋　嚌齧死屍　骨肉狼藉
由是群狗　競來搏撮　飢羸慞惶　處處求食
鬥諍摣掣　啀喍嘷吠　其舍恐怖　變狀如是
處處皆有　魑魅魍魎　夜叉惡鬼　食噉人肉
毒虫之屬　諸惡禽獸　孚乳產生　各自藏護
夜叉競來　爭取食之　食之既飽　惡心轉熾
鬥諍之聲　甚可怖畏　鳩槃荼鬼　蹲踞土埵
或時離地　一尺二尺　往返遊行　縱逸嬉戲
捉狗兩足　撲令失聲　以腳加頸　怖狗自樂

BD02951號　妙法蓮華經卷二

(21-7)

毒虫之屬　諸惡禽獸
夜叉競來　爭取食之　食之既飽　惡心轉熾
鬥諍之聲　甚可怖畏　鳩槃荼鬼　蹲踞土埵
或時離地　一尺二尺　往返遊行　縱逸嬉戲
捉狗兩足　撲令失聲　以腳加頸　怖狗自樂
復有諸鬼　其身長大　裸形黑瘦　常住其中
發大惡聲　叫呼求食　復有諸鬼　其咽如針
復有諸鬼　首如牛頭　或食人肉　或復噉狗
頭髮蓬亂　殘害凶險　飢渴所逼　叫喚馳走
夜叉餓鬼　諸惡鳥獸　飢急四向　窺看窗牖
如是諸難　恐畏无量　是朽故宅　屬于一人
其人近出　未久之間　於後宅舍　忽然火起
四面一時　其焰俱熾　棟梁椽柱　爆聲震裂
摧折墮落　牆壁崩倒　諸鬼神等　揚聲大叫
鵰鷲諸鳥　鳩槃荼等　周章惶怖　不能自出
惡獸毒虫　藏竄孔穴　毗舍闍鬼　亦住其中
薄福德故　為火所逼　共相殘害　飲血噉肉
野干之屬　並已前死　諸大惡獸　競來食噉
臭烟熢㶿　四面充塞　蜈蚣蚰蜒　毒蛇之類
為火所燒　爭走出穴　鳩槃荼鬼　隨取而食
又諸餓鬼　頭上火然　飢渴熱惱　周章悶走
其宅如是　甚可怖畏　毒害火災　衆難非一
是時宅主　在門外立　聞有人言　汝諸子等
先因遊戲　來入此宅　稚小无知　歡娛樂著
長者聞已　驚入火宅　方宜救濟　令无燒害
告喻諸子　說衆患難　惡鬼毒虫　災火蔓莚
衆苦次第　相續不絕　毒蛇蚖蝮　及諸夜叉
鳩槃荼鬼　野干狐狗　鵰鷲鵄梟　百足之屬
飢渴惱急　甚可怖畏　此苦難處　況復大火
諸子无知　雖聞父誨　猶故樂著　嬉戲不已
是時長者　而作是念　諸子如此　益我愁惱

BD02951號　妙法蓮華經卷二

(21-8)

飢渴惱急　甚可怖畏　此苦難處　況復大火
諸子无知　雖聞父誨　猶故樂著　嬉戲不已
是時長者　而作是念　諸子如此　益我愁惱
今此舍宅　无一可樂　而諸子等　耽湎嬉戲
不受我教　將為火害　即便思惟　設諸方便
告諸子等　我有種種　珎玩之具　妙寶好車
羊車鹿車　大牛之車　今在門外　汝等出來
吾為汝等　造作此車　隨意所樂　可以遊戲
諸子聞說　如此諸車　即時奔競　馳走而出
到於空地　離諸苦難　長者見子　得出火宅
住於四衢　坐師子坐　而自慶言　我今快樂
尒時諸子　生育甚難　愚小无知　而入險宅
多諸毒虫　魑魅可畏　大火猛焰　四面俱起
而此諸子　貪樂嬉戲　我已救之　令得脫難
是故諸人　我今快樂　尒時諸子　知父安坐
皆詣父所　而白父言　願賜我等　三種寶車
如前所許　諸子出來　當以三車　隨汝所欲
今正是時　唯垂給與　長者大富　庫藏甚多
金銀瑠璃　車𤦲馬瑙　以眾寶物　造諸大車
莊校嚴飾　周帀欄楯　四面懸鈴　金繩交絡
真珠羅網　張施其上　金華諸纓　處處垂下
眾綵雜飾　周帀圍繞　柔軟繒纊　以為茵蓐
上妙細㲲　價直千億　鮮白淨潔　以覆其上
有大白牛　肥壯多力　形體姝好　以駕寶車
多諸儐從　而侍衛之　以是妙車　等賜諸子
諸子是時　歡喜踊躍　乘是寶車　遊於四方
嬉戲快樂　自在无礙　告舍利弗　我亦如是
眾聖中尊　世間之父　一切眾生　皆是吾子
深著世樂　无有慧心　三界无安　猶如火宅
眾苦充滿　甚可怖畏　常有生老　病死憂患

BD02951號　妙法蓮華經卷二　（21–9）

嬉戲快樂　自在无礙　告舍利弗　我亦如是
眾聖中尊　世間之父　一切眾生　皆是吾子
深著世樂　无有慧心　三界无安　猶如火宅
眾苦充滿　甚可怖畏　常有生老　病死憂患
如是等火　熾然不息　如來已離　三界火宅
寂然閑居　安處林野　今此三界　皆是我有
其中眾生　悉是吾子　如今此處　多諸患難
唯我一人　能為救護　雖復教詔　而不信受
於諸欲染　貪著深故　以是方便　為說三乘
令諸眾生　知三界苦　開示演說　出世間道
是諸子等　若心決定　具足三明　及六神通
有得緣覺　不退菩薩　汝舍利弗　我為眾生
以此譬喻　說一佛乘　汝等若能　信受是語
一切皆當　得成佛道　是乘微妙　清淨第一
於諸世間　為无有上　佛所悅可　一切眾生
所應稱讚　供養禮拜　无量億千　諸力解脫
禪定智慧　及佛餘法　得如是乘　令諸子等
日夜劫數　常得遊戲　汝諸菩薩　及聲聞眾
乘此寶乘　直至道場　以是因緣　十方諦求
更无餘乘　除佛方便　告舍利弗　汝諸人等
皆是吾子　我則是父　汝等累劫　眾苦所燒
我皆濟拔　令出三界　我雖先說　汝等滅度
但盡生死　而實不滅　今所應作　唯佛智慧
若有菩薩　於是眾中　能一心聽　諸佛實法
諸佛世尊　雖以方便　所化眾生　皆是菩薩
若人小智　深著愛欲　為此等故　說於苦諦
眾生心喜　得未曾有　佛說苦諦　真實无異
若有眾生　不知苦本　深著苦因　不能暫捨
為是等故　方便說道　諸苦所因　貪欲為本
若滅貪欲　无所依止　滅盡諸苦　名第三諦

BD02951號　妙法蓮華經卷二　（21–10）

若有衆生 不知苦本 深著苦因 不能暫捨
為是等故 方便說道 諸苦所因 貪欲為本
若滅貪欲 无所依止 滅盡諸苦 名第三諦
為滅諦故 修行於道 離諸苦縛 名得解脫
是人於何 而得解脫 但離虛妄 名為解脫
其實未得 一切解脫 佛說是人 未實滅度
斯人未得 无上道故 我意不欲 令至滅度
我為法王 於法自在 安隱衆生 故現於世
汝舍利弗 我此法印 為欲利益 世間故說
在所遊方 勿妄宣傳 若有聞者 隨喜頂受
當知是人 阿鞞跋致 若有信受 此經法者
是人已曾 見過去佛 恭敬供養 亦聞是法
若人有能 信汝所說 則為見我 亦見於汝
及比丘僧 并諸菩薩 斯法華經 為深智說
淺識聞之 迷惑不解 一切聲聞 及辟支佛
於此經中 力所不及 汝舍利弗 尚於此經
以信得入 況餘聲聞 其餘聲聞 信佛語故
隨順此經 非己智分 又舍利弗 憍慢懈怠
計我見者 莫說此經 凡夫淺識 深著五欲
聞不能解 亦勿為說 若人不信 毀謗此經
則斷一切 世間佛種 或復顰蹙 而懷疑惑
汝當聽說 此人罪報 若佛在世 若滅度後
其有誹謗 如斯經典 見有讀誦 書持經者
輕賤憎嫉 而懷結恨 此人罪報 汝今復聽
其人命終 入阿鼻獄 具足一劫 劫盡更生
如是展轉 至无數劫 從地獄出 當墮畜生
若狗野干 其形頞瘦 黧黮疥癩 人所觸嬈
又復為人 之所惡賤 常困飢渴 骨肉枯竭
生受楚毒 死被瓦石 斷佛種故 受斯罪報
若作駱駝 或生驢中 身常負重 加諸杖捶
但念水草 餘无所知 謗斯經故 獲罪如是

BD02951 號　妙法蓮華經卷二　（21–11）

又復為人 之所惡賤 常困飢渴 骨肉枯竭
生受楚毒 死被瓦石 斷佛種故 受斯罪報
若作駱駝 或生驢中 身常負重 加諸杖捶
但念水草 餘无所知 謗斯經故 獲罪如是
有作野干 來入聚落 身體疥癩 又无一目
為諸童子 之所打擲 受諸苦痛 或時致死
於此死已 更受蟒身 其形長大 五百由旬
聾騃无足 宛轉腹行 為諸小虫 之所唼食
晝夜受苦 无有休息 謗斯經故 獲罪如是
若得為人 諸根闇鈍 矬陋攣躄 盲聾背傴
有所言說 人不信受 口氣常臭 鬼魅所著
貧窮下賤 為人所使 多病痟瘦 无所依怙
雖親附人 人不在意 若有所得 尋復忘失
若修醫道 順方治病 更增他疾 或復致死
若自有病 无人救療 設服良藥 而復增劇
若他反逆 抄劫竊盜 如是等罪 橫羅其殃
如斯罪人 永不見佛 衆聖之王 說法教化
如斯罪人 常生難處 狂聾心亂 永不聞法
於无數劫 如恒河沙 生輒聾瘂 諸根不具
常處地獄 如遊園觀 在餘惡道 如己舍宅
駝驢猪狗 是其行處 謗斯經故 獲罪如是
若得為人 聾盲瘖瘂 貧窮諸衰 以自莊嚴
水腫乾痟 疥癩癰疽 如是等病 以為衣服
身常臭處 垢穢不淨 深著我見 增益瞋恚
婬欲熾盛 不擇禽獸 謗斯經故 獲罪如是
告舍利弗 謗斯經者 若說其罪 窮劫不盡
以是因緣 我故語汝 无智人中 莫說此經
若有利根 智慧明了 多聞強識 求佛道者
如是之人 乃可為說 若人曾見 億百千佛
殖諸善本 深心堅固 如是之人 乃可為說
若人精進 常脩慈心 不惜身命 乃可為說

BD02951 號　妙法蓮華經卷二　（21–12）

以是因緣 我故語汝 无智人中 莫說此經
若有利根 智慧明了 多聞強識 求佛道者
如是之人 乃可為說 若人曾見 億百千佛
殖諸善本 深心堅固 如是之人 乃可為說
若人精進 常脩慈心 不惜身命 乃可為說
若人恭敬 无有異心 離諸凡愚 獨處山澤
如是之人 乃可為說 又舍利弗 若見有人
捨惡知識 親近善友 如是之人 乃可為說
若見佛子 持戒清潔 如淨明珠 求大乘經
如是之人 乃可為說 若人无瞋 質直柔軟
常愍一切 恭敬諸佛 如是之人 乃可為說
復有佛子 於大眾中 以清淨心 種種因緣
譬喻言辭 說法无礙 如是之人 乃可為說
若有比丘 為一切智 四方求法 合掌頂受
但樂受持 大乘經典 乃至不受 餘經一偈
如是之人 乃可為說 如人至心 求佛舍利
如是求經 得已頂受 其人不復 志求餘經
亦未曾念 外道典籍 如是之人 乃可為說
告舍利弗 我說是相 求佛道者 窮劫不盡
如是等人 則能信受 汝當為說 妙法華經

妙法蓮華經信解品第四

尒時慧命須菩提摩訶迦旃延摩訶迦葉
摩訶目揵連從佛所聞未曾有法世尊受
舍利弗阿耨多羅三藐三菩提記發希有
心歡喜踊躍即從坐起整衣服偏袒右肩右膝
着地一心合掌曲躬恭敬瞻仰尊顏而白佛言
我等居僧之首年並朽邁自謂已得涅槃无
所堪任不復進求阿耨多羅三藐三菩提世
尊往昔說法既久我時在坐身體疲懈但念空
无相无作於菩薩法遊戲神通淨佛國土成就
眾生心不喜樂所以者何世尊令我等出於三

我等居僧之首年並朽邁自謂已得涅槃无
所堪任不復進求阿耨多羅三藐三菩提世
尊往昔說法既久我時在坐身體疲懈但念空
无相无作於菩薩法遊戲神通淨佛國土成就
眾生心不喜樂所以者何世尊令我等出於三
界得涅槃證又今我等年已朽邁於佛教化
菩薩阿耨多羅三藐三菩提不生一念好樂
之心我等今於佛前聞受聲聞阿耨多羅
三藐三菩提記心甚歡喜得未曾有不謂於
今忽然得聞希有之法深自慶幸獲大善利
无量珍寶不求自得世尊我等今者樂說譬
喻以明斯義譬若有人年既幼稚捨父逃逝久
住他國或十二十至五十歲年既長大加復窮困
馳騁四方以求衣食漸漸遊行遇向本國其父
先來求子不得中止一城其家大富財寶无量
金銀瑠璃珊瑚虎珀頗梨珠等其諸倉庫悉
皆盈溢多有僮僕臣佐吏民象馬車乘牛羊
无數出入息利乃遍他國商估賈客亦甚眾
多時貧窮子遊諸聚落經歷國邑遂到其
父所止之城父每念子與子離別五十餘年而未
曾向人說如此事但自思惟心懷悔恨自念老
朽多有財物金銀珍寶倉庫盈溢无有子息一
旦終沒財物散失无所委付是以慇懃每憶其
子復作是念我若得子委付財物坦然快樂无
復憂慮世尊尒時窮子傭賃展轉遇到父舍
住立門側遙見其父踞師子床寶机承足諸
婆羅門剎利居士皆恭敬圍繞以真珠瓔珞
價直千万莊嚴其身吏民僮僕手執白拂侍
立左右覆以寶帳垂諸華幡香水灑地散眾
名華羅列寶物出內取與有如是等種種嚴
飾威德特尊窮子見父有大力勢即懷恐怖

婆羅門剎利居士皆恭敬圍繞以真珠瓔珞
價直千萬莊嚴其身吏民僮僕手執白拂侍
立左右覆以寶帳垂諸華幡香水灑地散眾
名華羅列寶物出內取與有如是等種種嚴
飾威德特尊窮子見父有大力勢即懷恐怖
悔來至此竊作是念此或是王或是王等非我
傭力得物之處不如往至貧里肆力有地衣食
易得若久住此或見逼迫強使我作作是念已疾
走而去時父長者於師子座見子便識心大
歡喜即作是念我財物庫藏今有所付我常
思念此子无由見之而忽自來甚適我願我雖
年朽猶故貪惜即遣傍人急追將還尒時使者
疾走往捉窮子驚愕稱怨大喚我不相犯何
為見捉使者執之逾急強牽將還于時窮子
自念无罪而被囚執此必定死轉更惶怖悶
絕躃地父遙見之而語使言不須此人勿強將來
以冷水灑面令得醒悟莫復與語所以者何父知
其子志意下劣自知豪貴為子所難審知是子
而以方便不語他人云是我子使者語之我今放
汝隨意所趣窮子歡喜得未曾有從地而起往
至貧里以求衣食尒時長者將欲誘引其子而
設方便密遣二人形色憔悴无威德者汝可
詣彼徐語窮人此有作處倍與汝直窮子
若許將來使作若言欲何所作便可語之雇汝
除糞我等二人亦共汝作時二使人即求窮子
既以得之具陳上事尒時窮子先取其價尋
與除糞其父見子愍而怪之又以他日於窗
牖中遙見子身羸瘦憔悴糞土塵坌污穢不淨
即脫瓔珞細軟上服嚴飾之具更著麤弊垢膩
之衣塵土坌身又手執持除糞之器狀有所畏語

除糞我等二人亦共汝作時二使人即求窮子
既以得之具陳上事尒時窮子先取其價尋
與除糞其父見子愍而怪之又以他日於窗
牖中遙見子身羸瘦憔悴糞土塵坌污穢不淨
即脫瓔珞細軟上服嚴飾之具更著麤弊垢膩
之衣塵土坌身又手執持除糞之器狀有所畏語
諸作人汝等勤作勿復餘去當加汝價諸有所須
盆器米麵鹽酢之屬莫自疑難亦有老弊使人
須者相給好自安慰我如汝父勿復憂慮所以
者何我年老大而汝少壯汝常作時无有欺怠
瞋恨怨言都不見汝有此諸惡如餘作人自今已後
如所生子即時長者更與作字名之為兒尒時窮
子雖欣此遇猶故自謂客作賤人由是之故於二
十年中常令除糞過是已後心相體信入出无難
然其所止猶在本處世尊尒時長者有疾自知
將死不久語窮子言我今多有金銀珍寶倉庫
盈溢其中多少所應取與汝悉知之我心如是當
體此意所以者何今我與汝便為不異宜加用心
无令漏失尒時窮子即受教勅領知眾物金銀
珍寶及諸庫藏而无悕取一飡之意然其所止
故在本處下劣之心亦未能捨復經少時父知子
意漸已通泰成就大志自鄙先心臨欲終時而
命其子并會親族國王大臣剎利居士皆悉
已集即自宣言諸君當知此是我子我之所生
於某城中捨吾逃走跉跰辛苦五十餘年其
本字某我名某甲昔在本城懷憂推覓忽於
此間遇會得之此實我子我實其父今吾所有
一切財物皆是子有先所出內是子所知世尊是
時窮子聞父此言即大歡喜得未曾有而作是
念我本无心有所悕求今此寶藏自然而至世尊
大富長者則是如來我等皆似佛子如來常說

一切財物皆是子有先所出内是子所知世尊是
時窮子聞父此言即大歡喜得未曾有而作是
念我本无心有所悕求今此寶藏自然而至世尊
大富長者則是如來我等皆似佛子如來常說
我等為子世尊我等以三苦故於生死中受諸熱
惱迷惑无知樂著小法今日世尊令我等思惟
蠲除諸法戲論之糞我等於中勤加精進得
至涅槃一日之價既得此已心大歡喜自以為足
而便自謂於佛法中勤精進故所得弘多然
世尊先知我等心著弊欲樂於小法便見縱捨
不為分別汝等當有如來知見寶藏之分世
尊以方便力說如來智慧我等從佛得涅槃一
日之價以為大得於此大乘无有志求我等又因
如來智慧為諸菩薩開示演說而自於此无
有志願所以者何佛知我等心樂小法以方便
力隨我等說而我等不知真是佛子
今我等方知世尊於佛智慧无所悋惜所以者
何我等昔來真是佛子而但樂小法若我等有
樂大之心佛則為我說大乘法於此經中唯說一乘
而昔於菩薩前毀呰聲聞樂小法者然佛實以
大乘教化是故我等說本无心有所悕求今法
王大寶自然而至如佛子所應得者皆以得之
尒時摩訶迦葉欲重宣此義而說偈言
我等今日　聞佛音教　歡喜踊躍　得未曾有
佛說聲聞　當得作佛　无上寶聚　不求自得
譬如童子　幼稚无識　捨父逃逝　遠到他國
周流諸國　五十餘年　其父憂念　四方推求
求之既疲　頓止一城　造立舍宅　五欲自娛
其家巨富　多諸金銀　車璖馬瑙　真珠瑠璃
象馬牛羊　輦轝車乘　田業僮僕　人民衆多

周流諸國　五十餘年　其父憂念　四方推求
求之既疲　頓止一城　造立舍宅　五欲自娛
其家巨富　多諸金銀　車璖馬瑙　真珠瑠璃
象馬牛羊　輦轝車乘　田業僮僕　人民衆多
出入息利　乃遍他國　商估賈人　无處不有
千万億衆　圍繞恭敬　常為王者　之所愛念
群臣豪族　皆共宗重　以諸緣故　往來者衆
豪富如是　有大力勢　而年朽邁　益憂念子
夙夜惟念　死時將至　癡子捨我　五十餘年
庫藏諸物　當如之何　尒時窮子　求索衣食
從邑至邑　從國至國　或有所得　或无所得
飢餓羸瘦　體生瘡癬　漸次經歷　到父住城
傭賃展轉　遂至父舍　尒時長者　於其門内
施大寶帳　處師子座　眷屬圍繞　諸人侍衛
或有計算　金銀寶物　出内財產　注記券疏
窮子見父　豪貴尊嚴　謂是國王　若國王等
驚怖自怪　何故至此　覆自念言　我若久住
或見逼迫　强驅使作　思惟是已　馳走而去
借問貧里　欲往傭作　長者是時　在師子座
遥見其子　默而識之　即勑使者　追捉將來
窮子驚喚　迷悶躃地　是人執我　必當見殺
何用衣食　使我至此　長者知子　愚癡狹劣
不信我言　不信是父　即以方便　更遣餘人
眇目痤陋　无威德者　汝可語之　云當相雇
除諸糞穢　倍與汝直　窮子聞之　歡喜隨來
為除糞穢　方諸舍宅　長者於牖　常見其子
念子愚劣　樂為鄙事　於是長者　著弊垢衣
執除糞器　往到子所　方便附近　語令勤作
既益汝價　并塗足油　飲食充足　薦席厚煖
如是苦言　汝當勤作　又以軟語　若如我子
長者有智　漸令入出　經二十年　執作家事

除諸糞穢　倍與汝直　窮子聞之　歡喜隨來
為除糞穢　方諸舍宅　長者於牖　常見其子
念子愚劣　樂為鄙事　於是長者　著弊垢衣
執除糞器　往到子所　方便附近　語令勤作
既益汝價　并塗足油　飲食充足　薦席厚煖
如是苦言　汝當勤作　又以軟語　若如我子
長者有智　漸令入出　經二十年　執作家事
示其金銀　真珠頗梨　諸物出入　皆使令知
猶處門外　止宿草菴　自念貧事　我无此物
父知子心　漸已廣大　欲與財物　即聚親族
國王大臣　剎利居士　於此大眾　說是我子
捨我他行　經五十歲　自見子來　已二十年
昔於某城　而失是子　周行求索　遂來至此
凡我所有　舍宅人民　悉以付之　恣其所用
子念昔貧　志意下劣　今於父所　大獲珍寶
并及舍宅　一切財物　甚大歡喜　得未曾有
佛亦如是　知我樂小　未曾說言　而說我等
而說我等　得諸无漏　成就小乘　聲聞弟子
佛勑我等　說最上道　脩習此者　當得成佛
我承佛教　為大菩薩　以諸因緣　種種譬喻
若干言辭　說无上道　諸佛子等　從我聞法
日夜思惟　精勤脩習　是時諸佛　即受其記
汝於來世　當得作佛　一切諸佛　祕藏之法
但為菩薩　演其實事　而不為我　說斯真要
如彼窮子　得近其父　雖知諸物　心不希取
我等雖說　佛法寶藏　自无志願　亦復如是
我等內滅　自謂為足　唯了此事　更无餘事
我等若聞　淨佛國土　教化眾生　都无欣樂
所以者何　一切諸法　皆悉空寂　无生无滅
无大无小　无漏无為　如是思惟　不生喜樂
我等長夜　於佛智慧　无貪无著　无復志願

BD02951 號　妙法蓮華經卷二

(21–19)

我等雖說　佛法寶藏　自无志願　亦復如是
我等內滅　自謂為足　唯了此事　更无餘事
我等若聞　淨佛國土　教化眾生　都无欣樂
所以者何　一切諸法　皆悉空寂　无生无滅
无大无小　无漏无為　如是思惟　不生喜樂
我等長夜　於佛智慧　无貪无著　无復志願
而自於法　謂是究竟　我等長夜　脩習空法
得脫三界　苦惱之患　住最後身　有餘涅槃
佛所教化　得道不虛　則為已得　報佛之恩
我等雖為　諸佛子等　說菩薩法　以求佛道
而於是法　永无志願　導師見捨　觀我心故
初不勸進　說有實利　如富長者　知子志劣
以方便力　柔伏其心　然後乃付　一切財物
佛亦如是　現希有事　知樂小者　以方便力
調伏其心　乃教大智　我等今日　得未曾有
非先所望　而今自得　如彼窮子　得无量寶
世尊我今　得道得果　於无漏法　得清淨眼
我等長夜　持佛淨戒　始於今日　得其果報
法王法中　久脩梵行　今得无漏　无上大果
我等今者　真是聲聞　以佛道聲　令一切聞
我等今者　真阿羅漢　於諸世間　天人魔梵
普於其中　應受供養　世尊大恩　以希有事
憐愍教化　利益我等　无量億劫　誰能報者
手足供給　頭頂禮敬　一切供養　皆不能報
若以頂戴　兩肩荷負　於恒沙劫　盡心恭敬
又以美饍　无量寶衣　及諸臥具　種種湯藥
牛頭栴檀　及諸珍寶　以起塔廟　寶衣布地
如斯等事　以用供養　於恒沙劫　亦不能報
諸佛希有　无量无邊　不可思議　大神通力
无漏无為　諸法之王　能為下劣　忍于斯事

BD02951 號　妙法蓮華經卷二

(21–20)

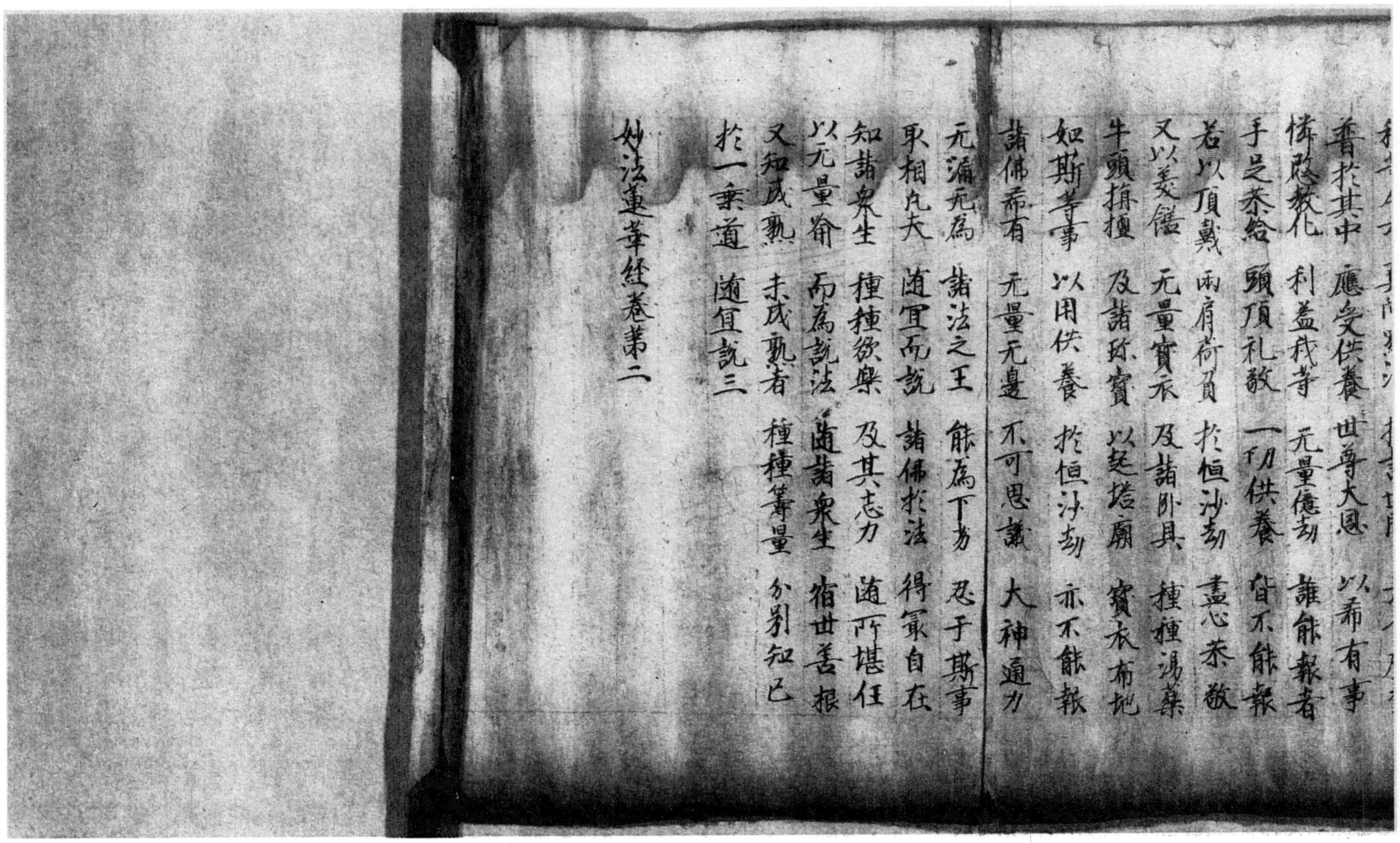
香於其中　應受供養　世尊大恩　以希有事
憐愍教化　利益我等　无量億劫　誰能報者
手足供給　頭頂礼敬　一切供養　皆不能報
若以頂戴　兩肩荷負　於恒沙劫　盡心恭敬
又以美饍　无量寶衣　及諸卧具　種種湯藥
牛頭栴檀　及諸珍寶　以起塔廟　寶衣布地
如斯等事　以用供養　於恒沙劫　亦不能報
諸佛希有　无量无邊　不可思議　大神通力
无漏无為　諸法之王　能為下劣　忍于斯事
取相凡夫　隨宜而說　諸佛於法　得最自在
知諸衆生　種種欲樂　及其志力　隨所堪任
以无量喻　而為說法　隨諸衆生　宿世善根
又知成熟　未成熟者　種種籌量　分別知已
於一乘道　隨宜說三

妙法蓮華經卷第二

BD02951 號　妙法蓮華經卷二　（21–21）

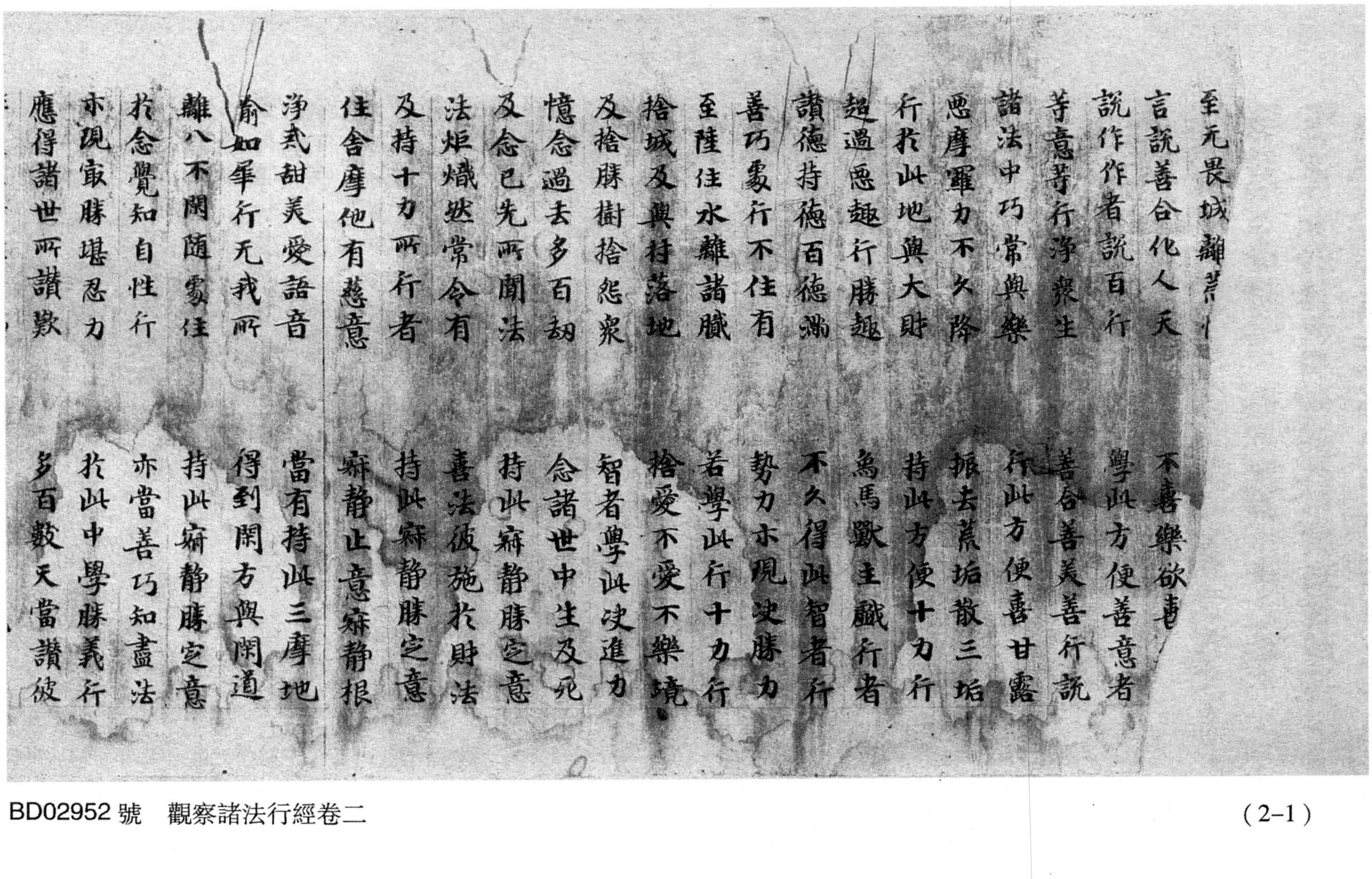
至无畏城離苦
言說善合化人天　不喜樂欲喜
說作作者說百行　學此方便善意者
等意等行淨衆生　善合善美善行說
諸法中巧常與樂　行此方便喜甘露
惡摩羅力不久降　振去蕪垢散三垢
行於此地與大財　持此方便十力行
超過惡趣行勝趣　為馬獸主驗行者
讚德持德百德滿　不久得此智者行
善巧處行不住有　勢力亦現決勝力
至陸住水離諸臟　若學此行十力行
捨城及與村落地　捨愛不愛不樂境
及捨勝樹捨怨衆　智者學此決進力
憶念過去多百劫　念諸世中生及死
及念已先所聞法　持此寂靜勝定意
法炬熾然常令有　善法彼施於財法
及持十力所行者　持此寂靜勝定意
住舍摩他有慈意　寂靜止意寂靜根
淨貳甜美愛語音　當有持此三摩地
喻如筆行无我所　得到閑方與閑道
離八不閑隨處住　持此寂靜勝定意
於念覺知自性行　亦當善巧知盡法
亦現最勝堪忍力　於此中學勝義行
應得諸世所讚歎　多百數天當讚彼

BD02952 號　觀察諸法行經卷二　（2–1）

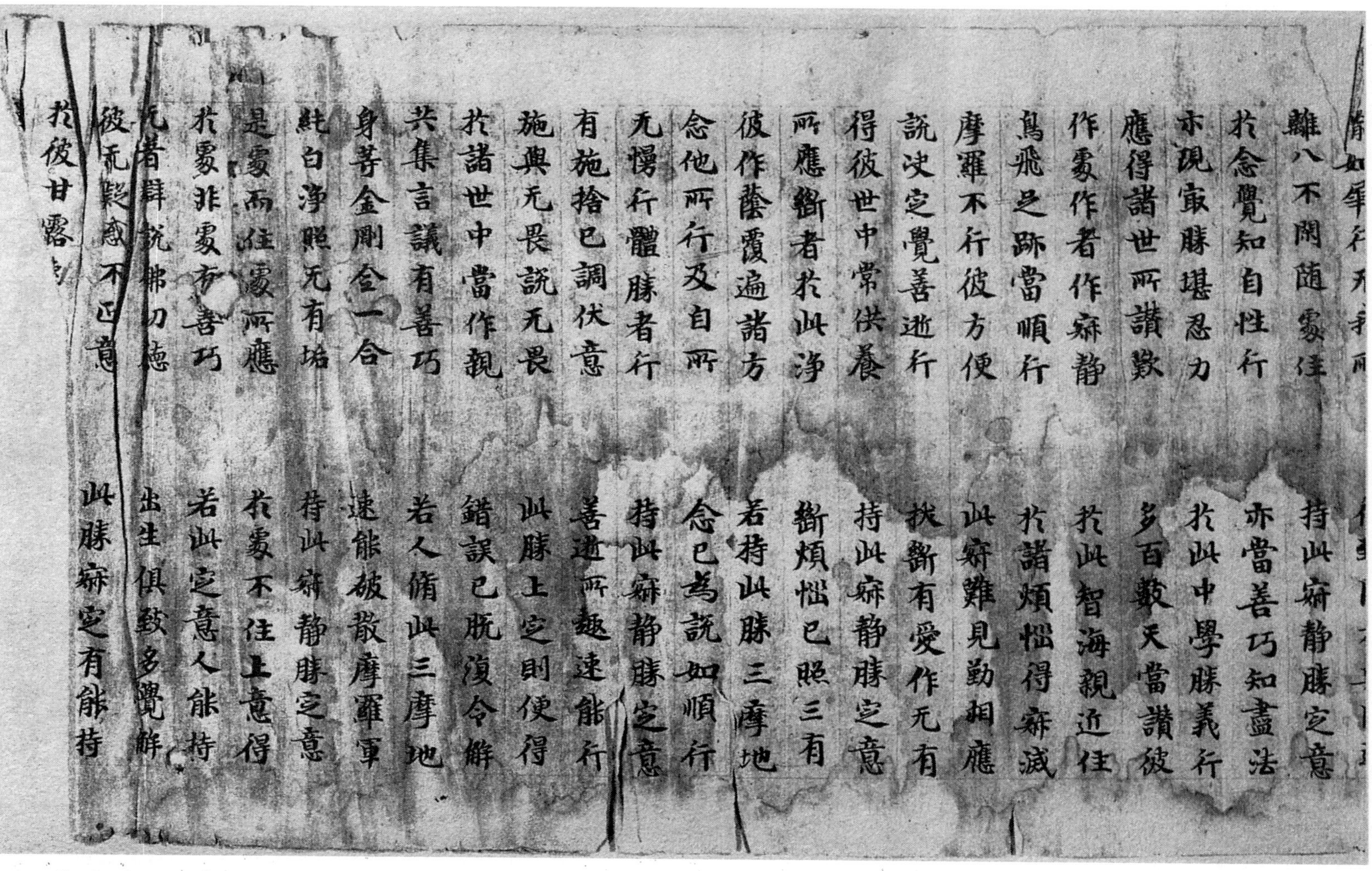

離八不閑隨處住　持此寂靜勝定意
於念覺知自性行　亦當善巧知盡法
亦現寂勝堪忍力　於此中學勝義行
應得諸世所讚歎　多百數天當讚彼
作處作者作寂靜　於此智海親近住
鳥飛足跡當順行　於諸煩惱得寂滅
摩羅不行彼方便　此寂難見勤相應
說決定覺善逝行　捨斷有愛作无有
得彼世中常供養　持此寂靜勝定意
所應斷者於此淨　斷煩惱已照三有
彼作蔭覆遍諸方　若持此勝三摩地
念他所行及自所　念已為說如順行
无惕行體勝者行　持此寂靜勝定意
有施捨已調伏意　善逝所趣速能行
施與无畏說无畏　此勝上定則便得
於諸世中當作親　錯誤已朊復令解
共集言議有善巧　若人脩此三摩地
身善金剛合一合　速能破散摩羅軍
純白淨照无有垢　持此寂靜勝定意
是處而住處所應　於處不住上意得
於處非處亦善巧　若此定意人能持
无著辯說佛功德　出生俱致多覺解
彼乱疑惑不正意　此勝寂定有能持
於彼甘露

BD02952 號　觀察諸法行經卷二

（2–2）

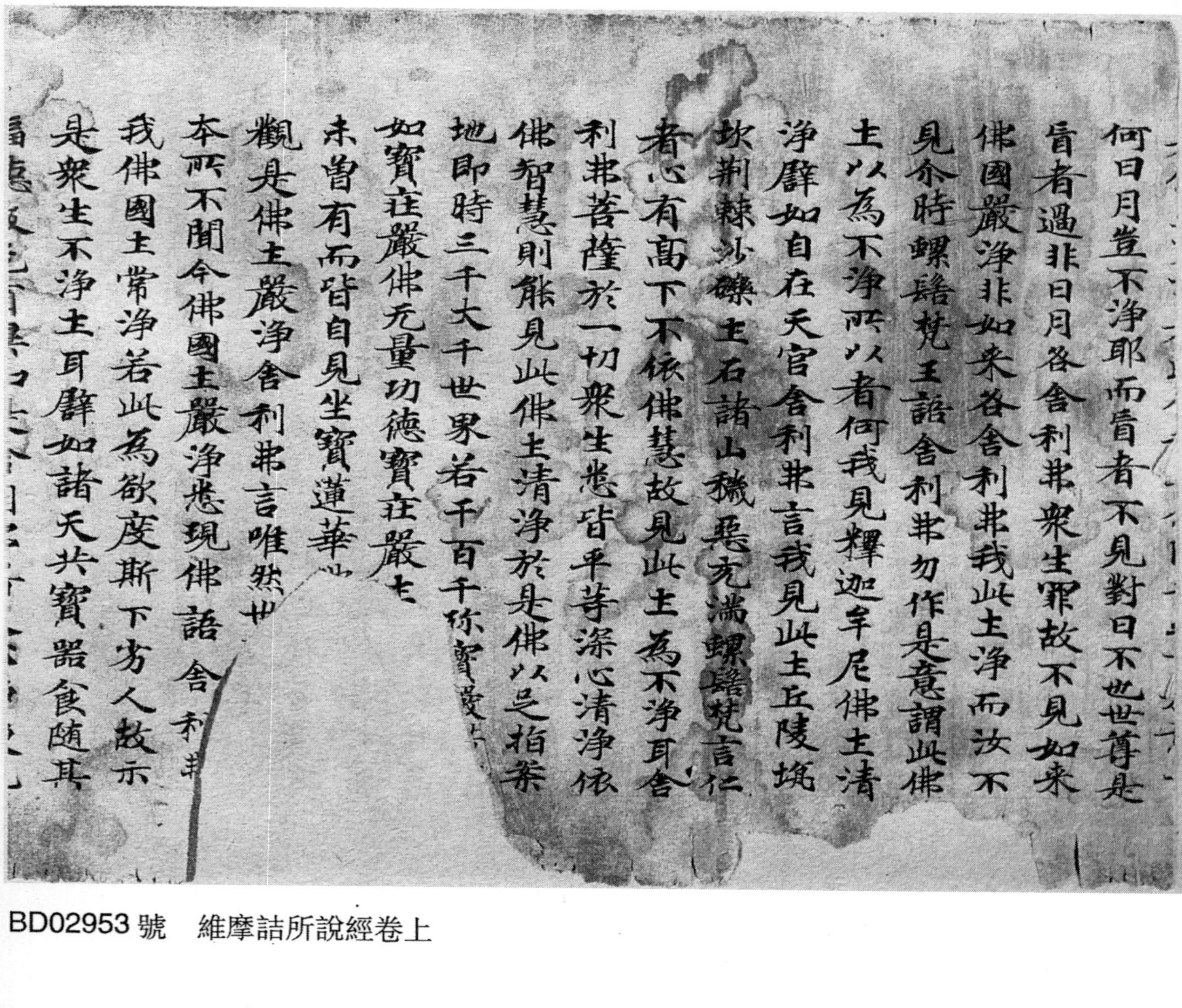

何日月豈不淨耶而盲者不見對曰不也世尊是
盲者過非日月咎舍利弗衆生罪故不見如來
佛國嚴淨非如來咎舍利弗我此土淨而汝不
見尒時螺髻梵王語舍利弗勿作是意謂此佛
土以為不淨所以者何我見釋迦牟尼佛土清
淨譬如自在天宮舍利弗言我見此土丘陵坑
坎荊棘沙礫土石諸山穢惡充滿螺髻梵言仁
者心有高下不依佛慧故見此土為不淨耳舍
利弗菩薩於一切衆生悉皆平等深心清淨依
佛智慧則能見此佛土清淨於是佛以足指案
地即時三千大千世界若干百千珍寶嚴飾
如寶莊嚴佛无量功德寶莊嚴土
未曾有而皆自見坐寶蓮華
觀是佛土嚴淨舍利弗言唯然世
本所不聞今佛國土嚴淨悉現佛語舍利弗
我佛國土常淨若此為欲度斯下劣人故示
是衆生不淨土耳譬如諸天共寶器食隨其

BD02953 號　維摩詰所說經卷上

（23–1）

觀是佛土嚴淨舍利弗言唯然世
本所不聞今佛國土嚴淨悉現佛語舍利弗
我佛國土常淨若此為欲度斯下劣人故示
是衆生不淨土耳譬如諸天共寶器食隨其
福德飯色有異如是舍利弗若人心淨便見
此土功德莊嚴當佛現此國土嚴淨之時寶
積所將五百長者子皆得无生法忍八万四
千人發阿耨多羅三藐三菩提心佛攝神足
於是世界還復如故求聲聞乘三万二千天
及人知有為法皆悉无常遠塵離垢得法眼
淨八千比丘不受諸法漏盡意解

方便品第二

尒時毗耶離大城中有長者名維摩詰已曾
供養无量諸佛深殖善本得无生忍辯才无
礙遊戲神通逮諸揔持獲无所畏降魔勞怨
入深法門善於智度通達方便大願成就明
了衆生心之所趣又能分別諸根利鈍久於
佛道心已純淑決定大乘諸有所作能善思
量住佛威儀心大如海諸佛咨嗟弟子釋梵
世主所敬欲度人故以善方便居毗耶離資
財无量攝諸貧民奉戒清淨攝諸毀禁以忍
調行攝諸恚怒以大精進攝諸懈怠一心禪
定攝諸乱意以決定慧攝諸无智雖為白衣
奉持沙門清淨律行雖處居家不著三界示

BD02953號　維摩詰所說經卷上　（23-2）

財无量攝諸貧民奉戒清淨攝諸毀禁以忍
調行攝諸恚怒以大精進攝諸懈怠一心禪
定攝諸乱意以決定慧攝諸无智雖為白衣
奉持沙門清淨律行雖處居家不著三界示
有妻子常脩梵行現有眷屬常樂遠離雖服
寶飾而以相好嚴身雖復飲食而以禪悅為
味若至博弈戲處輙以度人受諸異道不毀
正信雖明世典常樂佛法一切見敬為供養
中最執持正法攝諸長幼一切治生諧偶雖
獲俗利不以喜悅遊諸四衢饒益衆生入治
政法救護一切入講論處導以大乘入諸學
堂誘開童矇入諸婬舍示欲之過入諸酒肆
能立其志若在長者長者中尊為說勝法若
在居士居士中尊斷其貪著若在剎利剎利
中尊教以忍辱若在婆羅門婆羅門中尊除
其我慢若在大臣大臣中尊教以正法若在
王子王子中尊示以忠孝若在內官內官中
尊化政宮女若在庶民庶民中尊令興福力
若在梵天梵天中尊誨以勝慧若在帝釋帝
釋中尊示現无常若在護世護世中尊護諸
衆生長者維摩詰以如是等无量方便饒益
衆生其以方便現身有疾以其疾故國王大
臣長者居士婆羅門等及諸王子并餘官屬
无數千人皆往問疾其往者維摩詰因以身

BD02953號　維摩詰所說經卷上　（23-3）

衆生長者維摩詰以如是等無量方便饒益
衆生其以方便現身有疾以其疾故國王大
臣長者居士婆羅門等及諸王子并餘官屬
无數千人皆往問疾其往者維摩詰因以身
疾廣為說法諸仁者是身无常无強无力无
堅速朽之法不可信也為苦為惱衆病所集
諸仁者如此身明智者所不怙是身如聚沫不
可撮摩是身如泡不得久立是身如炎從渴
愛生是身如芭蕉中无有堅是身如幻從顛
倒起是身如夢為虛妄見是身如影從業緣
現是身如響屬諸因緣是身如浮雲須臾變
滅是身如電念念不住是身无主為如地是
身无我為如火是身无壽為如風是身无人
為如水是身不實四大為家是身為空離我
我所是身无知如草木瓦礫是身无作風力所
所轉是身不淨穢惡充滿是身為虛偽雖假
以澡浴衣食必歸磨滅是身為災百一病惱
是身如丘井為老所逼是身无定為要當死
是身如毒蛇如怨賊如空聚陰界諸入所共
合成諸仁者此可患厭當樂佛身所以者何
佛身者即法身也從无量功德智慧生從戒
定慧解脫解脫知見生從慈悲喜捨生從布
施持戒忍辱柔和勤行精進禪定解脫三昧
多聞智慧諸波羅蜜生從方便生從六通生
從三明生從卅七道品生從止觀生從十力

BD02953號　維摩詰所說經卷上

（23-4）

定慧解脫解脫知見生從慈悲喜捨生從布
施持戒忍辱柔和勤行精進禪定解脫三昧
多聞智慧諸波羅蜜生從方便生從六通生
從三明生從卅七道品生從止觀生從十力
四无所畏十八不共法生從斷一切不善法
集一切善法生從真實生從不放逸生從如
是无量清淨法生如來身諸仁者欲得佛身
斷一切衆生病者當發阿耨多羅三藐三菩
提心如是長者維摩詰為諸問疾者如應說
法令无數千人皆發阿耨多羅三藐三菩提
心

弟子品第三

尒時長者維摩詰自念寢疾于牀世尊大慈
寧不垂愍佛知其意即告舍利弗汝行詣維
摩詰問疾舍利弗白佛言世尊我不堪任詣
彼問疾所以者何憶念我昔曾於林中宴坐
樹下時維摩詰來謂我言唯舍利弗不必是
坐為宴坐也夫宴坐者不於三界現身意是
為宴坐不起滅定而現諸威儀是為宴坐不
捨道法而現凡夫事是為宴坐心不住內亦
不在外是為宴坐於諸見不動而脩行三十
七品是為宴坐不斷煩惱而入涅槃是為宴
坐若能如是坐者佛所印可時我世尊聞是
語嘿然而止不能加報故我不任詣彼問疾

BD02953號　維摩詰所說經卷上

（23-5）

不在外是為宴坐於諸見不動而修行三十
七品是為宴坐不斷煩惱而入涅槃是為宴
坐若能如是坐者佛所印可時我世尊聞是
語嘿然而止不能加報故我不任詣彼問疾
佛告大目揵連汝行詣維摩詰問疾目連白
佛言世尊我不堪任詣彼問疾所以者何憶
念我昔入毗耶離大城於里巷中為諸居士
說法時維摩詰來謂我言唯大目連為白衣
居士說法不當如仁者所說夫說法者當如
法說法无衆生離衆生垢故法无有我離我
垢故法无壽命離生死故法无有人前後際
斷故法常寂然滅諸相故法離於相无所緣
故法无名字言語斷故法无有說離覺觀故
法无形相如虛空故法无戲論畢竟空故法
无我所離我所故法无分別離諸識故法无
有比无相待故法不屬因不在緣故法同法
性入諸法故法隨於如无所隨故法住實際
諸邊不動故法无動搖不依六塵故法无去
來常不住故法順空隨无相應无作法離好
醜法无增損法无生滅法无所歸法過眼耳
鼻舌身心法无高下法常住不動法離一切
觀行唯大目連法相如是豈可說乎夫說法
者无說无示其聽法者无聞无得譬如幻士
為幻人說法當建是意而為說法當了衆生
根有利鈍善於知見无所罣礙以大悲心讚

觀行唯大目連法相如是豈可說乎夫說法
者无說无示其聽法者无聞无得譬如幻士
為幻人說法當建是意而為說法當了衆生
根有利鈍善於知見无所罣礙以大悲心讚
于大乘念報佛恩不斷三寶然後說法維摩
詰說是法時八百居士發阿耨多羅三藐三
菩提心我无此辯是故不任詣彼問疾
佛告大迦葉汝行詣維摩詰問疾迦葉白佛
言世尊我不堪任詣彼問疾所以者何憶念
我昔於貧里而行乞時維摩詰來謂我言唯
大迦葉有慈悲心而不能普捨豪富從貧乞
迦葉住平等法應次行乞食為不食故應行
乞食為壞和合相故應取揣食為不受故應
受彼食以空聚想入於聚落所見色與盲等
所聞聲與響等所嗅香與風等所食味不分
別受諸觸如智證知諸法如幻相无自性无
他性本自不然今則无滅迦葉若能不捨八
耶入八解脫以耶相入正法以一食施一切
供養諸佛及衆賢聖然後可食如是食者非
有煩惱非離煩惱非入定意非起意意非住
世間非住涅槃其有施者无大福无小福不為
益不為損是為正入佛道不依聲聞迦葉
若如是食為不空食人之施也時我世尊聞
說是語得未曾有即於一切菩薩深起敬心
復作是念斯有家名辯才智慧乃能如是其

益不為損是為正入佛道不依聲聞迦葉
若如是食為不空食人之施也時我世尊聞
說是語得未曾有即於一切菩薩深起敬心
復作是念斯有家名辯才智慧乃能如是其
誰不發阿耨多羅三藐三菩提心我從是來
不復勸人以聲聞辟支佛行是故不任詣彼
問疾
佛告須菩提汝行詣維摩詰問疾須菩提白
佛言世尊我不堪任詣彼問疾所以者何憶
念我昔入其舍從乞食時維摩詰取我鉢盛
滿飯謂我言唯須菩提若能於食等者諸法
亦等諸法等者於食亦等如是行乞乃可取
食若須菩提不斷婬怒癡亦不與俱不壞於
身而隨一相不滅癡愛起於明脫以五逆相
而得解脫亦不解不縛不見四諦非不見諦
非得果非不得果非凡夫非離凡夫非聖人
非不聖人雖成就一切法而離諸法相乃可
取食若須菩提不見佛不聞法彼外道六師
富蘭那迦葉末伽梨拘賒梨子刪闍夜毗羅
胝子阿耆多翅舍欽婆羅迦羅鳩馱迦旃延
尼揵陀若提子等是汝之師因其出家彼師
所墮汝亦隨墮乃可取食若須菩提入諸邪
見不到彼岸住於八難不得无難同於煩惱
離清淨法汝得无諍三昧一切衆生亦得是

尼揵陀若提子等是汝之師因其出家彼師
所墮汝亦隨墮乃可取食若須菩提入諸邪
見不到彼岸住於八難不得无難同於煩惱
離清淨法汝得无諍三昧一切衆生亦得是
定其施汝者不名福田供養汝者墮三惡道
為與衆魔共一手作諸勞侶汝與衆魔及諸
塵勞等无有異於一切衆生而有怨心謗諸
佛毀於法不入衆數終不得滅度汝若如是
乃可取食時我世尊聞此茫然不識是何言
不知以何荅便置鉢欲出其舍維摩詰言唯
須菩提取鉢勿懼於意云何如來所作化人
若以是事詰寧有懼不我言不也維摩詰言
一切諸法如幻化相汝今不應有所懼也所以
者何一切言說不離是相至於智者不著文
字故无所懼何以故文字性離无有文字是則
解脫解脫相者則諸法也維摩詰說是法時
二百天子得法眼淨故我不任詣彼問疾
佛告富樓那彌多羅尼子汝行詣維摩詰問
疾富樓那白佛言世尊我不堪任詣彼問疾
所以者何憶念我昔於大林中在一樹下為
諸新學比丘說法時維摩詰來謂我言唯富
樓那先當入定觀此人心然後說法无以穢
食置於寶器當知是比丘心之所念无以瑠璃
同彼水精汝不能知衆生根源无得發起以

諸新學比丘說法時維摩詰来謂我言唯冨
樓那先當入定觀此人心然後說法无以穢
食置於寶器當知是比丘心之所念无以瑠璃
同彼水精汝不能知衆生根源无得發起以
小乘法彼自无瘡勿傷之也欲行大道莫示
小徑无以大海内於牛跡无以日光等彼螢
火冨樓那此比丘久發大乘心中忘此意如
何以小乘法而教導之我觀小乘智慧微淺
猶如盲人不能分別一切衆生根之利鈍時
維摩詰即入三昧令此比丘自識宿命曾於
五百佛所殖衆德本迴向阿耨多羅三藐三
菩提即時豁然還得本心於是諸比丘稽首
礼維摩詰足時維摩詰因為說法於阿耨多
羅三藐三菩提不復退轉我念聲聞不觀人
根不應說法是故不任詣彼問疾
佛告摩訶迦旃延汝行詣維摩詰問疾迦旃
延白佛言世尊我不堪任詣彼問疾所以者
何憶念昔者佛為諸比丘略說法要我即於
後敷演其義謂无常義苦義空義无我義寂
滅義時維摩詰来謂我言唯迦旃延无以生
滅心行說實相法迦旃延諸法畢竟不生不
滅是无常義五受陰洞達空无所起是苦義
諸法究竟无所有是空義於我无我而不二
是无我義法本不然今則无滅是寂滅義說
是法時彼諸比丘心得解脫故我不任詣彼

BD02953 號　維摩詰所說經卷上　（23–10）

滅心行說實相法迦旃延諸法畢竟不生不
滅是无常義五受陰洞達空无所起是苦義
諸法究竟无所有是空義於我无我而不二
是无我義法本不然今則无滅是寂滅義說
是法時彼諸比丘心得解脫故我不任詣彼
問疾
佛告阿那律汝行詣維摩詰問疾阿那律白
佛言世尊我不堪任詣彼問疾所以者何憶
念我昔於一處經行時有梵王名曰嚴淨與
萬梵俱放淨光明来詣我所稽首作礼問我
言幾何阿那律天眼所見我即答言仁者吾
見此釋迦牟尼佛土三千大千世界如觀掌
中菴摩勒菓時維摩詰来謂我言唯阿那律
天眼所見為作相耶无作相耶假使作相則
與外道五通等若无作相即是无為不應有
見世尊我時嘿然後諸梵王聞其言得未曾
有即為作礼而問曰世孰有真天眼者維摩詰
言有佛世尊得真天眼常在三昧悉見諸佛
國不以二相於是嚴淨梵王及其眷屬五百
梵天皆發阿耨多羅三藐三菩提心礼維摩
詰足已忽然不現故我不任詣彼問疾
佛告優波離汝行詣維摩詰問疾優波離白
佛言世尊我不堪任詣彼問疾所以者何憶
念昔者有二比丘犯律行以為恥不敢問佛
来問我言唯優波離我等犯律誠以為恥不

BD02953 號　維摩詰所說經卷上　（23–11）

詰是已忽然不現故我不任詣彼問疾
佛告優波離汝行詣維摩詰問疾優波離白
佛言世尊我不堪任詣彼問疾所以者何憶
念昔者有二比丘犯律行以為恥不敢問佛
来問我言唯優波離我等犯律誠以為恥不
敢問佛願解疑悔得勉斯咎我即為其如法
解說時維摩詰来謂我言唯優波離无重增
此二比丘罪當直除滅勿擾其心所以者何
彼罪性不在內不在外不在中間如佛所說心
垢故衆生垢心淨故衆生淨心亦不在內
不在外不在中間如其心然罪垢亦然諸法
亦然不出於如如優波離以心相得解脫時
寧有垢不我言不也維摩詰言一切衆生心
想无垢亦復如是唯優波離妄想是垢无妄
想是淨顛倒是垢无顛倒是淨取我是垢不
取我是淨優波離一切法生滅不住如幻如
電諸法不相待乃至一念不住諸法皆妄見
如夢如炎如水中月如鏡中像以妄想生其
知此者是名奉律其知此者是名善解於是
二比丘言上智哉是優波離所不及持律之
上而不能說我即荅言自捨如来未有聲聞
及菩薩能制其樂說之辯其智慧明達為若
此時二比丘疑悔即除發阿耨多羅三藐
三菩提心作是願言令一切衆生皆得是辯
故我不任詣彼問疾

及菩薩能制其樂說之辯其智慧明達為若
此時二比丘疑悔即除發阿耨多羅三藐
三菩提心作是願言令一切衆生皆得是辯
故我不任詣彼問疾
佛告羅睺羅汝行詣維摩詰問疾羅睺羅白
佛言世尊我不堪任詣彼問疾所以者何憶
念昔時毗耶離諸長者子来詣我所稽首作
礼問我言唯羅睺羅汝佛之子捨轉輪王位
出家為道其出家者有何等利我即如法為
說出家功德之利時維摩詰来謂我言唯羅
睺羅不應說出家功德之利所以者何无利
无功德是為出家有為法者可說有利有功
德夫出家者為无為法无為法中无利无功
德羅睺羅出家者无彼无此亦无中間離六
十二見處於涅槃智者所受聖所行處降伏
衆魔度五道淨五眼得五力立五根不惱於
彼離衆雜惡摧伏外道超越假名出淤泥无
繫著无我所无所受无擾亂內懷喜護彼意
隨禪定離衆過若能如是是真出家於是維
摩詰語諸長者子汝等於正法中宜共出家
所以者何佛世難值諸長者子言居士我聞
佛言父母不聽不得出家維摩詰言然汝等
便發阿耨多羅三藐三菩提心是即出家是
即具足尒時三十二長者子皆發阿耨多羅

摩詰言汝等於正法中宜共出家
所以者何佛世難值諸長者子言居士我聞
佛言父母不聽不得出家維摩詰言然汝等
便發阿耨多羅三藐三菩提心是即出家是
即具足尒時三十二長者子皆發阿耨多羅
三藐三菩提心故我不任詣彼問疾
佛告阿難汝行詣維摩詰問疾阿難白佛言
世尊我不堪任詣彼問疾所以者何憶念昔
時世尊身小有疾當用牛乳我即持鉢詣大
婆羅門家門下立時維摩詰来謂我言唯阿
難何為晨朝持鉢住此我言居士世尊身小
有疾當用牛乳故来至此維摩詰言止止阿
難莫作是語如来身者金剛之體諸惡已斷
衆善普會當有何疾當有何惱嘿往阿難勿
謗如来莫使異人聞此麁言无令大威德諸
天及他方淨土諸来菩薩得聞斯語阿難轉
輪聖王以少福故尚得无病豈況如来无量
福會普勝者哉行矣阿難勿使我等受斯耻
也外道梵志若聞此語當作是念何名為師
自疾不能救而能救諸疾人可密速去勿使
人聞當知阿難諸如来身即是法身非思欲
身佛為世尊過於三界佛身无漏諸漏已盡
佛身无為不墮諸數如此之身當有何疾時我
世尊實懷慙愧得无近佛而謬聽耶即聞空
中聲曰阿難如居士言但為佛出五濁惡世

人聞當知阿難諸如来身即是法身非思欲
身佛為世尊過於三界佛身无漏諸漏已盡
佛身无為不墮諸數如此之身當有何疾時我
世尊實懷慙愧得无近佛而謬聽耶即聞空
中聲曰阿難如居士言但為佛出五濁惡世
現行斯法度脫衆生行矣阿難取乳勿慙世
尊維摩詰智慧辯才為若此也是故不任詣
彼問疾如是五百大弟子各各向佛說其本
緣稱述維摩詰所言皆曰不任詣彼問疾

菩薩品第四

於是佛告弥勒菩薩汝行詣維摩詰問疾弥
勒白佛言世尊我不堪任詣彼問疾所以者何
憶念我昔為兜率天王及其眷屬說不退
轉地之行時維摩詰来謂我言弥勒世尊授
仁者記一生當得阿耨多羅三藐三菩提為
用何生得受記乎過去耶未来耶現在耶若
過去生過去生已滅若未来生未来生未至
若現在生現在生无住如佛所說比丘汝今
即時亦生亦老亦滅若以无生得受記者无
生即是正位於正位中亦无受記亦无得阿
耨多羅三藐三菩提者云何弥勒受一生記乎
為從如生得受記耶為從如滅得授記耶若
以如生得受記者如无有生若以如滅得受
記者如无有滅一切衆生皆如也一切法亦

生即是正位於正位中亦无受記亦无得阿
耨多羅三藐三菩提者云何弥勒受一生記乎
爲從如生得受記耶爲從如滅得授記耶若
以如生得受記者如无有生若以如滅得受
記者如无有滅一切衆生皆如也一切法亦
如也衆聖賢亦如也至於弥勒亦如也若弥
勒得受記者一切衆生亦應受記所以者何
夫如者不二不異若弥勒得阿耨多羅三藐
三菩提者一切衆生皆亦應得所以者何一
切衆生即菩提相若弥勒得滅度者一切衆生
亦當滅度所以者何諸佛知一切衆生畢竟
寂滅即涅槃相不復更滅是故弥勒无以此
法誘諸天子實无發阿耨多羅三藐三菩提
心者亦无退者弥勒當令此諸天子捨於分
別菩提之見所以者何菩提者不可以身得
不可以心得寂滅是菩提滅諸相故不觀是
菩提離諸緣故不行是菩提无憶念故斷是
菩提捨諸見故離是菩提離諸妄想故鄣是
菩提鄣諸願故不入是菩提无貪着故順是
菩提順於如故住是菩提住法性故至是菩
提至實際故不二是菩提離意法故等是菩
提等虛空故无爲是菩提无生住滅故智是
菩提了衆生心行故不會是菩提諸入不會
故不合是菩提離煩惱習故无處是菩提无
形色故假名是菩提名字空故如化是菩提

菩提順於如故住是菩提住法性故至是菩
提至實際故不二是菩提離意法故等是菩
提等虛空故无爲是菩提无生住滅故智是
菩提了衆生心行故不會是菩提諸入不會
故不合是菩提離煩惱習故无處是菩提无
形色故假名是菩提名字空故如化是菩提
无取捨故无亂是菩提常自靜故善寂是菩
提性清淨故无取是菩提離攀緣故无異是
菩提諸法等故无比是菩提无可喻故微妙
是菩提諸法難知故世尊維摩詰說是法時
二百天子得无生法忍故我不任詣彼問疾
佛告光嚴童子汝行詣維摩詰問疾光嚴白
佛言世尊我不堪任詣彼問疾所以者何憶
念我昔出毗耶離大城時維摩詰方入城我
即爲作礼而問言居士從何所來荅我言吾
從道場來我問道場者何所是荅曰直心是道
場无虛假故發行是道場能辯事故深心是
道場增益功德故菩提心是道場无錯謬故
布施是道場不望報故持戒是道場得願具
故忍辱是道場於諸衆生心无礙故精進是
道場不懈退故禪定是道場心調柔故智慧
是道場現見諸法故慈是道場等衆生故悲
是道場忍疲苦故喜是道場悅樂法故捨是
道場增愛斷故神通是道場成就六通故解
脫是道場能背捨故方便是道場教化衆生

道塲不懈退故禪定是道塲心調柔故智慧
是道塲現見諸法故慈是道塲等衆生故悲
是道塲忍疲苦故喜是道塲悅樂法故捨是
道塲增愛斷故神通是道塲成就六通故解
脫是道塲能背捨故方便是道塲敎化衆生
故四攝是道塲攝衆生故多聞是道塲如聞
行故伏心是道塲正觀諸法故卅七品是道
塲捨有為法故四諦是道塲不誑世間故緣
起是道塲无明乃至老死皆无盡故諸煩惱
是道塲知如實故衆生是道塲知无我故一切
法是道塲知諸法空故降魔是道塲不傾動
故三界是道塲无所趣故師子吼是道塲无
所畏故力无畏不共法是道塲无諸過故三
明是道塲无餘閡故一念知一切法是道塲
成就一切智故如是善男子菩薩若應諸波
羅蜜敎化衆生諸有所作舉足下足當知皆
從道塲來住於佛法矣說是法時五百天人
皆發阿耨多羅三藐三菩提心故我不任詣
彼問疾
佛告持世菩薩汝行詣維摩詰問疾持世曰
佛言世尊我不堪任詣彼問疾所以者何憶
念我昔住於靜室時魔波旬從万二千天女
狀如帝釋鼓樂絃歌來詣我所與其眷屬稽
首我足合掌恭敬於一面立我意謂是帝釋

佛言世尊我不堪任詣彼問疾所以者何憶
念我昔住於靜室時魔波旬從万二千天女
狀如帝釋鼓樂絃歌來詣我所與其眷屬稽
首我足合掌恭敬於一面立我意謂是帝釋
而語之言善來憍尸迦雖福應有不當自恣
當觀五欲无常以求善本於身命財而脩堅
法即語我言正士受是万二千天女可備掃
灑我言憍尸迦无以此非法之物惡我沙門
釋子此非我宜所言未訖維摩詰來謂我言
非帝釋也是為魔來嬈固汝耳即語魔言是
諸女等可以與我如我應受魔即驚懼念維
摩詰将无惱我欲隱形去而不能隱盡其神
力亦不得去即聞空中聲曰波旬以女與之
乃可得去魔以畏故俛仰而與尒時維摩詰
語諸女言魔以汝等與我汝今皆當發阿耨
多羅三藐三菩提心即隨所應而為說法令
發道意復言汝等已發道意有法樂可以自
娛不應復樂五欲樂也天女即問何謂法樂
荅言樂常信佛樂欲聽法樂供養衆樂離五
欲樂觀五陰如怨賊樂觀四大如毒虵樂觀
內入如空聚樂隨護道意樂饒益衆生樂供
養師樂廣行施樂堅持戒樂忍辱柔和樂勤
集善根樂禪定不亂樂離垢明慧樂廣菩提
心樂降伏衆魔樂斷諸煩惱樂淨佛國土樂

內入如空聚樂隨護道意樂饒益衆生樂供
養師樂廣行施樂堅持戒樂忍辱柔和樂勤
集善根樂禪定不亂樂離垢明慧樂廣菩提
心樂降伏衆魔樂斷諸煩惱樂淨佛國土樂
成就相好故脩諸功德樂莊嚴道場樂聞
深法不畏樂三脫門不樂非時樂近同學樂
於非同學中心无恚㝵樂將護惡知識樂親
近善知識樂心喜清淨故樂脩无量道品之
法是為菩薩法樂於是波旬告諸女言我欲
與汝俱還天宮諸女言以我等與此居士有
法樂我等甚樂不復樂五欲樂也魔言居士
可捨此女一切所有施於彼者是為菩薩維
摩詰言我已捨矣汝便將去令一切衆生得
法願具足於是諸女問維摩詰我等云何止
於魔宮維摩詰言諸姊有法門名无盡燈汝
等當學无盡燈者譬如一燈燃百千燈冥者
皆明明終不盡如是諸姊夫一菩薩開導百
千衆生令發阿耨多羅三藐三菩提心於其
道意亦不滅盡隨所說法而自增益一切善
法是名无盡燈也汝等雖住魔宮以是无盡
燈令无數天子天女發阿耨多羅三藐三菩
提心者為報佛恩亦大饒益一切衆生尒時
天女頭面礼維摩詰足隨魔還宮忽然不現
世尊維摩詰有如是自在神力智慧辯才故

BD02953號　維摩詰所說經卷上

（23–20）

道意亦不滅盡隨所說法而自增益一切善
法是名无盡燈也汝等雖住魔宮以是无盡
燈令无數天子天女發阿耨多羅三藐三菩
提心者為報佛恩亦大饒益一切衆生尒時
天女頭面礼維摩詰足隨魔還宮忽然不現
世尊維摩詰有如是自在神力智慧辯才故
我不任詣彼問疾
佛告長者子善德汝行詣維摩詰問疾善德
白佛言世尊我不堪任詣彼問疾所以者何
憶念我昔自於父舍設大施會供養一切沙
門婆羅門及諸外道貧窮下賤孤獨乞人期
滿七日時維摩詰來入會中謂我言長者子
夫大施會不當如汝所設當為法施之會何
用是財施會為我言居士何謂法施之會法
施會者无前无後一時供養一切衆生是名
法施之會曰何謂也謂以菩提起於慈心以
救衆生起大悲心以持正法起於喜心以攝智
慧行於捨心以攝慳貪起檀波羅蜜以化犯
戒起尸波羅蜜以无我法起羼提波羅蜜以
離身心相起毗梨耶波羅蜜以菩提相起禪
波羅蜜以一切智起般若波羅蜜教化衆生
而起於空不捨有為法而起无相示現受生
而起无作護持正法起方便力以度衆生起
四攝法以敬事一切起除慢法於身命財起三
堅法於六念中起思念法於六和敬起質直

BD02953號　維摩詰所說經卷上

（23–21）

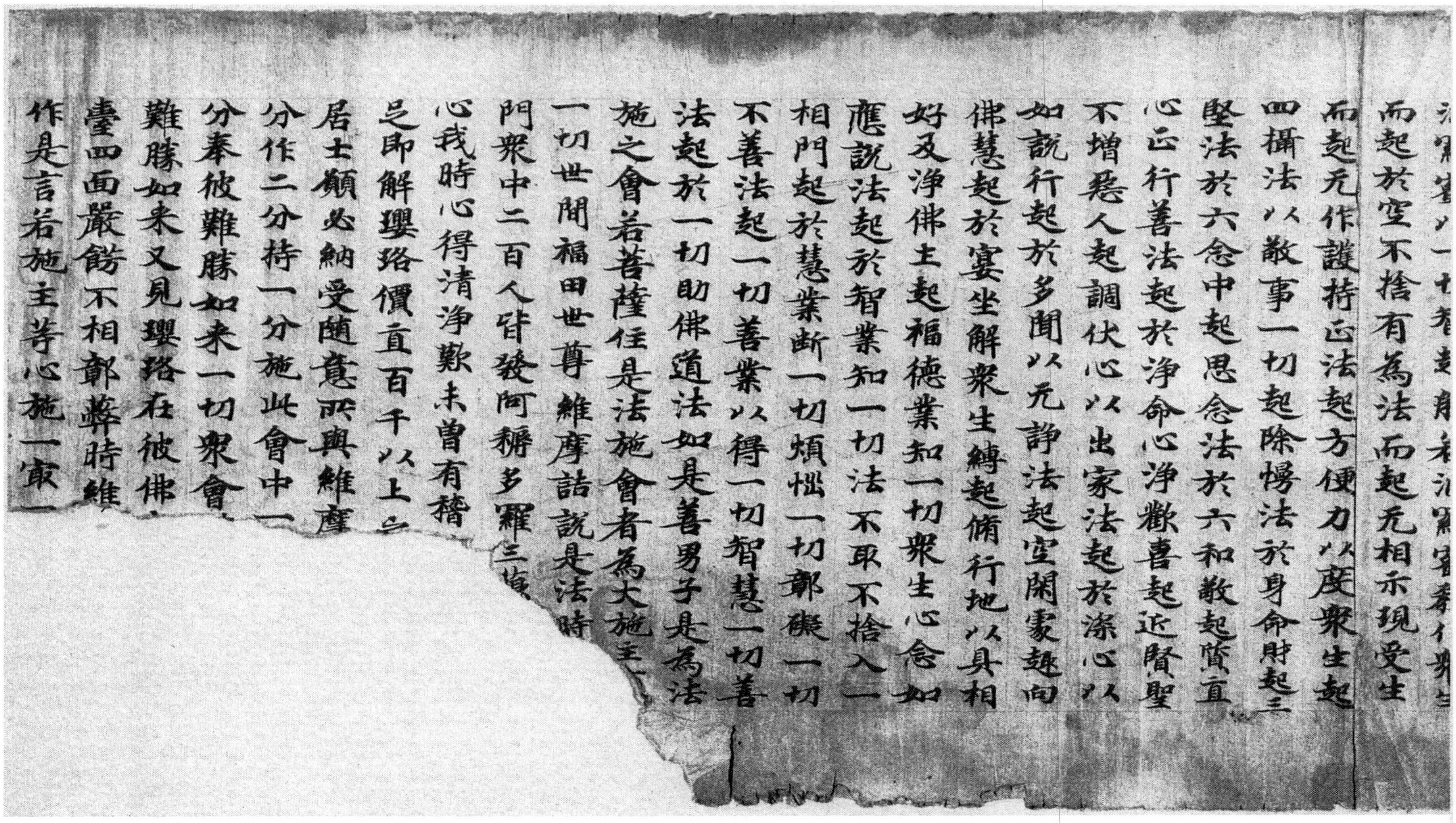
而起於空不捨有為法而起无相示現受生
而起无作護持正法起方便力以度衆生起
四攝法以敬事一切起除慢法於身命財起三
堅法於六念中起思念法於六和敬起質直
心正行善法起於淨命心淨歡喜起近賢聖
不憎惡人起調伏心以出家法起於深心以
如說行起於多聞以无諍法起空閑處趣向
佛慧起於宴坐解衆生縛起脩行地以具相
好及淨佛土起福德業知一切衆生心念如
應說法起於智業知一切法不取不捨入一
相門起於慧業斷一切煩惱一切鄣礙一切
不善法起一切善業以得一切智慧一切善
法起於一切助佛道法如是善男子是為法
施之會若菩薩住是法施會者為大施主一
一切世間福田世尊維摩詰說是法時
門衆中二百人皆發阿耨多羅三藐
心我時心得清淨歎未曾有稽
首即解瓔珞價直百千以上之
居士願必納受隨意所與維摩
分作二分持一分施此會中一
分奉彼難勝如來一切衆會
難勝如來又見瓔珞在彼佛
臺四面嚴飾不相鄣蔽時維
作是言若施主等心施一家

BD02953 號　維摩詰所說經卷上　（23–22）

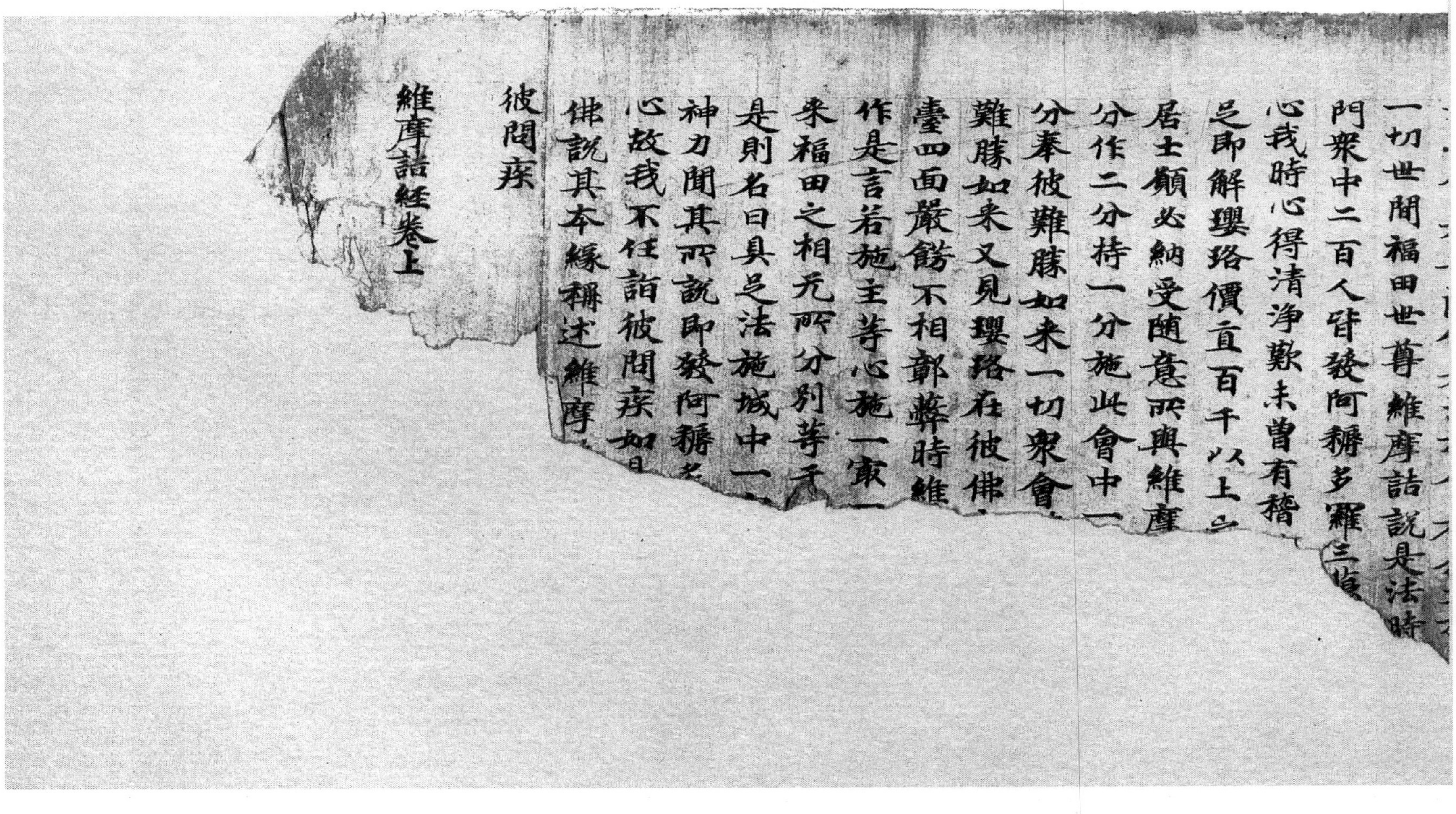
一切世間福田世尊維摩詰說是法時
門衆中二百人皆發阿耨多羅三藐
心我時心得清淨歎未曾有稽
首即解瓔珞價直百千以上之
居士願必納受隨意所與維摩
分作二分持一分施此會中一
分奉彼難勝如來一切衆會
難勝如來又見瓔珞在彼佛
臺四面嚴飾不相鄣蔽時維
作是言若施主等心施一家
來福田之相无所分別等于
是則名曰具足法施城中一
神力聞其所說即發阿耨多
心故我不任詣彼問疾如
佛說其本緣稱述維摩
彼問疾
維摩詰經卷上

BD02953 號　維摩詰所說經卷上　（23–23）

著　録　凡　例

本目録採用條目式著録法。諸條目意義如下:

1.1　著録編號。用漢語拼音首字“BD”表示,意為“北京圖書館藏敦煌遺書”,簡稱“北敦號”。文獻寫在背面者,標註為“背”。一件遺書上抄有多個文獻者,用數字1、2、3等標示小號。一號中包括幾件遺書,且遺書形態各自獨立者,用字母A、B、C等區别。

1.2　著録分類號。本條記目録暫不分類,該項空缺。

1.3　著録文獻的名稱、卷本、卷次。

1.4　著録千字文編號。

1.5　著録縮微膠卷號。

2.1　著録遺書的總體數據。包括長度、寬度、紙數、正面抄寫總行數與每行字數、背面抄寫總行數與每行字數。如該遺書首尾有殘破,則對殘破部分單獨度量,用加號加在總長度上。凡屬這種情況,長度用括弧標註。

2.2　著録每紙數據。包括每紙長度及抄寫行數或界欄數。

2.3　著録遺書的外觀。包括:(1)裝幀形式。(2)首尾存況。(3)護首、軸、軸頭、天竿、縹帶,經名是書寫還是貼簽,有無經名號,扉頁、扉畫。(4)卷面殘破情況及其位置。(5)尾部情況。(6)有無附加物(蟲繭、油污、線繩及其他)。(7)有無裱補及其年代。(8)界欄。(9)修整。(10)其他需要交待的問題。

2.4　著録一件遺書抄寫多個文獻的情況。

3.1　著録文獻首部文字與對照本核對的結果。

3.2　著録文獻尾部文字與對照本核對的結果。

3.3　著録録文。

3.4　著録對文獻的説明。

4.1　著録文獻首題。

4.2　著録文獻尾題。

5　著録本文獻與對照本的不同之處。

6.1　著録本遺書首部可與另一遺書綴接的編號。

6.2　著録本遺書尾部可與另一遺書綴接的編號。

7.1　著録題記、題名、勘記等。

7.2　著録印章。

7.3　著録雜寫。

7.4　著録護首及扉頁的内容。

8　著録年代。

9.1　著録字體。如有武周新字、合體字、避諱字等,予以説明。

9.2　著録卷面二次加工的情況。包括句讀、點標、科分、間隔號、行間加行、行間加字、硃筆、墨塗、倒乙、删除、兑廢等。

10　著録敦煌遺書發現後,近現代人所加内容,裝裱、題記、印章等。

11　備註。著録揭裱互見、圖版本出處及其他需要説明的問題。

上述諸條,有則著録,無則空缺。

為避文繁,上述著録中出現的各種參考、對照文獻,暫且不列版本説明。全目結束時,將統一編制本條記目録出現的各種參考書目。

本條記目録為農曆年份標註其公曆紀年時,未進行歲頭年末之换算,請讀者使用時注意自行换算。

條 記 目 錄

BD02874—BD02953

1.1 BD02874 號
1.3 四分律比丘戒本
1.4 調 074
1.5 156:6840
2.1 390.5×26.2 厘米；10 紙；共 288 行，行 28 字。
2.2 01：43.0，32； 02：43.0，32； 03：42.5，32；
04：43.0，32； 05：43.0，32； 06：42.0，32；
07：42.0，32； 08：42.5，32； 09：41.0，31；
10：08.5，01。
2.3 卷軸裝。首脫尾全。上下為烏絲欄，竪欄為折疊欄。
3.1 首殘→大正 1429，22/1015C7。
3.2 尾全→22/1023A10。
4.2 四分戒本一卷（尾）。
7.3 背有雜寫“天福捌年癸卯歲（943）四”及“天福捌年”雜寫 2 處。
8 8～9 世紀。吐蕃統治時期寫本。
9.1 楷書。
9.2 有硃墨筆行間校加字，有校改。
11 圖版：《敦煌寶藏》，102/185B～190B。

1.1 BD02875 號
1.3 金光明最勝王經卷一〇
1.4 調 075
1.5 083:1973
2.1 （35.5+602.5）×28 厘米；15 紙；共 384 行，行 17 字。
2.2 01：35.5+9.2，27； 02：45.0，27； 03：45.0，28；
04：44.7，28； 05：45.0，28； 06：44.7，28；
07：44.9，27； 08：44.8，27； 09：44.9，28；
10：44.8，27； 11：44.7，27； 12：45.2，28；
13：45.4，28； 14：45.0，26； 15：09.2，拖尾。
2.3 卷軸裝。首殘尾全。卷首殘破嚴重。有烏絲欄，偈頌間有橫欄。
3.1 首 21 行下殘→大正 665，16/451A19～B12。
3.2 尾全→16/456C18。
8 8 世紀。唐寫本。
9.1 楷書。
11 圖版：《敦煌寶藏》，71/201B～209B。

1.1 BD02876 號
1.3 大乘入楞伽經卷四
1.4 調 076
1.5 038:0369
2.1 193.1×27.5 厘米；4 紙；共 112 行，行 17 字。
2.2 01：48.5，28； 02：48.3，28； 03：48.3，28；
04：48.0，28。
2.3 卷軸裝。首尾均脫。有烏絲欄。
3.1 首殘→大正 672，16/609B11。
3.2 尾殘→16/611A8。
6.2 尾→BD02865 號。
8 8 世紀。唐寫本。
9.1 楷書。
11 圖版：《敦煌寶藏》，58/391B～394A。

1.1 BD02877 號
1.3 大般若波羅蜜多經卷一一八
1.4 調 077
1.5 084:2322
2.1 46×25.2 厘米；1 紙；共 28 行，行 17 字。
2.3 卷軸裝。首尾均脫。卷面有橫向破裂。有烏絲欄。
3.1 首殘→大正 220，5/646C7。
3.2 尾殘→5/647A6。
7.1 卷背有勘記“一百一十八”。
8 8～9 世紀。吐蕃統治時期寫本。
9.1 楷書。
11 圖版：《敦煌寶藏》，72/642B～643A。

1.1 BD02878 號 1
1.3 梵網經盧舍那佛說菩薩心地戒品第十卷下
1.4 調 078
1.5 143:6773
2.1 (2+86.5+10)×25.5 厘米;3 紙;共 50 行,行 16 字。
2.2 01:2+16,10; 02:44.5,26; 03:26+10,14。
2.3 卷軸裝。首殘尾全。經黃打紙,研光上蠟。卷尾殘破。背有古代裱補。有烏絲欄。
2.4 本遺書包括 3 個文獻:(一)《梵網經盧舍那佛說菩薩心地戒品第十》卷下,21 行,今編為 BD02878 號 1。(二)《七佛說戒偈》(擬),24 行,今編為 BD02878 號 2。(三)《一日持齋十種利益》(擬),5 行,今編為 BD02878 號 3。
3.1 首 1 行下殘→大正 1484,24/1009C13~14。
3.2 尾全→24/1010A23。
4.2 梵網經卷下(尾)。
6.1 首→BD02890 號。
7.1 尾題後有硃筆字痕,漫漶殘缺,難以辨認。
8 7~8 世紀。唐寫本。
9.1 楷書。
11 圖版:《敦煌寶藏》,101/533A~534A。

1.1 BD02878 號 2
1.3 七佛說戒偈(擬)
1.4 調 078
1.5 143:6773
2.4 本遺書由 3 個文獻組成,本號為第 2 個,24 行。餘參見 BD02878 號 1 之第 2 項、第 11 項。
3.1 首全→大正 1422b,23/206A6。
3.2 尾全→23/206B18。
3.4 說明:

本文獻可見《五分戒本》(大正 1422b),在本號中應視爲《梵網經盧舍那佛說菩薩心地戒品第十》卷下的附錄。為體現該《梵網經盧舍那佛說菩薩心地戒品第十》卷下結構,故單獨著錄。

8 7~8 世紀。唐寫本。
9.1 楷書。

1.1 BD02878 號 3
1.3 一日持齋十種利益(擬)
1.4 調 078
1.5 143:6773
2.4 本遺書由 3 個文獻組成,本號為第 3 個,5 行。餘參見 BD02878 號 1 之第 2 項、第 11 項。
3.4 說明:

本文獻未為歷代大藏經所收。在本號中應視爲《梵網經盧舍那佛說菩薩心地戒品第十》卷下的附錄。為體現該《梵網經盧舍那佛說菩薩心地戒品第十》卷下結構,故單獨著錄。

8 7~8 世紀。唐寫本。
9.1 楷書。

1.1 BD02879 號
1.3 金光明最勝王經卷五
1.4 調 079
1.5 083:1753
2.1 150.5×25.5 厘米;4 紙;共 104 行,行 17 字。
2.2 01:41.5,28; 02:40.0,28; 03:40.0,28; 04:29.0,20。
2.3 卷軸裝。首尾均斷。卷首殘破,紙張變硬、橫裂,第 3 紙斷裂。背有古代裱補,有烏絲欄。
3.1 首殘→大正 665,16/425C27。
3.2 尾殘→16/427A22。
8 8~9 世紀。吐蕃統治時期寫本。
9.1 楷書。
11 圖版:《敦煌寶藏》,69/602B~604A。

1.1 BD02880 號
1.3 大般若波羅蜜多經卷一一九
1.4 調 080
1.5 084:2326
2.1 (32.2+58.2)×25.5 厘米;2 紙;共 54 行,行 17 字。
2.2 01:32.2+11.9,26; 02:46.3,28。
2.3 卷軸裝。首全尾脫。卷首下部殘缺嚴重。有烏絲欄。
3.1 首 19 行下殘→大正 220,5/650C13~651A5。
3.2 尾殘→5/651B11。
4.1 大般若波羅蜜多經卷第一百一十□,/初分校量功德品第卅之十七,□…□/(首)。
6.1 首→BD05048 號。
8 8~9 世紀。吐蕃統治時期寫本。
9.1 楷書。
11 圖版:《敦煌寶藏》,72/651B~652B。

1.1 BD02881 號
1.3 七階佛名經
1.4 調 081
1.5 305:8310
2.1 129.8×26.5 厘米;4 紙;共 68 行,行 17 字。
2.2 01:27.5,16; 02:48.8,28; 03:42.5,24; 04:11.0,拖尾。
2.3 卷軸裝。首斷尾全。經黃紙。卷面多處有破裂。尾有蟲繭。有燕尾。有烏絲欄。
3.4 說明:

本文獻首殘尾全。為敦煌僧衆日常禮讖所用文書,形態歧雜多樣。未為歷代大藏經所收。

7.3 卷面空白處有雜寫 7 字。
8 7~8 世紀。唐寫本。

9.1 楷書。
11 圖版：《敦煌寶藏》，109/610A～611B。

1.1 BD02882號
1.3 金光明最勝王經卷八
1.4 調082
1.5 083:1857
2.1 （10.4＋584.3）×25.8厘米；15紙；共369行，行17字。
2.2 01：10.4＋25.2，22；　02：42.5，27；　03：42.5，27；
04：42.5，27；　05：42.4，27；　06：42.5，27；
07：09.5，06；　08：34.8，22；　09：44.3，28；
10：44.3，28；　11：44.2，28；　12：39.8，25；
13：43.1，29；　14：43.0，29；　15：43.7，17。
2.3 卷軸裝。首全尾脫。卷首右下殘缺，卷端脫落1塊殘片，文可綴接。有烏絲欄。
3.1 首6行下殘→大正665，16/437C16～25。
3.2 尾缺→16/443A11。
4.1 金光明最勝王經大辯才天□…□（首）。
8 8～9世紀。吐蕃統治時期寫本。
9.1 楷書。
9.2 有刮改。第8紙以後各紙紙質字體不同，為9～10世紀歸義軍時期所補，但尾有餘空，未補完整。
11 圖版：《敦煌寶藏》，70/343B～351A。

1.1 BD02883號
1.3 大般若波羅蜜多經卷一一七
1.4 調083
1.5 084:2319
2.1 91.3×25.7厘米；2紙；共54行，行17字。
2.2 01：44.5，26；　02：46.8，28。
2.3 卷軸裝。首全尾斷。第1、2紙有横向破裂。有烏絲欄。
3.1 首全→大正220，5/640C24。
3.2 尾殘→5/641B23。
4.1 大般若波羅蜜多經卷第一百一十七，/初分校量功德品第卅之十五，三藏法師玄奘奉詔譯/（首）。
8 9～10世紀。歸義軍時期寫本。
9.1 楷書。
11 圖版：《敦煌寶藏》，72/638A～639A。

1.1 BD02884號
1.3 五千五百佛名神咒除障滅罪經卷三
1.4 調084
1.5 399:8534
2.1 189.2×26.5厘米；4紙；共112行，行17字。
2.2 01：47.5，28；　02：47.3，28；　03：47.4，28；
04：47.0，28。
2.3 卷軸裝。首尾均脫。麻紙，未入潢。有烏絲欄。
3.1 首殘→大正443，14/330C2。
3.2 尾全→14/332A19。
8 7～8世紀。唐寫本。
9.1 楷書。
11 圖版：《敦煌寶藏》，110/539B～542A。

1.1 BD02885號
1.3 金剛般若波羅蜜經
1.4 調085
1.5 094:3552
2.1 （11.5＋235.3）×26厘米；5紙；共138行，行17字。
2.2 01：11.5＋37，26；　02：49.8，28；　03：49.5，28；
04：49.5，28；　05：49.5，28。
2.3 卷軸裝。首殘尾脫。首紙有殘損。背有古代裱補。已修整。
3.1 首5行下殘→大正235，8/748C17～24。
3.2 尾殘→8/750B19。
4.1 金剛般若波□□□（首）。
8 9～10世紀。歸義軍時期寫本。
9.1 楷書。
11 圖版：《敦煌寶藏》，78/493B～496B。

1.1 BD02886號
1.3 大般涅槃經（北本）卷一五
1.4 調086
1.5 117:6575
2.1 42×20厘米；1紙；共25行，行17字。
2.3 卷軸裝。首脫尾殘。上下邊都已剪去。有烏絲欄。
3.1 首殘→大正374，12/452A14。
3.2 尾殘→12/452B12。
8 8世紀。唐寫本。
9.1 楷書。
9.2 經文第2行下有4字被刮去。
11 圖版：《敦煌寶藏》，100/382B。

1.1 BD02887號
1.3 維摩詰所說經（兑廢稿）卷中
1.4 調087
1.5 070:1184
2.1 50×26厘米；1紙；共26行，行17字。
2.3 卷軸裝。首尾均脫。尾有餘空。背有鳥糞污漬。有烏絲欄。
3.1 首殘→大正475，14/548B7。
3.2 尾缺→14/548C6。
5 與《大正藏》本對照，本卷有缺文，相當於大正475，14/548B8～9。
8 7～8世紀。唐寫本。
9.1 楷書，卷端上方有一"兑"字。
11 圖版：《敦煌寶藏》，65/618B～619A。

1.1　BD02888 號
1.3　佛本行集經（兑廢稿）卷三三
1.4　調 088
1.5　419:8581
2.1　(40.2+1.8)×25.6 厘米；1 紙；共 24 行，行 17 字。
2.3　卷轴装。首脱尾殘。卷下邊殘破。有烏絲欄。
3.1　首殘→大正 190，3/809A2。
3.2　尾殘→3/809A26。
8　7~8 世紀。唐寫本。
9.1　楷書。上邊有一“兑”字。
11　圖版：《敦煌寶藏》，110/627A~B。

1.1　BD02889 號
1.3　法門名義記
1.4　調 089
1.5　341:8394
2.1　(30+399+52.5)×31 厘米；11 紙；共 271 行，行字不等。
2.2　01：30+5，20；　02：44.0，27；　03：44.5，27；　04：45.0，27；　05：44.5，27；　06：45.0，27；　07：45.0，27；　08：45.0，27；　09：45.0，27；　10：36+8.5，27；　11：44.0，08。
2.3　卷轴装。首尾均殘。前 2 紙和尾 2 紙殘破嚴重，通卷上下邊殘損，中間有破裂。有烏絲欄。已修整。
3.1　首 17 行中下殘→大正 2124，54/195A15~C11。
3.2　尾 13 行中下殘→54/202C21~28。
5　與《大正藏》本對照，文字有較大差異。
7.3　第 5 紙背有經名雜寫“金剛般若波羅蜜經”。
8　9~10 世紀。歸義軍時期寫本。
9.1　行楷。
9.2　有刪除符號。
11　圖版：《敦煌寶藏》，110/180B~187A。

1.1　BD02890 號
1.3　梵網經盧舍那佛説菩薩心地戒品第十卷下
1.4　調 090
1.5　143:6768
2.1　(124+3)×25.4 厘米；3 紙；共 74 行，行 17 字。
2.2　01：48.0，28；　02：48.0，28；　03：28+3，18。
2.3　卷轴装。首脱尾殘。經黄打紙，研光上蠟。第 2 紙上方破裂。背有古代裱補。有烏絲欄。
3.1　首殘→大正 1484，24/1008C21。
3.2　尾 2 行上中殘→24/1009C12~14。
6.1　首→BD03097 號。
6.2　尾→BD02878 號。
8　7~8 世紀。唐寫本。
9.1　楷書。
11　圖版：《敦煌寶藏》，101/525B~527A。

1.1　BD02891 號
1.3　無量壽宗要經
1.4　調 091
1.5　275:7778
2.1　(9.5+157)×30 厘米；4 紙；共 115 行，行 30 餘字。
2.2　01：9.5+29，28；　02：41.5，29；　03：43.0，29；　04：43.5，29。
2.3　卷軸裝。首殘尾全。首紙殘破，第 1、2 紙脱開，卷面有破裂。脱落 1 塊殘片，已綴接。有烏絲欄。已修整。
3.1　首 7 行中上殘→大正 936，19/82A6~18。
3.2　尾全→19/84C29。
4.2　佛説無量壽經（尾）。
7.3　尾紙有題名“文達”。
8　8~9 世紀。吐蕃統治時期寫本。
9.1　行楷。
11　圖版：《敦煌寶藏》，107/581B~583B。

1.1　BD02892 號
1.3　大般若波羅蜜多經卷五三
1.4　調 092
1.5　084:2153
2.1　93×25 厘米；2 紙；共 54 行，行 17 字。
2.2　01：45.0，26；　02：48.0，28。
2.3　卷轴装。首全尾脱。背有古代裱補。有烏絲欄。
3.1　首全→大正 220，5/298A4。
3.2　尾殘→5/298C3。
4.1　大般若波羅蜜多經卷第五十三，/初分辯大乘品第十五之三，三藏法師玄奘奉詔譯/（首）。
8　8~9 世紀。吐蕃統治時期寫本。
9.1　楷書。
11　圖版：《敦煌寶藏》，72/119B~120B。

1.1　BD02893 號
1.3　妙法蓮華經卷四
1.4　調 093
1.5　105:5300
2.1　(63.5+2)×25 厘米；2 紙；共 43 行，行 17 字。
2.2　01：49.0，28；　02：14.5+2，15。
2.3　卷轴装。首脱尾殘。卷面殘損嚴重。
3.1　首殘→大正 262，9/27C15。
3.2　尾 1 行上下殘→9/28B22。
8　9~10 世紀。歸義軍時期寫本。
9.1　楷書。
11　圖版：《敦煌寶藏》，90/499A~500A。

1.1　BD02894 號
1.3　大寶積經卷七四
1.4　調 094
1.5　006:0092
2.1　110.2×26.1 厘米；3 紙；共 54 行，行 17 字。
2.2　01：18.7，護首；　02：45.0，26；　03：46.5，28。
2.3　卷軸裝。首全尾脱。有護首。卷面多黴爛，卷中有 3 排等距殘洞。背有古代褙補。有烏絲欄。已修整。
3.1　首全→大正 310，11/419A2。
3.2　尾殘→11/419C2。
4.1　大寶積經菩薩見實會第十六之十四，北齊三藏那連提耶舍譯，卷七十四，/六界差別品第二十五之二/（首）。
8　7～8 世紀。唐寫本。
9.1　楷書。
11　圖版：《敦煌寶藏》，56/407B～409A。

1.1　BD02895 號
1.3　大般若波羅蜜多經卷五一〇
1.4　調 095
1.5　084:3265
2.1　150.1×26.8 厘米；2 紙；共 84 行，行 17 字。
2.2　01：76.3，43；　02：73.8，41。
2.3　卷軸裝。首脱尾全。通卷上下有破裂殘損。有烏絲欄。
3.1　首殘→大正 220，7/606A22。
3.2　尾全→7/607A18。
4.2　大般若波羅蜜多經卷第五百一十（尾）。
7.1　尾有題名“比丘圓滿”。卷背面有 1 行勘記“大般若第三袟”。
8　7～8 世紀。唐寫本。
9.1　楷書。
11　圖版：《敦煌寶藏》，77/73A～74B。

1.1　BD02896 號
1.3　大般若波羅蜜多經（兑廢稿）卷五九四
1.4　調 096
1.5　084:3404
2.1　45.9×26.3 厘米；1 紙；共 24 行，行 17 字。
2.3　卷軸裝。首尾均脱。卷面有黴爛殘洞、殘破。尾有餘空。有烏絲欄。
3.1　首殘→大正 220，7/1074A19。
3.2　尾缺→7/1074B13。
5　尾 2 行經文重複。
8　8～9 世紀。吐蕃統治時期寫本。
9.1　楷書。卷端上邊有“兑”字。
11　圖版：《敦煌寶藏》，77/486A。

1.1　BD02897 號
1.2　F1110003.24～25
1.3　摩訶般若波羅蜜經（四十卷本　兑廢稿）卷三五
1.4　調 097
1.5　088:3464
2.1　(5.3+41.5)×26.7 厘米；1 紙；共 28 行，行 17 字。
2.3　卷軸裝。首尾均脱。卷面殘破嚴重。背面有古代褙補。有烏絲欄。
3.1　首 3 行中殘→大正 223，8/400C8～11。
3.2　尾殘→8/401A12。
5　與《大正藏》本對照，分卷、分品不同。此件相當於卷第二十四第七十九品尾部與卷第二十五第八十品之前部。此處按照日本《聖語藏》（四十卷本）勘定卷次。
7.1　卷背有勘記“摩訶般若經八十九品”。
8　8～9 世紀。吐蕃統治時期寫本。
9.1　楷書。卷面空白處有 2 個“兑”字。
11　圖版：《敦煌寶藏》，78/108A。

1.1　BD02898 號
1.3　曇無德律部雜羯磨鈔（擬）
1.4　調 098
1.5　161:6990
2.1　(2+188.5)×25.2 厘米；7 紙；共 113 行，行 27 字。
2.2　01：2+4.5，3；　02：29.0，18；　03：37.0，23；
04：37.0，23；　05：37.0，23；　06：36.5，23；
07：07.5，拖尾。
2.3　卷軸裝。首尾均殘。第 2、3 紙下方殘破。
3.4　説明：

本文獻首 1 行上殘，尾殘。抄輯衆羯磨而成。查其内容，大體可以在《曇無德律部雜羯磨》（大正 1432）中找到。故暫擬此名。抄輯情况如下：

(1) 第 1 行～第 2 行，大正 1432，22/1044A29～B1；
(2) 第 3 行～第 17 行，22/1050C25～1051A12；
(3) 第 18 行～第 29 行，22/1051A17～B4；
(4) 第 30 行～第 33 行，待考；
(5) 第 33 行～第 38 行，22/1044C25～1045A4；
(6) 第 39 行～第 46 行，22/1045B3～12；
(7) 第 47 行～第 78 行，22/1045B24～1046A16；
(8) 第 79 行～第 105 行，22/1044B2～C19；
(9) 第 106 行～第 113 行，22/1047A25～B6。

行文與《大正藏》本略有參差。
8　5～6 世紀。南北朝寫本。
9.1　楷書。
9.2　有墨筆點標。
11　圖版：《敦煌寶藏》，103/270A～272B。

1.1　BD02899 號
1.3　金剛般若波羅蜜經

1.4　調099
1.5　094:3881
2.1　(4.5+211.1+10.1)×26 厘米；7 紙；共 133 行，行 17 字。
2.2　01：4.5+10.4，9；　02：40.7，24；　03：40.0，24；
04：41.0，24；　05：40.5，24；　06：38.5+2，24；
07：08.1，04。
2.3　卷轴装。首尾均殘。前3紙殘破嚴重。上邊有等距離黴斑。有烏絲欄。已修整。
3.1　首3行下殘→大正235，8/749B27～C1。
3.2　尾5行上殘→8/751A13～18。
8　8世紀。唐寫本。
9.1　楷書。
11　圖版：《敦煌寶藏》，81/49B～52A。

1.1　BD02900號
1.3　維摩詰所說經卷中
1.4　調100
1.5　070:1072
2.1　(2.5+1031.5)×24.5 厘米；21 紙；共 563 行，行 17 字。
2.2　01：2.5+47.5，28；　02：50.0，28；　03：50.0，28；
04：50.0，28；　05：51.0，29；　06：51.0，28；
07：51.0，28；　08：51.0，28；　09：51.0，28；
10：51.0，28；　11：51.0，28；　12：51.0，28；
13：51.0，28；　14：51.0，28；　15：51.0，28；
16：51.0，28；　17：51.0，28；　18：51.0，28；
19：51.0，28；　20：51.0，28；　21：18.0，02。
2.3　卷轴装。首殘尾全。首紙卷面多殘洞。上下邊有破裂。多水漬印。背有古代裱補。
3.1　首行下殘→大正475，14/544B24～25。
3.2　尾全→14/551C27。
4.2　維摩詰經卷中（尾）。
8　9～10世紀。歸義軍時期寫本。
9.1　楷書。
11　圖版：《敦煌寶藏》，65/48A～61B。

1.1　BD02901號
1.3　大智度論（異卷）卷三四
1.4　陽001
1.5　218:7277
2.1　(24+562.5)×26.5 厘米；16 紙；共 338 行，行 17 字。
2.2　01：24+12.5，22；　02：38.0，22；　03：38.0，22；
04：38.0，22；　05：38.0，22；　06：38.0，22；
07：38.0，22；　08：38.0，22；　09：38.0，22；
10：37.5，22；　11：38.0，22；　12：38.0，22；
13：37.5，22；　14：37.5，22；　15：37.5，22；
16：20.0，08。
2.3　卷轴装。首殘尾全。紙張極薄。卷首殘破嚴重，卷中有破裂，接縫處有開裂。背有古代裱補。有烏絲欄。
3.1　首15行下殘→大正1509，25/237B3～19。
3.2　尾全→25/241B16。
4.2　大智度經卷第卅四（尾）。
5　與《大正藏》對照，分卷不同，相當於《大正藏》本卷二十四。與歷代諸藏分卷均不同。
7.1　卷尾下有題記2行：“善泰寫，/用紙□…□。/”
8　5～6世紀。南北朝寫本。
9.1　楷書。
9.2　有行間校加字。
11　圖版：《敦煌寶藏》，105/271A～278B。

1.1　BD02902號
1.3　藥師琉璃光如來本願功德經
1.4　陽002
1.5　030:0273
2.1　(27+517)×26 厘米；10 紙；共 300 行，行 17 字。
2.2　01：27+23，29；　02：79.0，45；　03：80.0，45；
04：80.0，45；　05：42.5，24；　06：42.5，24；
07：42.5，24；　08：42.5，24；　09：42.5，24；
10：42.5，16。
2.3　卷轴装。首殘尾全。卷面黴爛，前3紙多處破損，接縫處有開裂。有燕尾。有烏絲欄。已修整。
3.1　首16行上殘→大正450，14/404C20～405A6。
3.2　尾全→14/408B25。
4.2　藥師經（尾）。
8　7～8世紀。唐寫本。
9.1　楷書。
11　圖版：《敦煌寶藏》，57/558B～566A。

1.1　BD02903號
1.3　妙法蓮華經卷六
1.4　陽003
1.5　105:5852
2.1　(5+247.5)×27 厘米；6 紙；共 135 行，行 17 字。
2.2　01：5+2.5，4；　02：49.0，28；　03：49.0，28；
04：49.0，28；　05：49.0，28；　06：49.0，19。
2.3　卷轴装。首殘尾全。卷尾有蟲繭。有烏絲欄。
3.1　首9行下殘→大正262，9/53B9～12。
3.2　尾全→9/55A9。
4.2　妙法蓮華經卷第六（尾）。
8　7～8世紀。唐寫本。
9.1　楷書。
9.2　有行間校加字。
11　圖版：《敦煌寶藏》，95/376A～379A。

1.1　BD02904 號
1.3　入楞伽經卷一〇
1.4　陽 004
1.5　037:0333
2.1　(17 + 802.2) × 25.8 厘米；17 紙；共 453 行，行 17 字。
2.2　01：17 + 26，25；　02：50.0，28；　03：50.0，28；
04：50.0，28；　05：50.5，30；　06：50.3，28；
07：50.0，28；　08：50.0，28；　09：50.3，28；
10：50.3，28；　11：50.3，28；　12：50.3，28；
13：50.0，28；　14：49.7，28；　15：49.5，28；
16：49.5，28；　17：25.5，06。
2.3　卷軸裝。首殘尾全。第 14 紙有殘裂及破洞。尾有原軸，兩端塗黑漆，頂端點硃漆。有劃界欄針孔。有烏絲欄。已修整。
3.1　首 8 行殘→大正 671，16/576A20 ~ B5。
3.2　尾全→16/586B22。
4.2　入楞伽經卷第十（尾）。
8　5 ~ 6 世紀。南北朝寫本。
9.1　楷書。
11　圖版：《敦煌寶藏》，58/127A ~ 138B。

1.1　BD02905 號
1.3　無量壽宗要經
1.4　陽 005
1.5　275:8003
2.1　(15 + 166) × 31.5 厘米；5 紙；共 122 行，行 30 餘字。
2.2　01：12.0，08；　02：3 + 38.5，29；　03：42.5，29；
04：42.5，29；　05：42.5，27。
2.3　卷軸裝。首殘尾全。第 2 至 5 紙下邊破裂。第 4、5 紙接縫處下部開裂。有烏絲欄。
3.1　首 10 行上下殘→大正 936，19/82B13 ~ 28。。
3.2　尾全→19/84C29。
4.2　佛説無量壽經（尾）。
7.1　尾紙末有題記“張良友寫”。
8　8 ~ 9 世紀。吐蕃統治時期寫本。
9.1　行楷。
9.2　有刮改。
11　圖版：《敦煌寶藏》，108/491B ~ 493B。

1.1　BD02906 號
1.3　金剛般若波羅蜜經
1.4　陽 006
1.5　094:4269
2.1　188.4 × 26.2 厘米；6 紙；共 117 行，行 17 字。
2.2　01：13.3，08；　02：41.5，26；　03：41.4，26；
04：41.5，26；　05：41.7，26；　06：09.0，05。
2.3　卷軸裝。首殘尾全。卷面有殘洞，下部有等距離紅色污漬。有烏絲欄。
3.1　首 6 行上下殘→大正 235，8/751A22 ~ 28。
3.2　尾全→8/752C3。
4.2　金剛般若波羅蜜經（尾）。
8　7 ~ 8 世紀。唐寫本。
9.1　楷書。
11　圖版：《敦煌寶藏》，82/554A ~ 556A。

1.1　BD02907 號
1.3　妙法蓮華經卷三
1.4　陽 007
1.5　105:5146
2.1　(7.5 + 438.1) × 25.7 厘米；9 紙；共 252 行，行 17 字。
2.2　01：7.5 + 42.9，28；　02：49.7，28；　03：50.0，28；
04：49.5，28；　05：49.4，28；　06：49.1，28；
07：49.4，28；　08：49.0，28；　09：49.1，28。
2.3　卷軸裝。首殘尾脱。卷首殘破，卷面有殘洞，接縫處有開裂，卷尾略殘。有烏絲欄。
3.1　首 4 行上中殘→大正 262，9/23A15 ~ 19。
3.2　尾殘→9/26C21。
8　8 ~ 9 世紀。吐蕃統治時期寫本。
9.1　楷書。
11　圖版：《敦煌寶藏》，89/199A ~ 205A。

1.1　BD02908 號
1.3　佛為善男子説地獄報應經（擬）
1.4　陽 008
1.5　461:8692
2.1　(18 + 489.1 + 48) × 29.3 厘米；15 紙；共 269 行，行 17 字。
2.2　01：18 + 13，15；　02：37.0，18；　03：37.2，18；
04：37.3，17；　05：37.5，18；　06：37.8，19；
07：37.4，18；　08：37.8，19；　09：37.7，19；
10：37.8，19；　11：37.5，18；　12：37.8，19；
13：37.3，17；　14：26 + 11.5，17；　15：36.5，18。
2.3　卷軸裝。首尾均殘。卷首有破裂、殘洞，脱落 3 塊殘片。卷尾有破裂及殘洞。有折疊欄。
3.4　説明：

本文獻首 9 行上下殘，尾 23 行下殘。乃輯録、敷衍諸經中關於地獄的經文而成，未為歷代大藏經所收。

所論依次有鐵□地獄（殘）、飲銅地獄、鐵丸地獄、銅柱地獄、鐵床地獄、寒冰地獄、燋熱地獄、刀輪地獄、灰河地獄、剉碓地獄、鐵犁地獄、沸屎地獄、阿鼻地獄。

8　9 ~ 10 世紀。歸義軍時期寫本。
9.1　楷書。
9.2　有行間校加字。有重文符號。有斷句。
11　圖版：《敦煌寶藏》，111/196B ~ 203B。

1.1　BD02909 號
1.3　灌頂章句拔除過罪生死得度經
1.4　陽 009
1.5　250:7485
2.1　(13.2 +534.3) ×25.8 厘米；12 紙；共 305 行，行 17 字。
2.2　01：13.2 +30.5，24；　02：50.8，28；　03：51.0，28；
04：47.4，28；　05：47.3，28；　06：47.4，28；
07：47.6，28；　08：47.6，28；　09：50.1，28；
10：50.1，28；　11：49.8，28；　12：14.7，01。
2.3　卷軸裝。首殘尾全。經黄紙。首紙有等距殘損，下邊殘破。卷面有破裂。接縫處有開裂。有燕尾。有烏絲欄。
3.1　首 7 行上下殘→大正 1331，21/532C12 ~18。
3.2　尾全→21/536B5。
4.2　藥師經（尾）。
8　7 ~8 世紀。唐寫本。
9.1　楷書。
11　圖版：《敦煌寶藏》，106/433A ~440A。

1.1　BD02910 號
1.3　佛名經（十六卷本）卷二
1.4　陽 010
1.5　063:0615
2.1　(3 +229.5) ×25.2 厘米；6 紙；共 143 行，行 17 字。
2.2　01：3 +1.5，3；　02：45.0，28；　03：45.5，28；
04：45.5，28；　05：46.0，28；　06：46.0，28。
2.3　卷軸裝。首殘尾脱。經黄紙。第 2 紙有殘洞，下邊破損。接縫處有開裂。有烏絲欄。已修整。
3.1　首 2 行上中殘→《七寺古逸經典研究叢書》，3/第 74 頁第 141 行。
3.2　尾殘→《七寺古逸經典研究叢書》，3/第 85 頁第 285 行。
5　與七寺本對照，計量三寶語的插放點不同。
8　7 ~8 世紀。唐寫本。
9.1　楷書。
11　圖版：《敦煌寶藏》，60/384A ~387A。

1.1　BD02911 號
1.3　金光明最勝王經卷八
1.4　陽 011
1.5　083:1886
2.1　351.2 ×26 厘米；7 紙；共 188 行，行 17 字。
2.2　01：50.2，28；　02：50.2，28；　03：50.3，28；
04：50.2，28；　05：50.3，28；　06：50.0，28；
07：50.0，20。
2.3　卷軸裝。首脱尾全。經黄打紙。接縫處有開裂。背有古代裱補。有燕尾。有烏絲欄。
3.1　首殘→大正 665，16/440C25。
3.2　尾全→16/444A9。
4.2　金光明最勝王經卷第八（尾）。
8　7 ~8 世紀。唐寫本。
9.1　楷書。
11　圖版：《敦煌寶藏》，70/485A ~489B。

1.1　BD02912 號
1.3　金剛般若波羅蜜經
1.4　陽 012
1.5　094:3674
2.1　(14.5 +469.2) ×25.5 厘米；12 紙；共 295 行，行 17 字。
2.2　01：13.0，08；　02：1.5 +41.5，27；　03：44.0，27；
04：43.7，27；　05：44.0，27；　06：44.0，27；
07：44.0，27；　08：43.8，27；　09：43.9，27；
10：43.6，27；　11：43.7，27；　12：33.0，17。
2.3　卷軸裝。首殘尾全。背有古代裱補。有燕尾。有烏絲欄。
3.1　首 9 行上下殘→大正 235，8/749A9 ~18。
3.2　尾全→8/752C3。
4.2　金剛般若波羅蜜經（尾）。
8　7 ~8 世紀。唐寫本。
9.1　楷書。
9.2　有行間校加字。
11　圖版：《敦煌寶藏》，79/454B ~460B。

1.1　BD02913 號
1.3　妙法蓮華經卷六
1.4　陽 013
1.5　105:5806
2.1　(149.5 +1.5) ×26 厘米；4 紙；共 95 行，行 17 字。
2.2　01：19.0，12；　02：46.5，30；　03：46.5，29；
04：37.5 +1.5，24。
2.3　卷軸裝。首斷尾殘。經黄打紙，研光上蠟。紙張較薄。尾紙上邊有破裂。有烏絲欄。
3.1　首殘→大正 262，9/51A12。
3.2　尾行殘→9/52B1。
8　7 ~8 世紀。唐寫本。
9.1　楷書。
11　圖版：《敦煌寶藏》，95/209B ~211B。

1.1　BD02914 號
1.3　妙法蓮華經卷四
1.4　陽 014
1.5　105:5210
2.1　1152.1 ×25 厘米；26 紙；共 675 行，行 17 字。
2.2　01：41.0，25；　02：42.2，26；　03：42.0，26；
04：42.0，26；　05：42.0，26；　06：42.2，26；
07：42.2，26；　08：42.8，26；　09：43.0，26；
10：43.0，26；　11：43.0，26；　12：43.0，26；

13：43.0，26；　14：43.0，26；　15：43.0，26；
16：43.0，26；　17：43.0，26；　18：43.0，26；
19：27.0，17；　20：51.5，28；　21：51.5，28；
22：51.2，28；　23：51.0，28；　24：51.0，28；
25：51.0，28；　26：51.5，23。

2.3　卷軸裝。首尾均全。尾有原軸，兩端塗棕色漆。首紙下方開裂。有烏絲欄。後7紙與前此各紙不同。

3.1　首全→大正262，9/27B12。

3.2　尾全→9/37A2。

4.1　妙法蓮華經五百弟子授記品第八，四（首）。

4.2　妙法蓮華經卷第四（尾）。

7.1　卷端背有勘記"法華經第四"。

8　8世紀。唐寫本。

9.1　楷書。

11　圖版：《敦煌寶藏》，89/435B～453B。

1.1　BD02915號

1.3　金剛般若波羅蜜經

1.4　陽015

1.5　094:4068

2.1　（1.5+303）×25.5厘米；8紙；共180行，行17字。

2.2　01：1.5+16，11；　02：46.5，28；　03：47.0，28；
04：46.5，28；　05：46.5，28；　06：46.0，28；
07：46.5，28；　08：08.0，01。

2.3　卷軸裝。首殘尾全。卷面有殘破。背有利用殘破護首所作古代裱補，裱補紙上有經名。有燕尾。有烏絲欄。

3.1　首1行下殘→大正235，8/750B9。

3.2　尾全→8/752C3。

4.2　金剛般若波羅蜜經（尾）。

7.3　首紙背用作裱補的古代殘破護首上有經名，作"金剛般若波□…□"，有經名號。

8　9～10世紀。歸義軍時期寫本。

9.1　楷書。

11　圖版：《敦煌寶藏》，82/17B～21A。

1.1　BD02916號

1.3　金剛般若波羅蜜經

1.4　陽016

1.5　094:3564

2.1　（7.2+415.6）×27.5厘米；9紙；共243行，行17字。

2.2　01：7.2+25.6，19；　02：48.8，28；　03：48.8，28；
04：48.8，28；　05：48.8，28；　06：48.6，28；
07：48.6，28；　08：48.6，28；　09：49.0，28。

2.3　卷軸裝。首殘尾脫。第3、4紙接縫處開裂，第4紙有破裂。有烏絲欄。已修整。

3.1　首4行中下殘→大正235，8/748C27～749A2。

3.2　尾殘→8/752A3。

8　9～10世紀。歸義軍時期寫本。

9.1　楷書。

11　圖版：《敦煌寶藏》，78/569B～574B。

1.1　BD02917號

1.3　妙法蓮華經（八卷本）卷六

1.4　陽017

1.5　105:5631

2.1　（1.7+328.4）×26.1厘米；8紙；共206行，行17字。

2.2　01：1.7+39.8，26；　02：41.3，25；　03：41.3，26；
04：41.3，25；　05：41.4，26；　06：41.3，26；
07：41.0，26；　08：41.0，26。

2.3　卷軸裝。首殘尾脫。經黄紙。卷面有殘洞，下邊有等距離殘缺，接縫處多有開裂，卷尾殘破。有烏絲欄。

3.1　首行中殘→大正262，9/45C18。

3.2　尾殘→9/49B2。

5　與《大正藏》本對照，分卷不同，相當於《大正藏》本卷五分別功德品第十七後部至卷六法師功德品第十九中部。為八卷本之卷六

8　7～8世紀。唐寫本。

9.1　楷書。

11　圖版：《敦煌寶藏》，93/440A～445A。

1.1　BD02918號

1.3　四分律比丘戒本

1.4　陽018

1.5　156:6878

2.1　167.5×27.5厘米；5紙；正面113行，行21字。背面98行，行字不等。

2.2　01：08.0，05；　02：43.0，28；　03：42.5，29；
04：42.5，29；　05：31.5，22。

2.3　卷軸裝。首尾均殘。各紙背抄寫有經文。有烏絲欄。

2.4　本遺書包括7個文獻：（一）《四分律比丘戒本》，113行，抄寫在正面，今編為BD02918號。（二）《佛母讚》，13行，抄寫在背面，今編為BD02918號背1。（三）《遊五臺讚文》，8行，抄寫在背面，今編為BD02918號背2。（四）《地藏菩薩十齋日》，12行，抄寫在背面，今編為BD02918號背3。（五）《和菩薩戒文》，28行，抄寫在背面，今編爲BD02918號背4。（六）《十念功德文》（擬），16行，抄寫在背面，今編為BD02918號背5。（七）《十恩德讚》，21行，抄寫在背面，今編為BD02918號背5。

3.1　首殘→大正1429，12/1019C22。

3.2　尾殘→12/1021B9。

7.3　卷面空白處有雜寫"丘阿作了（？）公音義"。

8　9～10世紀。歸義軍時期寫本。

9.1　楷書。

11　圖版：《敦煌寶藏》，102/357A～361B。

1.1　BD02918 號背 1
1.3　佛母讚
1.4　陽 018
1.5　156:6878
2.4　本遺書由 7 個文獻組成，本號為第 2 個，抄寫在背面，13 行。餘參見 BD02918 號之第 2 項、第 11 項。
3.4　説明：
本文獻描寫釋迦牟尼的母親摩耶夫人得知釋迦牟尼涅槃消息後痛苦萬分、前來追悼的場面。又名《涅槃讚》。敦煌遺書抄錄甚多，後被法照組織收入《淨土五會念佛誦經觀行儀》。本文獻形態歧雜多變，形成不同異本。
4.2　佛母讚一本了（尾）。
8　9~10 世紀。歸義軍時期寫本。
9.1　楷書。
9.2　有重文號。

1.1　BD02918 號背 2
1.3　遊五臺讚文
1.4　陽 018
1.5　156:6878
2.4　本遺書由 7 個文獻組成，本號為第 3 個，抄寫在背面，8 行。餘參見 BD02918 號之第 2 項、第 11 項。
3.4　説明：
本文獻爲佛教唱讚。與《五臺山讚》、《五臺山曲子》均不同。未為歷代大藏經所收。
4.1　遊五臺山讚一本（首）。
8　9~10 世紀。歸義軍時期寫本。
9.1　楷書。
9.2　有行間校加字。

1.1　BD02918 號背 3
1.3　地藏菩薩十齋日
1.4　陽 018
1.5　156:6878
2.4　本遺書由 7 個文獻組成，本號為第 4 個，抄寫在背面，12 行。餘參見 BD02918 號之第 2 項、第 11 項。
3.1　首全→《藏外佛教文獻》，7/第 356 頁第 2 行。
3.2　尾全→《藏外佛教文獻》，7/第 358 頁第 4 行。
4.1　地藏菩薩經十齋日（首）。
5　與《藏外佛教文獻》本對照，尾部多“六月二日辰時向東禮九拜，除罪三萬劫。/七月六日午時向東禮九拜，除罪三萬劫。了。/”2 行文字。
8　9~10 世紀。歸義軍時期寫本。
9.1　楷書。
9.2　有行間校加字。

1.1　BD02918 號背 4
1.3　和菩薩戒文
1.4　陽 018
1.5　156:6878
2.4　本遺書由 7 個文獻組成，本號為第 5 個，抄寫在背面，28 行。餘參見 BD02918 號之第 2 項、第 11 項。
3.1　首全→大正 2851，85/1300B7。
3.2　尾殘→85/1300C10。
5　與《大正藏》本相比，文字略有差別。
7.3　尾有經文雜寫 16 行。
8　9~10 世紀。歸義軍時期寫本。
9.1　楷書。
9.2　有行間加行。

1.1　BD02918 號背 5
1.3　十念功德文（擬）
1.4　陽 018
1.5　156:6878
2.4　本遺書由 7 個文獻組成，本號為第 6 個，抄寫在背面，16 行。餘參見 BD02918 號之第 2 項、第 11 項。
3.4　説明：
本文獻所抄為禮拜諸佛菩薩及《十念功德文》。與敦煌遺書中的其他抄本相比有異文。未為歷代大藏經所收。
7.3　卷面有雜寫“社司轉貼右緣語”幾字。旁有刪除號。另有雜寫“西方阿彌陀佛”。
8　9~10 世紀。歸義軍時期寫本。
9.1　楷書。
9.2　有刪除號。有行間校加字。

1.1　BD02918 號背 6
1.3　十恩德讚
1.4　陽 018
1.5　156:6878
2.4　本遺書由 7 個文獻組成，本號為第 7 個，抄寫在背面，21 行。餘參見 BD02918 號之第 2 項、第 11 項。
3.1　首全→《敦煌歌辭總編》，第 748 頁第 3 行。
3.2　尾殘→《敦煌歌辭總編》，第 749 頁第 10 行。
4.1　十恩德讚一本（首）。
7.1　尾有題名“安押牙”。
8　9~10 世紀。歸義軍時期寫本。
9.1　楷書。

1.1　BD02919 號
1.3　金剛般若波羅蜜經
1.4　陽 019
1.5　094:3781
2.1　(26.7+438.3)×25.5 厘米；9 紙；共 269 行，行 17 字。
2.2　01：18.7，11；　02：8+65，43；　03：73.5，43；

04：73.0，42；　05：45.5，26；　06：45.5，26；
07：45.3，26；　08：45.5，26；　09：45.0，26。
2.3　卷軸裝。首殘尾脫。第 4、5 紙間接縫開裂，第 5 紙中下方有墨污。有烏絲欄。
3.1　首 15 行下殘→大正 235，8/749A23～B10。
3.2　尾殘→8/752B23。
8　9～10 世紀。歸義軍時期寫本。
9.1　楷書。
9.2　有行間校加字。
11　圖版：《敦煌寶藏》，80/312B～319A。

1.1　BD02920 號
1.3　大乘百法明門論開宗義記
1.4　陽 020
1.5　461:8717
2.1　（19.5+259.5+27）×27 厘米；10 紙；正面 213 行，行 20 餘字。背面 6 行，行 20 餘字。
2.2　01：19.5，12；　02：40.0，25；　03：40.0，24；
04：40.0，25；　05：40.0，25；　06：40.0，25；
07：40.0，24；　08：40.0，24；　09：19.5+20.5，25；
10：06.5，04。
2.3　卷軸裝。首尾均殘。卷首殘破，卷中有殘洞及破裂，第 9 紙下邊殘缺。折疊欄。
2.4　本遺書包括 2 個文獻：（一）《大乘百法明門論開宗義記》，213 行，抄寫在正面，今編為 BD02920 號。（二）《論眼心見色》（擬），6 行，抄寫在背面，今編為 BD02920 號背。
3.1　首 12 行上下殘→大正 2810，85/1050A11～27。
3.2　尾 17 行中下殘→85/1053C11～1054A7。
8　8～9 世紀。吐蕃統治時期寫本。
9.1　行楷。
9.2　有硃筆行間加行。有硃墨筆行間校加字。有硃筆點標、科分、塗抹及間隔符號。有墨筆刪除符號。
11　圖版：《敦煌寶藏》，111/277A～282B。

1.1　BD02920 號背
1.3　論眼心見色（擬）
1.4　陽 020
1.5　461:8717
2.4　本遺書由 2 個文獻組成，本號為第 2 個，抄寫在背面，6 行。餘參見 BD02920 號之第 2 項、第 11 項。
3.3　錄文：
合：眼上無聲相，眼即不聞聲；眼上帶色相，帶相能見色。/
相分量云：眼上無聲相，眼即不聞聲；眼上無色相，如何能見色？/
二師云：眼上無色相，許眼能見色；眼上無聲相，眼亦合聞聲。/
見分量云：虛空無能緣，無緣不見色；心等無能緣，如何能見色？/
第二師云：心等無能緣，無緣而見色；虛空無能緣，虛空合見色。/
合云：虛空無能緣，虛空不見色；心等是能緣，能緣而見色。/
（錄文完）
3.4　説明：
本文獻爲唯識宗對眼、心見色的討論。按照語意，第一行之“合”，似應放置於第三行“二師云”之後。由於在《大乘百法明門論開宗義記》中有關於眼、心見色的討論，故背面的這一段論述可以看作是對正面《大乘百法明門論開宗義記》討論的補充與發揮。
7.3　有墨筆雜寫“佛說法花”和硃筆雜寫“十方佛◇◇”。
背面有雜寫，依次排列如下：
“五根□…□/”；
“如是五相□…□/”；
“離欲最極究竟有增上/”；
“於此廿二根故/”。
8　8～9 世紀。吐蕃統治時期寫本。
9.1　楷書。
9.2　有行間校加字。有倒乙。

1.1　BD02921 號 1
1.3　黃仕強傳
1.4　陽 021
1.5　298:8290
2.1　（8.5+850.9）×26 厘米；21 紙；共 509 行，行 17 字。
2.2　01：8.5+25，19；　02：41.8，25；　03：41.8，25；
04：41.8，25；　05：41.8，25；　06：41.8，25；
07：41.7，25；　08：41.7，25；　09：41.8，25；
10：41.8，25；　11：42.0，25；　12：42.0，25；
13：41.7，25；　14：41.8，25；　15：41.8，25；
16：41.8，25；　17：41.8，25；　18：41.8，25；
19：41.8，25；　20：41.8，25；　21：31.6，17。
2.3　卷軸裝。首殘尾全。背有古代裱補。有烏絲欄。
2.4　本遺書包括 3 個文獻：（一）《黃仕強傳》，47 行，今編為 BD02921 號 1。（二）《普賢菩薩說證明經》，175 行，今編為 BD02921 號 2。（三）《證香火本因經》，287 行，今編為 BD02921 號 3。
3.4　説明：
本文獻首 5 行上殘，尾全。是關於《普賢菩薩說證明經》的感應興敬故事。在敦煌遺書中，一般置於《普賢菩薩說證明經》及《佛說證香火本因經》的首部，一併流通。未為歷代大藏經所收。
8　8～9 世紀。吐蕃統治時期寫本。
9.1　楷書。

11　圖版：《敦煌寶藏》，109/524A～534B。

1.1　BD02921 號 2
1.3　普賢菩薩說證明經
1.4　陽 021
1.5　298:8290
2.4　本遺書由 3 個文獻組成，本號為第 2 個，175 行。餘參見 BD02921 號 1 之第 2 項、第 11 項。
3.1　首全→大正 2879，85/1362C13。
3.2　尾全→85/1364C18。
4.1　普賢菩薩說證明經（首）。
8　8～9 世紀。吐蕃統治時期寫本。
9.1　楷書。

1.1　BD02921 號 3
1.3　證香火本因經
1.4　陽 021
1.5　298:8290
2.4　本遺書由 3 個文獻組成，本號為第 3 個，287 行。餘參見 BD02921 號 1 之第 2 項、第 11 項。
3.1　首全→大正 2879，85/1364C20。
3.2　尾全→85/1368B18。
3.4　說明：
在敦煌遺書中，本文獻始終置於《佛說證香火本因經》之後，與《佛說證香火本因經》一併流通。為體現《佛說證香火本因經》的結構，本目錄予以單獨著錄。
4.1　佛說證香火本因經第二（首）。
4.2　佛說證明經（尾）。
8　8～9 世紀。吐蕃統治時期寫本。
9.1　楷書。

1.1　BD02922 號
1.3　妙法蓮華經（八卷本）卷七
1.4　陽 022
1.5　105:6158
2.1　632.1×25 厘米；14 紙；共 385 行，行 17 字。
2.2　01：35.0，21；　02：46.0，28；　03：46.5，28；
04：46.5，28；　05：46.2，28；　06：46.2，28；
07：46.2，28；　08：46.2，28；　09：46.2，28；
10：46.2，28；　11：46.2，28；　12：46.2，28；
13：46.0，28；　14：42.5＋3.5，28。
2.3　卷軸裝。首尾均殘。經黄紙。卷首殘碎嚴重。通卷下邊殘爛。尾紙有竪裂。脫落為兩截，一截為前 12 紙，一截為後 2 紙，可以綴接。有烏絲欄。已修整，有若干脫落殘片附在卷首，後配《趙城金藏》木軸。
3.1　首殘→大正 262，9/51C4。
3.2　尾 2 行下殘→9/56B26～27。
5　本卷與《大正藏》本對照，分卷不同，相當於卷六第二十品尾及二十一、二十二、二十三品和卷七第二十四品。為八卷本之卷七。
8　7～8 世紀。唐寫本。
9.1　楷書。
11　圖版：《敦煌寶藏》，97/145A～151A、96/58A～59A。
《敦煌劫餘錄》將本號脫落的兩截作爲兩號著錄，故前 12 紙的縮微膠卷號為 105:6158；後 2 紙的縮微膠卷號為 105:5930。《敦煌寶藏》之圖版也分作兩處。

1.1　BD02923 號
1.3　梵網經盧舍那佛說菩薩心地戒品第十卷下
1.4　陽 023
1.5　143:6762
2.1　（6＋48）×25.4 厘米；2 紙；共 31 行，行 17 字。
2.2　01：06.0，03；　02：48.0，28。
2.3　卷軸裝。首殘尾脫。經黄打紙，研光上蠟。尾紙下部破裂。背有古代裱補。有烏絲欄。
3.1　首 3 行中下殘→大正 1484，24/1008A19～22。
3.2　尾殘→24/1008B20。
6.2　尾→BD03097 號
8　7～8 世紀。唐寫本。
9.1　楷書。
11　圖版：《敦煌寶藏》，101/516B～517A。

1.1　BD02924 號
1.3　妙法蓮華經卷二
1.4　陽 024
1.5　105:4921
2.1　（3.1＋289）×28.2 厘米；6 紙；共 165 行，行 17 字。
2.2　01：3.1＋40.6，25；　02：49.5，28；　03：49.3，28；
04：49.6，28；　05：49.4，28；　06：50.6，28。
2.3　卷軸裝。首尾均殘。上下邊有殘裂。背有古代裱補。有烏絲欄。
3.1　首 2 行上殘→大正 262，9/13C11。
3.2　尾殘→9/16A25。
8　8 世紀。唐寫本。
9.1　楷書。
11　圖版：《敦煌寶藏》，87/235B～239B。

1.1　BD02925 號
1.3　梵網經盧舍那佛說菩薩心地戒品第十卷下
1.4　陽 025
1.5　143:6752
2.1　（90＋5）×25.4 厘米；2 紙；共 56 行，行 17 字。
2.2　01：48.0，28；　02：42＋5，28。
2.3　卷軸裝。首尾均殘。經黄打紙，研光上蠟。背有古代裱補。

有烏絲欄。
3.1　首殘→大正 1484，24/1007B13。
3.2　尾 3 行上中殘→24/1008A19～22。
6.1　首→BD02822 號。
6.2　尾→BD02923 號。
8　7～8 世紀。唐寫本。
9.1　楷書。
11　圖版：《敦煌寶藏》，101/479B～480B。

1.1　BD02926 號
1.3　妙法蓮華經卷三
1.4　陽 026
1.5　105:5035
2.1　（229.2＋5.6）×25.3 厘米；6 紙；共 120 行，行 16～18 字。
2.2　01：17.0，護首；　02：49.8，27；　03：50.6，28；
04：50.6，28；　05：50.5，29；　06：10.7＋5.6，08。
2.3　卷軸裝。首全尾殘。經黄打紙，紙張油污變色。有護首，下部殘缺，護首上有經名題簽，有經名及經名號。卷後部殘破嚴重。背有古代裱補。有烏絲欄。
3.1　首全→大正 262，9/19A14。
3.2　尾 2 行殘→9/20C11～12。
4.1　妙法蓮華經藥草喻品第五，三（首）。
7.3　第 5 紙末行及尾紙上邊有雜寫。尾紙背端有姓氏雜寫“張王李曹張趙”。
7.4　護首有題簽經名“妙法蓮華經卷第三”，上有經名號。
8　7～8 世紀。唐寫本。
9.1　楷書。
11　圖版：《敦煌寶藏》，88/342B～346A。

1.1　BD02927 號
1.3　無量壽宗要經
1.4　陽 027
1.5　275:7779
2.1　159.5×32.5 厘米；4 紙；共 112 行，行 30 餘字。
2.2　01：46.5，33；　02：46.5，33；　03：46.5，33；
04：20.0，13。
2.3　卷軸裝。首尾均全。第 2、3 紙接縫處下部開裂。有烏絲欄。
3.1　首全→大正 936，19/82A3。。
3.2　尾全→19/84C29。
4.1　大乘無量壽經（首）。
4.2　佛說無量壽宗要經（尾）。
8　8～9 世紀。吐蕃統治時期寫本。
9.1　楷書。
11　圖版：《敦煌寶藏》，107/584A～586A。

1.1　BD02928 號
1.3　妙法蓮華經卷二
1.4　陽 028
1.5　105:4886
2.1　（4＋140.8＋2.8）×28 厘米；4 紙；共 83 行，行 17 字。
2.2　01：4＋45.7，28；　02：49.3，28；　03：45.8，26；
04：02.8，01。
2.3　卷軸裝。首尾均殘。第 3、4 紙接縫處上開裂。有烏絲欄。
3.1　首 2 行上殘→大正 262，9/12C10～11。
3.2　尾行下殘→9/13C11。
8　8 世紀。唐寫本。
9.1　楷書。
11　圖版：《敦煌寶藏》，87/162A～163B。

1.1　BD02929 號
1.3　妙法蓮華經卷一
1.4　陽 029
1.5　105:4560
2.1　（31.3＋669.2）×26 厘米；15 紙；共 399 行，行 17 字。
2.2　01：31.3＋17.3，28；　02：48.9，28；　03：49.0，28；
04：49.0，28；　05：49.0，28；　06：49.0，28；
07：48.9，28；　08：48.9，28；　09：48.9，28；
10：48.8，28；　11：49.0，28；　12：48.9，28；
13：48.9，28；　14：48.7，28；　15：16.0，07。
2.3　卷軸裝。首殘尾全。經黄紙。首尾數紙上邊有火灼殘損，卷前部有火灼等距殘洞，接縫處多有開裂，卷尾殘破。有烏絲欄。
3.1　首 18 行中下殘→大正 262，9/3B7～C2。
3.2　尾全→9/10B21。
4.2　妙法蓮華經卷第一（尾）。
8　7～8 世紀。唐寫本。
9.1　楷書。
11　圖版：《敦煌寶藏》，84/452B～463B。

1.1　BD02930 號
1.3　妙法蓮華經卷三
1.4　陽 030
1.5　105:5153
2.1　387×26.2 厘米；8 紙；共 224 行，行 17 字。
2.2　01：48.8，28；　02：48.4，28；　03：48.5，28；
04：48.2，28；　05：48.1，28；　06：48.3，28；
07：48.4，28；　08：48.3，28。
2.3　卷軸裝。首尾均脫。有烏絲欄。
3.1　首殘→大正 262，9/23B18。
3.2　尾殘→9/26C15。
8　8 世紀。唐寫本。
9.1　楷書。

11　圖版：《敦煌寶藏》，89/235B～240B。

1.1　BD02931 號
1.3　妙法蓮華經卷四
1.4　陽 031
1.5　105：5303
2.1　（2.5＋122.1＋7.5）×25.5 厘米；4 紙；共 80 行，行 17 字。
2.2　01：2.5＋17，12；　02：41.7，25；　03：41.9，25；
04：21.5＋7.5，18。
2.3　卷軸裝。首尾均殘。上下邊殘破。有烏絲欄。
3.1　首 2 行上中殘→大正 262，9/27C26～27。
3.2　尾 5 行上中殘→9/29A21～24。
8　7～8 世紀。唐寫本。
9.1　楷書。
11　圖版：《敦煌寶藏》，90/504A～505B。

1.1　BD02932 號
1.3　金剛般若波羅蜜經
1.4　陽 032
1.5　094：3569
2.1　（7.5＋480.5）×26.5 厘米；13 紙；共 265 行，行 18～20 字。
2.2　01：7.5＋27，17；　02：40.0，23；　03：40.5，23；
04：41.0，23；　05：41.0，23；　06：40.5，23；
07：40.0，23；　08：40.5，23；　09：41.0，23；
10：40.5，23；　11：40.5，23；　12：40.5，18；
13：07.5，拖尾。
2.3　卷軸裝。首殘尾全。通卷殘破。背有古代裱補。已修整。後配《趙城金藏》木軸。
3.1　首 3 行下殘→大正 235，8/748C23～27。
3.2　尾全→8/752C3。
4.2　金剛般若波羅蜜經（尾）。
7.3　卷背裱補紙上有藏文雜寫"Ku－tshe"等 2 處。
8　9～10 世紀。歸義軍時期寫本。
9.1　楷書。
11　從本號背面揭下古代裱補紙 2 塊，今編為 BD16099 號。
圖版：《敦煌寶藏》，78/581A～587A。

1.1　BD02933 號
1.3　金光明最勝王經卷四
1.4　陽 033
1.5　083：1691
2.1　（245.4＋4）×26.5 厘米；6 紙；共 142 行，行 17 字。
2.2　01：44.0，25；　02：43.9，25；　03：43.8，25；
04：43.7，25；　05：43.8，25；　06：26.2＋4，17。
2.3　卷軸裝。首脱尾殘。有烏絲欄。
3.1　首殘→大正 665，16/419C6。
3.2　尾 2 行上殘→16/421B11～14。
8　7～8 世紀。唐寫本。
9.1　楷書。
11　圖版：《敦煌寶藏》，69/292B～295B。

1.1　BD02934 號
1.3　大乘稻竿經隨聽疏
1.4　陽 034
1.5　059：0491
2.1　（3.5＋357.7）×27.5 厘米；9 紙；正面 216 行，行字不等。背面 114 行，行約 24 字。
2.2　01：3.5＋36，26；　02：40.0，26；　03：40.0，25；
04：40.2，24；　05：40.0，25；　06：40.0，24；
07：40.0，23；　08：41.0，22；　09：40.5，21。
2.3　卷軸裝。首殘尾脱，間有烏絲欄。
2.4　本遺書包括 3 個文獻：（一）《大乘稻竿經隨聽疏》，216 行，抄寫在正面，今編為 BD02934 號。（二）《辯中邊論頌》，44 行，抄寫在背面，今編為 BD02934 號背 1。（三）《四分律初分攝頌及戒本攝頌》，70 行，抄寫在背面，今編為 BD02934 號背 2。
3.1　首 2 行中下殘→大正 2782，85/549B23。
3.2　尾斷→85/554B27。
5　與《大正藏》本對照，文字略有不同，引用經文的地方有省略處。
8　8～9 世紀。吐蕃統治時期寫本。
9.1　行楷。
9.2　有行間校加字、校改。
11　圖版：《敦煌寶藏》，59/337B～345B。

1.1　BD02934 號背 1
1.3　辯中邊論頌
1.4　陽 034
1.5　059：0491
2.4　本遺書由 3 個文獻組成，本號為第 2 個，抄寫在背面，44 行。餘參見 BD02934 號之第 2 項、第 11 項。
3.1　首 2 行上中殘→大正 1601，31/478B7～9。
3.2　尾缺→31/479B27。
3.4　説明：
《辨修分位品第五》頌後，有文字兩行："略五支：一所依支，二自性支，三出離支，四利益支，/五無染支；廣七支。/"此文字應出於《辯中邊論卷中》，參見大正 1600，472/A21～26。
8　8～9 世紀。吐蕃統治時期寫本。
9.1　行楷。
9.2　有行間校加字。有倒乙。

1.1　BD02934 號背 2
1.3　四分律初分攝頌及戒本攝頌

1.4　陽 034
1.5　059:0491
2.4　本遺書由 3 個文獻組成，本號為第 3 個，抄寫在背面，70 行。餘參見 BD02934 號之第 2 項、第 11 項。
3.4　説明：
本文獻首尾均全。名稱雖為“四分律初分攝頌及戒本攝頌”，內容實為對這兩段攝頌的解説。未為歷代大藏經所收。
4.1　四分律初分攝頌及戒本攝頌一卷（首）。
7.3　背有雜寫“交元旦（?）故六智（?）”。
8　8 ~ 9 世紀。吐蕃統治時期寫本。
9.1　行書。

1.1　BD02935 號
1.3　無垢淨光大陀羅尼經
1.4　陽 035
1.5　236:7380
2.1　(7.2 + 88.7) × 27.3 厘米；2 紙；共 55 行，行 17 字。
2.2　01：7.2 + 41.1，27；　02：47.6，28。
2.3　卷軸裝。首殘尾脱。通卷上下有破裂殘損。卷背多鳥糞。有烏絲欄。
3.1　首 3 行下殘→大正 1024，19/717C5 ~ 9。
3.2　尾殘→19/718B4。
4.1　無垢淨光大陀羅尼經（首）。
8　9 ~ 10 世紀。歸義軍時期寫本。
9.1　楷書。
11　圖版：《敦煌寶藏》，105/659A ~ 660A。

1.1　BD02936 號
1.3　金有陀羅尼經
1.4　陽 036
1.5　234:7591
2.1　(7.8 + 80) × 26.3 厘米；2 紙；共 56 行，行 16 ~ 18 字。
2.2　01：7.8 + 36，28；　02：44.0，28。
2.3　卷軸裝。首全尾脱。卷首上下殘缺。有烏絲欄。
3.1　首 4 行下殘→大正 2910，85/1455C16 ~ 20。
3.2　尾殘→85/1456B17。
4.1　□［金］有陀羅尼經（首）。
7.3　卷首背面有藏文雜寫。
8　8 ~ 9 世紀。吐蕃統治時期寫本。
9.1　楷書。
9.2　有行間校加字。
11　圖版：《敦煌寶藏》，107/63A ~ 64A。

1.1　BD02937 號
1.3　金剛般若波羅蜜經
1.4　陽 037
1.5　094:3636
2.1　(6.2 + 476.9) × 27 厘米；12 紙；共 294 行，行 17 字。
2.2　01：6.2 + 12.2，12；　02：41.5，26；　03：42.4，26；
04：42.5，26；　05：42.3，26；　06：42.5，26；
07：42.4，26；　08：42.5，26；　09：42.4，26；
10：42.4，26；　11：42.3，26；　12：41.5，22。
2.3　卷軸裝。首殘尾全。經黄紙。前 3 紙上部有等距離黴爛。有燕尾。有烏絲欄。
3.1　首 4 行上下殘→大正 235，8/749A4 ~ 7。
3.2　尾全→8/752C3。
4.2　金剛般若波羅蜜經（尾）。
8　7 ~ 8 世紀。唐寫本。
9.1　楷書。
11　圖版：《敦煌寶藏》，79/265B ~ 271B。

1.1　BD02938 號
1.3　大般若波羅蜜多經卷一〇〇
1.4　陽 038
1.5　084:2268
2.1　(15.5 + 718.4) × 25.7 厘米；17 紙；共 444 行，行 17 字。
2.2　01：15.5 + 21，24；　02：46.0，28；　03：46.2，28；
04：46.0，28；　05：46.0，28；　06：45.7，28；
07：46.0，28；　08：45.5，28；　09：46.0，28；
10：45.8，28；　11：45.8，28；　12：45.8，28；
13：46.0，28；　14：45.8，28；　15：45.8，28；
16：45.5，27；　17：09.5，01。
2.3　卷軸裝。首殘尾全。卷首殘破嚴重。尾有原軸，鑲亞腰形軸頭，軸頭塗紫紅色漆。背有古代裱補。有烏絲欄。
3.1　首 10 行下殘→大正 220，5/552C6 ~ 16。
3.2　尾全→5/557C17。
4.2　大般若波羅蜜多經卷第一百（尾）。
8　8 ~ 9 世紀。吐蕃統治時期寫本。
9.1　楷書。
9.2　有行間校加字。
11　圖版：《敦煌寶藏》，72/487A ~ 496B。

1.1　BD02939 號
1.3　無量壽宗要經
1.4　陽 039
1.5　275:8004
2.1　(20.5 + 182.5 + 2) × 31，5 紙；共 136 行，行 30 餘字。
2.2　01：20.5 + 15，24；　02：42.5，28；　03：42.5，28；
04：42.5，28；　05：40.5 + 2，28。
2.3　卷軸裝。首尾均殘。前 2 紙殘破。第 3 紙有横向破裂。脱落 1 塊殘片，已綴接。有烏絲欄。已修整。
3.1　首 13 行上下殘→大正 936，19/82A5 ~ B2。
3.2　尾殘→19/84C29。
4.2　□…□宗要經（尾）。

7.3　尾紙末有題名"張清"。
8　8～9世紀。吐蕃統治時期寫本。
9.1　行楷。
11　圖版:《敦煌寶藏》,108/494A～496B。

1.1　BD02940號
1.3　維摩詰所說經卷中
1.4　陽040
1.5　070:0073
2.1　(9+589)×27厘米;14紙;共364行,行21～24字。
2.2　01:9+21,19;　02:44.0,28;　03:44.0,27;
04:44.0,27;　05:44.5,27;　06:44.5,27;
07:44.0,27;　08:44.5,27;　09:44.5,27;
10:44.5,27;　11:44.5,27;　12:44.5,27;
13:44.5,27;　14:36.0,20。
2.3　卷軸裝。首殘尾全。卷首殘破嚴重,接縫處有開裂,尾紙有殘洞。背有古代裱補。上下邊為刻劃欄,竪欄為折疊欄。
3.1　首6行殘→大正475,14/545A28～B6。
3.2　尾全→14/551C27。
4.2　維摩詰經卷中(尾)。
7.3　卷尾背有《歎十無常》雜寫兩處:"歎十無常:第一景色無常,/千般媚景。/""歎十無。"
8　8～9世紀。吐蕃統治時期寫本。
9.2　有行間校加字。
9.1　楷書。
11　圖版:《敦煌寶藏》,65/62A～70A。

1.1　BD02941號
1.3　妙法蓮華經(八卷本)卷四
1.4　陽041
1.5　105:5318
2.1　533.2×25厘米;12紙;共320行,行17字。
2.2　01:46.0,28;　02:45.8,28;　03:45.8,28;
04:45.8,28;　05:45.8,28;　06:45.8,28;
07:45.8,28;　08:45.8,28;　09:45.8,28;
10:46.0,28;　11:45.8,28;　12:29.0,12。
2.3　卷軸裝。首脱尾全。經黄紙。第9紙有殘洞。有燕尾。有烏絲欄。
3.1　首殘→大正262,9/30A7。
3.2　尾全→9/34B22。
4.2　妙法蓮華經卷第四(尾)。
5　與《大正藏》本對照,分卷不同。相當於《大正藏》授學無學人記品第九後部分至見寶塔品第十一。為八卷本。
8　7～8世紀。唐寫本。
9.1　楷書。
11　圖版:《敦煌寶藏》,90/629A～636A。

1.1　BD02942號
1.3　金剛般若波羅蜜經
1.4　陽042
1.5　094:4295
2.1　(21+170.8)×26.5厘米;5紙;共100行,行17字。
2.2　01:21+6.1,14;　02:50.8,28;　03:51.0,28;
04:50.8,28;　05:12.1,02。
2.3　卷軸裝。首殘尾全。經黄紙。第4、5紙接縫處上端裂開。卷尾上下有蟲繭。有烏絲欄。
3.1　首11行上下殘→大正235,8/751B7～B17。
3.2　尾全→8/752C3。
4.2　金剛般若波羅蜜經(尾)。
8　7～8世紀。唐寫本。
9.1　楷書。
11　圖版:《敦煌寶藏》,82/601A～604A。

1.1　BD02943號
1.3　大乘百法明門論開宗義記疏(擬)
1.4　陽043
1.5　209:7246
2.1　43×27.5厘米;1紙;共23行,行18～19字。
2.3　卷軸裝。首尾均脱。卷面有竪向破裂。
3.4　説明:

本文獻首尾均殘。與《大乘百法明門論開宗義決》(大正2812)均為對《大乘百法明門論開宗義記》(大正2810)的疏釋。未為歷代大藏經所收。

8　9～10世紀。歸義軍時期寫本。
9.1　行楷。
11　圖版:《敦煌寶藏》,105/87B。

1.1　BD02944號
1.3　金剛般若波羅蜜經
1.4　陽044
1.5　094:4370
2.1　49×27.5厘米;1紙;共28行,行17字。
2.3　卷軸裝。首尾均脱。有烏絲欄。
3.1　首殘→大正235,8/752A3。
3.2　尾殘→8/752B8。
8　9～10世紀。歸義軍時期寫本。
9.1　楷書。
11　圖版:《敦煌寶藏》,83/69B～70A。

1.1　BD02945號
1.3　大般若波羅蜜多經卷一九三
1.4　陽045
1.5　084:2480
2.1　(3.4+229.8)×26厘米;5紙;共138行,行17字。

2.2 01：3.4+41，26； 02：47.3，28； 03：47.1，28；
04：47.3，28； 05：47.1，28。
2.3 卷軸裝。首殘尾脱。卷首殘破嚴重。卷尾有蟲繭。有烏絲欄。
3.1 首行中殘→大正220，5/1033B13。
3.2 尾殘→5/1035A7。
4.1 大般若波羅蜜多經卷第一百九十三，/初分難信解品第卌四之十二，三藏法師玄奘奉詔譯/（首）。
8 8～9世紀。吐蕃統治時期寫本。
9.1 楷書。
11 圖版：《敦煌寶藏》，73/435B～438B。

1.1 BD02946號
1.3 妙法蓮華經卷二
1.4 陽046
1.5 105:4936
2.1 （7.7+87.9）×26.4厘米；3紙；共52行，行16字（偈）。
2.2 01：04.4，02； 02：3.3+42.1，25； 03：45.8，25。
2.3 卷軸裝。首殘尾脱。卷首殘破嚴重，第2紙有破裂殘損。有烏絲欄。
3.1 首4行下殘→大正262，9/14C22～27。
3.2 尾殘→9/15C4。
8 8世紀。唐寫本。
9.1 楷書。
11 圖版：《敦煌寶藏》，87/261B～263A。

1.1 BD02947號
1.3 妙法蓮華經卷一
1.4 陽047
1.5 105:4544
2.1 （2.7+803.9）×26.8厘米；18紙；共436行，行17字。
2.2 01：2.7+43，25； 02：45.8，25； 03：45.9，25；
04：45.9，25； 05：45.9，25； 06：45.9，25；
07：46.0，25； 08：45.9，25； 09：45.8，25；
10：46.0，25； 11：46.0，25； 12：45.7，25；
13：46.0，25； 14：45.9，25； 15：46.0，25；
16：45.7，25； 17：43.5，24； 18：29.0，12。
2.3 卷軸裝。首殘尾全。卷面有殘洞。尾有原軸，兩端塗棕色漆。有烏絲欄。
3.1 首殘→大正262，9/2C10～11。
3.2 尾全→9/10B21。
4.2 妙法蓮華經卷第一（尾）。
7.1 首紙背有勘記："法華經卷第一"。
8 9～10世紀。歸義軍時期寫本。
9.1 楷書。
11 圖版：《敦煌寶藏》，84/297A～307B。

1.1 BD02948號
1.3 妙法蓮華經卷二
1.4 陽048
1.5 105:4706
2.1 1052.9×25.8厘米；23紙；共594行，行17字。
2.2 01：13.4，護首； 02：46.9，27； 03：47.9，28；
04：48.1，28； 05：48.3，28； 06：48.7，28；
07：48.7，28； 08：48.7，28； 09：48.5，28；
10：48.6，28； 11：48.9，28； 12：48.6，28；
13：48.7，28； 14：48.8，28； 15：48.7，28；
16：48.8，28； 17：48.7，28； 18：48.7，28；
19：49.0，28； 20：49.1，28； 21：48.8，28；
22：48.2，28； 23：20.1，07。
2.3 卷軸裝。首尾均全。有護首，護首有殘損。卷首有等距離殘洞。卷上部有水漬黴斑。尾有蟲繭。有燕尾。有烏絲欄。
3.1 首全→大正262，9/10B24。
3.2 尾全→9/19A12。
4.1 妙法蓮華經譬喻品第三，二（首）。
4.2 妙法蓮華經卷第二（尾）。
8 8～9世紀。吐蕃統治時期寫本。
9.1 楷書。
11 圖版：《敦煌寶藏》，85/348A～362A。

1.1 BD02949號
1.3 妙法蓮華經卷二
1.4 陽049
1.5 105:4917
2.1 （10+38.2+5.7）×26.4厘米；2紙；共28行，行17字。
2.2 01：10+29.3，21； 02：8.9+5.7，7。
2.3 卷軸裝。首尾均殘。有烏絲欄。
3.1 首5行下殘→大正262，9/13B20～25。
3.2 尾2行上中殘→9/13C19～21。
8 8世紀。唐寫本。
9.1 楷書。
11 圖版：《敦煌寶藏》，87/228B～229A。

1.1 BD02950號
1.3 維摩詰所説經卷上
1.4 陽050
1.5 070:0019
2.1 （47+1.5）×26厘米；1紙；共28行，行17字。
2.3 卷軸裝。首尾均殘。尾有横破裂。有烏絲欄。
3.1 首殘→大正475，14/541A15。
3.2 尾殘→14/541B15～16。
8 9～10世紀。歸義軍時期寫本。
9.1 楷書。
11 圖版：《敦煌寶藏》，64/396。

1.1　BD02951 號
1.3　妙法蓮華經卷二
1.4　陽 051
1.5　105:4737
2.1　(4.1+776.2)×26.2 厘米；19 紙；共 521 行，行 18～20 字。
2.2　01：4.1+14.3，13；　02：50.4，34；　03：50.4，33；
04：35.9，24；　05：11.9，08；　06：50.2，34；
07：50.5，34；　08：50.2，34；　09：50.2，34；
10：50.5，34；　11：50.4，34；　12：49.9，34；
13：35.2，24；　14：11.9，07；　15：49.9，34；
16：45.7，31；　17：49.7，34；　18：50.2，34；
19：18.8，07。
2.3　卷轴装。首殘尾全。卷前部有殘洞、殘損。通卷下邊焦殘。尾有原軸，兩端塗棕色漆。有烏絲欄。
3.1　首 3 行上下殘→大正 262，9/11B21～24。
3.2　尾全→9/19A12。
4.2　妙法蓮華經卷第二（尾）。
8　9～10 世紀。歸義軍時期寫本。
9.1　楷書。
11　圖版：《敦煌寶藏》，86/106A～116A。

1.1　BD02952 號
1.3　觀察諸法行經卷二
1.4　陽 052
1.5　393:8526
2.1　(3.5+71)×26 厘米；3 紙；共 44 行，行 14 字。
2.2　01：3.5+26.5，18；　02：41.5，25；　03：03.0，01。
2.3　卷轴装。首尾均殘。上下邊破損，第 2 紙有殘洞。卷首背有蟲繭。有烏絲欄。
3.1　首 2 行中下殘→大正 649，15/733A7～8。
3.2　尾殘→15/733B21。
8　8 世紀。唐寫本。
9.1　楷書。
11　圖版：《敦煌寶藏》，110/510A～511A。

1.1　BD02953 號
1.3　維摩詰所說經卷上
1.4　陽 053
1.5　070:0881
2.1　(789.5+40)×25.5 厘米；17 紙；共 444 行，行 18 字。
2.2　01：41.5，22；　02：52.0，28；　03：52.0，28；
04：52.0，28；　05：52.0，28；　06：52.0，28；
07：52.0，28；　08：52.0，28；　09：52.0，28；
10：52.0，28；　11：52.0，28；　12：52.0，28；
13：52.0，28；　14：52.0，28；　15：52.0，28；
16：20+31，28；　17：09.0，02。
2.3　卷轴装。首斷尾全。經黄打紙。卷中有殘裂，卷尾下部殘缺，接縫處有開裂。卷背有鳥糞。背有古代裱補。有烏絲欄。
3.1　首殘→大正 475，14/538C9。
3.2　尾 18 行下殘→14/544A2～19。
4.2　維摩詰經卷上（尾）。
8　7～8 世紀。唐寫本。
9.1　楷書。
11　圖版：《敦煌寶藏》，63/422B～434A。

新舊編號對照表

一、千字文號與北敦號、縮微膠卷號對照表

千字文號	北敦號	縮微膠卷號
調 074	BD02874 號	156: 6840
調 075	BD02875 號	083: 1973
調 076	BD02876 號	038: 0369
調 077	BD02877 號	084: 2322
調 078	BD02878 號 1	143: 6773
調 078	BD02878 號 2	143: 6773
調 078	BD02878 號 3	143: 6773
調 079	BD02879 號	083: 1753
調 080	BD02880 號	084: 2326
調 081	BD02881 號	305: 8310
調 082	BD02882 號	083: 1857
調 083	BD02883 號	084: 2319
調 084	BD02884 號	399: 8534
調 085	BD02885 號	094: 3552
調 086	BD02886 號	117: 6575
調 087	BD02887 號	070: 1184
調 088	BD02888 號	419: 8581
調 089	BD02889 號	341: 8394
調 090	BD02890 號	143: 6768
調 091	BD02891 號	275: 7778
調 092	BD02892 號	084: 2153
調 093	BD02893 號	105: 5300
調 094	BD02894 號	006: 0092
調 095	BD02895 號	084: 3265
調 096	BD02896 號	084: 3404
調 097	BD02897 號	088: 3464
調 098	BD02898 號	161: 6990
調 099	BD02899 號	094: 3881
調 100	BD02900 號	070: 1072
陽 001	BD02901 號	218: 7277
陽 002	BD02902 號	030: 0273
陽 003	BD02903 號	105: 5852
陽 004	BD02904 號	037: 0333
陽 005	BD02905 號	275: 8003

千字文號	北敦號	縮微膠卷號
陽 006	BD02906 號	094: 4269
陽 007	BD02907 號	105: 5146
陽 008	BD02908 號	461: 8692
陽 009	BD02909 號	250: 7485
陽 010	BD02910 號	063: 0615
陽 011	BD02911 號	083: 1886
陽 012	BD02912 號	094: 3674
陽 013	BD02913 號	105: 5806
陽 014	BD02914 號	105: 5210
陽 015	BD02915 號	094: 4068
陽 016	BD02916 號	094: 3564
陽 017	BD02917 號	105: 5631
陽 018	BD02918 號	156: 6878
陽 018	BD02918 號背 1	156: 6878
陽 018	BD02918 號背 2	156: 6878
陽 018	BD02918 號背 3	156: 6878
陽 018	BD02918 號背 4	156: 6878
陽 018	BD02918 號背 5	156: 6878
陽 018	BD02918 號背 6	156: 6878
陽 019	BD02919 號	094: 3781
陽 020	BD02920 號	461: 8717
陽 020	BD02920 號背	461: 8717
陽 021	BD02921 號 1	298: 8290
陽 021	BD02921 號 2	298: 8290
陽 021	BD02921 號 3	298: 8290
陽 022	BD02922 號	105: 5930
陽 022	BD02922 號	105: 6158
陽 023	BD02923 號	143: 6762
陽 024	BD02924 號	105: 4921
陽 025	BD02925 號	143: 6752
陽 026	BD02926 號	105: 5035
陽 027	BD02927 號	275: 7779
陽 028	BD02928 號	105: 4886
陽 029	BD02929 號	105: 4560

陽 030	BD02930 號	105：5153	陽 041	BD02941 號	105：5318
陽 031	BD02931 號	105：5303	陽 042	BD02942 號	094：4295
陽 032	BD02932 號	094：3569	陽 043	BD02943 號	209：7246
陽 033	BD02933 號	083：1691	陽 044	BD02944 號	094：4370
陽 034	BD02934 號	059：0491	陽 045	BD02945 號	084：2480
陽 034	BD02934 號背 1	059：0491	陽 046	BD02946 號	105：4936
陽 034	BD02934 號背 2	059：0491	陽 047	BD02947 號	105：4544
陽 035	BD02935 號	236：7380	陽 048	BD02948 號	105：4706
陽 036	BD02936 號	234：7591	陽 049	BD02949 號	105：4917
陽 037	BD02937 號	094：3636	陽 050	BD02950 號	070：0019
陽 038	BD02938 號	084：2268	陽 051	BD02951 號	105：4737
陽 039	BD02939 號	275：8004	陽 052	BD02952 號	393：8526
陽 040	BD02940 號	070：0073	陽 053	BD02953 號	070：0881

二、縮微膠卷號與北敦號、千字文號對照表

縮微膠卷號	北敦號	千字文號	縮微膠卷號	北敦號	千字文號
006：0092	BD02894 號	調 094	094：3564	BD02916 號	陽 016
030：0273	BD02902 號	陽 002	094：3569	BD02932 號	陽 032
037：0333	BD02904 號	陽 004	094：3636	BD02937 號	陽 037
038：0369	BD02876 號	調 076	094：3674	BD02912 號	陽 012
059：0491	BD02934 號	陽 034	094：3781	BD02919 號	陽 019
059：0491	BD02934 號背 1	陽 034	094：3881	BD02899 號	調 099
059：0491	BD02934 號背 2	陽 034	094：4068	BD02915 號	陽 015
063：0615	BD02910 號	陽 010	094：4269	BD02906 號	陽 006
070：0019	BD02950 號	陽 050	094：4295	BD02942 號	陽 042
070：0073	BD02940 號	陽 040	094：4370	BD02944 號	陽 044
070：0881	BD02953 號	陽 053	105：4544	BD02947 號	陽 047
070：1072	BD02900 號	調 100	105：4560	BD02929 號	陽 029
070：1184	BD02887 號	調 087	105：4706	BD02948 號	陽 048
083：1691	BD02933 號	陽 033	105：4737	BD02951 號	陽 051
083：1753	BD02879 號	調 079	105：4886	BD02928 號	陽 028
083：1857	BD02882 號	調 082	105：4917	BD02949 號	陽 049
083：1886	BD02911 號	陽 011	105：4921	BD02924 號	陽 024
083：1973	BD02875 號	調 075	105：4936	BD02946 號	陽 046
084：2153	BD02892 號	調 092	105：5035	BD02926 號	陽 026
084：2268	BD02938 號	陽 038	105：5146	BD02907 號	陽 007
084：2319	BD02883 號	調 083	105：5153	BD02930 號	陽 030
084：2322	BD02877 號	調 077	105：5210	BD02914 號	陽 014
084：2326	BD02880 號	調 080	105：5300	BD02893 號	調 093
084：2480	BD02945 號	陽 045	105：5303	BD02931 號	陽 031
084：3265	BD02895 號	調 095	105：5318	BD02941 號	陽 041
084：3404	BD02896 號	調 096	105：5631	BD02917 號	陽 017
088：3464	BD02897 號	調 097	105：5806	BD02913 號	陽 013
094：3552	BD02885 號	調 085	105：5852	BD02903 號	陽 003

105：5930	BD02922 號	陽 022
105：6158	BD02922 號	陽 022
117：6575	BD02886 號	調 086
143：6752	BD02925 號	陽 025
143：6762	BD02923 號	陽 023
143：6768	BD02890 號	調 090
143：6773	BD02878 號 1	調 078
143：6773	BD02878 號 2	調 078
143：6773	BD02878 號 3	調 078
156：6840	BD02874 號	調 074
156：6878	BD02918 號	陽 018
156：6878	BD02918 號背 1	陽 018
156：6878	BD02918 號背 2	陽 018
156：6878	BD02918 號背 3	陽 018
156：6878	BD02918 號背 4	陽 018
156：6878	BD02918 號背 5	陽 018
156：6878	BD02918 號背 6	陽 018
161：6990	BD02898 號	調 098
209：7246	BD02943 號	陽 043
218：7277	BD02901 號	陽 001
234：7591	BD02936 號	陽 036
236：7380	BD02935 號	陽 035
250：7485	BD02909 號	陽 009
275：7778	BD02891 號	調 091
275：7779	BD02927 號	陽 027
275：8003	BD02905 號	陽 005
275：8004	BD02939 號	陽 039
298：8290	BD02921 號 1	陽 021
298：8290	BD02921 號 2	陽 021
298：8290	BD02921 號 3	陽 021
305：8310	BD02881 號	調 081
341：8394	BD02889 號	調 089
393：8526	BD02952 號	陽 052
399：8534	BD02884 號	調 084
419：8581	BD02888 號	調 088
461：8692	BD02908 號	陽 008
461：8717	BD02920 號	陽 020
461：8717	BD02920 號背	陽 020